TUDO SOBRE MODA

EDITORA GERAL
Marnie Fogg

PREFÁCIO
Valerie Steele

TUDO SOBRE MODA

SEXTANTE

Título original: *Fashion: The Whole Story*

Este livro foi produzido por:
Quintessence
226 City Road
London
EC1V 2TT

Impresso na China por Midas Printing Ltd.

Capa: Vestido Mondrian (1965), de Yves Saint Laurent / Interfoto / Alamy
Quarta capa: em cima, à esquerda: *Isabel de França* (*c.*1620), Rodrigo de Villandrando © Prado, Madri, Espanha / The Bridgeman Art Library; à direita: detalhe de *Cortesãs passeiam sob as cerejeiras em frente à casa de chá Daikokuya* (*c.*1789), Kitagawa Utamaro / © Brooklyn Museum / Corbis; embaixo, à esquerda: Simone D'Aillencourt num cafetã de Emilio Pucci (1967) / © Condé Nast Archive / Corbis; à direita: coleção prêt-à-porter de Kenzo (1984) / © Bettmann / Corbis.

Editor de projeto: Katharina Hahn
Editores: Becky Gee e Fiona Plowman
Designer: Alison Hau
Pesquisador iconográfico: Jo Walton
Gerente de produção: Anna Pauletti
Diretora editorial: Jane Laing
Publisher: Mark Fletcher

Produção editorial: Cristiane Pacanowski
Tradução: Fernanda Abreu, Ivo Korytowski e Débora Chaves
Revisão: Cristhiane Ruiz e Hermínia Totti
Revisão técnica: Flávio Sabrá e Deborah Christo
Adaptação de capa e pré-impressão: Ana Paula Daudt Brandão
Diagramação: Marcia Raed

CIP-BRASIL. CATALOGAÇÃO NA PUBLICAÇÃO
SINDICATO NACIONAL DOS EDITORES DE LIVROS, RJ

F69t

Fogg, Marnie
Tudo sobre moda / editora geral: Marnie Fogg; tradução Débora Chaves, Fernanda Abreu, Ivo Korytowski. – Rio de Janeiro: Sextante, 2013.
576 p.: il.; 17,2 x 24,5cm

Tradução de: *Fashion: The whole story*
ISBN 978-85-7542-956-3

1. Fogg, Marnie. 2. Moda – História. I. Título.

13-02150 CDD: 391.009
CDU: 391

GMT Editores Ltda.
Rua Voluntários da Pátria, 45/1.404 – Botafogo
22270-000 – Rio de Janeiro – RJ
Tel.: (21) 2538-4100 – Fax: (21) 2286-9244
E-mail: atendimento@esextante.com.br
http://www.sextante.com.br

SUMÁRIO

PREFÁCIO

Será possível dizer "tudo" sobre moda? Trata-se de um conceito muito complexo, que não se aplica apenas às roupas, mas também a ideias e até a nomes próprios. Na realidade, a moda parece ser uma espécie de mecanismo geral que diz respeito a inúmeros aspectos da vida moderna, sobretudo àqueles relacionados ao gosto. Por exemplo, assim como não usamos as mesmas roupas de nossos pais e avós, tampouco escutamos a mesma música. É útil lembrar que a palavra "moda" em inglês – *fashion* – é também um verbo, "moldar", ou seja: confeccionar algo de uma forma específica. Não é só por meio da escolha das roupas que moldamos nossa aparência, mas também com penteados, linguagens corporais e comportamentos específicos. É claro que as mudanças no modo de fabricação de objetos como as roupas estão vinculadas a transformações socioeconômicas mais amplas, mas há também outros fatores causais, como as inovações no próprio campo da criação de roupas ou as escolhas individuais.

Mesmo que se defina "moda" no sentido mais estrito – o estilo predominante no vestir, sujeito a mudanças (ou seja, os trajes da moda) –, talvez ainda assim seja impossível dizer tudo, pois o assunto engloba uma quantidade imensa e em constante expansão de informações relacionadas a novos criadores, novas tendências, novas coleções e ideias. Além disso, os estudiosos nem sequer conseguem chegar a um consenso sobre quando começou a moda ou como ela pode ser diferenciada de outros tipos de indumentária ou adorno.

As histórias da moda geralmente começam com um inventário dos estilos de vestir da Grécia e da Roma antigas (a partir de *c.*500 a.C.), mas podem, de maneira igualmente válida, começar na China, na Índia ou no Egito antigos. Populações em diferentes partes do mundo desenvolveram estilos distintos de indumentária e adorno que em geral permaneceram relativamente estáveis por longos períodos. A ascensão do capitalismo na Europa do século XIV ajudou a criar uma nova ênfase em um padrão regular de mudanças na forma de se confeccionar as roupas. É nesse período que se identifica habitualmente o "início" da moda. Em anos recentes, porém, estudiosos apontaram que um fenômeno semelhante à moda também existia em diversos países não europeus. Na China da dinastia Tang, por exemplo, já no século VII havia fábricas que produziam complexos tecidos de seda usados na confecção de uma grande variedade de estilos de traje, significativamente mutáveis ao longo do tempo e diferentes dos estilos das dinastias anteriores e das subsequentes.

Uma das características centrais da moda é o fato de se modificar com o tempo. Não estão claras, porém, a rapidez, a regularidade e a extensão necessárias nessas mudanças para que se possa qualificar o fenômeno de "moda". Talvez tenha sido apenas no século XVIII que os estilos de vestir regularmente mutáveis ("na moda") deixaram de ser um privilégio das pequenas elites e foram adotados pela maioria da população urbana da Europa ocidental. Em razão da história do capitalismo, imperialismo e colonialismo europeus, as modas ocidentais acabaram sendo introduzidas mundo afora. Mas os estilos também fizeram o caminho inverso, e o sistema da moda é hoje um fenômeno global.

A moda influencia muitos aspectos da vida, como arte, negócios, consumo, tecnologia, corpo, identidade, modernidade, globalização, mudança social, política e meio ambiente. Seus aspectos estéticos são muito importantes, e boa parte da literatura moderna sobre moda tem como foco estilistas e grifes específicos. Quer a moda possa ou não ser considerada uma "arte", os criadores de alta-costura são geralmente considerados seus principais artistas. Mas eles só fazem propor novos estilos: no fim das contas, quem decide o que está ou não na moda são os consumidores.

Como as roupas são usadas sobre o corpo e exprimem nosso gosto pessoal, desenvolvido em um contexto cultural específico, a moda desempenha um papel especialmente importante na noção de identidade do indivíduo. Ela é uma espécie de "segunda pele" que transmite aos outros uma ideia do que somos – ou do que gostaríamos de ser.

A moda é também uma indústria global multibilionária, que emprega uma quantidade imensa de mão de obra internacional. De fato, seria melhor concebê-la como uma rede de indústrias, uma vez que o sistema envolve todas as atividades, desde a produção das matérias-primas até a manufatura, a distribuição e o marketing de uma ampla gama de itens – de vestidos de gala de alta-costura a calças jeans. A moda não existe apenas na forma de objetos, mas também como imagem e significado. Além dos profissionais que criam as roupas, muitos outros – fotógrafos de moda, jornalistas especializados ou mesmo curadores de museu – criam e disseminam imagens e ideias que nos comunicam o que essas roupas específicas podem significar. De fato, às vezes se diz que o sistema da moda não consiste propriamente em vender roupas, e sim estilos de vida ou sonhos.

A moda já foi muitas vezes descartada como um tema trivial ou frívolo, indigno de qualquer abordagem mais séria. Nada poderia ser tão falacioso. Longe de ser um caleidoscópio de mudanças sem significado, a moda é uma parte crucial da sociedade e da cultura modernas.

VALERIE STEELE
DIRETORA DE MUSEU, CURADORA E ESCRITORA

INTRODUÇÃO

Originado do latim *modus*, literalmente “medida”, o termo “moda” passou a expressar valores tão diversos como conformidade e relações sociais, rebelião e excentricidade, aspiração social e status, sedução e encanto. O desejo de se vestir com elegância transcende as fronteiras históricas, culturais e geográficas, e embora forma e conteúdo possam variar, a motivação permanece a mesma: o adorno do corpo humano como uma expressão de identidade.

Cerca de 11 mil anos atrás, uma vez que a humanidade trocou sua existência caçadora-coletora por um modo de vida mais sedentário, necessidades fundamentais como abrigo, alimento e roupas foram transformadas em modos de expressão cultural e artística. Trajes confeccionados de peças de tecido demandavam uma moradia fixa e climas temperados para o cultivo das matérias-primas, como linho e algodão. As roupas de peles de animais usadas nas eras glaciais requeriam um procedimento de curtume para amaciar o couro, e o início do processo da alfaiataria foi definido pela moldagem do couro para se adaptar ao corpo e a subsequente invenção da agulha de costura. O fenômeno da moda emergiu destas duas fontes diversas: cortes baseados no desenvolvimento de peles de animais e trajes dependentes da forma retangular do tecido.

▼ Uma cópia romana datando de cerca de 40-60 a.C. da estátua de mármore original de Dioniso, deus da colheita da uva. A estátua teria sido encontrada em Posillipo, Campânia, Itália. Ao contrário da maioria das representações da época de Dioniso como um jovem ágil, o deus está fortemente envolto em tecido com uma coroa de heras e uma longa barba em estilo arcaico.

O traje das antigas civilizações dos assírios, egípcios, gregos e romanos dependia do método simples de drapejar e enrolar tecidos ao redor do corpo (à esquerda), fixados com uma fíbula (pequena fivela, fecho ou broche). O processo de tecelagem foi inicialmente um método de tufagem, e com essa técnica aplicada às bordas de um tecido criou-se um traje tipo xale, inicialmente usado por assírios dos dois sexos. O traje masculino foi substituído por uma túnica de mangas com uma padronagem ornada, bordados e adornos de joias, usada com uma cobertura típica da cabeça conhecida como barrete frígio. A seda era usada com lã e linho na Assíria, enquanto os egípcios achavam a lã impura e se limitavam ao linho. O vestuário hierárquico já existia nessa época: os escravos ficavam nus, e as roupas – feitas de linho enrijecido e pregueado – eram trajadas somente pelo estrato superior da sociedade, composto de reis e dignitários. O traje principal dos egípcios no período anterior a 1500 a.C., conhecido como Antigo Império, era o *schenti*, uma peça de pano usada em torno da cintura e fixada por um cinto. Durante o Novo Império, entre 1500 e 332 a.C., esse traje evoluiu para uma túnica semitransparente, longa e franjada, chamada *kalasiris*, usada sobre uma tanga. Para as mulheres, o traje ia até abaixo dos seios e era fixado com alças de ombro. Esse traje estilizado predominou por até 3 mil anos depois da conquista grega.

Tudo sobre moda começa com as roupas drapejadas, enroladas e amarradas dos gregos helênicos e romanos (ver p. 18), e fazendo distinção entre roupa comum e traje de moda. A vestimenta clássica, embora hierárquica, não estava sujeita à mudança da moda. Era uma forma de traje feito de um pedaço retangular de tecido, parcialmente costurado em túnicas simples. Porém, através da história do vestuário, trajes influenciados pela Antiguidade clássica foram considerados elegantes, ressurgindo na onda do século XIX do neoclassicismo e de novo no vestido de noite dos anos 1930 exemplificado pelos figurinos drapejados classicamente colunares da costureira parisiense Madame Grès (1903-1993; ver p. 250). Do mesmo modo, o traje profissional do fazendeiro inglês – uma sobrecamisa adornada volumosa em linho bruto e não tingido – não era considerado moda até ser adotado como tal pelas lojas londrinas Liberty & Co no início do século XX numa tentativa de recuperar os prazeres caseiros e as virtudes da Arcádia fantástica.

O conceito de roupa elegante costuma ser considerado específico à sociedade

ocidental, com raízes nas cortes reais do século XIV, quando o traje de camponês deu lugar à ênfase, de inspiração francesa, no contorno e corte e à implementação das técnicas de alfaiataria (acima). Refletindo uma sociedade hierárquica, diferentes estilos de roupas e tecidos eram negados à maioria da população pela imposição das leis suntuárias, um código de trajar que definia e atribuía a posição social através do tempo e dos continentes, da regulação do uso da seda durante o período Tokugawa japonês (1600-1868) aos Estatutos da Indumentária, emitidos em 1574 por Elizabeth I e seu Conselho Privado, que proibiram a todos, exceto duquesas, marquesas e condessas, o uso de certos materiais, como a zibelina, em seus trajes.

Vários historiadores consideram a industrialização da sociedade em meados do século XIX o ponto de partida da moda. Foi nessa época que os estilos elegantes passaram a ser prescritos pelo trabalho do costureiro ou estilista de moda. A costureira americana Elizabeth Hawes (1903-1971) descreveu essa teoria, em seu livro *Fashion Is Spinach* (1938), como "a lenda francesa" de que "todas as roupas bonitas são feitas nas casas dos costureiros franceses e todas as mulheres as desejam". Porém, teóricos atuais também reconhecem que ciclos de moda ocorrem no vestuário não ocidental, junto com o vestuário nacional e regional. Esse conceito é explorado em uma série de ensaios que examinam o traje de diferentes culturas, entre as quais as do sudoeste americano, da África e da Ásia. O vestuário em outras culturas, como China e Japão (ver p. 10), continua sendo influenciado e desenvolvido lado a lado com a moda ocidental contemporânea. O termo "quimono", significando "a coisa trajada", foi pela primeira vez empregado durante o período Meiji (1868-1912) – a primeira era de modernização do Japão – e foi apresentado em resposta à maior percepção do vestuário japonês pelo Ocidente após um período de isolamento imposto.

▲ A tapeçaria de Arras *Oferta do coração* (*c.*1400-1410) mostra um jovem cavaleiro com um manto de tecido escarlate. Seu manto foi tingido com o *graine de kermès*, um vermelho intenso considerado a cor mais prestigiosa e um símbolo do poder feudal. O objeto de sua paixão veste azul, cor associada à fidelidade.

Este livro também oferece algumas associações complexas. O consumismo ostentatório foi a razão do rigor monocromático da cartola masculina na Inglaterra vitoriana – representando a busca intencional de dinheiro numa Grã-Bretanha recém-industrializada –, assim como o vestido de corte suntuoso da Itália do século XIV representava o desejo por adornos esplêndidos utilizando as sedas luxuosas em que se baseava a riqueza de Veneza e Florença. A saia de anquinhas, tão larga que o vão das portas teve de ser alargado – estilo surgido na Espanha no século XVII antes de se difundir pela França e pelo resto da Europa –, ostentava a riqueza material e restringia o movimento somente às atividades da elite. Além disso, os avanços científicos explicaram certas modas: a invenção do amido na década de 1560 permitiu a circunferência enorme do rufo durante o Renascimento (ver p. 56). De forma semelhante, a invenção da crinolina de aço (ver p. 147), patenteada na Grã-Bretanha em 1856, foi responsável pela distorção da silhueta vitoriana (abaixo). Sir Walter Raleigh não poderia ter torneado sua panturrilha sem a invenção da máquina de tecer meias pelo reverendo William Lee em 1589, e a invenção das meias-calças na década de 1960 permitiu que a minissaia subisse ainda mais.

À medida que a moda ocidental se desenvolveu como resultado de um processo criativo e industrial no século XIX, o desejo de mudança se acelerou pela disseminação de informações sobre moda e o lançamento de revistas ilustradas de ampla circulação (ver p. 208). Avanços na produção e distribuição de trajes e a acessibilidade das novas lojas de departamentos resultante da melhoria dos transportes contribuíram para o aumento do consumo. Por longos períodos na história, a roupa elegante foi o único caminho das mulheres ao poder, como visto na corte de Luís XV no Palácio de Versalhes, quando os trajes *déshabillé* do toucador seduziam o rei, e o poder era conferido à amante por associação. Com o advento da Primeira Guerra Mundial, a saia *hobble* (com ajuste) lançada por Paul Poiret (1879-1944) e a silhueta torturada do espartilho em forma de "S" foram abandonadas em prol das roupas funcionais, de fácil uso, exemplificadas pela costureira francesa Coco Chanel (1883-1971), com conjuntos de cardigã simples, e por Jean Patou, com trajes influenciados pela roupa esportiva (1880-1936; ver p. 12). Elsa Schiaparelli (1890-1973) forneceu diversão com seus figurinos de inspiração surrealista (ver p. 262), e os estúdios de cinema de Hollywood durante a Grande Depressão dos anos

◄ Geralmente reconhecido como o traje nacional do Japão, o quimono é uma roupa simples em forma de "T" confeccionada de peças retangulares de tecido, formando uma manga de formato quadrado, com uma costura pespontada que permite uma pequena abertura para a mão. As bordas são acolchoadas, e um *sash*, ou obi, serve para prender o quimono em torno do corpo (*c*.1900).

▼ A circunferência da crinolina gaiola chegou ao auge na década de 1860, quando a crinolina de aço substituiu o volume anterior das pesadas anáguas usadas para dar volume. A largura da saia deixava a mulher indefesa e isolada, já que a parte superior de seu corpo se mostrava inalcançável.

► A moda dedicada à roupa esportiva emergiu após a Primeira Guerra Mundial, quando as mulheres celebraram uma recém-adquirida liberdade em uma sociedade cada vez mais relaxada e consumista. Esta roupa de banho listrada de duas peças do costureiro parisiense Jean Patou, datando de *c.*1928, é feita de malha de jérsei de lã, e a túnica à altura do quadril exibe a padronagem art déco geométrica então em voga.

1930 ofereceram escapismo, com o glamour do cetim branco e da pele de raposa de seus astros e o apelo andrógino de Marlene Dietrich (ver p. 266).

A moda costuma se inspirar em culturas diferentes e outras épocas. O desafio de confeccionar um traje tridimensional a partir de uma peça de tecido bidimensional envolve a manipulação de materiais que muitas vezes exigem técnicas bem antigas de cortar e moldar o pano. Os métodos de fixar uma manga ou uma saia a um corpete, ou utilizar as costuras que criam a bifurcação em uma calça, podem variar, mas não são infinitos. O costureiro parisiense Cristóbal Balenciaga (1895-1972; ver p. 306) aperfeiçoou a manga dólmã em meados do século XX, no auge da era de ouro da alta-costura. Cortada de modo a se integrar à parte de cima do vestido, mas permitindo a liberdade de movimento, deve sua origem ao casaco *dolmány* húngaro, derivado do manto *dolama* turco. O vestido de Rainha do Gelo de Sarah Burton para Alexander McQueen (2011; ver p. 516) lembra o retrato de Marcus Gheeraerts, da jovem Elizabeth I (*c.*1592), no qual a rainha usa um vestido com silhueta, manipulação do tecido e adornos impressionantemente parecidos. O rosto da rainha foi embranquecido com cerusa veneziana, um pó venenoso derivado do chumbo, enquanto a modelo contemporânea teve suas sobrancelhas branqueadas para obter o mesmo efeito.

Sejam confeccionados de forma complexa ou simples, podemos dizer que os trajes se tornam moda uma vez situados no contexto de uma cultura social, política e econômica, representando assim a estética da época. Na Europa e nos Estados Unidos de meados do século XX, uma revolução cultural ocorreu quando movimentos jovens rejeitaram a moda de seus pais e definiram seu próprio estilo. Modas afro-americanas, o rebelde dos anos 1950 em jaqueta de couro e jeans, o hippie e o preppy (tribo urbana) exemplificaram formas singulares de moda jovem. Embora tenha havido épocas e circunstâncias em que os dois sexos pareceram praticamente indistinguíveis, como durante a era permissiva da contracultura dos anos 1960 e início dos anos 1970, quando tanto homens como mulheres usavam jeans e cabelos compridos, as tentativas sérias de formalizar trajes intercambiáveis para homens e mulheres falharam, como vemos nas roupas "unissex" desenhadas por Rudi Gernreich (1922-1985) na década de 1960 (ver p. 378). Apesar disso, apropriar-se das roupas do sexo oposto continua fornecendo inspiração aos estilistas, e transgredir os códigos de vestuário já não causa indignação. Com uma nova onda de feminismo na década de 1970, os objetos clássicos da mulher sedutora, o sutiã e espartilho, foram subvertidos por estilistas como Jean-Paul Gaultier (1952) e Vivienne Westwood (1941), transformando-se em itens do poder feminino (ver p. 460). Porém, a consolidação da indústria do prêt-à-porter americano na década de 1970 evitou essas brincadeiras com o gênero (ver p. 398). Uma nova geração de estilistas americanos, como Roy Halston Frowick (1932-1990), Donna Karan (1948) e Calvin Klein (1942), ofereceu um minimalismo despojado no estilo da progenitora da moda americana moderna Claire McCardell (1905-1958), enquanto Ralph Lauren (1939) construiu um império de imagens elegíacas de um passado dourado (ver p. 414).

Um interesse crescente pelo mundo do design, incluindo a moda, marcou o consumismo ostentatório da década de 1980, representado pela globalização de maisons luxuosas como Gucci e Louis Vuitton (ver p. 453). Aquela tendência foi contrabalançada apenas pela promulgação da vanguarda e pelo surgimento de estilistas radicais como Issey Miyake (1938), Rei Kawakubo (1942), da Comme des Garçons, e Yohji Yamamoto (1943) aparecendo pela primeira vez nas passarelas de Paris (ver p. 402).

As pessoas continuam sendo julgadas pela aparência – seu status, sexualidade e gosto estão sujeitos ao olho discernidor. Como declarou a estilista italiana Miuccia Prada (1949; ver p. 480), cuja linha Miu Miu é reconhecida por seu estilo estranho mas refinado (ver p. 15): "A moda é um território perigoso, porque fala sobre você, e é muito íntima. Fala sobre o corpo, o intelecto. Carne. Psicologia. Contém tanto sobre a essência do ser humano." A moda sempre teve importância cultural, implicações e associações, mas tem impregnado o século XXI de forma inédita em seu fascínio generalizado por seus mecanismos. O historiador britânico Eric Hobsbawm comentou

▼ O estilista americano Halston definiu o paradigma de uma atenuação sofisticada. Este vestido simples de linha A, à altura do joelho, com mangas cavadas caídas e de uma só cor, representa a estética esportiva contida do estilista e sua ênfase no traje funcional, fácil de vestir (1980). Halston utilizou uma nova fibra sintética, o ultrasuede, ou "jérsei líquido", para obter uma silhueta fluida.

► A alta-costura de Gary Harvey (ver p. 489) leva a sustentabilidade a um nível estético elevado, com materiais comuns transformados em luxo. A saia do vestido da esquerda é feita de 18 gabardinas Burberry recicladas, em forma de uma crinolina moderna, e o vestido espartilhado da direita é feito de 42 jeans Levi's 501.

a capacidade dos estilistas de moda de preverem as necessidades futuras das pessoas em seu livro *Era dos extremos: O breve século XX* (1994): "Por que estilistas brilhantes, uma estirpe notoriamente não analítica, às vezes conseguem prever o futuro das coisas melhor do que os previsores profissionais é uma das perguntas mais obscuras na história e, para o historiador da cultura, uma das mais centrais. É certamente crucial para quem queira entender o impacto da era dos cataclismos sobre o mundo da alta cultura, as artes de elite e, acima de tudo, a vanguarda."

A moda é muitas vezes associada à descartabilidade e percebida como volúvel e efêmera. Baseia-se na necessidade de mudança. A indústria requer que floresça, e o consumidor a deseja. O original e o novo são cuidadosamente calibrados para tornar a estética existente obsoleta, uma atitude que preocupa cada vez mais. Em reação, a moda do século XXI agora quer ser associada à sustentabilidade e à arte de confeccionar roupas (acima), além de reconhecer a necessidade de estratégias de marketing sofisticadas.

Tudo sobre moda mapeia a história da moda global do primeiro retângulo de tecido produzido à importância atualmente dada à alta-costura, de novo o ápice da moda moderna. A moda precisa se ajustar a muitos tipos de corpo enquanto capta algo desejável sobre como nos situamos no mundo. É uma engenharia para o corpo com algo mais. As pessoas exigem muito da moda – ela marca ideias, define fidelidade a grupos, ajuda a expressar a individualidade, age como camuflagem, celebra ritos de passagem e cria uma estética compatível com sua época.

► Combinando inocência com provocação para sua coleção primavera/verão de 2010, Miuccia Prada justapõe inserções de malha reveladoras do corpo a detalhes sóbrios, como a gola da camisa ornada com joias. A saia de chiffon de seda é adornada com lantejoulas holográficas, das quais uma única fileira junta a linha do quadril rebaixada ao aplique de bustiê.

1 | DE 500 A.C. A 1599

INDUMENTÁRIA CLÁSSICA GREGA E ROMANA

Segundo os indícios fornecidos por estátuas e referências textuais fragmentárias, tanto a indumentária grega quanto a romana eram ditadas em grande parte pelos materiais e pelos métodos de produção têxtil. Quase todas as peças usadas nesse período eram feitas de material tecido, resultado de processos que exigiam mão de obra intensiva. Muito valorizados, os tecidos eram em geral considerados demasiado preciosos para serem desperdiçados com cortes e modelagens. Assim, os gregos (à esquerda) e os romanos (acima) costumavam usar peças esvoaçantes que envolviam o corpo: o tecido era dobrado, enrolado, preso com grampos, franzido ou, com menor frequência, costurado em volta do corpo.

Qualquer elemento da roupa cujo formato diferisse do retângulo era confeccionado quase sempre no tear, com a quantidade de fios da urdidura variando conforme a largura da peça necessária. Na fase inicial do período greco-romano, a tecelagem era uma habilidade valorizada na esposa ou na criada doméstica. No fim do século I da era cristã, porém, com o comércio estabelecido Império Romano afora e uma população crescentemente urbana, a atividade já havia se tornado um ofício, e roupas tecidas em casa eram consideradas primitivas e típicas das classes inferiores.

Os trajes gregos e romanos têm muitos pontos em comum: ambos, por exemplo, exibem uma profusão de pregas e dobras. O traje romano tem duas combinações principais de peças: *tunica* e toga para os homens, e *tunica* e *palla* para as mulheres. A *tunica,* ou túnica, era a camada usada mais junto ao corpo, classificada como *inductus*

PRINCIPAIS ACONTECIMENTOS

610-560 A.C.	550-530 A.C.	480-404 A.C.	447-438 A.C.	220-167 A.C.	C.200 A.C.
A cerâmica ática negra primitiva evolui, com muitas representações figurativas de quítons compridos e curtos decorados com faixas de estampas geométricas.	Um *lekythos* (jarro de azeite) do Pintor de Amásis mostra mulheres fabricando tecidos. Elas usam quítons com estampas na base do tecido.	A idade de ouro de Atenas é um período de crescimento econômico, supremacia política e florescimento cultural para essa cidade-estado grega.	Construção do Partenon de Atenas; as esculturas e os detalhes decorados retratam costumes clássicos.	Os romanos subjugam quase todo o mundo habitado. O historiador Políbio documenta esse feito em *Histórias*.	A Roma republicana desenvolve uma singular cultura cívica, administrativa e militar, baseada na apropriação de modelos gregos.

(vestida). O formato essencial variava bastante dependendo da classe, da atividade ou do gênero da pessoa, assim como o material, que se relacionava ao status. Os homens usavam uma versão chamada quíton (ver p. 20), mais tarde também usado na altura dos joelhos, enquanto a túnica feminina em geral era mais comprida e às vezes chamada de *peplos*. Ambas consistiam em um grande retângulo de tecido dobrado sobre o corpo e preso por fechos. O quíton dórico, mais simples, era geralmente de lã, enquanto o quíton jônico tinha um tecido mais fino, como linho macio ou até seda. A maciez do tecido significava maior flexibilidade decorativa nas dobras, incluindo pregas semipermanentes obtidas engomando e pressionando o tecido sob o calor do sol.

Em sua forma mais simplificada, usada por escravos e homens do povo, o quíton consistia em dois retângulos unidos por uma costura, com buracos em cima e embaixo para comportar pernas, braços e cabeça. Homens de status mais elevado usavam túnicas decoradas com listras verticais, embora rígidas leis suntuárias regulassem quem podia fazê-lo. As mulheres usavam suas túnicas soltas, mas franzidas em um ou dois pontos com um cinturão sob o peito, na cintura ou nos quadris. Em todos os casos, era possível passar o pano da túnica por dentro do cinturão para escondê-lo e dar caimento e formato à roupa. Túnicas mais sofisticadas tinham mangas, arrematadas no pulso com uma tira de tecido mais rígido ou presas por uma ou várias fíbulas ou botões, deixando à mostra boa parte do braço.

Ambos os sexos podiam usar outra peça por cima da túnica – mais por dignidade do que para se proteger do clima –, conhecida na Grécia como *himation* e em Roma como *pallium* ou *palla*. Essa camada externa, classificada de *amictus* (enrolada), era uma capa usada pelos dois sexos e às vezes sozinha pelos homens, sem túnica por baixo. Como precisava ser mantida no lugar com o braço (à direita), era associada com pessoas que não realizavam trabalhos manuais. O *chlamys* era uma capa bem mais curta usada pelos homens e amplamente associada a soldados e viajantes.

A toga – o traje típico do cidadão romano – tem sua origem na cultura etrusca, mais do que na indumentária grega. Essa hipótese tem por base a semelhança entre a *tebenna* decorativa etrusca (uma peça externa comprida, enrolada no corpo) e as subsequentes toga masculina e *palla* feminina romanas. Essa semelhança conduziu a especulações de que a toga, assim como a *tebenna*, era cortada no formato de uma semielipse alongada com até 5,5 metros de comprimento e uma das bordas retas. A toga não significava apenas riqueza, mas também, por causa de seu caráter evidentemente pouco prático, uma supremacia casual disponível apenas para os ricos e poderosos. Filhos nascidos libertos usavam a *toga praetexta* branca debruada com uma listra roxa, enquanto a *toga alba* (ou *toga virilis*, ou *pura*), mais simples, era usada pelos homens adultos. A *toga pulla* (escura) era um traje de luto. A mais alta distinção de todas, uma toga roxa ricamente decorada e bordada a ouro – a *toga picta* –, era exclusiva dos imperadores. **EA**

1 Afresco (detalhe) da Villa dei Misteri (*c.*1 a.C.), Pompeia, Itália.

2 Estela com escultura de casal romano de alta estirpe do Templo de Scasato, Itália (*c.*século II).

3 Interior de um cálice ático de cerâmica de figuras vermelhas (século V a.C.) atribuído ao Pintor de Briseis.

149-146 A.C.	47-43 A.C.	27 A.C.-14 D.C.	66 D.C.	79 D.C.	114 D.C.
Com a derrota dos macedônios, da Liga Aqueana e dos cartaginenses, Roma consegue anexar a Grécia e a África como províncias.	O importante político, escritor e orador Cícero usa regularmente as metáforas e convenções dos costumes romanos como potentes armas de retórica.	Augusto, primeiro imperador de Roma, declara que só os homens de toga sem capa podem entrar no Fórum romano.	Depois de servir ao imperador Nero como "autoridade máxima em questões de gosto relacionadas à... vida de luxo", Petrônio se suicida.	O Vesúvio entra em erupção e soterra Pompeia e Herculano, criando uma inestimável cápsula congelada no tempo de vida romana provinciana.	A frisa espiral contínua da coluna de Trajano, dedicada à vitória desse imperador contra os dácios, proporciona uma visão abrangente da indumentária militar romana.

Quíton Século V a.C.

TRAJE GREGO

O auriga de Delfos, 470 a.C.

NAVEGADOR

Esta estátua de bronze em tamanho real, conhecida como Iniohos (aquele que segura as rédeas), foi descoberta em 1896 no Templo de Apolo em Delfos; ela integrava uma escultura mais ampla, com cavalos, carruagens e serviçais, de cujos outros componentes sobraram apenas fragmentos. Polyzalus, tirano de Gela e dono da carruagem e do grupo de cavalos vitoriosos nos Jogos Píticos, mandou erguê-la em Delfos como parte da comemoração da vitória. A estátua foi encomendada como tributo a Apolo, em cuja honra eram realizados os jogos a cada quatro anos.

A estátua representa o robusto auriga no controle e em repouso após a vitória, diante de uma multidão eternamente admirada. Os cavalos e a carruagem estão parados: não há tensão nas rédeas representadas com minúcia, a túnica está imóvel e a figura em equilíbrio. Os detalhes têm uma precisão idealizada: as dobras do longo quíton, ou desta versão atlética chamada *xystis*, são totalmente realistas. O volume extra em volta dos ombros é eliminado e ganha um formato mais aerodinâmico graças a uma fina alça que envolve o pescoço e as escápulas. Na cabeça, uma faixa trançada com motivos sinuosos ou feita de couro, realçada em prata, é amarrada de forma simples atrás para conservar a pureza das linhas. A escultura de bronze marca uma transição, às vezes conhecida como "estilo severo", entre as estilizadas representações arcaicas e o realismo idealizado do estilo clássico. **EA**

PONTOS FOCAIS

1 TEXTURA DOS CABELOS
Os cabelos curtos e os vestígios juvenis de uma barba incipiente são reproduzidos com uma textura idealizada que, além de ter vitalidade suficiente para expressar a energia natural do jovem auriga, é também decorativa.

3 FRANZIDO DENSO
O *xystis* tem um detalhe no ombro que mostra o tecido largo todo franzido. Decerto o tecelão simplesmente aumentou a tensão de um grupo de três ou quatro fios da trama para estreitar a largura da peça, criando assim pequenas pregas naturais.

2 ALÇA NO PESCOÇO
O modelo "raglã" das alças em volta dos ombros é obtido formando um oito torcido amarrado com um nó e puxado por cima do volume que pende abaixo da axila; as duas alças se cruzam na nuca.

4 TECIDO NA ALTURA DOS TORNOZELOS
Um largo cinturão contém o excesso de tecido na cintura alta, o que faz a roupa cair na perpendicular até os pés descalços, liberando os movimentos. O detalhe dos pés é considerado uma representação realista da vida, e portando da humanidade.

TECIDOS INDÍGENAS PRIMITIVOS DO SUDOESTE AMERICANO

Vestígios arqueológicos confirmam que tecidos são produzidos no Sudoeste dos Estados Unidos há milhares de anos. O clima árido, aliado ao uso de cavernas e nichos secos pelos povos primitivos, levou à preservação de grandes quantidades de tecidos anteriores aos primeiros colonizadores europeus no século XVI. Os primeiros artigos têxteis datados da região são sandálias de 10 mil anos feitas com fibras de folha de mandioca: algumas trançadas, outras tecidas. Esses estilos de sandália continuaram populares por muitos séculos.

À medida que os caçadores-coletores do Sudoeste se tornaram envolvidos na cultura do milho, começaram a fazer experiências com uma gama mais vasta de fibras vegetais e animais, técnicas de tecelagem com os dedos e corantes minerais para a confecção de roupas. Sítios arqueológicos da parte setentrional do Sudoeste americano, datados entre 500 a.C. e 500 d.C., produziram faixas trançadas feitas em pelos de coelho, cachorro ou cabelos humanos, aventais femininos em fibra de mandioca, sandálias dessa fibra delicadamente trançada com franjas de couro de cervo, bem como túnicas e sacolas também dessa fibra trançada com desenhos integrados ou pintados. Mantas trançadas podiam conter peles de pássaros selvagens, pelos de coelho e penas de perus, às vezes combinados na mesma peça. De 500 a 750 d.C., as roupas se tornaram mais complexas e ornamentadas. Em algumas regiões mais setentrionais do Sudoeste, as pessoas calçavam sandálias de fibra de mandioca de trançado complexo com coloridos desenhos geométricos na superfície superior e desenhos em relevo na sola, denotando um investimento de mão de obra e perícia muito superior ao exigido por calçados comuns.

PRINCIPAIS ACONTECIMENTOS

500 A.C.

Aventais, sacolas e sandálias trançadas em fibras de folha de mandioca são fabricadas pela primeira vez na parte setentrional do Sudoeste americano.

100 A.C.

Os tecidos em trama feita com os dedos se tornam mais complexos e mais diversos; os estilos de tecelagem ficam também mais localizados.

600

Sandálias, aventais femininos e correias altamente decorados, feitos com fibras de folha de mandioca, são fabricados na região dos Quatro Cantos, na parte setentrional do Sudoeste americano.

650

O algodão vindo do México é amplamente cultivado nos principais vales de rios da parte meridional do Sudoeste americano.

700

O verdadeiro tear com liços se firma na parte meridional do Sudoeste americano na forma do tear de cinto.

725

Tecidos de algodão fabricados em tear dominam os artigos têxteis mistos em certas áreas da parte meridional do Sudoeste americano.

Entre os anos de 100 e 500, a tecelagem do Sudoeste americano sofreu uma mudança radical com a introdução do algodão vindo da América Central. Em 700 a planta era cultivada nos vales de rios meridionais da região, e na década de 1000 sua cultura havia se difundido nas regiões bem irrigadas da parte setentrional. Em muitas tribos do Sudoeste, o algodão tem uma relação simbólica com as nuvens e a chuva, e se tornou a fibra preferida para a maioria dos trajes cerimoniais e de status. Em algum momento antes de 700, o verdadeiro tear – com liços (cordas paralelas que separam os fios da urdidura) – foi importado do México. Os tecelões da região meridional do Sudoeste usavam um tear de cinto ou um tear horizontal fincado no chão, enquanto os da parte setentrional usavam o tear de cinto e um tear vertical. Acredita-se que nessa época os principais tecelões eram homens.

Após o século XI, a indumentária do Sudoeste americano passou a apresentar uma rica variedade de técnicas de tecelagem e modelos de roupas. Estruturas de material não tecido, como tranças e entrelaçamentos, eram usadas para fabricar faixas e camisas. As estruturas mais comuns dos tecidos feitos em tear eram o tafetá e a sarja. Usava-se o tafetá neutro para confeccionar mantas, tangas e colchas, enquanto o tafetá com trama no lado direito era usado em cintos e faixas. Estruturas tipo sarja diagonais e em forma de losango eram usadas em mantas e outras peças. Uma variação da estrutura de tapeçaria, conhecida como tapeçaria sarjada, era usada para decorar as tangas masculinas e para criar motivos isolados e estampas na borda de tecidos maiores. *Weft-wrap openwork*, gaze e estruturas com fios suplementares na urdidura – técnicas de tecelagem vindas do norte do México – eram muito usados na parte meridional do Sudoeste para decorar numerosos tecidos.

As principais peças do período imediatamente anterior à colonização (antes do contato europeu; 1100-1650) eram camisas de algodão, tangas e colchas masculinas, vestidos femininos transpassados em forma de manta, bem como mantas e faixas de cintura para ambos os sexos. Os homens usavam perneiras e sandálias, e as mulheres decerto também. As faixas eram trançadas ou tecidas em estrutura tafetá com urdidura pelo lado direito ou urdidura flutuante; as perneiras eram feitas por laçadas. Na parte setentrional do Sudoeste, as mantas, vestidos, camisas e tangas mais finos eram decorados com tapeçaria sarjada, pinturas ou tie-dye (ver p. 24) e repletos de iconografia religiosa. Na parte meridional, as peças mais elaboradas eram decoradas usando fios suplementares na urdidura ou estruturas abertas, como a *weft-wrap openwork*, gaze e entrelaçamento (à direta).

Murais pintados entre 1350 e 1620 nas paredes de câmaras cerimoniais pueblo, conhecidos como *kivas*, mostram homens e mulheres realizando atividades rituais; suas roupas parecem apresentar faixas brancas trançadas, camisas e saias tecidas em estrutura *openwork* e mantas, camisas, saias, túnicas e vestidos decorados com pinturas e tie-dye (ao lado). Hoje em dia, a maioria dessas peças cerimoniais ainda é usada durante os rituais pueblo no Sudoeste. Embora muitas técnicas decorativas tenham se modificado – por exemplo, o tricô e o crochê substituíram as laçadas e as técnicas de *openwork*, e o bordado se tornou a forma preferida de representar a iconografia religiosa em tecidos –, a maioria dos trajes anteriores à colonização foram mantidos para as cerimônias. As sociedades pueblo conservaram suas cerimônias tradicionais, e seus tecidos têm nas práticas rituais modernas a mesma relevância que tinham no passado. **LW**

1 Um mural *kiva* do século XVII do povoado de Awat'ovi, no Arizona, mostra pessoas usando mantas de tie-dye nos ombros, um vestido transpassado, saias decoradas na barra e faixas brancas com borlas.

2 Esta camisa de algodão sem manga (*c*.1300-1450) do Arizona foi confeccionada usando uma técnica não tecida que cria uma trama entrelaçada. O padrão de triângulos repetidos e rolos retilíneos entrelaçados também foi encontrado em cerâmicas pintadas.

1050
A cultura do algodão se generaliza nas áreas bem irrigadas da parte meridional do Sudoeste americano.

1100
O tear verdadeiro se estabelece na parte setentrional do Sudoeste na forma do tear vertical e do tear de cinto.

1150
Os tecidos de algodão fabricados em tear dominam os trajes cotidianos e cerimoniais em todo o Sudoeste americano.

1400
Murais *kiva* documentam a diversidade da indumentária cerimonial na parte setentrional do Sudoeste.

1540
O contato com os europeus inicia mudanças importantes na produção, no uso e no comércio de têxteis do Sudoeste.

1600
Os índios navajo começam a aprender técnicas de tecelagem mecânica com os índios pueblo.

Manta de algodão em tie-dye *c.1250*

MANTA PARA OS OMBROS

NAVEGADOR

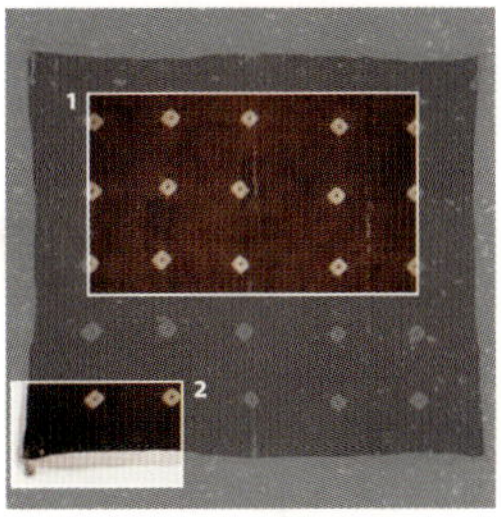

Esta manta de tie-dye de 800 anos foi encontrada em 1891-1892 em um nicho em Lake Canyon, no sudeste de Utah. O tie-dye era um método difundido de decoração têxtil nas zonas andina e maia, nas regiões de altitude do México e no Sudoeste dos Estados Unidos antes da chegada dos europeus. A técnica decerto evoluiu como uma forma de representar o importante motivo do ponto dentro do losango nos artigos têxteis cerimoniais. Indivíduos de status do Império Wari (*c.*600-1000) usavam roupas decoradas com motivos de ponto e losango executados com técnicas de tingimento por isolamento de áreas. Na América Central, esse símbolo era usado para representar a pele escamosa de crocodilos, tartarugas e serpentes, bem como espigas de milho. Os trajes do Deus do Milho, da Serpente Emplumada e de muitas outras divindades eram decorados com essa poderosa iconografia de milho-réptil. O tie-dye e seu desenho característico de ponto dentro de um losango acabou se espalhando para o Sudoeste americano. Muitos exemplos de tecidos tie-dye, entre os quais essa manta completa, foram conservados nos nichos secos da região. O tie-dye aparece em tapeçarias murais e peças de roupa usadas pelas figuras humanas de murais cerimoniais pintados no norte do Arizona e Novo México, o que sugere a persistência da técnica para decorar tecidos rituais dos índios pueblo até uma data bem posterior ao primeiro contato com os colonizadores europeus. **LW**

PONTOS FOCAIS

1 ESTAMPA DE LOSANGO

A estampa em forma de grade tem cinco fileiras de cinco losangos brancos cada. Para cada losango, o tecelão amarrava pedaços do tecido bem apertados com barbante. A manta era mergulhada no corante e os barbantes eram removidos, revelando desenhos na cor original do tecido.

2 OURELAS REFORÇADAS

As quatro ourelas íntegras são reforçadas com cordões retorcidos e amarrados nos cantos. A manta é feita em uma única camada de algodão fiado à mão e tecido em uma estrutura neutra de tafetá. Ela foi fabricada em um tear vertical com liça de barbante e urdidura contínua.

▲ Este mural *kiva* de Awat'ovi mostra um personagem de túnica de tie-dye com o motivo do ponto dentro do losango, que os descendentes modernos dos índios pueblo identificam com o milho, a fonte da vida.

TECIDOS PRÉ-COLOMBIANOS

1 Esta túnica (século VII-IX) é um exemplo dos tons vibrantes e das habilidosas técnicas de tingimento características dos tecidos wari.

2 Este vaso de cerâmica moche (século II-VII) tem o formato de um guerreiro ajoelhado usando uma túnica com estampa em espiral e uma tanga com pontos vermelhos.

A dinâmica herança visual da América do Sul é transmitida pelos tecidos fabricados antes da chegada dos europeus. As peças de roupa, acessórios e decorações murais remanescentes, contudo, representam apenas uma fração dos que foram confeccionados. Embora tecidos fossem fabricados em toda a região andina, era o litoral do Pacífico que possuía as melhores condições de conservação, de modo que a maioria dos tecidos vinha do litoral do Peru e do Chile, ou do leste da Bolívia. Usando matérias-primas naturais, sobretudo alpaca e algodão, os povos andinos começaram a fabricar tecidos antes da cerâmica. Os primeiros, produzidos em tear, surgiram há cerca de 2 mil anos, mas técnicas de nós, laços e tranças já eram usadas desde 3000 a.C. No sítio arqueológico de Huaca Prieta, no Peru, arqueólogos encontraram tecidos de algodão com feitios trançados, como condores, que remontam a cerca de 2500 a.C. O algodão continuava importante, mas as fibras de alpaca e outros camelídeos nativos se adaptavam melhor ao tingimento.

Os tecidos eram fabricados em vários tipos de tear: alguns eram armações que produziam formatos exatos; outros eram teares verticais ou de cinto que confeccionavam retângulos de tamanhos específicos. O tecidos raramente eram cortados após a fabricação. A arte de fiar à mão fios muito finos e criar desenhos intrincados em notável espectro de cores se tornou elemento-chave das artes indígenas pré-colombianas. Tapeçarias com urdidura pelo lado direito caracterizam o período, sobretudo em tecidos dupla-face, ou seja, idênticos dos dois lados. Cerâmicas, objetos de metal e de pedra representam pessoas vestidas, e os artefatos remanescentes fornecem indícios do estilo de indumentária (acima). As roupas

PRINCIPAIS ACONTECIMENTOS

c.500-300 A.C.	c.400 A.C.-200 D.C.	c.100-500	c.400-550	c.500-800	c.1100-1450
Têxteis de algodão pintado são confeccionados por artesãos da cultura chavín, que domina o centro-norte do Peru.	Na cultura paracas, que floresce no litoral sul peruano, os artistas têxteis produzem os mais complexos bordados da era pré-colombiana.	A produção artística do povo moche, no norte do Peru, inclui refinados tecidos fabricados em tear, cerâmicas com representações de indivíduos distintos e joias complexas.	Em Tiwanaku, na Bolívia, pedras elaboradamente esculpidas dominam a paisagem próxima ao lago Titicaca, a centenas de quilômetros de distância são usados tecidos com iconografia similar.	O Império Wari, que se desenvolveu no Peru central, tem em comum com os tiwanaku das montanhas boa parte da tecnologia têxtil e da iconografia.	O povo chimú desenvolve uma grande habilidade na fiação e tecelagem do algodão e arte plumária. Os mesmos desenhos complexos são vistos em muros de argila do sítio arqueológico de Chan Chan.

tinham linhas simples, e muitos modelos sem corte enrolados em volta do corpo perduraram por séculos.

Elementos decorativos aplicados incluíam contas e placas de ouro, cobre banhado a ouro e prata, e as plumas de pássaros tropicais faziam parte da trama. Imagens de plumas, pássaros, felinos – e suas pintas, presas e garras – eram muito apreciadas. Seres sobrenaturais podiam combinar asas e outros atributos. As plantas retratadas incluíam milho, batata, abóbora e coca, e alguns extratos vegetais eram usados como corantes, bem como minerais e insetos. Os artistas tecelões eram virtuoses no uso das cores e exímios na arte do tie-dye em tecidos prontos e do tingimento por isolamento de áreas ou por amarração dos fios antes da tecelagem.

Os tecidos de Chavín, no centro-norte do Peru, eram de algodão com estrutura de tafetá e pintados com desenhos de figuras complexas com várias características animais, em especial presas ameaçadoras. Os tecidos com estrutura de tafetá serviam de base para bordados dos povos paracas do sul do Peru, onde um grande número de artistas e artesãos de grande status se dedicava à fabricação têxtil e produzia quantidades de artigos têxteis bordados, tecidos e trançados. Complexos bordados policromáticos enfeitavam muitas peças confeccionadas pelos povos paracas, e alguns foram encontrados intactos dois milênios depois de fabricados, em tumbas profundas.

Técnicas de tingimento e tapeçaria de grande perícia se sobrepõem em duas culturas: os wari do Peru e os tiwanaku da Bolívia. Suas refinadas tapeçarias, embora muito parecidas, eram feitas com materiais e estruturas de fiação e tecelagem distintos. Ambos os estilos apresentavam uma abordagem abstrata de representações figurativas: os atributos de seres humanos e animais eram distorcidos ou exagerados. Uma sofisticada paleta de tons fortes e vibrantes e gradações mais sutis indica o domínio da arte do tingimento. O azul, em geral à base de índigo, era valorizado, bem como matizes de vermelho e roxo, sobretudo as derivadas da cochonilha. Os tons mais vibrantes ocorrem na cultura chimú, na qual um vermelho inconfundivelmente vivo é visto em grandes borlas e outros adornos tridimensionais. A mesma cultura também usava fibras cruas com belos efeitos. Usando o algodão nativo em tons naturais de amarelo-claro, rosa ou mesmo lilás, os tecelões chimú criavam estampas gráficas impactantes. O branco puro do algodão cru, aplicado em ousados porém elegantes tecidos diáfanos e gazes, também teve seu uso aperfeiçoado.

De Cuzco, nas zonas de altitude do Peru, os incas expandiram seu domínio para muito além de qualquer outra sociedade andina, e os tecidos incas são facilmente identificáveis. A túnica de tapeçaria sem mangas era a peça masculina padrão do homem wari (à direita). O modelo unia um repertório iconográfico estreito e uma abstração extrema, quase sem nenhuma figura. De especial interesse são os motivos retangulares complexos, cujo significado ainda não foi decifrado (ver p. 28). Embora os tecidos incas sejam os mais recentes entre os povos andinos pré-colombianos, um número pequeno sobreviveu. Os incas reverenciavam seus tecidos e seus ancestrais, mas os conquistadores espanhóis queimaram galpões repletos de tecidos e múmias de ancestrais vestidas com trajes elaborados. **BF**

c.1400-1450
Com sua capital em Cuzco, os incas criam estilos singulares de talhe da pedra e uma geometria abstrata em seus tecidos.

c.1450-1500
À medida que os incas anexam outros distritos étnicos, como o Chancay, eles incorporam seu estilo de vestuário, e também são criados estilos híbridos regionais.

c.1450-1500
Túnicas *t'oqapu* são produzidas pelos incas (ver p. 28), com tecidos fabricados em uma só peça.

c.1500
Os incas ampliam mais ainda seu território, do atual sul da Colômbia até o norte do Chile e Argentina.

c.1520-1530
Exploradores europeus, entre os quais o espanhol Francisco Pizarro, começam a chegar à região central dos Andes.

1532
O imperador inca Atahualpa encontra um grupo de aventureiros espanhóis liderado por Francisco Pizarro que o captura como refém e o mata.

Túnica de tapeçaria inca *c.*1450-1540
ROUPA MASCULINA

Túnica inca toda em *t'oqapu*,
Horizonte Tardio (1450-1540).

NAVEGADOR

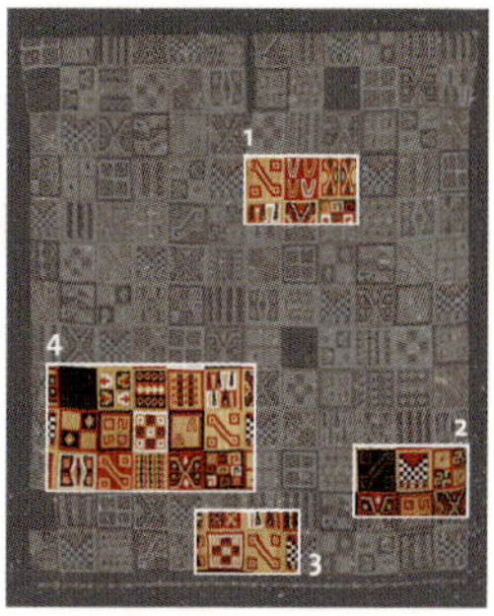

Os motivos, a técnica e a construção desta túnica revelam se tratar de uma peça inca. Embora a identidade do proprietário seja um mistério, a trama muito refinada, a qualidade da confecção e as cores brilhantes indicam que a peça pertencia a alguém de status, talvez o próprio imperador. As túnicas eram a peça básica da indumentária masculina. Por baixo dela os homens usavam uma tanga, e por cima um grande manto retangular. O tamanho e a proporção das túnicas variavam, mas o formato geral era simplesmente um retângulo. A variação e complexidade estavam no material e nos adornos. Esta espetacular túnica de tapeçaria é quase toda estampada. O pequeno carimbo retangular usado aqui é chamado *t'oqapu*. Apesar de inúmeras tentativas de interpretação, não há consenso quanto ao significado do *t'oqapu*. Esta túnica é única: composta por essas unidades na frente e atrás, e foi tecida como uma peça única posteriormente dobrada nos ombros e costurada nas laterais. A fenda do pescoço foi feita no tear, e não cortada depois. Os *t'oqapus* têm uma distribuição irregular, e mesmo pequenas quantidades de motivos raramente se repetem. O efeito geral é sincopado, cheio de vida, e confere à superfície um aspecto longe de ser unidimensional. A peça é um primor de criação e execução. **BF**

PONTOS FOCAIS

1 GRADES
Uma estreita borda circunda quase todos os blocos *t'oqapu*. Subdivisões suplementares realçam o forte caráter retilíneo, criando grades dentro da grade. Bordas brancas alternando-se a motivos brancos criam uma ilusão de profundidade. Há no máximo 10 motivos diferentes.

3 TEMA DO MEANDRO INCA
O bloco *t'oqapu* usado aqui é apelidado de "meandro inca" por sua semelhança percebida com o tema do "meandro grego". Mostra uma faixa diagonal com extremidades dobradas e pequenos blocos em cantos opostos. O tema às vezes quase preenche uma túnica.

2 MOTIVO DE TABULEIRO QUADRICULADO
O tabuleiro quadriculado com uma área vermelha em V semelhante a uma cangalha é um feitio padrão das túnicas incas. Os militares usavam túnicas quadriculadas, mas as tapeçarias finas eram feitas para uso cerimonial por oficiais e nobres. As bordas policromáticas remetem ao contorno bordado.

4 PALETA DE CORES QUENTES
Os tons quentes dominam: há poucos azuis, verdes e roxos. As combinações entre essas cores são limitadas. O vermelho com amarelo e o verde com azul-marinho – únicas combinações de cores das chaves incas – também aparecem em um motivo de listras onduladas (ao centro).

INDUMENTÁRIA CHINESA – DINASTIA TANG

1

2 

1 *Passeio primaveril de nobres e mulheres*, pintado por Zhang Xuan em *c.*750. As mulheres não usam mais véus para cobrir o rosto.

2 O penteado, os sapatos e o manto de estampa floral dessa estatueta ilustram o auge da moda dos bailarinos na corte Tang do século VII.

No século VII, a China devia ser a nação mais bem-vestida do mundo. O país possuía séculos de experiência na criação de bichos-da-seda – a sericicultura –, e a tecnologia de desenrolar e fiar a seda estava consideravelmente avançada. O tear de tração em uso na época era capaz de confeccionar tecidos com estampas muito complexas e multicoloridas. Vestígios arqueológicos confirmam que, no início dos anos 600, os teares de tração podiam incorporar até 3.680 fios de urdidura em uma única estampa. No século IX, os tecelões chineses já conseguiam produzir com facilidade estampas graúdas. Alguns dos medalhões florais chegavam a 50 centímetros de diâmetro, e a largura do tecido produzido pelo tear podia chegar a 123 centímetros. Na capital de Chang'han (atual Xi'an) havia fábricas estatais com especialidades distintas. Seis fábricas distinguiam-se em tingimento, quatro em fiação, 10 em tecelagem e cinco na produção de cordões e fitas.

Durante a dinastia Tang (618-907), as mulheres chinesas usufruíram de uma liberdade sem precedentes, não apenas nas roupas, mas também em relação ao que podiam fazer. Elas dançavam, montavam a cavalo (acima) e jogavam polo. O costume de amarrar os pés ainda não havia surgido. Não foi por coincidência que a única monarca mulher da China reinou nessa época: a imperatriz Wu Zetian ocupou o trono sozinha de 684 a 705, com pouca oposição por parte dos nobres e funcionários públicos homens.

O espírito livre das mulheres Tang se manifestava em suas roupas e adornos de cabeça. Antes de 618, as mulheres usavam um véu comprido ao saírem de casa, em parte para se proteger da poeira, mas também para esconder o rosto. Por volta de 650, esse véu foi substituído por um chapéu. Um pedaço de gaze fina pendurado na

PRINCIPAIS ACONTECIMENTOS

c.620	c.630	641	c.684	691	c.700
O tear manual com dois liços está em uso. O primeiro liço produz a tecedura básica e o segundo, o padrão.	O tesouro imperial armazena brocados com padrões de pares de faisões, bodes em luta, fênixes voando e peixes nadando.	O imperador Taizong encontra-se com um emissário de Turfan vestindo um nato comum de gola redonda e um chapéu preto, em vez do traje formal.	Trajes de gola baixa são comumente usados pelas mulheres. Na rua usam um chapéu de abas largas, deixando suas faces descobertas.	A imperatriz Wu dá a seus ministros um toucado alto durante um banquete, que logo se torna um item na moda.	Tecelões começam a formar padrões em tecidos usando fios de trama. Isso torna a padronagem mais fácil, substituindo gradualmente a tecedura tradicional de urdidura.

aba larga era o único elemento a proteger a mulher do olhar dos passantes. Em 713, o chapéu desapareceu e, segundo o antiquíssimo *História dos Tang*, as mulheres "não faziam qualquer tentativa de ocultar seus rostos lindamente maquiados" (ver p. 34).

A moda de roupas femininas decotadas surgiu durante o reinado da imperatriz Wu. Antes de essa tendência se espalhar, o traje feminino padrão consistia em blusa de mangas compridas, saia comprida e xale. A blusa tinha as mangas estreitas, nenhum botão, e era fechada por uma sobreposição do tecido à direita. A saia subia até o peito e era presa com uma fita, com a parte inferior da blusa usada por dentro. O xale, estreito pedaço de gaze ou seda fina, tinha cerca de dois metros de comprimento. Um novo e ousado adereço foi introduzido no fim do século VII: a parte superior justa e de mangas curtas, com a frente fechada por um laço ou com uma grande abertura no pescoço permitindo que fosse vestida pela cabeça. O decote cavado deixava à mostra boa parte dos seios da mulher. A blusa continuou a ser usada por baixo dessa nova parte de cima, mas de forma que só as duas mangas ficassem visíveis.

No auge da prosperidade dos Tang criou-se um traje espetacular para as dançarinas. As danças nem sempre eram executadas por profissionais. A concubina imperial Yang, famosa por suas curvas generosas, era, apesar da corpulência (ver p. 35), uma exímia dançarina. A parte de cima do traje usado pelas dançarinas tinha o decote cavado, como ditava a moda da época, mas os ombros se abriam para fora como pequenas asas. O aspecto mais chamativo do traje eram as mangas duplas, cuja larga parte externa esvoaçava ou girava conforme o ritmo da dança. Camadas suplementares de babados eram acrescentadas à parte superior das mangas para realçar a noção de movimento, e fitas presas à metade inferior da saia tinham a mesma função. O traje era completado por "sapatos bico de nuvem" – assim chamados por causa de seu grande bico virado para cima. O traje ficou muito em voga entre as dançarinas da corte Tang (à direita).

A robustez das formas não era vista como indesejável e, sob a influência da concubina Yang, que também era muito bonita, os trajes femininos se tornaram mais volumosos a partir do século VIII. As saias ganharam pregas, e as mangas ficaram mais largas. Quando as senhoras elegantes começaram a tentar competir entre si para aumentar a largura das mangas, o imperador Wenzong, que reinou de 827 a 840, teve de promulgar um decreto limitando a largura da manga a um pé e três polegadas em medidas chinesas – o equivalente a uns 40 centímetros. O decreto causou celeuma e foi provavelmente ignorado, pois as referências históricas, tanto textuais quanto visuais, com frequência mostram mulheres usando trajes de mangas largas nos séculos VIII e IX.

À medida que os trajes femininos Tang ficaram mais amplos, os penteados também cresceram e ficaram mais altos. As mulheres Tang sempre haviam tido muito esmero com seus penteados: arrumavam os cabelos em coques de variados tipos e tamanhos, que empilhavam no alto da cabeça (ver p. 33, em cima). Perucas e apliques artificiais também eram usados para criar os elaborados efeitos desejados. Os

c.700	c.713	c.750	756	c.800	c.827
A tecedura de trama dá lugar ao *kesi* (tecedura de tapeçaria), mas o processo exige mão de obra intensiva e os trajes *kesi* só aparecem séculos depois.	As *hufu* (roupas de estrangeiros) tornam-se populares entre as mulheres. Outras modas incluem o *huadian* (um ornamento na fronte) e cabelos artificiais.	Os pagamentos de impostos da população incluem 7,4 milhões de peças de tecidos de seda por ano. Uma peça mede uns 12m.	A concubina do imperador, Yang, executa uma dança trajando uma saia de arco-íris e uma blusa emplumada.	A gaze torna-se uma especialidade de Haozhou na província de Anhui. Duas famílias monopolizam sua produção mantendo o método em segredo.	O imperador Wenzong decreta que as mangas dos trajes não devem exceder 40cm em largura, mas com pouco sucesso.

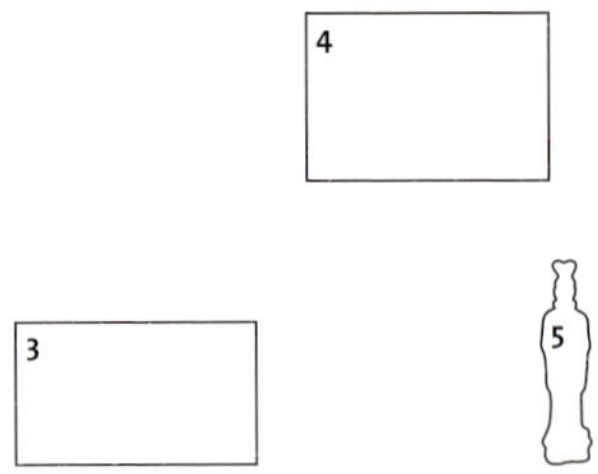

3 O imperador Taizong concede uma audiência ao emissário de Turfan, em 641, usando um traje comum formado por túnica de gola redonda e chapéu preto.

4 Senhoras elegantes da corte imperial Tang ouvem música durante um banquete, em um detalhe tirado de um quadro anônimo do século X.

5 Estatueta de terracota do século VIII de um funcionário público Tang usando túnica verde de mangas largas e cinto.

penteados recebiam nomes fantasiosos, e alguns dos mais descritivos, como "estilo nuvem", "concha", "folha de lótus enrolada" e "duplos anéis" dão pistas quanto a seus formatos pouco usuais. Pentes de marfim ou madrepérola seguravam os cabelos no lugar, e grampos de ouro e prata se balançavam quando a mulher andava. As damas da corte usavam flores naturais e artificiais nos cabelos.

As mulheres Tang valorizavam a beleza e dedicavam especial atenção a enfeitar o rosto com maquiagem em um processo demorado. Para salientar o rosto, uma mulher Tang primeiro aplicava pó de arroz, em geral feito de chumbo. O ruge era feito com sumo de plantas vermelhas. A modelagem de sobrancelhas também era parte importante da decoração facial feminina. Reza a lenda que o imperador Xuanzong, que reinou de 712 a 756, teria incentivado as damas de seu palácio a desenharem a sobrancelha em formatos inovadores. Certa vez, ele pediu ao artista da corte que pintasse seus 10 estilos preferidos, que incluíam sobrancelhas descritas como "pequenas montanhas", "pérolas pendentes" e "lua pontuda". Um mineral verde-escuro chamado *dai* era usado para desenhar as sobrancelhas.

As mulheres Tang usavam preso à testa um enfeite chamado *huadian*, feito com um pedacinho de folha de ouro ou prata em geral cortada no formato de uma ameixa ou de um botão de flor; outros materiais, entre os quais as penas de martim-pescador, também são mencionados nas fontes históricas. A folha de metal era presa à testa, bem no meio das sobrancelhas, com um pouco de cola de peixe. Para completar a maquiagem, a mulher Tang passava batom, pintava dois pequenos círculos vermelhos nos cantos da boca, e em seguida acrescentava uma linha curva vermelha em cada têmpora. Esses dois últimos hábitos foram abandonados após 907.

Os poetas Tang prestavam tanta atenção na moda feminina que pouco escreveram sobre seus próprios trajes masculinos. De modo geral, os homens cultos usavam túnicas, enquanto os da classe trabalhadora usavam casacos e calças compridas. Essa distinção se devia sobretudo a razões práticas, pois as calças facilitavam os movimentos dos homens que trabalhassem na agricultura, por exemplo. O governo Tang não considerava necessário distinguir as diversas classes sociais pela maneira de vestir, e as pessoas se vestiam de acordo com seu poder aquisitivo.

Nas reuniões da corte, os funcionários públicos usavam túnicas de cores diferentes para indicar seu status: os mais graduados trajavam roxo, passando em ordem decrescente ao vermelho-escuro, verde e azul. Registros históricos afirmam que o imperador usava trajes formais, porém as descrições não são suficientemente detalhadas para permitir uma reconstrução precisa de suas túnica e coroa. Os

imperadores Tang tinham uma atitude bastante casual em relação à indumentária; ao receber o emissário de Turfan, em 641, Taizong (que reinou de 627 a 649) trajava uma túnica simples de gola redonda e um chapéu preto, semelhantes aos usados por seus cortesãos (à esquerda). O motivo do dragão, poderoso símbolo do imperador chinês nas dinastias posteriores (ver p. 84), ainda não havia adquirido seu significado.

O corte das túnicas masculinas pouco se modificou durante o período Tang. A túnica tinha uma gola redonda e mangas estreitas, ou então uma gola em pé e mangas largas (à direita). Esses dois tipos de túnica eram usados tanto por funcionários públicos quanto por homens letrados. Caso o funcionário público fosse militar, ele usava por cima da túnica uma forma simplificada de armadura formada por um peitoral e uma placa nas costas unidos por duas correias nos ombros e presos à cintura por um cinto. Os sapatos tinham bicos grandes virados para cima, muito parecidos com os femininos. Esses calçados um tanto desengonçados eram substituídos por botas quando o homem ia guerrear, e o adorno de cabeça dava lugar ao elmo.

Tradicionalmente, os homens chineses sempre usaram os cabelos compridos e presos em um pequeno coque no alto da cabeça. Ao contrário das mulheres, eles em geral cobriam o coque com um lenço de cabeça preto. Como enrolar os cabelos com o lenço era um processo bastante lento, um adorno de cabeça rígido feito com tiras de ratã ou tecido engomado foi introduzido como alternativa mais expedita. Dependendo da preferência do usuário, este podia ter vários formados e alturas.

Uma moda apreciada tanto por homens quanto por mulheres era o *hufu*, que significa literalmente "roupa de estrangeiro". Os estrangeiros residentes na capital, Chang'an, eram em sua maioria sogdianos que tinham ido à China fazer comércio. O traje sogdiano tradicional era um casaco na altura dos quadris e uma calça usada com cinto de couro e botas. O elemento "estrangeiro" do traje eram as lapelas – ausentes dos casacos chineses. Casacos e calças eram roupas mais adequadas à montaria do que a folgada túnica chinesa. O estilo de vida das mulheres da China era tão ativo quanto o dos homens, e elas adotaram o *hufu* com grande entusiasmo, transformando-o em um estilo unissex. Em contraste com os tons escuros usados por seus contemporâneos homens, as damas Tang elegantes usavam *hufu* confeccionado em sedas de estampas coloridas. **MW**

Vestido e sobrecasaco de seda Século VIII

TRAJE DE CORTE FEMININO

Damas com flores nos cabelos, por Zhou Fang (século VIII tardio).

Muito poucas roupas da dinastia Tang sobreviveram intactas, mas este pergaminho pintado por Zhou Fang é uma fonte inestimável de informações sobre a moda feminina chinesa. Há um consenso generalizado entre os historiadores da arte de que ele retrata uma cena nos jardins imperiais. Ambas as mulheres usam vestidos tomara que caia amarrados na altura do peito com uma faixa, e por cima deles um sobrecasaco folgado de mangas largas feito de gaze fina, aberto na frente e preso por um laço na altura do joelho. Usam também compridos xales de seda estampada drapejados em volta dos braços. A mulher da esquerda tem o rosto redondo e é bastante corpulenta; o sobrecasaco transparente usado por ela tem uma sutil estampa de losangos. Embora as mangas tenham pelo menos um metro de largura, não deviam ser pesadas, pois a gaze é um tecido leve. Os chineses adoravam ver mulheres vestidas com gaze, e escreveram com entusiasmo que a mulher parecia estar "envolta em névoas e nuvens". A confecção das amplas mangas exigia uma quantidade considerável de tecido, e acabou exaurindo os cofres imperiais. Na época, uma peça de seda tinha aproximadamente 12 metros de comprimento, o suficiente apenas para fabricar um único sobrecasaco de mangas largas. Esse consumo extravagante de seda levou o imperador Wenzong a proibir as mangas largas, embora isso não tenha posto fim à prática. Os tecidos de seda eram enfeitados com estampas tecidas ou bordadas. No século VIII, os tecidos em estrutura sarja com trama pelo lado direito, novidade da tecelagem inventada pelos vizinhos ocidentais da China, havia substituído quase por completo a tradicional estrutura de tafetá com urdidura pelo lado direito, permitindo que mais cores fossem incorporadas ao tecido. Fazendas com estampas não repetidas, como a da fênix usada no xale marrom da mulher da esquerda, eram confeccionadas com perfeição por exímios bordadores. **MW**

NAVEGADOR

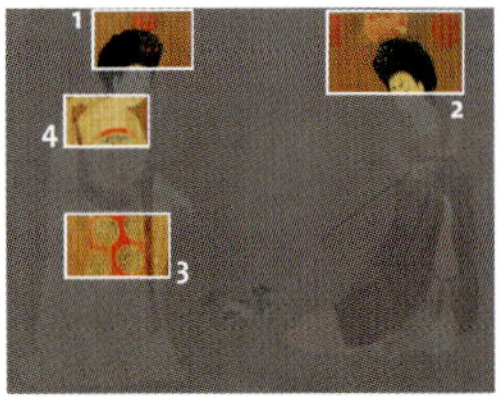

PONTOS FOCAIS

1 ARRANJO DE FLORES NA CABEÇA
O dourado e o vermelho predominam no arranjo de flores na cabeça da mulher da esquerda. A cor vermelha era obtida cobrindo placas plânas de metal ou arame com laca tirada da seiva de uma árvore. Quando misturada ao cinabre, essa seiva produz um vermelho vivo. Os enfeites e grampos de cabelo dourados cintilavam na cabeleira escura da mulher.

2 PENTEADO OPULENTO
O penteado da mulher da direita é opulento demais para ser feito apenas com cabelos naturais – apliques devem ter sido usados. A altura é mais aumentada pela peônia cor-de-rosa. Ela também usa penas azuis de martim-pescador. As sobrancelhas verdes estão desenhadas no formado de "flores de cássia".

3 MOTIVO DO MEDALHÃO
O medalhão não representa uma espécie botânica específica, mas é um composto formado por pequenas pétalas e flores. Um fio cor-de-rosa vivo é usado para a trama principal, e os medalhões são desenhados em rosa, verde, marrom-claro e branco leitoso. Medalhões de flores eram um motivo decorativo muito popular durante a dinastia Tang.

4 SOBRECASACO TRANSPARENTE
O sobrecasaco é feito de uma gaze transparente, e não esconde grande coisa do pescoço e ombros nus da mulher. O escritor romano Sêneca supostamente não aprovava as roupas de linho, pois alegava que "nenhuma mulher podia de fato jurar que não estava nua". Os chineses, porém, elogiavam muito esse material quase sem peso.

CONCUBINA IMPERIAL YANG

Esta estatueta teve por modelo a concubina imperial Yang Guifei, cuja beleza era tão grande que até mesmo a cintura grossa era considerada parte de seu charme. Ela conquistou o coração do imperador Xuanzong, 34 anos mais velho. O célebre poeta Bai Juyi resumiu vividamente, em poucas linhas, a paixão do imperador por Yang:

Havia trezentas beldades
no palácio interno

Mas o amor do imperador
pertencia a uma só;

Suas irmãs e irmãos
receberam títulos nobres

E os futuros pais então passaram
a desejar meninas, e não
meninos.

Dezenas de poemas foram escritos sobre Yang Guifei, em parte por causa de seu fim trágico. Em 755, o general An Lushan comandou uma rebelião em Chang'an, a capital Tang. Yang era muito amiga de An Lushan, e a culpa pelo desastre recaiu sobre ela. Para pacificar um exército enfurecido, o imperador Xuanzong foi forçado a ordenar seu suicídio.

INDUMENTÁRIA JAPONESA – PERÍODO HEIAN

Não se conhece nenhum artefato têxtil remanescente da era Heian, iniciada em 794, quando o imperador Kammu (781-806) transferiu a capital japonesa de Nara para Heian-kyo (atual Kyoto). Nossa compreensão da indumentária Heian depende quase exclusivamente das representações artísticas e literárias da época, sobretudo das obras clássicas de literatura japonesa dos primeiros anos do século XI. Entre elas estão *Genji Monogatari*, ou *A história de Genji* (*c.*1000) – um dos primeiros romances da dama Murasaki Shikibu (à direita) – e *O livro de cabeceira*, escrito pela dama de companhia rival de Murasaki, Sei Shonagon. Esses textos sugerem que as roupas eram objeto de uma preocupação obsessiva e aflitiva para as damas de companhia aristocráticas de Heian-kyo, e o mais importante era a escolha das combinações de cores para o complexo sistema de camadas conhecido como *irome no kasane* (ver p. 40). O trecho a seguir do diário da dama Murasaki é um dos muitos exemplos que indicam uma atenção neurótica e fetichista aos detalhes da indumentária nas cortes medievais japonesas de Heian-kyo: "Nesse dia, todas as mulheres tinham dado o melhor de si para se vestir bem, mas, por acaso, duas delas demonstraram falta de gosto ao escolher a combinação de cores de suas mangas e puderam ser vistas por inteiro pelos nobres e cortesãos mais importantes ao servirem

PRINCIPAIS ACONTECIMENTOS

794	794	*c.*800	895	*c.*1000	*c.*1000
O imperador Kammu transfere a capital japonesa de Nara para Heian-kyo, atual Kyoto.	O *sokutai* é adotado como traje oficial para ocasiões formais por imperadores, cortesãos e aristocratas. É composto por uma calça folgada e uma túnica externa amarela.	O budismo começa a se difundir no Japão, inicialmente por meio de suas duas principais seitas esotéricas, tendai e shingon.	Os ricos da era Heian continuam a importar tecidos de qualidade superior da China, mesmo depois da interrupção das relações oficiais entre os dois países.	Sei Shonagon escreve *O livro de cabeceira*, que registra suas observações como dama de companhia na corte Heian.	A dama Murasaki Shikibu escreve *A história de Genji*, revelando seu amor pela moda nas detalhadas descrições de trajes.

a comida. Parece que depois dama Saisho e as outras ficaram arrasadas; mas não foi um erro tão terrível assim – as combinações só eram bem pouco inspiradoras."

O taoismo e outras influências chinesas estavam no auge e no início do século IX o budismo também começava a se espalhar pelo Japão. O traje de corte foi copiado inicialmente do estilo chinês Tang (ver p. 30), e os tecidos eram importados da China. Após a suspensão da comunicação imperial com esse país, em 894, um estilo mais singularmente japonês começou a ser usado pela elite. O *kosode* (precursor do atual quimono) tornou-se a peça-chave para os dois sexos. Houve um afastamento da moda chinesa de ricas túnicas de brocado, e a silhueta da corte Heian foi se tornando cada vez mais volumosa e escultural.

À medida que aumentavam o poder e influência do clã Fujiwara – família de cortesãos relacionada por casamento com a família imperial –, houve um período inédito de riqueza e estabilidade em que se desenvolveu uma nova classe casual com uma demanda aumentada por roupas de luxo. A produção de seda e as indústrias de tingimento floresceram na era Heian como desenvolvimento da cultura da corte imperial japonesa, e a seda se tornou um artigo nacional de extrema importância. No início do século X, 36 províncias japonesas forneciam seda para a casa imperial, e o período é lembrado como uma era de ouro do tingimento da seda na capital.

Rostos eram branqueados com pós e pastas, e tanto homens quanto mulheres enegreciam as gengivas e os dentes, costume que ficou conhecido como *ohaguro* e posteriormente era praticado apenas por mulheres. Elas raspavam as sobrancelhas ou as removiam com pinça para redesenhá-las mais alto na testa e também repintavam os lábios de vermelho para fazer a boca parecer menor do que seu formato natural (à esquerda). Os homens usavam finos bigodes e cavanhaques e arrumavam os cabelos em esmerados coques no alto da cabeça, enquanto as mulheres cobiçavam um cabelo comprido, brilhante e liso que flutuasse atrás delas por cima das túnicas até o chão.

Os corpos das mulheres foram engolidos e neutralizados pelos imensos e pesados trajes que tornavam invisível e irrelevante qualquer traço individual. Na literatura clássica da época, os atributos físicos raramente faziam parte das alongadas e detalhadas descrições: o importante eram as roupas. As múltiplas túnicas do traje *irome no kasane* eram arrumadas com apuro, com ênfase nas cores compostas formadas pela sobreposição de camadas. A revelação parcial da estrutura interna, tão crucial para esse sistema de indumentária, dependia não apenas da transparência dos tecidos, mas também dos variados comprimentos das túnicas, com bainhas e mangas mais curtas a cada camada. O foco estético era nas periferias mais visualmente acessíveis das imensas mangas, que as mulheres podiam passar pelas fendas de biombos e cortinas próximos para seduzir um pretendente (página oposta). As integrantes da nobreza passavam o tempo inteiro não apenas cobertas por uma profusão de camadas de volumosas túnicas, mas também cercadas por camadas arquitetônicas de cortinas, biombos dobráveis de papel de arroz, painéis de correr de bambu, persianas de junco e cercas de ripas de madeira. Esse complexo confinamento espacial as protegia dos olhares externos e as impedia de ver o

1 O detalhe de um biombo dobrável de seis painéis mostra a cena "Primavera no palácio", de *Genji Monogatari*. As mulheres da corte usam túnicas coloridas adequadas à primavera; as gazes brancas translúcidas remetem aos brotos de cerejeira (*c.*1650).

2 Neste retrato, Murasaki Shikibu, dama de companhia e autora de *Genji Monogatari*, está sentada diante da escrivaninha cercada por sua miríade de túnicas. A saia-calça *hakama* usada como roupa de baixo pode ser vista sob o móvel.

1068	1074	c.1142	1172	1185	Fim do séc. XII
O clã Fujiwara é derrubado pelo imperador Go-Sanjo (1068-1073).	É aprovada uma lei suntuária que limita a cinco o número de camadas das túnicas de corte femininas. Anteriormente, o traje podia pesar até 15 quilos.	Minamoto Masasuke, assessor da imperatriz Fujiwara no Tashi, escreve *Cores para o traje de corte de uma dama*, coleção de combinações de túnicas de acordo com as estações.	Originalmente uma roupa de baixo usada sob o traje de corte, o *kosode* se torna aceitável como roupa externa para os aristocratas Heian.	O clã Minamoto assume o poder e funda o xogunato Kamakura, transferindo a capital de Heian-kyo para Kamakura.	O fim do período Heian vê a ascensão de vários clãs militares que assumem o poder e dão início ao período feudal no Japão.

exterior. As construções aristocráticas eram erguidas acima do solo (à direita) para melhorar a ventilação, e as mulheres passavam os dias sentadas no chão, de modo que os homens dos jardins adjacentes tinham as túnicas parcialmente expostas das mulheres no nível dos olhos. A luz ambiente era filtrada pelas múltiplas camadas de divisórias, com a meia-luz dos espaços internos às vezes iluminada por um pequeno lampião a óleo. Paradoxalmente, esse mundo obscuro e isolado realçava os sentidos: a percepção das cores, o tato, o olfato e a audição são demasiado aguçados na literatura clássica.

A única forma aceitável para uma mulher de status se locomover em público era ser carregada em uma carroça de boi sem janelas. Uma vez que a combinação de túnicas escolhida era considerada equivalente ao nível de cultura e sensibilidade da mulher, esta descobriu que podia se exibir publicamente do interior desse enclave escuro e lacrado expondo as bordas sobrepostas das mangas por fendas sob a porta da carroça. Caso um pretendente em potencial visse as mangas e avaliasse que as cores das túnicas expressavam um refinamento apropriado, entrava em contato com a família da mulher (indicada pelo brasão na carroça) e se candidatava para iniciar com ela um relacionamento: um prolongado período de correspondência no qual a cor do papel também era objeto de um escrutínio estético de intensidade cruciante. Para ter acesso a uma mulher nobre a partir do exterior das camadas de roupas e espaços construídos que a distanciavam, um pretendente podia também iniciar um *kaimami*, costume clandestino de corte amorosa que consistia em "espiar pelo buraco" de uma cerca, biombo ou cortina. Presente em muitas imagens e textos literários, o *kaimami* transforma o tabu da observação furtiva em um ritual estético no qual as túnicas coloridas do *irome no kasane* adquiriam uma forte carga erótica.

É evidente que a invisibilidade proibida das mulheres da corte deixava dama Murasaki ansiosa; em seu diário, ela menciona certa noite em que "a lua estava tão brilhante que fiquei encabulada e não soube onde me esconder". Nem mesmo a imperatriz estava imune à tortura da exposição, como recorda Sei Shonagon em *O livro de cabeceira*: "Quando chegava a noite e traziam os lampiões, um deles era aceso perto de onde Sua Majestade ficava sentada; como as ripas da persiana ainda não haviam sido baixadas, ela podia ser vista nitidamente pela porta aberta, de modo que ergueu o *biwa* [instrumento musical] e o segurou na vertical para se esconder. Ficou ali sentada, usando uma túnica escarlate com vestidos e outras túnicas engomadas de beleza indescritível por baixo, em incontáveis camadas, e foi emocionante ver como suas mangas caíam por sobre o negro luxuriante e lustroso do *biwa* que ela segurava, e admirar o marcado contraste com sua esplendorosa

3

4

3 Um *emakimono*, ou rolo de pergaminho, mostra o príncipe Genji jogando dados e mulheres da corte sentadas no chão atrás de biombos, com os longos cabelos negros caindo por cima das compridas túnicas.

4 Nobres sentadas são entrevistas de trás de persianas. Seus rostos são representados com os traços padronizados da técnica *hikime-kagihana* (literalmente, "traços para os olhos, ganchos para os narizes"). Ilustração de Hikokuni Tokugawa II.

testa branca, bem visível ao lado do instrumento que a ocultava." Esse trecho evoca o perene ideal estético japonês do *miegakure* (esconder e revelar) – a sugestão momentânea de algo parcialmente oculto.

Já houve quem considerasse essa vasta rede de ocultamento que rodeava as mulheres da corte Heian uma ferramenta de opressão patriarcal que mantinha-as imóveis e mudas, fora do campo de visão e incapacitadas de ver. Embora o costume lhes negasse o acesso a experiência, conhecimento e poder, criava também uma esfera de inclusão distinta, na qual elas cultivavam ideais estéticos bastante refinados. Muito competitivas, essa mulheres imóveis, com tempo livre de sobra e muitas vezes profundamente frustradas encontravam na arte, e sobretudo nas artes literárias, uma forma de poder: todos os gênios dessa era de ouro da literatura eram mulheres.

A indumentária e as artes literárias de Heian-kyo são particularmente dignas de nota, mas houve também evoluções artísticas notáveis em muitas outras áreas, como a fabricação de incenso e as cerimônias de degustação de chá, concebidas para disciplinar e cultivar os sentidos. Aparentemente, todos os elementos da vida cotidiana da corte nessa época eram alçados ao nível de arte, não apenas as roupas, mas também práticas básicas, como comer e se comunicar. A fala era estilizada e codificada, e referências e citações de poesia eram um componente esperado dos diálogos cotidianos. A ênfase era sempre a beleza da adequação: pouco importava se alguém tinha lindas túnicas ou sabia recitar poemas raros, o que conquistava elogios era a cuidadosa seleção do indivíduo em meio aos versos publicados ou às túnicas coloridas disponíveis. Centenas de rígidas regras e convenções tinham de ser respeitadas, mas havia sempre uma pequena e crucial margem de manobra que tornava possível demonstrar refinamento estético na esperança de obter vantagens sexuais ou políticas.

O nível de suntuosidade dos trajes de corte Heian acabou se tornando insustentável, e no período Kamakura que se seguiu os trajes aristocráticos se tornaram bem menos ostentatórios, embora o legado do Japão Heian tenha permanecido forte e a casa imperial ainda se vestisse à moda Heian para coroações e casamentos. Os estilistas japoneses modernos utilizaram muitas vezes a rica herança estética de sua cultura, e a moda de vanguarda japonesa dos anos 1980 e 1990 (ver p. 402) também se caracteriza por volumosas camadas que ignoram os contornos biológicos do corpo e revelam parcialmente os mecanismos internos do sistema de vestimenta. **AmG**

Roupa em camadas Século X
TRAJE NOBRE FEMININO

Retrato da dama Murasaki Shikibu, usando o conjunto *juni-hitoe* (século X).

NAVEGADOR

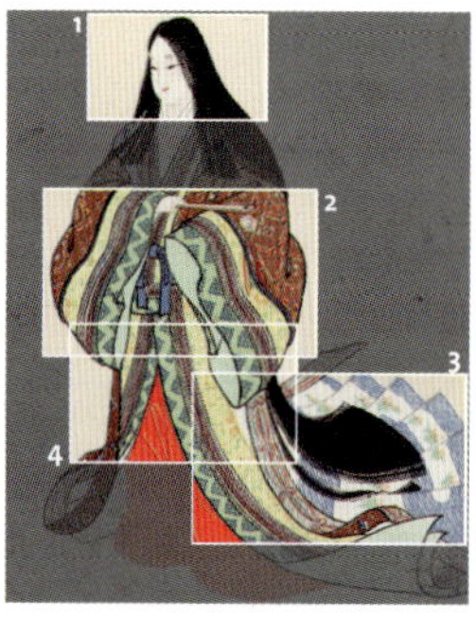

O conjunto *juni-hitoe* habitual para as mulheres da corte Heian pode ser traduzido literalmente como "as 12 camadas", mas na realidade podia ter entre 10 e 25 túnicas de seda distintas. Às vezes era possível haver algum brocado ou bordado nas camadas externas da estrutura, mas o foco eram as combinações de cores escolhidas segundo o sistema de camadas *irome no kasane*.

Túnicas de seda lisas de vários tons eram sobrepostas, em geral com as cores mais claras por cima e escurecendo gradativamente em direção à camada mais interna. Cada camada era composta por uma gaze fina e translúcida conhecida como *usumono*, e as cores eram cuidadosamente escolhidas conforme a estação do ano, o clima e a ocasião. Havia também estritos códigos que respeitavam e afirmavam rígidas hierarquias sociais, com regras específicas para combinações de cores relativas à idade, classe e status imperial de quem as usava. A estrutura em camadas formava um sutil jogo de cores no qual as túnicas internas transpareciam por baixo das externas, criando tons compostos que remetiam a fenômenos naturais efêmeros. Por exemplo, a seda vermelha transparecendo por baixo de uma seda branca translúcida criava a "flor de ameixeira", enquanto o roxo-claro por baixo do branco criava a "flor de cerejeira". **AmG**

PONTOS FOCAIS

1 BELEZA FACIAL
De acordo com os padrões de beleza Heian, o rosto da nobre está todo pintado de branco e os dentes escurecidos para não ficarem amarelos em contraste com a pele. O nariz fino, olhos puxados e a boca pequena pintada de vermelho vivo eram os traços preferidos; além disso, quanto mais compridos os cabelos lisos e pretos, melhor.

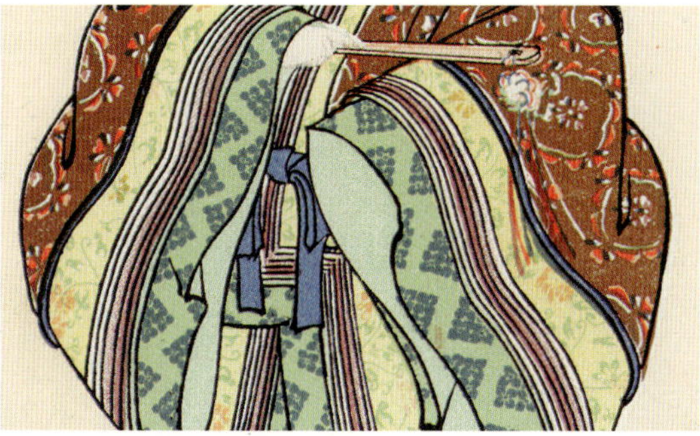

2 MANGAS GRADUADAS
Para exibir as cores das túnicas, as mangas têm comprimentos variáveis, e cada camada é sucessivamente mais curta. A estética se concentra na periferia do traje, sobretudo na barra das mangas, que as mulheres podiam passar pelas fendas de biombos ou cortinas de modo a seduzir um pretendente.

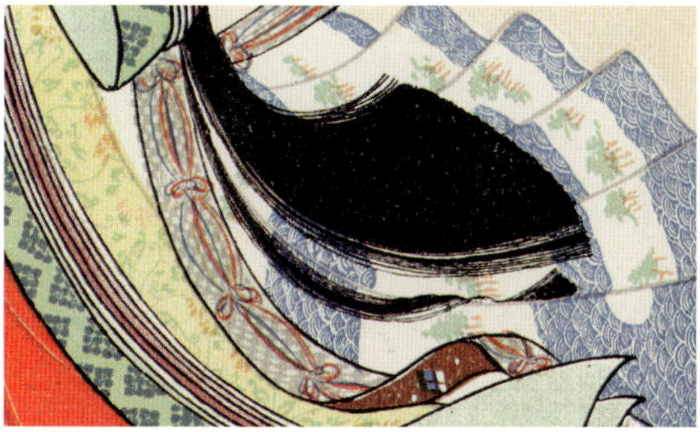

3 CAUDA COM PREGAS
Para cerimônias formais, uma túnica externa, confeccionada em seda escarlate batida, é usada por cima do conjunto de túnicas de cores variadas, e uma comprida cauda pregueada, conhecida como *mo*, se abre atrás. Como era considerado ideal na época, os cabelos da mulher estão dobrados na ponta, acompanhando o desenho da cauda.

4 CAMADAS VOLUMOSAS
O volumoso conjunto começa com uma peça interna básica, branca, por cima da qual vem a *hakama* vermelha, uma saia-calça comprida e folgada. Por cima desta pode haver até 25 túnicas folgadas de seda distintas, dispostas com ênfase nas cores compostas formadas pela sobreposição de camadas.

▲ A imperatriz Kojun veste um conjunto *juni-hitoe* (1926). A suntuosidade do traje de corte Heian era insustentável, e a indumentária Kamakura era bem menos ostentatória.

INDUMENTÁRIA MEDIEVAL

1 Um manuscrito iluminado (século XIII-XV) mostra uma figura coroada cercada por músicos da corte, usando a cota simples em forma de T.

2 Uma ilustração tirada de *Costumes de Paris à travers les siècles*, de H. Gourdon de Genouillac (1480), retrata um jovem elegante calçando os sapatos de pontas exageradas conhecidos como *poulaines*.

3 O capuz *liripipe* evoluiu até virar um chapéu em estilo turbante, visto aqui usado por Filipe I, rei de Castilha e duque da Borgonha, em um manuscrito ilustrado (século XV).

Segundo historiadores da indumentária, o sistema contemporâneo da moda tem sua origem no século XIV. Nessa época, o traje medieval mudou significativamente, e a forma de vestir se distanciou da silhueta simples em estilo camponês – baseada em uma combinação reta em forma de T, a cota (acima) – rumo a uma ênfase de inspiração francesa nos contornos e no corte. Ao mesmo tempo, a burguesia recém-surgida substituiu a hierarquia social da propriedade feudal, em que o status, a riqueza e o título dependiam da aquisição de terras concedidas pelo rei em troca de serviço militar. A cidade tornou-se um centro de comércio cujas atividades incluíam ofícios ligados à moda: vendedores de tecidos, costureiros, sapateiros, fabricantes de meias, chapeleiros, fabricantes de aviamentos e alfaiates. Em pouco tempo, roupas desejáveis se tornaram amplamente acessíveis para um maior número de pessoas de todas as classes sociais.

Tecidos eram uma peça central da economia medieval, e durante toda a Idade Média a lã foi a principal fazenda usada. Agricultores ingleses exportavam a

PRINCIPAIS ACONTECIMENTOS

1327	1348-1349	Década de 1350	1365	1405-1433	1419
Eduardo II cria a Ordem da Távola Redonda e dá início à era cavaleiresca.	A Peste Negra causa o fim do sistema feudal, pois os servos se transferem para vilarejos e cidades.	As "pontas" são criadas para amarrar peças de roupa. Passadas por ilhoses, são muitas vezes decoradas com ponteiras ornamentais.	Uma lei suntuária proíbe lacaios, criados e artesãos de usarem fazendas de lã que custem mais de um *shilling* e um *dime* o metro.	O chinês Zheng He navega o oceano Índico até a Índia, a Arábia e o leste da África para difundir a influência da China e garantir sua soberania.	Filipe, o Bom, duque de Borgonha, inaugura o costume de trajar preto após a morte do pai, João Sem Medo.

matéria-prima para os principais centros de confecção de tecidos de lã em Flandres, até o governo inglês atrair tecelões e fiandeiros para a Inglaterra. A mecanização da produção têxtil deu origem a guildas especializadas de tintureiros, pisoeiros e cardadores. No início, os tecelões usavam teares verticais e trabalhavam com a urdidura e o lado direito do tecido de frente para si, confeccionando os motivos de losango e V invertido típicos da época. Com a invenção do tear horizontal, no século XI, tornou-se possível tecer peças com até 30 metros de comprimento e 2 metros de largura. Esses comprimentos permitiam que as peças fossem cortadas para se adaptar ao corpo e, sob a influência da corte francesa, as roupas começaram a ser moldadas aos contornos corporais, o que gerou uma diferenciação maior entre os gêneros.

Os trajes elegantes eram vistos como uma prerrogativa masculina, e a maioria das representações pictóricas – esculturas e arquitetura, pintura em madeira, tapeçarias e afrescos – retrata trajes masculinos, e não femininos, como reflexo da hierarquia social da época. Os homens usavam um casaco justo almofadado com botões na frente (*gipon*), com um cinto na altura dos quadris, por baixo de uma sobretúnica com decote baixo (*côte-hardie*) também justa. A *côte-hardie* tinha a barra cortada em pontas, o que produzia uma bainha serrilhada; mais tarde foi acrescentada uma gola, o comprimento diminuiu aos poucos e as mangas ficaram mais largas. A importância dos botões cresceu, e estes muitas vezes eram forrados com o mesmo tecido do casaco ou feitos em metais preciosos, gravados com inscrições ou motivos de animais e plantas. A moda das peças *mi-parti*, ou semicoloridas – confeccionadas em dois tecidos contrastantes – surgiu em meados do século para os homens e era popular na corte inglesa. Em 1360 foi introduzida uma túnica aberta na frente, folgada e até o chão conhecida como *houppelande* (ver p. 46). Uma versão fechada na frente ganhou popularidade entre as mulheres algum tempo depois. Os homens usavam a *houppelande* junto com a *paltok* – túnica na altura dos quadris e corpete arredondado e almofadado – para criar uma silhueta que ficou em voga até 1420.

No início do século XV, a silhueta masculina idealizada se alargou gradualmente nos ombros, e pernas compridas e esguias passaram a ser realçadas por sapatos ou botas pontudas afuniladas chamadas *poulaines* (à direita, em cima). O gibão e o calção tornaram-se os componentes-chave do guarda-roupa masculino, variando apenas no estilo e nos detalhes. Os cadarços foram introduzidos em uma generosa gola em V que deixava aparecer a camisa muitas vezes ricamente adornada em seda. O comprimento cada vez mais curto do gibão exigia que as meias, inicialmente cortadas no viés do tecido no século XIII, fossem presas à borda inferior do gibão com "pontas" ou cadarços soltos. Na década de 1470, recomeçou-se a usar as peças mais simples do período anterior. O volume foi rejeitado em prol de um minimalismo atenuado, em cores e texturas discretas. Na indumentária masculina, as costuras eram deixadas abertas nos ombros ou na frente da túnica para dar uma impressão de desnudamento, com a roupa de baixo aparente nas costuras.

Os chapéus e adereços de cabeça adquiriram grande importância na Idade Média. Até 1380, usava-se um capuz com um comprido *liripipe*, que mais tarde passou a ser

Década de 1420	1434	1453	Década de 1480	1485	1498
As peles negras entram em voga: zibelina, almiscareiro, urso e, sobretudo, astracã.	Jan van Eyck pinta *O casal Arnolfini*, em que se pode ver a peça de roupa multiuso chamada *houppelande* (ver p. 46).	A queda de Constantinopla marca o fim do Império Bizantino e o início da expansão do Império Otomano.	Os cadarços dos sapatos masculinos, conhecidos como *poulaines*, alcançam comprimentos tão impraticáveis que são restringidos por leis suntuárias.	Henrique Tudor estabelece uma nova dinastia de reis, proporcionando estabilidade e priorizando o conforto doméstico em lugar do serviço militar.	O explorador Vasco da Gama e sua armada navegam de Portugal à Índia, criando a primeira alternativa marítima à Rota da Seda.

amarrado em volta da cabeça para criar um turbante (ver p. 43, embaixo). Essa moda foi seguida pelo *chaperon*, um rolo circular com enchimento ao qual era preso um gorjal, dobras de tecido cortadas em formatos decorativos e às vezes usadas sobre o ombro. Com o tempo, estas foram diminuindo de tamanho, e acrescentou-se um brasão de libré ou *cocade*. As peles eram então usadas por seus aspectos decorativos, e não mais para se proteger do frio. Costuradas na barra e no forro das roupas, eram um símbolo de riqueza e poder, e o arminho branco com pintas pretas era usado apenas pela realeza.

Em 1485, o gibão já havia ganhado uma gola alta e em pé, e encurtado tanto que passara a exigir o uso de um alçapão. Este foi inicialmente criado para cobrir os genitais, mas acabou se tornando uma peça decorada com exagero. Formado por uma aba ou nesga triangular presa à frente da meia ou do calção, a ponta inferior do triângulo era costurada ao gancho deste último, enquanto os dois cantos superiores eram presos junto ao quadril por botões ou cadarços chamados "pontas de alçapão". A *côte-hardie* foi substituída por uma jaqueta cada vez mais justa, almofadada nos ombros e com mangas removíveis. Preferia-se as cores vibrantes, em geral obtidas a partir de corantes vegetais. A fazenda escarlate era um tecido de textura macia, guarnecido com feltro, tingido com um pigmento vermelho extraído de um inseto mediterrâneo chamado quermes; esse era o corante mais caro disponível, e sua popularidade superou a do antigo pigmento à base de crustáceos do sul da Europa, o púrpura *murex*. O pastel, corante azul-esverdeado extraído do pastel-dos-tintureiros, uma flor que é parente distante do goiveiro, era mais frequente e típico de várias regiões diferentes. A casca externa das nozes fornecia marrons e preto, enquanto o branco era obtido deixando as roupas de molho em leitelho e secando ao sol. O linho era um privilégio dos ricos, e a seda era tão rara e preciosa que no início foi restrita às cerimônias religiosas. O comércio de seda italiana de Florença, Veneza e Gênova desenvolveu veludo e cetim de brocados para exportação, mas essas fazendas só eram usadas por aristocratas e nobres.

No século XIV, as divergências entre as indumentárias masculina e feminina ficaram mais pronunciadas. As tendências masculinas davam ênfase à largura dos ombros, enquanto as roupas femininas tinham ombros estreitos e uma saia de bainha larga. As mulheres usavam um *kirtle* ou vestido justo na cintura que se alargava na barra. Os punhos se alargavam no pulso ou no cotovelo, deixando pedaços de tecido pendentes. A fazenda que sobrava depois de moldar as mangas aos braços era usada para facilitar o movimento na cava ou para aumentar a largura da bainha. O contorno do corpo também era definido pelo corte parcial no viés, ora inteiriço, ora preso à trama plana do tecido. A partir de 1380, os trajes femininos eram cortados mais rente ao corpo,

4 *A filosofia apresenta a Boethius as sete artes liberais* (c.1460-1470), atribuído a Coëtivy, mostra as volumosas e compridas saias de vários estilos de traje, como a *houppelande* e o sobrecasaco.

5 Detalhe de um tríptico Portinari (1480-1483) de Hugo van der Goes que mostra Maria Portinari usando um *hennin*, tipo de chapéu em forma de campanário.

6 Christine de Pisan apresenta seu livro de poemas a Isabel da Baviera, rainha da França. A ilustração mostra dois tipos de adereços de cabeça: o véu afastado do rosto por grampos, e um *cornes*, ou adereço com chifres.

e fechos de cadarço na frente do vestido criavam uma espécie primitiva de espartilho. Mangas justas se estendiam até cobrir as mãos. A camada seguinte era a *côte-hardie*, cujas mangas tinham fitas compridas ou *tippets* que desciam até o chão. Por cima da *côte-hardie* usava-se um sobrecasaco dotado de aberturas laterais. A frente formava um peitilho rígido, conhecido como *plackard*, que criava um efeito de amarração apertada. A modéstia foi abandonada em prol do *décolletage* (decote), e a parte superior do corpete desapareceu para revelar parte do busto. Adotada com entusiasmo na Itália, essa moda teve uma adesão mais relutante na Europa Setentrional. As roupas foram aos poucos ficando mais compridas e largas até meados do século XV, quando ficaram tão amplas que o tecido sobressalente tinha de ser preso com um cinto sob os seios (à esquerda). O véu simples foi substituído por grinaldas complexas, com chifres, quadradas e dotadas de véus feitas em uma fina armação de ferro forjado e usadas pelas nobres inglesas, com formatos de coração almofadado populares em Flandres e na França. As mulheres casadas adotaram a *babette*, um círculo engomado de linho branco usado com uma larga faixa passada sob o queixo.

Uma série de complexos adereços de cabeça superou a *crespine* do século XIII, tipo de rede para os cabelos usada sozinha ou com tranças verticais de um lado e outro do rosto. Na última parte do século XIV, o véu ressurgiu no adereço conhecido como *nebula*, um semicírculo de linho que emoldurava o rosto. O *filet* (chapéu de duas pontas) também mudou de formato, compondo duas colunas ornamentais ocas por dentro das quais eram passados os cabelos dos dois lados. O adereço de almofada – um rolo com enchimento usado por cima de uma rede, com os cabelos enrolados acima de cada orelha em pequenos rolos conhecidos como templários – precedeu os *cornes*, ou adereços com chifres (abaixo). Este consistia em uma estrutura de arame na qual se enrolava o véu. Em 1450, o adereço de cabeça começou a crescer para cima, em vez de para os lados; tornou-se mais alongado e inclinado para trás. O *hennin*, tipo de chapéu em forma de campanário (à direita), era particularmente popular na França e podia ter um cone pontudo ou truncado.

No período medieval, os trajes elegantes passaram a ser cada vez mais usados para diferenciar membros da elite, da classe mercantil, artesãos e camponeses. Esse processo foi controlado pela criação de várias leis suntuárias por governos de toda a Europa, em especial na Itália, para restringir o uso de determinadas peças de roupa e reduzir os excessos inadequados. **MF**

Houppelande 1360

PEÇA MULTIUSO MASCULINA E FEMININA

O casal Arnolfini,
por Jan van Eyck (1434).

Em 1360 foi criada uma peça multiuso, a *houppelande*, que substituiu outros tipos de traje com mangas como a cota, o sobrecasaco e o manto. A versão masculina era usada sobre o gibão e o calção e terminava no meio da coxa ou da canela. As mangas largas eram franzidas nos ombros e às vezes pendiam até o chão, deixando expostas as mangas do gibão por baixo. A *houppelande* foi adotada pelas mulheres mais tarde no século XIV, embora a sua versão fosse fechada na frente e descesse até o chão, muitas vezes se prolongando em uma cauda. As dobras eram recolhidas em uma cintura alta sob o busto, e as mangas eram bem largas. Tanto a barra da saia quanto a das mangas eram serrilhadas (um método usado para cortar a bainha em pontas), tipo festonê ou enfeitadas com apliques de cores contrastantes. O uso dos tecidos era tão refinado que os moralistas desdenhavam do estilo; em *A história do pároco*, tratado sobre a vida virtuosa na década de 1390, Chaucer descreve "muitos golpes do cinzel para abrir buracos, muito recorte de pontas, e um exagero de comprimento desses trajes, que se arrastam no estrume e na lama, a cavalo e também a pé, tanto de homens quanto de mulheres".

Na primeira metade do século XV, o substantivo *houppelande* caiu em desuso em prol de "túnica" ou "vestido"; o corte ficou menos extremo e as decorações passaram a se limitar a materiais com texturas ou estampas. A partir de 1490, a peça virou o traje acadêmico padrão usado por médicos e magistrados, uma capa com capuz mais ornamental do que prática, com variações no feitio das mangas e no forro. **MF**

NAVEGADOR

PONTOS FOCAIS

1 ENFEITE DE CABEÇA MASCULINO
A largura da *houppelande* é equilibrada pela aba larga do chapéu, que esconde os cabelos. De cor sóbria, a copa de tamanho exagerado se abre em formato de balão para criar um círculo maior no alto. Outros estilos eram chapéus de coroa plana e aba estreita, ou ainda no formato de um fez turco – este um chapéu surpreendentemente simples para a época. Para um homem do status deste aqui retratado, o mais comum era usar um complexo adereço dobrado chamado *chaperon*, uma evolução da capa com capuz.

2 MANGAS DECORADAS
As mangas da *houppelande* da mulher são debruadas com uma fina tira de pele antes de descerem até o chão com uma larga borda decorativa de aplique serrilhado da mesma cor. A grande abertura revela as mangas internas, justas e em tecido contrastante de brocado muito ornamentado. A presença da pele e o vestido na altura do tornozelo usado por baixo sugerem se tratar de um traje de inverno. As mangas pesadas e pouco práticas servem de lembrete de que essa mulher pertence à classe abastada.

3 COMPLEXAS DOBRAS DE TECIDO
A extravagante e comprida cauda do vestido da mulher, debruada de pele tosquiada, é uma expressão da riqueza desse próspero casal da classe mercantil. O uso de uma seda azul estampada vinda da Itália para o vestido interno da mulher também confirma seu status. Em geral, nessa época, um vestido de noiva era apenas uma versão mais intrincada e elaborada do traje contemporâneo. O verde era uma cor muito popular, pois simbolizava fertilidade.

4 *HOUPPELANDE* SEM CINTO
A *houppelande* do homem é presa no meio por colchetes ocultos e cai livremente até a bainha a partir de um ombro largo. O volume no peito é formado por pregas sem vinco. A roupa é forrada com pele escura de zibelina ou marta, usadas por suas qualidades decorativas e como símbolo de riqueza e poder, mais do que para proteger do frio. Originalmente, as roupas usadas por baixo seriam mais roxas, porém o pigmento do quadro se deteriorou com o tempo.

INDUMENTÁRIA RENASCENTISTA

1 Neste quadro de *c.*1520 pintado por Hans Holbein, o Jovem, os ricos enfeites das roupas, a profusão de joias e o uso abundante dos tecidos identificam Henrique VIII como uma das mais poderosas e esplêndidas figuras da Europa renascentista.

2 Em um retrato de 1548, o arquiduque Ferdinando de Tirol exibe um proeminente alçapão feito do mesmo tecido que os calções fendidos. Sua silhueta de ombros largos e quadrados era típica da época.

Ressurgimento da estética do mundo clássico greco-romano, o Renascimento foi um movimento cultural surgido em Florença na Baixa Idade Média. Compreendeu o florescimento da literatura, ciência, arte, religião e política, com um desenvolvimento concomitante de uma moda mais formal e uma rígida formalidade em lugar do corte que realçava o corpo das roupas da Europa medieval. A invasão da Itália em 1494 pelo rei francês Carlos VIII, que reinou de 1483 a 1498, iniciou a infiltração da moda renascentista no restante da Europa.

Com o avanço do século XVI, uma silhueta cada vez mais estruturada, que ocultava os contornos do corpo, passou a definir a posição social de quem a exibia. Na Inglaterra, Henrique VIII, rei de 1509 a 1547, usava roupas abarrotadas de pedras preciosas (acima) para reforçar seu status de príncipe mais cobiçado da Europa renascentista e estabeleceu a tendência do consumo onipresente. Sua redistribuição

PRINCIPAIS ACONTECIMENTOS

1501	1509	1520	1536	1555	1556
Catarina de Aragão chega à corte de Henrique VII para se casar com o príncipe Arthur. Seu séquito introduz o *farthingale* na Inglaterra.	Com a morte do pai, Henrique VII, Henrique VIII sobe ao trono da Inglaterra.	Henrique VIII e Francisco I da França se encontram no Campo do Tecido de Ouro. Os dois reis competem exibindo o esplendor respectivo de suas cortes.	Tecelões da seda italianos se instalam em Lyon, que se torna o centro da sericicultura na França.	Fundação da Companhia Moscovita (ou Companhia da Rússia), que teria o monopólio do comércio entre Grã-Bretanha e Rússia até 1698.	Filipe II da dinastia Habsburgo sobe ao trono espanhol, passando a liderar um império global e extensas colônias no Novo Mundo.

das terras eclesiásticas após a dissolução dos monastérios enriqueceu novas famílias, todas ansiosas para se mostrar dignas do qualificativo "nobre" e se apropriar dos trajes da elite elegante, que incluíam peças extravagantes, enfeitadas e cravejadas de joias. As roupas eram uma parte significativa dos gastos de uma residência, uma vez que a burguesia afluente passou a exigir tecidos de luxo como cetins multicoloridos, veludos estampados e brocados das fábricas de cidades italianas como Gênova, Lucca, Veneza e Florença. Nessa época, a Itália monopolizava a fabricação do tecido de ouro – uma fazenda enriquecida com caros fios de metal – e veludos finos, situação que perdurou nos séculos posteriores. Em 1600, a manufatura da seda era vital para a economia italiana.

Durante esse período, a silhueta masculina sem forma definida do norte gótico foi substituída por uma ênfase no horizontal que refletia o arco achatado prevalente na arquitetura. As bases do corte e do ofício de alfaiate já estavam estabelecidas. A principal peça masculina era o gibão, casaco justo e abotoado feito de veludo, cetim ou tecido de ouro. As mangas ficaram mais largas, muitas vezes com painéis ou fendas (ver p. 52), e eram cortadas na dobra do cotovelo para facilitar os movimentos, estilo que também permitia ao homem ficar em pé com as mãos nos quadris, como se vê em muitos retratos da era Tudor. O costume de fender o tecido e puxar para fora o forro ou a camisa usada por baixo se aplicava tanto ao gibão quanto ao calção, e sua versão mais extrema ocorreu na Alemanha.

Por cima do gibão usava-se uma jaqueta curta sem mangas, fechada na frente com cadarços ou botões. A camada seguinte era a beca, que caía solta em várias dobras dos ombros até o chão. As peças íntimas eram calções e meias costurados juntos, com o cós sustentado por uma fileira de cadarços passados por ilhoses nas duas peças e amarrados em pequenos laços com ponteiras de metal conhecidas como *aglets*. O gibão era usado aberto para exibir o alçapão (à direita), que evoluíra de um simples pedaço de pano triangular para uma bolsa moldada e almofadada que exagerava os genitais em uma declaração frontal de virilidade. Batizado de *codpiece* em inglês a partir da palavra usada na época para designar os testículos, *cod*, o alçapão aumentou de tamanho até meados do século XVI, e era muitas vezes embelezado com joias e bordados, além de ser usado como bolsa. Foi diminuindo de tamanho aos poucos até o fim do século, quando desapareceu por completo.

Os homens calçavam sapatos baixos com bico quadrado em forma de "bico de pato" e solas de couro ou cortiça. Chapéus eram usados dentro de casa e assinalavam o status, a idade e a riqueza da pessoa. A aristocracia em geral usava uma touca macia e baixa de veludo de seda escuro, muitas vezes tingida de preto num processo caro e demorado. Uma versão semelhante era usada por homens de status inferior, mas feita com um feltro à base de pele ou de lã. O corpo do chapéu era decorado com renda de fios metálicos, brasões e *aglets* presos por colchetes, ou ainda por plumas coloridas. Os chapéus eram um item essencial e um acessório obrigatório para as classes não nobres e profissionais. Mais tarde no mesmo século passou-se a usar o *copotain*, um chapéu feito de castor, couro ou feltro de lã com uma copa alta e cônica.

1558

Elizabeth I se torna rainha da Inglaterra. As roupas são um símbolo de status importante na corte elizabetana.

1564

A goma comercial é produzida pela primeira vez para engomar roupas e rigidificar golas pela dama Dinghen van der Plasse, em Londres.

1574

Os Estatutos Elizabetanos da Indumentária proíbem o uso de "qualquer fazenda ou tecido de ouro ou pele de zibelina exceto por duquesas, marquesas e condessas".

1581

A publicação de *Habitus Variarum Orbis Gentium*, de Jean-Jacques Boissard, gera interesse pela indumentária médio-oriental.

1583

O panfletário inglês Philip Stubbs publica *Anatomia dos abusos*, virulento ataque aos excessos da moda da época.

1589

William Lee inventa o tear de malha. Meias de malha de seda ou algodão entram em voga; o modelo conhecido como relógios decora os pares mais elegantes.

O uso de determinadas cores e tecidos distinguia o traje da corte do da classe mercantil. Uma afinidade elizabetana com o mundo natural e o apreço pelo ideal pastoral produziram representações em ricas texturas da flora e fauna, e quase todos os elementos visíveis das peças eram inteiramente bordados com pássaros, insetos e flores. Embora as fazendas pudessem ser tecidas para formar desenhos figurativos, estes eram necessariamente repetitivos e estilizados. Somente o bordado era capaz de proporcionar o nível de realismo exigido pela apreciação de flores e folhagens em voga na época. Mulheres bem-nascidas bordavam com fio preto, muito usado sobre linho branco para reforçar o tecido ao redor de áreas como aberturas, decotes e punhos. O bordado com fio branco era utilizado em roupas de baixo e babados. O bordado podia incluir crivos, recortes vazados ou bainhas abertas (técnica de bordado com fios presos em feixes). Bordados complexos eram o terreno do bordador profissional, geralmente homem, e podiam conter pérolas, esmeraldas e rubis, bem como fios de ouro e prata.

O surgimento da Espanha como potência global em ascensão em meados do século XVI provocou um afastamento das cores e texturas chamativas e da exuberância ostentatória em prol de tons mais sóbrios, geralmente o preto, e com decorações mínimas (à esquerda, embaixo), como os preferidos pelo rei Filipe II, que subiu ao trono em 1556. O luxo e o status não eram mais definidos pelo excesso de ornamentação, e a rigidez da estrutura e a precisão do corte tomaram seu lugar. O casamento de Maria Tudor com Filipe de Espanha, em 1554, consolidou a tendência de formalidade austera e refletiu a etiqueta da corte espanhola. Em 1570, os cortes se modificaram: o gibão ganhou um enchimento que imitava as linhas da armadura metálica contemporânea e formava uma carapaça semelhante a um escudo. Recheado com *bombast* – mistura de trapos de algodão, crina de cavalo e estopa –, o gibão formava uma barriga redonda e protuberante, estilo que perdurou pelas três décadas seguintes. Em *Anatomia dos abusos* (1583), Philip Stubbes reclamou que os adeptos do gibão almofadado eram tão "recheados, forrados e costurados que mal conseguiam se abaixar".

Calções bufantes substituíram os do período anterior, e o modelo mais popular era o tímpano espanhol (à esquerda), almofadado até o meio da coxa, usado dos anos 1550 aos 1570. Esse modelo foi seguido em 1570 por calções folgados que desciam até abaixo dos joelhos (venezianos), ou outros ainda mais largos conhecidos como *galligaskins*. A introdução do tricô substituiu o tecido cortado no viés e levou a meias bem ajustadas ao corpo; as cores brilhantes estavam em voga, e as peças eram presas por uma fita amarrada abaixo do joelho ou, a partir de 1560, por uma forma simples de liga cruzada. O gibão masculino foi acrescido de uma capa curta; feita para ser usada tanto dentro de casa quanto fora, era uma peça muito enfeitada, com uma pequena gola em pé. O *mandilion* ou *mendeville* era uma peça puramente decorativa: um casaco na altura dos quadris, com mangas falsas, usado pendurado sobre um dos ombros. Artigos de couro incluíam luvas bordadas e franjadas e botas acima dos joelhos com o cano virado para fora, todos eles resultado de avanços no processamento dos couros na cidade espanhola de Córdoba.

Tanto os corpetes masculinos quanto os femininos eram *décolleté* e tinham um recorte quadrado no pescoço pelo qual se podia ver o alto da camisa, ou chemise (à esquerda). Os decotes cavados dos vestidos femininos eram muitas vezes preenchidos com um *partlet*; quando este era feito no mesmo tecido rico do corpete, conferia ao vestido um aspecto fechado no pescoço. *Partlets* de linho transparente ou opaco eram usados por cima do chemise; por volta de 1550, eram presos com um cordão de borlas. Os franzidos e pequenos babados resultantes acabaram se expandindo para formar o rufo (ver p. 56), uma gola de linho (frisada com ferro) feita de *reticella*, uma delicada renda vazada que depois evoluiu para as rendas de agulha do século XVII.

A rigidez da forma também era evidente na indumentária feminina. A peça principal era o *kirtle*, originalmente um vestido longo inteiriço. A partir de 1545, passou a consistir em saia e parte de cima, do mesmo feitio que se amoldava ao

corpo, e apenas a saia era chamada de *kirtle*. Presa a ela havia um pedaço de tecido triangular em cor contrastante, engomado e decorado, amarrado com fitas ou *aglets*. O espartilho, conhecido como "par de corpos", surgiu na segunda metade do século XVI. Feito de barbatana de baleia ou juncos secos conhecidos como "curvos" envoltos por um tecido rígido e almofadado, ele comprimia a cintura e achatava os seios. O efeito foi realçado pelo acréscimo do peitilho, que formava a frente do corpete e era endurecido com entretela ou camadas de papel coladas e sustentado por gravetos, fechando de fato a distância entre as duas extremidades da frente do corpete. Este último consistia em duas metades presas de cada lado do tronco por mangas do mesmo tecido amarradas no ombro. A manga externa, larga, afunilada e muitas vezes debruada de pele, era virada no cotovelo para revelar a manga interna decorada.

Na década de 1580, a parte de cima do vestido ficou mais estreita e comprida. Seu formato era conferido por uma costura curva na frente, duas oblíquas na lateral ou uma costura curva nas costas, no lugar de pences. A silhueta de formatos triangulares opostos deu lugar a uma série de círculos formados pelo rufo de linho engomado e frisado que emoldurava a cabeça e pelo *farthingale* (armação) circular (ver p. 54). Os cabelos eram repartidos ao meio, com volume de cada lado; em 1570, eram penteados para trás por cima de uma armação de arame conhecida como *palisade*. **MF**

3 Um homem de Estado italiano usa calções em forma de tímpano em um quadro de 1560. Muito volumoso, feito com tiras de tecido bordado por cima de um enchimento, esses calções pareciam uma cebola no alto das pernas.

4 Neste retrato de 1545, Eleanora de Toledo usa um vestido de brocado de seda fartamente decorado com arabescos pretos e um motivo de romã. Seu *partlet* dourado de rede é cravejado de pérolas. Bordados negros são visíveis nos cantos do chemisier de recorte quadrado.

5 Uma evolução rumo a cores mais sóbrias e tecidos menos luxuriantes marcou o fim do século XVI, suavizados pelo pequeno rufo frisado neste retrato de Filipe II da Espanha.

Roupa fendida Década de 1500
TRAJE MASCULINO

Retrato de Charles de Solier, senhor de Morette,
por Hans Holbein, o Jovem (1534-1535).

NAVEGADOR

O *Retrato de Charles de Solier*, pintado por Holbein, o Jovem, na ocasião da visita do embaixador francês a Londres em 1534, mostra o modelo usando um gibão com mangas fendidas. Estima-se que esse estilo decorativo tenha se originado na vitória da Guarda Suíça sobre o duque de Borgonha Carlos, o Audaz, na Batalha de Grandson, em 1476, quando os vencedores enfeitaram seus uniformes com o que restava dos ricos tecidos do exército derrotado. As tropas suíças foram imitadas por mercenários alemães conhecidos como *Landsknechte*, cujos elaborados e exuberantes trajes eram imunes às leis suntuárias e que foram por sua vez copiados pela corte francesa, decerto sob influência da família Guise, em parte alemã. O casamento da irmã de Henrique VII, Maria, com Luís XII de França introduziu na Inglaterra a moda das roupas fendidas. Fendas elaboradas continuaram populares, sobretudo na Alemanha, onde surgiu uma tendência de construir peças de roupa com tiras alternadas de tecidos contrastantes. As fendas também surgiram na moda feminina, mas não eram tão dominantes. Uma alternativa às fendas era "picotar" as bordas do tecido externo já cortado, técnica que minimizava o desfiamento, uma vez que cortava o tecido no viés. O picote tinha um formato específico, em geral um diamante, e o tecido contrastante era puxado para fora até formar uma superfície mais elevada. **MF**

PONTOS FOCAIS

1 CHAPÉU MACIO
Usado tanto dentro de casa quanto fora dela, o chapéu macio de veludo de seda preto é usado ligeiramente de lado. Tem uma pequena aba virada para cima às vezes conhecida como "gramado". Brasões eram presos à aba para indicar afiliação a uma residência ou indivíduo específico.

3 FORRO DE PELE
O casaco é forrado de pele escura (zibelina, lobo ou marmota) para combinar com os tons do gibão. As mangas que descem até o cotovelo são fendidas para deixar à mostra o forro de pele; o tecido externo é preso por cadarços passados em ilhoses e amarrados em laços.

2 GIBÃO
O gibão almofadado que sobe até a linha do maxilar alarga a silhueta nos ombros e no peito. Relativamente discreto tanto na cor quanto nos adornos, o gibão escuro é realçado aqui por botões de metal, decerto ouro, que eram transferidos de uma roupa para outra.

4 MANGAS FENDIDAS
A manga externa é cortada ou fendida logo acima do cotovelo, e a roupa de linho claro contrastante usada por baixo é puxada para fora a fim de criar volumes decorativos. Fendas mais compridas e paralelas no tecido eram conhecidas como painéis.

Farthingale espanhol Década de 1500

SAIA ARMADA FEMININA

As meninas,
por Diego Velázquez (1656).

NAVEGADOR

O *farthingale* (armação) começou a se disseminar na Inglaterra em 1501 no entourage da princesa espanhola Catarina de Aragão, esposa do príncipe Arthur, primogênito de Henrique VII. A popularidade da peça se consolidou com o casamento de Maria I e Filipe da Espanha, em 1554. Os *farthingales* espanhóis que se podem ver no quadro *As meninas* consistem em uma saia interna distendida por arcos de arame, madeira ou caules de salgueiro torcidos, materiais substituídos por barbatana de baleia a partir dos anos 1580. O *farthingale* da jovem infanta Margarida desce alargando-se em direção à bainha, e seu ângulo permite que ela descanse as mãos sobre a superfície quase horizontal. A jovem está rodeada por suas damas de honra no Alcázar, palácio madrilenho do rei Filipe IV da Espanha, onde a formalidade dos trajes diferia muito da corte francesa. Uma das damas de honra está ajoelhada aos pés da infanta, enquanto a outra, Dona Isabel de Velasco, está em pé atrás da princesa. Isabel usa o *farthingale* em forma de roda de carroça, que continuou sendo usado na Espanha muito depois de ter desaparecido em todos os outros lugares. O corpete do vestido achata o busto e desce por cima da saia em um babado circular que se irradia do centro, suavizando a silhueta formada pela borda da roda. A parte superior das mangas bufantes e baixas está escondida sob um lenço de gaze. **MF**

PONTOS FOCAIS

1 CORPETE
As crianças usavam uma versão em miniatura das roupas dos adultos. Aqui, o corpete da infanta rigidifica e alonga o tronco. O decote alto e amplo e as mangas duplas do vestido são idênticos aos usados por sua dama de honra, Dona Isabel de Velasco.

2 BAINHA INCLINADA
A estrutura interna estende a saia do *farthingale* para os lados em ângulo reto a partir da cintura antes de fazê-la cair na vertical em direção ao chão a partir da borda externa. A saia é inclinada na cintura, de modo que a bainha fica mais alta nas costas e mais baixa na frente.

TIPOS DE *FARTHINGALE*

O *farthingale* foi o primeiro aparato usado para ampliar a largura da saia feminina, antes da saia armada e da crinolina; foi usado pela primeira vez na Espanha pela princesa Joana de Portugal. As primeiras imagens dos *farthingales* espanhóis mostram arcos nas superfícies externas das saias; depois,passaram a ficar por dentro, dando forma à saia externa. O *farthingale* francês em forma de tambor ou roda (visto abaixo em um retrato de Anne Vavasour, c.1615), surgido em 1580, era cilíndrico; foi usado sobretudo na corte por volta de 1620. Fora da corte, o estilo mais em voga era o *farthingale* de rolo: um rolo de tecido almofadado que armava a saia na altura dos quadris.

Vestido e rufo em camadas 1620

TRAJE DE CORTE FEMININO

Isabel de França, por Rodrigo de Villandrando (*c.*1620).

NAVEGADOR

Isabel de França, filha do rei Henrique IV de França e Maria de Médici, casou-se com Filipe IV em 1615, antes de ele subir ao trono da Espanha. Neste retrato assinado pelo pintor da corte Rodrigo de Villandrando, a rainha consorte da Espanha exemplifica o traje de elite da corte espanhola, onde a formalidade contida e o luxo decoroso eram a regra. A ostentação se limitava a ornamentos em ouro e pedras preciosas, visíveis aqui nas ricas barras das mangas e no debrum do corpete. Embora em 1613 o rufo em forma de roda já houvesse desaparecido da moda inglesa, substituído pela gola caída, ele perdurou nos territórios espanhóis e na Holanda bem depois de sumir em outras partes. Aqui, o rufo em forma de roda fechada é acoplado a uma faixa presa à gola alta do corpete alongado. As bordas debruadas de renda do rufo em camadas, arrumadas em complexas dobras em formato de oito, repetem os largos punhos das mangas internas compridas e justas. O efeito frisado do rufo e das mangas era inicialmente criado usando hastes não aquecidas que transformavam as pregas em babados úmidos e muito engomados enquanto secavam. A goma começou a ser produzida comercialmente na Europa na década de 1560, e a haste aquecida, semelhante a um atiçador de lareira, entrou em uso em *c.*1570. O *farthingale* usado por Isabel ainda não havia alcançado as amplas proporções ilustradas pelo pintor da corte Diego Velázquez em *As meninas* (1656). **MF**

PONTOS FOCAIS

1 CORPETE RÍGIDO
O corpete alto e rígido envolve o tronco da mulher do queixo até a ponta de um V estendido abaixo da linha natural da cintura, na frente, e assume um formato triangular, eliminando as curvas naturais da mulher. A densa estampa da saia do vestido é organizada em motivos repetidos em formato de S duplo entremeados ao luxuoso tecido preto e dourado.

2 MANGAS DUPLAS
As mangas externas semicirculares do vestido são fendidas a partir dos cotovelos, deixando à mostra as mangas internas decoradas. As mangas são encimadas nos ombros por um painel rígido que os ultrapassa, também ricamente adornado, e exagera a silhueta triangular do corpete. Os babados nos punhos repetem o elaborado rufo de renda no pescoço. Assim como o rufo, esses punhos eram removíveis e podiam ser retirados para limpeza ou para serem usados com outro vestido.

HISTÓRIA DO RUFO

O rufo evoluiu na década de 1540 a partir de um pequeno babado criado por um cordão com borla inserido na gola da camisa ou chemisier, em geral decorado com bordados em linha preta ou branca (abaixo). No início um jeito prático de proteger o decote de um gibão ou corpete da sujeira e da oleosidade, o rufo acabou se tornando uma peça avulsa cujo formato e tamanho se expandiram até a década de 1590, quando passou a ser uma gola rígida e sustentada que rodeava a cabeça e podia chegar à largura dos ombros. Esses rufos em formato de roda exigiam uma estrutura de arame conhecida como *supportasse*, ou suporte, para mantê-las no ângulo adequado. A descoberta da goma nos anos 1560 permitiu que os rufos ficassem mais largos sem perder a forma. Quando engomados, eles também podiam ser tingidos. Em sua fase mais extrema, os rufos podiam ultrapassar os 30,5cm de diâmetro.

INDUMENTÁRIA DE CORTE OTOMANA

1 Este retrato de Suleiman I é uma cópia datada de setembro de 1589 tirada das *Descrições dos sultões otomanos*, de Seyyid Lokman (1579), e mostra o sultão usando três camadas de cafetãs em cores vivas.

2 Esse veludo de seda vermelho-escuro enfeitado com motivos em fio metálico (século XVI) foi confeccionado em tear de tração por um tecelão e seu ajudante, que o auxiliou na criação do desenho complexo.

No início do século XVI, o Império Otomano já havia se expandido por boa parte do Oriente Médio. Campanhas militares e navais eficientes garantiram o controle de territórios na Europa e no norte da África, e o império passou por um período de prosperidade econômica sob o comando de vários sultões. Na época, o governo otomano dedicava grande esforço à regulamentação e taxação da indústria da seda. Bursa, centro de tecelagem da seda desde o século XV, continuou a fabricar brocados e veludos de seda para a corte (à direita), mas novas oficinas também foram abertas em Constantinopla (atual Istambul). A cidade, centro da supremacia otomana, foi transformada em uma capital digna dos vastos domínios imperiais pelo sultão Suleiman I, que sucedeu a Selim I em 1520. No interior da cidade, o palácio de Topkapi representava o ápice da ordem mundial otomana, e de lá emanavam todo seu poder e sua influência.

PRINCIPAIS ACONTECIMENTOS

1513

Piri Reis, capitão da Marinha otomana e célebre cartógrafo, termina no Egito seu mapa-múndi para o sultão Selim I.

1517

O sultão Selim I conquista Damasco e o Cairo, confirmando os otomanos como líderes dos territórios árabes e guardiães do Islã.

1520

A ascensão de Suleiman I inicia um período notável por sua prosperidade econômica, arquitetura, pintura e criações têxteis.

1526

A campanha de Suleiman na Hungria termina com a derrota catastrófica do Exército húngaro na Batalha de Mohács e a ocupação de Buda pelos otomanos.

1534

Suleiman desposa Hürrem, escrava do palácio de origem ucraniana. Como esposa legítima, ela conquista imensos poder e deferência.

1536

Suleiman e Francisco I da França assinam um tratado que inclui cláusulas comerciais e marca a entrada oficial dos otomanos na política europeia.

O palácio começou a ser construído em 1463 pelo sultão Mehmet II, e sob o domínio de Suleiman tornou-se uma estrutura formidável, verdadeira cidadela dentro de Constantinopla. Ali viviam e trabalhavam cerca de 5 mil pessoas: o sultão, seus familiares e seu séquito; guardas, funcionários públicos civis e militares, criados especializados e habilidosos artesãos, todos organizados em uma hierarquia sujeita a estritas regras de protocolo. Na complexa estrutura de poder do mundo otomano, as roupas eram um modo visual importante de afirmar a grandeza e a ordem do sultanato. Os otomanos compreendiam bem a arte do vestir, e sabiam que as roupas cumpriam funções mais importantes do que simplesmente atender às necessidades de calor, proteção e modéstia. Formato, tecidos e adornos das roupas identificavam a classe social, a profissão, a riqueza e o status pessoal de quem as usava.

O traje de corte otomano impressionava quem o visse, em especial Ogier Guiselin de Busbecq, embaixador Habsburgo em Constantinopla de 1554 a 1562 e um dos muitos europeus a consignar suas impressões em cartas, memórias e ilustrações: "Agora me acompanhem e deitem olhos na imensa multidão de cabeças vestidas de turbante, envoltas em incontáveis dobras das mais alvas sedas e vivas fazendas de todo feitio e cor, e por toda parte o brilho do ouro, da prata, do púrpura, da seda e do cetim." A fonte mais importante de informações, contudo, é a notável coleção de vestimentas preservada pelo sultão e suas famílias no museu do palácio de Topkapi: cerca de 2.500 peças, em sua maioria cafetãs de seda, mas também calças, camisas, barretes, faixas e panos de turbante. Quando um sultão morria, suas roupas eram guardadas em trouxas às quais se costuravam etiquetas com o nome e outras informações sobre quem as havia usado. Em teoria, isso deveria ter fornecido uma lista detalhada dos trajes imperiais otomanos usados a partir do fim do século XV, mas as etiquetas foram perdidas ou substituídas de forma incorreta na ocasião dos inventários. Embora algumas peças sejam datadas e atribuídas a sultões específicos, a coleção tem mais valor como indício de estilos e feitios de tecido.

Além das informações obtidas de peças e arquivos, diversos retratos de sultões otomanos revelam um código de indumentária formal dominado pelos homens, uma vez que as mulheres, por maior que fosse a sua influência, não tinham um papel público. Os princípios desse código eram ao mesmo tempo clássicos e versáteis, baseados em peças compridas, simples no formato e no corte, usadas em camadas para ostentar os luxuosos tecidos essenciais à ostentação dos rituais da corte. Um retrato estilizado de Suleiman (à esquerda), tirado de uma história ilustrada dos sultões otomanos escrita pelo cronista da corte Seyyid Lokman (que teve diversas edições a partir de meados do século XVI), retrata o sultão na meia-idade, um homem sisudo, de barba cerrada, usando roupas de cores vivas para enfatizar sua imagem imperial. Na imagem, ele aparece usando um traje formal composto por três cafetãs de formato, textura e cores contrastantes. Por cima de um cafetã liso de seda atlas verde, o sultão usa um *entari* – peça de mangas largas na altura dos cotovelos confeccionada em luxuoso *kemha* azul estampado a fios de ouro em uma combinação de *cintamani* (duplas fitas estilizadas e rolos de nuvens chineses).

1538

Nomeado o principal arquiteto imperial, Sinan passa a assinar todas as construções importantes tanto em Constantinopla quanto nas províncias otomanas.

1557

Após 10 anos de trabalho, Sinan termina o Süleymaniye, complexo arquitetônico mais grandioso de Constantinopla.

1558

Conclusão do *Süleymanname*, crônica em cinco volumes suntuosamente ilustrada narrando a história e as conquistas da dinastia otomana.

1566

Suleiman morre durante uma campanha na Hungria e é enterrado em um esplêndido túmulo no complexo de Süleymaniye ao lado da esposa Hürrem.

1571

Dom João da Áustria derrota a Marinha otomana na Batalha de Lepanto, no golfo de Corinto.

1581

Negociações diplomáticas entre a rainha Elizabeth e o sultão Murat III. Fundação da Companhia do Levante de "Mercadores da Turquia".

3 Trajando com extravagância roupas confeccionadas com as mais luxuosas fazendas, o sultão Selim II é retratado disparando uma flecha em direção a um alvo suspenso pelo falconeiro da corte (século XVI).

4 Este brocado de seda (*kemha*) multicolorido com forro de peles (meados a fim do século XVI) pode ter integrado o guarda-roupa do sultão Selim II.

O terceiro cafetã é uma peça volumosa em seda *kemha* laranja debruada de arminho que vai até o chão e tem mangas bem compridas e fendidas nos ombros. Outras imagens da mesma época retratando a corte otomana tiradas da história de Seyyid Lokman, em especial a série de retratos dos sultões Suleiman, seu filho Selim II (acima) e Ahmet I (ver p. 62), também indicam como as roupas eram usadas. Registros nos arquivos do palácio de Topkapi confirmam, graças a inventários de roupas, registros de artesãos, remunerações, salários e pensões e encomendas de tecidos, a formidável burocracia necessária para a manutenção do sistema de indumentária otomano.

O principal item do traje de corte otomano era o cafetã, túnica aberta de corte reto que ia até os tornozelos. Na vida diurna e na administração da corte, tanto os funcionários públicos quanto o próprio sultão usavam cafetãs lisos de seda atlas – em geral vermelhos, verdes e azuis. A peça era ajustada nas laterais e na frente por meio de pedaços triangulares que se estendiam da cintura até a bainha. Experientes alfaiates eram necessários para fazer coincidir nas costuras os desenhos dos tecidos estampados e garantir transições imperceptíveis, mas os padrões de alfaiataria variavam muito, e um dos registros contemporâneos exprime uma crítica ácida: "Como é possível costurar tão mal os cafetãs? Quem conseguiria usar uma roupa dessas? Quem iria vestir estas calças pretas? Vocês nunca ouviram falar em fazenda escarlate ou seda atlas branca?"

Em meados do século XVI, as novas oficinas de Constantinopla prosperaram na tentativa de atender à demanda da corte otomana por têxteis. Situadas no primeiro pátio do palácio de Topkapi com outras oficinas especializadas, elas também existiam em outros pontos da cidade, onde aceitavam encomendas particulares. Três grupos principais de fazendas de seda – atlas, *kemha*, *kadife* – eram confeccionados para a fabricação de roupas em larguras que podiam ser cortadas e modeladas conforme a necessidade. A mais versátil das três era a atlas, uma seda lisa com acabamento acetinado confeccionada em uma ampla gama de cores: branco, vermelho, verde, azul, preto e púrpura. Brocados de seda com ricas e complexas tramas de desenhos, conhecidos coletivamente como *kemha*, eram usados para trajes formais. O *kadife* era um veludo vermelho-escuro ou verde-escuro, às vezes preto, frequentemente na versão conhecida como *catma*, em que os motivos eram confeccionados em uma combinação de pelúcia de seda e áreas vazias trabalhadas com fio de ouro. Há também no palácio de Topkapi exemplos de peças confeccionadas em seda e veludo italianos, tecidos apreciados pelos otomanos e cuja produção local não supria a demanda da corte. Os feitios dos veludos italianos acabaram influenciando de tal forma os veludos turcos que é difícil diferenciar os dois.

O *seraser*, mais luxuoso dos brocados, era confeccionado com fios de ouro e prata que formavam grandes e exuberantes motivos e também usado em cafetãs, sobretudo os de mangas muito compridas, e calças do mesmo feitio. O sultão Selim II tinha um gosto em matéria de roupas mais exuberante que o do pai, que em geral preferia as mais simples, e usava um cafetã de ouro e seda *entari* ricamente estampado. Os motivos de medalhões repetidos e caules entrelaçados com tulipas e flores (à esquerda) feitos em seda vermelha, azul, amarela e branca e forrados com fina pelagem de esquilo (à direita) se assemelham aos de um cafetã de meados do século XVI pertencente à coleção do palácio de Topkapi; é possível que essa peça tenha integrado o guarda-roupa de Selim. Um item essencial para completar o traje oficial otomano era o turbante, usado por sultões e membros mais graduados da administração em qualquer evento oficial. Nele, peças de fino algodão ou linho branco eram enroladas para formar torres ao redor de altos barretes em brocado de seda almofadado.

As cerimônias exigiam trajes especiais. O enterro de um sultão era marcado por roupas escuras: cafetãs de seda atlas ou veludo, pretos, azul-escuros, púrpura ou verdes, eram usados pelo sucessor e pelas pessoas que acompanhavam o cortejo fúnebre. As tumbas reais eram enfeitadas com roupas e fazendas penduradas e encimadas por um turbante, joias e outros objetos. Túmulos coletivos que incluíam mulheres e crianças nas tumbas de Murat III e Ahmet I continham grupos de pequenos cafetãs em veludo e brocado de seda. Esses túmulos eram periodicamente esvaziados, mas alguns dos artefatos pertencem hoje às coleções do Museu de Arte Turca e Islâmica em Istambul. Após as cerimônias de posse, de modo a reconhecer a legitimidade do novo governante, o sultão participava de uma série de cerimônias e procissões públicas nas quais exibia o poder do Estado otomano por meio das roupas. O mais importante desses eventos era a procissão regular do sultão toda sexta-feira a uma das grandes mesquitas de Constantinopla para fazer a prece da manhã, celebrar a circuncisão de um filho, recepcionar formalmente embaixadores e, de vez em quando, marcar seu retorno triunfante de alguma bem-sucedida campanha militar. Apesar da estagnação generalizada do império a partir do século XVII, o código de vestimenta otomano teve uma sobrevida notável até o século XIX, quando o reformador sultão Mahmut II o substitui pela casaca e calça europeias – símbolos de modernidade e progresso. **JS**

Traje em camadas Século XVII

TRAJE DE CORTE MASCULINO

Retrato de Ahmet I,
por Seyyid Lokman.

NAVEGADOR

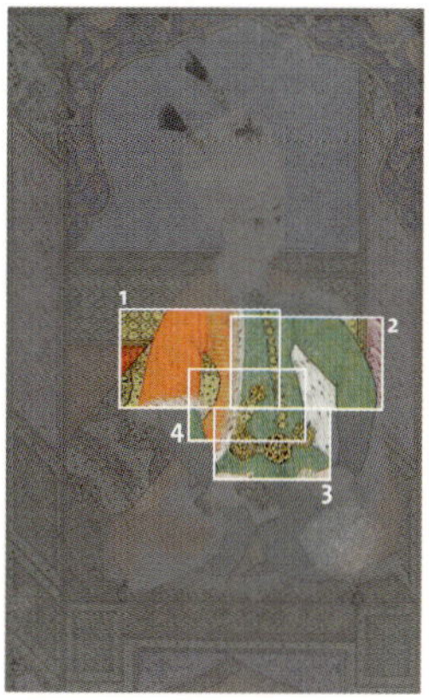

No fim do século XVI, manuscritos biográficos dos sultões otomanos foram ilustrados com retratos que, apesar de idealizados, fornecem uma imagem razoavelmente fidedigna de cada governante. Além disso, a partir do início do século XVII desenvolveu-se um gosto pronunciado por estudos individuais de rapazes e moças trajando roupas elegantes. O retrato de Ahmet I, que se tornou sultão em 1603, aos 13 anos, é um exemplo dessa tradição relativamente informal.

Pintado com traços delicados em aquarelas opacas sobre um papel elegantemente encerado, a imagem retrata o sultão como um jovem belo, digno, culto e lindamente vestido. Sentado dentro de um quiosque ricamente mobiliado, Ahmet está usando duas camadas de cafetãs de seda em cores e formatos contrastantes que descem até os tornozelos. Uma túnica interna verde, de mangas compridas e justas, é presa do pescoço até a cintura por uma fileira de botões pouco espaçados feitos em fio de ouro trançado. Uma túnica externa cor de laranja, forrada de arminho e decorada com tiras de alamares trançados em ouro, é usada de forma elegante com apenas o braço direito dentro da manga, de modo a exibir por inteiro as duas peças. Um turbante alto e enrolado com esmero e ornado com *aigrettes* de plumas negras, joias e botas de couro amarelas completam o traje de corte. **JS**

PONTOS FOCAIS

1 TÚNICA LARANJA
A túnica laranja foi pintada com finas linhas horizontais douradas para imitar o brilho da superfície da seda lisa monocromática conhecida como atlas, fazenda versátil usada em roupas, debruns e forros. A de Ahmet é debruada também com arminho.

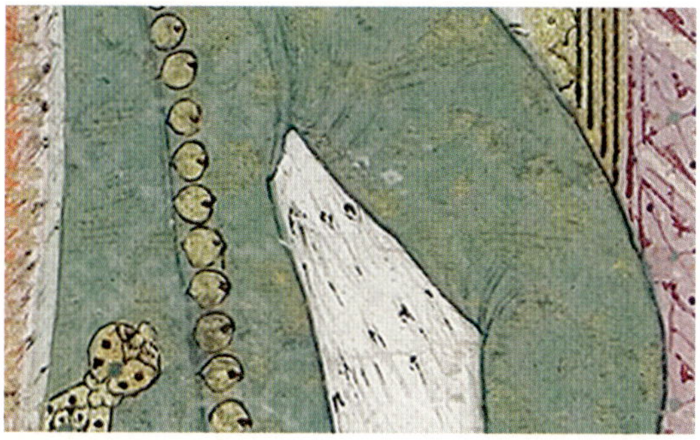

2 TÚNICA VERDE
A túnica verde foi pintada usando um motivo de folhagem em arabescos que repete folhas planas. Estas são preenchidas com linhas horizontais pintadas em dourado sobre um fundo contínuo de brotos cinzentos para representar o *serenk*, um brocado de seda maleável.

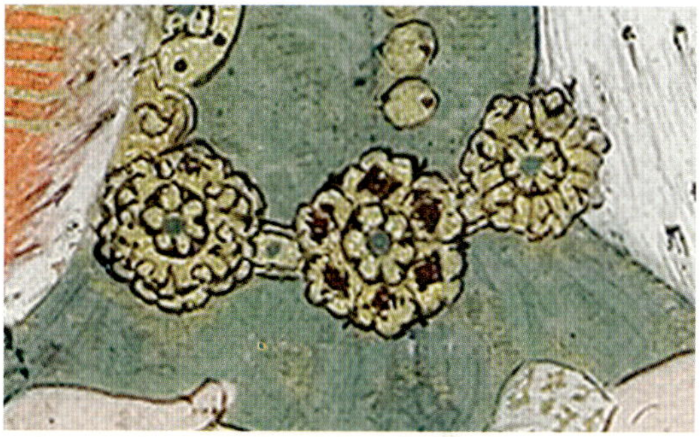

3 CINTO COM ELOS DE OURO
O cinto é feito com elos de ouro e placas incrustadas de joias montadas sobre couro. Usado por cima do cafetã, é um acessório elegante e de bom gosto. As joias da corte otomana, porém, eram relativamente austeras, já que os tecidos das peças tinham decorações luxuosas.

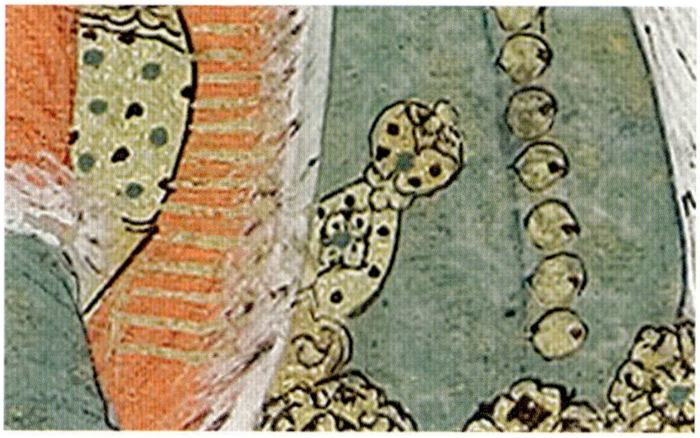

4 ADAGA CRAVEJADA DE JOIAS
A adaga é um acessório de corte elegante, e sua lâmina de aço finamente trabalhada é gravada e incrustada com folha de ouro. O cabo podia ser esculpido em pedras semipreciosas como jade ou cristal de rocha, e gravado com trechos de poemas otomanos.

INDUMENTÁRIA INDIANA – PERÍODO MOGOL

1 Esta ilustração de *c.*1650 mostra o governante mogol Humayun usando o intrincado turbante de plumas que se acredita ter sido uma invenção sua.

2 O imperador Akbar preferia o turbante plano Rajput que está usando nesta ilustração tirada do *Livro de Akbar*, do século XVI.

3 Em um retrato seiscentista, Babur, primeiro imperador mogol, aparece usando um traje de influência centro-asiática.

A moda do subcontinente indiano durante o domínio mogol (*c.*1526-1858) refletia a mistura de súditos muçulmanos e hindus. Os mogóis eram muçulmanos originários da Ásia central, descendentes do líder mongol Gêngis Khan. No início, a indumentária mogol conservou uma forte influência centro-asiática; à medida que o Império Mogol se expandiu sob o imperador Akbar – cujo reinado foi de 1556 a 1605 – e seus sucessores a partir do fim do século XVI, porém, foi incorporando aspectos de indumentária da cultura hinduísta Rajput. Foi só no século XVIII, com o aumento da presença ocidental na Índia, que os estilos europeus começavam a influenciar a indumentária mogol.

Os trajes do subcontinente indiano sempre apresentaram dois estilos básicos distintos, mas às vezes misturados: o da roupa enrolada ou drapejada – o sári (ver p. 68), o *dhoti*, o xale e o turbante –, e o das roupas cortadas e costuradas, como calças e casacos ou jaquetas ajustadas ao corpo. A existência de dois estilos contrastantes advém do contato com sucessivos invasores, comerciantes e outros visitantes

PRINCIPAIS ACONTECIMENTOS

1526	1530	1556	1600	1605	1615
Babur derrota Ibrahim Lodhi na Batalha de Panipat e funda o Império Mogol na Índia.	Humayun, filho de Babur, torna-se o segundo imperador mogol.	Akbar assume o trono mogol. Ao incentivar a arte, a cultura e a tolerância religiosa, ele é crucial para a criação de novos estilos de indumentária.	A Companhia das Índias Orientais é fundada por Alvará Real e começa a comercializar entre Grã-Bretanha e Índia.	Jahangir, filho de Akbar, sucede ao pai no trono. A escola mogol de pintura alcança o ápice durante seu reinado.	Os mogóis concedem direito de comércio à Grã-Bretanha, e abrem fábricas em troca da proteção naval inglesa contra os portugueses.

que chegaram à Índia a partir do início da era cristã. Todos esses estrangeiros, que incluíram os mogóis muçulmanos e os britânicos, preferiam casacos e calças ajustados por oposição às roupas enroladas dos indianos nativos. Nas regiões leste e sul do subcontinente, a penetração de visitantes foi menor, de modo que estas tenderam a conservar os estilos tradicionais de roupas drapejadas simples mais do que o norte e o oeste, mais próximos da terra natal dos invasores centro-asiáticos e muçulmanos e que se tornaram o centro dos impérios por eles criados. Nesses centros, que incluíam as capitais mogóis Délhi, Agra e Lahore, roupas de alfaiataria como camisas (*kurta*, *kameez*) e calças (*paijama*, *shalwar*) predominavam, como ocorre até hoje. Dentro dessa ampla divisão geográfica entre roupas drapejadas e cortadas, outros fatores também sempre afetaram a indumentária regional: riqueza, religião e profissão, bem como estilos e matérias-primas locais.

As roupas de alfaiataria estabeleceram sua influência no subcontinente indiano com a fundação do sultanato muçulmano de Délhi, no século XII. As convenções muçulmanas relativas à modéstia feminina tiveram forte influência na sociedade da Índia setentrional, e levaram à introdução não apenas de véus para cobrir o rosto em público, mas da divisão das casas entre aposentos masculinos e femininos, prática amplamente adotada tanto por muçulmanos quanto por hindus. A predominância de roupas cortadas e costuradas prosseguiu sob os mogóis, cujo longo domínio sobre boa parte da Índia formou um dos maiores impérios do mundo e perdurou até 1858 – pelo menos em teoria.

O primeiro imperador mogol, Babur – que reinou de 1526 a 1530 –, é sempre retratado nas pinturas com roupas em estilo centro-asiático (à direita, embaixo), o que reflete seu local de nascimento e origens nos atuais Uzbequistão e Afeganistão. Esse estilo incluía um turbante redondo e um casaco comprido, solto e decorado, às vezes de mangas curtas, usado por cima de uma túnica mais fina. Para ocasiões formais, Babur muitas vezes usava uma "gola-nuvem" de influência chinesa – um pedaço de tecido com quatro pontas em geral decorado com motivos tecidos ou bordados usado sobre os ombros. O filho de Babur, Humayun – que reinou de 1530 a 1540 –, continuou a preferir o traje centro-asiático, embora tenha modificado o turbante para criar um adereço de cabeça típico conhecido como Taj-i'Izzat ou "Coroa da Glória". Este consistia em um turbante dobrado para formar pontas em volta de um barrete alto, com um estreito cachecol enrolado em volta (à esquerda). Esse estilo foi inspirado por seu período de exílio na corte iraniana, e seu uso foi abandonado pelos mogóis após seu reinado.

Foi sob o filho de Humayun, Akbar (1556-1605), geralmente considerado o maior de todos os imperadores mogóis, que um estilo de indumentária tipicamente mogol começou a se desenvolver. No fim do século XVI, Akbar incorporou ao império por casamento e conquista os poderosos hindus Rajput, de quem adotou vários estilos, entre os quais o turbante plano Rajput (à direita, em cima), diferente do estilo iraniano bem mais redondo preferido por seus predecessores muçulmanos. Akbar chegou a ser retratado em alguns quadros vestido à moda hindu – com o peito nu a não ser por um leve xale de musselina em volta dos ombros e um *lungi* em estilo

1615	1628	1632	1757	1857	1858
Jaime I despacha Thomas Roe para a corte mogol como primeiro embaixador britânico.	Shah Jahan se torna imperador. Seu reinado é uma idade de ouro para a arquitetura mogol.	Shah Jahan começa a construir o palácio do Taj Mahal em homenagem à terceira esposa, Mumtaz Mahal.	A Batalha de Plassey marca o início do domínio da Companhia Britânica das Índias Orientais na Índia.	Eclode a Rebelião Indiana, também conhecida como Primeira Guerra de Independência da Índia.	O Império Mogol é suplantado pelo Raj Britânico e o último imperador mogol, Bahadur Shah II, é exilado na Birmânia.

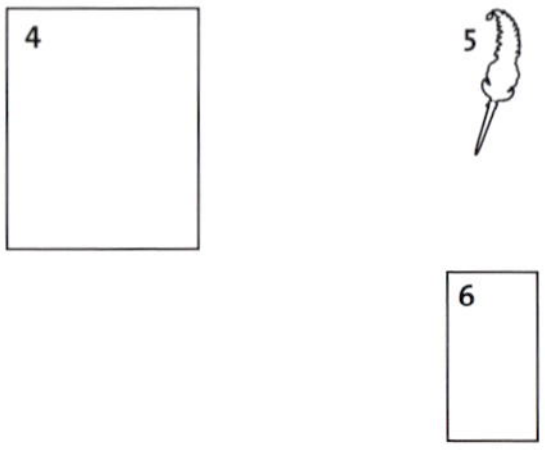

4 Esta dama muçulmana, de uma pintura mogol do século XVII, está usando calças sob um simples manto, com um grande acessório de cabeça. Calças sob medida foram especialmente populares entre as mulheres muçulmanas tanto na corte como na vida diária.

5 Um enfeite de turbante feito de esmeraldas, rubis e cristais incrustados em jade. Um anel por trás da roseta em geral continha uma pluma. O uso de plumas nos turbantes mogóis simbolizava o status real.

6 Um retrato do século XVII do filho do soberano hindu Rajput de Mewar. Ele traja um *chakdar jama* amarrado na esquerda. A bainha do *jama* diáfano foi confeccionada de modo que os cantos fiquem pendurados como pontas.

sarongue enrolado ao redor dos quadris e da parte inferior do corpo. Na maioria das vezes, ele e seus contemporâneos são representados usando a *jama*, túnica de alfaiataria amarrada na lateral do peito. A *jama* decerto era uma adaptação da *angarkha* (literalmente, protetor corporal) indiana pré-mogol, mas a calça de pernas mais justas (*paijama*) usada junto com ela foi uma inovação muçulmana.

Akbar tinha um interesse pessoal pela moda e ideias bem definidas em relação à indumentária. É a ele que se credita a invenção de vários estilos mogóis, como o *chakdar jama* (*chakdar* significa com a lateral dividida), que tinha pontas características ao redor da bainha (à direita, embaixo), e o costume de usar dois xales de Kashmir juntos, muitas vezes em cores contrastantes. Também foi ele quem criou a regra de que os muçulmanos deviam amarrar seus *jamas* à direita do peito, e os hindus à esquerda. Embora essa prática não pareça ter sido respeitada com rigor, muitas vezes funciona como um indicador útil para tentar identificar os cortesãos nas pinturas da época. Akbar e os membros de sua corte, bem como seus sucessores, são muitas vezes retratados usando um *jama* de algodão branco liso, mais provavelmente confeccionado com a fina musselina presenteada por Bengala como tributo à corte mogol após sua conquista em 1576.

O ponto alto do Império Mogol compreendeu os reinados de Akbar e seus sucessores Jahangir, que reinou de 1605 a 1627, e Shah Jahan, cujo reinado foi de 1628 a 1658. Nesse período, a moda conservou os principais traços do reinado de Akbar, com casacos e calças de alfaiataria confeccionados em tecidos esplendorosos servindo como peça de base para os trajes elegantes tanto masculinos quanto femininos. A ênfase estava na qualidade dos materiais, mais do que no luxo das texturas de superfície. A fina e diáfana musselina, por exemplo, era mais valorizada do que o veludo pesado para os trajes de corte. Essa preferência se devia obviamente ao clima quente, para o qual materiais finos eram mais adequados do que os grossos, mas celebrava também os talentos da produção têxtil local. As finas musselinas de Bengala eram famosas tanto na Índia quanto no exterior, enquanto as sedas do Gujarat eram embelezadas com ouro para criar um luxuoso espetáculo nos trajes e na decoração da corte.

Embora um lindíssimo casaco de caça mogol do início do século XVII (ver p. 68) tenha chegado aos dias de hoje, quase nenhum outro artigo de indumentária anterior ao século XIX sobreviveu. Entretanto, as esplêndidas e detalhadas pinturas em miniatura e as ilustrações de manuscritos do período fornecem informações preciosas sobre os trajes e decorações das cortes. Essas ilustrações demonstram como os elementos básicos de trajes masculinos e femininos eram parecidos na corte mogol: tecidos diáfanos de musselina eram preferidos para casacos, uma vez que permitiam ver as calças de estampas coloridas usadas por baixo. Para as mulheres, o casaco era muitas vezes substituído por um corpete, e o traje era completado por um pedaço de tecido comprido, fino e retangular em cor contrastante usado para envolver a parte superior do corpo e, quando necessário, esconder o rosto. As mulheres Rajput tradicionalmente usavam saias (*ghaghra*) e corpetes (*choli*) franzidos, com um grande véu retangular (*odhni*) para cobrir a parte superior do corpo (à esquerda), em lugar das calças e peças de alfaiataria preferidas pelas muçulmanas. Esses estilos hindus, também retratados nas pinturas mogóis, são mais uma forma de identificar os integrantes hindus da corte. Os acessórios masculinos eram turbantes adornados com joias ou enfeites (à direita), fieiras de pérolas e faixas (*patka*) ricamente decoradas com as pontas estampadas. Os calçados de ambos os sexos eram de tecido ou couro macio em formato de chinelo, para poderem ser facilmente tirados ao adentrar algum recinto, e tinham lindos bordados, ou então eram confeccionados em veludo vermelho liso.

Em paralelo aos estilos de alfaiataria preferidos na corte, a tradição de trajes drapejados seguiu dominante em muitas regiões da Índia durante o Império Mogol, sobretudo o sul e o leste, majoritariamente hindus. A mais importante dessas peças drapejadas era o sári, principal peça da indumentária feminina "de enrolar", e o *dhoti* ou tapa-sexo, equivalente masculino do sári. O sári pode ter de dois a nove metros de comprimento. O menor tem o comprimento suficiente para cobrir o corpo e é usado por mulheres de vilarejos, enquanto o mais comprido, que se presta a uma complexa gama de pregas e drapejados, é usado por grupos ricos de elite. As fazendas iam do algodão grosseiro a luxuosas sedas tecidas e bordadas em ouro para casamentos e eventos formais. Embora o costume de usar um sári enrolado tenha se tornado mais padronizado com a influência do cinema e da televisão, tradicionalmente existem dezenas de variações regionais. Enquanto alguns estilos preferem deixar a borda decorada da ponta (*pallu*) cair pelas costas, algumas regiões usam o *pallu* na frente do corpo. Os sáris das mulheres das zonas rurais têm de permitir que elas se movimentem, e por esse motivo as pontas muitas vezes são usadas presas, e não soltas. Em uma solução pragmática para esse problema, as mulheres da zona rural e do litoral do Maharashtra tradicionalmente usam a ponta do sári passada entre as pernas e presa nas costas, de forma bem parecida com um *dhoti* masculino, o que permite separar as pernas e ao mesmo tempo mantê-las cobertas.

As técnicas de tecelagem, estamparia e bordado para as fazendas de sáris e *dhotis* eram muito difundidas. Algumas, como a confecção da musselina fina ou a tecelagem com fio envolto em ouro (*zari*) eram adequadas para o uso na corte mogol ou nas cortes locais, enquanto outras permaneciam populares dentro de uma região. Por exemplo, no leste da Índia, Odisha (antiga Orissa) tradicionalmente fabricava tecidos *ikat* amarrados à mão, que eram e são ainda muito populares nessa região, mas não foram adotados na corte. Os *bandhani* (tie-dye) do Rajastão, por sua vez, com suas estampas de bolinhas ou em zigue-zague, entraram em voga durante o reinado do imperador Jahangir porque ele preferia turbantes e faixas de tie-dye, talvez como marca de respeito pelas origens Rajput tanto de sua mãe quanto de sua esposa. **RC**

Casaco de caça mogol 1620-1650

TRAJE DE CORTE MASCULINO

NAVEGADOR

Este casaco lindamente bordado é o único exemplo de traje de corte mogol a ter sobrevivido. Feito de cetim de seda branco bordado em ponto de cadeia com fio de seda, tem imagens de flores e animais, entre os quais pavões, leões e cervos. A área em volta do pescoço não é bordada porque ali devia ser presa uma gola de pele separada. Casacos curtos como esse aparecem com frequência nas pinturas mogóis em miniatura do século XVII. A altíssima qualidade do bordado sugere que a roupa foi feita para um imperador, decerto Jahangir ou seu filho Shah Jahan. No livro de memórias *Jahangirnama* ou *Tuzuk-i Jahangiri*, Jahangir recorda ter restringido o uso de determinadas peças e tecidos a si próprio ou àqueles a quem os dava de presente. Entre esses artigos havia um casaco que ele chamava de *nadiri* (raridade), descrito como uma roupa que ia até a coxa e não tinha mangas, como a peça aqui retratada. Ele também menciona que, no Irã, esses casacos eram chamados de *kurdi*, ou "curdo". Casacos estampados sem mangas com gola de peles aparecem nas ilustrações das memórias de Shah Jahan. O magnífico manuscrito *Padshahnama* pinta um retrato de exatidão impressionante da vida na corte mogol que inclui menções às luxuosas decorações e roupas. O estilo do bordado deste casaco, com suas imagens naturalistas de flores e animais, pode ter sido influenciado pelo bordado inglês do mesmo período. O delicado ponto cadeia, porém, decerto foi feito por bordadores profissionais do Gujarat, na Índia ocidental, que haviam adaptado esse estilo de bordado a partir do trabalho com o couro. **RC**

PONTOS FOCAIS

1 ESTAMPA NATURALISTA
As flores naturalistas deste casaco foram em parte tiradas de livros e gravuras europeus levados para a corte mogol no fim do século XVI por mercadores, missionários e diplomatas ocidentais. A estampa também tem paralelos com os bordados ingleses da época, com suas cenas de animais junto à água. As memórias de Jahangir deixam clara sua admiração pelos bordados ingleses que lhe foram mostrados pelo embaixador britânico de sua corte, Thomas Roe.

2 BORDADO EM PONTO CADEIA
Na Índia, os bordados variam conforme a região na qual se originam. O bordado em ponto cadeia deste casaco é típico do esplêndido trabalho feito no Gujarat, na Índia ocidental. Inicialmente desenvolvido como uma forma de decorar artigos em couro, ele utiliza uma ferramenta especial em formato de gancho chamada *ari*. De tão valorizados, os bordados gujarati eram encomendados tanto para a corte mogol quanto para o mercado externo, e foram importados para a Grã-Bretanha a partir do século XVII.

▲ Esta pintura do início do século XVII mostra o imperador mogol Shah Jahan percorrendo uma paisagem montado em um cavalo cinza-claro. Ele está usando um casaco de caça bordado sem mangas.

Sári Século XVIII
ROUPA FEMININA

Um barbeiro e sua esposa (c.1770).

NAVEGADOR

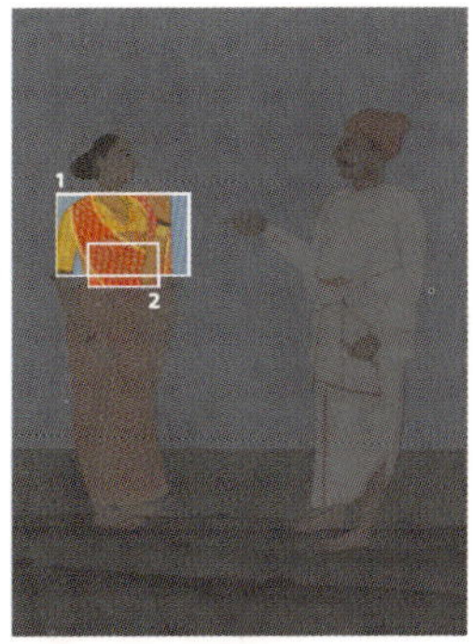

O sári é há muitos séculos a roupa tradicional das mulheres do subcontinente indiano, embora muitas muçulmanas preferissem camisas e calças de alfaiataria e determinados grupos hindus do oeste da Índia tradicionalmente usassem *ghaghra* (saia) e *choli* (blusa curta). Nesta pintura de Thanjavur, no estado de Tamil Nadu, a esposa de um barbeiro usa o tradicional sári drapejado enquanto o marido usa um *dhoti*, seu equivalente masculino. Por baixo do sári, a mulher usa um corpete curto: houve quem sugerisse que o corpete foi introduzido por muçulmanos ou ocidentais, mas a história dos corpetes de alfaiataria na Índia é bem mais antiga. Essencialmente um pedaço de pano comprido enrolado em volta do corpo, o sári tinha comprimento e largura muito variáveis: os mais simples usados por aldeãs mediam 45 por 180cm, enquanto os luxuosos "sáris de nove pés" da Índia Central mediam cerca de 110cm por 9m. O uso de grandes extensões de tecido para envolver o corpo era um sinal claro de riqueza; um sári que só fizesse cobrir o corpo assinalava alguém sem dinheiro para fazenda extra. Os tecidos iam de suntuosas sedas e fios envoltos em ouro usados nos sáris de Varanasi e Kanchipuram a um algodão fiado e tecido à mão nos exemplos rurais. Um sári podia ser drapejado de inúmeras maneiras, e cada região da Índia tinha seu próprio estilo tradicional. **RC**

PONTOS FOCAIS

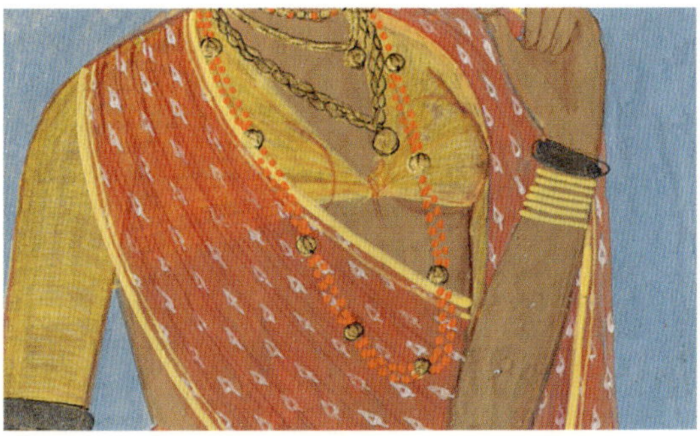

1 MODO DE DRAPEJAR
Esta forma de drapejar o sári é típica do sul da Índia: a parte inferior é pregueada e enrolada na cintura, e o restante é drapejado para poder ser usado cruzado em frente ao corpo ou caindo nas costas.

2 ESTAMPA
A estampa simples do tecido é uma repetição de motivos estilizados de folhas debruado por margens simples e estreitas em ambas as bordas. O vermelho é uma cor popular para sáris, sobretudo no sul da Índia, onde é considerado auspicioso.

▲ Sári (detalhe) confeccionado em seda e fio envolto em ouro (*c*.1850). O *pallu* (borda decorada) inclui uma fileira de motivos florais inspirados nas estampas dos xales da Caxemira.

2 | DE 1600 A 1799

INDUMENTÁRIA JAPONESA – PERÍODO EDO

O período Edo (1603-1867) foi uma época de estabilidade política, crescimento econômico e expansão urbana até então inéditos no Japão. Enquanto Kyoto continuou a ser o centro da cultura aristocrática e da fabricação de artigos de luxo, Edo (atual Tóquio) se transformou em uma das maiores aglomerações do mundo, uma cidade em que a massa crítica da população e a riqueza conduziram a uma vasta cultura da indumentária. Os principais consumidores de roupas eram os samurais, que constituíam cerca de 10% da população. Mercadores e artesãos, contudo, os maiores beneficiários da paz e da prosperidade, apresentavam um desafio constante à ordem estabelecida. Na rígida hierarquia do Japão Tokugawa proibia-se que a riqueza fosse diretamente usada para se obter maior status social. Em vez disso, empregavam-se várias outras estratégias de consumo e ostentação, estimulando assim uma extensa indústria têxtil (acima).

À medida que as roupas se tornaram um indicador fundamental de prosperidade crescente e que as sensibilidades estéticas passaram a ser usadas como desafio à ordem social, muitas leis suntuárias foram introduzidas para regulamentar tecidos, técnicas e cores usados pelas diferentes classes. Embora nem sempre as leis fossem aplicadas, o que gerava oscilações constantes entre opulência e contenção, elas de fato criaram diferentes códigos sutis. O uso de cores e materiais restritos para roupas íntimas e forros popularizou-se como subterfúgio para ostentar riqueza e estilo pessoal. Esses tecidos eram vistos apenas de relance por baixo do exterior mais simples e grosseiro do quimono, peça-chave na estética da indumentária japonesa.

PRINCIPAIS ACONTECIMENTOS

1603	1633	1635	1639	1641	1657
Nomeado xógum pelo imperador, Tokugawa Ieyasu transfere seu governo para Edo e funda a dinastia Edo.	Tokugawa Iemitsu proíbe as viagens ao exterior e a leitura de livros estrangeiros.	Togukawa Iemitsu formaliza o sistema de residência alternada obrigatória em Edo (*sankin kotai*) para os senhores feudais e suas famílias.	Conclusão dos éditos que estabelecem o Isolamento Nacional (*Sakoku Rei*). Todos os ocidentais ficam proibidos de entrar no Japão, com exceção dos holandeses.	Tokugawa Iemitsu expulsa todos os estrangeiros do Japão, exceto os cidadãos chineses e os holandeses.	O Grande Incêndio de Meireki, supostamente causado pela cremação de um quimono maldito, destrói a maior parte de Edo e mata mais de 100 mil pessoas.

Um dos principais motivos para a estabilidade e riqueza do período Edo foi a política altamente eficaz de *sankin kotai* (residência alternativa), vigente de 1635 a 1862. Embora os detalhes tenham mudado ao longo dos 260 anos do domínio Tokugawa, em geral se exigia que todos os grandes proprietários de terra – os daimio – se alternassem periodicamente entre suas províncias natais e Edo. As despesas necessárias para a manutenção de suntuosas residências em dois locais e para as viagens entre ambas desencorajavam disputas entre os territórios, além de gerarem uma quantidade extraordinária de atividade econômica e cultural. Como resultado da estadia obrigatória em Edo, começou nesse período a desprovincialização dos confins do Japão, proporcionando grande fluxo de informações e transferência de tendências entre cidade e periferia.

A concentração das classes dominantes criava condições ideais para uma cultura da competição por meio da moda e de ostentações de riqueza e estilo. Diferentemente da situação no palácio de Luís XIV em Versalhes, França, porém, os sistemas de valores japoneses não permitiam que o luxo fosse levado ao extremo – afinal, o acúmulo de riqueza no Japão nunca foi tão grande quanto na França, pois a política comercial Tokugawa era bastante livre (embora o país fosse fechado aos investimentos estrangeiros). Durante todo o período Edo, as redes de distribuição se ampliaram, e a absorção industrial dos ofícios e das especializações familiares avançou. A estabilidade monetária e as atividades bancárias e de seguros eram bastante maduras, e o comércio se tornou uma fonte fundamental de riqueza, sem o entrave de taxas ou impostos excessivos. A partir de uma data comparativamente precoce, a classe mercantil prosperou, enquanto a dos samurais permaneceu em grande parte inativa durante esse período de paz. À medida que a distribuição de recursos se difundiu lentamente entre as classes, os prazeres do consumo e do estilo se tornaram disponíveis em Edo. As leis suntuárias refreavam o consumo, mas tendências ilícitas que as violavam eram moeda corrente, e as cortesãs de luxo muitas vezes se vestiam com a última moda (ver p. 76).

A partir de meados do período Edo, uma das transformações mais importantes na indústria dos quimonos, a técnica *yuzen* (à direita), foi aperfeiçoada por Miyazaki Yuzen. Forma de tingir tecidos com múltiplas cores, usando moldes vazados e pasta de arroz, o *yuzen* até hoje é um dos pontos centrais da refinada cultura do quimono. O método permitia a imitação de brocados mais complexos, e estima-se que, quando foi introduzido, 20 formas de tingimento caíram em desuso. A maior resistência à água e a estabilidade das cores do *yuzen* melhoraram muito a produção têxtil, o que por sua vez ampliou os parâmetros da moda Edo. Apesar dessa invenção versátil, as considerações políticas dominavam, ou pelo menos impunham rígidos critérios aos tipos de traje que podiam ser usados e às modas criadas no Japão durante o período. Uma das políticas mais influentes, a *sakoku* (isolamento nacional), em vigor até 1854, garantiu que não houvesse praticamente nenhuma influência do mundo exterior na indumentária do país. **TS**

1 Esse tríptico em madeira (*c.*1794) de Kitagawa Utamaro mostra mulheres escolhendo tecidos e costurando roupas.

2 Esse tecido de crepe de seda para quimono (*c.*1850) foi tingido usando a técnica *yuzen*, mais resistente, e apresenta estênceis e bordados. Os desenhos ilustram a história de Urashima Taro.

1700	1700	1789	1841	1854	1867
Início da era de ouro do teatro cabúqui e da xilografia *ukiyo-e*; ambos influenciam as estampas dos quimonos.	O tingimento *yuzen* é aperfeiçoado por Miyazaki Yuzen em Kyoto.	Bordéis sem licença são proibidos, e muitas trabalhadoras da indústria do sexo se mudam para o bairro de Yoshiwara, pondo fim à reputação de exclusividade e levando à ascensão das gueixas.	Instituição das reformas Tenpo, incluindo rígidos éditos suntuários que proíbem muitas manifestações de luxo na tentativa de controlar a moral e a ordem social.	Os Estados Unidos forçam o Japão a assinar um acordo comercial (Tratado de Kanagawa) que reabre o país aos estrangeiros após dois séculos.	Renúncia de Tokugawa Yoshinobu, fim da dinastia Tokugawa e restauração do imperador Meiji. A capital é transferida para a recém-batizada Tóquio.

Traje de cortesã Período Edo tardio

TRAJE FEMININO

Cortesãs passeiam sob as cerejeiras em frente à casa de chá Daikokuya (c.1789), por Kitagawa Utamaro.

NAVEGADOR

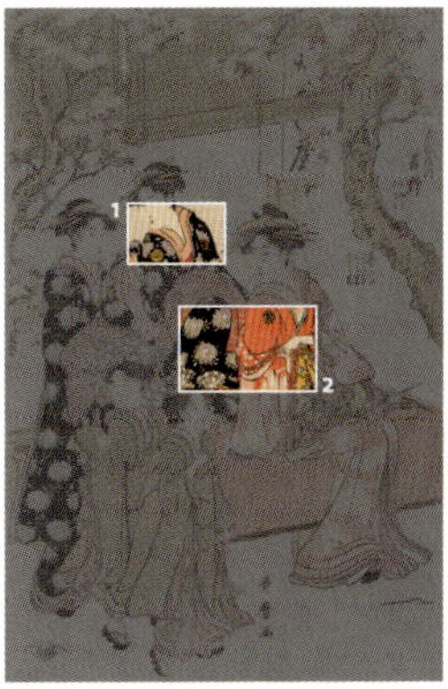

Boa parte do período Edo tardio foi marcada tanto pela extravagância quanto por leis suntuárias muito estritas. Inventividade ou exuberância exageradas em matéria de moda eram um risco, e registraram-se muitas perseguições notórias a transgressores da ordem estabelecida. Um dos locais em que a moda conseguia em certa medida se libertar dessas preocupações era o bairro dos prazeres de Yoshiwara, não apenas por seu status de mundo à parte, mas também porque ele era frequentado por membros da classe mais poderosa.

As cortesãs mais importantes definiam o conceito de elegância, e seu estilo e beleza foram tema de livros. Elas podiam trajar quimonos extravagantes com enfeites caros e intrincados nos cabelos sem ofender as sensibilidades de classe, pois no bairro de Yoshiwara as classes sociais não eram divididas: contanto que tivesse dinheiro para pagar, um plebeu podia ser atendido em pé de igualdade com um samurai. Essa liberdade em relação ao restante da sociedade altamente ordenada levou também muitas tendências a virarem objeto de registro. Quimonos com estampas quadriculadas – ousadas e masculinas – contrastadas com motivos florais eram considerados sexualmente ambíguos, portanto eróticos. O estilo das obis variava muito: às vezes os nós grandes estavam mais em voga, e o costume de amarrá-los na frente ou atrás se alternava. Nos tempos modernos, nós e tamanhos eram altamente padronizados. **TS**

PONTOS FOCAIS

1 OMBROS
Um robe externo levemente caído nos ombros era considerado atraente. O pescoço era uma das partes do corpo feminino com maior carga erótica; portanto, usar cabelos presos e o robe um pouco solto equivalia ao *décolletage* do período da Regência.

2 ROBES
As prostitutas usavam robes azuis lisos, mas muitas vezes tinham estilos mais experimentais e vestiam quimonos de seda coloridos. Para uma cortesã, o vermelho era considerado erótico, sobretudo quando usado em contraste com a pureza do branco.

▲ Este quimono foi usado por um samurai. A estampa traz a técnica de tingimento com pasta chamada *chaya-zome*, reservada apenas para as túnicas de verão dos samurais mais importantes.

CARLOS I E O COMMONWEALTH

1 Este retrato de Sir Antoon van Dyck mostra o rei Carlos I e a rainha Henrietta com seus dois filhos mais velhos (1632).

2 A parte de cima, de cetim prata, do vestido da rainha Henrietta Maria é enfeitada com fitas na cor coral (1632).

3 Robert Walker retratou Oliver Cromwell usando um traje da moda (século XVII).

A elegância contida e os tons escuros da corte de Carlos I deixaram de lado a extravagância e a ênfase na beleza masculina da era jacobina, descartando portanto o rufo e substituindo os enchimentos por gibão e calção, para criar uma silhueta mais simplificada. O corte aparentemente simples das roupas contrastava com seu romantismo, e a silhueta menos rígida era enfeitada com inúmeras fitas arrumadas em formato de roseta para realçar várias partes do traje: calções, mangas, sapatos. Embora sem estampa, os tecidos eram luxuosos, e a rigidez do linho e da renda brancos proporcionava um contraponto marcante ao preto, a cor preferida. Sagaz patrono das artes, Carlos I costumava convidar pintores de renome para visitar sua corte em Londres, entre os quais Sir Antoon van Dyck, que produziu imagens perenes da corte dos Stuart ao retratar as diversas tendências da moda, entre as quais a da barba e do bigode pontudos usados pelo próprio Carlos I (acima).

O rufo foi substituído por uma gola larga, de caimento suave, inicialmente feita com duas ou três camadas de tecido, debruada de renda e presa por cordões. Isso permitia que os cabelos fossem usados na altura dos ombros, onde eram moldados em cachos arrematados por uma fita. Após 1630, o gibão evoluiu para um casaco de cintura fina com saia relativamente ampla que acabava na frente em uma ponta e era

PRINCIPAIS ACONTECIMENTOS

Década de 1620	Década de 1620	1625	1626	Década de 1630	Década de 1630
A manga de painéis entra na moda feminina: a manga é dividida em duas partes bufantes por uma fita amarrada acima do cotovelo.	Golas rígidas dão lugar a um estilo mais relaxado, conhecido como gola "caída", feita em renda macia com acabamento em festonê.	Carlos I desposa a princesa católica francesa Henrietta Maria de França, filha de Maria de Médici, na catedral de Canterbury.	Carlos I é coroado em 2 de fevereiro na abadia de Westminster, mas sem a presença da esposa.	Henrietta Maria contrata o projetista Inigo Jones, primeiro arquiteto britânico importante do período moderno, como seu supervisor de obras.	Os trajes femininos ganham cinturas mais altas e decotes mais cavados. As mulheres expõem os antebraços com mangas na altura dos cotovelos.

usado aberto até o meio do peito, de modo a exibir a camisa que despontava por cima da calça; para facilitar os movimentos, o casaco às vezes tinha também uma fenda atrás. As complicadas fendas nas mangas dos primeiros tempos foram substituídas por um longo corte vertical na frente, preso uma vez no cotovelo, que deixava à mostra a manga da camisa. As mangas terminavam com um largo punho virado, às vezes abotoado e com forro contrastante. Havia dois tipos de calção: o comprido, decorado nos joelhos por uma coleção de fitas coloridas, e outro que tinha a mesma largura até o final, usado solto no joelho e enfeitado com uma sequência de ponteiras (fitas amarradas em laços que terminavam em ponteiras de metal). Os calções mais compridos eram enfiados em botas de couro de cano virado, ou "cano de funil", também usadas em casa, forradas de seda ou couro e enfeitadas com renda. Botas, capas e chapéus eram extravagantes. Grandes capas circulares com golas largas eram amarradas ao pescoço por cordões, e os chapéus eram posicionados na lateral da cabeça, a frente inclinada para cima e enfeitados com plumas.

Seguindo a deixa da rainha Henrietta Maria, nascida na França, as anquinhas caíram em desuso, e a rigidez e a extensão do espartilho foram bem reduzidas. O traje feminino consistia em um corpete amarrado por fitas de cetim na frente e coberto por um peitilho, uma anágua e um vestido, aberto em toda a frente e levantado na barra para exibir a saia interna. Rebuscadas golas de cambraia debruadas de renda desciam até bem abaixo dos ombros (à direita). As mangas eram bufantes e, assim como no gibão masculino, fendidas no centro para exibir o tecido utilizado por baixo. Usadas com luvas compridas de seda ou pelica, eram arrematadas por largos punhos soltos de renda ou de cambraia plissada e desciam até logo abaixo do cotovelo. As mulheres usavam grandes capas circulares parecidas com as dos homens, ou então casacos compridos de mangas largas. Os cabelos eram arrumados em coque na nuca com cachos moldados de cada lado da face. Em casa usava-se uma pequena touca de cambraia branca, e na rua os capuzes das capas cobriam a cabeça.

O conflito e o embate ideológico cada vez mais intensos entre o rei Carlos I e o Parlamento foram representados pela evolução de duas formas de indumentária. Os monarquistas partidários do rei eram conhecidos pelos membros do Parlamento como *cavaliers* (do latim *caballarius*, cavaleiro). Em repúdio aos excessos da aristocracia e influenciados pelos trajes da próspera burguesia da Holanda, os parlamentares substituíram as golas de renda pelo linho liso, e a seda pela lã; os cabelos eram cortados curtos na frente e aparados na linha do maxilar (à direita). Os trajes femininos também foram bastante simplificados: o corpete ficou cada vez mais alongado e rígido, e o *décolleté* foi substituído por um decote mais largo e mais fechado, preenchido por um lenço de gaze. Mesmo as mulheres que não precisavam fazer nenhum trabalho doméstico usavam avental de linho branco. Peles eram importadas do Novo Mundo, e pequenos regalos de pele ou tecido eram usados tanto por homens quanto por mulheres, como se pode ver na gravura *Inverno*, de Wenceslaus Hollar (ver p. 80). **MF**

1639	Década de 1640	1641	1649	1660	1661
Tem início uma série de guerras civis conhecidas como Guerras dos Três Reinos, que se espalham por Escócia, Irlanda e Inglaterra.	Chapéus grandes e decorados com imensas plumas de avestruz são muito usados pelos cortesãos. Os chapéus das classes mais baixas permanecem sem adornos.	O pintor da corte Van Dyck é sucedido pelo inglês William Dobson, que pinta retratos de *cavaliers* importantes trajando roupas de luxo.	Os estilos ficam mais discretos após a execução de Carlos I e a fundação do Commonwealth inglês, liderado por Oliver Cromwell.	Fim do Commonwealth na Inglaterra e restabelecimento da monarquia durante a Restauração.	A influência francesa leva à introdução de "calções-anágua" mais curtos e cobertos de fitas, tão folgados que parecem saias.

Traje feminino Década de 1640

TRAJE DE INVERNO COM MÁSCARA E REGALO

Inverno, gravura de Wenceslaus Hollar (1643).

O artista natural da Boêmia Wenzel Hollar produziu uma série de quatro gravuras representando as estações do ano, cada qual simbolizada por uma mulher trajando roupas da moda. A expressividade de seu virtuosismo como gravurista pode ser vista na variedade de tecidos e peles por ele retratada nos trajes dessas senhoras. No século XVII, as peles de animais eram abundantes no Novo Mundo, e tanto a Grã-Bretanha quanto a França criaram maneiras de obtê-las de suas colônias na América do Norte. Em 1670, a Companhia da Baía de Hudson foi fundada pela Carta do Governador e Companhia de Aventureiros da Inglaterra.

A gravura intitulada *Inverno* mostra uma jovem vestida na moda com várias saias, gola de peles, capuz e meia-máscara (máscara *loo*, do francês *loup*, lobo), segurando um regalo. Essas peças tubulares entraram em voga na Itália no início dos anos 1570, junto com uma variedade de máscaras. O quarteto de Hollar constitui uma valiosa documentação da vida seiscentista. O bairro londrino de Cornhill aparece ao fundo de *Inverno*, com suas fogueiras de carvão acesas e a torre da antiga bolsa de valores (Royal Exchange) visível à direita. O erotismo estudado da imagem é explicitado pelo verso que a acompanha: "O frio, e não a crueldade, a fazem usar / No inverno as peles e pelos dos animais selvagens / Para à noite uma pele ainda mais macia / Abraçá-la com mais deleite." **MF**

NAVEGADOR

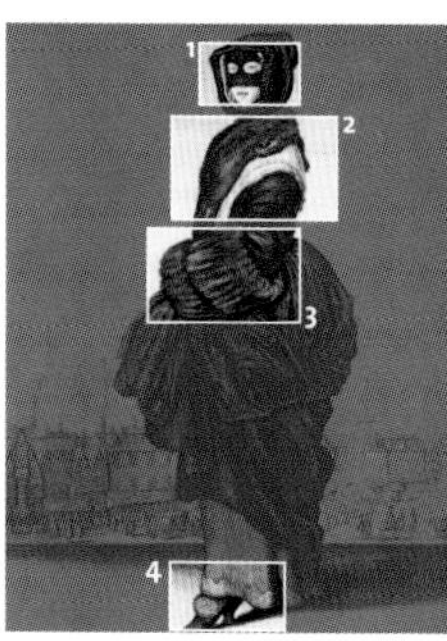

PONTOS FOCAIS

1 MEIA-MÁSCARA
As máscaras feitas de veludo ou seda cobriam o rosto inteiro, com exceção dos olhos. Eram usadas sobretudo para proteger a pele das intempéries, mas também proporcionavam anonimato. Em *Inverno*, a meia-máscara proporciona um caráter ambivalente à postura decidida e ao olhar firme da mulher.

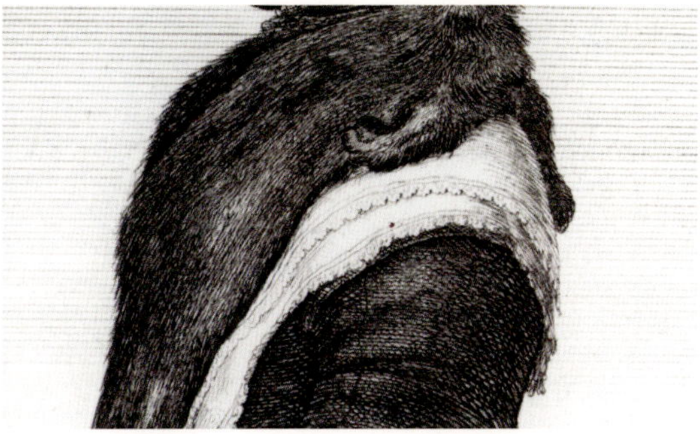

2 PALATINA DE ZIBELINA
Uma grande palatina (estola) de pele em volta dos ombros, com as pontas caídas unidas na frente e ao centro, indica se tratar de uma mulher rica. A origem das palatinas remonta à Idade Média, quando eram usadas sobretudo pelos homens. No século XVII, elas já faziam parte do guarda-roupa das damas elegantes.

3 REGALO TUBULAR
O regalo forrado de peles era um acessório prezado tanto por homens quanto por mulheres. Além de aquecer as mãos, também tinha compartimentos internos para guardar itens necessários no dia a dia, como lenços e dinheiro. Era muitas vezes perfumado para neutralizar o cheiro das ruas.

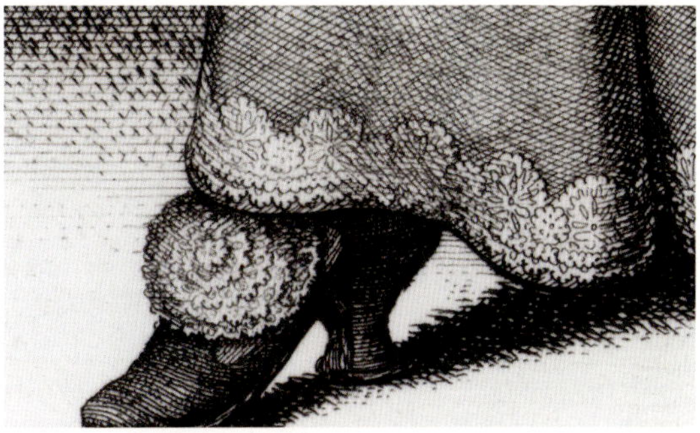

4 SAPATO DECORADO
Para proteger a barra da lama, a mulher ergue a saia com um gesto sedutor, revelando uma saia interna estampada e um sapato com salto luís, de formato curvo. Em meados do século XVII, os sapatos ganharam um aspecto mais feminino, e o modelo aqui mostrado é decorado com uma roseta de fitas.

A HISTÓRIA DA MÁSCARA

Originalmente usadas por cortesãs no século XVI, as máscaras tinham finalidades tanto decorativas quanto práticas. Ao proteger a pessoa do clima nas cavalgadas ou em atividades ao ar livre, preservava a pele clara em voga na época. Mas as máscaras também eram usadas dentro de casa. Em 1663, o cronista Samuel Pepys escreveu que "virou moda entre as senhoras ir ao teatro usando máscaras que escondem o rosto inteiro". As máscaras inteiriças eram feitas de tecido preto ou branco engomado, com orifícios na região dos olhos e da boca. Isso permitia às mulheres permanecerem escondidas ao assistir aos espetáculos, então proibidos para damas de respeito.
As máscaras ficavam presas por um cordão amarrado na cabeça e por uma conta ou botão seguro entre os dentes. As estilosas meias-máscaras, por sua vez, cobriam apenas os olhos e o nariz, e eram usadas com frequência em bailes ou mascaradas. Presas a uma vareta e mantidas suspensas em frente ao rosto, elas auxiliavam o flerte, o que deu origem à sua associação com um comportamento licencioso.

INDUMENTÁRIA CHINESA – DINASTIA QING PRIMITIVA

1 Este retrato feito por um artista anônimo mostra o imperador Yongzheng usando um manto de corte amarelo com um colar de pérolas.

2 Os temas dos Doze Símbolos apareciam exclusivamente nos mantos do imperador na corte.

3 O imperador Qianlong inspeciona um desfile usando um conjunto altamente decorativo de armadura cerimonial.

Em 1644, os manchurianos, minoria étnica do nordeste da China, ocuparam Pequim e fundaram a dinastia Qing. Para impor sua autoridade a toda a população, o primeiro imperador Qing ordenou a todos os homens adultos que raspassem o alto da cabeça e usassem roupas em estilo manchu. Ao mesmo tempo, os governantes manchurianos ansiavam por conquistar a simpatia dos chineses han, que formavam mais de 90% da população. Devotos, passaram a seguir a tradição secular dos han de oferecer sacrifícios ao céu, à terra, ao sol e à lua. Esses rituais, realizados respectivamente no inverno, no verão, na primavera e no outono, eram as obrigações mais importantes de um imperador chinês, que nessas ocasiões trajava um manto cerimonial adornado com os Doze Símbolos. Além disso, usava também chapéu, colar, cinto e botas de corte (acima). Para ocasiões menos formais, o imperador usava um manto de dragão (ver p. 84).

PRINCIPAIS ACONTECIMENTOS

1644	1645	c.1646	1661	1715	1722
Os manchurianos, nômades do norte da China, tomam Pequim e fundam a dinastia Qing com Shunzhi, de 6 anos de idade, como imperador.	As leis manchurianas do rabicho obrigam os homens a raspar o alto da cabeça. Funcionários de estado devem usar mantos com punhos em formato de casco de cavalo.	O governo Qing reabilita as fábricas têxteis imperiais de Nanjing, Hangzhou e Suzhou.	Kangxi, de 7 anos, sucede Shunzhi como imperador e inicia um governo de 61 anos, o mais longo de um imperador chinês.	O artista italiano Giuseppe Castiglione começa a trabalhar para Kangxi no Palácio Imperial e atua como pintor da corte para três imperadores sucessivos.	Yongzheng vence os irmãos em uma disputada sucessão e se torna o terceiro imperador Qing.

Regras rígidas controlavam a cor do manto de corte do imperador. Como o céu é azul, ele usava azul no Altar do Céu. Um manto amarelo era usado no Altar da Terra, um vermelho no Altar do Sol e um branco no Altar da Lua. O material do colar combinava com o manto: contas de lápis-lázuli para adornar o traje azul, âmbar para o amarelo, coral para o vermelho e pedras de turquesa para o branco. Nos dias de festivais importantes, como o Ano-Novo lunar, o imperador usava um colar de pérolas, mesmas joias que enfeitavam seu chapéu de corte.

Os Doze Símbolos eram pequenos desenhos encontrados no traje de corte do imperador (à direita); representavam sua autoridade máxima, e só ele podia usá-los. Segundo os textos chineses, os reis começaram a usar os Doze Símbolos no primeiro milênio antes de Cristo. O sol, a lua e a constelação representavam o firmamento, enquanto a montanha, o dragão e a criatura alada (retratada como um faisão) representavam as coisas terrenas. A cabeça de machado, o ideograma *ji* repetido e vasos sacrificiais remetiam à veneração dos ancestrais. Por fim, a planta aquática, as chamas e o cereal representavam três dos cinco elementos: água, fogo e terra. Na filosofia chinesa, os cinco elementos representam os pontos cardeais e as forças naturais: leste (madeira), sul (fogo), oeste (metal), norte (água) e centro (terra). Ao trajar os Doze Símbolos, o imperador deixava claro que estava em harmonia com o céu e a terra, que tinha a bênção dos ancestrais e das divindades dos cinco pontos cardeais.

O imperador podia ter várias esposas, mas somente a principal, a imperatriz, na condição de líder da população feminina, podia fazer sacrifícios no Altar da Deusa dos Bichos-da-Seda. O traje cerimonial da imperatriz era semelhante ao do marido, só que com mais camadas. Por baixo do manto de corte havia uma saia, e por cima um casaco sem mangas. Ela não usava apenas um colar, mas três, e também três pares de brincos. Uma tiara, um ornamento de gola e um longo pingente de seda completavam o traje. Com 10 peças sobre o corpo e a cabeça, os movimentos da imperatriz podiam ser muito lentos, o que conferia à cerimônia uma aura de grande solenidade.

As oferendas sacrificiais eram destinadas às divindades, mas também pensadas para impressionar as pessoas. Uma cerimônia de natureza secular era a "grande inspeção militar", acontecimento espetacular no qual canhões, armas de fogo, peças de artilharia, cavaleiros e soldados de infantaria participavam de um desfile. À frente do exército vinha o imperador, com sua magnífica armadura e capacete cerimoniais (à direita). A armadura na realidade era feita de cetim amarelo-vivo, com mangas e frente costurados com tiras douradas para dar um brilho metálico. Tachinhas de cobre acentuavam o efeito de metal. O capacete era feito de couro laqueado com letras em sânscrito gravadas a ouro para invocar proteção. Tiras de zibelina e joias na ponta do capacete, setas e a aljava também faziam parte do traje e eram fabricados estritamente conforme o regulamento.

Em 1766, o imperador Qianlong, que esteve no poder de 1735 a 1796, canonizou o código de indumentária, imaginando que fosse ser observado por muitas gerações futuras. Mal sabia ele que, um século depois, uma mulher de outro clã, a imperatriz viúva Cixi, viria perturbar seu grandioso esquema. **MW**

1725	1737	1766	1766	1796	1799
O imperador Yongzheng realiza o ritual do arado no Altar do Deus da Agricultura usando um manto de dragão amarelo-vivo.	Qianlong instaura a dama Fuca como imperatriz. A imperatriz Xiaoxian, como passa a ser conhecida, usa flores no cabelo em vez de pérolas e joias.	Um livro com detalhes dos tipos de trajes formais é concluído por ordem imperial: *Receptáculos rituais da augusta dinastia ilustrado.*	O imperador Qianlong estabelece um rígido código de indumentária para as audiências da corte imperial, segundo o qual as mulheres devem se vestir conforme o grau de importância do marido.	Após a abdicação do pai, Qianlong, Jiaqing sobe ao trono como o quinto imperador Qing a governar a China.	Morte de Qianlong. Na verdade, ele manteve o poder até a morte, abdicando somente para não governar por um período maior do que o imperador Kangxi.

Manto de dragão 1736-1795

TRAJE DE CORTE

Manto de dragão em tapeçaria usado pelo imperador Qianlong.

O traje de corte do imperador era o mais importante da indumentária Qing; para os ocidentais, porém, o tema que mais representa a China é o dragão. O imperador usava o manto de dragão em ocasiões de celebração, como o casamento de príncipes e princesas imperiais. Quando o lorde George Macartney, o primeiro embaixador britânico na China, se encontrou pela primeira vez com o imperador Qianlong, em 1793, este trajava um manto de dragão.

O manto tem uma costura vertical central e se abre ligeiramente para fora em direção à barra, em formato trapézio. Tem sempre nove dragões estampados: dois nos ombros, três na frente, três nas costas e um na aba traseira que não se pode ver na ilustração acima. O dragão chinês é um animal benigno e auspicioso, que habitava o território no segundo milênio a.C. mas depois ficou extinto. O nove é o maior dos números de um só algarismo, sendo assim uma quantidade adequada de dragões para o líder supremo. A fenda na bainha do manto indica que o imperador usava uma calça por baixo.

Sabe-se que o motivo da fênix era reservado à imperatriz. Porém, tanto esta quanto a imperatriz viúva também usavam mantos de dragão. A versão feminina do traje tem fendas laterais, mas não na frente nem nas costas. O manto usado pelas pessoas que não pertenciam à família do imperador chamava-se manto *mang*, e o animal nele retratado se assemelhava muito ao dragão. **MW**

NAVEGADOR

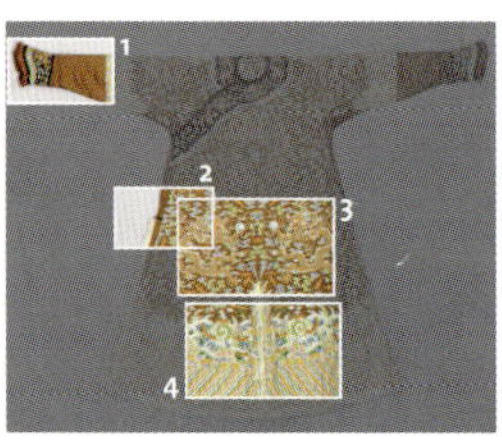

PONTOS FOCAIS

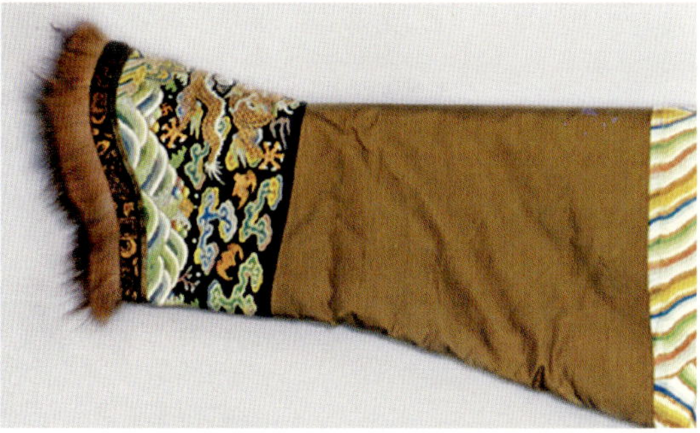

1 PUNHO EM FORMA DE CASCO
Os punhos de um manto manchu têm o formato de um casco de cavalo, em referência direta à origem nômade do povo manchuriano, que vivia da caça. O casco de cavalo era também um símbolo de sua força militar: dizia-se que os líderes Qing haviam "conquistado o país a cavalo".

2 BOTÃO
Os botões foram introduzidos pelos manchurianos. Antes de 1644, os chineses han prendiam suas roupas com laços ou nós. Os botões dos primeiros mantos Qing são sempre esféricos – ora de metal, ora de tecido – e presos por alças. As casas de botão só passaram a ser usadas no século XX.

3 MOTIVO DO DRAGÃO
Três tipos de dragão aparecem neste manto: um frontal no meio, de corpo inteiro; dois rampantes, de perfil, à esquerda e à direita; e dois andando no detalhe azul-escuro abaixo da clavícula. Os dragões rampantes seguram nas garras uma pérola em chamas. O fundo de nuvens coloridas representa o céu.

4 BASE DE ÁGUA
As listras diagonais coloridas na bainha são conhecidas como "base de água". Segundo a lenda chinesa, o dragão inicialmente vive na água; ao alcançar seu poder supernatural completo, ele sobe ao céu. Junto com as montanhas, as ondas que se agitam acima da base de água formam um homófono de "império" (*jiangshan*).

MANTO DA IMPERATRIZ

Neste retrato de *c.*1737, atribuído ao artista italiano Giuseppe Castiglione, a imperatriz Xiaoxian, primeira esposa de Qianlong, usa um manto cerimonial de inverno. Os mantos de corte eram adaptados às diferentes estações do ano, e os de inverno muitas vezes tinham forro de pele e debrum de zibelina. As largas ombreiras são a característica mais marcante do traje.

TRAJE DE CORTE FRANCÊS

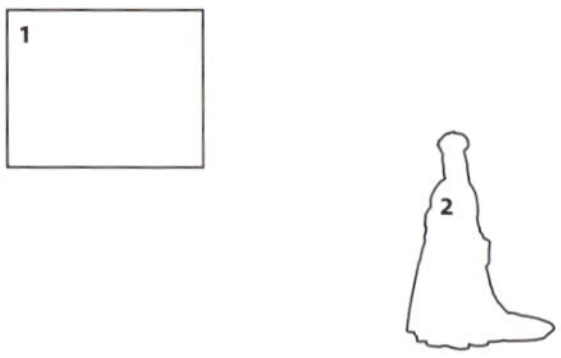

1 Neste quadro de 1667, Luís XIV veste um *justacorps* de seda bordado e uma calça bufante na altura dos joelhos. Suas roupas refletiam o poder, a grandiosidade e a riqueza da monarquia. Até mesmo Colbert, ministro das finanças do rei – vestido de preto – usa jabô e punhos de renda.

2 Um mantô de seda do século XVIII mostra como o vestido externo era usado por cima de uma saia interna. O traje aparece aqui com uma *fontange* relativamente baixa.

No século XVII, a França se tornou líder inconteste do estilo na Europa. De fato, as raízes da moderna indústria da moda remontam à Paris da década de 1670, quando publicações e lojas de roupas e acessórios recém-surgidas promoviam estações, estilos e novidades como motores para mudanças. Esse processo é sinônimo do reinado de Luís XIV, de 1643 a 1715, mas também da influência de seu ministro das Finanças, Jean-Baptiste Colbert, que criou os patrocínios estatais à indústria têxtil, conduziu as guerras do rei Luís XIV e gerou a riqueza ostentada nos trajes do monarca e seus cortesãos. O próprio Colbert raramente era visto sem ser de preto, e parecia um triste reflexo do glorioso rei (acima). Filho de tecelão, ele compreendia o atrativo de produtos de luxo como seda, tapeçarias e renda, e decidiu que a França deveria ter o monopólio de sua produção e se tornar o centro do consumo de luxo de produtos da moda. Os ateliês de tapeçaria de Gobelins, em Paris, teciam imagens dos feitos de Luís XIV para o palácio de Versalhes e ornamentos para *châteaux* França afora. Comerciantes de acessórios e joias de luxo eram incentivados a abrir lojas nas recém-construídas praças reais da capital. Em 1665, foram criados em Alençon ateliês de renda cuja produção incluía jabôs (*cravates*), *fontanges* (adereços de cabeça) e *cannons* (babados para os joelhos). Esses materiais de alta qualidade se tornaram arremates obrigatórios para todos os trajes formais da corte. Embora as sedas francesas simbolizassem o puro luxo da corte, a revogação do Édito de Nantes por Luís XIV em 1685 fez muitos tecelões huguenotes altamente qualificados buscarem exílio no bairro londrino de Spitalfields, rompendo o monopólio francês.

PRINCIPAIS ACONTECIMENTOS

1660	1665	1672	1675	1678	c.1678
Luís XIV desposa a princesa espanhola Maria Teresa. A união alia o estilo francês à formalidade espanhola.	Colbert se torna o principal ministro das finanças e patrocina as indústria de luxo francesas de renda, perfume, seda e tapeçaria.	Lançamento do periódico *Le Mercure Galant*, que divulga a moda da corte e de Paris para um público em grande parte interiorano.	Costureiras mulheres, as *couturières*, ganham status de guilda e o direito de desenhar e fabricar trajes de corte não formais, marcando o surgimento das butiques.	O mantô – vestido--sobretudo aberto, usado por cima da saias – faz sua primeira aparição registrada. A peça suaviza a formalidade do traje aristocrático.	As "temporadas de moda" são mencionadas pela primeira vez no *Le Vert Galant*.

Os trajes de corte alcançaram um nível de esplendor jamais igualado, e de 1661 a 1789 fizeram da França o modelo para as outras monarquias da Europa. Em teoria, todos os súditos franceses tinham acesso à corte, mas era preciso estar vestido de acordo. Para eventos como coroações, casamentos e bailes, isso significava usar o *grand habit*, traje que podia custar mais do que um modesto *château*. O *grand habit* feminino (ver p. 88), ápice da suntuosidade, ostentava tanto a riqueza e o status da mulher quanto da casa responsável por sua fabricação. O *grand habit* masculino compreendia um casaco externo comprido (*justacorps*), um *gilet* (colete) e uma calça bufante, substituída em 1670 por uma calça justa; esse traje constituiu essencialmente a base do terno de três peças. Dependendo da ocasião, as peças levavam bordados, festões de renda e joias, ou eram confeccionadas em tecidos mais simples para caçadas. O *grand habit* comprimia as mulheres em um formato de cone invertido, e era o menos apropriado dos estilos para as rechonchudas integrantes da corte do rei Luís. Mesmo assim, a conservadora e corpulenta duquesa de Orléans adorava o seu, que preferia ao mantô mais informal (à direita) surgido a partir de 1678: adaptação de um roupão aberto na frente em traje externo, este era usado por cima de saia, corpete e peitilho. O mantô revolucionou o traje diurno e suavizou a silhueta feminina.

Segundo relatos apócrifos, uma amante do rei chamada Marie-Angélique, duquesa de Fontanges, foi responsável por revolucionar o penteado. Na década de 1670, as mulheres da corte começaram a prender os cabelos com grampos acima da testa a uma estrutura de arame conhecida como *commode*. Fontanges garantiu sua popularidade quando seus cabelos ficaram despenteados durante uma cavalgada e ela os prendeu temporariamente com uma liga de fita. O rei adorou, e da noite para o dia nasceu um novo estilo: fita e cabelos presos à *commode*. O arranjo de cabeça de arame e renda que daí surgiu foi batizado de *fontange* em homenagem à duquesa.

Essa combinação de corte e comércio deu origem à moderna indústria da moda, pois os cortesãos conseguiam reagir mais depressa que os alfaiates da corte ao que as mulheres queriam usar. Em 1675, os *couturiers* conquistaram status de guilda, passando a poder comercializar seus produtos de forma eficaz. Seus negócios foram impulsionados em 1672 pela criação do periódico de moda *Le Mercure Galant*. Ao noticiar quem usava o que, onde e como, a revista deu origem às tendências de moda e ao conceito de temporada. As vendedoras de artigos de moda feminina (*marchandes de mode*) dominaram também o universo dos acessórios, outrora monopólio dos comerciantes de aviamentos homens, e foram as mulheres que cimentaram a relação entre a França e a liderança no mundo da moda no século XVII. Eram elas que consumiam os artigos de luxo franceses, atuavam como modelos e geravam a oferta e a demanda por artigos de indumentária inovadores e ousados. **PW**

1680	1682	1683	1685	1692	1715
O surgimento do arranjo de cabeça tipo *fontange* alonga o perfil feminino de cachos horizontais para uma altura vertical.	A corte real francesa se transfere de Paris para Versalhes, que se torna a sede oficial do governo.	Morre a rainha Maria Teresa. Luís XIV se casa em segredo com Madame de Maintenon. A geração mais jovem da corte passa a ditar a moda.	O Édito de Nantes é revogado e tecelões de seda huguenotes perdem proteção legal.	Em homenagem à vitória francesa na Batalha de Steenkerke, as mulheres adotam um lenço de pescoço solto e drapejado, e os homens usam uma *cravate* mais simples.	Morte de Luís XIV. Sob a regência de seu sobrinho, Philippe d'Orléans, a corte se transfere de volta para Paris.

O *grand habit* Década de 1660
TRAJE DE CORTE FEMININO

A rainha Maria Teresa e seu filho, o Grand Dauphin, usando o grand habit. Quadro de Pierre Mignard (c.1665).

NAVEGADOR

O *grand habit* usado por Maria Teresa, rainha da França, ilustra o traje de corte grandioso e limitador do início do reinado de Luís XIV, que só podia ser confeccionado por alfaiates da corte ou por costureiras particulares, e não pelas *couturières* parisienses. O *grand habit* consiste em um *grand corps* ou *corps de robe* (corpete), uma *jupe* (saia) e um *bas de robe* ou *queue* (cauda). O corpete, sustentado por barbatanas feitas de barbatana de baleia, comprime e expõe o busto, forçando os ombros para trás. Todos esses elementos parecem confirmar a conhecida expressão: "É preciso sofrer para ser rainha." A silhueta lembra os exageros horizontais e sem relevo dos trajes formais espanhóis da corte de Felipe IV, pai da rainha. Nessa época do reinado de Luís XIV, as mangas deixavam os ombros à mostra e eram bufantes até os cotovelos, enfeitadas com camadas de rendas e debruns. A saia é sustentada por *panniers* (anquinhas) feitos com barbatanas de baleia, hastes de salgueiro ou de metal e recheados com tecidos rígidos. Com a chegada do século XVIII, as dimensões dos *panniers* iriam aumentar. A cauda é tanto uma indicação de status – a rainha podia usar uma cauda comprida, já a de suas damas de companhia era mais curta – quanto uma oportunidade de exibir outros arremates. Embora não existisse um código de cores propriamente dito, mulheres mais jovens de maior status preferiam usar dourado ou prateado, e as mais velhas em geral trajavam preto. **PW**

PONTOS FOCAIS

1 MÁSCARA
Maria Teresa segura na mão direita uma máscara para proteger a pele do sol. A máscara também faz referência à ópera e ao balé da corte, cujas apresentações proporcionavam aos espectadores uma oportunidade de ostentar riqueza e status por meio das roupas.

2 JOIAS E PLUMAS
A roupa da rainha tem festões de preciosas pérolas naturais, mas as pérolas de água doce também eram muito procuradas. Penas de avestruz dão ao traje um toque de exotismo. As joias populares na época incluem também a palatina, um colar que descia pelas costas.

3 CORES REAIS
O *grand habit* comunica a posição de rainha da França: vermelho, branco e preto eram as cores tradicionais da realeza antes da Revolução. As cores continuam nas roupas do delfim, ilustrando a prática de vestir os meninos pequenos com "saias".

4 TECIDO PESADO
Os debruns e tecidos luxuosos do *grand habit* denotam o status de quem usa o traje, mas o tornam extremamente pesado; as saias muitas vezes tinham pesos acoplados. As sedas eram tecidas com fios de prata e ouro de verdade.

MODA DA RESTAURAÇÃO

1 Este quadro, atribuído a Hendrick Danckerts (*c.*1675), mostra Carlos II usando casaco folgado, *vest* e calção por ele apresentados à população.

2 Neste retrato de Sir John Robinson pintado por John Michael Wright (*c.*1662), o status e a importância do modelo são transmitidos pelo uso de uma volumosa e cara peruca inteiriça.

Após a austeridade dos anos do Commonwealth, Carlos II (1660-1685; acima) foi restaurado no trono da Inglaterra e, tendo passado grande parte de seu exílio na França, de início introduziu alguns elementos do vestuário da corte francesa. Em 1666 o rei provocou uma mudança dramática e radical nos trajes masculinos, descartando o gibão, colete e calças estreitas a favor de um casaco à altura dos joelhos e manto, uma forma de colete com mangas. Aquilo foi percebido como uma tentativa deliberada de diferenciar o traje da elite dos estilos preferidos por seu equivalente francês Luís XIV, que considerava a moda um símbolo do poder absolutista. Após a Guerra Civil, a riqueza e poder crescentes da classe mercantil também reduziram a diferença entre os estilos da corte e as modas usadas pela burguesia. O manto foi universalmente adotado, fornecendo a origem do terno masculino e um modelo para a futura moda masculina.

A evolução rumo a um novo tipo de silhueta masculina foi anunciada pelo cronista contemporâneo Samuel Pepys. Em 15 de outubro de 1666, ele comentou: "Hoje o rei começou a usar seu *vest*, e vi também várias outras pessoas na Câmara dos Lordes e dos comuns, grandes cortesãos, usando a mesma peça; trata-se de uma comprida casaca justa, de tecido preto, com pequenos recortes e seda branca por baixo e pernas franzidas, com fitas pretas como a perna de um pombo." Em

PRINCIPAIS ACONTECIMENTOS

Década de 1660	1660	1660	1662	1662	1665
A sensualidade feminina entra em voga durante a Restauração, e o estilo conhecido como *déshabillé* se populariza (ver p. 92).	Fim do Commonwealth inglês e restituição do trono a Carlos II.	Samuel Pepys inicia seu diário, que continua a escrever até maio de 1669.	O rei Carlos II se casa com Catarina de Bragança, que traz de Portugal muitos artigos de luxo e cria o hábito de tomar chá.	Uma proclama real proíbe a importação e venda de renda estrangeira, mas a renda veneziana continua a ser moda em Londres.	A Grande Peste de Londres mata sete mil pessoas em uma semana. A corte se transfere para Salisbury, e o Parlamento se reúne em Oxford.

um registro de 18 de outubro do mesmo ano, o cronista John Evelyn descrevia o ornamentado *vest* como "inspirado na moda persa", em referência a uma peça popularizada por Sir Robert Shirley, embaixador da Pérsia na corte de St. James. Usado sob um casaco liso, o *vest* primeiro descia até os joelhos, todo abotoado na frente, e tinha intrincados bordados. Com o tempo, foi ficando mais curto e passou a ser usado por cima de amplas calças-anágua, enfeitadas nos joelhos por nós de fitas substituídos em 1680 por botões. À medida que o *vest* encurtou, o casaco ficou mais comprido e a cintura mais ampla. As mangas passaram a ter punhos virados mais largos, e a gola caída que havia substituído o rufo encolheu até virar uma gola de padre.

De 1670 a 1730 usava-se no pescoço uma *cravate* de linho ou um largo colarinho de renda. A origem da *cravate* é supostamente um estilo usado pelos croatas do exército francês: um grande quadrado ou triângulo de linho, cambraia, seda ou musselina, muitas vezes engomado, com as pontas em geral debruadas de renda ou decoradas com contas e franjas e amarrada em um nó frouxo sob o queixo. Em 1680, a *cravate* já era usada caída por cima de um cordão ornamental rígido. Com o passar dos anos, foi ficando mais estreita e mais comprida, muitas vezes usada com um nó, e a renda deu lugar à musselina ou à cambraia. A partir de 1692, a *cravate* passou a ser usada com as pontas retorcidas e passadas por uma casa de botão do casaco. Esse estilo permaneceu em voga por duas décadas, sendo adotado para os trajes civis após a Batalha de Steenkerke, na qual os oficiais franceses não tiveram tempo de arrumar suas *cravates* ao serem convocados para repelir um ataque surpresa. Os chapéus tinham copa moderada e abas largas, e eram virados para cima em um dos lados num costume conhecido como *cocking*. No fim do século, o chapéu começou a ser virado para cima em três pontos, dando origem assim ao "tricorne".

Em contraste com a simplicidade dos trajes masculinos no fim do século XVII, a ousadia da moda passou a se concentrar nos adereços de cabeça, com a adoção da *perruque à crinière*, ou peruca de cabeleira (à direita), moda que perdurou por quase um século. A peruca de base inteiriça, usada sobre o crânio raspado, era muito pesada e desajeitada, com cachos rígidos em volta do rosto e até abaixo dos ombros. Para as mulheres, a estatura era aumentada por uma *fontange* – nome que homenageia uma das amantes do rei da França –, touca de renda com estrutura de arame que sustentava fileiras verticais de franzidos de renda usados por cima de uma fileira de cachos empilhados bem alto sobre a cabeça. Em meados da década de 1680, o guarda-roupa feminino incluía o manto, ou *mantua*, pedaço de tecido drapejado e plissado pendurado nos ombros até o chão. Este acabou evoluindo para um vestido usado jogado para trás, com a saia fendida na frente para revelar o tecido contrastante da anágua usada por baixo. Um peitilho, rígida peça triangular usada com a ponta virada para baixo e presa ao corpete de ambos os lados, formava um decote alto e quadrado. As largas golas de renda foram substituídas por um pedaço de tecido triangular chamado *palatine*, e mangas na altura dos cotovelos terminavam em camadas ou babados. **MF**

1666	1669	Década de 1670	1670	1677	1692
O Grande Incêndio de Londres consome mais de 13 mil imóveis, incluindo a catedral de St. Paul.	Sir Christopher Wren é contratado para fazer o projeto de reconstrução da catedral de St. Paul. As obras só começam em 1675.	Os teatros, fechados pelos puritanos de 1649 a 1660 por motivos religiosos e ideológicos, prosperam sob Carlos II.	A atriz Nell Gwynn se torna amante de Carlos II. Espirituosa e animada, é extremamente popular após os anos sisudos do Commonwealth.	A primeira dramaturga profissional, Aphra Behn, produz a comédia *The Rover* (O andarilho).	A Batalha de Steenkerke estimula a moda das *cravates* de renda passadas dentro de uma casa de botão.

Camisola e roupa de baixo Década de 1660

FORMAS ELEGANTES DE "DESNUDAMENTO"

Louise de Keroualle, duquesa de Portsmouth,
por Sir Peter Lely (1671-1674).

Neste retrato pintado por Sir Peter Lely, nomeado principal pintor do rei Carlos II em 1660, Louise de Keroualle – mais tarde duquesa de Portsmouth e uma das amantes preferidas do rei – brinca com os próprios cabelos e fita o espectador com um olhar langoroso. Ela está aderindo à nova moda de posar "desnuda", e vestida de maneira informal com uma camisola frouxamente amarrada: um casaco longo, largo e desestruturado cujo efeito drapejado mais tarde serviria de base para o *mantua*. Este é usado por cima de um volumoso chemise de linho branco.

Embora esses trajes fossem usados em casa por serem confortáveis, só os mais altos membros da corte dos Stuart podiam "se desnudar" em público. Quase caindo dos ombros e abaixado sobre um dos seios para revelar a roupa de baixo, o corpete do traje tem um erotismo explícito. O decote permite exibir um pedaço extenso e sem adornos do corpo: a ausência de joias acompanha a falsa simplicidade do estilo preferida pela corte da época. As dobras da seda e do cetim escuros da roupa contrastam com a lisura e alvura da pele e com as magas engomadas esvoaçantes. As mangas três quartos da roupa de baixo estão casualmente arregaçadas para revelar os antebraços, também livres de qualquer joia. **MF**

NAVEGADOR

PONTOS FOCAIS

1 CABELOS CACHEADOS
De ambos os lados de um repartido central, a frente dos cabelos está cacheada e penteada para aumentar a largura da cabeça. Esse penteado exigia o uso noturno de papelotes, e era muitas vezes recheado com apliques. As pontas ficam livres, pousadas por cima de um dos ombros.

3 CHEMISE BRANCO
Deixando de lado os corpetes com pesadas barbatanas dos trajes mais formais, o chemise – peça sem alfaiataria, feita de algodão ou cambraia e em geral oculta – é usada sem espartilho. A prática identificava trajes ínfimos com licenciosidade sexual.

2 DRAPEJADOS CLÁSSICOS
Um pedaço de cetim escuro pende por cima de um dos ombros da futura duquesa. O drapejado não era uma peça de roupa em si, mas um artifício muito usado pelos pintores para identificar a modelo com uma divindade clássica.

4 MANGAS SOLTAS
As mangas da camisola estão presas frouxamente no decote e mais embaixo, nos braços, e arregaçadas para exibir o chemise claro usado por baixo. O efeito também pode ser visto na frente da roupa.

O NASCIMENTO DA MODA MODERNA

No século XVII, Paris estabeleceu sua reputação como centro de artigos de luxo, mas a cidade só se tornou o epicentro do estilo no século XVIII, quando o moderno sistema da moda começou a surgir como resultado de vínculos mais estreitos entre corte e cidade, do aumento do consumo visível entre os parisienses, com exceção apenas dos mais pobres, e da expansão da mídia impressa. Em 1715, Filipe de Orléans decidiu governar como regente de sua residência parisiense, o Palais Royal, onde vivia com a amante Madame de Parabère. O casal dava o tom cultural do período, no qual o *beau monde* da elite se misturava sem constrangimento ao *demi-monde* no teatro, nos jardins do Palais Royal e, mais especialmente, nas butiques das *marchandes de mode* (vendedoras de moda; acima), joalheiros e chapeleiros do eixo formado pela Rue Saint-Honoré e pela Rue de la Paix.

Jornais, almanaques, revistas de moda e até mesmo diários de viagem louvavam as butiques da capital como destinos de cultura: locais de mudanças culturais rápidas onde se podia conviver com a nata da sociedade, admirar estupendas coleções de curiosidades, adquirir conhecimento sobre outros países e, muito importante, comprar roupas da moda. Essas butiques forjaram o modelo da moda parisiense que sobrevive até hoje. As mais caras ocupavam imóveis térreos nos novos bairros aristocráticos: a região reestruturada do Palais Royal ou a Place Vendôme; eram estabelecimentos descaradamente elitistas, batizados em homenagem a membros

PRINCIPAIS ACONTECIMENTOS

1715	1720	1745-1761	1760	1761	1770
A Regência de Filipe de Orléans fixa residência no Palais Royal, e a vida de corte se transfere para Paris até a maioridade de Luís XV, em 1722.	O *robe à la française* (ver p. 98) ganha popularidade na aristocracia. Sua silhueta caracteriza a moda setecentista.	Como amante oficial de Luís XV, Madame de Pompadour imprime sua influência decorativa exuberante aos trajes e à cultura da corte.	Christophe-Philippe Oberkampf funda o ateliê real de *toiles* impressas em Jouy-en-Josas.	Jean-Jacques Rousseau publica *Julie, ou la nouvelle Héloïse*, louvando a natureza e o idílio pastoral.	Maria Antonieta da Áustria desposa o delfim Louis-Auguste, futuro Luís XVI, e se torna aos poucos o centro da moda na corte.

da corte. O triunfo máximo era ser reconhecido como fornecedor real oficial de determinado artigo: *marchand ordinaire* do rei ou joalheiro da rainha, por exemplo. Em resposta a uma onda anglomaníaca, butiques passaram a se chamar Magasin Anglais ou, de forma muito improvável, Ville de Birmingham, para criar uma associação com o luxo que perdura até hoje.

A moda reagia às constantes mudanças do modo de vida parisiense. O tom cultural dominante de moralidade frouxa incentivava a informalidade no vestir, como por exemplo no *robe volante* (ver p. 96). Complexos protótipos de roupões, ou *robes de chambre*, popularizaram a roupa de baixo como roupa de sair, enquanto chemises visíveis sob corpetes *gourmandine* entreabertos prometiam muito mais. O desejo de movimento, conforto e praticidade relativa (em contraste com o *grand habit* muito desconfortável e pouco prático usado na corte) contribuíram para a popularidade da redingote (à esquerda, embaixo). Assim como seu predecessor, o mantô, tratava-se de um vestido-casaco usado pelas senhoras na caça (a cavalo) e transformado em um traje de alfaiataria diurno a ser usado na cidade com o perfeito lenço de seda no pescoço como acessório. A influência do Iluminismo se fez presente a partir dos anos 1740, quando o "naturalismo" de Jean-Jacques Rousseau passou a se refletir em roupas cada vez mais desestruturadas e padronagens e acessórios naturais como o chintz floral inglês, plumas e flores artificiais.

Marie-Jeanne Bertin (conhecida como Rose, 1747-1813) tirou plena vantagem desses impulsos e condições mutáveis da moda. Como *couturière*, ela podia proporcionar um serviço sob medida para cada cliente que competisse pelos seus serviços; desenhar e customizar com extravagância um *grand habit*, criar o guarda-roupa perfeito para a vida nos aristocráticos *hôtels particuliers* – as grandes residências burguesas –, conceder uma audiência particular a duquesas russas e responder à crescente demanda por acessórios – penas, flores artificiais, xales, fichus, pufes para os cabelos e *fripperies* – que caracterizou o reinado de Luís XVI na segunda metade do século. Embora fosse uma negociante de talento, Bertin deveu sua fama à relação com uma cliente em especial: Maria Antonieta, que se referia a ela como "minha ministra da moda".

Em contraste com a aparente extravagância de Maria Antonieta, o círculo de mulheres ao redor da rainha estabeleceu uma tendência de estilo mais relaxado confeccionado por Bertin, ela própria parte do grupo. Rejeitando as armações e barbatanas, o novo *robe à l'anglaise* (ver p. 100) e o vestido chemisier ou *batiste* refletiam um gosto pelo mundo natural. As peças eram menos estruturadas e mais confortáveis do que os mantos anteriores e, embora ainda levassem espartilho, não deformavam a silhueta feminina. Quando Louise-Elisabeth Vigée Le Brun pintou Maria Antonieta usando um *batiste* de musselina branca preso por um laço (à direita), Paris primeiro se escandalizou, depois acorreu a Bertin querendo copiá-la. A moda passou a se disseminar mais amplamente graças a gravuras e livros com amostras de tecidos despachados para as capitais e cortes europeias. **PW**

1 Em *A modista* (c.1746), de François Boucher, a revendedora de uma *marchande de mode* visita uma cliente. As fartas mangas mostram que está vestida na moda, fazendo uma boa propaganda para sua butique.

2 Em um retrato de Louise-Elisabeth Vigée Le Brun (1783), Maria Antonieta usa um vestido *batiste* de musselina ou gaze de seda quase transparente, exibindo a cintura e o leve espartilho de seu traje preferido para passatempos informais.

3 O retrato de Adélaïde Labille-Guiard (c.1787) mostra Madame Elisabeth de França usando um redingote. O fichu de gaze de seda no pescoço cobre o decote profundo do traje *à l'anglaise*.

1770	1774	1776	1781	1782-1783	1789
Rose Bertin abre sua butique na Rue du Faubourg Saint-Honoré, atraindo clientes de toda a Europa.	Nomeada modista de Maria Antonieta, Bertin passa a desenhar seus trajes de corte e informais.	É criada a comunidade das *marchandes de mode*, comerciantes de plumas e floristas, organizando o comércio de acessórios.	As *couturières* obtêm direitos iguais aos dos alfaiates para fabricar as barbatanas e crinolinas dos trajes formais da corte.	Abertura da fazenda-modelo de Maria Antonieta em Versalhes, onde a rainha estabelece sua corte de pastores, artistas, estilistas e poetas em *robe chemise*.	A tomada da Bastilha em 14 de julho dá início à Revolução Francesa.

Robe volante 1705
TRAJE FEMININO

Robe volante francês
verde-esmeralda em lampa (1735).

NAVEGADOR

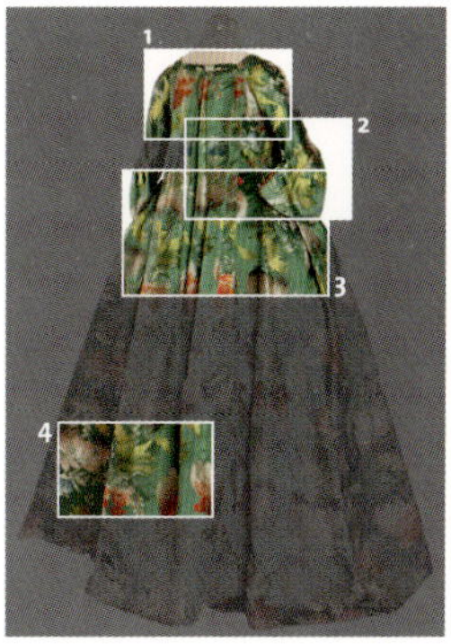

Surgido pela primeira vez em 1705, o *robe volante* representava um estilo de traje feminino informal, mais relaxado, condizente com a atmosfera libertária emancipada do período da Regência. Desde então, o traje passou a ser conhecido como "*robe* Watteau" em homenagem ao pintor Antoine Watteau, que retratou muitas mulheres usando as primeiras versões desse traje. Os contemporâneos, porém, referiam-se a ele como *sacque*, *contouche* ou *robe volante*. Inicialmente desenvolvido a partir do *robe battante*, um roupão barroco, o *robe volante* era amarrado na frente para deixar à mostra a amarração do corpete e do chemise usados por baixo. O chemise proporcionava aderência à seda do vestido e sugeria o corpo feminino desnudo.

O vestido ao lado reflete a rica paleta de cores do início do reinado de Luís XV e um interesse por modelos de inspiração oriental. Na parte de trás do decote, uma semicapa do mesmo tecido que o vestido principal vai até o chão, reforçada por largas pregas-macho, que por sua vez podiam ganhar um pouco mais de rigidez com o uso de barbatanas de baleia ou madeira. Embora o *robe volante* fosse demasiado informal para servir como traje de corte, a capa se tornou um elemento de alguns *robes à la française* e evoluiu para uma cauda ou jaqueta plissada informal conhecida como *pet*. O vestido retratado não tem muitos detalhes, mas havia *robes volantes* decorados com rosetas de seda no fecho ou bainhas em zigue-zague. **PW**

PONTOS FOCAIS

1 CAPA PLISSADA
As largas pregas-macho no ombro da capa mostram como cada vestido fabricado em série podia ser ajustado para quem fosse usá-lo: leves alterações nas pregas podiam sugerir a silhueta. Essa capa era presa ao decote quadrado por botões ou ganchos.

2 MANGAS *RAQUETTE*
As mangas justas, em estilo *raquette*, descem retas até o cotovelo, onde se abrem em punhos planos, dobrados para ficarem abertos. O corte acompanha as costas retas e a saia rodada do *robe volante*. Os punhos podem ser feitos com várias camadas de franzidos no mesmo tecido.

3 SAIA ARMADA COM CRINOLINA
O *robe volante* é usado com um *pannier* ligeiramente arredondado, cuja largura jamais chegou aos extremos dos trajes formais de corte. Esse aspecto tornava o vestido relativamente prático para ser usado no dia a dia, sendo adotado por mulheres de todas as camadas sociais.

4 TECIDO ESTAMPADO
O tecido indica a riqueza da pessoa. Essa suntuosa seda lampa, fabricada na França, incorpora caros fios metálicos ao desenho de peônias chinesas em relevo. A largura do vestido o torna particularmente adequado para estampas graúdas.

Robe à la française 1720
TRAJE FEMININO

Robe à la française e anágua em *faille* de seda com brocado (*c.*1760-1765).

NAVEGADOR

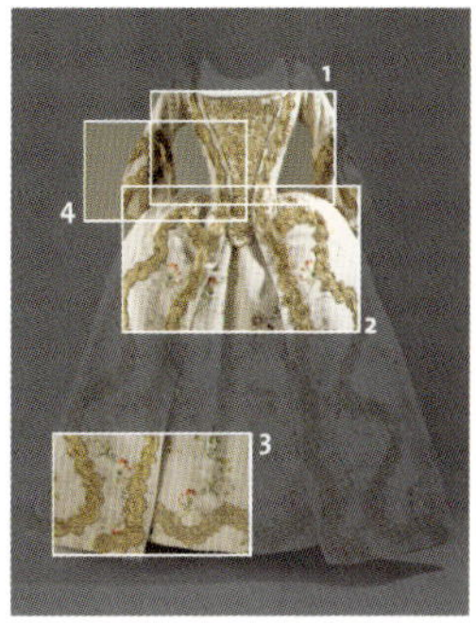

Após 1715, o traje alongado usado no final do reinado de Luís XIV se transformou. A ênfase passou a ser uma silhueta bidimensional – costas e frente planas, mas cada vez mais largas nos quadris, podendo chegar a alguns metros de cada lado. Por volta de 1720, o roupão informal pregueado e solto passou a ser combinado com corpetes arredondados em formato *pannier*, ou "cesto", para criar um novo padrão de traje aristocrático: o *robe à la française*. Em 1750, este já era aceito na corte como alternativa ao *grand habit*. Os *panniers* criavam uma saia rodada volumosa, em formato de pedestal, ou então, a partir de 1725, com o uso de barbatanas de baleia, uma saia-sino. Usava-se também anáguas engomadas conhecidas como *jansénistes*, em homenagem a um rígido grupo religioso.

Esse cintilante *robe à la française* é formado por um mantô externo em *faille* de seda com brocados em fios de prata e ouro debruado por renda de bilro feita com fios de metal dourado. A trama da seda exibe larga estampa de delicados botões de flores unidos por galões irregulares e retorcidos. A largura da saia ostenta a enorme quantidade de tecido caro. Essa parte externa do vestido é presa à frente do espartilho muito ornamentado, coberto por um peitilho, e deixa aparente uma saia interna confeccionada na mesma seda. Sustentadas por *panniers* e anáguas engomadas, as saias caem no formato de sino acentuado preferido após 1730. **PW**

PONTOS FOCAIS

1 ESPARTILHO DE BARBATANA DE BALEIA
Um peitilho ricamente bordado é preso aos dois lados do vestido. O espartilho de barbatana de baleia com decote fundo e quadrado também é decorado. Ele afunila o corpo em formato de cone invertido, acentuando a cintura fina e os quadris avantajados.

2 SAIA AMPLA COM *PANNIER*
A saia é sustentada por um *pannier* feito com três a cinco camadas de barbatana de baleia ou ramos de salgueiro amarradas em volta da cintura por fitas. Mais tarde, o *pannier* passou a ter duas partes distintas, necessárias para sustentar a largura das enormes saias.

3 ACABAMENTO ORNAMENTADO
O acabamento ornamentado exibe a riqueza da pessoa: os galões da saia externa e da bainha são de renda metálica. As camadas de *engageantes* das mangas também têm acabamento de renda. Tranças e laços dobrados de tecido (falbalás) eram usados como acabamento.

4 MANGAS ABERTAS
As mangas são finas até os cotovelos, em estilo pagode, e se abrem nos punhos até virarem *engageantes*. Dependendo da moda, um, dois ou três franzidos abertos de renda ou musselina arrematavam o cotovelo de cada manga, em complemento ao tecido principal do vestido.

Robe à l'anglaise Década de 1780

TRAJE FEMININO

Robe à l'anglaise em algodão enfeitado com fios metálicos (*c*.1784-1787).

NAVEGADOR

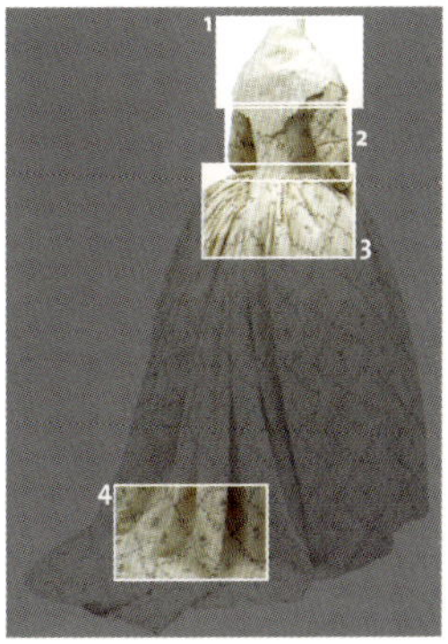

Esse *robe à l'anglaise* francês reflete a tendência anglomaníaca do final do século XVIII e o interesse da elite pelo mundo natural idealizado. Nunca formal o suficiente para ser um traje oficial de corte, esse tipo de vestido era usado nos salões da aristocracia e no cotidiano das classes superiores. Mais confortável de vestir do que o *robe à la française*, ele dava mais mobilidade, uma vez que as saias podiam ser levantadas ao caminhar.

O vestido de peça única amarrado na frente usado a partir de 1770 modificou por completo a silhueta feminina. Pregas costuradas na saia logo abaixo da profunda cintura em forma de V dão volume às costas do vestido e estreitam os quadris. O traje se torna mais confortável com a eliminação de barbatanas e crinolinas excessivas, e os rígidos peitilhos são substituídos por *compères* feitos no mesmo tecido. Esses dois painéis, um pouco menos restritivos do que um espartilho, são presos por botões ou ganchos na abertura frontal do vestido e ajustáveis nas costas. As mangas são simplificadas, mais retas e com acabamentos menos extravagantes, estreitas até o cotovelo e em seguida cada vez mais largas a partir de uma costura horizontal. Um franzido de renda de seda cor de marfim é preso à manga, repetindo a seda do decote. O volume acentuado da parte de trás dos quadris não dependia de crinolinas, mas de um enchimento macio usado junto às nádegas por baixo das anáguas. **PW**

PONTOS FOCAIS

1 FICHU DE RENDA LARGO
Um largo fichu – capa de três pontas usada por cima dos ombros, com as pontas cruzadas no peito – de renda é preso ao decote redondo para proteger a pele do sol. Em nome do recato, o diáfano fichu cobre também o generoso decote do vestido.

2 COSTAS LONGAS E PLANAS
O corte realça uma silhueta mais comprida atrás, com pregas de seda que partem da base das costas onde antes a cintura era mais alta e horizontal. O modelo remete ao vestido "costas-saco" anteriormente usado, no qual painéis de tecido sugeriam uma silhueta mais vertical.

3 NOVA SILHUETA
O traseiro acentuado podia ser ainda mais exagerado caso a bainha do vestido fosse erguida acima dos quadris para deixar à mostra uma saia interna. A saia externa de costas arredondadas tem apenas uma leve cauda, em forte contraste com as antigas caudas formais.

4 ESTAMPA FLORAL
Esse chintz de cor quente é típico dos tecidos das décadas de 1770 e 1780; estampas florais estavam em voga por refletir o interesse pela beleza da vida ao ar livre. Esse tecido misto de algodão e seda foi bordado a fios de ouro, sugerindo ter sido de uma mulher rica.

O TARTÃ ESCOCÊS

A evolução do que se considera ser o traje típico da Escócia ou das Highlands (Terras Altas) escocesas é obscura. Além de incertezas históricas, como a origem da palavra *tartan*, o tema se complicou mais nas últimas décadas por uma tese de "invenção da tradição", com historiadores divulgando a crença de que a imagem popular do *highlander* é em grande parte produto do romantismo do século XIX.

A perícia dos tecelões celtas já era reconhecida desde os tempos romanos, e quem visitasse as Highlands escocesas no início do século XVIII elogiava a qualidade dos tecidos produzidos por seus habitantes. Suas lãs tinham uma estampa quadriculada típica chamada, a partir do século XVII, de tartã. As estampas do tartã, ou *setts*, são criadas usando duas cores de fios que produzem combinações de três cores; todas elas posicionadas ao redor de uma listra que serve de eixo e então repetidas como blocos de estampas regulares. Os primeiros tartãs em geral tinham cores naturalmente discretas, obtidas a partir de corantes naturais, mas uma tendência a criar padrões mais coloridos surgiu com a disponibilidade de novos tipos de corantes.

A partir de 1815, iniciou-se um movimento para registrar todos os tartãs, e muitas padronagens foram pela primeira vez criadas e associadas a sobrenomes específicos. Antes disso, os tartãs clânicos talvez fossem um conceito vago. Decerto algo que

PRINCIPAIS ACONTECIMENTOS

1727	1745-1746	1746	1750	1757	1760
Contrariando as aspirações dos jacobitas, Jorge II sucede ao pai no trono britânico, dando continuidade à monarquia de Hanover.	A última rebelião jacobita, liderada por Charles Edward Stuart (Bonnie Prince Charlie), termina em derrota na Batalha de Culloden.	A Lei do Desnudamento ou do Desarmamento entra em vigor, proibindo o uso do tartã e do *plaid* ou kilt nos ombros, exceto pelos militares.	Poemas e canções exprimem o ódio pela Lei do Desnudamento. "Am Breacan Uallach" (O pesado *plaid*) louva esse traje acima de qualquer casaco inglês.	Regimentos das Highlands vestindo uniformes de tartã começam a ser formados para apoiar o Exército britânico na formação do império.	Uma coletânea supostamente antiga de poemas de Ossian é publicada, popularizando ideias românticas sobre as origens e o caráter dignificado da cultura gaélica.

começou como padrões baseados na geografia (e na disponibilidade local dos corantes) mais tarde se vinculou aos clãs de cada área e, por sua vez, aos sobrenomes. Pode ser que os membros de um determinado clã tivessem que usar tartãs de cores parecidas, sem que se especificasse nenhuma padronagem precisa (ver p. 104).

Originalmente, o pano do tartã não tinha costura, sendo apenas um longo pedaço retangular chamado *plaid*, usado pelos homens como um manto e pelas mulheres como xale. Não se sabe ao certo quando surgiu o costume masculino de usar o *plaid* transformado em kilt (conhecido como *philabeg*, ou "pequeno *plaid*") e um segundo *plaid* sobre os ombros (ao lado). Registros indicam que o kilt era considerado uma inovação no século XVIII, e que decerto adveio da necessidade prática de trajes menos pesados.

Os tartãs são há muitos séculos um símbolo de identidade da Escócia, ou pelo menos das Highlands, e isso afetou sua percepção. O século XVIII foi um período turbulento na história escocesa; e foi nessa época que o traje das Highlands sofreu os ataques mais intensos, mas foi nela também que se iniciou sua maior onda de popularidade. O apoio à campanha jacobita para restaurar a monarquia Stuart cresceu na Escócia após a União dos Parlamentos de 1707 que unificou os reinos de Escócia e Inglaterra. O tartã virou o uniforme dos rebeldes jacobitas. Embora eles tenham acabado por não alcançar seu objetivo, seu segundo grande levante, em 1745, foi uma ameaça suficiente para fazer o governo tentar suprimir a cultura das Highlands. A Lei do Desnudamento de 1746 proibiu o uso de tartãs, kilts e *plaids* nos ombros, mas associações de tartãs rebeldes popularizaram o tecido para um público mais amplo. Antes da proibição, o estilo das Highlands havia começado a se espalhar para as terras mais baixas, tornando-se um símbolo de lealdade nacional. Depois da lei, os ricos da Escócia ficaram mais inclinados a ser retratados de tartã (à direita). O ódio generalizado pela lei também se manifestou em poemas e canções populares, que muitas vezes louvavam a superioridade do traje das Highlands em relação ao traje inglês.

A segunda metade do século XVIII viu surgir uma preocupação crescente de proteção e promoção das tradições e cultura escocesas. Além do impacto da Lei do Desnudamento, modos de vida tradicionais da região estavam sendo alterados por desapropriações de terras e outras influências modernizantes. Foi quando surgiu uma literatura que retratava a cultura gaélica como virtuosa e digna, como por exemplo a coletânea de narrativa em verso atribuída ao poeta Ossian, publicada em 1760. Isso condizia com a reputação do soldado *highlander*, também em ascensão. O exército era imune à proibição ao tartã, e o sucesso dos regimentos das Highlands nas batalhas que formaram o Império Britânico conferiram grande prestígio ao traje. Em 1781, a ameaça dos rebeldes jacobinos já era uma lembrança remota, e a Lei do Desnudamento foi revogada. As décadas seguintes testemunharam um renascimento, ou uma reinvenção, da cultura tradicional escocesa, e foi daí em diante que a moda do tartã e do traje das Highlands começou a se estender muito além das fronteiras da Escócia. **IC**

1 *O príncipe Charles Edward Stuart em Edimburgo em 1745* (século XIX), por William Brassey Hole. Uma representação retrospectiva de um momento vitorioso da campanha jacobita. O traje típico das Highlands era muitas vezes usado para angariar apoio.

2 *Retrato de uma dama jacobita* (século XVIII), por Alexander Cosmo, ferrenho jacobita. O casaco de montaria em estilo militar da modelo, feito de tartã, a rosa branca em sua mão e os botões de rosa na touca simbolizam o apoio à causa dos Stuart.

1771	1778	1781	1788	1799	1815
Nasce o poeta e romancista Sir Walter Scott, mais tarde creditado por ter influenciado a romantização oitocentista da cultura escocesa.	É criada a Sociedade Londrina das Highlands, refletindo um interesse crescente pela preservação (e talvez fabricação) das tradições escocesas.	A Lei do Desnudamento é revogada sob pressão da Sociedade Londrina das Highlands. O tartã volta a ser usado legalmente.	Morre Charles Edward Stuart, e com ele as últimas esperanças realistas da causa jacobita.	Início das guerras napoleônicas, nas quais o sucesso dos regimentos das Highlands confere à indumentária uma nova chancela e grande popularidade.	Padronagens de estampas de tartã são pela primeira vez registradas e associadas aos nomes dos clãs.

Plaid para os ombros Fim do século XVIII

TRAJE CLÂNICO MASCULINO ESCOCÊS

Chefe de clã escocês (século XIX), por Eugène Devéria.

O quadro de Eugène Devéria simboliza a visão romantizada do *highlander* que havia se desenvolvido até o século XIX. Os membros dos clãs do passado, e em especial seus chefes, tinham sido reabilitados no imaginário popular, passando de selvagens vestidos de forma grosseira a nobres guerreiros. O modelo deste quadro é retratado integrado à paisagem e totalmente situado em sua terra natal, as Highlands. A imagem remete a uma época em que seus antepassados tinham de ser homens autossuficientes, resistentes, capazes de liderar seus clãs em combate e de se integrar à bela porém hostil natureza. Seu traje imita o dos soldados dos regimentos das Highlands, apropriando-se assim de parte de sua glória recente.

O chefe do clã empunha uma adaga e uma espada com guarda em forma de cesta, armas associadas aos soldados escoceses. O *sporran* de texugo com seis borlas fazia parte do uniforme de oficiais do 93º Regimento de Infantaria (Sutherland Highlanders), e a escolha de um gibão vermelho e do detalhe quadriculado no chapéu remetem ao uniforme militar das Highlands, indicando uma ligação permanente com o regimento. A manta xadrez sobre o ombro remonta à tradição das Highlands de usar um pano único e sem costura, ou *big plaid*. Para os homens das Highlands, este podia sevir de manta à noite e, durante o dia, ser usado como uma peça de roupa semelhante ao kilt. O pano era dobrado para formar pregas e preso com um cinto à moda de uma saia; o que sobrava era usado como manto ou pendurado no ombro. Traje prático para o clima árduo das Highlands, a manta nos ombros tinha também um apelo estético. **IC**

NAVEGADOR

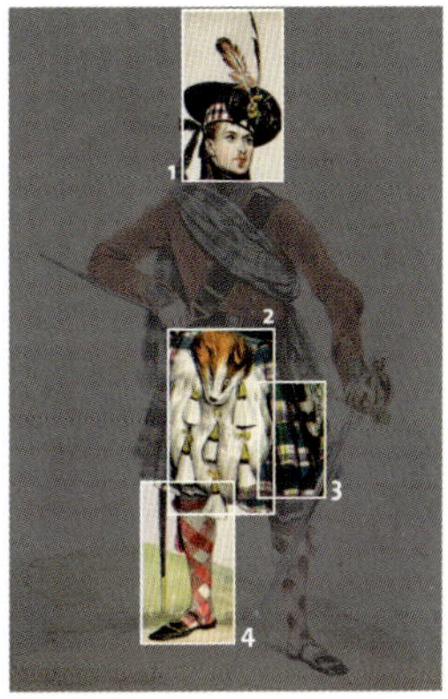

PONTOS FOCAIS

1 BOINA
Este estilo de chapéu era conhecido como Balmoral no fim do século XIX, e tinha origens na Escócia pelo menos desde o século XVI. Trata-se de uma boina de lã macia com a copa larga e chata, tipicamente usada caída à direita, com duas fitas para amarrar penduradas atrás. As duas penas de águia presas ao brasão do clã afixado à boina indicam que o quadro talvez retrate o líder de um ramo específico do clã, e não o chefe do clã em si, que usaria três penas.

3 ESTAMPA XADREZ
Os clãs tinham um tartã de gala, no qual muitas vezes uma das cores de fundo de seu tartã padrão era trocada pelo branco. Os tartãs de caça, em cores discretas, eram outra variação. A partir de meados do século XIX, a disponibilidade de corantes químicos levou a uma distinção entre tartãs modernos e *setts* antigos mais discretos. Os tradicionais, porém, podiam ser vibrantes, e os habitantes das Highlands eram conhecidos por fabricar corantes a partir de plantas locais.

2 *SPORRAN*
Como uma cartucheira medieval, o *sporran* compensa a falta de bolsos do kilt. O grande *sporran* de peles foi introduzido pelos militares em meados do século XVIII e tem óbvias conotações ligadas ao vigor masculino. A associação do traje das Highlands à masculinidade parece ter crescido a partir do início do século XVIII, quando as mulheres começaram a usar menos o xadrez e o uniforme dos regimentos das Highlands se tornou mais conhecido.

4 MEIAS
A meia é um item importante do traje das Highlands. A meia em xadrez *argyle* desse quadro decerto foi tricotada à mão usando a técnica intársia. Antes do século XIX, as meias eram feitas com tecido plano de lã cortado no viés e costurado para fazer a estampa envolver a perna. Embora não apareça na imagem, uma faca de uma lâmina só chamada *sgian dubh* em geral era usada presa à meia da perna direita, somente com o cabo para fora.

ELEGÂNCIA ROCOCÓ

Os estilos e silhuetas fundamentais da indumentária elegante perduraram durante o período rococó – nome considerado oriundo das palavras em francês para designar pequenas pedras (*rocaille*) e conchas (*coquilles*) – de meados do século XVIII. O *grand habit* e o *robe à la française* continuavam a ser os modelos de traje formal e de corte, enquanto o vestido de costas-saco (*sack-back*) e o *mantua* eram usados no dia a dia. O terno de três peças masculino praticamente não mudou em relação ao colete justo, casaco e calça usados no fim do reinado de Luís XIV. O que mudou, porém, foi a essência das peças – modelo e cor dos tecidos, arremates, ornamentos e acessórios. O estilo rococó é principalmente associado com a Europa continental, mas também foi influenciado pela moda de além-Mancha e além-Atlântico. A França ainda liderava o comércio de luxo: Lyon era o principal centro de produção de seda e bordado, enquanto Paris dominava o ramo dos aviamentos, acessórios e inovação em tecidos. Temporadas de moda regulares determinavam as preferências por determinadas cores ou estampas, e as ilustrações de moda divulgavam os últimos estilos da capital para consumidores do interior.

PRINCIPAIS ACONTECIMENTOS

1735	1745	1753	1756	1759	1761
Começa o reinado do imperador chinês Qianlong, que precisa negociar as tentativas europeias de controlar o mercado da seda.	Madame de Pompadour se torna a *maîtresse-en-titre* (amante principal) de Luís XV. Em 1764, é substituída por Madame du Barry.	Fundação do Museu Britânico para abrigar as muitas antiguidades e curiosidades do mundo inteiro colecionadas sobretudo pelo cientista Sir Hans Sloane.	Início da Guerra dos Sete Anos, primeiro conflito de escala mundial, em que França e Grã-Bretanha competem pelo domínio colonial na América do Norte, na Europa e na Ásia.	O Royal Botanic Gardens é fundado em Kew, sudoeste de Londres, para estudar os novos espécimes de plantas vindos de todo o mundo.	Rousseau publica *Julie, ou la nouvelle Héloïse*, que mais tarde inspiraria o círculo de Maria Antonieta a buscar uma vida "natural".

Embora a França tivesse a primazia entre os tecelões, o bairro londrino de Spitalfields havia acolhido várias gerações de tecelões huguenotes naturalizados e britânicos altamente especializados. A Grã-Bretanha e a França não eram apenas rivais no comércio, mas também passaram boa parte do século XVIII em guerra mundo afora. A Guerra dos Sete Anos estabeleceu o controle britânico do comércio na Índia e em grande parte da América do Norte. Até a década de 1770, a América colonial preferia a seda britânica à francesa. A Grã-Bretanha também dominava na área da fiação e tecelagem industriais, tornando as roupas mais baratas para um mercado em expansão.

Na moda de luxo, a corte francesa dos Bourbon continuou a ter influência. Enquanto a corte de Luís XIV fora dominada por uma gama de cores ousada e codificada, o reinado de seu neto Luís XV, de 1715 a 1774, é associado a tons pastel mais suaves e a um recém-surgido apreço pela assimetria. A moda não era estabelecida pela rainha Marie Leczinska, mas pelas exuberantes amantes do rei: a culta Madame de Pompadour e sua menos refinada companheira, Madame du Barry. O retrato oficial da marquesa de Pompadour (página oposta) mostra galões aplicados em todas as superfícies da roupa. O vestido de seda é debruado com rosas cor-de-rosa duplas, e o peitilho é repleto de laços de fita repetidos no pescoço. As mangas têm múltiplas fileiras de *engageantes* (babados de renda) nos punhos, e os chinelos abertos de salto luís são enfeitados com pérolas.

O período rococó foi particularmente caracterizado por sedas e chintzes estampados e bordados. Estilistas franceses e britânicos introduziram a cártula irregular: um espaço assimétrico ou em forma de concha no qual outro desenho, natural ou arquitetônico, podia surgir. Formatos de C repetidos eram decorados, e uma voga de sinuosas guirlanda e fitas entremeadas a buquês de flores começou por volta de 1740. Em contraste com os estilos franceses, que usavam mais ornamentos decorativos, os tecidos e estampas ingleses enfatizavam motivos naturalistas, refletindo o interesse popular pela botânica advindo da chegada à Grã-Bretanha de novas plantas vindas do mundo inteiro. A revista inglesa *Gentleman's Magazine* de fato criticava o exagero dos estilos franceses, "que até hoje, apesar de todo o auxílio de sua Academia de Desenho, nunca foram capazes de exibir proporções de verdade". Anna Maria Garthwaite (1690-1763) foi uma fornecedora de modelos de especial importância para os melhores tecelões de Spitalfields de 1740 a 1760; produzia cerca de 80 por ano. Sua especialidade era a "linha de beleza", um sinuoso arabesco enfeitado com flores desenhadas com precisão (à direita).

Estimulada pelas atividades das companhias de comércio europeias no Extremo Oriente e na Índia, a paixão pela *chinoiserie* renasceu nesse período. Enquanto as sedas francesas tendiam a apresentar uma visão fantasiosa do Oriente, os tecelões britânicos "naturalizavam" os elementos utilizados. Carvalhos ingleses ladeavam dragões, pagodes e flores de maracujá. Catálogos de estampas com pássaros e animais exóticos estavam à disposição dos modelistas que não tivessem certeza da exatidão dos desenhos, fato que conduziu inevitavelmente a uma aparência estilizada e uniforme; os pavões, por exemplo, costumavam ser retratados com a cauda caída.

1 Esse retrato da Marquesa de Pompadour por François Boucher (*c.*1756) ilustra o gosto rococó por detalhes e enfeites.

2 Uma estampa floral assimétrica e naturalista de 1744 assinada pela importante criadora de sedas inglesa Anna Maria Garthwaite.

1765	1765	1770	1770	1776	1787
A Companhia das Índias Orientais concede o governo de Bengala a Clive da Índia, que estreita os laços comerciais com os produtores indianos e controla os mercados de tecidos do país.	Richard Arkwright constrói sua primeira máquina de fiar, movida a água, para mecanizar a tecelagem do algodão.	A *Oxford Magazine* menciona um novo fenômeno: o *macaroni* (ver p. 112), precursor do dândi.	Maria Antonieta da Áustria se casa com o delfim da França. É feita a primeira partição da Polônia dois anos depois.	Declaração de Independência dos Estados Unidos em 4 de julho; a França envia o Marquês de Lafayette para ajudar os colonos na luta contra os britânicos.	Começa a construção do Pavilhão de Brighton, fantasioso palácio em estilo oriental do príncipe George no sudoeste da Inglaterra.

Embora a corte de Jorge III fosse muito conservadora, seu filho George, futuro príncipe regente, era um escravo da moda, e seu Pavilhão de Brighton refletia o fascínio por objetos chineses, assim como elementos de seu guarda-roupa (ver p. 114). Estampas como "figuras chinesas", "diversão de senhoras" e "pagode" eram usados em roupas e aviamentos. Na França, o bordador real Louis-Jacques Balzac incrementou os trajes do rei com penas de pavão, cães de caça e representações do sol em prata e ouro.

Os feitios dos tecidos mudavam com frequência; na alta sociedade eram usados por uma temporada apenas, e em seguida doados a parentes mais pobres, remodelados ou vendidos. Entre os consumidores que não acompanhavam tanto a moda, as fazendas podiam ser guardadas por décadas antes de serem costuradas. Os arremates eram luxuosos e incluíam flores falsas – que muitas vezes repetiam a estampa do tecido –, sendo usados como corpetes ou costurados a bainhas, rosetas e amplos chapéus exageradamente enfeitados. Penas de avestruz eram as preferidas para chapéus e penteados. As pérolas, cultivadas havia mais de um século, eram usadas em colares, pulseiras e como acabamento para trajes formais. Franjas davam movimento a túnicas, enquanto amarrações e laços perduraram durante todo o período, sobretudo em elaborados peitilhos.

"Arremates *à la platitude*" eram pregas sinuosas ou em zigue-zague no acabamento da parte principal da roupa, ou na barra externa dianteira. O "acabamento *en pouf*" acrescentava uma fileira extra de babados em volta dos quadris, aumentando o volume das saias. Os babados eram muitas vezes suspensos como guirlandas e enfeitados com rosetas de tecidos contrastantes. As bainhas em zigue-zague continuaram em alta. Influências orientais podiam ser vistas em alamares e apliques bordados costurados a tecidos de seda ou chintz. Os arremates também eram usados na fabricação de sapatos, arte cuja variedade aumentou no século XVIII. Para as mulheres, os sapateiros fabricavam delicados chinelos sem calcanhar em todos os tons de seda. O solado era reforçado com linho e revestido com macio couro de bezerro. O salto curvo conhecido como luís, feito de madeira e forrado com tecido, era o mais usado. Fivelas muitas vezes eram de prata e incrustadas de joias verdadeiras e falsas. Os sapatos para homens importantes também tinham saltos e decorações extravagantes.

O rococó tardio é caracterizado pelo uso dos tecidos. O vestido *polonaise* (ao lado, acima), túnica em estilo *mantua* de frente aberta, era usado por cima de uma saia comprida, sem as imensas armações do *robe à la française*, e levantado na cintura na parte de trás para formar minúsculos plissados, como no *robe à l'anglaise*. A saia externa era suspensa e afofada nos quadris em três camadas – uma referência à partição da Polônia, em 1772 – por cordões de seda e botões. Casaquinhos tipo *brunswick* – de comprimento três quartos e com capuz, lembrando uma capa –

3 Um leque de ouro e marfim de 1730, decorado com uma cena pastoral, popular durante o período rococó.

4 Nesse vestido *polonaise* estampado de 1786, o tecido bordado é franzido para criar um formato de guarda-chuva.

5 A Duchesse de Polignac, retratada como uma bem-vestida pastora, era uma das favoritas de Maria Antonieta na corte.

eram usados nos dias mais frios e para proteger trajes elegantes, e também tinham franzidos para aumentar o volume na parte de trás.

Uma infinidade de acessórios era indispensável durante o período rococó. Muitos eram transportados em bolsos, pendurados em um cinto sob a saia externa, ou acessados pelo acionamento de alças de tecido conhecidas como *rétroussée dans les poches*. Leques, em especial, eram uma forma de exibir sedas de qualidade – e auxiliar o flerte. Os mais caros eram de marfim esculpido e furado (ao lado) e decorados com botões de madrepérola. Acessórios masculinos como bengalas, óculos, sais de cheiro e espadas decorativas passaram a simbolizar interesses culturais, disponibilidade e preferência sexual. A fantasia pastoral vista nos quadros de François Boucher e Jean--Baptiste Greuze foi popular durante todo o período, e as mulheres clamavam por serem retratadas como reservadas e tímidas pastoras com largos chapéus de palha amarrados com fitas. Em 1780, já haviam adotado um chapéu de pastora mais amplo, confeccionado com palha ou finas tiras entrelaçadas de lascas de madeira. Esses chapéus eram arrematados por longas fitas ou enfeitados com flores e plumas (abaixo).

Nos anos 1770, a corte francesa inaugurou a moda de imensos penteados extravagantes (ver p. 110). Embora a tendência de usar os próprios cabelos tenha enfurecido os peruqueiros da cidade, cabeleireiros, joalheiros e chapeleiros adoraram quando as mulheres começaram a gastar mais em chapéus e arranjos de cabeça. Essa moda foi particularmente associada a Maria Antonieta que, como delfina da França, popularizou um penteado bufante e alisado para trás com grandes cachos na nuca. Este foi inventado para ela pelo cabeleireiro Léonard Hautier, que ganhou fama em Paris ao inserir finíssimas gazes, crina de cavalo ou bolas de lã nos cabelos frisados e arrepiados das clientes para criar volume. Maria Antonieta, por sua vez, preferia enfeitar os cabelos com fitas e penas de avestruz, penteado que ficou conhecido como *à la reine*, mas que as tias de seu marido chamavam de "arreios de cavalo". **PW**

Arranjos de cabeça fantásticos Década de 1770

PENTEADOS FEMININOS

Gravura *Penteado à moda da independência ou o triunfo da liberdade* (1778).

NAVEGADOR

Nesta gravura, intitulada *Penteado à moda da independência ou o triunfo da liberdade*, uma elegante aristocrata dá os retoques finais em sua *toilette*, talvez em preparação para um baile na corte: seus cabelos estão arrumados de forma extravagante, com várias camadas de pufes frisados recheados com gaze e arrumados no pescoço na forma de cachos *à la reine*. Todo o cabelo e o enchimento interno são entrelaçados em volta de uma armação de metal para criar uma réplica do *La Belle Poule* – célebre navio de guerra francês que conquistou uma rara vitória contra a Marinha britânica em 1778, evento considerado o marco da entrada da França na Guerra de Independência Americana.

A réplica do navio em si é embelezada por todo o tipo de acessório rococó – plumas, fitas, guirlandas – e traz na proa um brasão enfeitado com pérolas, mais provavelmente exibindo as armas reais. Pérolas em formato de lágrima pendem das vigias, e as velas são costuradas com pérolas. O *robe à la française* da mulher também é luxuosamente enfeitado com galões retorcidos, parcialmente aparentes na saia e no cotovelo. As mangas têm duas camadas visíveis de *engageantes* no cotovelo. A linha do busto do vestido é entremeada com fitas de seda amarela. O traje exibe a típica brincadeira rococó com as paletas de cores, contrastando rosa, amarelo, verde e cinza. A mulher usa um elegante conjunto de colar, pulseiras e brincos de pérola. As pulseiras em estilo corrente traziam medalhões ovalados que muitas vezes continham camafeus. **PW**

PONTOS FOCAIS

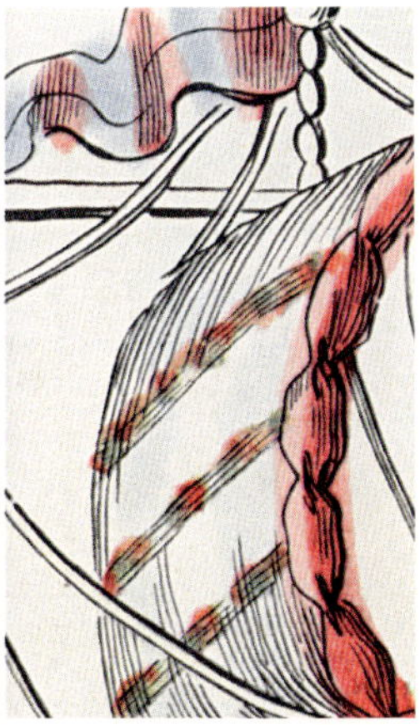

1 CORES PATRIÓTICAS
Embora o velame do navio ostente as cores francesas modernas – vermelho, branco e azul –, na França pré-revolucionária essas cores eram mais ligadas ao país do que à coroa. Na época, as cores reais eram preto e vermelho, ou então o azul e dourado da flor-de-lis. O navio que serviu de modelo para o arranjo, *La Belle Poule*, ficou conhecido por sua vitória contra a fragata britânica *Arethusa* em 1778, que iniciou a participação francesa na Guerra de Independência Americana.

2 PÓ
Sobre a mesa pode-se ver um aplicador de pó de arroz, que ela devia ter usado no rosto. Os cabelos eram revestidos de pó com um atomizador, e o rosto era coberto por uma máscara para ficar protegido. Para essa operação era necessário uma criada. O pó de arroz era um elemento crucial para dar a esses penteados volume e maleabilidade, pois a substância absorvia a oleosidade natural do cabelo e evitava os retoques. Além disso, o pó camuflava as diferenças de tom entre o cabelo natural e qualquer aplique usado.

PENTEADOS ROCOCÓ

A moda de penteados e arranjos de cabeça volumosos foi iniciada por Maria Antonieta, mas levada a extremos pelas mulheres da corte. As criações mais extravagantes, satirizadas nas publicações políticas, eram associadas ao que se considerava o luxo decadente da corte. Os críticos qualificavam esses penteados de sujos, acusando as mulheres que os usavam de abrigar ninhos de pulgas. Havia quem entremeasse aos cabelos flores, fileiras de pérolas e outros ornamentos (abaixo). A Duchesse de Chartres chegou a mandar pôr em seu penteado bonequinhos representando seus filhos e outros integrantes de sua residência. O arranjo de cabeça *chien couchant* era composto por uma almofada horizontal no formato de um cão deitado em seu cesto. Os penteados também podiam fazer alusão a acontecimentos da época – o "Montgolfier", imenso gorro de seda do qual pendia a miniatura de um cesto de balão de ar quente, celebrou o voo de balão realizado em Versalhes em 1783.

O *macaroni* Década de 1770

TRAJE MASCULINO EXAGERADO

"Ora, vejam! É meu filho Tom!", gravura satírica baseada em Samuel Hieronymus Grimm (1774).

NAVEGADOR

Para completar sua instrução, os cavalheiros ingleses do século XVIII empreendiam tradicionalmente o Grand Tour da Europa. Ao voltar, dizia-se que esses jovens tinham entrado para o "clube dos *macaronis*" e aderido à nova moda masculina de trajes formais excessivamente detalhados, exibindo modos afetados e dando muita importância à aparência pessoal. Essa gravura satírica retrata o momento em que a presunçosa figura de Tom se encontra em Londres com o pai, um nobre fazendeiro robusto e vigoroso. Tom obviamente sucumbiu à moda *macaroni*, e o pai o considera afeminado e ridículo. Em contraste com os cabelos mal-cuidados e com as roupas simples e práticas do pai, feitas de tecidos simples, o filho está vestido de forma meticulosa. O terno masculino de três peças, desenvolvido a partir da calça, colete e casaco do fim do século XVII, foi refinado pelos *macaronis*, tornando-se uma forma de ostentação equivalente ao mais refinado *grand habit* feminino. Toda uma parafernália de enfeites e acessórios completava o traje dos *macaronis*; o casaco e colete de Tom são enfeitados com botões perolados. Enquanto o pai segura um chicote de trabalho, Tom empunha a obrigatória bengala com ponta de marfim, que gira exibido. Ele carrega também uma grande bolsa de tecido dourado bordado, como as mais tarde usadas pelas mulheres da corte, além de uma espada de cavalheiro. **PW**

PONTOS FOCAIS

1 CHAPÉU DE DUAS PONTAS
Os cabelos de Tom são encimados por um chapéu de duas pontas; uma piada dizia que eles só eram removidos pela ponta de uma espada, pois os que o usavam eram incapazes de incliná-los por cortesia. Assim, tornar-se um *macaroni* era perder os bons modos tradicionais de um cavalheiro inglês.

2 PERUCA EXTRAVAGANTE
A maior diferença de indumentária entre pai e filho está na cabeça. A peruca empoada de Tom tem altura exagerada, é dividida em pompons e amarrada por uma fita preta, remetendo a penteados das mulheres da aristocracia, tendência que jamais poderia agradar a seu pai.

3 JABÔ E *CRAVATE*
Tom usa uma camisa decorada com babados (jabô), cuja frente sai pela abertura do colete. No pescoço, traz uma elaborada *cravate* de renda branca que combina com os punhos também rendados. Os *macaronis* muitas vezes arrematavam seus lenços de pescoço com grandes laços.

4 CALÇADOS
Os calçados de pai e filho realçam as diferenças em seus trajes e comportamento. Enquanto o pai calça botas pesadas, Tom exibe sapatos estreitos e femininos de fivela dourada. Os *macaronis* também usavam com frequência meias com estampas rebuscadas.

O *banyan* Década de 1770
ROUPÃO MASCULINO INDIANO

O *banyan* do príncipe regente (*c.*1775).

Batizado com base na palavra gujarati para designar um comerciante hindu, o *banyan* era um roupão masculino padrão, de mangas largas, que dava um formato ideal para exibir as fazendas ricamente decoradas do século XVIII. Em contraste com a silhueta masculina formal ajustada, o *banyan* era um roupão folgado, fechado na lateral, inspirado nos quimonos japoneses importados para a Europa pela Companhia das Índias Orientais holandesa. O traje reflete o gosto setecentista por elementos exóticos orientais, sobretudo pelo uso de seda oriental importada e bordados indianos. Esse *banyan* floral de matelassê em chintz calicô foi feito para o príncipe George, mais tarde príncipe regente. O chintz calicô vinha da cidade indiana de Calicute; e é típico dos tecidos da década de 1770 em seu uso de corantes vermelhos, roxos e azuis. Embora geralmente fosse usado solto, esse *banyan* específico tem um colete embutido, para o Príncipe de Gales poder usá-lo aberto e amarrado para trás de modo a criar a impressão de um casaco e colete. O traje tem o corte mais estreito do que muitos modelos mais confortáveis, e fechos em formato de alamares de seda. A roupa reproduz as influências chinesas e indianas vistas na decoração do refúgio particular do regente, o Pavilhão de Brighton, com sua arquitetura externa fantasiosa, seu domo em forma de cebola e seu interior mobiliado em estilo de inspiração chinesa, com flores orientais representadas com exatidão botânica. **PW**

NAVEGADOR

PONTOS FOCAIS

1 GOLA E FECHOS
A gola mandarim é fechada por botões redondos forrados de tecido. Embora o roupão em formato de T com frente aberta tenha surgido por volta de 1700, no século XVIII os *banyans* desenvolveram golas eretas e fechos na frente. Os típicos alamares conferem ao traje um toque oriental.

2 ESTAMPA DE INSPIRAÇÃO CHINESA
O algodão estampado da roupa é um estilo de inspiração chinesa tipicamente britânico. A disposição dispersa da estampa sugere uma placa de impressão de cobre. Essa técnica usava grandes superfícies de estampa que permitiam aos criadores desenhar galhos exuberantes e folhagens assimétricas.

SÍMBOLO DE STATUS

O *banyan* de seda ou chintz indiano era um indicador de status, e aparece em muitos retratos masculinos do século XVIII, como por exemplo no estudo de John Robison (*c.*1798; abaixo), professor da Universidade de Edimburgo, pintado por Sir Henry Raeburn. O *banyan* era considerado um traje adequado para receber convidados em casa. Por ser uma roupa criada para o conforto e o lazer, era usada apenas pelos membros mais ricos da sociedade, que podiam se dar ao luxo de ter tempo para relaxar. Além disso, o traje era objeto de um "intelectualismo evidente", uma vez que combinava materiais caros com uma referência visual a trajes acadêmicos. O *banyan* era o acessório perfeito para um cavalheiro relaxar na biblioteca de casa.

O CAVALHEIRO INGLÊS

1 O *Retrato do distinto cavalheiro Morland com sua arma e seu cão*, pintado por James Miller (século XVIII), mostra um cavalheiro inglês vestido de maneira adequada para atividades no campo.

2 Em *c.*1830, a aristocracia britânica já havia adotado uma nova silhueta masculina definida por uma alfaiataria refinada.

O fim do século XVIII viu surgir um estilo singularmente inglês que foi imitado por toda a Europa, influenciado pelas modas de John Bull, o arquétipo de inglês, fidalgo rural e proprietário de terras retratado nas charges de John Arbuthnot. Alfaiates londrinos como Meyer, Weston e Schultz davam ênfase ao corte e à modelagem em detrimento dos requintes ostentatórios vistos na corte francesa, e manipulavam a lã para moldá-la e adaptá-la ao corpo masculino.

As ocupações tradicionais dos homens do campo, baseadas em atividades esportivas como a caça e o tiro, exigiam roupas práticas e adequadas (acima). As sedas e cetins, babados de renda, meias de seda e perucas empoadas foram descartadas em prol do uso da lã e do estambre cortados para facilitar um estilo de vida rural. Casaco de lã com botões de metal, colete, calça de montaria bege usada para dentro das botas e chapéu de aba estreita e copa alta constituíam um uniforme rural funcional.

Esse traje foi adaptado à sofisticação urbana graças à arte do alfaiate londrino.

PRINCIPAIS ACONTECIMENTOS

1764-1767	1770	1778	1783	1785-1792	1795
James Hargreaves inventa o tear Spinning Jenny, capaz de fiar ao mesmo tempo 16 fios ou mais.	Os *macaronis*, precursores dos dândis, roubam a cena com suas imitações ostentatórias de elementos da moda do continente europeu, suas perucas e seus fartos babados.	Nasce em Londres o célebre dândi de classe alta George Bryan Brummell, o "Beau".	O retrato *La Reine en Gaulle*, pintado por Louise-Elisabeth Vigée Le Brun, causa sensação por mostrar Maria Antonieta usando apenas um vestido solto de musselina.	Edmund Cartwright inventa o tear mecânico e duas máquinas de cardar lã. As invenções são aplicadas primeiro ao algodão e depois à lã.	O governo taxa o pó de cabelo. Somente os homens mais velhos, os oficiais militares e algumas profissões conservadoras mantêm suas perucas e seu pó.

Ao contrário da seda, a lã pode ser esticada e amolecida no vapor para facilitar a modelagem, e um dos aspectos importantes do traje desse período era um casaco que realçava as formas masculinas por meio do simples corte (abaixo). A produção local de lã e a mecanização crescente dos processos de tricô e tecelagem significavam que as mãos habilidosas do alfaiate dispunham de produtos da mais alta qualidade. Arquétipo do dândi (ver p. 118), "Beau" Brummell foi um expoente exemplar dessa arte. Paradigma de bom gosto e discrição, tornou-se o símbolo do ideal da época, e representava uma nova visão da masculinidade baseada nos ideais das estátuas gregas: ombros largos, tórax esbelto e pernas compridas.

Brummell popularizou a higiene pessoal: escovava os dentes, fazia a barba e tomava banho diariamente. Também dizem que foi o primeiro a engomar seu lenço de pescoço. Os lenços de pescoço do início do século XIX tinham duas versões: uma *cravate* dobrada, passada em volta do pescoço e amarrada na frente de maneiras variadas, ou um pedaço de tecido extralargo engomado chamado *stock*, usado justo no pescoço e preso atrás por um fecho. De 1810 a 1820, esses lenços foram ficando cada vez mais complexos, e ganharam denominações descritivas como oriental, matemático, de baile e de cavalo. Estes últimos eram usados com uma camisa de colarinho bem alto, até os olhos – cujas pontas se chamavam *winkers* –, estilo que exigia uma postura fixa e inquebrantável de superioridade. Brummell sempre usava casacos azul-marinho, mas a tendência era usar coletes e calças de cores diferentes,

À noite, as botas foram substituídas por sapatos finos usados com meias de seda ou pantalonas. Influenciadas pelo traje militar, as pantalonas justas eram feitas com tecidos cortados no viés ou meia-malha e presas no tornozelo e nas costas para parecerem ainda mais justas e altas. Sua cor natural, bege ou creme, fazia a parte inferior do corpo parecer nua, enfatizando assim o aspecto escultural da silhueta masculina. **MF**

1810

Uma complexa variedade de lenços de pescoço começou a surgir. O tempo utilizado no processo de engomar e dobrar tornou-se parte das atividades diárias.

1811

Início da era da Regência na Inglaterra: o Príncipe de Gales assume o governo após Jorge III ser declarado inapto.

1811

Em Londres, a Carlton House oferece uma série de festas extravagantes, culminando com a festa para celebrar a Regência.

1811-1816

Membros do Movimento Ludista destroem máquinas no centro industrial da Inglaterra: East Midlands, Lancashire e Yorkshire.

1818

Beau Brummell foge do continente a fim de escapar de seus credores. Mais tarde acaba preso e morre de sífilis em um sanatório.

1819

O Massacre de Peterloo ocorre em Manchester; a cavalaria avança em direção à multidão reunida para exigir reformas na representação no Parlamento.

O dândi inglês 1815

TRAJE MASCULINO

NAVEGADOR

Apresentando um novo paradigma para a masculinidade da elite baseado na busca da perfeição da forma vista nas estátuas gregas, o arquetípico dândi do período da Regência (1811-1820) abandona os babados e falbalás dos anos anteriores para louvar as virtudes de um corpo torneado pelas proezas da alfaiataria.

O casaco de abotoamento duplo em lã é moldado nos ombros e cortado alto na cintura para realçar não apenas o tronco, mas também as pernas envoltas em pantalonas lisas e justas. Misto de calção e calça comprida, essa peça constitui o ponto focal do traje. A costura alta no gancho é sustentada por correias na cintura e por um estribo de tecido sob o pé, definindo a forquilha do corpo. Inspirado nos trajes de cavalaria, e portanto adequado para montar, a pantalona obriga o homem a "usar as partes de lado". O lenço de linho branco engomado no pescoço é envolto pela gola alta do casaco. Com pelo menos 30 centímetros de largura, tinha de ser arrumado com a quantidade correta de dobras para caber no pescoço, operação demorada que podia exigir muitas horas de esforço e vários malogros. Decorado com botões, o casaco é deixado aberto no alto para exibir os babados da camisa, e tem o corte reto de um lado a outro do corpo para expor o colete de mesmo corte usado por baixo. **MF**

PONTOS FOCAIS

1 ACESSÓRIO DE PESCOÇO COMPLEXO
A goma protegia o linho da sujeira e também o deixava mais rígido. O quadrado de linho era dobrado até formar uma faixa e enrolado em volta do pescoço antes de ser amarrado na frente. Combinado com um colarinho de camisa bem alto, o estilo favorecia uma postura ereta.

2 NOVAS TÉCNICAS DE ALFAIATARIA
A introdução de um enchimento entre o forro e o tecido externo do casaco inflava o peito, enquanto as cavas pequenas e posicionadas mais junto das costas forçavam o homem a manter os ombros para trás, incentivando assim uma postura militar.

▲ Este retrato de Beau Brummell por Robert Dighton (1805) mostra os cabelos penteados *à la Brutus*, sem pó, cacheados e caídos em direção ao rosto à moda das estátuas clássicas.

ESTILOS NEOCLÁSSICOS

A Revolução Francesa foi um divisor de águas para boa parte da história social e política da Europa. Da mesma forma, a moda mudou radicalmente no fim do século XVIII. A formalidade do passado foi rejeitada, com seus espartilhos, tecidos pesados e cores fortes, e os adornos excessivos do rococó (ver p. 106). Em seu lugar, as tendências usadas na França, que ainda liderava a Europa, refletiam a esperança de que houvesse nascido uma nova era baseada no exemplo de democracia da Grécia antiga. Inspirada nesse ideal e nas descobertas arqueológicas feitas em Pompeia, a estética passou a ser conhecida como neoclássica. O estilo neoclássico se difundiu nos Estados europeus conquistados pelo exército francês e deles se inspirou. A conservadora Grã-Bretanha copiou essa moda, mas o militarismo inglês e os estilos usados pelos cavalheiros também estavam em voga, já que a Europa inteira estava em guerra até a derrota final de Napoleão em 1815. Os antecedentes da nova moda, porém, eram mais do que franceses. Uma influência-chave foi o movimento artístico romântico, por sua vez fundamentado no mundo sentimental e pastoral do artista francês Jean-Honoré Fragornard e do filósofo Jean-Jacques Rousseau.

A moda neoclássica de 1780 a 1820 é mais associada ao vestido chemisier (acima). Vestidos retos de musselina ou algodão branco fino surgiram na Franca nos anos 1780, popularizados pelos círculos da rainha no Hameau de la Reine (Aldeia da Rainha)

PRINCIPAIS ACONTECIMENTOS

1789	1789	1792	1793	1794	1795
A tomada da Bastilha, em 14 de julho, marca o início da Revolução Francesa.	Rose Bertin (1747-1813), modista de Maria Antonieta, transfere seu negócio para Londres durante a Revolução Francesa.	A República Francesa é declarada em 22 de setembro e a monarquia é abolida.	Luís XVI e Maria Antonieta são executados. Começa o Terror, durante o qual milhares de "inimigos da República" são executados.	Nicolaus von Heideloff se lança como editor independente com a revista *Gallery of Fashion*, registro de roupas estilosas e elegantes.	Os Incroyables e as Merveilleuses (ver p. 124) causam sensação em Paris com seus trajes extravagantes e estilo de vida decadente.

em Versalhes. Vários retratos pintados por Louise-Elisabeth Vigée Le Brun registram a rápida ascensão desse traje simples e confortável e a aderência ideológica do modelo à utopia pastoral por ele promovida. Sem pesadas barbatanas e com algum suporte para o busto, ele liberava a forma feminina e exibia apenas um decote redondo e muito alvo. O vestido chemisier, porém, era considerado inadequado para eventos formais na corte, nos quais continuava-se a usar o *robe à la française*.

Depois da Revolução, o chemise passou a dominar a moda. O vestido-império popularizou a musselina de algodão muito fina tecida na Índia e importada para a França via Inglaterra. Tentou-se fabricá-la na França, e os tecidos indianos foram banidos durante as guerras napoleônicas. O consumidor de moda, porém, burlava essa proibição encomendando seus tecidos aos Países Baixos espanhóis, que ainda importavam fazendas indianas. O vestido chemisier podia ter decote cruzado ou redondo, mas tinha sempre a cintura alta. Fitas ou galões bordados com motivos gregos geométricos eram amarrados sob o busto, e debruns de peles entraram em voga logo após a derrota da Prússia por Napoleão em 1806. Trajes de noite tinham mangas curtas e eram usados com luvas brancas compridas (ver p. 122), enquanto os diurnos eram confeccionados com mangas compridas, mais práticas, e tecidos mais pesados. Xales de caxemira indiana eram *de rigueur*, e casacos tipo bolero, com alamares de inspiração militar, também eram usados no frio.

Anteriormente, os vestidos tipo *mantua* ocultavam bolsos nas dobras, algo que o corte dos vestidos-império não permitia. Assim, começaram a ser usadas pequenas bolsas de tecido e fecho de cordão ou sacolas (à direita). Conhecidas como retículas, *balantines* ou *indispensables*, feitas de tecido, rede ou malha, foram as precursoras das modernas bolsas de mão. Muitos modelos de retícula refletiam o interesse ainda forte por motivos exóticos, provocado ainda mais pelas origens caribenhas da imperatriz Josefina. *Souliers* (sapatos baixos de ponta redonda) e sandálias de gladiador substituíram o salto luís, e os cabelos eram arrumados *à la grecque* em um coque enrolado, com o rosto às vezes emoldurado por diminutos cachos. Joias ou tiaras de vidro, inspiradas nas matronas romanas, substituíram as plumas e flores extravagantes dos penteados do Antigo Regime.

Durante a era napoleônica, Paris permaneceu o centro da moda europeia, e o principal costureiro era Louis-Hippolyte Leroy. Originalmente passamaneiro e chapeleiro de classe alta, ele aprendeu a costurar, popularizou o cor-de-rosa, inventou a manga bufante e diminuiu o corpete para proporcionar um busto estruturado ao decotado vestido-império. Em apenas um ano, forneceu à imperatriz Josefina 985 pares de luvas, 556 xales, 520 pares de sapatos e 136 vestidos. Periódicos e gazetas de moda, como *le Journal des dames et de la mode* de Pierre la Mésange, criado em 1797, traziam gravuras coloridas das novas criações e modelos e difundiam a moda parisiense no interior. Na Grã-Bretanha, o gravurista formado em Paris Nicolaus von Heideloff também detectou uma falha de mercado e começou a publicar *The Gallery of Fashion* (ver p. 126), revista ilustrada de alta qualidade com um grupo de assinantes seleto e limitado. **PW**

1

2

1 *Retrato de Madame Recamier*, por Jacques-Louis david (*c.*1800), retrata a modelo usando um vestido chemisier branco com os cabelos penteados *à la grecque*. O fundo vazio simboliza o novo início criado pela Revolução.

2 Essa retícula é bordada com fios de seda, e tem borla e alça de cordão (1790-1800).

1795	1796	1798	1798	1798	1799
Tem início o Diretório. Charles Percier e François Léonard Fontaine estabelecem o novo estilo na moda.	Napoleão Bonaparte se casa com Josefina de Beauharnais, filha de um latifundiário caribenho e viúva de um nobre guilhotinado.	Jacques-Louis David pinta *Madame Raymond de Verninac* no estilo diretório.	A campanha francesa no Egito provoca grande interesse pelos achados e estilos arqueológicos.	Os turbantes se tornam populares após a expedição francesa ao Egito, e toucas simples substituem os amplos chapéus do século XVII.	Após o golpe de estado (9-10 de novembro), Napoleão nomeia a si mesmo Primeiro Cônsul, pondo fim ao período do Diretório.

Vestido chemisier de musselina Década de 1790

TRAJE FEMININO

Vestido chemisier e xale franceses (*c.*1805-1810).

Este vestido francês de musselina é um exemplo típico de vestido de noite da moda neoclássica. O traje reto, de cintura alta, é confeccionado com várias camadas de musselina de algodão transparente e forrado de linho. Isso dá à peça o peso necessário para obter suas linhas simples e verticais, além de tornar o tecido leve mais quente. Embora mais modesto que os ousados chemises usados pelas Merveilleuses, este vestido segue seu exemplo e tem um delicado babado de renda no decote baixo. Isso chama atenção para uma parte do corpo relativamente libertada pela moda das barbatanas mais leves em estilo sutiã. As mangas curtas também deixam à mostra boa parte do braço.

Em comparação com a rigidez dos trajes anteriormente usados na corte, a informalidade da moda e dos costumes do início do século XIX é transmitida pela paleta de cores claras, pelos tecidos delicados e pelas linhas simples e fluidas. Entretanto, este vestido de noite com painéis de bordado de renda na pala e na bainha é mais elaborado do que muitos vestidos de musselina diurnos. A cauda de musselina, que remete àquela usada pela imperatriz Josefina em sua coroação, confirma o status da mulher que usou essa roupa. O modelo da estola de seda e cashmere em estilo clássico com debrum de paisley e barra franjada se repete na touca, que se encaixa com perfeição sobre cabelos levemente ondulados, penteados *à la grecque*. **PW**

NAVEGADOR

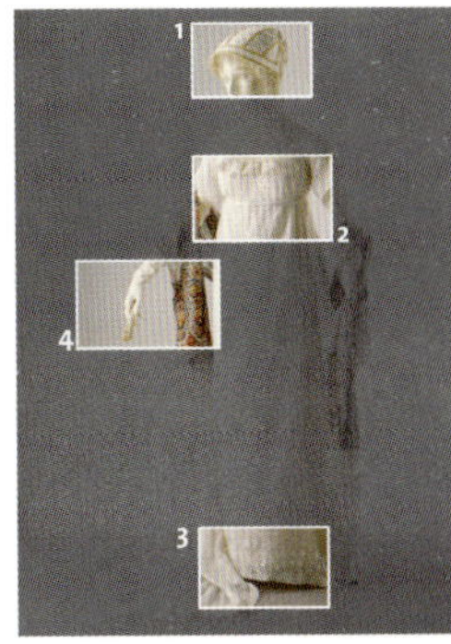

PONTOS FOCAIS

1 TOUCA E CABELOS
O novo estilo de se vestir é acompanhado por um penteado mais suave e mais relaxado. Aqui, os cabelos naturais são arrumados em cachos soltos ao estilo grego. Uma touca justa decora e protege os cabelos. Às vezes usavam-se arranjos de cabeça com penas ou diademas de joias.

2 ESTILO MAIS SUAVE
O vestido chemisier deve seu efeito à simplicidade. Não há nenhum espartilho visível, embora decerto um modelo leve fosse usado por baixo. Em vez disso, a forma é dada por um cordão de fita que faz o tecido flutuar acima do tronco da mulher.

3 RENDA
Os painéis de renda são bordados com fio de algodão por cima da musselina, formando um desenho naturalista de pinhões e brotos de trepadeira, escolha pouco usual entre os principais motivos gregos mais populares. O desenho remete à voga pastoral do fim do século XVIII.

4 LUVAS E LEQUE
Os acessórios de noite são repletos de significado. Além de proteger a pele da sujeira, as luvas brancas garantem que a mulher não tenha nenhum contato físico impróprio com seu parceiro de dança. O leque é usado como uma espécie de código para o comportamento sexual.

Os Incroyables e as Merveilleuses 1795

ESTILO DE INDUMENTÁRIA EXTRAVAGANTE E DECADENTE

L'embarras des Queues, tirado de *Le Bon Genre nº 2* (1801).

Os Incroyables (Incríveis) eram um grupo de dândis simpatizantes da monarquia liderados pelo Vicomte de Barras, um dos integrantes do Diretório; sua versão feminina eram as Merveilleuses (Maravilhosas). Dominantes durante o período do Diretório (1795-1799), ambos os grupos adotavam modos aristocráticos afetados e trajes extravagantes e exagerados. Alguns usavam os cabelos curtos na nuca, *à la victime*, imitando o corte de cabelos das vítimas prestes a serem guilhotinadas durante o Terror (1793-1794). Os homens também usavam os cabelos compridos na frente e dos lados.

Essa gravura da série satírica *Le Bon Genre* mostra duas Merveilleuses sendo perseguidas por dois Incroyables. A moda exagerada usada pelos dois sexos é retratada com zombaria, tornando-os imediatamente identificáveis. Os homens usam casacos de corte estranho que lhes deformam a postura, ainda mais curvada por causa das bengalas propositalmente encurtadas. Seus queixos estão escondidos por lenços tipo *steenkerke* que também cobrem por inteiro o pescoço e fazem referência à execução na guilhotina. Ambos carregam *lorgnettes* dobráveis (*binocles-ciseaux*) que lhes permitem examinar com afetação algum objeto, e a peruca empoada é uma referência deliberada aos estilos do Antigo Regime. Os vestidos chemisiers decotados e esvoaçantes das mulheres, feitos em seda branca transparente no estilo dos trajes gregos antigos, prolongam-se em caudas compridíssimas que se prendem facilmente às bengalas dos homens. As mulheres parecem de fato estar convidando os Incroyables a atacá-las. Os dois vestidos têm mangas curtas e são usados com luvas brancas três quartos. As Merveilleuses usam uma profusão de acessórios – retículas, leques, guarda-sóis – e *souliers* sem salto com pompons. **PW**

NAVEGADOR

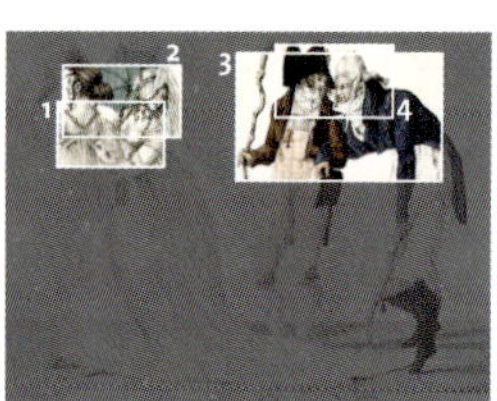

PONTOS FOCAIS

1 PELE EXPOSTA
A reputação das Merveilleuses como violadoras da decência é visível no decote cavado da mulher à direita, cujos seios, que já se equilibram sobre um espartilho meia-taça, estão quase completamente expostos. A integridade sexual das duas mulheres está em xeque, uma vez que ambas parecem flertar abertamente com os homens.

2 PENTEADO DAS MULHERES
A mulher da esquerda traz os cabelos arrumados em um coque grego clássico, enquanto sua companheira usa uma touca com um véu comprido, imitando uma virgem vestal romana. As dimensões exageradas do véu refletem o caráter ostentatório e extrovertido de muitas jovens Merveilleuses.

3 SILHUETA DISTORCIDA
A silhueta masculina é uma versão deselegante do estilo rococó. As posturas, assim como as bengalas, estão distorcidas e propositalmente encurtadas para induzir um andar torto. Os dois homens usam casacos curtos mal-ajustados, lenços exagerados no pescoço e calças de cintura alta que não os favorecem, e calçam botas largas e disformes.

4 PERUCA MASCULINA
Em 1795, muitos homens haviam abandonado os cabelos empoados e as perucas e adotado os cabelos naturais como penteado do "novo" mundo pós-revolucionário. Aqui, a peruca desmesurada é uma referência aos estilos aristocráticos do Antigo Regime. Quem a usava satirizava a política e a estética tanto do passado quanto do futuro.

▲ Os trajes dos Incroyables eram a versão cômica e exagerada do estilo aristocrático inglês, enquanto as Merveilleuses remetiam às deusas gregas e adotavam vestidos **chemisiers** ou túnicas-império.

Vestido vespertino Década de 1800

MODA FEMININA

Gravura de moda por Nicolaus von Heideloff, tirada de *The Gallery of Fashion* (1802).

NAVEGADOR

Cada ilustração de *The Gallery of Fashion* vinha acompanhada por um texto descritivo, e as modelos eram retratadas dedicando-se a atividades dignas de uma dama: passeando pela cidade, brincando com os filhos, cantando ou tocando harpa. As ilustrações também davam conselhos sobre os acessórios adequados. Aqui, em uma ilustração tirada da edição de fevereiro de 1802 da revista, as modelos usam vestidos vespertinos de inverno. O da esquerda mostra que a silhueta vertical do império ganhou volume na base e é agora franzida acima da cintura com pregas bem pequenas, lembrando o *robe à l'anglaise*. Esse franzido é acentuado pelo corpete ajustado e curto do vestido, que realça a parte superior bem comprimida do tronco.

À direita, o modelo alia um vestido chemisier a um sobretudo três quartos aberto na frente, usado com meias grossas, saias internas de algodão e botas escondidas sob a roupa. Um tecido branco pesado é usado para as roupas de baixo que, assim como o sobretudo, têm corte império. Em comparação com a diáfana musselina, esse tecido apresenta uma certa rigidez. O sobretudo três quartos é semelhante a um *mantua* e funciona tanto como corpete principal do vestido quanto para aquecer a parte inferior do corpo, além de ser recortado no busto para revelar a roupa interna em material contrastante. **PW**

PONTOS FOCAIS

1 CABELOS EM ESTILO ROMANO
A modelo tem os cabelos enrolados e trançados, à moda romana. O penteado encima uma gola de arminho renascentista arrematada por um pequeno frufru de renda. Outros penteados possíveis incluíam o coque grego, muitas vezes decorado com um barrete de plumas.

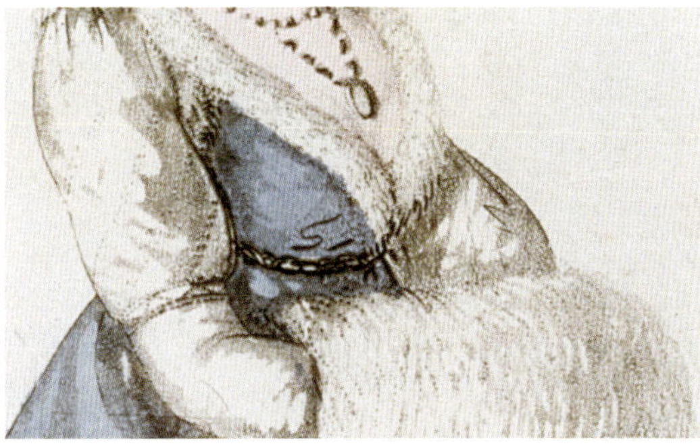

2 ACESSÓRIOS
A modelo da direita usa uma corrente com pingente, que acompanha o decote em V do sobretudo. A gola e a borda da roupa são debruados de arminho branco, repetido no regalo exagerado que lembra uma bola de neve. A gola em V se prende ao vestido interno por um broche e um cinto.

A REVISTA ILUSTRADA DE MODA

Embora França e Grã-Bretanha tenham travado guerras intermitentes de 1793 a 1815, a moda cruzava o Canal da Mancha em ambas as direções graças à ascensão da revista ilustrada de moda. Na França, *La galerie des modes* começou a ser publicada em 1778 e apresentou aos leitores suas gravuras coloridas (à direita) de trajes da moda até 1787. Formado em Paris como gravurista e miniaturista de retratos, Nicolaus von Heideloff, natural de Stuttgart, chegou a Londres fugido da Revolução e logo percebeu que o mercado britânico não tinha nenhuma publicação equivalente. Em abril de 1794, von Heideloff lançou *The Gallery of Fashion*, revista colorida mensal com duas gravuras por edição, coloridas à mão e enfeitadas com detalhes metalizados. A revista continuou a ser publicada até março de 1803. Embora *The Gallery of Fashion* seja uma fonte histórica importante, havia poucos leitores britânicos por causa da qualidade associada ao alto preço. No auge da atividade, a revista tinha aproximadamente 350 assinantes na Grã-Bretanha e 60 no exterior; nesse grupo, contudo, estava a elite britânica, e a primeira edição foi comprada pelas filhas de Jorge III e por seu segundo filho, o duque de York.

3 | DE 1800 A 1899

O VESTUÁRIO ROMÂNTICO

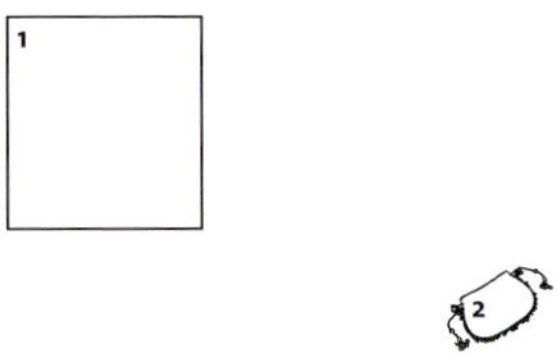

1 O retrato *Arquiduquesa Sofia* (1830), de Johann Nepomuk Ender, mostra o amplo decote e as mangas volumosas que caracterizavam a moda na era romântica. O cinto com a fivela dourada e os punhos adornados com joias realçam a cintura e os pulsos finos.

2 Pequena bolsa de mão conhecida como retícula, esse exemplar (1810-1815) é feito de cetim de seda e enfeitado com o desenho bordado de uma cesta de flores e franjas.

A restauração da monarquia francesa em 1815 estimulou a volta do conservadorismo europeu. A moda não só refletiu o retorno de teorias políticas do passado, invocando o período do Renascimento, como também abriu caminho para uma relação direta com os interesses do movimento artístico romântico. O mítico planalto escocês da região das Terras Altas, popularizado pelos romances da série *Waverley*, de Sir Walter Scott (1814-1831), que ajudaram a divulgar as tradições celtas, foram particularmente inspiradoras.

A moda do período romântico (*c.*1770-1840) determinou diferenças radicais entre os gêneros, com trajes de inspiração militar para os homens e roupas para as mulheres que enfatizavam a fragilidade feminina, com cinturas finas e bustos fartos. O estilo reto de cima a baixo da saia-império foi substituído gradualmente pela linha A, que surgiu nos anos 1820, com recortes em evasê que permitiam uma silhueta um pouco mais cheia. As saias ganharam volumes mais generosos nos anos 1830, e, no fim do período romântico, anáguas com várias camadas criavam o formato de sino

PRINCIPAIS ACONTECIMENTOS

Década de 1800	1803	1820	Década de 1820	1822	1829
Surge o cordão do sapato. As mulheres começam a usar delicadas botas com amarração frontal para destacar os tornozelos.	A primeira das Guerras Napoleônicas é travada logo após a Revolução Francesa.	O Príncipe Regente se torna George IV. Sir Walter Scott cria um festival celta em Edimburgo.	É lançada a saia linha A, cuja altura da barra é encurtada o suficiente para mostrar o tornozelo.	Macintosh inventa o vestuário à prova d'água para uso ao ar livre.	David Wilkie retrata a visita de George IV a Edimburgo em 1822, mostrando o rei vestindo um traje típico escocês.

por baixo da saia evasê com gomos. Utilizava-se também uma pequena anquinha para dar mais roda à peça. As saias do período eram marcantes por causa da ornamentação nas barras, sendo que a bainha pairava entre os pés e o chão.

A saída de cena do traje-império assistiu ao retorno da linha natural da cintura entre 1825 e 1830. Consequentemente, a parte de cima dos vestidos da era romântica tinha que ser mais longa. No início, não era tão estruturada nem tinha muitas amarrações, com fechamento nas costas e uma placa rígida de marfim ou de madeira colocada por baixo na parte frontal. Depois, as cinturas ficaram ainda mais finas, com a volta dos espartilhos mais restritivos. O corpinho em formato de bico dos anos 1840 foi reforçado com barbatanas de baleia para criar a cintura com *basque* frontal, que é o acréscimo de um babado ou franzido no cós da saia para ressaltar a silhueta. Esse tipo de suporte foi essencial para o vestuário feminino, e uma medida de decência para as mulheres. Assim como os vestidos-império, os trajes do período romântico eram em geral feitos de uma só peça: o corpo era costurado à saia, e a roupa ajustada nas costas. Entre os tecidos mais comuns, a organza, a seda e o tartã xadrez. O último ficou perfeito para o vestido de carruagem, um traje diurno que foi projetado para as atividades ao ar livre.

Os decotes eram redondos, em V ou canoa. Eles revelavam os ombros, com mangas curtas para os trajes noturnos (ver p. 132) e compridas para os diurnos. Na verdade, ombros mais largos entraram na moda em 1830, porque criavam a impressão de uma cintura ainda mais fina (à esquerda). Rufos no pescoço às vezes eram usados em vestidos diurnos, ou babados eram acrescentados aos decotes canoa para ampliar mais o contorno dos ombros. Esse contraste entre a largura do ombro e a cintura apertada foi enfatizado pelas mangas bufantes. A manga medieval usada no vestuário-império foi substituída em 1830 pela manga presunto, que era ampla do ombro até o cotovelo e depois justa até o pulso. Isso criava um volume de tecido na parte superior do braço, e a parte alta da manga era sustentada por um pequeno suporte preso ao ombro. Em geral as mangas apresentavam fendas para mostrar o contraste do material debaixo, e a moda pedia cores vibrantes.

Os ombros expostos eram cobertos com mantos largos de renda ou de linho, chamados pelerines ou golas Berta. Xales de renda ou de caxemira aqueciam, e a cidade de Paisley, na Escócia, virou o centro de tecelagem dos populares xales de estilo indiano. Capas, paletós e casacos curtos eram proteções de vários comprimentos, confeccionados com o mesmo material do traje principal e enfeitados com estolas de pele e regalos. Outros acessórios incluíam cintos largos com fivelas, feitos com os mesmos tecidos dos vestidos, realçando a cintura fina. Algumas fivelas eram esmaltadas enquanto outras traziam cravações ou entalhes de madrepérola. O cinto era usado para carregar a retícula (à direita), o binóculo e o relógio de ouro pendurado na corrente. Isso liberava a mulher para segurar o guarda-sol enfeitado de renda. O chapéu de pala bem ajustado à cabeça era preso embaixo do queixo e tinha uma aba alta. Esse estilo favorecia o corte de cabelo à la chinesa, um coque com cachos nas laterais que estava na moda em *c.*1830. Era comum o cabelo ser dividido ao meio, com anéis de cachos ao redor do rosto e preso em um coque atrás. **PW**

Década de 1830	1832	1833	1837	1841	1842
Também conhecida como *Donna Maria*, surge a manga "idiota" e pouco prática. O estilo de ombros à mostra dificulta a movimentação dos braços.	A Lei da Grande Reforma aumenta a representação política das cidades britânicas, incluindo os centros têxteis de Manchester e Bradford.	Westminster proíbe a propriedade de escravos no Império Britânico. É um golpe direto nos produtores britânicos de algodão, mas estimula o mercado dos Estados Unidos.	William IV morre e é sucedido por sua sobrinha, a princesa Vitória, de 18 anos.	*The True Principles of Pointed or Christian Architecture*, de A. W. N. Pugin, é publicado, divulgando a arte e a arquitetura gótica medieval inglesa.	É publicado o *Vestiarium Scoticum*, um texto que afirma ser um antigo compêndio de todos os xadrezes tartãs dos clãs escoceses.

Roupa para a noite Década de 1830
MODA FEMININA

Vestido para a noite de seda inglesa lisa (organza) e cetim de seda (*c*.1830).

NAVEGADOR

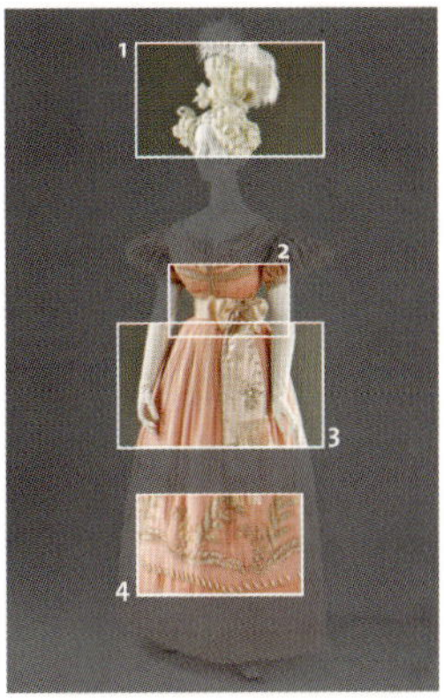

Este estilo de vestido inglês para a noite era popular entre as clientes abastadas nos anos 1830 e foi divulgado por revistas como a *Royal Lady*. A silhueta longilínea do período napoleônico foi substituída por uma forma mais arredondada e feminina. O vestido é de organza de seda rosa, um tecido de trama plana, e um enfeite de contas de vidro imitando pérolas mostra a moda para a ornamentação das barras das saias. O vestido, fechado atrás, tem um decote canoa baixo e é caracterizado pelas mangas pregueadas estilo "bufante" ou meio presunto, finalizada com uma faixa. Esse detalhe extravagante das mangas presunto tem sido visto em roupas contemporâneas para o dia a dia. O volume desse tipo de manga é obtido por meio do uso de complexos suportes internos, que são presos ao vestido e ao ombro. O corpete é enfeitado com uma sobreposição de recortes suaves arredondados, criando um contraste com as sedas rosa e cor pérola, e ele fecha no meio com um colchete ou grampo na vertical. O busto é separado pelo colchete central e sustentado por um corpete leve. Em vez de seguir a linha império, a cintura desce para sua posição natural e é realçada pela faixa larga amarrada em um laço. A saia é levemente evasê e rodada, e o volume é criado com a ajuda de anáguas estruturadas. O vestido era usado com meias brancas e sapatilhas de cetim, em geral amarradas com tiras cruzadas no estilo "Ghillie" escocês. **PW**

PONTOS FOCAIS

1 CORTE DE CABELO
O cabelo é usado à la chinesa. É partido ao meio para repetir a simetria do vestido. A frente é ornamentada com cachos curtos laterais, e a parte de trás fica presa num coque ou com tranças e grampos. Para aumentar a altura, adiciona-se um ousado arranjo de plumas para a cabeça.

2 ADORNOS COORDENADOS
Este vestido de seda rosa mostra a moda dos adornos coordenados. A cor da seda perolada é vista na faixa larga franjada, na fita do busto e nas contas peroladas em formato de folhagem. Esta estampa se repete nos acessórios do cabelo e nos brincos com pendentes de cristal.

3 LUVAS
Luvas brancas imaculadas justas que sobem até o cotovelo são usadas com o traje para a noite. O tecido é pesado e o estilo, conservador. As luvas permitem que o recato feminino seja preservado, deixando metade do braço exposta pelas mangas curtas.

4 ENFEITES
O detalhe na barra da saia é feito de miçangas de vidro imitando pérolas. Elas formam um padrão de feixes de trigo, com uma sequência descontínua de conchas. Isso demonstra um interesse renovado pelas formas da natureza, após a moda geométrica do início do século.

TECIDOS KENTE DA ÁFRICA OCIDENTAL

1 Rei Sakite, do Krobo Oriental, em Gana, veste um tecido kente nos anos 1870. O colar e a espada da foto foram um presente da rainha Vitória para ele.

2 Esta seda kente artesanal foi feita por um tecelão axânti no século XIX. O pedaço do meio consiste em blocos alternados de tiras tramadas em amarelo, verde, vermelho e azul com blocos de urdiduras em formato de losango e desenhos geométricos.

3 Este algodão kente artesanal mostra o exemplar mais antigo de trechos de urdiduras com blocos de tramas. O uso de fios duplos sugere que ele foi tecido por tecelões ewes.

Os tecidos kente estão entre os mais conhecidos tecidos artesanais da África Ocidental. Surgiram nos séculos XVIII e XIX na Costa do Ouro e dos Escravos (atuais Gana e Togo) e são tradicionalmente tecidos e costurados por homens. Os tecidos kente consistem em tiras estreitas que são emendadas ourela com ourela e que refletiam os estilos variados de desenho, composição e cor. Foram produzidos em diferentes áreas têxteis: perto de Kumasi, centro da poderosa Confederação Axânti nos séculos XVIII e XIX, e também em Agotime, Notse, Peki e na região costeira de Ewespeaking. Até o século XVII, as roupas feitas de cascas de árvores eram usadas no dia a dia e os tecidos de algodão, feitos a partir de fios cardados e tingidos manualmente, eram considerados itens de luxo reservados às elites, tais como os reis (acima). Ao longo do tempo, os tecidos de algodão se tornaram parte do vestuário cotidiano. A exibição ostensiva de tecidos caros e de novos desenhos em kente, em eventos cívicos, cerimoniais e religiosos, confirmavam o poder do usuário e sua riqueza e posição social.

A moda teve um papel importante no desenvolvimento do kente. Apesar das limitadas fontes escritas e visuais, o comércio intensivo de tecidos e a alta demanda por produtos importados, assim como a variedade de padrões dos tecidos locais e as fotografias do século

PRINCIPAIS ACONTECIMENTOS

Início do séc. XIX	1817	1820	1840	1840-1847	Década de 1860
Os tecelões de Agotime usam dois teares e uma tira de tecido: isso logo se difunde para outros centros de tecelagem.	O enviado britânico Thomas Bowdich visita Kumasi e a região axânti. Surge o primeiro desenho de um tecelão.	Nessa época muitas nações europeias aboliram o tráfico de escravos, mas ele continuaria em muitos países até os anos 1860. O tecido é um importante item comercial.	O missionário Andreas Riis, da Basileia, recebe do rei de Akropong o tecido kente mais antigo.	Antigos tecidos kente são colecionados por funcionários dinamarqueses e missionários da Basileia que estão se retirando.	O missionário Hornberger faz as primeiras fotografias dos tecidos kente e de tecelões na região de língua ewe.

XIX, indicam que as tendências de moda dos tecidos kente estavam sempre mudando. Mesmo no século XVII, os comerciantes têxteis europeus reclamavam das mudanças anuais de tendências. Apenas o modo como o tecido envolvia com elegância o corpo continuava relativamente o mesmo. Os homens usavam um pano grande que cobria o corpo e cruzava por cima do ombro esquerdo, enquanto as mulheres usavam dois panos – um ao redor dos quadris e outro na parte superior do corpo.

No século XVIII, os tecidos reticulados com tiras tramadas eram comuns nos centros de tecelagem, com exceção de Agotime. O mesmo padrão de urdidura podia ser repetido por toda a superfície do tecido, ou duas ou mais sequências de tiras eram colocadas uma ao lado da outra. Em Agotime, os tecelões criavam tecidos tramados em um tipo diferente de tear que permitia uma padronagem confeccionada na horizontal, tal como um tabuleiro de xadrez. Os tecidos ficaram mais elaborados à medida que técnicas mais complexas, como a criação de estampas com urdiduras e tramas extras e também o uso do algodão vermelho e da seda desfiada das roupas europeias trocadas por ouro e escravos, abriram novas possibilidades (à direita; ver p. 136).

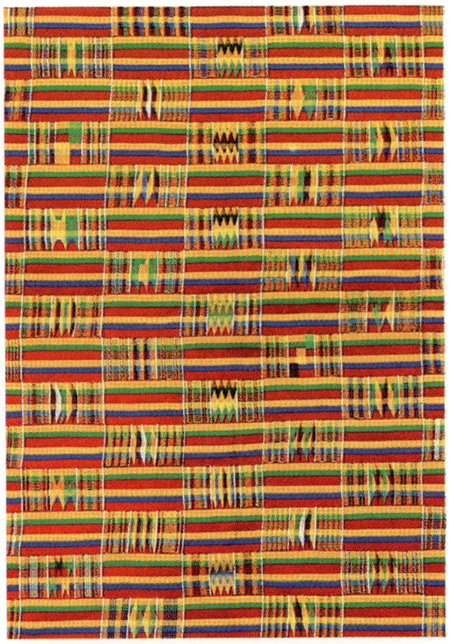

Na próspera corte axânti, os tecelões dependiam do subsídio real e havia restrições sobre o que as pessoas usavam. A seda desfiada e a seda selvagem importadas do norte, e a crescente incorporação de padrões de tramas não figurativas em que as linhas extras flutuavam eram reservados para aqueles que ocupavam cargos mais altos. Tais restrições não existiam na região que falava ewe, o que – junto com a existência de centros de tecelagem interconectados e da grande exportação de tecidos para as outras partes da África Ocidental – explica a maior variedade de tecidos produzidos nessa região ao longo dos séculos. As cores tendiam a ser mais suaves e os padrões do tecido kente se tornaram figurativos por influência da região ewe (ver p. 136).

No fim do século XVIII e começo do século XIX, a principal característica da maior parte dos tecidos kente – a alternância de elementos de urdidura (sentido vertical) e trama (horizontal) em um comprimento de pano – se desenvolveu em Agotime, onde os dois pares de teares necessários para o processo já eram usados. Esse desenvolvimento logo foi compartilhado com os tecelões axântis por meio de contato direto, o amplo comércio de têxteis e a habilidade dos tecelões de copiar os tecidos. A introdução da máquina de fiação de algodão no século XIX e a substituição da seda pelo raiom estimularam um aumento dos desenhos flutuantes enquadrados nos blocos de tramas entre os tecelões de Axânti e de Agotime. Os tecelões axântis criaram tecidos feitos com três pares de teares e continuaram a desenvolver padrões não figurativos com cores cada vez mais vibrantes. Os tecelões ewes aperfeiçoaram a tecelagem de dois conjuntos de urdiduras por volta do século XVIII e começaram a usar fios duplos e torcidos de duas ou mais cores, ampliando as possibilidades de padrões (à direita). Os tecelões da região costeira, por sua vez, criaram maneiras complexas de entrelaçar os fios e de misturar urdiduras e tramas para criar qualquer nuance de cor. A valorização de novos tecidos, desenhos e combinações de cores nos séculos XVIII e XIX só aumentou nos séculos XX e XXI. O kente continua a ser uma moda que se reinventa constantemente. **MK**

1869	c.1871	1874	1870-1890	1888	Anos 1920
Com o início das Guerras Axântis muitas pessoas de Krepi, a maior parte da região que fala ewe, são mantidas prisioneiras e enviadas para Axânti.	A rainha Vitória presenteia o rei Sakite, de Kobo Oriental, com um colar e uma espada.	As Guerras Axântis terminam e começa oficialmente a colonização britânica da Costa do Ouro, assim como a colonização alemã da região que fala ewe.	A máquina de tecer algodão importada é usada e a seda é substituída pelo raiom, proporcionando o desenvolvimento de novos designs.	É tirada a fotografia mais antiga existente, que mostra dois tecelões ao lado de seus teares ewe e axânti, provando que houve contato direto entre as duas áreas.	O capitão R. S. Rattray coleciona pedaços de tecidos durante o período em que trabalhou para o governo colonial britânico (ver p. 137).

Tecido kente *c.*1847

VESTIMENTA AFRICANA OCIDENTAL

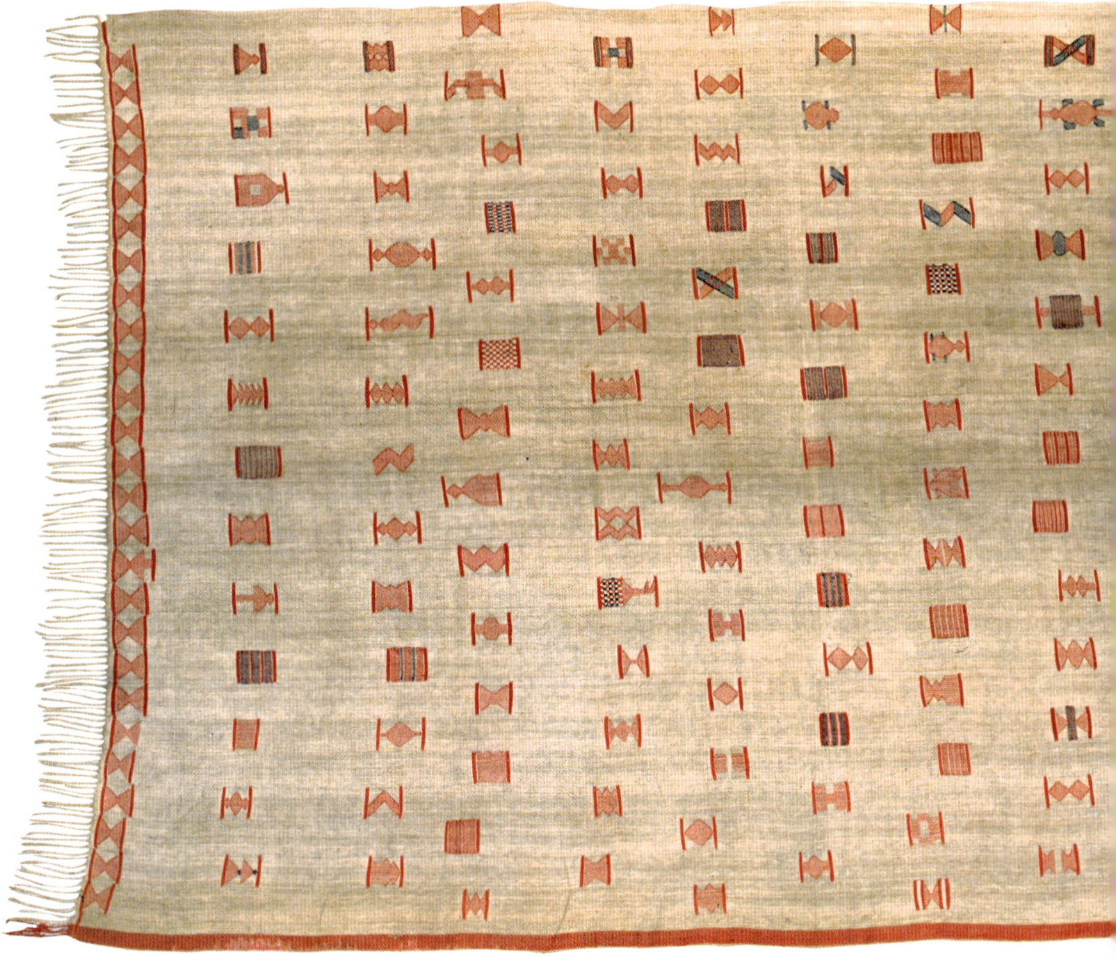

1 ESTAMPA DE CROCODILO

O desenho do crocodilo é associado ao ditado: "Um tronco que fica no rio por 100 anos não se transforma em um crocodilo." Em Gana, a ligação dos provérbios à imagem visual é muito valorizada. As imagens podem ser interpretadas de diversas maneiras, dependendo do contexto.

2 VARIAÇÃO DE COR

As cores vermelha, branco e azul são usadas neste tecido kente. O vermelho e o branco predominam, enquanto o azul é usado com parcimônia. O uso generoso do vermelho destaca a alta qualidade do tecido e chama a atenção para a riqueza e a situação social do usuário.

Kente tecido à mão com motivos figurativos que flutuam transversalmente, da região que falava ewe em Gana e no Togo (entre o início e o meio do século XIX).

NAVEGADOR

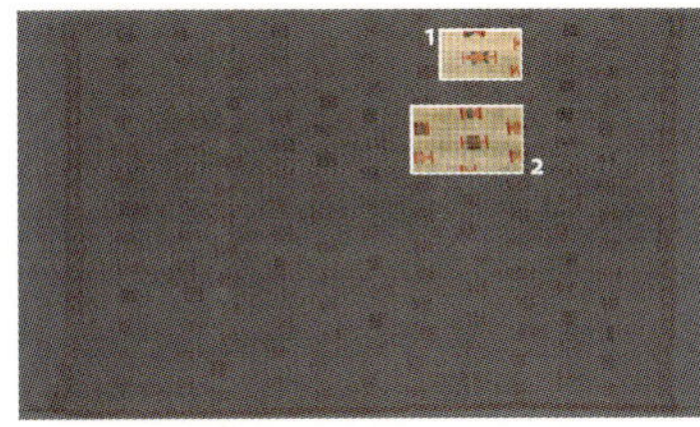

Este é um dos mais antigos exemplares existentes de tecido kente. Ele é feito de algodão tecido à mão e consiste em 28 tiras, todas com desenhos, com exceção de uma, em um total de 148 desenhos, sendo que 20 são figurativos e incluem crocodilos, cobras, sapos, pentes, tambores e espadas. A elaboração desses padrões figurativos que "flutuam" transversalmente é específica dos tecelões ewes e este tecido é um dos exemplares mais espetaculares do século XIX. É bem provável que ele tenha sido produzido por encomenda. Na realidade, os tecidos que apresentam a mais alta qualidade, os tecidos mais caros e com os padrões mais complexos, ainda são basicamente produzidos por encomenda. O "tecido comercial" menos valioso da região de Ewe era vendido aos comerciantes que iam a Keta no século XIX. Eles compravam tecidos em quantidade para vender por toda a África Ocidental. O tecido de axânti, entretanto, era em geral produzido para uso local.

O desenho completo deste tecido kente foi cuidadosamente planejado: o padrão de estampas alterna com áreas lisas tanto no sentido vertical quanto no horizontal. A última faixa não tem desenhos, mas por ser meio branca e meio vermelha, cria um acabamento limpo para o tecido. Seja estendido ou enrolado em volta do corpo como uma túnica, o tecido teria impressionado os observadores contemporâneos por conta de sua deslumbrante técnica de tecelagem e de sua criatividade inovadora.

Produzido antes de 1847, o tecido foi recolhido por Edward Carstensen, o último governador holandês na Costa do Ouro antes da venda das possessões costeiras da Holanda à Inglaterra. Carstensen coletou 12 tecidos para o recém-fundado Museu Nacional da Dinamarca, em Copenhagen, o mais antigo museu etnográfico do mundo. **MK**

MOSTRUÁRIO KENTE

É uma prática comum entre os tecelões de Gana e do Togo manter um pedaço pequeno dos tecidos kente que são produzidos para usar como mostruário para potenciais novos clientes. Essa prática remonta no mínimo ao começo do século XX, mas provavelmente foi muito comum também nos séculos anteriores. Alguns tecelões costuram as amostras juntas, montando uma espécie de catálogo ou como uma faixa comprida; outros as prendem em um álbum de fotografia. Essas amostras (à direita) fazem parte de uma grande coleção reunida pelo Capitão R. S. Rattray, um antropólogo contatado pelo governo colonial britânico nos anos 1920.

INDUMENTÁRIA LATINO-AMERICANA

A independência afetou a maneira pela qual as pessoas consumiam moda em toda a América Latina no fim do século XVIII e no início do século XIX. Os revolucionários urbanos optaram por estilos de Paris, querendo aderir aos ideais de "liberdade, igualdade e fraternidade" adotados pela Revolução Francesa. Os descendentes crioulos dos europeus tinham uma posição social inferior na sociedade colonial, mas, com a independência, muitos defenderam uma sociedade baseada no mérito em vez de no privilégio herdado. As roupas ajudaram a distanciar os países recém-independentes do colonialismo espanhol e a forjar sua identidade cultural e nacional. Depois da revolução da Argentina, em 1810, intelectuais divulgaram ideais políticos como se estivessem escrevendo sobre moda, escapando assim da atenção das autoridades. Revistas locais, tais como a argentina *La Moda*, inspirada na francesa *La Mode*, e a uruguaia *El Iniciador*, elogiaram os ideais democráticos das revoluções francesa e americana. Apesar do mercantilismo britânico em expansão e das tentativas de invasão britânica trazerem à tona sentimentos patrióticos à região de River Plate, na Argentina e no Uruguai, após a independência desenvolveu-se uma forma de negociação diplomática que continuou ao longo do século XIX. Sob a ditadura de Juan Manuel de Rosas (1835-1852), quando todos os cidadãos tiveram que usar insígnias vermelhas demonstrando seu apoio à lei federalista, as cartolas masculinas exibiam fitas vermelhas (acima). Os leques das mulheres também traziam

PRINCIPAIS ACONTECIMENTOS

Década de 1830	1832	1835	1837	1838	Década de 1840
Mulheres pós-coloniais da região de River Plate usam um enorme pente de tartaruga, o *peinetón*, para marcar sua presença nos locais públicos.	A Confederação Argentina, de Juan Manuel de Rosas, adota uma insígnia vermelha e proíbe os tons azul e verde da oposição.	O venezuelano Manuel Antonio Carreño Muñoz começa a escrever o *Manual de Urbanidad y Buenas Costumbres* (Manual de Civilidade e Bons Costumes) em capítulos.	Inspirados na francesa *La Mode*, intelectuais de Buenos Aires fundam a *La Moda*. A primeira edição escapa da censura porque poucos associam moda à política.	Os primeiros colaboradores de *La Moda* são forçados a se exilar. Aqueles que assumem o trabalho em *El Iniciador*, no Uruguai, continuam a usar o texto de moda para criticar os políticos.	O pintor afro-peruano Francisco Fierro Palas, conhecido como Pancho Fierro, retrata as *tapadas limeñas* em cenas cotidianas em sua Lima natal.

retratos de personagens da política. Enquanto muitas regiões tornaram-se independentes da Espanha e de Portugal em 1825, Cuba e Porto Rico só conquistaram a independência em 1898, após a Guerra Hispano-Americana. Até então, elas formularam identidades independentes na moda e na dança de maneira cautelosa.

Conforme as revistas do século XIX revelam, a elite crioula alterou significativamente os estilos europeus por razões práticas e simbólicas. O texto de moda funcionou como instrumento de análise e crítica da sociedade pós-colonialista. Editores uruguaios do *La Mariposa* defendiam que o surgimento de hábitos nacionais poderia ajudar a "expressar a personalidade das pessoas e sua condição moral". Para eles, as discussões sobre vestuários e comportamento tinham o potencial de transformar sociedades imperfeitas em virtuosas. "Nossas modas não passam de mudanças do estilo europeu", explicou o autor anônimo em *La Moda*. "Entretanto, esta mudança está sendo executada artisticamente por homens inteligentes." Em meio à repressão política que se seguiu à independência da Argentina, a cópia dos estilos da França e dos Estados Unidos implicava alternativas políticas. Como Miguel Cané escreveu nas páginas da revista *El Iniciador*: "Nosso século é como a moda, porque é um século de criação de movimento, de novidades e de progresso."

Os europeus acostumados aos trajes exibicionistas usados nas cortes de seus países se deslumbravam com a diversidade do vestuário feminino nas Américas. Nos anos 1840, Frances 'Fanny' Erskine Inglis, na época conhecida como Marquesa de Calderón de la Barca, escreveu que as mulheres espanholas e de origem indígena usavam xales *rebozo* ricamente tecidos com blusas rendadas de corte amplo e saias coloridas às vezes bordadas com lantejoulas. Esta roupa, também conhecida como *china poblana*, foi retratada pelo artista alemão Carl Nebel em 1836 (abaixo) e virou

1 Gaúchos em uma *pulpería* (loja que também funciona como bar) em um quadro de Carlos Morel (1839). Eles usam roupas próprias para montar a cavalo – calças folgadas e frouxas (bombachas) e um tipo de retângulo de pano (chiripá) passado entre as pernas e preso na cintura.

2 Mulheres de Puebla, no México, em 1836, vestidas com a tradicional roupa de *china poblana*. O nome originalmente referia-se à roupa de serviçal de uma mulher de Puebla e imagina-se que foi batizada em homenagem a uma lendária mulher asiática trazida para o México como escrava no século XVII.

1851	1853	Década de 1860	1872	Década de 1880	1898
Para diminuir a dependência das importações, o presidente Carlos Antonio López ordena que o governo paraguaio plante algodão para fazer uniformes militares.	Manuel Antonio Carreño Muñoz publica o *Manual de Urbanidad y Buenas Costumbres* (Manual de Civilidade e Bons Costumes). O livro é um sucesso instantâneo.	Máquinas de costura com pedal e a crescente disponibilidade das litografias de moda promovem o hábito de fazer roupa em casa na América Latina.	Maria del Pilar Sinués de Marco começa a editar o jornal de moda transatlântico *La Torre de Oro*, que tem escritórios em Sevilha e Buenos Aires.	Buenos Aires, na Argentina, se torna conhecida como a Paris da América Latina por conta das exportações de produtos agrícolas e da forte imigração.	Cuba e Porto Rico conquistam a independência após a Guerra Hispano-Americana.

moda para as mulheres do século XIX que queriam se vestir de maneira ousada. Derivado do pente de tartaruga espanhol, o *peineta* ou *peinetón* (acima) surgiu e ganhou modelos maiores junto com a luta pela independência na Argentina, de modo a poder exibir os lemas patrióticos em sua enorme extensão. Depois da independência, quando as mulheres não receberam a cidadania, os locais públicos foram fechados por mulheres que buscavam sua independência ostentando enormes *peinetones*.

Em Lima, Peru, as mulheres eram conhecidas como *tapadas limeñas,* com véus que surgiram da *cobijada* andaluza, trazidas para a região durante o vice-reinado do Peru. Elas espiavam com um só olho por trás de um xale macio e longo, geralmente de cor escura (à direita, em cima). Esse estilo, uma *saya* (sobressaia) e *manto* (véu), foi usado depois da independência e até meados do século XIX. As *tapadas limeñas* ocuparam espaços em geral proibidos para as mulheres, e, no seu anonimato, eram uma presença misteriosa.

Em outras colônias, tais como as ilhas de Cuba e de Porto Rico, os estilos permaneceram ligados à origem espanhola. Em Cuba, os soldados que lutavam pela independência usavam a *guayabera* – camisa masculina pregueada de algodão com grandes bolsos. Esta roupa é um símbolo da identidade cubana e ainda é usada no Caribe. Em Porto Rico, apesar dos vestidos femininos parecerem com os de todas as Américas, os bordados e os enfeites demonstravam influência espanhola. Após a independência em 1898, as mulheres porto-riquenhas abandonaram a mantilha (lenço de renda cobrindo a cabeça), mas continuaram a usar os bordados vazados nas pontas das roupas e o leque dobrável. Informações sobre os estilos das roupas desse período estão nos diários e na correspondência dos estrangeiros, bem como nas revistas de moda, nas litografias, nos quadros e em outros documentos históricos. Por exemplo, em *A viagem do Beagle*, Charles Darwin descreveu o traje gaúcho do autoritário líder argentino Juan Manuel de Rosas. No Chile, viajantes desenharam homens usando chapéu simples e colete de toureiro e mulheres usando saia com babados, indicando a origem andaluza. Pinturas de fachadas de lojas em Montevidéu, no Uruguai, mostravam diferentes ponchos na vitrine.

Documentos de navegação indicavam que a região foi inundada de produtos europeus, o que mudou o vestuário latino-americano. Mesmo o poncho andino (ver p. 144) era produzido em Manchester ou em Birmingham. Desde "chapéus ingleses de ótima qualidade" até "luvas infantis pretas e amarelas", um relatório da Argentina revelou que a indumentária de montaria inglesa foi adotada pelas senhoras de Buenos Aires em 1834. Também estavam disponíveis sobrecasacas masculinas

3 Este elaborado *peinetón* data de 1840. É feito de tartaruga e mostra a figura de Juan Manuel de Rosas, governador de Buenos Aires.

4 Uma *tapada limeña* em um cartão-postal do século XIX. Imagina-se que este estilo de vestir único tenha origem moura.

5 Condutores colombianos de mulas comprando numa loja em 1834 usam o traje típico do campo, composto de túnica, poncho e sombreiro.

prontas, coletes pretos e calças de tecidos de excelente qualidade. Na Colômbia, uma predileção pelas modas inglesa e francesa fazia com que apenas no campo se vissem as formas tradicionais de vestuário, tais como a local *ruana* (peça estilo poncho) ou o sombreiro *vueltiao*, um chapéu flexível de trama de cana de açúcar originário das tribos Zenú (abaixo). As colunas de conselhos das revistas de moda foram ferramentas importantes para entender as tendências europeias, com alguns padrões descritos e ilustrados detalhadamente em litografias.

Na segunda metade do século XIX, as mulheres começaram a escrever nas revistas de moda. Juana Manuela de Gorriti e Clorinda Matto de Turner, que criaram publicações desse tipo em Buenos Aires, reclamavam da cintura apertada por espartilho e das sobreposições das roupas europeias impostas às mulheres. Na Venezuela, uma reforma no vestuário recomendava abandonar os resquícios dos vestidos espanhóis, e a mantilha, que tinha uma significativa influência religiosa, foi descartada. Progressivamente, a máquina de costura permitiu que as mulheres optassem pela roupa feita em casa em vez da roupa comprada na loja ou feita sob medida.

A roupa cotidiana continuou a refletir as desigualdades, quase sempre mostrando pessoas de origem africana ou indígena com um status menos atualizado. Muitos negros apareciam nos festivais e nas cerimônias com suas melhores roupas, que incluíam aventais, lenços de cabeça e gravatas. Na Guatemala, as mulheres mantiveram suas tradições têxteis com o uso de fibras tingidas naturalmente em um arco-íris de cores. O *traje*, ou a roupa indígena, continuou investido de um profundo significado cultural e espiritual e revelava muito sobre a posição social do usuário.

No início do século XX, investimentos estrangeiros e lojas de departamentos inglesas como a Casa Mappin, no Brasil, e a Harrods, na Argentina, aumentaram a oferta de produtos estrangeiros. A região experimentou um crescimento da imigração europeia, com muitos recém-chegados procurando vestir-se de forma bem-sucedida como seus patrões e, para isso, abriam mão da tradição. Apesar do aumento das imagens projetando "tipos nacionais" associados à cultural rural – caso do gaúcho argentino, do *llanero* venezuelano e do *charro* mexicano (ver p. 142) –, grande parte da região adotou estilos ocidentais que ficaram mais acessíveis com a máquina de costura e os padrões de produção em massa. **RR**

O traje *charro* século XIX

ROUPA DE MONTARIA MASCULINA

O *charro* mexicano (*c*.1890).

NAVEGADOR

O *charro* é o vaqueiro mexicano que surgiu originalmente nos estados centro-ocidentais de Jalisco, Michoacán e Guanajuato. Embora elementos do traje tenham raízes espanholas, o *charro* adquiriu sua característica identidade mexicana no século XIX. O tradicional traje preto é enfeitado com ricos bordados e pespontos em linha dourada ou prateada. A jaqueta estilo bolero revela o laço ou o lenço amarrado em um nó de gravata, também bordados. Enfeites ao longo das mangas da jaqueta e das pernas da calça incluem pespontos elaborados e apliques de couro. Botões dourados ou prateados em geral exibem símbolos nacionais mexicanos, espanhóis e indígenas. Os trajes são bordados à mão ou à máquina e incluem temas como ferraduras, esporas, flores e águias. Alguns trajes incorporam uma insígnia bordada nas costas da jaqueta; por exemplo, uma águia pousada em um cacto florido com uma cobra na boca remete à fundação da capital asteca de Tenochtitlán (atual Cidade do México) e é um símbolo da identidade nacional mexicana. O sombreiro e as botas de montaria completam a indumentária. Representações populares do *charro* e a estética exagerada adotada pelos grupos folclóricos de *mariachis* são vistas em eventos culturais mexicanos e em filmes de Hollywood, tais como *¡Viva Zapata!* (1952). Atualmente, o *charro* é um estilo duvidoso da moda mexicana conhecido em todo o mundo. **RR**

PONTOS FOCAIS

1 SOMBREIRO
O sombreiro, chapéu de origem mexicana, tem a copa pontuda. Graças às abas largas, ele é amplo o suficiente para manter a cabeça e os ombros do usuário na sombra. O chapéu também é geralmente bordado.

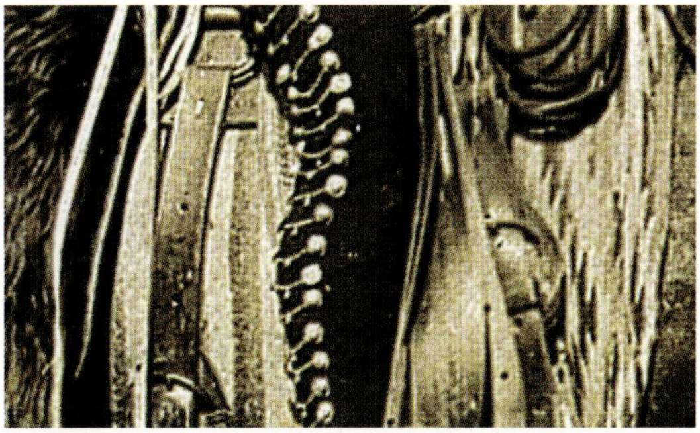

3 CALÇA
A calça ajustada tem a lateral enfeitada com linhas duplas de botões metálicos brilhantes, embora possa ser também bordada com debruns de camurça. Os botões em geral são feitos de uma liga metálica de prata e níquel conhecida como alpaca, mas também pode ser de ouro e prata.

2 JAQUETA BORDADA
A jaqueta curta de lã preta é cuidadosamente enfeitada com bordados brancos ou debruns de camurça conhecidos como grega. Este trabalho era realizado por artesãos de determinadas regiões, que se especializavam em confeccionar elementos do traje e seus acessórios.

▲ Integrantes de um grupo folclórico de *mariachis* vestem os tradicionais trajes pretos com sombreiro de aba larga e xales *serape* dobrado sobre os ombros.

Poncho século XIX
INDUMENTÁRIA INDÍGENA

Fotografia de dois gaúchos vestindo
os tradicionais ponchos listrados (*c.*1890).

NAVEGADOR

Nos registros da história do vestuário, o poncho andino remete às origens seminômades dos índios e à cultura de fronteira, e mesmo assim a força da forma e do design do vestuário ainda repercutem na moda contemporânea. No século XIX, os gaúchos de tradição africana, indígena e espanhola que perambulavam pela região do rio da Prata usaram esta roupa como cama, travesseiro e mesa de jogos, e também como proteção contra os elementos da natureza. Na verdade, o poncho podia ser o único bem de uma pessoa.

Empreendedores ingleses logo perceberam a importância e a utilidade dessa roupa tanto para nativos quanto para viajantes. Eles se apropriaram dos desenhos dos bordados feitos à mão e importaram de Manchester e de Birmingham ponchos prontos. Como lembrou o diplomata Sir Woodbine Parish em 1836, os gaúchos dos Pampas usavam quase que exclusivamente ponchos fabricados na Inglaterra. As roupas em geral mediam 1,80m x 1,40m e eram produzidas com fibras que variavam de acordo com os climas nos quais seriam usadas, desde a lã de vicunha até a seda e o linho. Muito práticos, os ponchos eram comumente usados com calças de modelagem ampla enfiadas em botas e chapéus de feltro de abas largas conhecidos como *chambergos*. Existem indícios de que os indígenas usavam o poncho com um cinto. **RR**

PONTOS FOCAIS

1 ABERTURA
A abertura central do poncho permite que ele seja colocado com facilidade pela cabeça do usuário. Ele cobre confortavelmente os ombros e cai em dobras soltas e drapejados. Trata-se de um grande pano para cobrir o corpo e os braços sem restringir os movimentos.

2 PADRONAGEM
Os ponchos gaúchos eram feitos à mão em uma variedade de padrões e cores. Eles eram usados sobre camisas, coletes e jaquetas justas. O padrão do tecido deste poncho é geométrico, mas alguns desenhos, como a fênix, também aparecem.

◄ Um poncho listrado boliviano do início do século XX.

VESTIDO VITORIANO

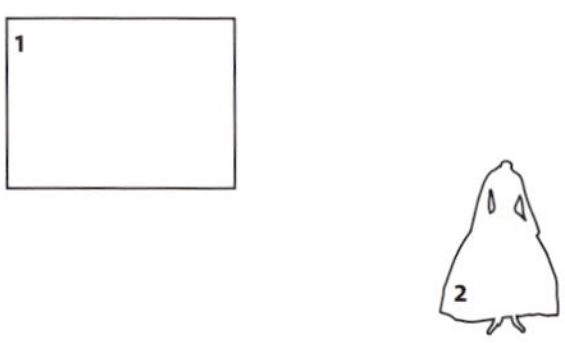

1 Um exemplar de 1860: a armação de crinolina. O vestido era colocado sobre a armação com a ajuda de varas compridas e exigia o auxílio de uma camareira.

2 Este vestido diurno de 1840 mostra a silhueta curvada da retomada do gótico que dominou a França e a Inglaterra.

O incrível exagero da forma feminina na era vitoriana (1837-1901) foi exemplificado pela crinolina na última metade do século XIX; ela foi ficando cada vez mais larga e atingiu sua apoteose em 1859, antes de se render à anquinha em 1868. A feminilidade respeitável era associada à submissão e ao mundo confinado do lar. No poema de Coventry Patmore que idealizava a feminilidade vitoriana (1854), a mulher era como o "anjo da casa", cuja principal tarefa era supervisionar a manutenção do lar, que era baseada na esfera privada. A vida restrita e limitada das mulheres contrastava com os muitos avanços tecnológicos do período, com a expansão industrial e com o crescimento do Império Britânico.

Laços feudais e antigas hierarquias sociais foram substituídos por uma sociedade burguesa em que o poder residia no comércio e no empreendedorismo e não na propriedade de terras ou na posição na corte. O surgimento do capitalismo moderno provocou mudanças de atitudes em relação às formas aceitáveis de comportamentos masculinos e femininos, já que homens e mulheres eram fisicamente separados em seus cotidianos: os homens vestiam-se com impecáveis e elegantes peças de alfaiataria de tons sóbrios, enquanto as mulheres ficavam quase imobilizadas por fartas camadas de roupas ornamentadas. No tratado *A teoria da classe ociosa*, de 1899, o economista americano Thorstein Veblen interpretou a pompa do vestuário

PRINCIPAIS ACONTECIMENTOS

1830	1837	1840	1846	1848	1849
O primeiro número da revista americana *Godey's Lady's Book* é publicado, descrevendo os estilos mais atuais.	A rainha Vitória assume o trono da Inglaterra. Ela reina até 1901.	A primeira tecelagem de seda (produtora apenas do fio) abre em Patterson, Nova Jersey.	A primeira máquina de costura com agulha de ponta dupla é patenteada nos Estados Unidos pelo inventor Elias Howe.	O xadrez tartã entra na moda quando a jovem rainha Vitória se apaixona pelas Terras Altas e compra o castelo de Balmoral.	Henry Howard Harrod abre a loja de departamentos Harrod's em Londres. Na equipe, dois vendedores e um mensageiro.

feminino da época como um símbolo do ócio forçado das mulheres vitorianas – a personificação viva do consumo ostensivo, uma representação da riqueza de seu marido.

A retomada do gótico, que dominou as artes na França e na Inglaterra nos anos 1840, influenciou enormemente o vestuário vitoriano. Isso resultou no aparecimento de uma silhueta curvada (à direita), reforçada pela linha caída do ombro que termina em uma gola alta, pelas mangas longas e apertadas e pelos tecidos pesados. O vestido consistia em uma parte de cima pontuda e alongada, geralmente abotoada na frente e presa à saia por "pressão", através de pregas alternadas. O volume da saia era sustentado por uma anágua estruturada com crina de cavalo (*crin* em francês). Em 1856 surgiu a primeira armação de crinolina (à esquerda), que eliminou a necessidade das inconvenientes anáguas. Na sequência, surgiu a crinolina de aço, inicialmente registrada por C. Amet, na Grã-Bretanha, em 1856. Os arcos de metal flexível revestidos de tecido eram montados como peças separadas e pendurados por fitas na cintura, ou eram costurados na anágua. A silhueta formava dois triângulos, o que realçava a linha natural da cintura. A amplitude da manga do vestido ia do ombro até o pulso, formando um formato de pagode; mangas soltas laváveis de algodão branco, enfeitadas com bordados ou rendas, em geral ficavam à vista. A saia formato de sino gradualmente aumentou de tamanho, reforçada por camadas de pregas, debruns, franzidos e babados. O desenho da chave grega era uma ornamentação muito usada, e a paixão da rainha Vitória pela Escócia estimulou a popularização da moda colorida do xadrez e do tartã (ver p. 152).

Muitas mudanças de roupas eram necessárias para ver a mulher vitoriana ao longo do dia. Vestidos diurnos incluíam o penhoar, uma túnica caseira usada pela manhã; o *pelisse-robe*, que é um penhoar com pele na gola, também usado em casa pela manhã; o redingote, usado para um passeio à tarde; e o vestido rodado superenfeitado para o coquetel da tarde. Entre os tecidos mais populares, a lã fina, o merino, a organdi e a tarlatana (musselina transparente). A noite exigia uma mudança maior e, ao contrário da recatada roupa diurna, os vestidos noturnos eram extremamente decotados e feitos de tecidos finos como o veludo, a seda ou o tafetá de seda e o chamalote. Os decotes deixavam os ombros à mostra ou insinuavam o formato do coração.

A roupa vitoriana para uso ao ar livre consistia em um xale que cobria até o quadril, geralmente com a estampa paisley (ver p. 150), ou de uma capa drapejada sobre a saia, o que criava uma silhueta triangular e escondia totalmente a cintura. O cabelo era usado partido ao meio, com cachos e mechas sobre as orelhas, e chapéus de pala impediam as mulheres de olhar para o lado, sendo que a moda exigia que elas tivessem uma atraente palidez. O chapéu de pala foi mais tarde substituído por um chapéu menor colocado no alto da cabeça.

À medida que a crinolina aumentou de tamanho, a saia ganhou mais nesgas para acomodar sua amplitude, apesar de ainda manter a cintura ajustada.

Final da década de 1850	1851	1851	1852	1856	1872
O molde de papel foi inventado pelo casal americano William Jennings e Ellen Curtis Demorest, conhecida como Madame Demorest.	Isaac Merrit Singer registra a patente de um modelo melhor da máquina de costura.	A Grande Exposição é realizada no Palácio de Cristal, cujo projeto é de Joseph Paxton. Feito de vidro e aço, o telhado reflete o formato da crinolina.	A loja de departamentos Le Bon Marché abre em Paris, seguida pela Lord & Taylor em Nova York.	O químico inglês William Perkin desenvolve os pigmentos à base de anilina, que introduzem uma enorme variedade de cores para o mercado de massa.	O produtor de seda inglês Thomas Wardle consegue estampar a cores e em velocidade na seda indiana e lança o produto no mercado europeu.

3 A ilustração da revista *Godey's Lady's Book*, de 1864, retrata os vestidos com crinolina, as saias com nesgas para o dia e os trajes para sair à noite.

4 A mudança de formato da anquinha é representada na pintura *Too Early* (1873), de James Tissot. O artista era conhecido pela representação apurada e detalhista de mulheres lindamente vestidas.

Surgiu um feitio de vestido sem cós destacando a modelagem da parte de cima, conhecida como "linha princesa" (ver p. 178). O estilo oferecia uma série de variações que incluíam a polonesa, uma sobressaia com laços que fazia alusão às modas do século XVII. Os vestidos que continuavam a ser confeccionados com a parte de cima e saia separadas incluíam o corpete-amadura (1874), que realçava o plastrão de diferentes materiais usado sobre o corselete apertado e longo.

No fim dos anos 1870, a quantidade de tecido usado na saia mudou, alterando por completo a silhueta. Inicialmente, o volume da saia foi direcionado para a parte de trás dos joelhos e mesmo os vestidos diurnos traziam uma cauda longa. As cinturas ficaram ainda mais finas, realçadas pela modelagem externa do corpo em formato de "V" e pelo pregueado horizontal da saia. A anquinha se moveu para cima mais uma vez em meados dos anos 1880, projetando-se horizontalmente a partir do fim da coluna e mantida no lugar por um artefato de arame trançado. A silhueta se tornou mais reta na frente, formando uma meia crinolina com o tecido franzido e preso na parte de trás dos quadris criando uma cauda. Em 1868 a crinolina saiu de moda e as amplas saias rodadas viraram sobressaias, presas por laços em uma anquinha na parte traseira (à direita).

Na era vitoriana, a indústria têxtil movida a vapor desenvolveu os primeiros teares mecânicos para tecidos planos, que produziam uma ampla variedade de tecidos tais como o tafetá. A sericicultura japonesa fornecia a matéria-prima para essa indústria e a França era a maior produtora de seda e de veludo de seda estampado. As roupas do meio do século eram enfeitadas demais para serem produzidas em grande quantidade, pois os detalhes exigiam o trabalho manual de uma costureira habilidosa. No entanto, métodos de produção mecanizada estavam sendo desenvolvidos para a alfaiataria e para as roupas voltadas para atividades ao ar livre, que exigiam menos ajustes. A produção em massa foi consequência do surgimento de novos sistemas de produção e consumo; de 1850 em diante as roupas mais modernas se tornaram disponíveis para todos, menos para os mais pobres. A moda ficou ainda mais democrática com a invenção da máquina de costura, patenteada pela primeira vez em 1846. As máquinas podiam ser alugadas semanalmente e junto com a introdução dos moldes de papel, vendidos pela primeira vez por Ebenezer Butterick em 1863, e com as sugestões de modelos por parte das revistas, a consumidora podia se manter atualizada com as últimas tendências. A popular revista *Godey's Lady's Book* (acima), que alcançou a tiragem de 150 mil exemplares em 1860, trazia ilustrações de moda e moldes para que as roupas fossem feitas em casa.

A maior liberdade social das mulheres e o eficiente sistema de transportes tornaram o ato de fazer compras uma atividade de lazer. Disponibilizando uma estonteante oferta de produtos de consumo, a quantidade de lojas de departamento burguesas nas grandes cidades forneciam um lugar seguro para que as mulheres desacompanhadas passeassem enquanto compravam "roupas prontas" — peças que não exigiam ajustes, tais como capas, xales, sobrecasacas amplas e produtos de marcas conhecidas. A loja de departamentos Haberdashery oferecia enfeites luxuosos e passamanarias, permitindo que a ávida consumidora mudasse os detalhes de sua roupa de acordo com as últimas criações de costureiros como Charles Frederick Worth (1825-1895). Pigmentos à base de anilina, descobertos pelo químico William Perkin em 1856, foram criados pelo homem a partir do carvão, e cores caras e até então difíceis de obter foram lançadas no mercado de massa. A primeira, batizada de *mauveine*, era um pigmento violeta-púrpura anteriormente extraído de moluscos; depois dele veio a magenta, que foi desenvolvida por Francois-Emmanuel Verguin. Outros pigmentos sintéticos incluem o azul-lyon e o verde de metileno (1872), e em 1878 um novo vermelho vivo apareceu para competir com o corante de cochonilha.

No fim do século, no último período do reinado de Vitória, as saias cortadas em viés que tinham um caimento perfeito nos quadris substituíram as saias com drapejados horizontais. A cava alta e as mangas apertadas ampliaram a linha do torso, que era enfatizado pelo franzido no ombro que formava pontas altas. Esses franzidos criavam volumes; em 1894, eles passaram a ser acolchoados de modo a alcançar grandes proporções, e eram fixados no lugar com a ajuda de almofadinhas, mas também eram presos nos pulsos. Além da ostentação luxuosa do vestuário de moda, o traje de duas peças feito para mulheres proporcionou uma alternativa prática. Feito em tecido impermeável por alfaiates como os da Maison Creed e usado por mulheres da aristocracia para atividades esportivas, esse traje depois passou a ser feito em tecidos mais leves para serem usados ao ar livre. Essa tendência refletia a crescente emancipação da mulher e os primeiros passos em direção ao sufrágio feminino que marcou o fim da era vitoriana. **MF**

Xale paisley de caxemira *c.*1850

ROUPA PARA ATIVIDADES AO AR LIVRE

Retrato de Fanny Holman Hunt,
por William Holman Hunt (1866-1868).

NAVEGADOR

O xale paisley foi essencial no vestuário para atividades ao ar livre durante quase um século, desde 1780 até os anos 1870. Tecidos com a lã da cabra pashmina, os xales (cuja origem vem da palavra persa *shal*, que significa um tipo de trama) trazem a simbólica estampa paisley, cuja origem exata ainda é desconhecida. Os xales paisley eram tecidos na Caxemira, noroeste da Índia, desde o século XI. Importados para a Inglaterra pela Companhia das Índias Orientais no fim do século XVII, a demanda era superior à oferta e, por isso, foram feitas tentativas de copiar o desenho em teares manuais tanto em Norwich, em 1792, quanto na cidade escocesa de Paisley, em 1805. Paisley era na época uma próspera cidade produtora de seda que rivalizava com a mais conhecida Spitalfields, de Londres. Versões mais baratas do xale de lã, estampadas por serigrafia, eram produzidas em quantidade, enquanto a versão tecida à mão se mostrava cara demais para qualquer um, a não ser que pertencesse às classes mais abastadas. Os xales eram usados com um broche de camafeu, um acessório popular durante a era vitoriana; esses broches também eram encontrados emoldurados em ouropel, uma liga metálica que imitava ouro e que ficou famosa entre aqueles que não podiam comprar joias de verdade. Os xales foram mais tarde substituídos por casacos e capas curtas, quando a anquinha substituiu a crinolina nos anos 1870. Nessa época, a cidade de Paisley produzia uma quantidade tão grande de peças que todos os xales eram conhecidos como xales "paisley". Quando ele saiu de moda, o padrão continuou a ser popular e adotou o nome genérico de "estampa paisley". **MF**

PONTOS FOCAIS

1 MODOS DE DOBRAR

Os xales paisley com as pontas franjadas eram fabricados tanto em quadrados quanto em retângulos. O modelo quadrado é usado sobre os ombros. Ele é dobrado em um triângulo com a ponta de cima virada de modo a formar uma ponta nas costas. O modelo retangular grande é dobrado no meio e colocado ao redor do pescoço, de modo a ficar pendurado na lateral do vestido e poder ser preso com um broche no corselete. Acessório essencial, o xale paisley ficou na moda por quase um século.

2 ESTAMPA

O desenho característico da gota, aqui combinando tons quentes como o vermelho e o laranja, além de azul e verde, é às vezes visto como a imagem de um punho fechado. Impressa com a pressão do dedo mindinho sobre o tecido, a pinha em formato de vírgula, conhecida como *boteh* ou pinheiro Paisley, também é considerada a representação de uma semente e, como tal, símbolo da vida e da fertilidade. A estampa paisley era às vezes chamada de "pera galesa".

▲ Este desenho do século XIX, de George Charles Haite (1855-1924), foi criado especificamente para estampar tecidos para xales. A delicada estampa floral incorpora a tradicional estampa paisley.

Vestido de xadrez para o dia 1857

ROUPA FEMININA

NAVEGADOR

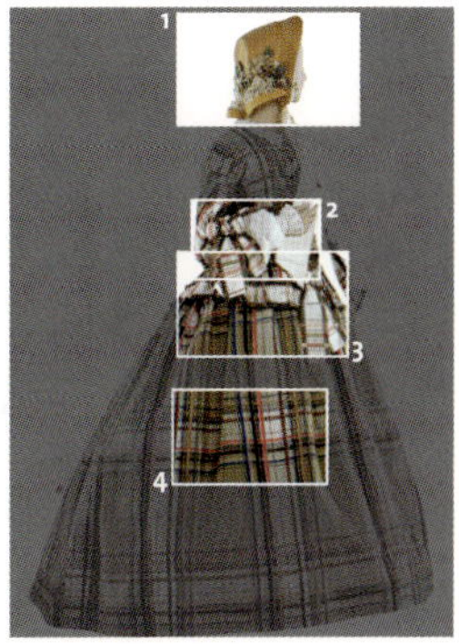

A saia em formato de sino deste vestido de tafetá de seda xadrez é usada sobre uma crinolina de metal com aros flexíveis presos por fitas na cintura. A crinolina não é totalmente redonda, tem mais volume na parte traseira da saia, que é franzida para acomodar os aros de metal. A estrutura interna inclui um espartilho acolchoado e reforçado de barbatana de baleia, permitindo assim a típica silhueta triangular da época. A parte de cima é justa e cheia de pences a partir da linha natural da cintura e elimina a linha geométrica do tecido estampado embaixo da anquinha para formar um xadrez menor. A costura do ombro é estendida além da boca da manga para criar a cava caída, de onde as mangas se ampliam para fora; as mangas são cortadas ao longo de todo o comprimento e recosturadas com laços de fitas feitos do próprio tecido. O vestuário vitoriano para o dia era recatado, como prova a apertada gola de renda colada na linha do pescoço, que foi feita a partir de um trabalho de bilro, renda ou crochê para combinar com os longos punhos franjados das camisa de baixo. Tartãs e xadrezes eram uma escolha popular tanto na Europa quanto nos Estados Unidos, estimulados pelo amor da rainha Vitória por sua casa escocesa, em Balmoral, que foi decorada em estilo baronial escocês com cores vibrantes e diversas estampas xadrezes. Esse vestido é feito de tafetá de seda com fios tingidos, um tecido leve e liso que permite o volume mais estruturado da saia. **MF**

PONTOS FOCAIS

1 CHAPÉUS DE PALA
O chapéu de pala é ajustado à cabeça; tem uma pequena aba virada para cima na frente e é preso embaixo do queixo por laços longos e enfeitados. O modelo para proteger do sol tem uma cortina na parte traseira, mas este é modelado para proteger o pescoço da usuária.

2 MANGAS
A largura da manga do casaco é maior no punho, lembrando o formato de um pagode, e expõe as meias-mangas conhecidas como *engageantes*. Elas eram feiras de algodão branco ou linho e enfeitadas de rendas.

3 SAIOTE
O corpinho do casaco apresenta um novo estilo: um saiote curto do mesmo tecido que se agita sobre os quadris e é pregueado na cintura. O saiote é arrematado com um babado pregueado que termina com um laço de fitas.

4 TECIDO
Faixas alternadas de fios coloridos são tecidas com os ângulos retos da trama e da urdidura se encaixando uma na outra. No ponto onde as diferentes cores se cruzam, novas cores aparecem da mistura das originais.

A ARTE DA ALFAIATARIA INGLESA

No dia da morte de Eduardo VII, em 6 de maio de 1910, o chanceler alemão Prince von Bülow, comentou: "No país onde o cavalheiro se veste inquestionavelmente bem, ele era o cavalheiro mais bem-vestido." Eduardo, que foi Príncipe de Gales por 59 anos, era uma figura roliça – apenas 1,65m, 122cm de peitoral e 122cm de cintura na época de sua coroação, em 1902 –, mas tinha grande influência no vestuário. Ele ainda era adolescente quando começou a fazer as muitas viagens ao exterior que pretendiam criar-lhe um perfil internacional, e como príncipe playboy ele se tornou uma referência de elegância masculina. Sempre fotografado, Eduardo era um modelo exemplar da alfaiataria de Savile Row, e ajudou a estabelecer a reputação da rua como centro mundial de excelência na confecção de roupas sob medida.

Originalmente chamada de rua Savile, a via pública foi aberta no início dos anos 1730 por Richard Boyle, terceiro Conde de Burlington, que a batizou em homenagem à família de sua esposa. Rapidamente ela se tornou uma área residencial popular entre a sociedade elegante, assim como as ruas vizinhas. Havia médicos entre os

PRINCIPAIS ACONTECIMENTOS

Década de 1830	1840	1846	1858	1861	Década de 1860
A sobrecasaca, que tem como referência o estilo militar do tempo das guerras napoleônicas, se torna o traje padrão.	A maioria das calças é feita então com abotoamento frontal.	Tailor Henry Poole transformou a porta dos fundos de seu ateliê na principal entrada para o seu negócio, que abre na Savile Row, 36-39.	Henry Poole é nomeado alfaiate da corte do imperador francês Napoleão III, seu cliente desde 1846.	O príncipe Albert morre e a rainha Vitória se isola por causa do luto, deixando o filho mais velho viver uma vida de playboy.	No início dos anos 1860, o que é conhecido como traje de passeio hoje em dia passa a ser aceito como traje para o dia pelo príncipe Eduardo.

primeiros moradores, e diz a lenda que, quando os alfaiates começaram a chegar e se estabelecer perto de seus clientes elegantes, os médicos se mudaram. O primeiro alfaiate chegou na atual Savile Row em 1806. Em meados do século XIX, Savile Row e as ruas ao redor, tais como Cork, Clifford, Old Burlington, Maddox, Conduit e Sackville, eram conhecidas pela concentração de costureiras e alfaiates. Estima-se que Londres teve entre 9 mil e 13 mil alfaiates diaristas organizados em sindicatos em 1834.

A Revolução Industrial do fim do século XVIII produziu tecidos mais variados e mais baratos. Lã e lã de fio penteado podiam ser moldadas e alisadas com o ferro de passar a vapor, e em meados do século XIX os alfaiates ingleses tinham uma reputação internacional invejável por criar roupas com um desenho impecavelmente definido. Eram também adeptos do uso da fita métrica, um artefato que surgiu apenas no fim do século XVIII. Tirar medidas precisas do corpo de um cliente permitiu que as costureiras criassem moldes baseados na compreensão geométrica da anatomia.

O vestuário adotado na primeira parte do século XIX – o *morning suit* (fraque) para o dia e o *tailcoat* (casaca) para a noite (à esquerda) – teve sua origem na obsessão da aristocracia inglesa com os esportes equestres. Ao contrário de seus confrades franceses, os integrantes da nobreza inglesa do século XVIII não ficavam na corte o tempo todo, mas preferiam passar temporadas em seus estados natais, onde o principal passatempo eram as caçadas a cavalo. Essa atividade exigia que os paletós longos que estavam na moda fossem adaptados. A parte da frente foi cortada para formar o que veio a ser conhecido como fraque. Outra opção foi arredondar a frente do paletó, levando à criação da casaca.

O século XIX testemunhou uma evolução no vestuário masculino. A farda elegante e o traje padrão para negócios da era vitoriana se transformaram na sobrecasaca (à direita), que era inspirada nos uniformes militares continentais da era napoleônica. Uma alternativa mais leve que o casacão ou o sobretudo, a sobrecasaca era usada apenas com colete e camisa, não com um paletó por baixo. As calças, que tinham substituído os calções até os joelhos do início dos anos 1800, podiam ser confeccionadas no mesmo tecido ou em um padrão contrastante. A partir de 1840, a maioria das calças tinham abotoamento central em vez de as aberturas frontais usadas até então. As sobrecasacas com abotoamento simples ou duplo (o último era mais formal) destacavam nitidamente a cintura e o comprimento até a altura do joelho. Tinham como característica uma costura horizontal na cintura. As sobrecasacas eram ainda consideradas uma opção mais inteligente do que o paletó, um casaco meio sem forma criado na França que era basicamente reto desde as cavas. Na realidade, os especialistas de Savile Row achavam que o paletó simples não exigia técnicas de corte ou de modelagem.

O *lounge suit* (ver p. 158), uma espécie de terno mais informal, ganhou terreno por volta de 1850-1860. O jovem Príncipe de Gales, sempre uma referência de elegância, foi o primeiro patrono desse conjunto em geral de três peças. Embora fosse partidário da correção no vestir, o príncipe estava interessado

1 Diversos estilos de roupas masculinas, incluindo uma sobrecasaca (primeiro à esquerda), um fraque e uma casaca, do jornal diário *The Tailor and Cutter: A Trade Journal and Index of Fashion*.

2 Esta sobrecasaca dos anos 1830 tem a característica cintura marcada e a saia ampla com caimento reto na frente. Ela tem um bolso externo no peito.

1866	1870s	1871	1876	1886	1901
O jornal sobre alfaiataria *The Tailor and Cutter* é publicado em Londres para apoiar o comércio de roupas sob medida. Ele funciona até 1972.	O chapéu *homburg* se populariza após o príncipe Eduardo trazer um exemplar de uma de suas viagens regulares para a Europa, ou melhor, para o balneário Bad Homburg.	Henry Poole faz roupas ocidentais para o primeiro embaixador japonês em Londres. *Sebiro* se torna a palavra em japonês para terno.	Henry Poole morre e seu primo, Samuel Cundey, assume a empresa e começa a reverter sua imensa dívida.	O smoking feito por Poole para o príncipe Eduardo por Poole é usado nos Estados Unidos e fica conhecido como *tuxedo*.	A rainha Vitória morre e seu filho se torna o rei Eduardo VII. A coroação em 1902 é a primeira a ser filmada no Reino Unido.

3 Apesar de ser originalmente um casaco para caçar, o modelo Norfolk foi usado para uma variedade de atividades ao ar livre a partir dos anos 1870, e era frequentemente combinado com calças curtas amarradas abaixo do joelho.

4 Nesse retrato feito pelo fotógrafo Alexander Bassano (*c.*1871), Eduardo, o Príncipe de Gales, veste calças de cores claras com sua casaca.

5 O paletó mais curto do traje formal noturno (à esquerda) foi introduzido como uma roupa aceitável para a noite em 1860. Em 1886 ficou conhecido como smoking nos Estados Unidos.

em simplificar os complicados códigos de elegância que predominavam no dia a dia. Em Sandringham, sua casa de campo em Norfolk, por exemplo, ele decretou que não era necessário que seus convidados masculinos trocassem de roupa quatro vezes por dia: inicialmente, o fraque, depois o traje de caça para a inevitável cavalgada, seguido pelo fraque durante a tarde e finalmente o traje formal para o jantar. O príncipe permitiu que seus acompanhantes vestissem apenas duas roupas: casacos de tweed para caçar durante o dia e fraques à noite. O paletó com cinto de abotoamento simples usado para caçar, conhecido como paletó Norfolk (acima), tinha um caimento despojado e apresentava duas pregas-macho verticais na frente e atrás. Patrocinado pelo príncipe, o estilo logo ficou conhecido no mundo inteiro.

Em 1860, o príncipe decidiu aperfeiçoar o estilo do fraque, uma cortesia do mais famoso alfaiate de Savile Row, Henry Poole. Ele pediu que Poole cortasse as abas de seu fraque e criasse um paletó mais agradável para usar em casa e em reuniões informais, criando assim o primeiro smoking moderno. Segundo algumas fontes, o milionário americano James Brown Potter visitou Sandringham em 1886 e depois mandou copiar o paletó do príncipe, usando-o em seu clube em Tuxedo Park, Nova York. A popularidade do estilo fez com que o smoking fosse chamado de *tuxedo* (à direita, embaixo) nos Estados Unidos. Como principal alfaiate de Londres, Henry Poole & Co (estabelecido em 1806), não apenas vestiu o Príncipe de Gales como também recebeu a permissão real da rainha Vitória para fazer fardas.

A percepção dos tempos vitorianos é a de homens sóbrios com uma profunda ética protestante de trabalho, vestidos de maneira sóbria, mas isso é uma simplificação exagerada. O ano de 1830 foi certamente um divisor de águas, com a morte de George IV, que tinha sido príncipe regente entre 1811 e 1820, encerrando a decadência do vestuário da era da Regência. No entanto, em vez do conservadorismo, o bom gosto e o desejo de evitar a vulgaridade foram as maiores influências no vestuário masculino durante o período vitoriano. O príncipe Albert escreveu uma nota aos cortesãos que serviam a seu filho Eduardo: "Na vestimenta, com atenção meticulosa ao asseio e ao bom gosto, [o Príncipe de Gales] nunca se renderá ao estilo inadequadamente descuidado e grosseiro que predomina atualmente. Ele não tomará nada da moda do tratador ou do guarda-caça e, enquanto evita a frivolidade e a tola vaidade do dandismo, cuidará que suas roupas sejam da melhor qualidade, bem-feitas e adequadas ao seu nível e posição... A todos esses detalhes o Príncipe de Gales deve necessariamente prestar mais atenção do que qualquer outra pessoa. Seu comportamento será mais obervado, sua roupa mais criticada." Os comentários de Albert resumem como os ingleses de estirpe encaravam as questões do vestuário. Entretanto, havia uma enorme variedade no que eles podiam usar, e um jornal diário sobre o comércio de roupas feitas sob medida – *The Tailor and Cutter: A Trade Journal and Index of Fashion* (Tailor e Cutter: Diário do Comércio e Catálogo de Moda) – foi lançado em 1866 para suprir o interesse crescente pela moda masculina.

A obsessão do Príncipe de Gales com o vestuário – ele trocava de roupa mais de seis vezes por dia – fixou as tendências para os grã-finos e, por extensão, para a classe média. Suas inovações estilísticas incluíam não apenas o paletó Norfolk e abas mais curtas para o traje de gala, mas também o chapéu *homburg* (ver p. 158) – trazido da Alemanha –, as pregas na lateral em vez de na frente da calça (à direita), a adoção de punhos nas calças (para proteger as barras do chão lamacento) e o uso de tweeds nas corridas de cavalos. Um velejador entusiasmado, ele também popularizou o paletó azul-marinho com a calça de tom mais claro.

Se Eduardo era o homem mais bem-vestido do mundo, então Savile Row era o lugar que atraía os homens bem-vestidos de todo o globo. Henry Poole, em especial, foi o alfaiate que mantinha ligações inigualáveis com a elite dominante. Poole fez ternos para príncipes imperiais japoneses em 1871; desde então a palavra japonesa para terno tem sido *sebiro* (ou *sabiro*), uma aproximação da pronúncia de Savile Row. **EM**

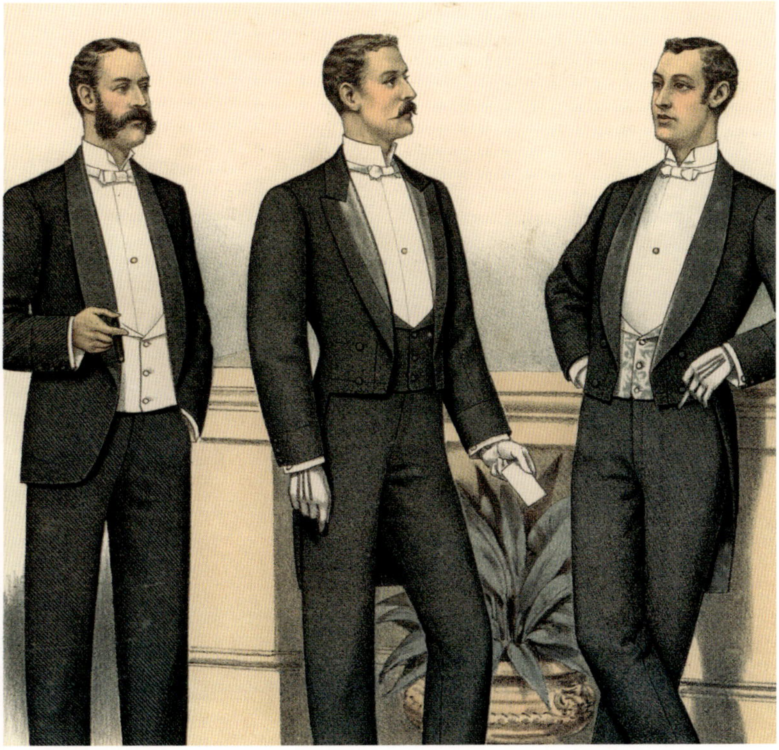

O *lounge suit* e o chapéu *homburg* c.1890
ROUPA MASCULINA

Eduardo, Príncipe de Gales (*c.*1890).

Na época em que esta fotografia foi tirada, *c.*1890, Eduardo, Príncipe de Gales, tinha cerca de 49 anos. Ele era um príncipe playboy há mais de três décadas e teria que esperar outros 10 anos para finalmente suceder a mãe, a rainha Vitória, no trono. O traje é provavelmente uma de suas roupas de férias, usadas em balneários alemães como Bad Homburg, ou em algum balneário no sul da França. Embora o tecido de listras coloridas não fosse aceito como traje diurno em Londres, o estilo é o do *lounge suit* que o príncipe divulgou no início dos anos 1860. O paletó tinha o ombro natural e apesar de as calças afunilarem, elas são confortavelmente largas na barra acima dos sapatos com saltinho. As listras finas do paletó alongam sua baixa estatura, e o abotoamento simples – com os quatro botões fechados – contribui para a impressão de ilusão vertical. O abotoamento alto resulta em lapelas mínimas, mas ainda assim deixa espaço suficiente sob o queixo para o colarinho impecável removível e para a camisa, além de uma linda gravata. A versão moderna da gravata se popularizou e substituiu a echarpe ou o plastrão, na mesma época em que o *lounge suit* passou a ser aceito. A seda da gravata pode muito bem ter sido produzida nos principais centros do comércio inglês de acessórios para colarinho: Spitalfields, em Londres Oriental, Macclesfield, em Cheshire, ou Sudbury, em Suffolk. Como convém ao cavalheiro da época, Eduardo carrega uma bengala robusta e usa uma flor na lapela, um resquício de quando a lapela era fechada no alto do peito. Para completar a roupa elegante, um chapéu *homburg* claro, caracterizado por uma copa com um sulco no meio e a base levemente enrolada. Ele tem uma copa bem mais alta e mais estreita do que a versão moderna do *homburg*. Embora estivesse prestes a se tornar um exemplo de chapéu formal, este chapéu alemão, provavelmente feito de feltro, ainda revela suas origens esportivas. **EM**

PONTOS FOCAIS

1 CHAPÉU *HOMBURG*
Eduardo popularizou o chapéu *homburg* quando cada homem usava alguma proteção na cabeça, fosse um gorro ou uma cartola. Era um chapéu para os momentos de lazer, porém mais tarde ganhou uma versão formal de cor escura. Apesar de o chapéu *homburg* de Eduardo ter a aba lisa, em geral ela era arrematada com uma fita.

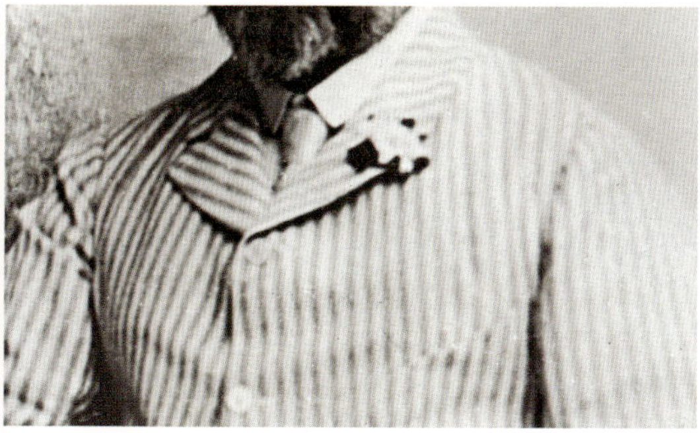

2 OMBRO "NATURAL"
Não existe enchimento nos ombros "naturais" deste paletó de verão. As cavas são modeladas para acomodar os braços roliços de Eduardo. Um paletó elegante precisa ser ajustado no colarinho e nos ombros; todo o "caimento" do restante nasce dali. Um de seus legados mais duradouros foi tornar a roupa masculina formal mais confortável.

3 GRAVATA DE SEDA
Os *lounge suit* com abotoamento alto dos anos 1860 tornaram a gravata redundante à medida que não havia espaço para ela. O colarinho, com um elegante nó simples, preenche o espaço de maneira admirável e não pareceria incorreto atualmente. Apesar de não aparecer na foto, os alfinetes de gravata eram outra oportunidade de demonstrar individualidade.

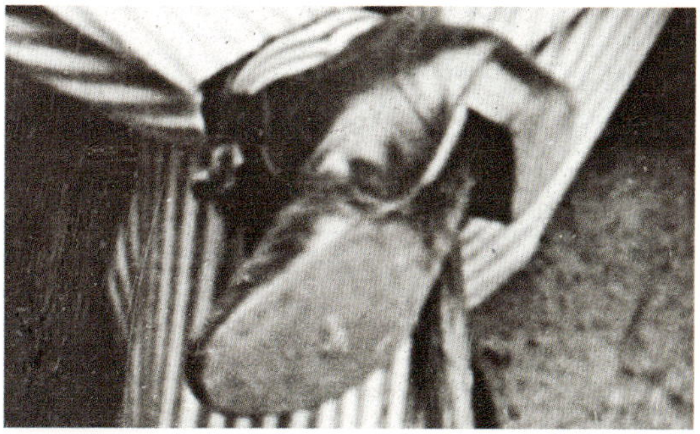

4 SAPATOS DE SALTO
Os sapatos de Eduardo podem ter tido uma nesga elástica para facilitar o ajuste confortável. Em comum com a moda do fim dos anos 1800, o salto tem entre 4cm e 5cm de altura, aumentando a estatura do príncipe. A sola é fina e costurada do jeito tradicional inglês com uma "cintura" pronunciada no meio do sapato.

NAVEGADOR

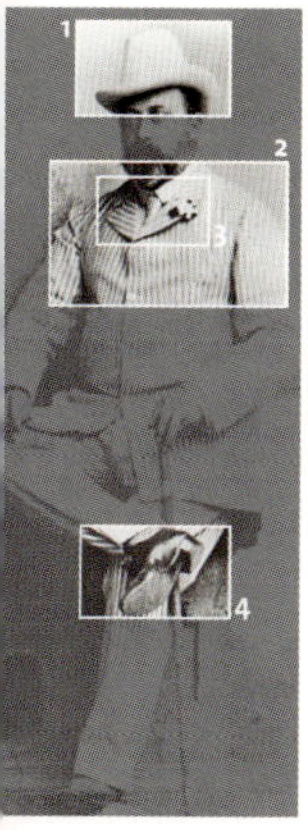

O ESTILO DO PRÍNCIPE

Embora tenha promovido a elegância confortável e prática, Eduardo foi um defensor da correção no vestir. Ele não aprovava a noção de roupa moderna dos Estados Unidos, com gravatas vibrantes e coletes extravagantes, e repudiava a nobreza portuguesa por se parecer com "garçons de um restaurante de segunda categoria". A caçada esportiva era uma paixão, fosse em uma de suas viagens ou nas propriedades reais em Norfolk ou na Escócia. Ele era fã do extravagante vestuário de proteção da época, caso do casacão Inverness (à direita), que tem uma sobrecapa de proteção usada sobre um casacão estilo jaquetão do mesmo tecido. É interessante imaginar como devia ser pesado este conjunto de tweed.

ESTAMPAS AFRICANAS

1

2

As estampas africanas – tecidos com padronagens variadas produzidos na África, Europa e na China para a África Ocidental – são muitas vezes vistas como verdadeiramente africanas. Mas, desde o século XIX, grande parte delas tem sido criada e produzida fora e depois exportadas para a África. O artista Yinka Shonibare, nascido na Nigéria, tem usado os tecidos para fixar a ideia de que a arte africana autêntica é ambígua. Uma crescente consciência da diversidade cultural e da história das estampas africanas tem suscitado discussões calorosas sobre sua propriedade cultural.

Os tecidos de colorido vibrante conhecidos como estampas africanas (acima) têm uma variedade de nomes, como Real Dutch Wax, Superwax e Wax Blocks. O mais valorizado é o Real Dutch Wax, que se destaca na moda contemporânea africana e é produzido pela Vlisco, em Helmond, na Holanda. Existem dois tipos principais de estampas africanas: as feitas com máscaras de cera quente sobre as *wax prints* (à direita; ver p. 162), que são tingidas dos dois lados do tecido, e sobre as *fancy prints*, que são tingidas em um lado só. Os dois tipos surgiram no início do século XIX, quando os fabricantes europeus descobriram formas baratas de copiar o batique indonésio feito com cera quente. Muitas das primeiras imitações, às vezes chamadas de estampas Java, encontraram mercado na Indonésia e na Europa, mas algumas foram para a África Ocidental. Não se sabe como entraram no mercado africano ocidental; alguns acham que os comerciantes europeus fizeram uma parada na costa africana ocidental a caminho da Ásia, e outros acreditam que os produtores europeus estavam diversificando seus mercados. O que se sabe é que a África Ocidental tem uma longa história de incorporar tecidos importados ao vestuário de sua elite.

1 Nesta fotografia tirada em Gana em *c.*1900, a segunda e a terceira menina do grupo (da direita para a esquerda) usam estampas africanas que contrastam com as usadas pelas demais mulheres.

2 Esta vibrante, colorida e contemporânea *wax print* de Gana reproduz, alternando o lado, o desenho de uma galinha-d'angola.

PRINCIPAIS ACONTECIMENTOS

Década de 1830	1846	1852	1854	Década de 1860	1861-1865
Três tecelagens de algodão são instaladas em Haarlem, na Holanda, pela Companhia de Comércio Holandês (Nederlandsche Handel-Maatschappij).	A companhia têxtil Van Vlissingen (atual Vlisco) é criada. Ela produz imitações das estampas de Java para a Indonésia.	A primeira referência explícita à imitação de um tecido com estampa de Java feita para a África Ocidental aparece no livro contábil da Van Vlissingen.	A Prévinaire começa a produzir "A Javanesa" – uma cópia da *wax print* de Java.	O mercado para imitações de *wax prints* diminui na Indonésia.	Como resultado da Guerra Civil Americana, a importação de algodão não beneficiado pela Europa sofre grande redução.

Nos anos 1860, à medida que o mercado de imitações de *wax prints* diminuía na Indonésia, empresas europeias focaram no mercado europeu. Entretanto, o protecionismo comercial da Holanda permitiu que ela continuasse a vender para a Indonésia. A empresa holandesa Prévinaire, em Haarlem, se concentrou na produção de imitações de *wax prints* para o mercado indonésio que pareciam com os verdadeiros batiques de Java. Em meados dos anos 1850, J. B. T. Prévinaire inventou a "javanesa", que logo foi substituída pelos cilindros duplos que imprimiam com resina quente (em vez de cera) nos dois lados do tecido. Antes do tingimento, o tecido era tratado para ficar com o efeito craquelado. Depois de remover a massa de resina, outras cores eram bloqueadas com máscaras e a sucessiva aplicação de cores criava um efeito matizado. A Prévinaire conseguiu até copiar o característico cheiro dos batiques de Java.

Os indonésios acharam as estampas muito caras para imitações, mas fizeram sucesso na África Ocidental, onde eram associadas à riqueza e à posição social, e assim se espalharam por toda a África Central. Nos anos 1890, a Prévinaire mudou seu nome para Haarlemse Katoen Maatschappij (HKM) ou Companhia de Algodão Haarlem. Em 1893, o negociante escocês Ebenezer Brown Fleming começou a importar *wax prints* para a África Ocidental e se tornou o único agente para a HKM na região. Uma das maneiras pelas quais os agentes atendiam às demandas da clientela era coletando exemplares de tecidos populares produzidos localmente e importados. Exemplares do início do século XX mostram que os desenhistas holandeses se inspiravam em informações visuais indonésias, em provérbios africanos ocidentais e na zona rural holandesa, tudo reunido em um estilo que surgiu do batique indonésio.

As preferências da África Ocidental e seu incentivo orientaram o desenvolvimento futuro dos tecidos. Negociantes mulheres viajaram para a Europa para fazer pedidos diretamente com as fábricas e influenciaram o processo de criação, batizando as estampas que refletiam a experiência vivida na África e a cultura popular. Em troca, desenhistas europeus exploravam as preferências de diferentes partes da África. As empresas europeias começaram a produzir *fancy prints*, primeiro com cilindros com desenhos em relevo e depois com impressão serigráfica, em parte para fornecer imitações mais baratas de *wax prints*. A empresa Arthur Brunnschweiler & Co. (atual ABC Wax), com sede em Manchester, foi a primeira a produzir *fancy prints* comemorativas em 1928. Elas se tornaram especialmente significativas com as descolonizações depois da Segunda Guerra Mundial, à medida que mais fábricas têxteis foram montadas na África.

As estampas africanas continuam a ser produzidas globalmente, mas o comércio é comandado pelos consumidores africanos. A ABC Wax levou sua linha de produção para Gana e mantém apenas um pequeno estúdio de criação em Manchester; a Vlisco é atualmente o único fabricante com sede na Europa. As imitações das *wax prints* feitas na China são cada vez mais vendidas na África. As estampas africanas fazem parte de sofisticados sistemas de moda em todo o continente africano. A questão de autenticidade somente é relevante se o usuário achar importante, pois, afinal, é ele que orienta o desenvolvimento das estampas africanas. **MK**

1874

É estabelecida a colônia da coroa britânica na Costa do Ouro. Toda a Costa do Ouro (atual Gana) é colonizada em 1901.

1893

O empreendedor escocês Ebenezer Brown Fleming começa a importar tecidos com estampas *wax print* para a África Ocidental.

c.1894

A Prévinaire vira a Haarlemse Katoen Maatschappij (HKM). Ela lança com sucesso as *wax prints* na Costa do Ouro.

1894

Ebenezer Brown Fleming se torna representante exclusivo da HKM: logo depois ele funda a sua própria empresa.

1895

A HKM produz o primeiro tecido *wax print* datado. Ele mostra o desenho "da mão e do dedo".

1908

É criada a companhia têxtil Arthur Brunnschweiler & Co. nos arredores de Manchester, Reino Unido. A empresa é de capital suíço.

Desenho da "espada da realeza" 1904

WAX PRINT AFRICANA

Tecido de algodão tingido com máscara de cera feito pela Julius Holland BV, da Holanda (2005-2006).

A "espada da realeza" é um desenho clássico da *wax print* africana que foi produzido por mais de um século. Tradicionalmente, os nomes dos desenhos das estampas *wax print* africanas sempre se referem à cultura popular, provérbios ou a relações sociais e fontes de poder. Eles são tecidos que têm prestígio e um alto valor social derivados dos significados que têm para os africanos. Este é um dos primeiros exemplares têxteis em que o principal motivo foi inspirado por um objeto africano real. O desenho incorpora a espada cerimonial axânti – um símbolo poderoso de poder e autoridade para o povo axânti, de Gana – em um desenho batique estilo indonésio. A espada original de madeira e ferro forjado (à direita, embaixo) está guardada no Museu Britânico de Londres. Ela foi adquirida para o museu por William Owen Wolseley, que integrou a Expedição Axânti na Costa do Ouro (atual Gana) em 1896, quando as insígnias e muitos outros objetos foram confiscados do imperador axânti Prempeh I após sua derrota para os ingleses.

O registro mais antigo conhecido data de 1904, em um livro de pedidos da Companhia de Algodão Haarlem (atualmente guardado nos arquivos da Vlisco na Holanda), no qual é descrita como "espada da realeza". A história deste desenho têxtil é especialmente interessante pela maneira como ele conecta a história política e econômica da África Ocidental e da Europa. Ao longo dos anos as estampas *fancy print* têm sido produzidas em diferentes combinações de cores por fabricantes europeus, africanos e asiáticos. O nome do tecido mudou um pouco com o passar do tempo e hoje, dependendo do local, é conhecido por diversos nomes. **MK**

NAVEGADOR

1 MOTIVO FLORAL

O tecido *wax print* inclui um padrão de folha azul e laranja sobre fundo dourado. O motivo floral contínuo tem sido comum nas estampas africanas desde as primeiras produções e é originário dos desenhos do batique indonésio. Às vezes é chamado de "árvore da vida".

2 ESTAMPA DA ESPADA

A principal imagem, a espada, é repetida no tecido. Ela é chamada de "espada da realeza" ou de "espada do chefe" em Gana, e de "saca-rolhas" na Nigéria. O fabricante holandês Vlisco – único na Europa – hoje comercializa o tecido com o nome de "espada do chefe".

◄ A ponta direita da espada reproduz uma tartaruga, que se transforma no corpo sinuoso de uma serpente que vai até a lâmina da espada.

TÚNICA CHINESA – FIM DA DINASTIA QING

Nos primeiros dois séculos da dinastia Qing (1644-1911/12), um código de vestuário rigoroso dominou a corte chinesa. Inicialmente, houve resistência por parte dos sábios chineses Han, que se recusaram a servir a Qing e não raspariam suas frontes. No entanto, o imperador Kangxi, um déspota esclarecido que reinou de 1662 a 1722, conquistou os dissidentes e as túnicas no estilo manchu se tornaram a roupa padrão para todos. A autoridade dos primeiros imperadores era grande e nenhum funcionário do Estado ousava se desviar do código de vestuário.

Em 1861 o imperador Xianfeng morreu e seu único filho, Tongzhi, assumiu o trono. Na realidade, o país estava sob controle da viúva, a Imperatriz Cixi, que era uma mulher forte e ousada o suficiente para ignorar o código de vestuário definido pelos últimos imperadores. Antes disso, o vestuário da corte era rigorosamente controlado – baseava-se na hierarquia – e havia pouco espaço para preferências pessoais, a não

PRINCIPAIS ACONTECIMENTOS

1839-1842	1850	1861	1864	c.1870	c.1875
A primeira Guerra do Ópio entre a Inglaterra e a China foi motivada por um conflito de interesses comerciais.	O casaco de montaria foi adotado pelas mulheres (ver p. 166).	O imperador Xianfeng morre e seu filho, Tongzhi, o sucede no trono. Sua mãe, Cixi, determina a moda da corte.	A corte Qing dá ao oficial inglês Charles Gordon um casaco de montaria e uma pena de pavão por sua contribuição para a vitória na rebelião de Taiping.	Botões dourados de metal fabricados por empresas europeias são usados em roupas informais confeccionadas nas oficinas imperiais.	Durante o reinado do imperador Guangxu, as mangas femininas se tornam gradualmente mais largas e as roupas mais curtas.

ser nas roupas informais. Por isso, foi mais fácil para a moda se desenvolver entre as pessoas comuns. Não consideradas influentes, as mulheres da etnia Han não eram obrigadas por lei a se vestir no estilo manchu. Esposas e filhas de comerciantes abastados usavam brocados, damascos, gazes e veludos com os desenhos e as cores mais suntuosas. Bordadores habilidosos criavam os temas atraentes como opções aos tecidos padronizados e por isso as roupas das mulheres Han eram invejadas pelas damas do palácio na Cidade Proibida.

Durante seu reinado não oficial, Cixi se vestia informalmente quando se reunia com os ministros para discutir questões de Estado, uma atividade por si só inédita porque até então as mulheres não podiam participar do governo. A túnica informal de gaze verde do guarda-roupa da imperatriz (à esquerda, em cima) mostra uma tendência da moda dos anos 1870. O padrão são os caracteres de "longevidade" bordados com fio dourado e os ramos de ameixeira em diferentes tons de rosa. As mangas têm três camadas, cada uma afunilando em direção ao punho, sendo que todas têm acabamentos debruados e larguras diferentes. Além dos debruns em preto e azul--claro, há três faixas bordadas, uma com um pássaro e desenhos de flores, outra com a palavra "longevidade" e ameixas que combinam com o padrão principal, e a terceira com uma flor de lótus e uma garça-azul. Peças similares incluem faixas de fitas tecidas em um tear estreito, tais como a fita amarela com a borboleta e desenhos de flores, e a passamanaria com desenhos geométricos. Chega-se a encontrar até 18 enfeites em uma roupa.

O hábito chinês de enfaixar os pés influenciou muito o design dos sapatos. Ao contrário das mulheres han, as mulheres manchu não enfaixavam os pés; consequentemente, podiam usar sapatos com solados de plataformas altas. Antigas fotografias de Cixi quase sempre a retratam usando um calçado muito popular, conhecido como o "sapato vaso de plantas" (à direita). As plataformas relembram o formato de um vaso de plantas chinês e alcançavam 12cm de altura. As mulheres acreditavam que esses sapatos faziam com que elas andassem de um jeito especial.

Nas últimas décadas do século XIX, os homens abastados desfrutavam de itens luxuosos como casacos de pele e anéis de polegar feitos de jade. O anel de polegar foi um acessório originalmente usado para ajudar o arqueiro a esticar o arco, mas nos últimos tempos ele se tornou uma joia espalhafatosa. Um acessório masculino menos extravagante, mas ainda assim maravilhoso, era o gorro (à esquerda, embaixo) modelado como uma metade de melão e geralmente bordado com fios coloridos, pérolas pequeninas e contas de coral. No cocuruto, um nó feito com cordas de seda vermelha e longas franjas vermelhas penduradas. Este acessório informal para a cabeça era usado até mesmo pelos imperadores e um exemplar foi achado na cama do imperador Xianfeng quando as tropas britânicas entraram no Palácio de Verão em outubro de 1860. **MW**

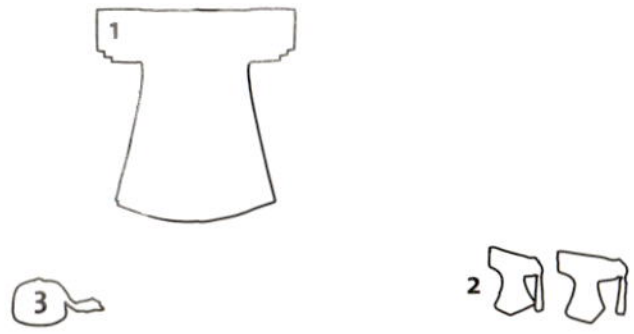

1 A túnica informal da Imperatriz viúva Cixi apresenta um bordado tão sofisticado quanto o da túnica do dragão, e não menos dispendioso de confeccionar (1862-1874).

2 Sapatos femininos estilo vaso de flor foram populares durante a era Guangxu (1875-1908). As plataformas altas limitavam demais os movimentos, mas as damas do palácio raramente tinham longas distâncias para andar.

3 Durante o período Guangxu (1875-1908), gorros coloridos eram usados por homens jovens, enquanto os mais velhos usavam gorro feitos de seda preta.

c.1880	1900	c.1904	1908	1911	1912
Teares mecanizados são importados do Ocidente. Os produtos conhecidos como seda "ocidental" ou gaze "ocidental" são recebidos como novidades.	Cixi apoia a Revolta dos Boxers, que busca expulsar todos os estrangeiros da China.	O exército é o primeiro a adotar o uniforme de estilo ocidental, com paletó, calças de pernas justas e um quepe de copa alta.	Após a morte de Guangxu, Puyi, de 2 anos, é escolhido por Cixi como seu sucessor. Durante seu reinado, é comum costurar punhos falsos dentro das mangas.	A China Imperial chega ao fim. As túnicas da corte imperial são rejeitadas e os integrantes do novo governo optam por trajes no estilo europeu.	A prática de enfaixar os pés é banida pela nova República chinesa, mas continua sendo adotada.

Casaco de montaria *c.*1875

VESTUÁRIO FEMININO

1 GOLA

O casaco possui um colarinho engomado com o formato de "L" e fechamento transpassado ao "estilo pipa", lembrando o instrumento musical de cordas com esse nome. Este estilo foi muito popular no fim do século XIX e continuou a ser usado depois que a China se tornou uma república.

2 TECIDO CARO

Feito de seda adamascada cor de maçã verde com desenho de peônias e folhas, o casaco tem três barras, uma de pele, outra de seda entremeada, e a terceira, de fita rendada. A palavra "longevidade" é escrita pelas zibelinas tingidas de bege sobre o fundo marrom. Só os ricos podiam usar pele.

Casaco de montaria estilo pipa, do acervo do Museu do Palácio, em Pequim.

NAVEGADOR

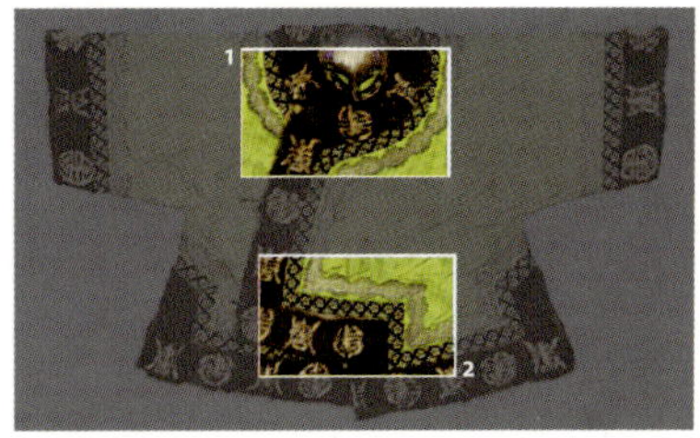

A *magua* (casaco de montaria) confirma a origem nômade do povo manchu, que sobrevivia da caça e do cavalo como meio de transporte antes de conquistar o trono. Mesmo depois de se mudarem para a Cidade Proibida, em Pequim, os imperadores Qing faziam viagens frequentes para caçar e visitavam as províncias. Nessas ocasiões, o imperador usava uma túnica especialmente desenhada para a viagem, com um casaco de montaria por cima.

O casaco de montaria se disseminou da corte para as pessoas comuns. Nos anos 1850, as mulheres começaram a usá-lo, apesar de estarem a maior parte do tempo a pé. Uma grande variedade de estilos surgiu: sem gola ou com gola engomada, fechamento frontal ou transpassado, com ou sem mangas. O comprimento do casaco vai até abaixo da cintura, mas um pouco antes da sela quando o usuário está montado no cavalo. A modelagem de uma *magua* feminina é exatamente a mesma da versão masculina, mas o tamanho é geralmente menor e o tecido mais colorido.

O amarelo-claro era em geral reservado para o imperador e para os membros de sua família, mas o casaco de montaria era uma exceção. Os assistentes pessoais do imperador tinham permissão para usar a cor amarela. Quando um funcionário público, independentemente de seu posto, fazia algo que agradava o imperador, ele recebia um casaco de montaria amarelo como prova da apreciação do soberano. Ao oficial inglês Charles Gordon – que inicialmente foi considerado inimigo da China durante a Segunda Guerra do Ópio (1856-1860), mas depois lutou em seu nome para reprimir a Rebelião de Taiping – foi concedido um paletó de montaria amarelo além de outros presentes imperiais quando a revolta foi sufocada em 1864. Obviamente, o casaco de montaria logo se tornou um símbolo de prestígio e foi muito cobiçado pelas pessoas que ascenderam à alta sociedade. **MW**

CASACO MASCULINO

Este casaco de montaria de seda adamascada e pele (à direita) podia ser usado dos dois lados. O desenho redondo com o dragão era usado por membros da família imperial. A cor é o "amarelo-dourado", sendo a terceira na classificação de importância depois do amarelo-claro e do amarelo-alaranjado, sendo designada para os filhos do imperador. O casaco revestido de pele manteria o usuário mais aquecido durante as viagens de inverno. No entanto, a pele era um item caro e era usada como símbolo de status até nas regiões de clima mais moderado. A demanda superava de longe a oferta e as peles de marta-zibelina, vindas da Sibéria, e de lontra-do--mar, da América do Norte, eram as mais valorizadas.

VESTUÁRIO BIRMANÊS

1 Neste desenho de 1854, o ministro birmanês está usando uma roupa civil da corte. Ela inclui uma túnica dourada longa enfeitada sobre o *paso* e um chapéu de veludo com a copa arredondada.

2 Essa roupa feminina birmanesa dos anos 1880 consiste em uma saia-envelope, um paletó de corte impecável e uma *yinzi* (tecido para o peito), costurado com a técnica de tapeçaria *luntaya acheik*.

A roupa na Birmânia do século XIX era uma forma de expressão social: definia e exibia a posição do indivíduo na sociedade. O que as pessoas usavam era controlado por leis que determinavam quais tecidos, enfeites e joias cada faixa social usaria, com rígidas punições infligidas a quem desobedecesse às regras. Em 1853, o rei Mindon subiu ao trono depois de usurpá-lo de seu irmão, o rei Pagan, cujas políticas agressivas em relação aos britânicos contribuíram para a Segunda Guerra Anglo-Birmanesa, em 1852. Exemplos das roupas da corte de seu reinado são vistos nos quadros produzidos por um artista da corte durante uma visita de um ministro do rei birmanês a Calcutá em 1854. As aquarelas mostram o ministro tanto na corte (acima) quanto em traje militar. Com a morte de Mindon, em 1878, maquinações políticas levaram Thibaw ao trono. A corte se tornou conservadora durante esse reinado, mas o vestuário continuou parecido com aquele dos períodos anteriores. No entanto, as roupas dessa fase mostram que os birmaneses eram adeptos de incorporar tanto ideias já existentes quanto estrangeiras em trajes elaborados.

O vestuário básico era muito parecido em toda a sociedade birmanesa. Os

PRINCIPAIS ACONTECIMENTOS

1852	1853	1854-1855	1857	1859	Década de 1860
A Segunda Guerra Anglo-Birmanesa explode e termina oito meses depois. Os britânicos anexam a província de Pegu e a batizam de Baixa Birmânia.	O rei Mindon assume o trono da Birmânia após liderar um golpe no palácio para derrubar o irmão, o rei Pagan.	O rei Mindon envia seu embaixador Ashin Nanmadaw Pagawun Mingyi a Calcutá em missão de boa vontade.	O rei Mindon transfere a corte de Amarapura, no rio Irrawaddy, para a cidade de Mandalay, que foi construída para esse fim alguns quilômetros ao norte.	Nasce Thibaw, que viria a se tornar o último rei da dinastia Konbaung (1752-1885).	O casaco *eingyi*, de modelagem ajustada com abertura frontal, vira uma peça básica da moda durante a dinastia Konbaung.

homens usavam o *paso*, um pano de algodão de 4m de comprimento por 1,5m de largura, enrolado em volta da cintura com a sobra do tecido dobrada na frente ou sobre o ombro. Às vezes o pano era transpassado pelas pernas e preso para formar uma calça. Na parte de cima do *paso*, os homens em geral usavam um paletó justo de mangas compridas chamado *eingyi*, que tinha uma abertura central. Faixas e cintos mantinham a roupa fechada. As mulheres trajavam roupas parecidas com as dos homens, incluindo a saia-envelope chamada *htamein* (à direita). Na parte de cima elas usavam um tecido sobre o peito e um paletó *eingyi*.

As pessoas na corte usavam a mesma roupa, mas incluíam enfeites elaborados, tecidos importados e materiais caros – veludo, seda, tecido dourado, brocados e seda importada da Índia e da China. A roupa era em geral decorada com brocados dourados, fios trançados com prata ou ouro e apliques com metais preciosos. Os birmaneses também produziam seus próprios tecidos de alta qualidade, especialmente o *luntaya acheik*, que aparece tanto no *paso* do ministro quanto na saia da mulher aqui mostrados. Este tecido renomado é produzido usando a técnica de tapeçaria entrelaçada que pode ter sido ensinada aos birmaneses pelos tecelões de Manipuri remanejados para a Birmânia central nos anos 1760, mas a técnica também tem semelhanças com a urdidura da tapeçaria chinesa. Os padrões intrincados do *luntaya acheik* – desenhos em zigue-zague horizontal e ondulado, ondas, desenhos entrelaçados e flores trepadeiras – foram criados com a tecedura de 100 a 200 lançadeiras de tear em uma urdidura de mais de mil fios. Isso leva um dia de trabalho dos tecelões para produzir apenas alguns centímetros.

Durante as cerimônias na corte o rei e a rainha vestiam casacos longos sobre um *paso* de seda e *htamein*. Eles também usavam uma intrincada gola com rufos unida a um pano com extensões em formato de asa feitas de *pazun-zi* (faixas de seda ou de lã entrelaçadas com fios de ouro, prata ou cobre) e cobertas de vidrilhos, pérolas, lantejoulas e bordados em prata e ouro. O conjunto completo era muito pesado. Os generais e alguns ministros usavam um traje militar da corte chamado *myit-do--myi-she* (ver p. 170). As joias eram igualmente regidas por leis que determinavam o comportamento individual; só a realeza podia usar diamantes, esmeraldas e rubis. As *salwe*, correntes de ouro e prata, eram usadas sobre os ombros e cruzadas sobre o peito para definir hierarquias. Apenas o rei podia usar a *salwe* de 24 correntes.

O vestuário da corte birmanesa entre 1853 e 1885 se inspirou em exemplos históricos para definir os trajes dos eventos na corte. Semelhanças entre as roupas da segunda metade do século XIX e aquelas retratadas nas pinturas murais a partir dos séculos XVII e XVIII mostram grandes afinidades com as túnicas e os adereços de cabeça usados na corte. A representação dos padrões do *luntaya acheik* e dos adereços de cabeça no estilo tailandês nos quadros do final do século XVIII mostram que os birmaneses eram abertos a novas ideias e a desenhos estrangeiros. Entretanto, em meados do século XIX, a grande quantidade de rufos e os panos com extensões em formato de asa dos birmaneses ficaram bem mais complexos, atingindo assim uma forma bem mais avançada do que a que existia na Tailândia. **AGr**

1872	1875	1878	1878	Década de 1880	1885
O irmão do rei Mindon e o ministro-chefe Kinwunmingyi viajam para a Europa e presenteiam a rainha Vitória com joias, e o Príncipe de Gales com um *salwe*.	O rei Mindon se esforça para modernizar o reino e consegue evitar ser incorporado pelos britânicos.	O rei Mindon morre e Thibaw assume o trono após significativas manipulações políticas e banhos de sangue entre os membros da família real.	A rainha Supayalat populariza o uso de flores de jasmim no cabelo feminino.	O corante anilina chega à Birmânia, ampliando assim a variedade de cores disponível na indústria têxtil.	A Terceira Guerra Anglo-Birmanesa acaba com a derrota total da Birmânia e o rei Thibaw exilado na Índia.

Traje militar da corte 1878-1885

VESTUÁRIO MASCULINO

Este exemplar de traje militar (*myit-do-myi-she*) foi levado do palácio real de Mandalay, na Birmânia, quando os britânicos tomaram o governo, em 1885. Ele teria sido feito para um general ou militar de alta patente usar na corte durante o reinado do rei Mindon (1853-1878) ou do rei Thibaw (1878-1885). O conjunto consiste em uma túnica de seda e veludo marrom e um paletó comprido de mangas justas.

A parte de cima é feita de linho branco e tem um casaco curto de seda e veludo sem mangas com aberturas na frente e nas laterais. A gravata e o cinto-faixa mantêm o casaco fechado. A roupa era usada com um capacete feito de metal ou de folhas de palma douradas chamado *shwe-pe-kha-mauk*, com um fecho central. Leis de comportamento controlavam as roupas e os acessórios a que cada categoria da sociedade birmanesa tinha permissão de usar e isso está registrado em detalhes nos manuscritos ilustrados do século XIX. O chanceler da corte era responsável pelo guarda-roupa real e também por garantir que o protocolo do vestuário fosse seguido. O traje militar da corte era usado em eventos cerimoniais, tais como o Dia do Kadaw, um evento anual em que os príncipes, governantes de colônias, ministros, administradores de províncias e outros integrantes da elite apareciam em trajes cerimoniais completos na corte birmanesa para reafirmar sua lealdade ao rei. **AGr**

NAVEGADOR

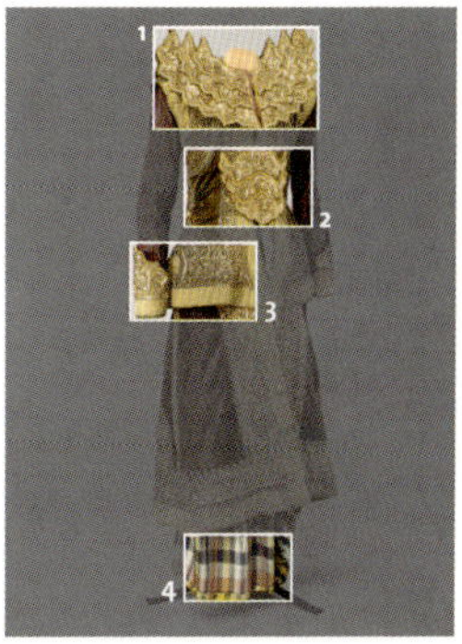

PONTOS FOCAIS

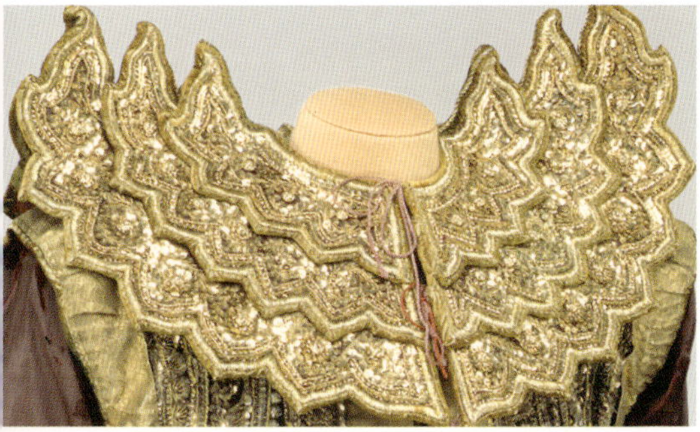

1 GOLA-NUVEM

Consiste em quatro partes, cada uma com três camadas recortadas; três delas são juntas e a quarta é presa nas outras. A gola é rígida, coberta de ouro e feita de *pazun-zi* (faixa de seda ou lã tramada com fios de ouro, prata ou cobre). Essas golas apareciam em outros tipos de trajes da corte.

3 CASACO

Confeccionado em veludo e seda, o casaco tem partes de brocado dourado e estampas florais *zardosi* (aplicações de ouro), *yetpya* (fitas), lantejoulas e bordados com fios de ouro nos punhos, nas barras e na frente da túnica. Os mesmos detalhes se repetem no pescoço, nos ombros e nas cavas.

2 CINTO-FAIXA

O enfeite do cinto mostra a riqueza artística do traje. Muitos aspectos da roupa – o uso do ouro, a qualidade do tecido, a cor – indicam a posição hierárquica do usuário. Neste caso, a patente de general era a mais alta e o rei deve ter permitido o uso de todos os itens.

4 *PASO*

O casaco e a túnica são usados sobre o *paso*, um pano que cobre a parte debaixo do corpo. Este é feito de seda e enfeitado com padrões considerados adequadas para homens, como xadrezes, zigue-zagues e desenhos coordenados e trama entrelaçada de tapeçaria *luntaya acheik*.

O NASCIMENTO DA ALTA-COSTURA

1 A imperatriz francesa Eugénie foi a principal cliente de Charles Worth. Aqui, ela está retratada em um vestido branco com laços lilases, segurando flores e cercada por suas damas de companhia, em um quadro de 1855 pintado por Franz Xaver Winterhalter.

2 Esses vestidos de noite de *c.*1887 pertenciam à conhecida socialite dos EUA Caroline Webster Schermerhorn Astor. A qualidade das criações de Worth era muito valorizada pelas mulheres de sociedade em todo o mundo.

Em meados do século XIX, a riqueza não significava mais apenas a propriedade da terra e começou a ser substituída pelo dinheiro "novo" produzido pelo comércio, pelo mercado financeiro e pela indústria. Como resultado, a moda não estava mais restrita às classes mais altas. O período subsequente de consumismo burguês e de crescimento do comércio criou a necessidade de um sistema de moda que até então tinha se baseado quase que basicamente nas habilidades das costureiras. Foi o estilista britânico Charles Frederick Worth (1825-1895) que elevou as modestas técnicas de costura para o patamar da "alta-costura" – termo originalmente usado para descrever uma costura de grande qualidade. Graças ao talento de Worth para a autopromoção e seu tino para os negócios, a expressão passou a identificar técnicas de roupas feitas sob medida e moda sofisticada, com Worth à frente do primeiro ateliê de alta-costura, e como força primária responsável pela transformação de uma arte basicamente doméstica em uma indústria internacional.

Worth nasceu em uma família de classe média de advogados de Lincolnshire, em 1825. Sua inusitada trajetória, desde o passado advocatício provinciano até se tornar líder de um ateliê, começou com um período de aprendizado na loja de departamentos Swan & Edgar, em Piccadilly Circus, em 1838. Além de vender peças de tecidos e passamanarias, a loja também oferecia dicas sobre novos estilos e tendências. Uma temporada na Lewis e Allenby, fornecedora de seda para a rainha Vitória, se seguiu até 1845, quando Worth se mudou para Paris, cidade associada desde o fim do século XVII aos tecidos luxuosos de seda. De modo a se familiarizar

PRINCIPAIS ACONTECIMENTOS

1858	1860	1865	1868	1870	1870
Charles Worth funda sua empresa de confecção de roupas.	Worth é indicado como o costureiro da corte pela imperatriz Eugénie.	A imperatriz da Áustria é retratada pelo artista alemão Franz Xavier Winterhalter usando a característica crinolina Worth (ver p. 176).	A primeira Câmara Sindical de Costura é criada como um negócio estritamente controlado.	O ateliê de Worth fecha por um ano após a queda do Segundo Império Francês.	A legislação francesa estabelece a Terceira República, que dura até a invasão alemã de 1940 (mais duradoura do que qualquer governo desde a Revolução).

com a língua francesa, Worth inicialmente arranjou emprego em uma loja de aviamentos e tecidos, antes de assumir o cargo de assistente encarregado de comprar tecidos e aviamentos na empresa Gagelin-Opigez, na Rue de Richelieu, onde ficou por mais de 10 anos e foi promovido a *premier commis* (primeiro assistente). Entre as inovações que estabeleceu, havia a introdução de peças-piloto de musselina, a partir das quais as clientes podiam fazer sua escolha, que ele então adaptaria a um dos tecidos oferecidos pela loja. Na Gagelin, ele conheceu Marie Vernet (1825-1898), a *demoiselle de maison* que desfilava as roupas, e os dois se casaram em 1851. Depois de receber diversas medalhas de ouro em várias mostras internacionais de design, que lhe renderam uma reputação internacional e pedidos do exterior, Worth fundou seu próprio negócio de moda em 1858, na Rue de la Paix, em parceria com o suíço Otto Bobergh, que atuava como gerente comercial até o fim da sociedade, em 1871.

Worth transformou a confecção de vestidos, até então uma técnica quase que inteiramente de responsabilidade das mulheres e uma arte relativamente menor, em um negócio ao criar para si mesmo o papel de árbitro do bom gosto. Ele se definiu como artista, dono da prerrogativa artística de controle total sobre a roupa finalizada. As criações de Worth chamaram a atenção da corte francesa graças ao apoio da princesa Metternich, esposa do embaixador austríaco em Paris. A imperatriz Eugénie, esposa de Napoleão III, ansiosa por divulgar a indústria têxtil francesa, por sorte se apropriou da luxuosa utilização de materiais das criações de Worth (à esquerda). Em 1864, o costureiro foi o responsável por vestir a imperatriz em suas muitas ocasiões formais, e também por fornecer seus vestidos de gala para os frequentes encontros sociais do Segundo Império. Worth ditou não apenas a moda da alta sociedade da Europa, mas também satisfez os anseios dos novos ricos da elite da América do Norte, tais como os Vanderbilt e os Astor, que de bom grado se dispunham a fazer longas viagens marítimas até Paris para atender às demoradas provas necessárias a um serviço sob medida. Para as esposas e filhas de magnatas da indústria americana, usar um Worth era sinônimo de status e sofisticação. A qualidade dos vestidos feitos por Worth é demonstrada pelos vestidos toalete de seda e fios metálicos (à direita) da esposa do herdeiro William Backhouse Astor Jr., grande proprietário de imóveis nos Estados Unidos.

Com a fama de costureiro da realeza europeia a todo vapor, Worth estava em uma posição de ditar suas próprias regras. Em vez de as mulheres imporem exigências em suas próprias casas, Worth esperava que suas clientes fossem até seu ateliê. Este era um local íntimo e luxuoso no qual estavam as criações mais recentes, apresentadas por manequins de verdade e supervisionadas por uma *vendeuse* (vendedora). A cliente então escolhia a partir de uma série de modelos que seriam feitos sob

1871

A Maison Worth emprega uma equipe de 1.200 pessoas, entre as quais costureiras, bordadeiras, modelos, modelistas e vendedoras.

1890

Começa a Belle Époque, conhecida como os "Anos Dourados" nos Estados Unidos.

1895

Worth desenha o vestido de casamento de Consuelo Vanderbilt, a "duquesa do dólar" nos Estados Unidos, que se casa com o nono Duque de Malborough.

1895

Worth morre no dia 10 de março. O jornal *The Times* o define como "o garoto de Lincolnshire que derrotou os franceses em sua própria área de excelência".

1900

A Maison Worth exibe na Exposição Universal de Paris um conjunto de peças representando uma apresentação na corte.

1901

Gaston-Lucien Worth contrata Paul Poiret (1879-1944), que permanece na maison por dois anos, tentando lançar modelos mais modernos.

3 A moderna atriz inglesa e beldade da sociedade Lillie Langtry, fotografada em *c.*1885, quase sempre se vestia com Charles Worth.

4 Os vestidos volumosos de Worth usavam grandes quantidades de seda de Lyon. Para este vestido toalete do fim do século XIX, Worth usou faixas de veludo de seda vinho-avermelhado para drapejar todo o volume da saia e prender atrás da cintura, criando assim uma anquinha alta.

5 Uma etiqueta de 1900 da Maison Worth. Worth foi o primeiro estilista a ter a sua marca presa nas roupas que criou.

medida, exigindo diversas provas para um ajuste perfeito. Para consolidar ainda mais sua tendência à exclusividade, Worth só aceitava encomendas de clientes que fossem recomendadas por pessoas de procedência adequada. Não mais vistos como habilidosos alfaiates, os costureiros eram naquele momento nomes bastante conhecidos, com etiquetas (à esquerda) identificando suas roupas, uma inovação introduzida em meados dos anos 1860. Seus nomes eram impressos ou bordados nos cadarços costurados no cós das roupas. Todos esses elementos proporcionaram o esboço para a criação do sistema de alta-costura que existe até hoje.

Por sugestão de Worth, a Câmara Sindical de Confecção e Costura para as Damas e suas Filhas foi criada em 1868, uma espécie de sindicato que assumiu a intermediação sobre temas relacionados à administração e produção de vestuário. Em 1910, ela evoluiu para a Câmara Sindical da Alta-Costura Parisiense, que lidava apenas com a produção de alta-costura. O órgão implantou regras rígidas e sigilosas para a afiliação, o que garantiu a continuidade da qualidade e do prestígio da instituição, pois também regulamentou a venda de modelos e reproduções.

O ano de 1860 marcou a apoteose da mais perfeita tradução do estilo de Worth: a crinolina ricamente ornamentada. Os vestidos eram compostos a partir de duas peças: a saia rodada projetando-se tanto para a frente quanto para trás e a parte de cima justa e colada ao corpo com cavas muito baixas que se alongavam criando uma linha arredondada para o ombro. A cintura era em geral destacada em "V". Worth experimentou usar crinolinas retas na frente e saias com nesgas em meados dos anos 1860, mas continuou a usar enormes quantidades de tecidos por causa de sua posição de divulgador da indústria têxtil francesa, principalmente das então agonizantes tecelagens de seda de Lyon (à direita). A partir dos anos 1870, o costureiro usou cada vez mais matérias-primas caras, em geral aquelas mais associadas à decoração de interiores, com motivos florais grandes e passamanarias (tranças, fitas e franjas) criadas em conjunto com os fabricantes têxteis, entre eles Tassinari e Chatel e

J. Bachelard e Cia. Uma característica adicional foi o uso de ourelas decorativas feitas do próprio tecido como parte do modelo. Ao usar um único tecido estampado, a padronagem era casada nas costuras de modo a criar um impacto maior. Heranças de família, como rendas ou joias, eram em geral incorporadas ao modelo da roupa.

No começo dos anos 1870, Worth lançou sua renovada "linha princesa" (ver p. 178), batizada em homenagem à Princesa de Metternich. O vestido em uma peça trocou a costura horizontal da cintura por duas costuras paralelas e verticais que cruzavam a linha do busto em direção à bainha, criando assim uma linha "A" mais alongada e fluida. Worth apresentou todos essas novas linhas em desfiles de manequins em uma série de festas e eventos que foram os precursores dos desfiles de moda atuais. O advento da fotografia e a crescente popularidade do jornalismo social disseminou o refinamento da moda das classes mais altas a seus equivalentes da classe média, e os vestidos da Maison Worth eram anunciados na *Harper's Bazaar* e na *The Queen*, assim como na *Gazette du Bon Ton* e na *Vogue*. Além de vestir as famílias reais da Itália, da Espanha e da Rússia, Worth contava, entre suas clientes famosas, com atrizes como Lillie Langtry (à esquerda, em cima), que era também amante do rei Eduardo VII. Worth aliava sua atenção pessoal e a roupa sob medida de suas clientes com a padronização e o conceito de uso de peças-padrão, que era característico da nascente indústria e de confecção de roupa pronta. As roupas podiam ser encomendadas sem que as provas fossem necessárias, já que a cliente forneceria uma roupa bem modelada que era então medida. Worth também foi pioneiro no conceito de saias e corpetes intercambiáveis.

Embora houvesse competição de outros costureiros talentosos durante o reinado de Worth como o principal nome da moda, tais como Jacques Doucet (1853-1929), que fundou sua maison em 1874, as clientes vinham principalmente do *demi-monde* parisiense, atraídas pela sensual estética *fin de siècle* de suas criações. Só quando surgiu a Maison Paquin, em 1891, já no fim da vida de Worth, é que sua liderança foi seriamente desafiada. Jeanne Paquin (1869-1936) foi uma das primeiras mulheres a conquistar fama internacional no negócio da moda. Ela e o marido, Isidore Rene Jacob dit Paquin, ofereciam uma linha completa de roupas que incluía desde o tailleur (costume feminino, composto de saia e casaco) até roupas para o dia a dia. Paquin ficou conhecida pelo uso sutil da cor e pela sobreposição de vários materiais que usava nos modelos inspirados nos vestidos tipo *sack back* ou *à la française* retratados pelo pintor do século XVIII Jean-Antoine Watteau. Ricamente ornamentados com um exagero de enfeites, os delicados vestidos combinavam complexas técnicas de costura primorosamente executadas com uma leveza mais adequada ao novo século.

Quando Worth morreu em 1895, a grife continuou com seus filhos Gaston-Lucien (1853-1924) e Jean-Philippe (1856-1926) na direção, ambos trabalhavam com o pai no ateliê: Jean-Philippe como estilista e Gaston como diretor comercial. Eles seguiram as estruturas mais leves do período eduardiano, mas continuaram encomendando tecidos luxuosos, já que mantiveram uma clientela conservadora. A empresa passou por um período de encolhimento por causa da Primeira Guerra Mundial, com a consequente perda de apoio da realeza e a desvalorização da moeda europeia. A moda estava em transição, dos babados eduardianos para o estilo moderno e mais discreto dos anos 1920, época em que Jean-Philippe e Gaston saíram da empresa. **MF**

Vestido de baile Década de 1860

CHARLES FREDERICK WORTH 1825-1895

A imperatriz da Áustria, por Franz Xaver Winterhalter (1865).

NAVEGADOR

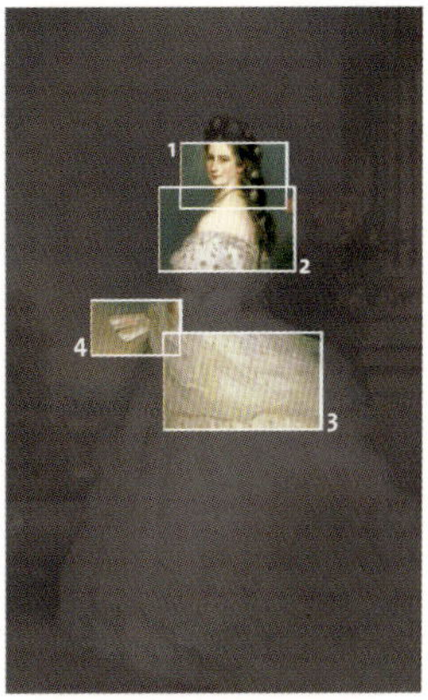

A reputação internacional de Charles Worth por vestir a moderna elite abastada é representada neste retrato da esposa de Francisco José I, Elisabeth da Áustria (Sissi), que era tanto imperatriz da Áustria quanto rainha da Hungria. Ele foi pintado durante o Segundo Império Francês – o regime bonapartista imperial de Napoleão III, entre 1852 e 1870.

Elisabeth era uma beldade conhecida que realçava sua figura com o uso do espartilho bem apertado. Quando Winterhalter pintou este retrato, o tamanho da cintura de Elisabeth variava de 45,5cm a 48cm, o que enfatiza o gigantesco volume da saia que ela está usando. A crinolina também alcançou maior largura nesse período. O historiador de moda James Laver traçou um paralelo entre os excessos da crinolina e os do próprio Segundo Império, que foi um tempo de prosperidade material, de extravagância e de moralidade ambígua. Os espartilhos da época eram ajustados na frente com ganchos e ilhoses, mas Elisabeth possuía modelos de couro feitos em Paris, mais estruturados e com as partes frontais rígidas, que eram então muito populares entre as prostitutas mais elegantes, também conhecidas como *grande cocottes*. Elisabeth nunca usava anáguas porque elas acrescentavam volume e ela em geral estava literalmente costurada junto com as roupas, de modo a destacar ainda mais sua cinturinha fina. **MF**

PONTOS FOCAIS

1 CABELO TRANÇADO
O cabelo brilhante de Elisabeth é repartido ao meio e depois enfeitado no alto com uma trança torcida que desce pelas costas. Entrelaçadas em meio ao cabelo, joias em formato de estrela com diamantes incrustados formam uma tiara irregular.

3 TECIDO TRANSPARENTE
Uma camada de tule, conhecido como ilusão ou *maline* (tela feita à mão em Mechlin), flutua sobre a parte de cima e a volumosa saia pregueada, enfeitada com estrelas bordadas combinando com os ornamentos do cabelo. Uma faixa mais comprida de tule é enrolada em volta da cintura.

2 DECOTE
O vestido de seda branco tem um decote profundo que deixa os ombros à mostra e termina num franzido de tule de onde saem mangas curtas e bufantes. A imperatriz aparece em uma pose sensual com ombros nus e a cabeça voltada em direção ao observador.

4 LEQUE
O leque não é somente para se refrescar no superaquecido salão de festas, e sim um acessório usado para flertar. O leque dobrável se tornou popular na Europa depois de ter sido trazido da Ásia oriental no século XVII. A partir de então, os leques ficaram cada vez mais decorativos.

Linha princesa Década de 1870

CHARLES FREDERICK WORTH 1825-1895

Vestido de tarde de veludo de seda com bolero de renda, criado por Charles Worth em 1889.

NAVEGADOR

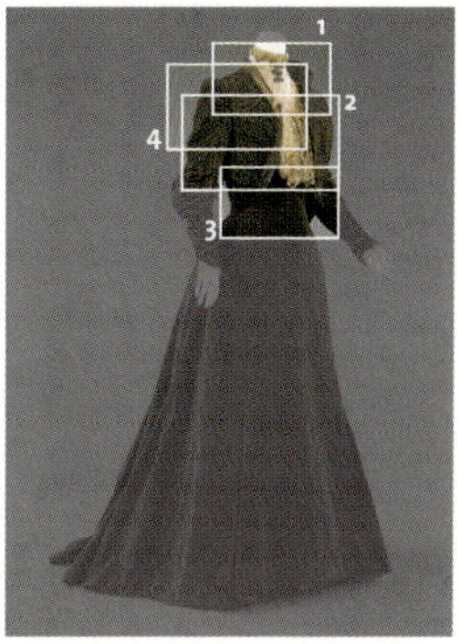

Charles Frederick Worth testou bastante os moldes bidimensionais padronizados para mudar as proporções e a silhueta de maneira tridimensional. Uma de suas últimas contribuições para a modelagem foi a "linha princesa", supostamente batizada em homenagem à Princesa de Metternich, esposa do embaixador austríaco em Paris. A nova linha foi lançada nas coleções do costureiro do início dos anos 1870. Ela representou um rompimento em relação à técnica dominante – na qual a parte de cima do vestido era presa à saia pelo cós –, o que facilitou o uso da crinolina para a saia rodada. Em 1868, a crinolina estava caindo em desuso e as saias eram cortados em nesgas, pedaços triangulares de tecidos costurados no sentido vertical para criar volume na barra e ao mesmo tempo manter a fluidez nos quadris. Prolongar as nesgas até os ombros em faixas modeladas foi um passo natural, bem como incorporar pences ao busto e achatar a parte abaixo da cintura para criar uma silhueta mais alongada e esbelta. Presilhas internas seguravam o tecido perto das pernas. A parte de cima então era moldada para se ajustar ao desenho do corpo, criando um efeito parecido com o daquele corpinho justíssimo de couro que estava cada vez mais longo e que em 1878 chegou à altura da coxa. As duas ideias se mesclaram e o vestido completo foi confeccionado na linha princesa com nesgas do ombro à barra da saia. A nova linha tornou obsoletos os suportes para as saias, tais como as crinolinas. **MF**

PONTOS FOCAIS

1 JABÔ DE RENDA
O jabô de renda (papo de ave) é preso junto ao pescoço. Originalmente, referia-se aos rufos da camisa masculina, mas no fim do século XIX o jabô evoluiu para um babado de renda da blusa feminina, presa ou costurada à gola ou à uma faixa junto ao pescoço.

3 TECIDOS LUXUOSOS
A parceria de Worth com os fabricantes franceses de tecidos e enfeites de Lyon resultou no uso abundante de matérias primas luxuosas em suas criações. Este vestido de veludo de seda de algodão tingido tem a mesma cor do bolero de renda.

2 COLETE INTEIRIÇO ESTILO BOLERO
O bolero, cortado um pouco abaixo da linha do busto para destacar a cintura marcada, é preso ao vestido, exceto as partes frontais, que ficam soltas em bico e funcionam como lapelas chanfradas e com a ponta dobrada.

4 MANGAS COMPLEXAS
A boca da manga é levemente franzida na cava do ombro formando uma elevação na borda. O volume é visível no cotovelo, onde as mangas são franzidas para facilitar o movimento antes de afunilar em direção ao punho, com acabamento arredondado sobre a mão.

INDUMENTÁRIA JAPONESA – PERÍODO MEIJI

A chegada dos navios de guerra dos Estados Unidos em 1853, e a insistência para que o Japão se abrisse ao comércio, marcou o fim de mais de 200 anos de isolamento autoimposto. Os deveres políticos do recém-aberto Japão eram complexos e o fracasso em cumpri-los de maneira eficiente ou com a rapidez necessária deixava o país sob o risco de ser colonizado pelos Estados Unidos ou por uma das potências europeias. A sobrevivência política exigia a modernização e, embora houvesse incerteza em relação ao que precisava ser modernizado, as primeiras visitas a países estrangeiros e a feiras internacionais convenceram o Japão de que a moda era fundamental no mundo moderno. O governo então embarcou em um programa de autoconscientização liderado pela elite para mudar o vestuário japonês.

A independência seria impossível sem uma mudança militar rápida e a guerra moderna exigia o treinamento de tropas, para as quais uniformes eram fundamentais. Os uniformes foram a chave para mudar a moda durante o período Meiji (1868-1912) porque o alistamento geral foi introduzido. O ponto mais importante foi a divisão das roupas: camisas e calças, tecido de lã e, o mais importante, roupas ajustadas ao corpo. A diferença crucial entre o vestuário baseado no quimono e o vestuário ocidental é que o último acompanha o formato do corpo em vez de embrulhá-lo.

A principal mudança da moda para os homens durante o período Meiji foi a adoção do terno. Em 1872 o governo decretou que o terno era obrigatório na administração pública e, em 1874, ele virou a roupa padrão no mundo dos negócios. Inicialmente, os costumes eram incompatíveis com o hábito tradicional de sentar no tatame ou

PRINCIPAIS ACONTECIMENTOS

1868

O xógum Yoshinobu renuncia, a dinastia Tokugawa termina e o imperador Meiji é reempossado.

1869

O livro *Conditions in the West*, de Yukichi Fukuzawa, que inclui descrições detalhadas das roupas ocidentais, lança uma onda de ocidentalização.

1871

O governo Meiji desmonta o sistema feudal e proíbe exércitos particulares. Ele acaba ainda com o monopólio samurai de vestir-se de seda e de cores vistosas.

1872

O vestuário ocidental é obrigatório para funcionários públicos em cerimônias oficiais, e o próprio imperador é fotografado em um uniforme ocidental.

1872

O governo Meiji funda a fábrica de seda Tomioka, que se torna o centro de produção e industrialização desse tecido.

1872

Motoristas de riquixás, tipo de carroça puxada por homens e utilizada para o transporte de pessoas, são obrigados a usar camisas o tempo todo.

nos banquinhos baixos; e o governo e as empresas logo adotaram o estilo ocidental de mesas e cadeiras. O interior das casas, entretanto, permaneceu tradicional, o que provocou o fenômeno da "vida dupla" – vestir terno em público e quimono em casa. Um terno bem cortado criava boa impressão nos negócios capitalistas, até estimulava a confiança e, com seu estilo de uniforme igualitário, foi a maneira adequada de se vestir para a modernidade – nisso, o Japão não foi uma exceção.

As mulheres japonesas acharam muito mais difícil escolher roupas adequadas à modernidade (ver p. 182). Isso aconteceu em parte porque elas entraram no sistema ocidental num momento em que a moda feminina estava menos prática, como exemplificava a anquinha. Houve algumas corajosas tentativas iniciais de adotar a anquinha, como vimos na Rokumeikan (à esquerda), um salão de festas parecido com um cassino construído em Tóquio em 1883 para estrangeiros, com versões japonesas impecáveis da moda, da comida e da dança ocidental. Pressões nacionalistas por conta das guerras com a China (1894) e com a Rússia (1904) também tiveram um efeito indireto no vestuário, adicionando a pouca praticidade da moda feminina à militância nacionalista e provocando um retorno geral ao quimono para as mulheres (abaixo). Só depois do período de expansão nos anos 1920 é que a moda feminina descobriu o equivalente para as mulheres do moderno terno masculino.

Apesar do desenvolvimento da moda mais visível no período Meiji ter sido a adesão ao vestuário ocidental, uma outra mudança se fez sentir quanto à adoção, por todas as classes, de roupas até então reservadas aos samurais. O surgimento das lojas de departamento, junto com os cartazes de publicidade e a cultura de consumo, abriram caminho para um Japão em que todos pudessem participar do espetáculo da moda. **TS**

1

2

1 Essa gravura em madeira de 1888 retrata casais japoneses usando roupas vitorianas no Rokumeikan, em Tóquio.

2 Este retrato de um grupo de estudantes e professores em Nagoya nos anos 1890 mostra o retorno do uso do quimono.

1873

O Japão adota o alistamento universal por três anos e todos os homens se vestem com roupas de lã no estilo ocidental.

1874

O terno masculino ocidental é indicado como traje padrão para negócios, mas uma linha divisória se abre entre o que é usado em público e na vida privada.

1883

O Rokumeikan é inaugurado. Ele sedia festas e bailes para convidados estrangeiros, com a elite japonesa adotando estilos de roupas e de danças ocidentais.

1886

Shirokiya é a primeira loja tradicional de seda a vender roupas ocidentais. Ela acaba virando uma loja de departamentos no estilo ocidental.

1886

A Associação de Comerciantes e Fabricantes de Costumes Ocidentais é fundada com 123 membros.

1894

Começa a primeira guerra sino-japonesa, provocando uma onda nacionalista e o retorno das mulheres vestidas de quimono.

O penteado *sokuhatsu* e o vestuário ocidental 1880

MODA FEMININA

Comparação de belas mulheres com penteados ocidentais, gravura colorida em madeira de Toyohara Chikanobu (1887).

Com a construção do salão de festas Rokumeikan, as esposas e as filhas dos altos funcionários do governo e de destacados homens de negócios puderam se exibir em vestidos que imitavam a moda europeia. Apesar de os vestidos de anquinha de estilo vitoriano não serem acessíveis a todas, as mulheres japonesas podiam experimentar a modernidade adotando novos penteados. O *sokuhatsu* – jeito ocidentalizado de pentear o cabelo para trás – ficou popular, porém era mais difícil copiar os penteados estrangeiros que as roupas, em grande parte por causa das diferenças dos tipos de cabelos. Eles eram reproduzidos em combinação com os tradicionais penteados japoneses e resultavam em estilos de pentear o cabelo para trás ou de um jeito virado para cima chamado *yakaimaki* (literalmente, coque de festa), que eram misturas nem totalmente japonesas nem totalmente estrangeiras. Esta gravura feita por Chikanobu, famoso por suas delicadas ilustrações de moda feminina tanto tradicional quanto moderna, mostra diversos vestidos e penteados. Os conhecidos artistas gravadores da época tinham um papel significativo na promoção da política de modernização do governo Meiji em relação à moda e aos penteados.

Diversos óleos e perfumes para arrumar o cabelo têm sido usados no Japão desde o período Edo (1603-1868). Empresas como Shiseido e Pola, surgidas na sofisticada cultura da era Meiji, que pregava que cada um cuidasse da própria aparência, cresceram e se tornaram gigantes industriais ao aproveitar o desejo japonês por um visual moderno. Nessa época, as mulheres pararam de raspar as sobrancelhas e de escurecer os dentes. O corte de cabelo dos homens também foi influenciado pela moda ocidental: o imperador Meiji cortou seu tradicional coque em 1872, levando muitos japoneses a agir da mesma maneira, e os cortes ocidentais, as barbas e os bigodes logo se tornaram a regra. **TS**

NAVEGADOR

PONTOS FOCAIS

1 FLORES

Muitos tipos novos de flores começam a aparecer como acessório de cabelo quando o Japão se reabriu para o mundo. Novas tinturas foram lançadas e regras de comportamento pessoal restringindo diversas roupas e cores para determinadas classes sociais foram abolidas. Isso levou a uma explosão de cor no período Meiji.

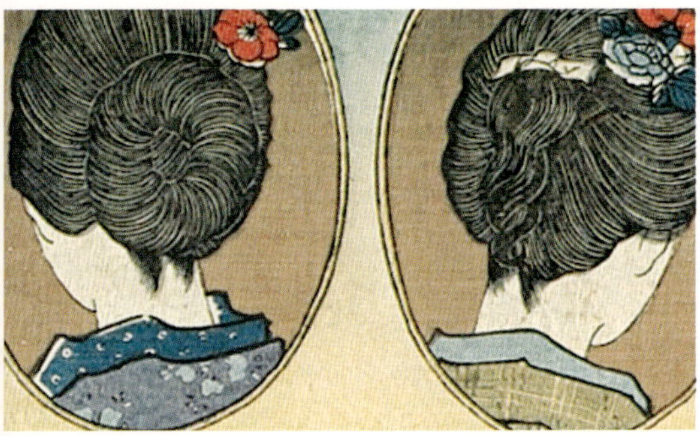

2 NUCA EXPOSTA

Revelar a nuca de uma mulher é um ato de forte conotação sexual no Japão e esses penteados causaram reações surpreendentes, parecidas com as dos anos 1920, quando mulheres e crianças ocidentais passaram a usar o corte de cabelo curto. Isso sinalizou o desejo delas de serem vistas como mulheres sexualmente maduras e prontas para adotar um novo estilo de vida.

3 ANQUINHA

A anquinha chegou ao Japão no momento em que a moda estava no auge em Paris (1887-1889), com espartilhos deformantes e a enorme cauda parisiense. Como essa moda foi adotada por razões políticas, e não por razões estéticas ou práticas, não houve concessão para o gosto, estilo de vida ou formato de corpo japonês.

4 VESTUÁRIO OCIDENTAL E CHAPÉU

As versões japonesas das roupas ocidentais foram bastante acuradas na imitação do estilo europeu contemporâneo. Com a chegada da moda vitoriana, homens e mulheres também começaram a usar chapéu pela primeira vez; neste exemplo, a dama do canto esquerdo usa um chapéu enfeitado com um pássaro e uma flor vermelha.

▲ Uma jovem tem seu cabelo penteado em *c.*1885. Apesar das roupas ocidentais estarem fora do alcance da maioria, os penteados eram uma tendência moderna que podiam experimentar.

VESTUÁRIO ARTÍSTICO E ESTÉTICO

1 Edward Burne-Jones retrata um traje vermelho flamejante desprovido de enfeites, em *Laus Veneris* (1873-1875).

2 Sinônimo do movimento estético, o tecido com estampa de pavão (1887), criação de Arthur Silver, do Silver Studio, para a Liberty.

3 Em *A Princesa da Terra da Porcelana* (1863-1865), James McNeill Whistler retrata a influência das artes japonesas na roupa, no tecido e na decoração de interiores.

A feminilidade indefesa do "anjo da casa", reprimida pelas saias cada vez mais volumosas e pelos espartilhos apertados, foi desafiada em meados do século XIX pelos proponentes de um modo alternativo de vestir chamado de "artístico". Este estilo era associado aos trajes soltos e drapejados naturalmente no corpo por modelos e amantes de pintores pré-rafaelitas nos anos 1860. Fundada em parte pelo poeta, ilustrador e pintor inglês Dante Gabriel Rossetti, a Irmandade Pré-Rafaelita se inspirou nos artistas medievais que antecederam Rafael e considerava a arte gótica e a arquitetura da Idade Média pontos altos da civilização, um paradigma da sociedade perfeita em termos morais e estéticos concebido pelos métodos artesanais de produção. Os pré-Rafaelitas divulgaram um ideal alternativo de beleza feminina sintetizado pelos cabelos fartos, soltos e brilhantes, a pele pálida e o olhar de tédio profundo ou de intensa preocupação. Suas modelos e musas, entre elas Jane Morris (ver p. 186) e Lizzie Siddal, se vestiam, de acordo com a visão dos artistas, com o *bliaut* medieval (manto), um vestido com a parte de cima justa, mas não apertada, decote simples e pouco cavado, cauda, mangas longas que chegavam ao chão e, na parte de baixo, uma saia de cintura alta marcada por uma faixa que desce em pregas até os pés (acima).

Usado em círculos literários e artísticos, esse estilo de roupa se tornou menos popular nos anos 1870 e reapareceu como um vestuário estético nos anos 1880, junto com o Movimento de Artes e Ofícios liderado por William Morris. Um casamento entre arte, arquitetura e reforma social varreu a Europa no fim dos anos 1890, e Morris

PRINCIPAIS ACONTECIMENTOS

Década de 1870	1874	1877	1881	1881	1884
A Liberty & Co importa tecidos que são populares na cena artística e aparecem nos quadros de James McNeill Whistler e de George Frederick Watts.	Contratado pela Liberty para criar estampas de tecidos, William Morris resgata o uso de corantes vegetais, que são vendidos como cores Arte Liberty.	Eliza Haweis publica *The Art of Beauty*, criticando a moda contemporânea e conclamando as mulheres a adotarem as roupas históricas.	A Sociedade do Vestuário Racional é criada, presidida pela viscondessa Haberton. Ela defende um vestuário de estilo solto e que não deforme o corpo.	A ópera cômica *Patience; or Bunthorne's Bride* (Paciência; ou A noiva de Bunthorne) é encenada pela primeira vez.	O Dr. Gustav Jäger participa da Exposição de Saúde Internacional de Londres. Seus ensinamentos inspiraram a criação de uma marca de roupas.

evitou a produção em massa dominante na época para adotar métodos produtivos medievais. Ele deixou de lado o padrão exageradamente colorido das tramas vitorianas e os tecidos baratos impressos em cilindros e reintroduziu a tecelagem em teares manuais e a impressão por carimbos. Qualquer enfeite estava restrito ao bordado folclórico feito à mão de motivos como o girassol, símbolo dos estetas, o lírio e a pena de pavão (à direita).

Os adeptos do princípio estético usavam uma paleta restrita de tons neutros, tais como creme, mostarda, marrom-dourado, ouro velho, vermelhos e azuis suaves, sendo o verde-sálvia especialmente identificado com o movimento e geralmente chamado de "folhagem verdamarela" (ver p. 188). A influência oriental veio de um cartaz sobre as artes aplicadas japonesas da Mostra Internacional de Londres em 1862, motivada pela abertura do Japão em 1853. Isso estimulou o interesse pelos produtos orientais e exóticos, principalmente pelos tecidos e pelas artes gráficas, bem como a introdução dos vestidos inspirados nos quimonos japoneses como retratada pelo pintor James Abbott McNeill Whistler (à direita, embaixo). O jovem Arthur Lasenby Liberty (1843-1917), então um funcionário do Empório Farmer e Rogers' Great Shawl, na rua Regent, convenceu seus chefes a abrirem um departamento oriental e, em 1875, ele acabou abrindo o seu próprio Empório Oriental, que foi um dos primeiros a incluir a arte japonesa em seu catálogo de desenhos.

A moda "estética" da época provocou zombaria na imprensa popular e forneceu combustível para os lápis dos caricaturistas e roteiristas. A ópera cômica *Patience; or Bunthorne's Bride* (Paciência; ou A noiva de Bunthorne) de W. S. Gilbert e Arthur Sullivan, satirizou o movimento estético e tornou-se um sucesso instantâneo quando foi encenada pela primeira vez em Londres, em 1881. Oscar Wilde, escritor nascido na Irlanda e de talento reconhecido, foi convidado para dar palestras nos Estados Unidos e divulgar a ópera. Durante sua bem-sucedida turnê de um ano em 1882, ele supostamente teria exibido uma versão radical do vestuário estético masculino, substituindo a sobrecasaca mais conservadora por um smoking húngaro púrpura com debrum de seda cor de lavanda, calças de seda preta até a altura dos joelhos e meias de seda preta. Também eram populares entre homens estetas as echarpes esvoaçantes no lugar das gravatas e os chapéus "*wide-awake*" de feltro e abas largas, geralmente usados pelos caubóis no Oeste americano.

O "culto à beleza" permeava cada aspecto da vida estética e, à medida que o vestuário marginal e a vanguarda foram incorporados ao vestuário convencional, a população começou a se beneficiar do que antes fora um gosto minoritário. Conforme a moda estabelecida adotou aspectos do vestuário estético, diversos estilos históricos foram apropriados: inclusive as mangas presunto de estilo elizabetano e o vestido *sacque* do século XVIII, caracterizado pela prega profunda de tecido que caía solta dos ombros, como mostra o pintor Jean-Antoine Watteau, e como foi usado por Jane Morris como uma opção aos estilos medievais em forma de coluna vistos anteriormente. Este estilo foi o precursor do vestido de chá, um traje para as ocasiões informais. **MF**

1884

A Liberty abre um departamento de confecção de roupas supervisionado por E. W. Goldwin, que vende para a vanguarda londrina.

1887

As charges de George du Maurier são publicadas na *Punch*; elas satirizam a família Cimabue Brown, que é usuária do vestuário estético.

1887

A Sociedade Expositiva de Artes e Ofícios é fundada. Ela organiza exposições e palestras para promover as artes decorativas.

1890

É criado o Sindicato do Vestuário Artístico e Saudável; o primeiro dos três jornais, *Aglaia*, é publicado em julho de 1893.

1897

A Secessão Vienense é criada em contraposição à Academia de Viena. Trata-se de um fórum para artistas radicais como Gustav Klimt.

1903

Josef Hoffmann e Koloman Moser abrem a Wiener Werkstätte, que produz móveis com design artístico e peças decorativas com uma pitada de moda, em 1910.

Vestuário pré-rafaelita Década de 1860

MODA FEMININA

Retrato de Jane Morris, do álbum de fotografias de John Robert Parsons (1865).

NAVEGADOR

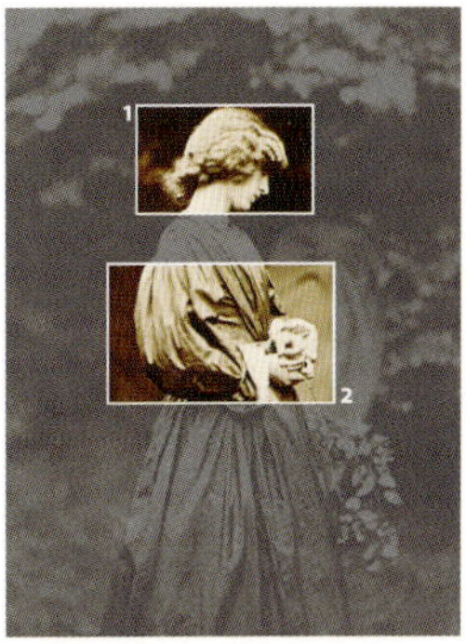

Esta fotografia da esposa de William Morris, Jane Morris (nascida Burden), é de uma série de 18 retratos tirados por John Robert Parsons no jardim da Casa Tudor, a residência de Dante Gabriel Rossetti em Chelsea. Morris era amante e musa de Rossetti e foi retratada nas obras de diversos integrantes da Irmandade dos Pré-Rafaelitas. Rossetti pediu que Parsons tirasse as fotografias, mas fez questão de arrumar as poses.

Morris é capturada em uma pose lânguida e com o típico jeito melancólico, vestindo uma roupa dos primórdios do estilo artístico. Usado sem um espartilho para confinar o corpo, e confeccionado com pregas não marcadas desde o decote redondo, o vestido é ajustado na cintura com um cinto feito do mesmo tecido. A silhueta de Burden segue em parte os trajes mais bem cortados e formais que estavam sendo usados por suas colegas conservadoras, visto que as pregas pesadas de cetim de seda da parte de cima do vestido são unidas para criar um efeito "V" que termina na cintura. Nos punhos das mangas fofas, um fino acabamento de renda aparente, provavelmente destacável para fins de higiene. Em uma época em que a crinolina estava no auge, as pregas da saia, apesar de volumosas, não têm suporte algum a não ser o próprio peso. **MF**

PONTOS FOCAIS

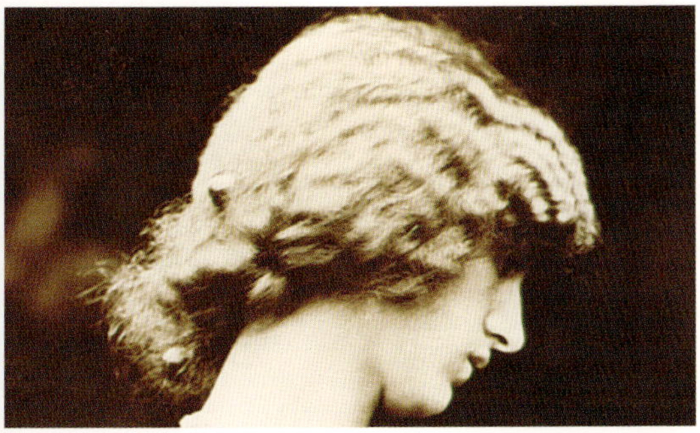

1 CABELO SEM ENFEITES
Cascatas de cabelo grosso e brilhante passam uma mensagem com alta carga sexual na era de puritanismo vitoriano. O cabelo era uma característica do arquétipo da mulher pré-rafaelita; Jane usa o cabelo sem enfeites e preso em um nó frouxo na base da nuca.

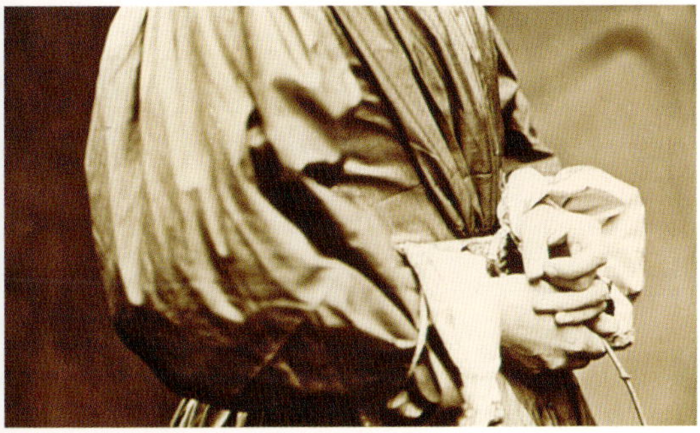

2 MANGAS VOLUMOSAS
Costurada à mão e franzida, a boca da manga forma uma linha de ombro caída, criando assim uma cava profunda que proporciona amplitude e volume. O tecido forma um balão, proporcionando liberdade de movimento antes de ser ajustado no punho.

▲ No quadro *Day Dream*, de Dante Gabriel Rossetti, 1880, sua musa e amante predileta Jane Morris é retratada usando uma roupa volumosa e desestruturada do vestuário artístico.

Vestido de veludo 1894

LIBERTY

NAVEGADOR

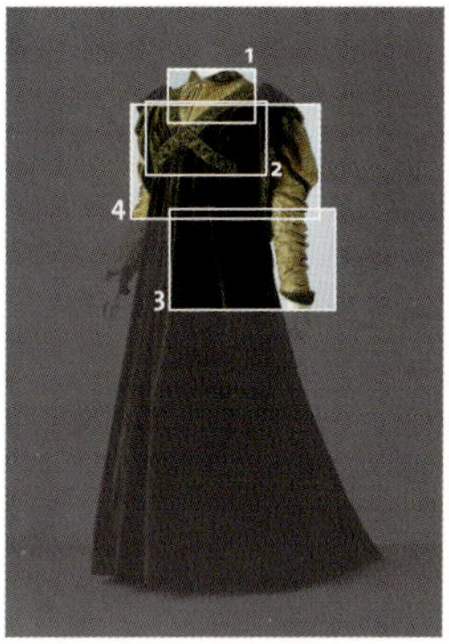

Este vestido tipo veste, de veludo de seda verde-escuro, reflete a preocupação da época com a moda do século XV e a paleta de cores preferida dos estetas, o "verdamarelo". Concebido para ser usado sem espartilhos, o vestido desce em um franzido solto a partir de um corpinho em formato de "V" invertido. A parte de trás também tem um decote em "V", de onde sai uma pequena cauda. Pregas de inspiração neoclássica descem dos ombros e têm um acabamento feito com galões, enquanto dragonas de inspiração militar exageram a importância dos ombros. O vestido é debruado com seda verde e a parte de cima estruturada é apertada na frente com ganchos e colchetes. A parte de trás da saia é presa com fitas na cintura na parte interna do vestido.

Usado como vestido de chá para o fim da tarde estritamente dentro dos limites da casa, este vestido tem um estilo parecido com as criações de Walter Crane para o vestuário estético que apareceu no *Aglaia*, o jornal do Sindicato do Vestuário Artístico e Saudável. Ele foi confeccionado pelo Ateliê de Trajes Históricos e Artísticos da Liberty sob a supervisão de E. W. Godwin, o estilista que chefiou o departamento de vestuário a partir de 1884. Entusiasta do movimento estético, ele se inspirou nos vestuários clássico, medieval e renascentista para criar roupas para mulheres. **MF**

PONTOS FOCAIS

1 DECOTE FECHADO
A pala da roupa de baixo tem uma graciosa série de pequenas pregas que convergem até o decote fechado, e é aberta na frente. A pequena gola de veludo verde-escuro é virada para baixo e presa em um colarinho fino.

3 MANGAS FRANZIDAS
As mangas franzidas horizontalmente nascem da manga presunto sem enchimento e terminam em pequenos punhos virados, cujo acabamento é o mesmo veludo verde do vestido.

2 ÊNFASE NOS SEIOS
Os seios são marcados pela colocação do galão largo rebordado com pespontos de seda verde-claros e enfeitado com contas cintilantes. O galão mantém o franzido leve do vestido de veludo sobre o busto.

4 ROUPA DE BAIXO
A parte principal da roupa que fica visível por baixo do vestido de veludo é confeccionada em um elegante damasco verde e amarelo da Liberty Hop e Ribbon, que permite o drapejamento no decote e o franzido nas mangas.

O ARQUÉTIPO AMERICANO

A Garota Gibson representou a emancipação da alfaiataria da mulher americana. Ela foi o primeiro padrão americano de beleza a ser reconhecido mundialmente, disseminado para o mercado de massa por meio da pintura, do desenho e da fotografia. A personagem – criada pelo artista, desenhista e comentarista social Charles Dana Gibson em uma série de desenhos que ele produziu entre 1890 e 1910 – representava a mulher jovem americana ativa e independente em uma época na qual ela era o foco da cultura contemporânea, e retratada como heroína na obra dos romancistas americanos Edith Wharton e Henry James, bem como nos quadros do pintor americano John Singer Sergent. A simplicidade do que ela usava e suas preferências ajudaram a consolidar o que veio a ser considerado o estilo "americano".

A Garota Gibson personificou a beleza e a independência e parecia ser capaz de se realizar pessoalmente. Segura de si e confiante nas histórias ilustradas por Gibson, ela é retratada representando os modernos ritos de passagem: entrando na faculdade, trocando provocações espirituosas com os homens de igual para igual e explorando seus interesses e talentos pessoais. Gibson desenhou a nanquim e em preto e branco (acima) a sua mulher ideal alta e de cintura fina, retratando-a como um multifacetado modelo a ser seguido. Determinada em sua busca pela forma física e empenhada em diversas atividades ao ar livre, tais como ciclismo, hipismo, tênis, croqué e banhos de mar, a Garota Gibson também representava o crescente número de mulheres americanas que recebiam o mesmo nível de educação que os homens e que estavam entrando no mercado de trabalho.

O protótipo original da Garota Gibson foi inspirado na esposa do autor, Irene, uma das quatro irmãs Langhorne, nascida em uma família da Virgínia que tinha

PRINCIPAIS ACONTECIMENTOS

1886	1886	1887-1888	1895	1895	1898
Nascido em Massachusetts, Charles Dana Gibson vende seu primeiro desenho a nanquim para John Ames Mitchell, da revista *Life*.	O romancista americano Henry James publica *Os bostonianos*, que se contrapõe ao surgimento do movimento feminista.	John Singer Sergeant visita Nova York e Boston e aceita mais de 20 encomendas de retratos, inclusive um de Alice Vanderbilt, em 1888.	Gibson se casa com Irene Langhorne, irmã de Nancy Astor, a primeira mulher a atuar como membro do Parlamento na britânica House of Commons (Câmara dos Deputados).	Usada pela primeira vez nos anos 1830, a ampla manga presunto entra novamente na moda.	Gibson ilustra *Rupert of Hentzau*, a sequência escrita por Anthony Hope do romance ruritaniano *O prisioneiro de Zenda* (1894).

sido rica, mas empobrecera durante a Guerra Civil. A famosa modelo artística Evelyn Nesbit posou para o primeiro desenho da Garota Gibson, embora este fosse na realidade uma imagem composta em vez do retrato de alguém. No entanto a modelo que ficou mais conhecida como a personagem foi a atriz de teatro nascida na Bélgica Camille Clifford, vencedora do concurso feito por uma revista e patrocinado pelo desenhista para encontrar a personificação viva da "mulher ideal". Sua figura e seu diferente penteado definiram o estilo da Garota Gibson.

A silhueta predominante da Garota Gibson era a figura da ampulheta, muitas vezes constituída de uma peça de roupa como o corpete ou saia e blusa, mais do que um vestido (à esquerda, embaixo). O elemento principal era a cintura fina e a confortável saia evasê com nesgas no formato de um trompete que modelava os quadris, além da blusa com mangas bufantes que destacava os ombros. Em 1895, o tamanho das mangas era tão radical que elas ganharam enchimentos para manter a forma, e eram conhecidas como mangas presunto. As mangas evoluíram para a "manga de bispo", que era justa no braço, ampla no punho e presa na altura do pulso. Faixas de fitas franzidas ou apliques rendados enfeitavam o corpete e se prolongavam até as mangas, sendo que a renda também era usada para enfeitar a gola alta e estruturada. Por baixo das roupas as mulheres usavam um moderno espartilho que inclinava a parte de cima do corpo para a frente, formando um peito inteiriço como o papo do pombo, e projetava os quadris para trás, desse modo formando a típica silhueta em "S" da época (à direita). O corpete tinha pequenas pences logo acima da cintura, o que aumentava o efeito "peito de pombo". Mais simples na estrutura era o conjunto de saia e *shirtwaist* (camisa acinturada, ver p. 194), que ainda seguia a silhueta formato "S", mas diminuía a ornamentação. Essa dupla era mais adequada para o uso no esporte e no trabalho, principalmente quando feita de tecido mais leve e lavável como o chiffon de seda e os algodões mais leves, tais como o voile e o algodão penteado conhecido como *batiste lawn*, que tinham entrado na moda.

A crescente atividade física por parte das mulheres exigia roupas mais práticas, tais como a saia bifurcada (ver p. 192) e o calçado mais robusto do que os chinelos de sola fina usados até então. Sapatos com pequenos saltos no estilo "cubano" ou "luís" eram populares, assim como as botas amarradas na frente. O cabelo era arrumado em uma elaborada pirâmide, penteado para cima e preso em um coque frouxo, e preenchido nas laterais com apliques. Em vez de chapéus grandes com abas largas e decoradas com flores e penas de avestruz, a Garota Gibson optou por um chapéu de palha colocado na frente do coque.

Embora o fascínio dos Estados Unidos pelo paradigma da mocidade tenha terminado com o início da Primeira Guerra Mundial, a consciência atlética das Garotas Gibson foi incorporada à estética da moda dos Estados Unidos; o arquétipo americano criou a ponte entre o restritivo vestuário do século XIX e as roupas práticas do século XX, representando desse modo um ideal moderno da feminilidade progressista. **MF**

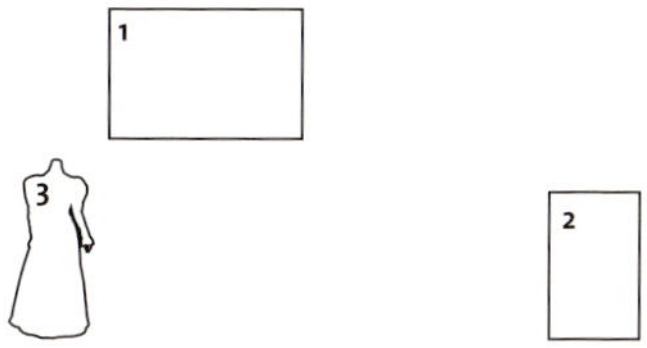

1 A Garota Gibson (1906), como desenhada por Charles Dana Gibson para a revista *Life*, simboliza a nova definição de feminilidade.

2 Camille Clifford (1900) apresenta a inconfundível silhueta em "S", que causou grande impressão nos vestidos feitos com os tecidos mais leves da época.

3 Este vestido de caminhar (*c.*1893) é de lã e seda e foi feito para destacar a cinturinha fina da usuária.

1900
A notável Rita Lydig sai vencedora de um acordo de divórcio de 2 milhões de dólares. Seu guarda-roupa inicia o Instituto do Vestuário do Metropolitan Museum.

1900
A atriz Camille Clifford se torna a modelo mais conhecida para os desenhos da Garota Gibson.

1900
O marketing indiscriminado da imagem da Garota Gibson aparece em objetos como mesas, louças, roupas de cama, filmes, ventiladores e até papeis de parede.

1901
A Sociedade dos Desenhistas é fundada em Nova York por artistas, entre os quais Charles Dana Gibson, N. C. Wyeth e Maxfield Parish.

1901
Os botões de pressão são lançados nos Estados Unidos e passam a ser usados para prender a blusa ou o corpete à saia.

1905
Evelyn Nesbit posa para o desenho intitulado *Women: The Eternal Question* (Mulheres: A Eterna Pergunta), de Charles Dana Gibson.

Saia bifurcada Década de 1890

ROUPA ESPORTIVA

Jovem mulher usa uma saia bifurcada
no Parque St. James, em Londres (*c.*1897).

NAVEGADOR

Invariavelmente associado ao desejo de emancipação política e social das mulheres, o uso da saia bifurcada começou com a façanha de Amelia Jenks Bloomer, em 1851. Seu design de calças ou de pantalonas folgadas no estilo turco, ajustadas no calcanhar com um laço e usadas embaixo de saias na altura da panturrilha, dispensou o uso da armação de crinolina. Muitas temiam que a introdução da peça anulasse as diferenças entre os sexos, e as mulheres que usaram o traje foram hostilizadas. As discussões sobre a reforma do vestuário reintroduziram o conceito de bifurcação nos anos 1880 e 1890, e a palavra *"bloomer"* era empregada inapropriadamente para descrever a saia bifurcada usada pelas mulheres modernas envolvidas em atividades esportivas. Quando utilizadas para a prática do popular ciclismo, as calças estilo *bloomer* vestidas por baixo de uma sobressaia de diversos comprimentos desviavam a atenção do estigma social das mulheres "de calças" e em pouco tempo outros tipos de bifurcação, tais como a saia e os *knickerbockers*, calções folgados presos abaixo do joelho com botão ou fivela, entraram na moda.

A pose da ciclista resume a liberdade sentida com a perspectiva da estrada livre. Ela veste uma saia que é cortada na altura da panturrilha e faz parte de um conjunto feito sob medida de saia e casaco confeccionado seguindo as regras da alfaiataria masculina. A gola alta e engomada da camisa se prolonga sobre o casaco, que é ajustado para destacar a cintura. **MF**

PONTOS FOCAIS

1 CHAPÉU ESTILO *TRILBY*
O *trilby* parece com o fedora, mas tem a copa levemente mais curta, e o modelo pequeno é usado inclinado para baixo na frente e levemente virado para cima atrás. Colocado na lateral da cabeça, ele é usado sobre o cabelo sem enfeites e preso atrás.

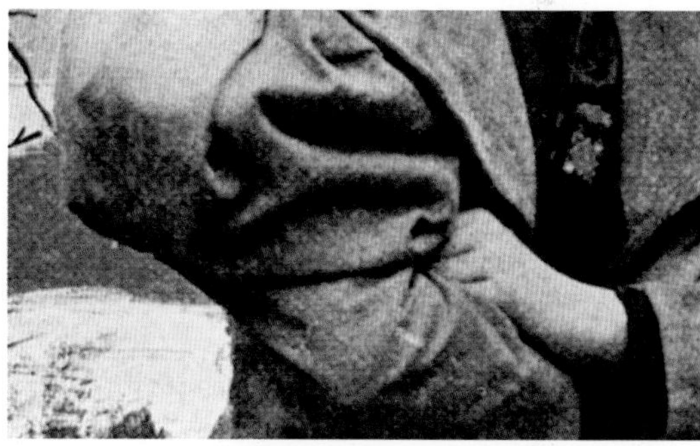

3 LARGURA EXAGERADA DAS MANGAS
O casaco de tweed grosso, feito sob medida, tem mangas presunto volumosas e atuais. O tecido é franzido, dobrado e acolchoado no ombro para criar volume, mas a partir dali as mangas se afunilam até o punho.

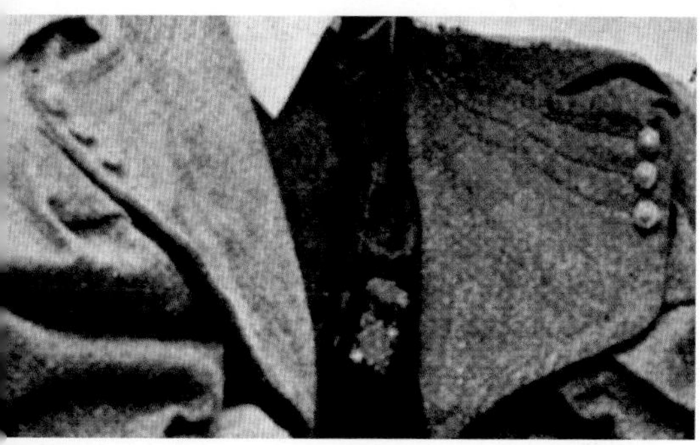

2 LAPELAS
As largas lapelas do casaco são viradas e presas com uma sequência de botões falsos e botoeiras bordadas, que fazem par com os botões e botoeiras que enfeitam os bolsos da saia bifurcada.

4 PERNEIRAS À PROVA D'ÁGUA
Por baixo da saia bifurcada cujo comprimento vai até o joelho, as perneiras de lona abotoadas e à prova d'água fazem parte da farda militar e são chamadas de *puttees*, pois funcionam como caneleiras e protegem a parte de baixo das pernas, cobrindo a parte de cima das botas de couro de salto baixo.

Shirtwaist Década de 1890
PRÊT-À-PORTER

Golfing Foursome (Quarteto jogando golfe), de Walter Granville-Smith (*c.*1900).

A simplificação da roupa feminina no fim do século XIX levou à popularidade do conjunto de saia e *shirtwaist* (blusa), que ficou disponível como roupa prêt-à-porter em 1890. "Waist" era o termo usado para a parte de cima do vestido ou para a blusa confeccionada como uma camisa masculina, com o colarinho virado e o abotoamento frontal e no centro. As mangas presunto são menos radicais do que as vistas nas roupas mais modernas e terminam em um punho duplo dobrado e mais prático. Quando usada em conjunto com casaco feito sob medida, a saia básica escura e a blusa *shirtwaist* viram o uniforme comum da mulher que trabalha. A *shirtwaist* era vendida como peça separada ou como parte de um conjunto, e a produção em massa da roupa fez com que ela ficasse disponível para todo mundo, o que estabeleceu os fundamentos da superioridade dos Estados Unidos na área da roupa pronta para vestir.

A *shirtwaist* oferecia liberdade de movimentos para as novas e populares atividades de lazer, como o golfe. Aqui, ela é usada sem o paletó e colocada para dentro da saia evasê com gomos. A liberdade de movimentos também está representada pelas resistentes botas curtas amarradas com cadarços e pelos chapéus de palha, que são usado com os cabelos sem enfeites. No início do século XX, o aspecto prático da *shirtwaist* foi comprometido pelos enfeites de rendas e pelos babados colocados para enfeitar a blusa. **MF**

NAVEGADOR

PONTOS FOCAIS

1 MODELAGEM MASCULINA
A semelhança da *shirtwaist* com o vestuário masculino é nítida na gravata-borboleta no decote e no tecido de algodão branco fácil de lavar e passar. Os colarinhos das camisas dos homens são também presos a uma faixa engomada, que o sustenta e dá altura.

2 SAIA DE GOMOS E GODÊ
A saia é feita de linho ou sarja lisa e não tem nenhum enfeite. Ela é levemente franzida atrás da faixa na cintura, que se projeta um pouco para a frente por causa do espartilho usado por baixo.

INDÚSTRIA TÊXTIL

No começo do século XX, grande parte das *shirtwaists* eram confeccionadas em Filadélfia e na cidade de Nova York, e vendidas em todo o país. Só em Manhattan havia mais de 450 tecelagens (abaixo), empregando cerca de 40 mil trabalhadores, muitos dos quais eram imigrantes. Em 1911 houve um incêndio arrasador que levou à criação de uma legislação visando à melhoria dos padrões de segurança das fábricas. O incêndio da fábrica Triangle Shirtwaist, em Nova York, provocou a morte de 146 funcionários da área de confecções e foi resultado da decisão da gerência de trancar as portas das escadas e das saídas, uma prática comum na época para evitar furto e descansos não autorizados. O protesto resultante estimulou o crescimento do Sindicato Internacional de Trabalhadores na Confecção de Roupas Femininas.

MODA DA BELLE ÉPOQUE

1 *The End of Dinner*, em 1913, de Jules--Alexandre Grün, retrata um encontro social elegante típico da Belle Époque.

2 Uma mulher amarra o espartilho para deixar o busto mais destacado, bem como o bumbum (*c.*1890-1900).

3 A comediante francesa Blanche Toutain usa chapéu enfeitado com fitas de veludo e uma rosa de seda na capa do *Le Théâtre* (1906).

O período conhecido como Belle Époque (*c.*1890-1914) corresponde mais ou menos ao divertido e sensual movimento art nouveau. Durante o reinado de Eduardo VII, a sociedade viveu a transição dos rígidos valores vitorianos para o que era percebido como uma era de afrouxamento da moralidade. O divórcio ficou mais fácil e as idas nos fins de semana às casas de campo permitiram a liberdade sexual dentro do casamento. Na França, o *beau monde* (acima) e o *demi monde* continuavam a se misturar, e os milionários disputavam os favores das grandes cortesãs. Essas mulheres usavam vestidos de alta-costura, enfeitados com pedras preciosas e joias vistosas de joalheiros reconhecidos como Cartier, e esse novo poder recém-adquirido ajudou a tornar aceitável a sexualidade feminina.

Foi um longo período de paz na Europa, de crescimento econômico e de avanço científico. A *Entente Cordiale* (1904) levou os consumidores britânicos e franceses aos novos ateliês de criadores como Jacques Doucet (1853-1929), Jeanne Paquin (1869-1936; ver p. 200), Paul Poiret (1879-1944) e Lucy, Lady Duff-Gordon (1863-1935). As atividades da elite franco-inglesa – frequentando corridas de cavalos em Longchamp, cassinos em Deauville, caçadas na Escócia – inspiraram novos trajes para o lazer e suntuosos vestidos de gala que eram desejados pelas consumidoras das camadas mais baixas da sociedade. Trens, carros e ônibus tornaram possível viagens de um dia, e uma nova moda foi incorporada às atividades fora do trabalho. Entre os homens, os blazers listrados dos clubes esportivos de Oxbridge e os chapéus de palha tornaram-se populares.

PRINCIPAIS ACONTECIMENTOS

1889
Quando a Torre Eiffel é inaugurada para a Feira Mundial, todos os olhos se voltam para Paris.

1893
Os pôsteres de Henri de Toulouse-Lautrec anunciam as dançarinas de can-can do Moulin Rouge, um popular ponto de encontro noturno da elite franco-britânica.

1895
Os irmãos Lumière rodam o primeiro filme em Paris. A película mostra trabalhadores saindo de uma fábrica em Lyon.

1895
A volumosa manga presunto está no auge da moda. Quanto maior, melhor.

1895
Morre o pioneiro da alta-costura, Charles Frederick Worth (1825-1895). Suas criações influenciam a moda da Belle Époque.

1898
Morre Aubrey Beardsley. Suas ilustrações de *Salomé*, de Oscar Wilde, e de *O Rapto da Madeixa*, de Alexander Pope, refletem o interesse da época no rococó.

Na art nouveau, os desenhos tinham como base os caules em vez das pétalas das flores. A moda imitava a arte, e a Belle Époque se caracterizou pelo alongamento da silhueta feminina. Os vestidos foram ajustados acompanhando as curvas sinuosas do corpo, desde as costelas até o quadril, o que exigia roupas íntimas diferentes. Surgiram mangas de formatos variados, desde a manga presunto, em *c.*1890, até o estilo lenço dos vestidos de chá; algumas eram mais fluidas e faziam par com luvas brancas longas. Os decotes eram quase sempre altos, indo até o queixo nos vestidos diurnos, o que alongava mais o corpo, apesar de as cinturas estarem no lugar ou levemente acima da costela, e o caimento era reto nos quadris, com as saias com nesgas estilo linha A alcançando suavemente o chão. Chapéus largos do tipo Viúva Alegre, com a copa exageradamente enfeitada com aves-do-paraíso, flores de seda (à direita, embaixo) ou plumas e penas, acompanhavam coques bufantes. Chapéus estilo lingerie, feitos de renda cor de merengue, eram reservados para os ricos em férias. Por volta de 1910, a touca ou o turbante alto da rainha Maria começaram a ser usados como acessórios da silhueta tipo coluna, enfeitados com egretes de plumas e diamantes.

Enquanto o auge do período vitoriano foi definido pela crinolina e pela cintura fina, a Belle Époque foi associada ao novo corpete saudável em formato "S" de frente achatada ou estilo bico de cisne (à direita). A busca da cintura superapertada, alcançável por meio do espartilho vitoriano (1860-1880), suscitou preocupações sobre a saúde das mulheres. A peça pressionava muito o estômago e imaginava-se que isso contribuía para deslocar os órgãos e provocar indigestão, constipação e vertigem. As mulheres que se apertavam muito eram taxadas de vaidosas, embora a moda encorajasse essa prática.

Como reação, um novo espartilho "abdominal" foi criado por Inès Gaches-Sarraute (1853), uma fabricante que tinha experiência médica. O espartilho em forma de "S" buscava eliminar complicações médicas criando uma frente achatada com a ajuda de uma haste longa de madeira inserida na parte frontal do produto. Isso estendia o corpo do espartilho sobre os quadris criando uma silhueta mais longa e esguia em vez da radical ampulheta. As versões mais caras eram ornamentadas com joias e os clipes das alças eram de ouro. O espartilho começava abaixo do busto, formando assim um busto grande, ou peito de pombo. As mulheres imitavam as corpulentas amantes de Eduardo VII colocando enchimento no busto ou tomando pílulas para aumentar os seios. A moda das blusas de algodão branco permitia que bordados, laços e fitas fossem adicionados ao peitilho. No entanto, em vez de melhorar os problemas das mulheres, esse espartilho os acentuou ao deformar o sistema musculoesquelético com o deslocamento dos quadris para trás, deixando o bumbum mais proeminente, e com a projeção do busto para a frente. A popularidade do espartilho em "S" foi relativamente curta porque o desejo das mulheres por uma cintura fina continuou.

No início do século XX o movimento sufragista questionou o aprisionamento das mulheres em lingeries estruturadas, e os sutiãs simples, as anáguas mais leves, as cintas-ligas e até mesmo os *bloomers* mais amplos substituíram o espartilho formal. Por volta de 1908, a moda mudou de direção: inspirando-se na linha império, as

1901

Eduardo VII se torna rei. A gargantilha e o decote alto de sua esposa, Alexandra da Dinamarca, que é fã da moda, são amplamente copiados.

1903

Pierre e Marie Curie dividem o Prêmio Nobel da Paz pela descoberta do elemento químico rádio. As mulheres agora participam de áreas da ciência.

1903

Paul Poiret deixa a Maison Worth para fundar a sua própria maison na Rue Auber, em Paris.

1909

Jacques Doucet compra o quadro cubista *Les Demoiselles d'Avignon*, de Pablo Picasso.

1910

Coco Chanel (1883-1971) abre sua primeira chapelaria em Paris.

1913

Jeanne Paquin se torna a primeira mulher a receber a Legião de Honra no setor da moda.

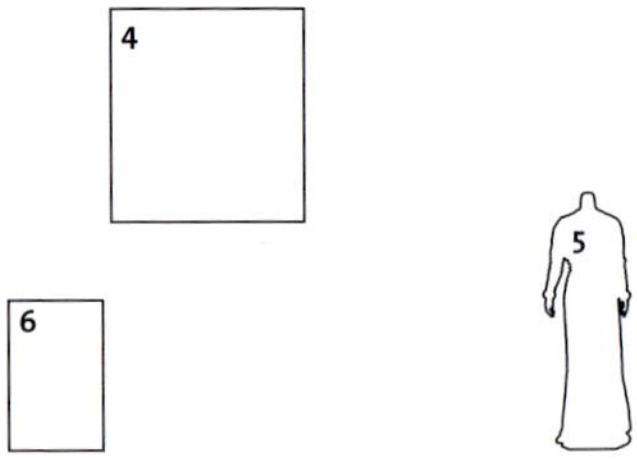

4 Esta fotografia mostrando um grupo de mulheres em "trajes de chá" ilustrava a coluna "Seu Guarda-roupa" de Lady Duff-Gordon na revista *Good Housekeeping* (1912).

5 Um vestido de noite feito de seda, linho e pele da Maison Doucet (*c.*1910) mostra a mudança de estilo. O busto ainda é bastante rebuscado, mas a silhueta de estômago extremamente achatado do espartilho em "S" foi substituída por um desenho mais de coluna.

6 O quadro de 1913 mostra uma parisiense de túnica, saia entravada e chapéu de abas largas com uma grande pluma.

saias mais retas e justas se tornaram mais populares. A ênfase em quadris e pernas mais esguias levou à criação de espartilhos mais compridos. Apesar do lançamento das faixas elásticas, essas saias entravadas (à esquerda) reduziam a mobilidade da usuária e longas caminhadas eram impossíveis. Estilistas como Duff-Gordon e Poiret criaram roupas com menos espartilhos, e saias drapejadas e com fendas.

Os costureiros que apostaram na silhueta em "S", imperatriz e neodiretório harmonizaram a moda e a arte em suas criações. Embora Londres fosse um centro importante para exposições, Paris era lar dos famosos estilistas Jacques Doucet, Jeanne Paquin e Paul Poiret. Doucet tinha herdado da mãe uma loja de rendas e de chapéus na elegante Rue de la Paix. Ele transformou a loja na Maison Doucet ao focar no *demi monde* em vez de na aristocracia e plutocracia. Mulheres famosas da época adoravam Doucet, incluindo a atriz Sarah Bernhardt, a dançarina bissexual Liane de Pougy e sua rival, a famosa cortesã franco-espanhola La Belle Otero.

Ao longo de sua vida Doucet misturou o papel de costureiro, artista, benfeitor e bibliógrafo. Suas criações eram inspiradas diretamente nos impressionistas, em sua própria coleção de vidros antigos e em lingeries exóticas. Ele usava cores pastel e tecidos diáfanos e, seguindo o exemplo de Poiret, usou a linha império em alguns vestidos de gala, com camadas de renda cascateando uma sobre a outra (à direita). Neste exemplo, os quadris foram suavemente achatados pelo espartilho mais longo, a saia é um pouco mais estreita e a gola de seda diminui o destaque dado anteriormente à cintura. As criações de Doucet eram enfeitadas com arranjos de flores, fitas e faixas, as capas traziam intrincados bordados teia de aranha e o costureiro gostava de incorporar um pedaço de renda da família da cliente, de modo que os vestidos tinham itens com mais de 200 anos.

Contemporânea de Doucet, Lucy, ou melhor, Lady Duff-Gordon, era absoluta no mercado britânico de alto luxo, mas continuava sendo uma figura controvertida, no mínimo porque ela e o segundo marido, Sir Cosmo Duff Gordon, sobreviveram à tragédia do *Titanic*, em 1912, depois de supostamente ter subornado um tripulante do barco salva-vidas. Lucy começou costurando quando tinha 20 e poucos anos para sustentar a si e a seu filho depois de um divórcio. Em 1894, ela abriu a Maison Lucile na aristocrática rua Old Burlington, em Londres, e mudou-se para a Hanover Square em 1896. A Maison Lucile funcionava em Londres, Paris, Chicago e Nova York, embora Duff-Gordon tivesse uma preferência por clientes dos Estados Unidos: as "princesas do dólar" que, como ela explicou em 1916, "têm percepções fantásticas no que se refere à roupa, mas ao mesmo tempo compreendem o seu ponto de vista". Seu negócio foi construído em torno de sua mística e da inteligência de seu marketing para muitos setores da sociedade. Quando as clientes compravam um vestido da Maison Lucile, estavam comprando um pouco da surpreendente personalidade de sua criadora, além da esperança de que "se usassem uma determinada peça isso as tornaria mais atraentes para os integrantes do sexo oposto". Duff-Gordon alegava "vestir a alma e não apenas a embalagem física", mas também tinha o objetivo de "seduzir as mulheres para que elas comprassem mais vestidos do que podiam pagar". Felizmente, ela também achava que podia melhorar a aparência de qualquer mulher: sua "personalidade variada" proporcionava à cliente o traje completo, além de acessórios confeccionados com exclusividade para seu corpo e sua mente. Ela até ampliou sua atuação para os setores de lingerie de seda, de perfumes e de cosméticos, os quais vendia na Rose Room, em Paris.

Além disso, Duff-Gordon é reconhecida como a criadora dos desfiles em passarelas, inicialmente realizados na praça Hanover. Os convites para seus desfiles e para os encontros mais íntimos e teatralizados "da hora do chá" em seu ateliê atraíam muitos clientes entre a nobreza, tais como a rainha Maria e as socialites Mata Hari e Lillie Langtry, amantes de Eduardo VII. Preferida pelas atrizes Mary Pickford e Ellen Terry, Duff-Gordon tornou-se figurinista de produções teatrais do West End, em Londres, e da Broadway, em Nova York, sendo que o figurino mais famoso foi o que criou para *A viúva alegre*, em 1907. Ela também influenciou o mercado de massa quando divulgou suas linhas de roupas no catálogo da Sears-Roebuck e publicou colunas de moda nas revistas *Harper's Bazaar* e na *Good Housekeeping*. A Maison Lucile fechou nos anos 1920, após uma reestruturação malsucedida, mas sobrevive atualmente como Lucile & Co.

Como Doucet, Duff-Gordon também flertou com designs que aboliam o espartilho, e as fantasias pastorais do século XVIII foram uma grande influência. Seus vestidos desestruturados eram modelados de maneira solta no corpo e tinham como base o drapejamento fluido e sofisticadas combinações de cores, tais como *nude*, pêssego e turquesa. Sua linha de lingerie tinha uma modelagem confortável, romântica e caracterizada por camadas de rendas esvoaçantes, penas de marabu e botões de rosa. Laços infantis, franzidos e babados enfeitavam muitas de suas criações. Os vestidos de tarde feitos de renda branca da estilista (à esquerda, em cima) eram enfeitados com faixas de seda metalizada ou tiras gregas, numa referência ao estilo diretório. Como Poiret, Duff-Gordon também incorporou uma forte dose de orientalismo no design de seus vestidos, misturando erotismo e elementos das mil e uma noites. Turbantes com plumas cobriam as cabeças e coroavam vestidos-império feitos de sedas faiscantes cravejadas de pedrarias. Mantôs abertos enfeitados com peles russas eram usados sobre vestidos diáfanos, ou uma sobressaia de gaze rebordada de contas enfeitava uma saia de seda. Sapatilhas orientais reluzentes espreitavam por baixo das bainhas, enquanto colares longos de pérolas, laços e contas metálicas enfeitavam bustos fartos ou eram presos nos apliques de cabelo para então cair sobre o vestido.

Considerando que Doucet encarava a moda como um esteta, Duff-Gordon era uma mulher de negócios inovadora que transitava entre a alta sociedade e o comércio. Ela inventou a si mesma, mas podia também ter projetado a personalidade de suas clientes através de suas roupas. Mais importante, ela criou o modelo para a moda do futuro, para impérios de estilo como Chanel e Dior. **PW**

Conjunto para a tarde Década de 1900

JEANNE PAQUIN 1869-1936

Conjunto para a tarde, de seda e renda, de Jeanne Paquin (*c.*1906).

NAVEGADOR

Este vestido de tarde ostentando a etiqueta dourada e bronze de Paquin é feito de seda azul-esverdeada, diversos tipos de renda, apliques bordados, brocados e botões de pérola turquesa. As mangas três-quartos são franzidas e têm punho. Uma fita azul-rei acompanha o contorno do amplo decote, cortado em "V" na frente. Esse detalhe confirma a tendência contemporânea dos trajes de marinheiro no vestuário de lazer para as classes mais altas. O vestido é característico do uso que Paquin faz das cores e texturas contrastantes, assim como da ornamentação, sendo que o azul-pastel é suavemente contrabalançado com o enfeite dourado ao redor dos botões e da renda cintilante.

O vestido representa o interesse do período da Belle Époque pelo esplendor do século XVIII; a modelagem relembra as pregas e o busto do vestido à inglesa (ver p. 100) e o detalhe na parte de trás do vestido *sack back*. A silhueta indica que Paquin está no meio de sua trajetória, e a cintura marcada um pouco acima das costelas situa o vestido no período anterior a Paul Poiret ter reintroduzido a cintura-império em *c.*1908. O modelo também antecipa novos estilos de roupas íntimas e pressupõe o uso de espartilhos bem estruturados. A modelagem do corpete é meio indefinida, proporcionando um busto enorme e criando um inflado peito de pombo. Apesar do decote moderado, o peitilho de renda sugere uma peça de lingerie. **PW**

PONTOS FOCAIS

1 PEITILHO
O colo, apesar do vestido não ter decote, é coberto pelo peitilho, chamado de camiseta de recato. De renda guipura creme com relevo trabalhado, o peitilho é cortado com a gola e criado para esconder a parte mais alta do busto, mas se parece com uma lingerie.

2 TEXTURAS CONTRASTANTES
A seda é bordada com cordões de seda trançados em alto-relevo no estilo militar. O aplique de pétalas de flores e botões turquesa está colocado junto com a renda de Bruxelas transparente bordada no pescoço, enquanto uma renda cintilante bordada em estilo *point d'esprit* cobre as mangas.

3 SILHUETA
A silhueta é criada pelo espartilho modelo "S", que tem estruturas bem rígidas, criando com isso um perfil peito de pombo. A frente do corpete é reta, sendo que a saia só ganha volume abaixo dos quadris. A parte de trás da saia tem uma cintura franzida e uma meia-capa.

PERFIL DA ESTILISTA

1869-1895
Jeanne Paquin criou o modelo de negócios para a moda moderna. Depois de uma fase de aprendizado, ela abriu uma butique na Rue de la Paix em 1891, no coração da alta-costura parisiense. Como Doucet e Duff-Gordon, ela se inspirou no século XVIII e enfeitou seus vestidos de seda com peles e rendas. Foi uma mulher de negócios inteligente e sabia como promover suas criações, enviando modelos muito bem-vestidas à Ópera Garnier ou às corridas de cavalos, onde o *beau monde* podia ver os vestidos em seu esplendor.

1896-1936
Paquin criou um perfil internacional com lojas em Londres, Nova York, Madri e Buenos Aires. Suas criações refletiam o desejo das mulheres por roupas mais versáteis e práticas. Ela ainda criou figurinos para o teatro e foi a primeira estilista a receber a Legião de Honra. Morreu em 1936.

4 | DE 1900 A 1945

INDUMENTÁRIA PRÁTICA

Na virada do século XX, muitas mulheres nos Estados Unidos endossaram o uso da saia simples e da blusa abotoada na frente, a *shirtwaist*, na tentativa de adotar uma forma de vestir mais racional. Assim como o folgado *tailormade* (conjunto de casaco e saia) lançado na década de 1860, essas peças simbolizavam o guarda-roupa da mulher moderna e prática e eram usadas sem deferência para com a moda ostentatória e luxuosa dos ateliês de Paris. Os alfaiates londrinos Redfern & Sons aplicaram os princípios da alfaiataria masculina aos trajes informais femininos para criar uma versão mais curvilínea do *tailormade*. Esses conjuntos eram confeccionados em tecidos grossos como lã xadrez ou tweed espinha de peixe, mas sua urbanização no século XX passou a exigir materiais mais leves, entre os quais a sarja no inverno e o linho no verão.

As mulheres ganhavam cada vez mais oportunidades de usar os talentos de organização adquiridos na gestão do lar e começavam a entrar no mercado de trabalho como secretárias e administradoras. As saias na altura do tornozelo do *tailormade*, que aumentavam a liberdade de movimento, eram um uniforme prático para essas novas profissionais. Mais autônomas, e agora recebendo um salário, as mulheres se tornaram mais visíveis nas ruas das cidades ao se mover entre a casa e o local de trabalho, praticar esportes ou se dedicar à recém-surgida atividade de fazer compras em lojas

PRINCIPAIS ACONTECIMENTOS

1901	1903	1907	1908	1909	1909
Fim da era vitoriana. A moda feminina entra em uma nova fase, com ênfase no conforto e na praticidade.	A União Social e Política de Mulheres é fundada na residência da família Pankhurst, em Manchester. Ela apoia o uso da força militar para garantir o voto.	As bainhas sobem até o topo da botina com cadarço na altura do tornozelo, que em geral tem um pequeno salto cubano.	Ansiosa para realizar atividades físicas, a nova mulher entra na Olimpíada de Londres, competindo em vários esportes, como arco e flecha e tênis.	A Associação Americana de Alfaiates apresenta o terno sufragista em reação à introdução por Paul Poiret (1879-1944) da saia *hobble*, muito apertada, que restringia os passos.	O americano Harry Gordon Selfridge abre uma loja de departamentos no então pouco estiloso extremo ocidental de Oxford Street, em Londres.

de departamentos. Embora muitas dessas lojas tenham sido fundadas no período vitoriano, a maior liberdade social feminina aliada a um sistema de transportes mais eficaz possibilitou que as compras se tornassem uma atividade de lazer.

No início do século XX, as economias dos Estados Unidos e da Europa foram transformadas pela manufatura e venda no varejo dos produtos surgidos graças ao progresso e à inventividade industriais. Esse fenômeno de massa gerou novas formas de gastar e consumir. Pioneiros como Harry Gordon Selfridge reagiram ao novo status da mulher tornando as compras uma experiência prazerosa. Em Chicago, ele criou desfiles de moda e espetáculos de música; ao inaugurar sua loja londrina, em 1909, incluiu uma biblioteca e uma sala de escrita, assim como salas de recepção especiais para clientes franceses, alemães e americanos. A introdução de restaurantes e toaletes dentro das lojas permitiu às mulheres aumentarem o tempo das compras.

A invenção do automóvel trouxe inovações ao guarda-roupa da mulher moderna. O guarda-pó era um traje externo comprido e largo, feito de linho no verão e de lã ou tweed no inverno, quando muitas vezes era também debruado de pele. Usado para proteger as roupas da sujeira e poeira das viagens de carro, era usado com um chapéu para dirigir envolto em um véu de seda transparente amarrado sob o queixo (à esquerda). Durante a Primeira Guerra Mundial, as mulheres contribuíram de forma significativa para o esforço de guerra tanto no Reino Unido quanto nos Estados Unidos conduzindo diversos veículos para organizações voluntárias (ver p. 206). Seus uniformes eram inspirados no prático *tailormade*.

Como maior liberdade social exigia maior mobilidade física, por volta de 1908 o espartilho em forma de S deu lugar a uma silhueta mais suave e mais reta, resquício do estilo império (à direita). Espartilhos mais curtos e menos rígidos eram usados junto com "combinações", peça única que aliava uma blusa sem mangas e uma calcinha comprida introduzida pela primeira vez nos anos 1870 e confeccionada em meia-malha ou jérsei, novidade possibilitada pela franca ascensão das malharias. Essas mesmas manufaturas também começavam a produzir trajes externos de malha, e casacos ou jaquetas de malha às vezes eram usados no lugar das peças de alfaiataria. Em 1901, Pringle of Scotland acrescentou um debrum de renda ao decote de diversas peças íntimas femininas, como blusas, combinações e spencers (jaqueta curta), inicialmente usados sob o vestido para aquecer. Agora embelezado com renda, o spencer se tornou uma peça aceitável de uso externo e precursor da blusa com decote em V. Em lugar das usuais meias pretas de algodão surgiram ousadas meias cor de carne, que proporcionavam um aspecto de pele nua. Esses desenvolvimentos e inovações representaram uma mudança significativa na evolução rumo a roupas práticas para o novo século, antecipando de certa forma, em seu liberalismo e praticidade, a futura emancipação tanto física quanto política da população feminina, na qual a Primeira Guerra Mundial também iria desempenhar seu papel. **MF**

1

2

1 Este estilo prático de traje feminino (um sobretudo de proteção e um chapéu para dirigir) foi introduzido quando o automóvel se tornou mais popular (1908).

2 Mulheres modernas combinam com sucesso elegância e praticidade; do *Le Journal des Demoiselles* (1915).

1910	1910	1912	1913	1914-1918	1918
Edmund Wade Fairchild cria nos Estados Unidos a revista comercial *Women's Wear Daily* como suplemento do *Daily Trade Record*.	O fabricante de malhas escocês Pringle of Scotland cria um departamento de casacos de malha.	Tentando atrair atenção para seu combate pela emancipação, as sufragistas destroem as vitrines das principais lojas de departamentos do West End londrino.	A americana Mary Phelps Jacob (1891-1970) inventa o primeiro sutiã sem barbatana e vende a patente para Warner, fabricante de roupas de baixo.	A mobilização industrial feminina contribui para o esforço de guerra.	Mulheres acima dos 30 anos conquistam o direito ao voto no Reino Unido.

Uniforme da Corporação Motorizada 1914-1918

UNIFORME DE GUERRA FEMININO

NAVEGADOR

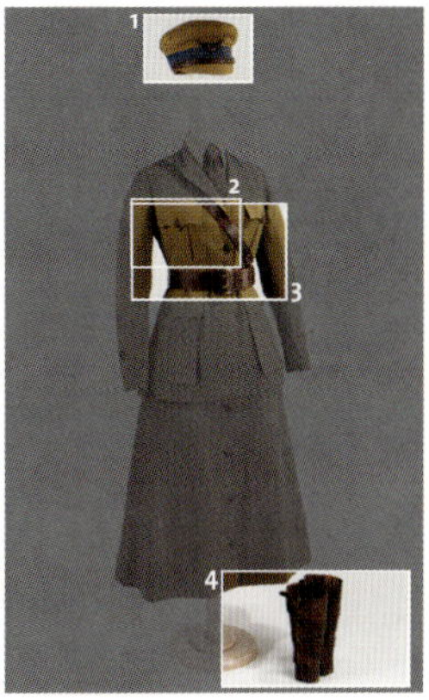

A Primeira Guerra Mundial envolveu todas as grandes potências mundiais, inclusive os Estados Unidos, que entraram no conflito em 1917. O esforço voluntário maciço gerado pela guerra deu às mulheres a oportunidade de exercer e desenvolver suas habilidades. Uma das novas formas de trabalho voluntário surgida com a guerra foi a Corporação Motorizada Feminina dos Estados Unidos. Após a invenção do automóvel, dirigir passou a ser uma forma de possibilitar a participação feminina no esforço de guerra. O uniforme da corporação imitava o do Exército americano, mas as voluntárias de classe média e alta, instruídas e profissionais, usavam uniformes feitos sob encomenda; o exemplo ao lado foi feito sob medida na refinada loja de departamentos nova-iorquina Franklin Simon and Company, fundada em 1902.

O corte do conjunto de duas peças segue as linhas do já popular *tailormade*, mas este é confeccionado em gabardina de lã verde-militar em vez de tweed e tem botões militares feitos de metal, e não de osso ou couro. O conjunto é usado por cima de uma leve camisa de algodão verde-oliva, de gola alta e com um bolso abotoado na frente. A gravata de malha tubular marrom e verde completa a réplica do uniforme masculino. Os quatro espaçosos bolsos chapados do casaco se somam a outros dois na saia abotoada e levemente evasê que vai até as canelas. A severidade da alfaiataria é realçada pelo largo cinto de couro Sam Browne. **MF**

PONTOS FOCAIS

1 QUEPE
Tem uma copa funda para comportar os cabelos, que eram escondidos sob o quepe ou presos na nuca, além de uma aba arredondada estreita e rígida e de uma fita azul à qual era presa a insígnia da corporação.

3 CINTO SAM BROWNE
O largo cinto de couro é sustentado por uma correia de feitio semelhante cruzada na diagonal sobre o ombro direito, com alças para prender acessórios. Seu nome vem de um oficial do Exército britânico que serviu na Índia no século XIX.

2 BOLSOS ESPAÇOSOS
A parte superior do casaco e a saia exibem os típicos bolsos expansíveis geralmente vistos em uniformes militares. O bolso é aplicado ao exterior da roupa e tem uma prega para permitir que se expanda.

4 PERNEIRAS DE PROTEÇÃO
As perneiras de couro marrom eram usadas por cima de botinas e imitavam a mais usual *puttee* de tecido (uma corruptela da palavra hindi *patti*), uma faixa comprida e estreita enrolada em espiral bem apertada em volta da perna para proporcionar estabilidade e proteção.

A ARTE DA ILUSTRAÇÃO DE MODA

1 O radicalmente experimentalista *couturier* Paul Poiret divulgou seu trabalho com ilustrações assinadas por Paul Iribe em uma edição exclusiva, *Les Robes de Paul Poiret* (Os vestidos de Paul Poiret, 1908).

2 A estilização da silhueta e o formato achatado são típicos de Georges Lepape nesta impactante capa para a publicação americana *Vanity Fair* (1919).

A ilustração de moda foi reconhecida como forma de arte pela primeira vez em 1908, quando o *couturier* francês Paul Poiret (1879-1944) convidou o jovem gravurista Paul Iribe para ilustrar seus modelos de vanguarda para uma pequena publicação promocional chamada *Les Robes de Paul Poiret* (Os vestidos de Paul Poiret, acima). Anteriormente, a ilustração se atinha à representação das roupas, com os modelos congelados em poses irreais contra um fundo falso de colunas neoclássicas ou vegetação artificial conhecido como "espinafre". As imagens saíam em diversas revistas femininas para ilustrar os modelos da moda, ou então eram combinadas a moldes gratuitos. A edição limitada de Poiret afastava-se radicalmente da tradição novecentista de realismo romântico vista em publicações francesas e inglesas como *La Galerie des Modes* ou *The Lady's Magazine*. Caracterizadas por silhuetas simples, linhas fluidas e cores vibrantes, as imagens de Iribe para os trajes de Poiret deram início a uma redefinição da ilustração de moda.

O distanciamento da representação e da minúcia dos detalhes em direção a essa

PRINCIPAIS ACONTECIMENTOS

1908

Paul Iribe é contratado pelo *couturier* Paul Poiret para criar ilustrações de seus vestidos.

1911

Edna Woolman Chase é nomeada chefe de redação da *Vogue* americana e a torna líder inconteste das revistas de moda.

1911

A *couturière* Jeanne Paquin contrata Iribe, Georges Lepape e George Barbier para criar um portfólio de seus modelos, *L'Eventail et la fourrure chez Paquin* (O leque e a pele nas criações de Paquin).

1912

Publicação de *La Gazette du Bon Ton*, colaboração singular entre *couturiers*, artistas e editores.

1912

Os renomados artistas de capas George Wolfe Plank e Helen Dryden entram para a equipe da *Vogue* americana.

1913

Condé Nast compra a revista de moda masculina *Dress* e a relança no ano seguinte como uma revista de sociedade chamada *Vanity Fair*.

nova abordagem modernista, com imagens ousadas e estilizadas, prenunciou uma era em que a ilustração de moda não apenas comunicava as novas tendências, mas também encarnava os movimentos artísticos em voga ao mesmo tempo que ilustrava o arquétipo de beleza feminina dominante. A mais óbvia influência dessa época não era pictórica, mas teatral: o surgimento em Paris do Ballets Russes de Diaghilev, em 1909, com seus extravagantes e bizarros cenários e figurinos assinados por Léon Bakst (1866-1924). Os espetáculos de inspiração oriental do balé influenciaram todos os aspectos da moda e do design de interiores, simbolizados pelo exotismo colorido de Poiret. Em 1911, este publicou um segundo álbum de modelos, *Les Choses de Paul Poiret* (As coisas de Paul Poiret), ilustrado por Georges Lepape. Os personagens de modos extravagantes e silhuetas e gestos alongados foram influenciados pela obra de Amedeo Modigliani e pelos primeiros bronzes de Henri Matisse. Na década de 1920, Lepape ilustraria também várias capas da *Vogue* e da *Vanity Fair* (à direita). Sua simplicidade ousada e suas formas achatadas definiam a silhueta esguia e longilínea de um novo fenômeno: a melindrosa (ver p. 239).

À medida que as tendências de moda se aceleravam com a implementação de processos de produção mais rápidos e sofisticados, as revistas de moda se tornaram fundamentais para a disseminação dos modelos a um público cada vez mais amplo. Precursora da revista de moda moderna, *La Gazette du Bon Ton* foi lançada em 1912 pelo editor francês Lucien Vogel em colaboração com seu cunhado Michel de Brunhoff, futuro editor da *Vogue* francesa. Vogel iniciou a carreira como diretor de arte de diversas publicações antes de ter a ideia de criar uma revista que não fosse só uma vitrine para o talento de diversos artistas, mas que ilustrasse também os modelos de sete maisons: Poiret, Doucet, Paquin, Chéruit, Redfern, Doeuillet e Worth, com os quais a revista assinou contratos de exclusividade.

Os artistas publicados em *La Gazette* incluíam Paul Iribe, Jean Besnard, Bernard Boutet de Monvel, Pierre Brissaud, A. E. Marty, George Barbier, Charles Martin e Georges Lepape. Conhecido pelo apelido satírico de Beaux Brummells ou "Cavaleiros da Pulseira", o octeto havia estudado junto na École des Beaux-Arts de Paris. Sua obra caracterizou um movimento que proporcionava uma visão realista das atividades das classes abastadas. Os títulos incluíam "A primeira flor do jardim", que mostrava uma criancinha estendendo um pequeno buquê de flores para a mãe vestida por Doeuillet.

Cada edição de *La Gazette du Bon Ton* tinha várias ilustrações de modelos (conhecidas como croquis) e até 10 gravuras de página inteira impressas com estêncil em caro papel japonês feito à mão. As gravuras eram produzidas de forma artesanal segundo um processo baseado em uma técnica japonesa e aprimorado pelo gravurista francês Jean Saude, na qual camadas de cores em tinta guache se sobrepõem umas às outras. *La Gazette* foi publicada de 1912 a 1914, e depois de 1920 a 1925, quando foi extinta. Nascido nos Estados Unidos, o editor Condé Montrose Nast, cujo nome apareceu pela primeira vez no expediente da *Vogue* americana como dono em junho de 1909, adquiriu o controle da revista nos primeiros dias da Primeira Guerra Mundial.

1915	1916	1919	1920	1921	1925
Erté consegue seu primeiro trabalho importante para a *Harper's Bazar*, revista para a qual iria ilustrar mais de 200 capas.	Lançamento da edição britânica da *Vogue*, com o britânico William Wood acumulando as funções de dono, diretor e chefe de redação.	Paul Iribe se muda para Nova York e é publicado na *Vogue* americana.	O primeiro exemplar da *Vogue* francesa sai em 5 de junho com Cosette Vogel como editora.	*L'Illustration des Modes*, publicada pela família Vogel, entra na lista de Condé Nast com o título *Jardin des Modes*.	A Exposição Internacional da Indústria e da Arte Decorativa Modernas é aberta em Paris e atrai mais de 16 milhões de visitantes.

3 O chapéu toque de pele e o volumoso casaco são retratados por Helen Dryden para a capa da edição natalina da *Vogue* americana (1920) com simplicidade nas formas e sentimentalismo no tema.

4 A composição simples de Eduardo Benito exprime a velocidade e a urgência da Era do Jazz e a influência cubista em um anúncio de botas de inverno com definição precisa (1929).

5 A primeira capa de Carl Erickson, ou "Eric", para a *Vogue* americana (1930) apresenta um conceito de traço e forma mais suave e fluido, mas mantém o estilo refinado e a elegância da época.

Cronista da sociedade elegante, Condé Nast foi pioneiro no conceito de uma revista de circulação limitada, com público-alvo abastado, que fosse em si um objeto de desejo. Suas revistas promoveram movimentos de vanguarda na arte, fotografia, literatura e moda, em uma contextualização singular da cultura. A edição americana da *Vogue* – publicada pela primeira vez em 1892 – contratou ilustradores renomados nos Estados Unidos como Helen Dryden, que realizou muitos trabalhos característicos para a revista (acima). Seu estilo remetia um pouco ao romantismo ingênuo da ilustradora infantil Kate Greenaway, bem como a George Wolfe Plank, importante protagonista de um estilo influenciado por ilustradores como Edmund Dulac, Arthur Rackham e Alphonse Mucha.

Quando a edição francesa da *Vogue* foi lançada, em 1920, aspectos modernistas da pintura estabelecidos desde antes da Primeira Guerra Mundial, como o cubismo, o expressionismo, o futurismo e a abstração, começaram a aparecer nas revistas de moda. Em meados da década de 1920, o viés fantasioso dos ilustradores americanos Dryden e Plank deu lugar a trabalhos da "escola francesa", da qual faziam parte Lepape e o espanhol Eduardo García Benito. Com suas figuras simples e simbólicas, este último representou graficamente o espírito da Era do Jazz (à direita, em cima). As silhuetas esculpidas, sobrancelhas muito arqueadas, olhos puxados, pequenas bocas de querubim e cortes de cabelos curtos afunilados na nuca refletem a influência do escultor romeno Constantin Brancusi e obras como *Musa adormecida* (1910) ou a arte primitiva de *Les Demoiselles d'Avignon* (1907), de Pablo Picasso.

Fascinados pelo ideal hollywoodiano, tanto Lepape quando Benito ilustravam capas nas quais se podia ver o perfil urbano de Manhattan, limusines intermináveis e vestidos frente única no estilo minimalista e longilíneo típico do período art déco, movimento que ganhou força na área do design durante a Exposição Internacional da Indústria e da Arte Decorativa Modernas em Paris, em 1925.

No início dos anos 1930, um novo realismo surgiu com a abordagem observadora do trabalho do ilustrador americano Carl Erickson, que assinava "Eric" e fez sua primeira capa da *Vogue* em 1930 (à direita, embaixo). Em primeiro lugar um artista, ele retratou a mudança do ideal da estilizada melindrosa por uma elegância feminina e realista, com uma fluida economia de traços. Seu estilo tinha mais relação com as linhas naturais e fluidas de Edgar Degas do que com as linhas geométricas do cubismo, estética que tornou obsoleta a ousadia gráfica de Benito. Seu rival mais próximo foi o francês René Bouët-Willaumez. Juntos, os dois transformaram o conceito da capa da *Vogue* que, a essa altura, já estava subordinada ao conteúdo da revista, e não tinha mais status de obra de arte em si.

Rival da *Vogue*, a *Harper's Bazar* (rebatizada *Harper's Bazaar* em 1929) foi lançada pela Harper & Brothers e comprada em 1912 pelo magnata da imprensa americana William Randolph Hearst. Em 1915, a revista assinou um contrato exclusivo com o ilustrador de moda russo Erté (Romain de Tirtoff, 1892-1990), colaboração que iria durar até 1938. Único estilista a ilustrar os próprios modelos (ver p. 212), Erté criou a primeira capa para a revista em 1915, retratando o exotismo flagrante do período. O advento do modernismo em meados da década de 1920, porém, tornou seus trabalhos inadequados à nova simplicidade e androginia dos modelos da época.

A rivalidade entre as duas principais revistas de moda do período, *Vogue* e *Harper's Bazar*, se intensificou quando o pioneiro fotógrafo de moda Adolphe de Meyer foi roubado da *Vogue* por Hearst em 1922, acarretando uma ênfase maior no uso da fotografia nas páginas da revista. Depois disso, outro talento da *Vogue*, Carmel Snow, foi promovido a editor-chefe da então rebatizada *Harper's Bazaar* em 1932. A essa altura, o estilo etéreo de Meyer, baseado em fotos de estúdio, luz artificial e lentes cobertas por gaze, começou a perder força, e ele foi usurpado pelo gênio do design gráfico Alexey Brodovitch, nascido na Rússia e radicado na França, nomeado diretor de arte da revista por Snow em 1934. Ao longo de sua carreira na *Harper's*, Brodovitch revolucionou o design de revistas com seu uso inovador dos espaços em branco e sua organização cinematográfica do layout, muitas vezes usando a técnica de cortar a figura humana em vez de mostrar a peça inteira, que se tornou sua marca registrada. O formato do texto era manipulado por Brodovitch para refletir as formas de uma determinada foto ou ilustração.

Embora nos anos 1930 a demanda por ilustradores nas principais publicações das três capitais da moda – Nova York, Paris e Londres – tenha permanecido alta, o uso da ilustração começou a enfrentar o desafio dos trabalhos de fotografia de Edward Steichen, Horst P. Horst, George Hoyningen-Huene, Cecil Beaton e Man Ray. O conteúdo editorial e publicitário das revistas passou a divergir: os anunciantes dependiam da ilustração para vender seus produtos, enquanto as imagens fotográficas se limitavam às páginas de moda, em especial às capas. As primeiras fotos de capa coloridas para a *Vogue* feitas por Edward Steichen foram publicadas em 1932, e em 1936 os editores concluíram que uma capa com foto vendia mais do que uma capa ilustrada. A partir daí, o trabalho de artistas e fotógrafos passou a ser usado conjuntamente no corpo editorial da revista, e essa ênfase só viria a mudar depois de 1950, quando o uso da fotografia se tornou preponderante. **MF**

Ilustração de moda para a *Harper's Bazar* 1919

ERTÉ 1892-1990

Novas pontes para os sete mares (1919), de Erté, para a *Harper's Bazar*.

NAVEGADOR

O estilista e ilustrador Erté foi o maior expoente da extravagante teatralidade e da fantasia presentes na moda no período entre a Primeira Guerra Mundial e a segunda metade da década de 1920. Sua primeira capa para a revista de moda americana *Harper's Bazar* foi publicada em 1915, e o estilista teve total autonomia em relação ao tema, podendo assim dar asas à imaginação e criar arquétipos femininos como a sereia, a *ingénue*, a princesa assíria e a rainha egípcia. Único ilustrador da época a representar os próprios modelos, Erté assinava roupas que se distinguiam pelo exotismo sensual e pela parafernália do excesso: franjas, borlas, imensos arranjos de cabeça, bordados metálicos e peças inteiras feitas com fieiras de pérolas ou miçangas.

A única exigência de Erté para ilustrar suas capas era assinar quatro que fossem relacionadas às diferentes coleções: uma na primavera, uma no outono, e duas dedicadas respectivamente às peles e aos cosméticos. A ilustração de capa para a edição de março de 1919 tem por título *Novas pontes para os sete mares*. Embora o contrato de Erté com a *Harper's Bazar* tenha perdurado até 1938, a partir de 1926 o advento do modernismo tornou seus modelos fora de moda no contexto das novas simplicidade e androginia então em voga. Suas capas passaram a não representar mais suas próprias ideias, mas sim a refletir a influência do cubismo e do movimento art déco. **MF**

PONTOS FOCAIS

1 CORPETE E TOUCA PRESOS
A ilustração tem um tema futurista, também evidente nos vários elementos do vestido. Por baixo do drapejado, este é estruturado como um corpete utilitário preso a uma touca justa que lembra um capacete de piloto.

2 PÁSSAROS FUTURISTAS
O estilo futurista da ilustração é reforçado pela representação dos pássaros como aviões, descritos por Erté como "grandes instrumentos de progresso", e da figura vestida de dourado "de frente para a aurora de uma nova era mundial".

3 SILHUETA DRAPEJADA
A personagem tem uma peça de tecido estampado enrolada nos quadris. O pano se estende por cima de um dos ombros antes de cascatear até o chão formando dobras luxuriantes e volumosas cuja representação é repetida nas nuvens à sua frente.

PERFIL DO ESTILISTA

1892-1922
O ilustrador conhecido como Erté (pronúncia afrancesada de suas iniciais, "R.T.") nasceu Romain de Tirtoff em 1892 e mudou-se para Paris em 1912 para seguir a carreira de estilista. De 1913 a 1914, foi aprendiz do *couturier* Paul Poiret antes de assinar um contrato exclusivo com a revista americana *Harper's Bazar*, para a qual criou mais de 200 capas.

1923-1990
Os trabalhos de Erté para o teatro incluíram figurinos, cenários e programas para a Ziegfeld Follies em 1923, e em 1925 Louis B. Mayer o convidou para ir a Hollywood, onde o estilista criou figurinos para filmes como *Ben Hur* (1925), com Joan Crawford e Norma Shearer. O trabalho de Erté foi redescoberto em 1967, e o estilista se tornou crucial para o revival art déco dessa época.

LUXO E DECADÊNCIA ORIENTAIS

1 Tamara Karsavina estrela a produção de *O pássaro de fogo* de Stravinski pelo Ballets Russes, coreografada por Mikhail Fokine. Os figurinos são assinados por Léon Bakst e Aleksander Golovin (1911).

2 Um estudo em aquarela de Léon Bakst para um dos figurinos (1908) de *Salomé* retrata o bailarino em pleno voo.

3 Essa ilustração de moda mostra o vestido "Dione", desenhado por Léon Bakst e fabricado por Jeanne Paquin (1913).

Na primeira década do século XX, a moda ocidental voltou sua atenção para o Oriente e começou a absorver uma linguagem de inspiração oriental que se transferiu das fantasias de dança para o estilo cotidiano das mulheres em geral. Havia tempo que tendências e tecidos já refletiam a influência estética da Ásia ocidental, partes da África, China, Japão, Micronésia e Índia. À medida que os projetos imperiais e as relações comerciais da Europa ocidental se expandiram, porém, as roupas se tornaram um dos reflexos mais visíveis dessa expansão. Nos primeiros anos do século, convenções estéticas e de estilo de diversas partes do mundo foram adotadas por artistas com estreita relação com o mundo da moda, e em seguida pelos próprios estilistas. O resultado pôde ser visto em várias manifestações culturais, das lojas de departamentos de nível médio ao teatro e à dança de vanguarda.

A pessoa mais intimamente associada à introdução da influência do chamado

PRINCIPAIS ACONTECIMENTOS

1909	1910	1911	1911	1912	1912
O Ballets Russes estreia sua primeira produção em Paris, com coreografia de Sergei Diaghilev.	O Ballets Russes estreia *Sherazade*, baseado em *As mil e uma noites*, com figurinos de Léon Bakst.	Paul Poiret apresenta a calça "odalisca" (*jupe-culotte*) como parte de seu novo "estilo sultana".	Poiret realiza sua Festa da Milésima Segunda Noite, com mais de 300 convidados usando fantasias de inspiração persa.	A *Vogue* americana publica um artigo sobre os "estilos do harém" intitulado "Adaptação parisiense das modas orientais".	O figurinista Léon Bakst colabora com a *couturière* Jeanne Paquin em uma coleção baseada nas produções de inspiração oriental do Ballets Russes.

"Oriente exótico" no mundo da moda é Léon Bakst (1866-1924), figurinista e cenógrafo da revolucionária companhia de dança Ballets Russes, fundada por Sergei Diaghilev. O grupo que deu origem à companhia era formado por artistas russos, originalmente baseados em São Petersburgo, que trabalhavam juntos havia muitos anos no coletivo Mundo da Arte. Essa organização foi fundamental para a promoção de artistas russos de talento junto ao público ocidental, além de popularizar pintores experimentais do Ocidente na Rússia. Bakst se encaixou feito uma luva nesse grupo interessado em ampliar as fronteiras da arte e borrar a distinção convencional entre belas-artes e ofícios artesanais. Embora não tivesse formação de bailarino, Diaghilev se tornou o célebre coreógrafo do Ballets Russes; para ele, essa manifestação artística era um terreno fértil para a elaboração de novas filosofias estéticas, entre as quais o conceito defendido pelo Mundo da Arte de uma forma artística única, unificada e integrada.

O Ballets Russes estreou sua primeira produção em Paris em maio de 1909, e desde a primeira apresentação causou sensação – e controvérsia. A companhia devia seu renome às experimentações com a música atonal, aos temas sensuais e muitas vezes eróticos, aos estilos de dança não convencionais e aos efeitos de saturação visual (à esquerda) evidentes em todos os aspectos da produção, inclusive figurinos e cenografia. Foi nessas duas áreas que Bakst deu sua contribuição; ele já havia feito experimentações de cenografia em São Petersburgo, e Diaghilev o integrou à companhia em 1910. Bakst trabalhava tanto nos cenários quanto nos figurinos, criando assim um efeito geral integrado. Seus desenhos para os figurinos tinham a tendência pouco usual de captar os bailarinos em movimento (à direita, em cima), aumentando a sensação de vitalidade e exuberância associada a suas criações. Essa energia se refletia também nas estampas grandes e ousadas – inspiradas por motivos russos, balcânicos e "orientais" – que eram sua marca registrada. Isso se devia ao uso de grandes extensões de tecido e roupas com estruturas planas, unidimensionais, feitas para exibir as estampas. O trabalho de Bakst também se destaca pela saturação de cores e pela sensação generalizada de excesso, obtida com a incorporação de formas art nouveau.

Os ricos figurinos desenhados por Bakst estavam também diretamente relacionados aos temas das produções da companhia; desde o início, o Ballets Russes explorou temas orientais e montou espetáculos de inspiração oriental como *Sherazade* (1910, uma releitura de *As mil e uma noites*), *Cleópatra* (1909) e *O deus azul* (1912, inspirado na mitologia hinduísta). Uma das contribuições notáveis de seus desenhos foi a integração de temas diferentes: ele não usava elementos orientais isolados, e tampouco buscava representá-los de forma pura; pelo contrário, combinava elementos de indumentária da Ásia ocidental, África do Norte e Índia com padronagens russas, linhas inspiradas na Grécia antiga e tendências visuais contemporâneas de vanguarda, produzindo assim um estilo teatral e luxuosamente decadente.

A influência artística de Bakst e do Ballets Russes não se limitou aos figurinos de dança. Seu ethos criativo tinha algumas importantes características em comum com a criação de alta-costura, e o próprio Bakst desenhou para a *couturière* Jeanne Paquin (1896-1936; à direita) e a pequena casa de design Trois Quarts no início dos anos 1910. Ambos os trabalhos refletiam a mesma fusão luxuosa, decadente e integradora

1913	1919	1920	1920	1922	1923
Poiret desenha os figurinos da peça *Le Minaret* (O minarete), de Jacques Richepin, entre os quais a túnica "abajur".	A loja de departamentos do Brooklyn Abraham & Straus realiza a promoção "Semana da Blusa" para vender peças de inspiração oriental.	Stuart Culin torna-se editor colaborador da *Women's Wear Daily* e influencia o conteúdo da revista com seu conhecimento sobre moda oriental.	Jessie Franklin Turner desenha pela primeira vez o vestido Pássaro mogol, inspirado em uma estampa histórica da ave indiana conhecida como *mynah*, congênere do estorninho.	A influente Exposição Colonial acontece na França, com objetos e roupas de todas as colônias francesas.	A atriz e produtora Alla Nazimova lança sua adaptação para o cinema de *Salomé*, de Oscar Wilde, produção visualmente rica com estilo de inspiração oriental.

de elementos de seus figurinos de dança. Outros costureiros ocidentais fizeram experimentos com fusões semelhantes, e o estilista espanhol Mariano Fortuny (1871-1949) conduziu extensas pesquisas sobre fabricação de tecidos e técnicas de drapejamento de outras culturas para criar coleções de peças e vestidos parecidos com cafetãs inspirados nos trajes da Grécia antiga (à esquerda; ver p. 220). De fato, criadores importantes passaram a explorar uma importante confluência de estilos – sempre inspirada na Antiguidade clássica, aparentemente considerada exótica e atraente da mesma forma que o "Oriente" imaginado –, assim como a silhueta sem espartilho vista na companhia de balé, que proporcionava aos bailarinos a necessária liberdade de movimentos.

O criador de moda francês Paul Poiret (1879-1944), conhecido por seus contemporâneos como "Rei da Moda", foi o mais célebre *couturier* a demonstrar fascínio pelo Oriente nas primeiras décadas do século XX. Em 1906, ele criou a silhueta diretório, inspirada nos contornos em formato de coluna sem espartilho do período revolucionário francês, que era por sua vez baseado na indumentária grega antiga. Esse uso de fontes de influência helenista preparou e contextualizou a guinada generalizada de Poiret em direção aos modelos orientais, ocorrida na esteira dos figurinos de Bakst para o Ballets Russes e da popularização desse tipo de efeito graças a seu trabalho na companhia. Em 1911, Poiret reagiu à nova voga de atração francesa pelo orientalismo iniciada por Bakst lançando a calça "odalisca", seguida em 1913 pela chamada túnica "abajur". Ambas as peças faziam referências explícitas a elementos de estilo da Ásia ocidental e África do Norte, e introduziam o uso mais ousado das cores. Em 1913, Poiret também desenhou os figurinos para uma peça de Jacques Richepin intitulada *Le Minaret* (O minarete), concebida na veia das produções de inspiração oriental do Ballets Russes. Sua incursão nesses estilos, assim como muitas empreitadas similares, foi profundamente influenciada por elementos fantasiosos e refletiu a já antiga preocupação com um "Oriente" fantástico e imaginário que servisse de contraponto às estruturas da sociedade ocidental. Poiret é conhecido também por ter reintroduzido o turbante (abaixo) na sociedade elegante como acessório do vestuário feminino. Versátil adereço de cabeça, o turbante podia ser amarrado de múltiplas formas e enfeitado ainda mais com joias ou plumas para ser usado à noite.

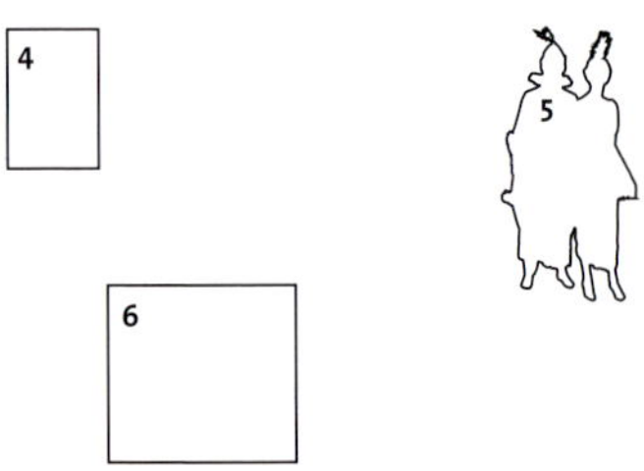

4 A atriz e bailarina francesa Regine Flory usa um vestido de seda plissado de Mariano Fortuny (*c.*1910) inspirado nos drapejados dos antigos trajes gregos.

5 Essas fantasias, adornadas com pérolas falsas, peles negras, plumas de *aigrette* e bordados de ouro, foram desenhadas por Paul Poiret e usadas em sua célebre festa de 1911.

6 Um esboço de Erté mostra uma volumosa calça de odalisca usada com um turbante de joias e uma pluma alta.

Em 1911, Poiret organizou sua célebre Festa da Milésima Segunda Noite, melhor exemplo do uso do Oriente supostamente luxuoso e decadente como parque de diversões para os desejos ocidentais. O lauto evento tinha como objetivo promover seus novos modelos (à direita), que chamavam atenção pelas ricas ornamentações e pela originalidade, bem como construir a imagem de sua maison em torno da opulência, do luxo e da fantasia que o tema da festa destacava. Poiret controlou de perto todo o evento, e chegou a mandar instruções detalhadas para cada convidado indicando exatamente que fantasia exagerada este deveria usar. Centenas de artistas, estilistas, bailarinos e membros da elite parisiense compareceram à festa, todos usando roupas que refletiam a estética associada à era de ouro do Islã. O evento talvez tenha sido o melhor exemplo da forma como o vestuário e a moda de inspiração oriental foram integradas a uma estética generalizada; Poiret, que também desenhava móveis, criou não apenas as roupas, mas todos os elementos da festa. Nesse universo da alta sociedade, os estilos de inspiração oriental se tornaram parte de uma concepção mais ampla de estilo de vida.

A alta-costura (*haute couture*) e a vanguarda artística não foram os únicos círculos a fazer experimentações com os estilos do Oriente. No fim dos anos 1910 e início dos 1920, os Estados Unidos manifestaram um forte interesse por estilos globais diferentes, inspirado em pesquisas acadêmicas e desdobrado em empreitadas comerciais. Stuart Culin, então curador do Broolyn Museum em Nova York, era um viajado antropólogo com interesses ecléticos pela cultura material. Durante suas viagens, ele acumulou uma riquíssima coleção de roupas e tecidos do mundo inteiro, com a qual viria a criar a coleção de indumentária do museu. Com a colaboração eventual de Morris de Camp Crawford (editor da *Women's Wear Daily* e autor de *One World of Fashion* [A moda mundo afora]), teve papel crucial na disseminação de estampas, cortes e outros elementos de estilo dessas peças, influenciando o trabalho de muitos estilistas americanos que criavam modelos a preços acessíveis; foi assim que a inspiração oriental na moda encontrou um público de massa americano.

Jessie Franklin Turner (1881-1956) foi estilista da loja de departamentos nova-iorquina Bonwit Teller de 1916 a 1922 e seguiu assinando modelos durante a década de 1940. Suas roupas são mais conhecidas por incluir motivos e formatos da indumentária das regiões ocidental e sul da Ásia (ver p. 218). De fato, a Bonwit Teller e outras lojas de departamentos lideraram a difusão de estilos de influência oriental; a Abraham & Straus, loja de nível mediano no Brooklyn, organizou em 1919 uma "Semana da Blusa" na qual exibiu em suas vitrines blusas e túnicas históricas da coleção do Brooklyn Museum, além de vender sua própria linha de peças inspiradas nas criações do museu, que acompanhavam as silhuetas e estilos em voga naquela temporada. Iniciativas como essa confirmam o apelo de massa dos estilos de inspiração oriental e o modo como seus motivos e técnicas adquiriram uma nova vida quando impulsionados pelo comércio.

O marcado interesse da moda pelo Oriente está longe de ter sido um fato isolado. Em todas as artes criativas, muitos artistas fizeram pesquisas e experiências com fontes vindas de culturas variadas. Assim como o recém-criado cinema, que começou a explorar temas similares na década de 1910, a moda teve um alcance extenso, de visibilidade espetacular. As roupas e a indumentária – das acessíveis às mais opulentas – garantiram que o interesse pelo luxo oriental atingisse diversas camadas sociais e ajudaram a transformar a linguagem visual de inspiração oriental em um movimento estético acessível e de fácil leitura. **IP**

Vestido de chá *c.1925*

JESSIE FRANKLIN TURNER 1881-1956

NAVEGADOR

O trabalho de Jessie Franklin Turner entre meados da década de 1910 até o fim da Segunda Guerra Mundial conquistou muita atenção e a fez ser reconhecida como uma das poucas estilistas americanas criadoras de tendências no entreguerras. Este lindo vestido laranja é um belo exemplo da integração de elementos do vestuário mundial com o estilo americano contemporâneo.

Turner tinha uma relação profissional com Stuart Culin – do Brooklyn Museum de Nova York – e com Morris de Camps Crawford – da *Women's Wear Daily* –, especialistas em trajes típicos de diversas culturas e ávidos colecionadores. Ambos ajudaram a apresentá-la às diversas tradições de indumentária que influenciaram seu trabalho por muitas décadas, sobretudo nos anos 1920, quando havia um grande apetite por estilos de inspiração oriental. Pesquisadora dedicada, Turner passava um tempo considerável na biblioteca e na nascente coleção de roupas do Brooklyn Museum, onde achou pela primeira vez uma blusa uzbeque com estampa de pássaro incorporada à parte de cima deste vestido e de outras peças. A coleção do Brooklyn Museum (hoje no Metropolitan Museum of Art, em Nova York) tem três peças com este mesmo motivo. Turner não só desenhou a estampa como também mandou fabricar o tecido. **IP**

PONTOS FOCAIS

1 ESTAMPA DE PÁSSARO
Esta estampa foi criada diretamente a partir de uma túnica preta e branca de Bukhara (no Uzbequistão) da coleção do Brooklyn Museum. Turner usou o mesmo motivo em várias peças, embora em algumas os pássaros estivessem mais juntos do que nesta.

2 CONTRASTE ENTRE TECIDOS
A linha entre as partes lisa e estampada do vestido lembra a cintura baixa dos vestidos do final dos anos 1920. Ela foi confeccionada numa época em que a silhueta dos vestidos da moda se alongava e ficava mais sinuosa.

PERFIL DA ESTILISTA

1881-1921
Jessie Franklin Turner teve impacto na moda americana, mas pouco se sabe sobre sua vida. Criada no Meio-Oeste americano, trabalhou em uma pequena loja de departamentos. Sua primeira área de especialização foi a lingerie. Em 1916, Turner se transferiu para a influente loja de departamentos Bonwit Teller, onde permaneceu durante os anos de estreita colaboração da casa com o Brooklyn Museum, quando a loja serviu de vitrine para modas de inspirações vindas do mundo todo.

1922-1956
Turner começou a criar estilos próprios quando ainda estava na Bonwit Teller. Abriu sua primeira casa em 1922, e os estilos de inspiração oriental eram o forte de seu negócio. A partir desse ano, passou a anunciar em revistas como a *Vogue*; o marketing enfatizava a qualidade das roupas e o fato de Turner criar os próprios tecidos. A estilista Elizabeth Hawes (1903-1971) elogiou a colega por não tentar reproduzir os estilos parisienses. Turner se aposentou da moda em 1942.

▲ Nesta foto, a bailarina inglesa Jean Barry aparece reclinada usando um vestido de chá de crepe branco com decoração de uvas e folhas na cintura criado por Jessie Franklin Turner em *c.*1931.

Cafetã de seda *c.1930*

MARIANO FORTUNY 1871-1949

NAVEGADOR

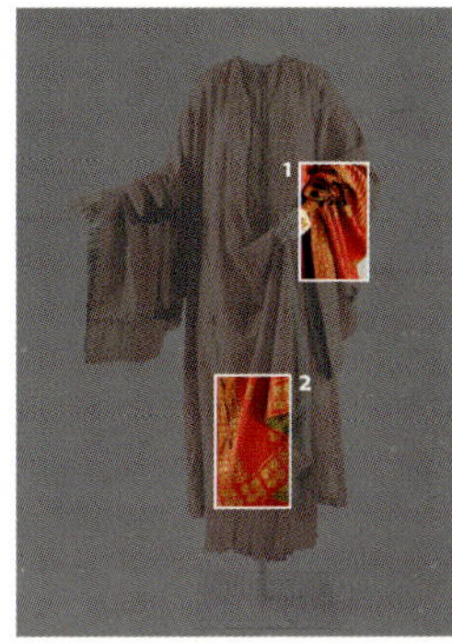

Este cafetã de seda de Mariano Fortuny é uma prova de seu profundo interesse e perícia com tecidos, formas e convenções de drapejamento de diferentes partes do mundo. O exemplo aqui mostrado é híbrido, e seus diversos elementos refletem influências de partes distintas do mundo, entre as quais África do Norte, China e Japão. A peça foi criada para ser usada como casaco à noite, e teria combinado bem com um dos típicos vestidos de Fortuny, cuja silhueta flexível, formato de coluna e cores saturadas repetem o efeito deste cafetã. O comprimento das mangas e o volume do tecido conferem a esta djallaba (robe largo, de mangas compridas) um ar fantasioso e exagerado que atraía os artistas de vanguarda, primeiros a popularizar o trabalho de Fortuny.

Excelente pesquisador e técnico, Fortuny sabia traduzir seu extenso conhecimento de formas culturais do vestir nas peças que produzia. A exemplo de outros estilistas que flertaram com influências orientais, ele tomou emprestadas as formas gregas antigas. Destas adveio seu trabalho mais conhecido, o vestido "Delfos", que exibia a técnica de plissagem por ele patenteada. A plissagem foi apenas uma das mais de 20 técnicas patenteadas por Fortuny; todas envolviam a ressurreição e reprodução de elementos vestimentares e têxteis históricos de várias partes do globo. O estilista desenvolveu sistemas de estamparia que tiravam vantagem das técnicas manuais e permitiam o acréscimo de brilhos e outros efeitos glamourosos. **IP**

PONTOS FOCAIS

1 MANGAS
As mangas deste cafetã têm vários rasgos realçados por botões de madeira. Fortuny toma emprestados elementos dos quimonos e vestidos do leste asiático para criar uma peça com o aspecto e a sensação de uma djallaba norte-africana, demonstrando assim seu conhecimento de estilos do mundo inteiro e sua capacidade de integrá-los de forma natural para criar uma nova estética. A manga esvoaçante confere à peça um efeito teatral.

2 ESTAMPA
A estampa dourada da djallaba lembra a influência otomana nos trajes norte-africanos. Do século XVI ao XVIII, os otomanos controlaram politicamente a região, e muitos de seus elementos podem ser vistos nas roupas das classes ricas e dominantes. Peças realçadas com dourado eram uma indicação de status. Os motivos botânicos geométricos estilizados da estampa são típicos dos efeitos estampados e bordados nos cafetãs de seda otomanos.

PERFIL DO ESTILISTA

1871-1900
Mariano Fortuny y Madrazo nasceu em Granada, Espanha, em uma família de artistas que foi para Paris quando ele era muito jovem e depois para Veneza em 1890, quando abriu seu ateliê. Uma extensa formação em química e física lhe deu uma base para experimentos posteriores com tingimento, plissagem e outras técnicas, levando às 22 invenções por ele patenteadas.

1901-1949
A contribuição de Fortuny para a moda adveio organicamente de seu trabalho no teatro. Seu conhecimento de história da arte e sua exposição aos mestres italianos em Veneza influenciaram seus modelos, produzindo uma atraente combinação de tradições para criar roupas atemporais. Fortuny aplicava técnicas múltiplas a uma única peça de tecido, e seu trabalho pouco mudou em comparação com o de outros estilistas. O vestido de chá que é sua marga registrada – para ser usado em casa – realçava as curvas naturais do corpo.

▲ Vestidos "Delfos" de seda plissada das décadas de 1930 e 1940 desenhados por Fortuny. Inspirados nos trajes da Grécia antiga, foram confeccionados a partir de *c.*1915 e eram usados sem espartilho.

VESTINDO-SE PARA A DEMOCRACIA

1 Coco Chanel (à esquerda) usa o pioneiro terninho de malha de três peças criado por ela e as fieiras de pérolas falsas que eram sua marca registrada; ao seu lado, Lady Abny (1929).

2 Os braceletes originais de cruz de malta incrustados com pedras de Coco Chanel foram desenhados por Fulco di Verdura em 1935.

3 Uma ilustração de moda tirada de *Art Goût Beauté* (1926) retrata a facilidade do vestir e a simplicidade do corte de Jean Patou e Lucien Lelong.

Revolucionária da moda, Gabrielle Bonheur Chanel, a "Coco" (1883-1971), desenhou roupas para a mulher moderna emancipada. Sua estética despojada e fácil de usar se adaptava com perfeição às necessidades e aos desejos de mulheres com participação ativa no novo século. O pioneiro terno de três peças de meia (acima), em especial, tornou-se um item obrigatório de qualquer guarda--roupa feminino. Composto por cardigã com bolsos chapados, saia e "pulôver" ou suéter, esses ternos eram confeccionados por teares circulares em um jérsei desenvolvido pela empresa têxtil francesa Rodier. Em 1916, Chanel transformou o humilde tecido em peças que davam liberdade de movimento, mas sem deixar de acompanhar as formas do corpo, descartando assim a silhueta espartilho da Belle Époque em prol do atletismo aerodinâmico da mulher contemporânea. À medida que os métodos de produção em massa se tornaram mais eficazes, o terno de três peças com cardigã tornou-se fácil de fabricar e as linhas simples eram fáceis de copiar, o que fez do conjunto a primeira roupa de massa democrática. Essas roupas fáceis de usar

PRINCIPAIS ACONTECIMENTOS

1910	1913	1916	1919	1919	1921
Chanel desenha e vende uma linha exclusiva de chapéus em uma pequena loja no número 21 da Rue Cambon, em Paris.	Chanel abre uma loja em Deauville, França, seguida por uma segunda em Biarritz, em 1915, para atender a rica clientela espanhola.	A primeira aparição impressa de Chanel é a ilustração de um vestido chemisier de sua coleção de Biarritz na *Harper's Bazar* americana.	Lucien Lelong funda a Maison Lelong em Paris.	Chanel se registra como *couturière* e funda sua maison no número 31 da Rue Cambon, em Paris.	Lançamento do Chanel nº 5. Criado por Ernest Beaux e com uma base de jasmim, é o primeiro perfume a levar o nome de uma estilista.

liberavam as mulheres dos serviços de uma criada, assim como o corte de cabelos Eton ou os cortes curtos em camadas do período desobrigavam os demorados serviços do cabeleireiro (ver p. 226).

A propensão para a simplicidade e o uso de tecidos utilitários por Chanel podem ser atribuídos às privações de sua criação humilde. Filha de mãe solteira, ela foi mandada para um orfanato antes de arrumar emprego de costureira aos 18 anos. Aos 23 tornou-se amante de um rico herdeiro da indústria têxtil, Etienne Balsan, que a ajudou a montar uma chapelaria. Em 1908, Chanel começou um caso com um dos amigos de Balsan, capitão Arthur Edward Capel, o "Boy", e com sua ajuda abriu uma loja em Deauville, quintal da elite francesa. Lá pôde oferecer seu singular estilo de elegância prática e despojada a uma elite aristocrática mais acostumada a comprar roupas de alta-costura.

Em 1923, um relacionamento com o duque de Westminster apresentou Chanel à aristocracia britânica. Seu estilo muito ligado à alfaiataria aguçou a inclinação da estilista por transformar os trajes esportivos masculinos em trajes diurnos elegantes para mulheres, bem como pelo uso de tecidos tipicamente britânicos como o tweed escocês e as lãs em tons discretos. Ela também se inspirou em trajes masculinos mais populares como a japona, as camisas brancas e os suéteres listrados dos marinheiros bretões. Durante a década de 1920, Chanel criou o lendário pretinho básico (ver p. 224), peça democrática cuja simplicidade e disponibilidade desafiaram as fronteiras de classe e riqueza. Ela também popularizou o uso de bijuterias, e vendia em suas próprias lojas versões dos braceletes incrustados com pedras (à direita, em cima) que eram sua marca registrada. Suas típicas fileiras múltiplas de pérolas falsas usadas com correntes douradas foram copiadas e disponibilizadas por fabricantes no mercado de massa, tornando antiquado o uso de joias de verdade.

Um modo informal de se vestir que enfatizava o conforto e a descontração também agradou ao mercado americano. Nos anos 1920, as importações de Paris e as cópias constituíam a maior parte dos artigos de vestimentas de massa vendidos pelas prestigiosas lojas de departamentos, aos quais vinham se somar os terninhos de meia e os vestidos de tricô bege de Chanel. À medida que os *couturiers* franceses começaram a produzir roupas simples, adaptáveis aos métodos de produção em massa, o consumidor americano se familiarizou cada vez mais com os estilistas europeus. Entre as bem-sucedidas importações é possível citar os suéteres trompe l'oeil de Elsa Schiaparelli (1890-1973; ver p. 270) e as roupas de influência esportiva propostas por Jean Patou (1887-1936) e Lucien Lelong (1889-1958); este último usou o termo *kinétique*, "cinético", para descrever a capacidade que seus modelos de corte simples tinham de se mover junto com o corpo (à direita). Com o declínio do franco francês, e graças à produção de roupas radicalmente mais simples e ao refinamento da arte da autopromoção, os *couturiers* franceses conseguiram manter por mais uma década sua posição de árbitros da moda nos Estados Unidos. **MF**

1922	1924	1924	1926	1927	1929
Cosette Vogel é nomeada editora da *Vogue* francesa, lançada em 1920.	À medida que os estilistas franceses percebem a necessidade de atrair o mercado americano, Patou contrata modelos americanas para seus desfiles em Paris.	Chanel desenha os figurinos (trajes de banho tricotados à mão, suéteres de tênis e golfe) para *Le Train Bleu*, de Sergei Diaghilev.	Lucien Lelong abre seu *salon* no número 16 da Rue Matignon, no Champs-Elysées, em Paris.	Chanel colabora com o duque Fulco di Verdura para lançar uma linha de joias da Maison Chanel.	É fundada a escola da Câmara Sindical da Alta-Costura Parisiense.

O pretinho básico 1926

COCO CHANEL 1883-1971

NAVEGADOR

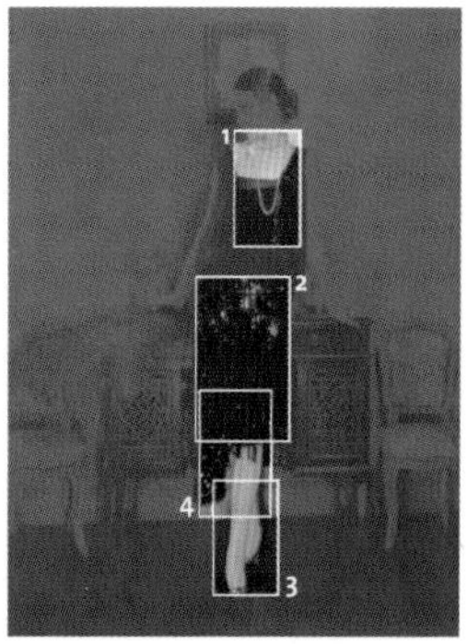

Considerada a criadora do clássico perene conhecido como "pretinho básico", a *couturière* parisiense Coco Chanel desenhou uma peça fundamental e simbólica que democratizou a elegância. Embora já viesse comercializando vestidos pretos desde 1913, o corte refinado e severo do vestido chemisier dos anos 1920 se prestava às vistosas estampas geométricas de uma época fascinada pelos motivos do art déco. Descrito pela *Vogue* americana em outubro de 1926 como "o 'Ford' de Chanel, o vestido que o mundo inteiro vai usar", uma vez que seu apelo de massa competia com o do "Modelo T" da Ford, o pretinho básico entrou para o vocabulário da moda como um artigo de necessidade básica, infalível, que podia ser usado por qualquer mulher, independentemente da classe econômica.

Fabricado em conformidade com as linhas paralelas e a cintura baixa do vestido chemisier, este pretinho de festa se distingue dos trajes diurnos pelo luxo do tecido e dos adornos. A combinação de crepe da china preto termina bem em cima dos joelhos e é enfeitada com uma longa franja de miçangas que forma uma bainha assimétrica. O decote reto horizontal é suavizado pelos cantos arredondados de um bolero na altura dos quadris debruado de miçangas. O uso do preto se restringia inicialmente ao luto, mas Chanel fez dele a opção inteligente para o recém-criado "happy hour" do início da noite: eventos sociais particulares e casuais realizados entre as seis e as oito da noite e frequentados pela melindrosa, uma jovem caracterizada pelo espírito livre e pelo estilo de vida supostamente hedonista. **MF**

PONTOS FOCAIS

1 BUSTO ACHATADO
Símbolo do visual *à la garçonne* dos anos 1920, o vestido chemisier libertava a mulher da restrição do espartilho em forma de ampulheta. Embora a cintura não fosse mais realçada, as linhas esguias da peça exigiam que o contorno do busto fosse eliminado por um "achatador" ou faixa. O busto achatado também permitia que os longos colares de várias voltas, populares na época, pendessem livres na frente do vestido.

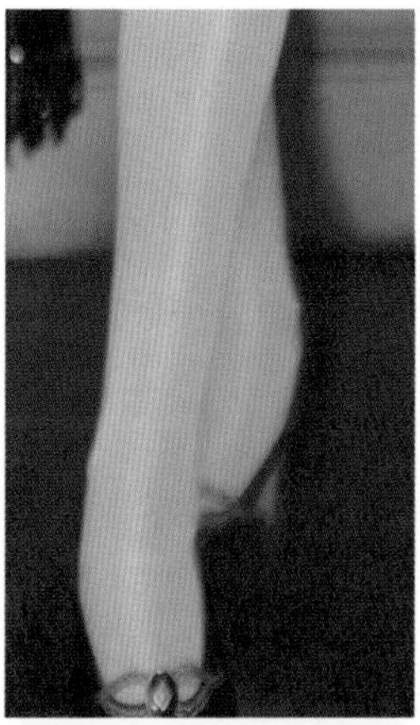

3 PERNA "NUA"
À medida que as bainhas subiram nos anos 1920, tornou-se necessário usar meias modernas e transparentes. Antes fabricadas em uma máquina circular e moldadas com o auxílio de vapor, o que as levava a se deformar nos joelhos e tornozelos com o uso, as meias começaram a ter um corte propriamente dito nos anos 1920. Feitas com dois pedaços de seda bege ou cor da pele que depois eram costurados um ao outro, elas faziam a perna parecer nua, com exceção da costura que subia pela parte de trás.

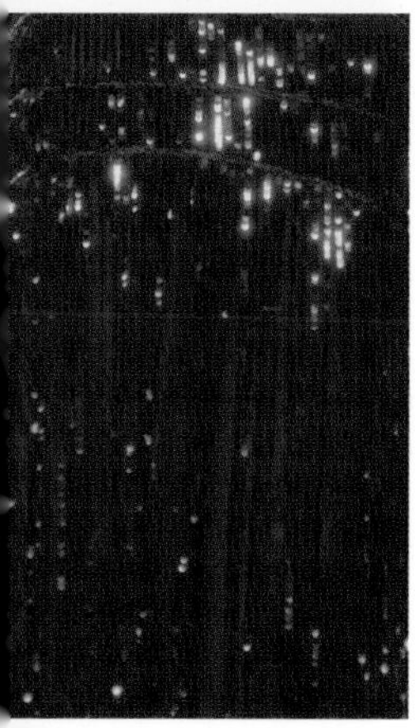

2 ENFEITES
A forma simples do chemise proporciona uma base perfeita para enfeites elaborados que refletem e absorvem a luz, criando a impressão de movimento. O intrincado trabalho de miçangas era realizado à mão pelas costureiras do ateliê (*petites mains*). Nos anos 1920, as grandes maisons como Patou, Callot Soeurs e Edward Molyneaux empregavam milhares de *petites mains*, ou "mãozinhas".

4 BAINHA ASSIMÉTRICA
Vários artifícios foram usados para facilitar a transição das saias mais curtas da primeira parte da década para o comprimento na metade da canela usualmente visto nos anos 1930. Entre eles estão a bainha em pontas, com pedaços triangulares de tecido quebrando a linha da bainha, a saia transparente usada por baixo e visível a partir do joelho, ou então, como usado aqui por Chanel, uma bainha assimétrica criada pelo acréscimo de fileiras de miçangas em comprimentos variados.

O corte Chanel 1926

CORTE DE CABELOS DA MELINDROSA

A dançarina e atriz americana Louise Brooks (1929).

NAVEGADOR

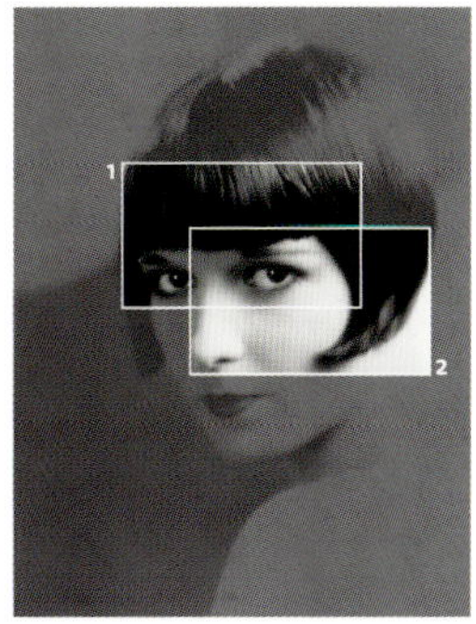

Identificada por seu característico capacete preto de cabelos curtos, a dançarina e estrela do cinema mudo Louise Brooks representava o espírito livre e liberado da década de 1920 e da época das melindrosas. Ela se tornou um símbolo desse visual ao fazer o papel de Lulu no filme de Georg Wilhelm Pabst sobre comportamentos sexuais, *A caixa de Pandora* (1929). O vínculo duradouro e arraigado dos cabelos compridos com a feminilidade fez com que a moda dos cabelos curtos causasse fortes reações no início, uma vez que representava todos os temores da sociedade em relação à mulher moderna.

Os cabelos curtos eram populares entre as crianças no início do século XX, mas foi só com o início da Primeira Guerra Mundial e com os estilos aerodinâmicos dos anos 1920 que as mulheres abandonaram os penteados complexos e demorados do pré-guerra. Para aquelas corajosas o bastante para cortar os cabelos curtos em camadas ou à moda de Eton, corte com a nuca raspada e os cabelos acima da orelha, era necessário uma ida ao barbeiro. Não demorou muito para as mulheres começarem a usar os cabelos curtos em diversos estilos: ondulados, em camadas e com franja. O corte Chanel preciso, com franja inteiriça, bem dividido por um repartido ao meio e usado aqui por Louise Brooks, introduziu os cabelos curtos na moda *mainstream*; assim como o "pretinho básico", ele se tornou um clássico da moda que perdura até os dias de hoje. **MF**

PONTOS FOCAIS

1 FRANJA

Para acentuar os olhos, a franja é cortada com precisão de um lado a outro da testa, acima das sobrancelhas. As laterais ficam na altura das orelhas, com comprimento suficiente para formar "cachos de cuspe", espirais de cabelo umedecidas e pressionadas para colar na bochecha.

2 CORTE PRECISO

Em vez de ser feito com pinças ou grampos, o corte Chanel era criado usando técnicas especializadas e exigia perícia e cuidado regulares de um cabeleireiro. Os cabelos são afunilados na nuca em formato de V.

CHAPÉU CLOCHE

O corpo esguio do estilo *à la garçonne* exigia um corte de cabelos rente à cabeça para acomodar o recém-popularizado chapéu cloche ("Ela havia mandado cortar os cabelos", capa de partitura, 1924; abaixo). Desenhado pela chapeleira Caroline Reboux em 1908, o cloche ganhou popularidade no decorrer da década. Em geral confeccionado em feltro de lã e moldado no formato da cabeça, era a base ideal para enfeites.

INDUMENTÁRIA CHINESA MODERNA

1 Uma fotografia do imperador Yuan Shikai trajando um uniforme em estilo europeu, com cinto, fortemente ornamentado, com dragonas e medalhas, e um capacete emplumado.

2 Calendários, ou *yuefenpai*, foram influenciados por anúncios ocidentais: esse, de 1926, anuncia corantes DuPont.

3 Os cartazes publicitários da década de 1930 costumavam mostrar um retrato de uma mulher atraente como figura central.

Em 1912, decidir o que vestir era uma grande questão para todos os chineses adultos. A população culpava o governo Qing pelo estado de pobreza em que a China se encontrava, e por isso muitos acreditavam que as roupas manchu e a arcaica trança deviam ser descartadas. As nações ocidentais eram vistas como dignas de serem imitadas, mas também como agressoras mal-intencionadas. Quando o Dr. Sun Yat-sen tomou posse como presidente interino da República, em 1912, usou um conjunto de casaco e calça (mais tarde batizado de "terno *zhongshan*"; ver p. 230). Em 1911, porém, nem todo mundo havia acolhido bem a revolução, pois muitos consideravam os métodos revolucionários excessivamente radicais. Havia também quem apoiasse a família manchu destronada. Assim, durante algum tempo, as tradicionais túnica e casaco de montaria (ver p. 166) coexistiram com o terno *zhongshan*.

Para os chineses, cortar a trança era um passo relativamente fácil de dar, embora alguns homens manchu a tenham mantido para marcar posição. Para aqueles sem afinidade política, o que devia representar metade da população, o apelo do Ocidente

PRINCIPAIS ACONTECIMENTOS

1912	1912	1915	1919	c.1920	c.1925
O Dr. Sun Yat-sen se afasta do estilo manchu e usa um terno *zhongshan* na posse como presidente interino da China.	O governo da nova República da China proíbe a amarração dos pés das mulheres, liberando-as assim da repressão social e política.	Yuan Shikai se declara imperador da China, mas enfrenta uma oposição generalizada e é forçado a abolir a monarquia após apenas 83 dias.	A maioria dos estudantes homens que protestam no Movimento Quatro de Maio já abandonou a trança, mas a túnica tradicional ainda é o traje mais usado.	A moda para as moças é casaco curto com mangas na altura dos cotovelos, usado com saia plissada ou calça no tornozelo.	Surgimento do *qipao*, inicialmente um vestido largo, sem as reveladoras fendas laterais.

era grande, uma vez que este simbolizava qualidade e modernidade. Ao homem comum pouco importava se o chefe do Estado era um presidente ou um imperador, mas ele com certeza não queria ser visto como “atrasado”, e óculos de sol ou sapatos de cadarço à ocidental o colocavam no grupo dos “modernos”. No entanto, o traje chinês tradicional estava por demais arraigado para ser abandonado da noite para o dia, e durante os anos 1920 e 1930 não era raro ver homens usando uma túnica comprida tradicional junto com um chapéu de feltro importado. Essa curiosa mistura de Oriente e Ocidente produzia algumas cenas bizarras. Yuan Shikai, responsável pelas Forças Armadas, adorava os trajes militares em estilo ocidental (à esquerda). Ele se declarou imperador em dezembro de 1915, e houve uma cerimônia no Altar do Céu em Pequim. Os oficiais trajavam mantos pseudocerimoniais com medalhões de dragão e arranjos de cabeça esquisitos, parecidos com um capelo de formatura, enquanto o uniforme dos soldados parecia imitar o dos Coldstream Guards ingleses. Yuan Shikai tentou ser visto ao mesmo tempo como “chinês” e “moderno”, mas fracassou por completo.

O equivalente feminino do terno *zhongshan* era o *qipao*, chamado de *cheongsam* na colônia britânica de língua cantonesa de Hong Kong. Antes de 1850, as mulheres das famílias respeitáveis usavam túnicas e, como estas tinham fendas laterais, compunha o traje uma calça comprida para cobrir as pernas. Já o *qipao* era feito para ser usado sozinho, sem calça. Um pôster de calendário de 1926 (à direita, em cima) mostra uma moça usando um dos primeiros modelos, com gola em pé, mangas folgadas na altura dos cotovelos, e um corte relativamente solto e sem fendas. O vestido não era especialmente radical, mas os sapatos, as meias escuras, o relógio de pulso e a franja nos cabelos eram “modernos”. O passatempo doméstico do tricô – indicado pelos novelos de lã e agulhas sobre o móvel de ratã – sugerem que o *qipao*, embora fosse um estilo novo, foi inicialmente usado por mulheres de boa estirpe social. Sua associação com a mal-afamada indústria do entretenimento veio depois.

Não está claro quem inventou a versão mais justa do *qipao*, com longas fendas laterais, mas os anúncios ocidentalizados não demoraram a explorar o charme das mulheres que usavam esse sedutor vestido para promover produtos novos como os cigarros. Um exemplo disso é o pôster da British Cigarette Company Ltd. para anunciar a marca de cigarros Hatamen nos anos 1930 (à direita). Muito maquiada, com os cabelos curtos e frisados por um permanente, a mulher está fazendo uma pose sensual. O slogan ao lado do maço diz: “No final das contas, ele é o melhor.” O anúncio tenta convencer as mulheres a serem destemidas e a experimentarem coisas novas – sejam cigarros ou homens.

Imagens em preto e branco de atrizes chinesas da época as mostram usando *qipaos* igualmente justos, mas a indústria do cinema de Xangai nos anos 1930 e 1940 não tinha muito boa reputação. Após o lançamento de filmes como *O expresso de Xangai* (1932), o *qipao* passou a representar – pelo menos no Ocidente – o “luxo decadente oriental”. A partir de 1949, as mulheres de Hong Kong e Taiwan passaram a usar o vestido em ocasiões nas quais sentiam necessidade de afirmar sua identidade chinesa. Embora o *qipao* ainda exista na China do século XXI, as reinvenções modernas podem ser muito diferentes do traje original. **MW**

1927	1927	1930	c.1935	1949	1950
Chiang Kai-shek, chefe do governo nacional, desposa Soong Mei-Ling, que usa um vestido de noiva branco à ocidental para a cerimônia.	O sutiã chega à China.	A cidade mais estilosa da China, Xangai, recebe o primeiro concurso de Miss Xangai, que atrai competidoras de origem respeitável.	A versão justa do *qipao* adquire má reputação por ser o traje preferido das mulheres de profissões malvistas.	O presidente Mao Tsé-tung usa um terno *zhongshan* ao falar à nação em 1º de outubro, dia da fundação da República da China.	A China fecha as portas ao mundo externo. As chinesas de Hong Kong e Taiwan seguem usando o *qipao* como símbolo de sua identidade nacional.

Terno *zhongshan* Década de 1920

TERNO MASCULINO

NAVEGADOR

Na China de 1912, a moda masculina era um tanto surpreendente. O país havia se tornado uma república pouco antes, mas a maioria dos homens ainda usava os cabelos trançados à moda manchu. A túnica de dragão era coisa do passado, mas membros do recém-formado governo não queriam abandonar o casaco de montaria. Como teria sido inadequado a China adotar por completo os trajes ocidentais, o presidente interino Dr. Sun Yat--sen usou um conjunto de casaco e calça que mais tarde ficaria conhecido como "terno *zhongshan*". Mesmo assim, o terno de forma alguma dominou a moda masculina, e mesmo o Dr. Sun ainda usava às vezes a túnica tradicional. O terno *zhongshan* era particularmente popular entre os estudantes, e aos poucos passou a ser considerado sinônimo do espírito revolucionário, das novas ideias e do progresso.

Mais tarde no mesmo século, o presidente Mao Tsé-tung fez do terno *zhongshan* um símbolo da China comunista. A partir de 1949, qualquer estilo de roupa associado aos países capitalistas era considerado inaceitável, e Mao sempre usava o *zhongshan*. Durante a Revolução Cultural (1966-1976), este se tornou o traje mais seguro de se usar, não só para homens como também para mulheres. Um visitante estrangeiro à China da época devia ter a impressão de que o país inteiro só tinha um tipo de roupa, e em três cores apenas: azul ou cinza para os civis, verde para os militares. **MW**

PONTOS FOCAIS

1 CASACO ABOTOADO
O casaco tem gola alta e virada para fora, e é abotoado no meio do pescoço para baixo. Casas de botão são usadas pela primeira vez em trajes chineses. O casaco *zhongshan* termina na altura dos quadris, sendo portanto um pouco mais comprido que o casaco de montaria tradicional. O corte também é bem mais justo e moldado ao corpo. Por baixo do casaco usava-se uma camisa branca, embora o estilo da gola torne desnecessário o uso da gravata.

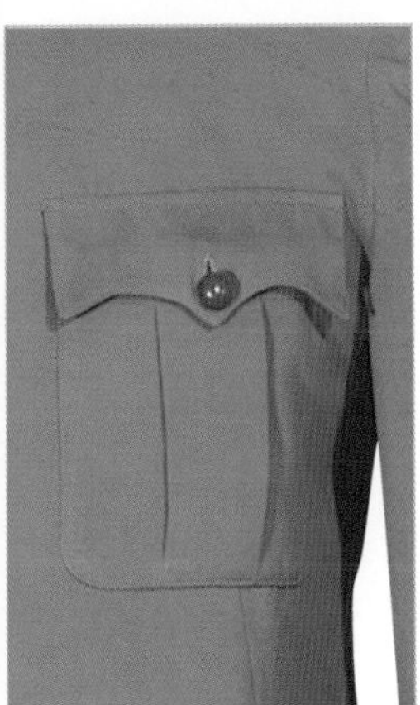

2 BOLSOS PREGUEADOS
Os bolsos pregueados com aba abotoada são uma novidade, e sem dúvida influenciados pelos trajes ocidentais. Antes de 1900, as roupas chinesas não tinham bolso; tanto homens quanto mulheres portavam saquinhos e bolsas para carregar pequenos objetos. Para os mais volumosos, os homens usavam uma bolsa de compras quadrada, geralmente de tecido, pendurada no ombro. A versão deste terno usada pelo presidente Mao nas décadas de 1960 e 1970 tinha apenas pequenas diferenças nos detalhes.

▲ Sun Yat-sen usa o terno *zhongshan* para um retrato oficial, em 1912. O corte e alfaiataria do terno seguiam o estilo ocidental e fizeram a China entrar de fato a era moderna.

DESIGN CONSTRUTIVISTA RUSSO

1 Apresentação em um lançamento de livro (1924). As roupas simples das moças foram desenhadas por Varvara Stepanova.

2 Esboço para um tecido geométrico desenhado por Lyubov Popova (1889-1924). Afastando-se das estampas florais tradicionais, ela criou um estilo totalmente novo de formatos geométricos e cores imperfeitas e minimalistas em uma paleta restrita, conseguindo transmitir profundidade espacial em uma superfície plana.

Enquanto o art déco e o modernismo comandavam a moda do pós-guerra no Ocidente democrático (ver p. 238), a Revolução de 1917 modificou a relação da Rússia com o estilo visual europeu. O Partido Comunista exigia que a cultura visual russa tivesse um caráter nacional, um valor de propaganda claro, e alguma utilidade na nova sociedade então em construção. Foi nessas circunstâncias que nasceu o movimento construtivista, conjunção do futurismo europeu da era da máquina e do *proletkult* comunista, uma cultura universal para o proletariado. O manifesto construtivista afirmava que os artistas não deveriam mais trabalhar isolados da sociedade. Lyubov Popova (1889-1924), Varvara Stepanova (1894-1958) e seu marido Alexander Rodchenko (1891-1956) declararam "guerra ao cavalete" e abraçaram a tecnologia. Em parcerias com a indústria e o Partido, eles levaram a arte ao povo por meio da arquitetura, do mobiliário, da escultura, das artes gráficas e da moda (acima). Esse compromisso foi mútuo por parte do Estado; nos primeiros dias da Revolução foram fundados institutos de design como o INKhUK (Instituto de

PRINCIPAIS ACONTECIMENTOS

1917	1917-1918	1920	1921	1922	1922
O czar Nicolau abdica em março. Os bolcheviques derrubam o governo provisório, e Lenin se torna o líder da Rússia comunista.	A Rússia assina um acordo de paz com a Alemanha. O czar Nicolau e sua família são assassinados, e a guerra civil estoura.	Varvara Stepanova se torna secretária de pesquisa do INKhUK (Instituto de Cultura Artística) de Moscou.	A exposição "5x5=25" é a primeira a destacar os trabalhos construtivistas.	Criação da União Soviética. Stalin se torna secretário-geral do Partido Comunista. Publicação do Manifesto Construtivista.	Lyubov Popova cria o figurino para a peça *O corno magnífico*, de Fernand Crommelynck.

Cultura Artística) em Moscou, e artistas construtivistas foram nomeados para seus comitês.

Com a implementação na década de 1920 da agressiva Nova Política Econômica (que permitia aos pequenos comerciantes e camponeses vender determinados produtos por conta própria e aumentava o fluxo de capital no Estado), uma aplicação ampla da teoria construtivista em toda a indústria se tornou impraticável. A criação de tecidos e roupas foi uma exceção, porém, e tornou-se a mais bem-sucedida parceria entre Estado e artistas construtivistas. Essa integração entre arte e indústria foi exclusiva da Rússia soviética. As artistas Varvara Stepanova e Lyubov Popova se tornaram figuras-chave da tentativa do Estado soviético de revigorar uma indústria anteriormente dependente da França para obter amostras de tecidos e fios. Em 1923, Stepanova e Popova foram nomeadas chefes da equipe de design da Primeira Fábrica Estatal de Estamparia Têxtil em Moscou para fabricar tecidos nacionais adequados a qualquer membro da sociedade. A nomeação aliava a experiência de Popova como cubofuturista de renome, que já visitara o estrangeiro e propunha uma "arquitetura pictórica", às raízes camponesas e à formação em artes gráficas na Rússia de Stepanova.

Nos primeiros tempos após a fundação da fábrica, Popova e Stepanova enfrentaram muitas dificuldades. Depois de anos de guerra, a indústria e os recursos materiais da Rússia estavam depauperados, e restava apenas uma fração da força de trabalho experiente. Elas tinham de criar estampas têxteis que refletissem suas ideias construtivistas, respeitassem a exigência estatal de que toda imagem devia ser clara e compreensível, e cuja produção fosse também tecnicamente possível (à direita). Nenhuma das duas tinha formação específica na área têxtil, de modo que elas tiveram de aprender sobre o processo produtivo para poderem integrar arte e produção em massa. Segundo o crítico de arte soviético D. M. Aronovitch, Popova e Stepanova tiveram conflitos com tecelões e com a equipe técnica, descontente com a imposição das "novas" estetas e para quem suas criações não eram práticas. As duas esperavam conseguir lidar com esses desafios participando do processo industrial (tecelagem e tingimento) e promovendo votações antes de recrutar funcionários ou comprar estampas, além de promover a fábrica e seu trabalho no comércio de varejo e na imprensa.

Enquanto outros criadores contemporâneos produziram tecidos construtivistas com estampas de máquinas, Popova e Stepanova tiveram uma abordagem mais criativa. Ambas adoravam o design de tecidos, e consideravam que a sua produção fosse uma forma de organizar "os elementos materiais da vida": tecidos e construtivismo formavam uma aliança perfeita. Popova escreveu que "nenhum sucesso artístico isolado me proporcionou satisfação tão profunda quanto a visão de camponeses e operários comprando minhas peças de tecidos". Além do sucesso, as criações de Popova e Stepanova eram também tecnicamente bem-feitas, e elas entendiam que a estamparia do algodão era adequada a pequenos motivos multidirecionais com poucas camadas de composição.

1922	1923	1924	1925	1929	1930
Stepanova desenha os figurinos para *A morte de Tarelkin* (ver p. 236).	Stepanova e Popova são nomeadas designers da Primeira Fábrica Estatal de Estamparia Têxtil, na antiga fábrica Tsindel.	Popova morre de escarlatina. Uma grande exposição de seu trabalho é inaugurada em Moscou nesse mesmo ano.	Stepanova e Rodchenko participam da Paris Expo. O "Clube de Trabalhadores" ideal de Rodchenko propõe um espaço social universal.	Trotski é exilado por Stalin. Os consrtutivistas, vistos como seus partidários ideológicos, sofrem consequências.	O primeiro julgamento-espetáculo de industriais é organizado por Stalin e seus partidários.

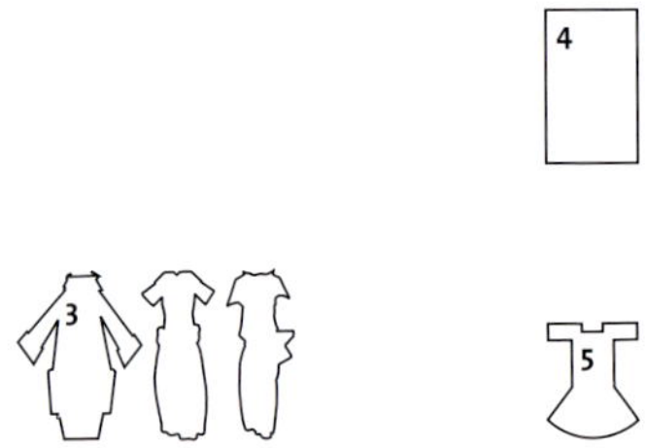

3 Três modelos de Popova (1923-1924): um tailleur amarelo, um vestido branco e rosa, e um vestido melindrosa azul e branco com bainha em pontas nas mangas e cintura baixa. Todas as roupas seguem a ideologia construtivista de terem uma estrutura "transparente" (fácil de confeccionar e compreender).

4 Esse desenho foi feito por Vladimir Tatlin (1931) para um figurino da ópera *Uma vida para o czar*, de Mikhail Glinka.

5 Esse desenho de traje esportivo por Varvara Stepanova traz o motivo da estrela vermelha exigido para fins de propaganda (1923).

As estampas de Popova tinham relação com seu trabalho anterior junto ao movimento suprematista, segundo o qual o mundo abstrato podia ser expressado artisticamente por meio de formas geométricas básicas. Antes de abandonar esses ideais em prol de uma "praticidade" construtivista, por volta de 1917, Popova transferiu esses experimentos para colagens arquitetônicas usando estampas camponesas e renda tradicional em seus esboços para a cooperativa de artesanato Verbovka. Suas estampas deram continuidade ao diálogo entre planos espaciais intersecionais dentro de uma estrutura politicamente adequada. Em 1923, a estamparia "Foice e Martelo" transformou o símbolo politicamente carregado em um delicado desenho.

Stepanova, por sua vez, "mecanizou" suas estampas usando os componentes limitados do círculo, triângulo e quadrado. Com poucas cores primárias em combinações inesperadas como azul, preto e branco, cada tecido proporcionava um exercício geométrico visualmente intrigante. Assim como Popova, Stepanova se atinha rigidamente a esses princípios, e rejeitava "composições livres, não objetivas, suprematistas ou de inspiração cubo-futurista em seus tecidos"; de suas 150 estampas, 120 foram fabricadas.

Popova e Stepanova também fizeram parte do movimento de design de moda construtivista e do debate acerca da *prozodezhda* (roupa de produção) e da *spetsodezhda* (roupa de especialista); Stepanova argumentava que "não existia um tipo único de roupa, mas sim roupas específicas para uma função produtiva específica". Os construtivistas exigiam que as roupas fossem adequadas à ocupação e atividade de quem as usava; o desafio era como usar com economia os materiais adequados, incentivar a produção em massa, rejeitar o luxo burguês ocidental (o fetiche da comodidade) e criar modelos igualitários e inspiradores. Entre as sugestões estavam vestidos de papel descartáveis, ideia revolucionária capaz de proporcionar roupas higiênicas e fáceis de usar. Outras adaptaram o *sarafan* (túnica) camponês tradicional em uma blusa universal de mangas compridas. Nenhuma dessas soluções se mostrou de fato funcional. A *couturière* Nadezhda Lamanova (1861-1941) – que em vez de usar moldes em papel enrolava os tecidos diretamente no corpo da cliente – iniciou uma verdadeira mudança argumentando que "no ramo do vestuário, os artistas devem tomar a iniciativa e se esforçar para produzir roupas em formas simples, porém agradáveis, usando materiais bem práticos, roupas que sejam

adequadas à nova estrutura de nossa vida profissional". A elite da burguesia soviética, porém, relutou em adotar a filosofia construtivista pura, e decorava os modelos geométricos com luxuosas pérolas e peles.

O versátil artista Vladimir Tatlin (1885-1953), que buscou aplicar técnicas de engenharia à escultura, desenhou um terno masculino multiuso que combinava proteção contra o frio, facilidade de movimento e corte simples com o uso espartano de materiais, e este se tornou o traje construtivista padrão. Os modelos de Tatlin combinavam motivos folclóricos e formas abstratas (à direita). Ao transformar seus tecidos em roupas, Stepanova e Popova também foram influenciadas por sua experiência como figurinistas e cenógrafas – no teatro, as roupas podiam ser ousadas e abertamente didáticas. O cenário de Popova para *O corno magnífico*, de Fernand Crommelynck, era um aparato em constante movimento feito de tábuas brancas padronizadas em que a velocidade do movimento expressava a força da emoção. Os personagens vestiam formas geométricas brutas para expressar o que representavam. Em 1922, Stepanova desenhou os figurinos da peça *A morte de Tarelkin* (ver p. 236) usando formas geométricas básicas em tecidos monocromáticos.

Tanto Stepanova quanto Popova escreveram sobre teoria da moda e usaram a revista construtivista *Esquerda* para explicar e difundir suas estampas. Ambas insistiam que suas ideias tinham como público-alvo "a camponesa de Tula" (subúrbio industrializado de Moscou), mas críticos que acusavam Popova de elitismo em suas criações alegavam que ela na verdade desenhava para "a dama de Kuznetsky Most" (região de Moscou onde ficam as lojas de alta-costura).

Os modelos de Popova eram animados pelo espírito produtivista, descrito pela estudiosa de arte construtivista russa Natalia Adaskina como "democrático [mas] uma versão do estilo proletário". O alvo de seus vestidos não eram nem tanto as operárias da agricultura ou da indústria, mas uma trabalhadora mais relaxada, de colarinho branco e espírito boêmio. Popova considerava as roupas uma forma de escultura construtivista: um vestido ou jaqueta criava um "formato espacial", e o tecido era estampado para realçar essa escultura. Em lugar da androginia ou da geometria linear do art déco, seus modelos realçavam as curvas da mulher – cintura marcada, quadris exagerados –, imaginando-a como uma estrutura para "sustentar e conter a roupa" segundo a vontade do estilista. Seu objetivo era a melhor combinação possível de forma e tecido, e ela contrastava fazendas estampadas com outras lisas usando golas, cintos e punhos (ao lado).

Os modelos de Stepanova que sobreviveram até a nossa época, por sua vez, são andróginos, brutalmente geométricos e combinam cores com formas simples. Seus moldes para roupas esportivas vermelhas, brancas e azuis de 1923 são uma coleção simples de retângulos, arcos circulares e um cone fatiado. Para as mulheres, isso deu origem a uma parte de cima solta, de mangas largas, e uma saia em formato trapézio, ou ainda shorts de pernas folgadas; seus trajes esportivos geométricos exibem uma estrela vermelha simples (à direita, embaixo). Juntas, Popova e Stepanova também desenharam o *prozodezhda*, traje universal para ser usado em ateliês no qual apenas o tecido e a cor variavam.

A moda construtivista foi um raro sucesso no projeto mais amplo do grupo, embora tenha começado a declinar após Popova morrer de escarlatina em 1924. Stepanova seguiu dando palestras sobre a criação têxtil após ser nomeada professora no Vkhutemas de Moscou (Estúdios Artísticos e Técnicos Superiores) em 1924, mas a venda de modelos e tecidos construtivistas ficou mais difícil em um mercado doméstico já restrito. Embora a Nova Política Econômica tenha gerado certa riqueza para quem sabia se aproveitar do sistema, esses consumidores em potencial preferiam adquirir os bens confiscados da antiga elite. Apesar do compromisso dos construtivistas com a Revolução, eles também haviam se identificado com Leon Trotski, expulso por Stalin por volta do fim da década; embora tenham continuado a produzir propaganda para o partido, sua arte acabou marginalizada e condenada como burguesa. **PW**

Roupa construtivista 1922

VARVARA STEPANOVA 1894-1958

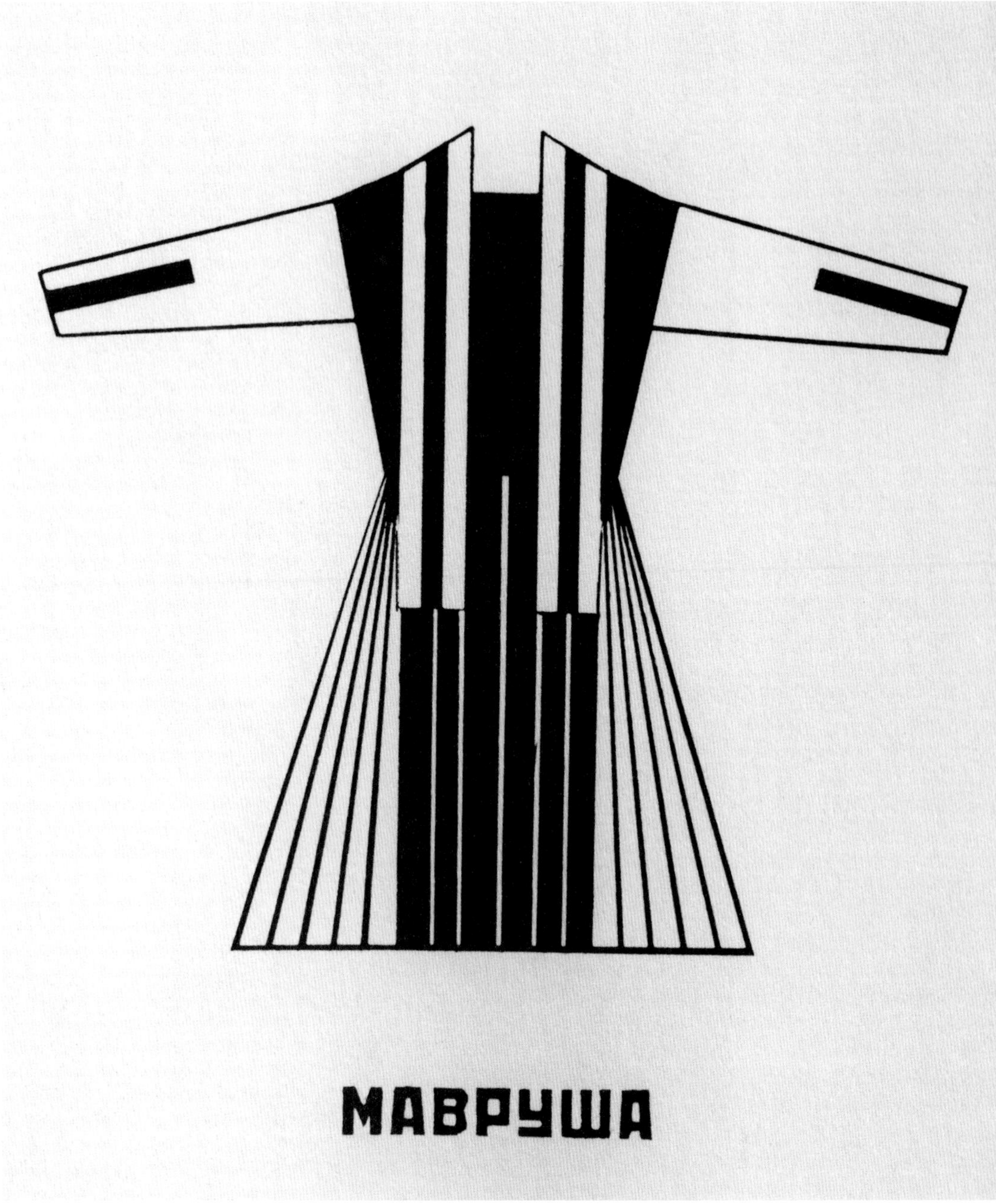

Figurino de Mavrusha, por Varvara Stepanova, esboço para a montagem cênica de *A morte de Tarelkin* (1922).

NAVEGADOR

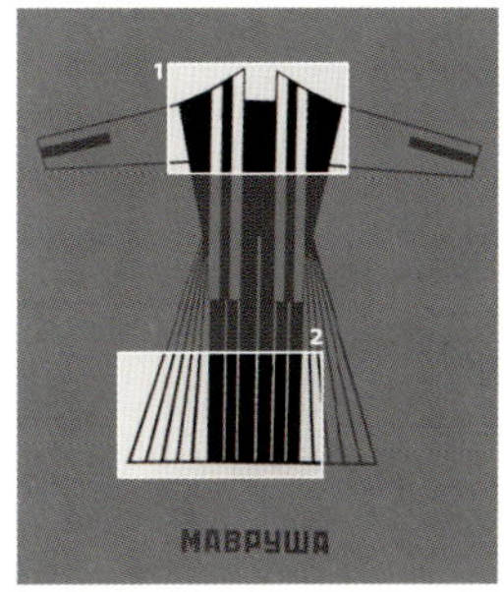

Este figurino para a montagem de Vsevolod Meyerhold de *A morte de Tarelkin*, em 1922, é uma das peças de roupa criadas por Varvara Stepanova como figurinista e cenógrafa. A personagem de Mavrusha, criada de Tarelkin na peça, é uma rara protagonista feminina. Como nos outros figurinos de Stepanova, este modelo segue o programa construtivista: feito em tecido preto e branco não especificado, poderia ser confeccionado a baixo custo. É estritamente geométrico e utiliza os elementos característicos da artista: retângulos, triângulos e quadrados. A perícia da Stepanova como artista gráfica fica evidente na sugestão de profundidade espacial do tecido obtida por meio do peso das linhas, ou "pregas". As linhas verticais também refletem a elaboração do cenário, composto por um aparato móvel construído com móveis simples feitos de tábuas verticais. A silhueta bidimensional da criada fica praticamente invisível diante desse fundo, sugerindo que ela pertence ao Estado. O figurino segue a ideia construtivista de *spetsodezhda* no sentido de que é adequado ao papel funcional da personagem e não é de forma alguma decorativo; a forma simples sugere que Mavrusha está integrada à sociedade produtiva soviética. Embora a estampa seja fortemente geométrica no papel, a peça, quando usada, forma uma túnica solta que permite o movimento e transmite o anonimato da criada. **PW**

PONTOS FOCAIS

1 RAÍZES TRADICIONAIS
Com a referência no vestido camponês tradicional *sarafan*, a túnica tem costuras caídas nos ombros; os contornos do corpo são sugeridos pelas decorações. Esse figurino atemporal podia ser usado por ambos os sexos, permitindo que ideias pré-concebidas sobre gênero fossem testadas no teatro.

2 FORMA GEOMÉTRICA
Embora essa composição bidimensional utilize triângulos e retângulos, as pregas e dobras pouco usuais da peça, sugeridas no desenho, transmitem as características de esperteza e dissimulação associadas à figura pouco sofisticada mas astuta da criada.

O TEATRO RUSSO E O DESIGN

A peça *A morte de Tarelkin* foi escrita em 1869 pelo nobre russo Alexander Sukhovo-Kobylin como parte de uma trilogia sobre o tema da corrupção nos últimos tempos da Rússia czarista, inspirada por seu próprio envolvimento em um processo jurídico. O tema se mostrou irresistível para o diretor de teatro Vsevolod Meyerhold, criador de um novo estilo de dramaturgia europeu com produções altamente simbólicas, que proporcionavam ao mesmo tempo uma crítica do passado e a visão de uma nova era em que homem e máquina operavam juntos e a identidade visual era subordinada ao Estado. Os desenhos criados por Stepanova para o cenário móvel de *A morte de Tarelkin* (abaixo) demonstram seu compromisso com a visão de uma sociedade mecanizada. Embora os figurinos dos operários sejam práticos, os pesados e rígidos desenhos feitos para o protagonista masculino são pouco práticos e insustentáveis, como a própria Rússia czarista. Stepanova posteriormente passaria a desenhar estampas, e a parte final de sua carreira se concentrou no design gráfico e na arte para propaganda.

O MODERNO

Surgido em Paris, onde era chamado de *moderne*, o estilo art déco foi exibido na Exposição Internacional da Indústria e da Arte Decorativa Modernas, em 1925. O movimento dominou o design decorativo por duas décadas; sua popularidade culminou na Europa durante a década de 1920 e perdurou nos Estados Unidos durante os anos 1930. O art déco surgiu como reação às formas alongadas e orgânicas do art nouveau, mas também continuou a questionar ideias relativas à percepção natural geradas pela abstração cubista e surrealista. Seus elementos decorativos vinham da arte africana, da simplicidade das xilogravuras japonesas e dos objetos encontrados na tumba de Tutancâmon, criando um estilo caracterizado por formas trapezoidais, geométricas e em zigue-zague, e pelo uso audacioso de formas em degrau e motivos de raios de sol. Juntamente com o art déco, a mostra de 1925 também exibiu o design modernista, que apresentava uma visão severa e utilitária da era da máquina. Louvando a relação entre arte, beleza e indústria, o modernismo foi

PRINCIPAIS ACONTECIMENTOS

1918	1919	1919	Década de 1920	1921	1921
O fim da Primeira Guerra Mundial leva à dissolução dos antigos impérios europeus e ao domínio dos Estados Unidos.	Nancy Astor se torna a primeira deputada britânica. Mulheres acima dos 30 anos conquistam o direito de voto, estendido às maiores de 21 em 1928.	Coco Chanel abre sua maison no número 31 da Rue Cambon, em Paris.	A maison Lanvin é formalmente fundada em Paris, produzindo *robes de style* para clientes famosos.	O filme *O xeique*, estrelado pelo astro do cinema mudo Rodolfo Valentino, causa histeria entre as fãs e faz o exotismo entrar em voga.	O futuro rei Eduardo VII usa uma camiseta sem mangas Fair Isle em público, desencadeando a popularidade do tradicional modelo de malha.

abraçado por regimes totalitários como o da União Soviética, mas também se evidenciou no trabalho de arquitetos como o suíço Le Corbusier.

O período art déco veio logo depois de uma grande guerra, o que apressou a mudança social, artística e política na Europa. A imensa mortandade de homens jovens gerou um desequilíbrio populacional. Durante o dia, as mulheres os substituíam na força de trabalho; à noite, por falta de homens, casais só de mulheres dominavam os salões de dança. Britânicas e americanas com mais de 30 anos conquistaram o direito de voto nos anos 1920 e, recém-liberadas, adotaram hábitos outrora reservados aos homens: fumar, dirigir carros velozes, ou até mesmo pilotar aviões. A era da velocidade exigia um corpo aerodinâmico, e a silhueta feminina desejada passou a ser a da melindrosa, andrógina e sem busto. Pela primeira vez na moda, as mulheres ansiavam pela magreza.

Além disso, o estilo de vida ativo das mulheres dos anos 1920 exigia roupas que permitissem liberdade de movimento. O chemise, vestido largo e tubular semelhante a uma combinação, colado às curvas do corpo, redefiniu o guarda-roupa feminino (à esquerda). A peça era confeccionada em meia-malha ou viscose para o dia e incrementada para a noite por canutilhos, apliques, fios de prata e ouro, *cornelli work* ou sobreposições em renda. O chemise provocou mudanças imediatas na modelagem dos vestidos, entre as quais, por volta de 1920, a queda da cintura natural para a altura dos quadris, realçados por um cinto ou faixa horizontal. Partes de cima de estrutura solta tinham decotes redondos simples ou em V. As saias desciam retas até o meio da canela e, durante a maior parte da década, permaneceram abaixo do joelho. Variações incluíam saias plissadas ou com fendas para facilitar os movimentos. As peças podiam ser confeccionadas em menos de uma hora a partir de moldes simples, e a costura caseira floresceu.

As barras das saias subiram para acima do joelho pela primeira vez entre 1925 e 1928, e pareciam ainda mais curtas quando tinham uma bainha em pontas ou festonê, ou quando confeccionadas em camadas de tecidos transparentes prolongadas apenas por franjas de contas. Jaquetas de alfaiataria largas amarradas por cintos fingiam realçar a silhueta feminina, mas os vestidos eram cortados para seios achatados e quadris estreitos, e os franceses batizaram esse estilo jovem de *à la garçonne*. Identificadas com moças trabalhadoras ou com a elite de jovens que podia sair sem acompanhantes, as melindrosas, como ficaram conhecidas, passaram a simbolizar uma identidade feminina em mutação representativa da Era do Jazz. Essas jovens rejeitavam as normas de comportamento esperadas de uma dama e eram um sintoma das mudanças sociais do mundo do pós-guerra. Fazendo esvoaçar seus vestidos franjados, elas dançavam o *turkey trot* popularizado por Josephine Baker no La Revue Nègre de Paris ou ainda o charleston, dança de palco apresentada pela primeira vez no Ziegfield Follies em 1923. A ousada tendência de braços e pernas nus e vestidos decotados até a cintura nas costas (à direita) exibia um corpo bronzeado, resultado do recém-popularizado hábito de tomar sol. As melindrosas fumavam cigarros, e não só se maquiavam como também retocavam em público o estiloso batom vermelho-escuro opaco. Os batons eram carregados em pequenos estojos cravejados de joias feito por joalheiros como Van Cleef & Arpels e

1

2

1 Usado com chapéus cloche e sapatos boneca, esses vestidos chemisier são ao mesmo tempo femininos e práticos, perfeitos para um dia nas corridas de Ascot nos anos 1920.

2 Um novo ponto de interesse erótico eram as costas nuas, vistas aqui na ilustração de George Barbier para *O julgamento de Paris* (1920).

1922	1923	1924	1925	1925	1928
Howard Carter lidera a escavação da tumba do faraó Tutancâmon, levando a um frenesi pelo estilo de ornamentação do Egito antigo.	Lançamento da revista *Time*, que relata as mudanças sociais e políticas dos Estados Unidos.	O raiom, conhecido na Europa como viscose, é comercializado como uma alternativa sintética para a seda.	A bailarina, cantora e atriz francesa nascida nos Estados Unidos Josephine Baker ganha fama por sua dança "exótica" usando uma saia de cascas de banana.	Publicação de *O grande Gatsby*, de F. Scott Fitzgerald, que simboliza o ethos da Era do Jazz.	Amelia Earhart, renomada pioneira da aviação americana, torna-se a primeira mulher a atravessar o Atlântico.

Cartier em ouro ou prata, esmalte, madrepérola, jade e lápis-lazúli, com imitações mais baratas feitas de contas de vidro coloridas incrustadas em plástico. Os estojos muitas vezes possuíam um compartimento em miniatura para guardar o batom que podiam ser acessados movendo uma borla franjada ou afixados a uma pulseira de baquelite. Quando a melindrosa evoluía na pista de dança, sua bolsa de mão precisava ser leve e portátil. A popularidade do tango sul-americano emprestou esse nome a uma bolsa equipada com anéis para os dedos ou pedaços de cordão que podiam ser enrolados no antebraço. As roupas masculinas se tornaram cada vez mais informais, e durante o dia os parceiros das melindrosas usavam calças Oxford de boca larga (ver p. 242) com blazers ajustados e chapéus de palha. O terno casual de abotoamento simples era adotado como traje comum na cidade. À noite usava-se smoking com o colarinho virado para fora e forrado de seda, ou então com uma gravata-borboleta preta ou azul-escura, e a faixa larga na cintura substituiu o colete a partir do final dos anos 1920.

O traje noturno art déco para as mulheres espelhava a simplicidade do mundo clássico, e os vestidos iam até o chão. Os tornozelos podiam aparecer, mas as novas zonas erógenas eram as costas, expostas por tecidos folgados, e um decote reto, porém generoso. O V profundo nas costas e na frente tem relação direta com a geometria cubista. Caudas e anquinhas incrementavam silhuetas tubulares, e pedaços de pano eram pendurados nos ombros ou em rosetas na altura dos quadris para alongar o corpo; feitos em cetim de seda, eles muitas vezes eram usados com o lado brilhante fazendo contraste com o fosco na mesma peça. Uma variação da silhueta tubular era o vestido de corpinho ajustado até a cintura, ou *robe de style* (ver p. 244), usado para eventos diurnos mais elegantes ou como traje informal à noite, que combinava o corpete tubular da década com uma saia que partia da cintura natural e terminava em um formato de sino frouxo, lembrando os vestidos armados do século XVIII.

Faixas de debruns geométricos, como por exemplo a popular estampa grega, realçavam bainhas e quadris. Cetins, sedas, chiffons e tafetás de tons metálicos eram incrementados com pesadas contas (à esquerda) para criar a impressão de que a mulher estava se movendo dentro de uma coluna cintilante. Com tantas partes do corpo expostas e o resto só escassamente coberto, casacos de pele eram muito usados pelas mais ricas. Pesadas golas de pele em casacos com abotoamento lateral, um único botão em um dos quadris ou um fecho de joia também eram usados como proteção para o frio.

A silhueta em mutação, tanto diurna quanto noturna, necessitava de roupas de baixo diferentes, e as vendas de espartilhos clássicos caíram 66% de 1920 a 1928. Eles foram substituídos por um conjunto leve de camisete e calcinha comprida conhecido como *cami-knickers*. Efeitos ousados podiam ser obtidos com o uso do espartilho lateral Symington, um sutiã-espartilho com cordões nas laterais usado para achatar o busto, mas as verdadeiras *garçons manqués* simplesmente amarravam os seios. Não demorou muito para que institutos de saúde e beleza começassem a se multiplicar, o que ajudou as mulheres a conquistar uma silhueta masculina por meio de dietas, tratamentos e exercícios ao ar livre. Além disso, as moças não precisavam mais dos serviços de uma criada pessoal para vesti-las, o que reduziu muito a quantidade de mulheres empregada no serviço doméstico.

Pela primeira vez na história da moda, as mulheres passaram a preferir cabelos curtos (ver p. 226). O Chanel na altura do queixo e o corte tipo cuia já eram usados pela vanguarda europeia antes da guerra, mas entraram em voga após do conflito. Mais escandalosas ainda eram as moças que, de *c.*1926 a 1927, optaram por usar o Eton, corte em estilo "joãozinho" curto na nuca e dos lados com um repartido lateral considerado perigosamente masculinizado. Ambos os cortes facilitavam o uso do estiloso chapéu cloche (à direita, em cima): Se houvesse cabelo demais, era impossível usar esse chapéu de feltro justo rente às sobrancelhas para obter o visual *gamine* desejado. Para as mais tradicionais, grandes chapéus de aba larga enfeitados com flores continuavam populares. À noite, faixas ao redor da testa seguravam a franja do penteado, enfeitadas por *aigrettes* de plumas ou rosetas.

A silhueta simples permitia excesso nos acessórios. Bijuterias exuberantes,

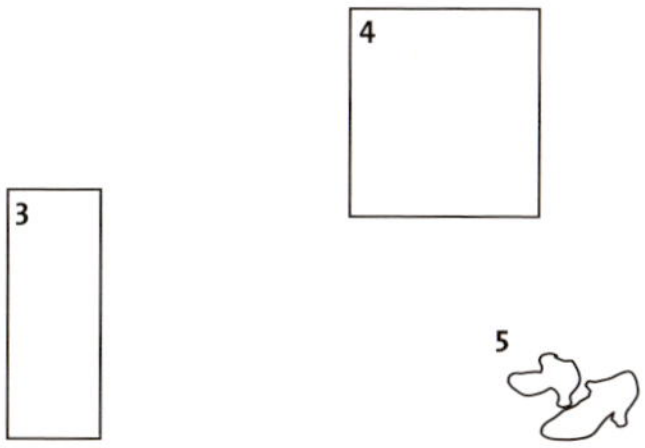

3 A forma simples do chemise proporciona uma base perfeita para contas e bordados. Um vestido preto em crepe de seda retratado em *Art Goût Beauté* (1925) exibe adornos inspirados nos motivos geométricos do movimento art déco.

4 A silhueta esguia pedia uma cabeça pequena. Este chapéu cloche (1927) de feltro era moldado para se encaixar no crânio e ser usado por cima de cabelos curtos, servindo também de base para outros enfeites.

5 Os saltos luís destes sapatos de noite de couro dourado desenhados por Ignazio Pluchino (1925) são enfeitados com um padrão geométrico feito de imitações de pedras preciosas e miçangas.

popularizadas por Coco Chanel (1883-1971), deixaram de imitar pedras preciosas. Braços nus exibiam coleções de pulseiras feitas em cores vivas com materiais maleáveis como baquelite ou lucite; broches, prendedores e colares de diamante falso combinavam com os detalhes geométricos dos vestidos, inspirados pelo cubismo. Colares brancos de pérolas, miçangas ou contas de vidro iam até a cintura e, com o avanço da década, passou-se a usar colares "de guirlanda" mais curtos feitos com pesadas contas, replicando os degraus usados na arquitetura. Escaravelhos, cobras, esfinges, pirâmides e palmeiras eram usados no design de joias, influenciado pelo fascínio com a descoberta da tumba de Tutancâmon em 1922 e com os épicos bíblicos de Hollywood. Boás de plumas ou estolas de pele cobriam ombros nus, e usavam-se leques muito decorados. A bem-sucedida travessia transatlântica da pioneira da aviação Amelia Earhart popularizou acessórios inspirados em aviadores, como jaquetas de piloto, capacetes de couro e cachecóis compridos enrolados no pescoço.

À medida que as saias subiram, os sapatos ganharam visibilidade. Seu preço também caiu muito com o aumento da produção mecanizada. Sapatos de bico fino em estilo boneca foram populares durante toda a década, muitas vezes feitos de couro preto e com um pequeno salto luís curvo, mas disponíveis em qualquer cor para as consumidoras mais ricas, que podiam optar por incrustar joias ou tachinhas no salto (à direita). Esses sapatos em geral tinham uma correia no peito do pé ou eram abotoados na lateral, e a partir de 1922 a tira longitudinal no formato de T tornou-se um item apreciado. Sapatos fechados tipo Oxford de salto eram uma alternativa mais prática para o dia, e os saltos cubanos entraram em moda a partir de 1930, quando o bico passou a ser redondo ou aberto. Essa época viu surgir uma silhueta mais feminina, com maior ênfase nas linhas e no corte da roupa. No entanto, as exigências decorrentes da quebra da bolsa americana em 1929 incluíram uma abordagem mais circunspecta e conservadora da moda. **PW**

Calça Oxford *c.*1925
CALÇA MASCULINA

Esta foto espontânea tirada em *c.*1925 mostra um rapaz usando a última moda em roupa masculina, popular tanto no Reino Unido quanto nos Estados Unidos: uma calça de pernas exageradamente largas conhecida como calça Oxford. Representante de uma nova abordagem da moda masculina, mais casual, essa calça incorporava uma rejeição às regras de alfaiataria anteriores, como por exemplo trocar de terno várias vezes ao dia. No Reino Unido, a peça passou a ser associada à moda jovem dos alunos de graduação da Universidade de Oxford, enquanto nos Estados Unidos era a afirmação de um estilo puramente esportivo. Aqui as calças Oxford são claras, com uma bainha virada ou italiana, e a largura da perna quando esticada faz a cintura do rapaz parecer diminuta. Em contraste com a calça volumosa, a parte superior do corpo exibe roupas de alfaiataria ajustada, em estilo universitário: blazer azul-marinho, camisa de colarinho inglês, chapéu de palha de copa chata e sapatos fechados engraxados escondidos pela calça. A estética é a do esmero, limpeza e juventude, e o rapaz está bem-arrumado. **PW**

NAVEGADOR

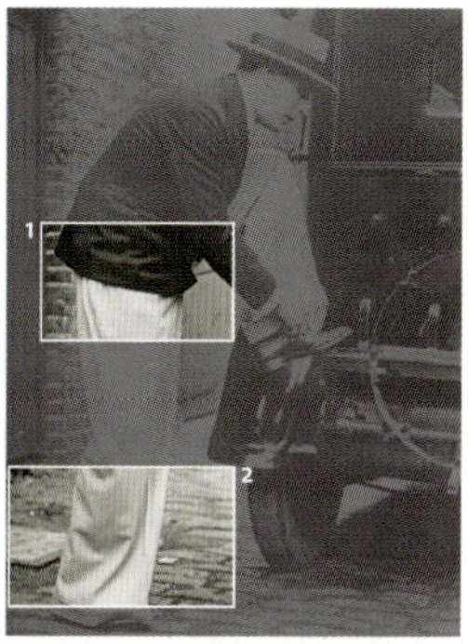

PONTOS FOCAIS

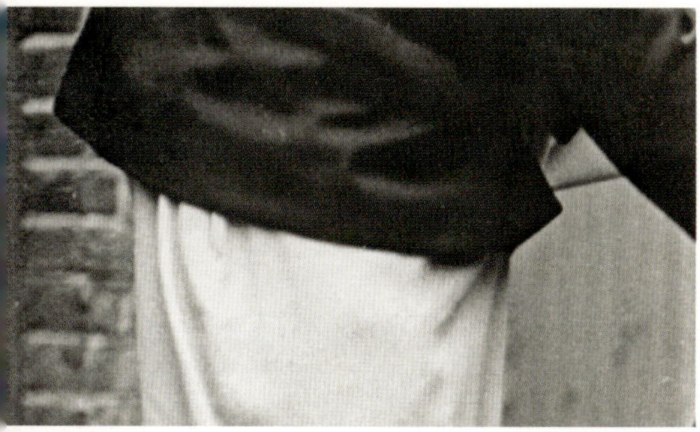

1 LUZ E SOMBRA
Em contraste com o blazer escuro, a calça tem um tom claro de cinza ou bege, indicando um traje de lazer, pouco prático para o trabalho. Nos EUA, calças nesses tons mais claros eram vendidas por John Wanamaker, da Sears, e constituíam a principal peça da moda masculina em 1925-1926.

2 FLANELA
Esta calça Oxford é confeccionada em flanela, tecido com peso suficiente para lhe conferir o aspecto e "caimento" certos. A flanela também era usada em trajes esportivos, o que sublinha a associação da peça com estilos de vida casuais e descontraídos.

ORIGENS DA PEÇA

Assim como muitas peças do guarda-roupa jovem masculino, a calça Oxford era considerada pela geração mais velha um sinal de efeminação, ateísmo e decadência moral. Ela era, contudo, o símbolo de uma geração que estava forjando seu estilo, sobretudo em meio à nova atmosfera cultural dos anos 1920. O estudioso inglês Harold Acton reivindica sua invenção: a calça de pernas largas fazia parte do visual em estilo *revival* vitoriano que usava durante sua graduação no *college* de Christ Church, em Oxford. Outra origem possível é que as autoridades universitárias viam com maus olhos o fato de os alunos usarem durante as aulas os calções conhecidos como *knickerboxers* (abaixo), abandonando o terno formal. Os alunos contornaram a proibição usando as imensas calças Oxford por cima dos calções. Essa calça também pode ser apenas a versão americana exagerada de uma moda britânica, e a referência a Oxford em seu nome em inglês, *oxford bags*, teria sido acrescentada como selo de qualidade.

Robe de style 1926

JEANNE LANVIN 1867-1946

NAVEGADOR

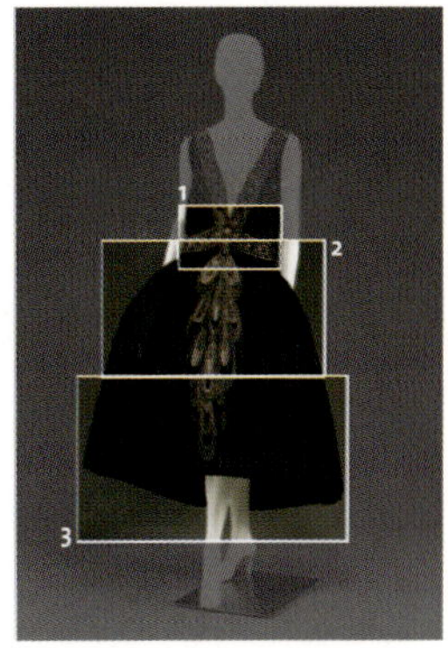

Enfeitado com cristais e pérolas, esse *robe de style* em seda preta simboliza a confluência dos ideiais de feminilidade mais antigos, do ofício da alta-costura e da nova estética minimalista art déco. O *robe de style* se destaca por sua silhueta singular se comparado aos outros vestidos dos anos 1920, quando a moda exigia das mulheres um corpo magro e andrógino. Neste caso, uma mulher mais voluptuosa pode usar o vestido sem parecer deselegante. A peça contrasta elementos decorativos do art déco com uma adaptação das anquinhas setecentistas. Os enfeites suntuosos lembram em especial os vestidos do Antigo Regime, conseguindo assim atrair adeptos apegados a ideais mais tradicionais de feminilidade e alta-costura.

Com relação à forma, o vestido tem um profundo decote em V típico dos anos 1920 na frente e nas costas, mas é preenchido por uma *chemisette* (um tapa-decote) de seda cor da pele. A cintura é relativamente baixa, embora os detalhes em contas na cintura natural e as pences que acompanham o corpo até formar a saia em formato de sino deem a impressão de curvas. As contas, os motivos abstratos e os tons metálicos são típicos do período art déco e refletem um interesse sustentado no exotismo oriental e nos tesouros egípcios. Uma última pluma feita de contas e pérolas desce saia abaixo para dividi-la simetricamente. **PW**

PONTOS FOCAIS

1 ENFEITES DE CONTAS
A parte de cima é debruada por um desenho abstrato repetido de penas de pavão em tamanhos diversos, formado por semicanutilhos prateados e cachos de diamantes falsos contornados por canutilhos e pérolas. Esse nível de detalhe e perícia das costureiras remete aos trajes de corte do Antigo Regime.

3 BAINHA EM FORMA DE PÉTALA
Em uma época em que as bainhas estavam em seu nível mais alto e chegavam aos joelhos, a deste vestido termina no meio da canela. O comprimento mais curto é sugerido pela reentrância no meio da frente da saia, que apresenta dobras semelhantes a anquinhas.

2 SAIA SINO
O formato de sino da saia é criado por arcos, armações de barbatanas ou anáguas engomadas usadas por baixo. Em forte contraste com a típica silhueta "reta de cima a baixo" dos anos 1920, o modelo mantinha vivos alguns detalhes da alta-costura perdidos no estilo melindrosa.

PERFIL DA ESTILISTA

1867-1925
Jeanne Lanvin formou-se como chapeleira e costureira em Paris e Barcelona antes de abrir uma chapelaria própria em 1889. Casou-se com o conde italiano Emilio di Pietro em 1896 e teve uma filha, Marguerite, que viria a se tornar sua musa e sucessora. Lanvin criou uma coleção infantil em 1908, e em 1909 entrou para o Syndicat de la Couture. A Maison Lanvin foi fundada oficialmente no início dos anos 1920, em Paris.

1926-1946
Inspirando-se no esplendor decorativo do século XVIII, Lanvin ficou conhecida por seus bordados primorosos, delicados acabamentos e paleta floral feminina. Sua cor preferida, o escuro "azul Lanvin", era produzida em uma fábrica de tinturas própria. Astuta negociante, Lanvin se expandiu para o ramo dos artigos pessoais de luxo. O perfume Arpège foi criado para sua filha em 1927.

EXPERIÊNCIAS EM CORTE E ESTRUTURA

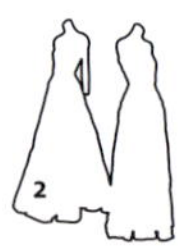

1 O pijama em crepe de seda e o lenço esvoaçante são típicos das formas fluidas de Vionnet. Fotografia de George Hoyningen-Huene (c.1931).

2 Nesse par de vestidos de noite em fios metálicos, Vionnet elimina a necessidade de espartilho em prol de técnicas de drapejamento e painéis de tecido que envolvem o corpo (1938).

A passagem da silhueta tubular do vestido chemisier dos anos 1920 à consciência corporal dos trajes dos anos 1930 foi súbita e radical. O símbolo da mudança foi a *couturière* parisiense Madeleine Vionnet (1876-1975), cujos experimentos com corte e estrutura das roupas criou uma nova dinâmica entre tecido e forma. Junto com Paul Poiret (1879-1944), Vionnet eliminou a distância entre o ofício antes anônimo exercido no ateliê do *couturier* e a alta-costura contemporânea como expressão da personalidade do estilista.

Aprendiz de costureira aos 12 anos de idade, Vionnet se familiarizou com os delicados processos inerentes à fabricação da lingerie de luxo. Refinou suas habilidades trabalhando com uma costureira da alta sociedade londrina antes de voltar a Paris em 1901 e ir trabalhar na Maison Callot Soeurs. As técnicas clássicas de construção das peças tinham por base a largura do tecido estabelecida pelo tear, e os cortes eram mínimos; Vionnet combinou esses métodos com técnicas não ocidentais, incluindo a adaptação de mangas de quimono a vestidos ocidentais para

PRINCIPAIS ACONTECIMENTOS

1919	1922	1922	1925	1925	1932
Thayaht (Ernesto Michahelles; 1893-1959) inicia sua colaboração com Vionnet e desenha a logomarca de sua maison.	Vionnet cria sua empresa Vionnet et Cie. Patroa esclarecida, proporciona às funcionárias licença-maternidade e assistência médica.	Vionnet transfere sua maison de volta para Paris e decora o interior com afrescos de deusas gregas e mulheres contemporâneas.	Sempre inovadora, Vionnet incorpora decorações às costuras invisíveis, embelezando-as com desenhos de flores e estrelas.	Abertura da Madeleine Vionnet Inc. na Quinta Avenida, em Nova York, para vender roupas prontas.	Elizabeth Hawes participa de um desfile na loja nova-iorquina Lord and Taylor's. Seus modelos são escolhidos como exemplos do estilo americano.

proporcionar cavas mais profundas e facilitar os movimentos. Descartando a prática tradicional da costura de juntar vários pedaços do molde adaptados às formas do corpo, ela passou a trabalhar diretamente sobre um meio-manequim articulado, enrolando, alfinetando e cortando o tecido à sua volta.

Em 1907, Vionnet se transferiu para a maison de Jacques Doucet (1853-1929). Influenciado pelos ideais da reforma utópica do vestuário que incentivava as mulheres a abrirem mão das pesadas roupas de baixo, ela desenhou uma coleção que exigia das modelos o abandono do espartilho. Foi também influenciada pelos movimentos livres e naturais inspirados nas artes gregas clássicas (à esquerda) difundidos por Isadora Duncan, uma das fundadoras da dança contemporânea. Vionnet abriu sua própria maison em Paris em 1912, mas a fechou quase em seguida e se mudou para Roma quando estourou a Primeira Guerra Mundial. Na capital italiana, expandiu seu interesse pela Antiguidade clássica e fez experiências com o quíton grego, um traje na altura dos tornozelos cortado em um único pedaço de tecido.

Embora amplamente considerada a inventora do "corte no viés" – quando o tecido é cortado no sentido diagonal à trama, em vez de no sentido paralelo –, a *couturière* muitas vezes cortava no sentido da trama (os tecidos planos têm uma trama e uma urdidura, fios horizontais e verticais que se cruzam em ângulo reto para formar uma trama reta) e depois virava os pedaços do molde para lhes conferir um caimento de viés. Os efeitos decorativos eram parte integrante da construção das peças, e Vionnet utilizava largamente sua experiência com as técnicas de lingerie. Faixas e painéis cortados no viés enrolados no corpo (à direita) eliminavam a necessidade das tradicionais pences no busto, cintura e quadris, bem como de botões, zíperes ou outros fechos, proporcionando assim uma silhueta ao mesmo tempo ajustada e fluida. Frentes únicas e golas pendentes com decote profundo aumentavam a impressão de movimento.

Como Vionnet, a estilista americana Elizabeth Hawes (1903-1971) dava preferência ao uso de técnicas de construção integral, mais notoriamente no vestido-ferradura em forma de diamante (ver p. 248), que juntava com perícia diversas partes de um molde para obter um corte fluido. A francesa Madame Grès (1903-1993), que também se inspirou nas antiguidades clássicas e explorou as possibilidades esculturais do tecido drapejado (ver p. 250), realizou muitas variações de suas formas esvoaçantes e rente ao corpo. O modelo continuou a evoluir ao longo do tempo até incorporar um corpete interno rígido – um espartilho leve, porém com barbatanas – para manter no lugar a meia-malha cuidadosamente manipulada. Grès não apenas fez experiências com corte e estrutura, mas também com tecidos, como o *djersakasha* de malha tubular, um jérsei de caxemira. **MF**

1933	1938	1938	1939	1942	1944
O estilista Gilbert Adrian (1903-1959) apresenta a alta-costura parisiense ao mercado americano com seu vestido frente única cortado no viés criado para Jean Harlow.	Elizabeth Hawes publica *Fashion is Spinach* (Moda é espinafre), em que expõe alguns dos aspectos menos desejáveis da indústria da moda.	Claire McCardell (1905-1958) desenha o inovador vestido "monástico", cortado no viés e amarrado na cintura com uma corda.	Vionnet fecha sua maison e se aposenta com o início da Segunda Guerra Mundial.	Alix Grès (conhecida como Madame Grès) abre sua maison em Paris com o nome de Grès.	Patriota ferrenha, Madame Grès desenha uma coleção inteira de peças azuis, brancas e vermelhas.

Vestido-ferradura 1936

ELIZABETH HAWES 1903-1971

NAVEGADOR

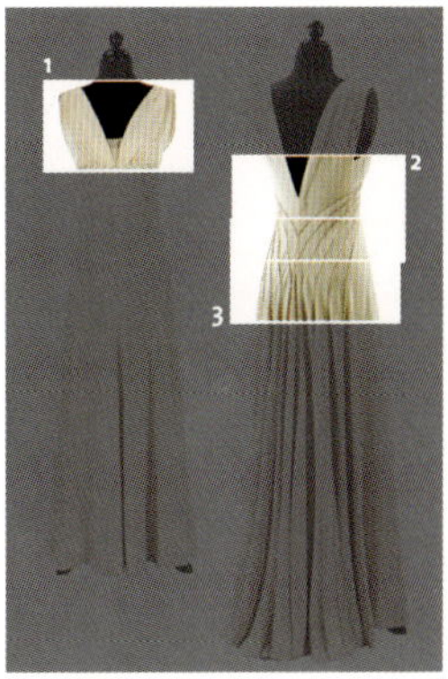

O vestido-ferradura em forma de losango da *couturière* americana Elizabeth Hawes é símbolo de sua técnica preferida: incorporar a construção da roupa ao modelo, em vez de aplicar decorações separadas à parte externa. Como Madeleine Vionnet, ela drapejava e cortava os modelos sobre um manequim de madeira com metade do tamanho real antes de fazer um molde definitivo.

A elegante silhueta rente ao corpo e o uso de um tecido sensual para esse vestido de noite representam o estilo dominante do período, em que os braços ficavam nus e as costas eram exibidas até a cintura para revelar a pele queimada pelo novo e popular passatempo do bronzeamento. O efeito escultural singular do vestido é produzido por 10 tiras estreitas de tecido cortadas no viés em luxuosos crepes de seda e chiffon cor de marfim, contornadas com tiras de debrum metálico dourado. As peças do molde se irradiam precisamente equidistantes da costura de cintura alta na frente, formando um triângulo invertido que alonga o tronco. Prosseguindo em diagonal, as costuras contornam os quadris e as nádegas e dão a volta no tronco ajustado, sublinhando as curvas dos quadris. O profundo e estreito decote em V nas costas atrai o olhar na direção das intrincadas costuras que constituem o ponto focal do vestido-ferradura. **MF**

PONTOS FOCAIS

1 MOLDAGEM SUTIL DO CORPETE
A parte de cima do vestido é feita com uma única peça de tecido, delicadamente franzida na cintura alta e pregueada nos ombros para criar um efeito de blusa. Ele se prolonga nas costas, onde é preso na costura vertical sob os braços.

2 GEOMETRIA TÊXTIL
Tiras de tecido cor de marfim cortadas no viés acompanham as curvas do corpo e se unem em perfeito alinhamento. Elas formam uma ponta no meio das costas que reproduz a linha do profundo decote em V nas costas e o ângulo da cava dos braços.

3 CONTORNO SENSUAL DOS QUADRIS
As nesgas cada vez mais largas partem dos quadris nas costas do vestido e cascateiam até o chão em uma série de dobras que formam uma pequena cauda em estilo rabo de peixe. Quando o modelo foi desenhado pela primeira vez, o efeito rabo de peixe era feito com pregas em vez de nesgas.

PERFIL DA ESTILISTA

1903-1937
Elizabeth Hawes foi criada em uma família classe média de Nova Jersey, EUA. Em 1928, fundou com a sócia Rosemary Harden a Hawes-Harden, casa de costura sob medida em Nova York. No ano seguinte, Harden deixou a sociedade. Em 1932, Hawes foi escolhida pela loja nova-iorquina Lord & Taylor para participar de sua mostra de estilistas americanos. Gênio da autopromoção, Hawes levou uma coleção de 25 vestidos para Paris para divulgar o estilismo americano na França.

1938-1971
Em 1938, Hawes publicou sua denúncia da indústria da moda, *Fashion is Spinach* (Moda é espinafre). Aposentou-se em 1943, mas abriu uma loja em 1948-1949. Na era McCarthy (c.1950-1956), Hawes criticou abertamente o governo dos EUA, o que levou a entrar para a lista negra.

Vestido de noite 1937

MADAME GRÈS 1903-1993

NAVEGADOR

Ao aliar classicismo discreto e glamour sensual, este "vestido deusa" é típico da abordagem escultural da *couturière* parisiense Madame Grès para a silhueta em voga na década de 1930. O vestido, criado sobre a modelo pela estilista, e não a partir de desenhos, utiliza uma complexa técnica de pregas, franzidos e drapejados para obter seu formato de coluna. A peça remete aos drapejados clássicos vistos nas estátuas gregas e romanas, em especial o quíton usado tanto por homens quanto por mulheres da Grécia antiga e visto na escultura em baixo-relevo *O auriga de Delfos* (c.470 a.C.).

O vestido de noite é montado, mais do que construído, usando colunas de jérsei de seda opaco de dupla largura formadas por dois pedaços de tecido costurados na ourela para ficarem contínuos da bainha da frente até a de trás, passando por cima dos ombros. O peplo é criado dobrando o tecido sobre si mesmo e costurando-o na cintura, técnica baseada no *peplos* grego, uma curta saia presa à cintura de vestidos, blusas ou casacos. As bordas do peplo são enroladas à mão para formar uma bainha de babados que realça o aspecto de lingerie da peça. As costuras laterais têm painéis para aumentar o volume na barra, que se acumula no chão em formato de tulipa. A frente do corpete tem um decote profundo, e o busto é sustentado pelo volume dos franzidos que partem da costura no ombro. **MF**

PONTOS FOCAIS

1 CORPETE PLISSADO
Na parte de cima, as costas dos ombros são prolongadas para caírem até a frente no alto dos braços, criando plissados diagonais. Isso reproduz o efeito do quíton preso com um broche, que também tem uma pequena manga japonesa semelhante.

2 BAINHA ONDULANTE
Os aspectos esculturais da silhueta são reforçados pela extensão do comprimento e volume do vestido, que cai em dobras aparentemente esculpidas na bainha, efeito realçado pela falta de adornos e pelo tecido em tom de pedra.

▲ Neste vestido Grès de 1955, o chiffon de seda é reunido em pequenos plissados para dar forma ao corpete; o tecido é torcido no meio na frente e preso por alças estreitas que vão até os ombros.

DESIGN DE ROUPAS ESPORTIVAS

1 A tenista Suzanne Lenglen usa um vestido sem mangas com saia plissada para facilitar os movimentos, arrematado pela faixa na cabeça que era sua marca registrada (*c.*1920).

2 Nessa foto (1929) de George Hoyningen-Huene, os modelos vestem roupas de banho de malha da Lelong.

A euforia de estar em paz após o niilismo e a destruição da Primeira Guerra Mundial provocou um turbilhão de atividades esportivas e um período de consumismo acelerado. Essa combinação gerou uma obsessão com atividades vigorosas como pólo, vela, turfe e tênis, todas as quais exigiam trajes específicos. O esporte se tornou acessível a todos, da paixão da elite pelo esqui à Liga Feminina de Saúde e Beleza, que popularizou a boa forma física e promoveu um regime de exercícios e calistenia para manter a forma. O esporte era enfatizado por promover a saúde, e o surgimento de clubes sociais dedicados a atividades comunitárias como passeios de bicicleta coletivos marcou o período. Essas atividades deram às mulheres a oportunidade de usar calças compridas, macacões ou shorts combinados com camisas, meias e sapatos de cadarço masculinos.

As roupas desenhadas especificamente para o esporte surgiram nos anos 1920, e seu principal expoente foi o costureiro francês Jean Patou (1887-1936), que libertou as mulheres da constrição de roupas esportivas em múltiplas camadas e introduziu o conceito de "nudez" pública na forma de vestidos sem mangas usados com as pernas nuas. Junto com Coco Chanel (1883-1971), Patou foi o principal intérprete do visual *à la garçonne*, e realizou uma transição simples entre a linha desestruturada e de cintura baixa do vestido chemisier e o uniforme de tênis larguinho com ênfase no quadril. O *couturier* foi chamado para desenhar uma saia plissada na altura do joelho e um cardigã sem mangas para a heroína do tênis Suzanne Lenglen. Ela representava um novo ideal feminino, não apenas graças às proezas atléticas em quadra, mas também à emancipação de seus trajes, aos cabelos curtos e à larga faixa colorida

PRINCIPAIS ACONTECIMENTOS

1919	1919-1926	1924	1925	1925	1927
Jean Patou reabre sua maison em Paris; ele viria a se tornar um dos principais *couturiers* do mundo.	Suzanne Lenglen reina como campeã em Wimbledon e conquista 31 títulos entre 1914 e 1926.	Patou abre filiais de sua maison em balneários franceses como Biarritz e Deauville para vender roupas e acessórios esportivos prontos.	O fabricante de pneu e borracha Dunlop se diversifica, e a marca é aplicada a calçados e roupas esportivas.	Jacques Heim (1899-1967) abre a maison que leva seu nome, em Paris.	A americana Helen Wills, vencedora de 31 títulos do Grand Slam, adota a muito copiada viseira.

que usava no lugar do chapéu (à esquerda), estilo posteriormente adotado por várias mulheres aspirantes a tenistas. Patou acabaria por criar dentro de sua maison um departamento especializado em trajes esportivos chamado Le Coin des Sports, ou "cantinho do esporte".

A moda feminina do tênis incluía suéteres de malha sem mangas com listras caneladas em cores contrastantes, precursores do clássico suéter de tênis e críquete com gola em V listrada. No golfe, o suéter "jazz", como aquele usado pelo fanático golfista duque de Windsor, antes Príncipe de Gales, popularizou os suéteres policromáticos de múltiplas estampas tanto para homens quanto para mulheres. As propriedades da malha a tornavam singularmente adaptada para atividades esportivas ao ar livre, pois a flexibilidade facilitava os movimentos. As fibras de fio de lã prendiam o ar, protegendo contra o frio sem pesar e permitindo que a pele respirasse. Nos anos 1920, a flexível meia-malha foi usada para fabricar o que viria a ser conhecido como a clássica camisa polo, inicialmente usada por René Lacoste (1904-1996; ver p. 254) para jogar tênis.

Nos anos 1930, o traje de banho de malha (à direita) teve um papel significativo na ampliação das fronteiras do que era considerado imodesto ou inadequado para as atividades esportivas. Usado para tomar sol, nadar ou praticar esportes aquáticos, o traje de banho permitia aos fotógrafos da época disseminar com legitimidade imagens de quase nudez. Elsa Schiaparelli (1890-1973) ampliou seu repertório de malhas para incluir trajes de banho ajustados ao corpo, em geral realçados por um jogo de listras horizontais ou verticais. O traje de banho decotado nas costas também preparou o caminho para roupas esportivas menos restritivas em outras frentes: em 1931, a campeã de tênis Fearnley-Whittingstall apareceu em quadra sem meias e, um ano depois, Alice Marble jogou usando um short branco em vez da habitual saia. Outros modelos em estilo calça incluíam os folgados pijamas de praia (ver p. 256), macacões e culotes de montaria. Confeccionadas em meia-malha ou algodão, ou ainda em linho, essas roupas seguiam as mesmas linhas dos vestidos fluidos e rentes ao corpo então em voga, com partes da peça cortadas no viés e ênfase em itens decorativos como botões, laços e amarrações no decote em V. Frentes únicas e costas decotadas deixavam os ombros à mostra, proporcionando uma nova área de atração.

Um interesse crescente pelo esqui na década de 1930 produziu inovações nos trajes do esporte: as silhuetas longas e esbeltas e quadris acentuados dos anos 1920 deram lugar a calças em estilo norueguês apertadas no tornozelo e enfiadas nas botas, fabricadas em tecidos à prova d'água cuja composição incluía o lastex para facilitar os movimentos. Essas calças eram usadas com jaquetas curtas e quadradas cujos ombros largos podiam acomodar os grossos suéteres estampados usados por baixo. Conscientes do mercado potencial nascente para artigos esportivos, fabricantes astutos desenvolveram acessórios específicos. A Superga, marca de calçados italiana criada em 1913, lançou em 1925 tênis brancos com solado de borracha vulcanizada conhecidos como modelo Clássico 2750, que viraram um sucesso de vendas e continuam no mercado até hoje. **MF**

1928	1928	1934	1936	1936	1936
As mulheres passam a poder participar das disputas de atletismo dos Jogos Olímpicos em Amsterdã.	Jean Patou cria o Huile de Chaldée, primeiro óleo bronzeador, que é relançado em 1993.	A fibra de lastex é introduzida nos tornozelos das calças de esqui pela estilista francesa Vera Borea, que também lança o maiô com saiote.	Elsa Schiaparelli lança seus oleados transparentes e seus óculos de esqui de casco de tartaruga para praticar esportes com estilo.	O conjunto americano de camisa e short evolui para o "vestido short", com botões na lateral.	Jacques Heim abre lojas de roupas esportivas em resorts elegantes de Biarritz e Cannes.

Camisa de tênis Década de 1920

LACOSTE

René Lacoste veste sua própria criação (anos 1920).

NAVEGADOR

Na década de 1920, René Lacoste, tenista francês campeão do Grand Slam, decidiu que as tradicionais camisas de malha engomadas e de mangas compridas eram restritivas demais para o melhor desempenho em quadra. Assim, desenhou uma camisa de mangas curtas feita com uma leve e arejada malha de algodão chamada *petit piqué*, ou piquê, com a barra mais comprida atrás do que na frente. Esse modelo, hoje chamado "bainha de tenista", foi usado por Lacoste em 1926 no Aberto dos Estados Unidos.

A expressão "camisa polo", antes associada às camisas de mangas compridas abotoadas na frente tradicionalmente usadas para jogar polo, tornou-se o nome universal da camisa de tênis Lacoste. A polo original, porém, foi criada em 1920 por Lewis Lacey, comerciante de aviamentos e jogador de polo argentino de origem irlandesa, e era bordada com o desenho de um jogador surgido no clube de polo Hurlingham, perto de Buenos Aires. O típico emblema do crocodilo bordado no peito das camisas de René Lacoste surgiu pela primeira vez no bolso superior do blazer por ele usado em quadra, bordado por seu amigo Robert George em homenagem à reputação do jogador na imprensa americana de ter um jogo agressivo e tenaz. Mais tarde, Lacoste pôs o emblema do crocodilo do lado esquerdo do peito de suas camisas. **MF**

PONTOS FOCAIS

1 GOLA
A gola protuberante, sem goma e plana tem os cantos quadrados e é bastante larga. É muitas vezes usada erguida na nuca para proteger o tenista do sol, hábito conhecido como "subir a gola".

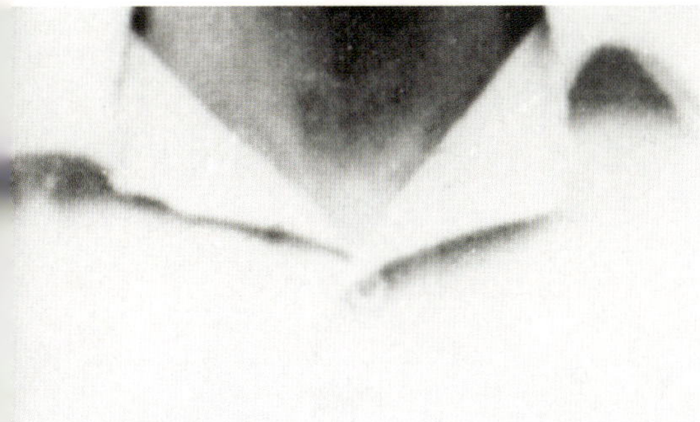

2 ABERTURA NA FRENTE
A abertura de três botões é usada desabotoada. Feita com mais de uma camada de tecido para proporcionar sustentação e força, os dois lados da abertura são sobrepostos na base e reforçados por costuras.

O SÍMBOLO DA LACOSTE

A logomarca do crocodilo (abaixo) foi uma das primeiras a se tornar visível do lado de fora de uma peça de roupa, e se revelou um tal sucesso que, em 1933, René Lacoste fundou uma fábrica de roupas em parceria com o fabricante de malhas André Gillier. De 1953 até o final dos anos 1960, as camisas eram exportadas para os Estados Unidos para serem vendidas na loja de roupas Brooks Brothers. A camisa com o "croco" tornou-se popular tanto entre astros de cinema e celebridades quanto no universo do esporte, e passou a ser um elemento essencial do guarda-roupa do universitário chique, chegando a ser mencionado no *Official Preppy Handbook* (Manual oficial do estudante) de Lisa Birnbach (1980). A empresa logo passou a fabricar também outros produtos, como óculos escuros e artigos em couro, em geral com a marca do crocodilo em miniatura.

Pijama de praia Década de 1930

TRAJE CASUAL

Mulheres passeando em West Sussex
vestindo pijamas de praia.

NAVEGADOR

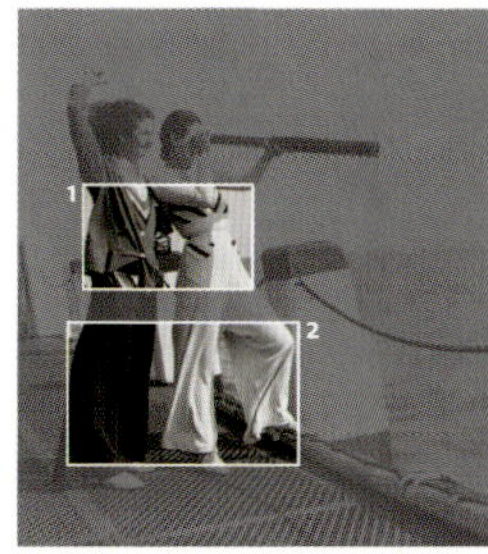

Na década de 1930, estilos desenvolvidos especificamente para o esporte na década anterior entraram para o *mainstream* da moda e começaram a ser usados em diferentes atividades de lazer. Os recém-popularizados passatempos do bronzeamento e da natação exigiam um guarda-roupa totalmente diferente cujo item básico para o balneário era o pijama casual ou pijama de praia, tendência criada por Coco Chanel e sua apropriação das calças boca de sino dos marinheiros. À medida que mais mulheres começavam a fazer dieta e exercícios, elas podiam usar modelos mais desestruturados, cortados em tecidos esvoaçantes como a meia--malha para os trajes diurnos práticos e o crepe da china para os pijamas casuais noturnos.

Os dois trajes ao lado, em meia-malha lisa, têm combinações de cores invertidas: base escura com listras claras, e base clara com listras escuras. Fora isso, são idênticos. O macacão é usado por baixo: camisa branca de corte masculino à esquerda, e um fino suéter de malha à direita. O cardigã folgado de corte quadrado tem uma alfaiataria suave criada pelo método "corte e costura", em que as peças não eram modeladas, e é fechado por dois botões abaixo de um profundo decote em V que se prolonga em lapelas estreitas; tem dois bolsos chapados na frente. Os cabelos não são mais curtos, mas presos rente à cabeça. Os sapatos não têm salto ou têm um pequeno salto cubano, e são levemente pontudos. **MF**

PONTOS FOCAIS

DETALHES ART DÉCO
Influenciado pela tendência de detalhes art déco, o tecido listrado da parte de cima da roupa é cortado para formar um triângulo invertido na costura central da frente, repetido nas abas decorativas dos bolsos chapados posicionados na parte baixa dos quadris.

2 CALÇAS DE PERNAS FOLGADAS
As calças em meia-malha têm um corte largo nos quadris e se abrem em direção aos tornozelos. Presas por uma costura alta na cintura a um corpete frente única dão a impressão de serem cortadas separadamente, e são divididas por um estreito cinto feito no mesmo tecido.

SOL E BANHO DE MAR NA CÔTE D'AZUR

Europeus elegantes passeiam à beira-mar em Juan-les-Pins, França (c.1930; à direita), usando uma variedade de pijamas de praia. A mulher sentada à esquerda usa um macacão inteiriço de pernas folgadas com uma pala frontal presa por duas alças cruzadas e um chapéu de aba larga por cima de cabelos curtos. O pijama de praia verde-maçã usado pela mulher do meio tem a cintura alta e é preso por um cinto de couro amarelo. A blusa sem mangas tem um generoso decote em V e pende solta dos ombros ao estilo chemise.

DESIGN DE MALHA

1 Este vestido de crochê ajustado ao corpo, desenhado por Merle Munn (1935), confere à malha elegância e feminilidade.

2 O clássico suéter com estampa xadrez Argyle era popular entre os golfistas do entreguerras (1925).

3 O fabricante escocês Braemar anuncia seus simples twin sets de malha (anos 1930).

O termo genérico "meias" inicialmente se referia a qualquer peça confeccionada em malha, de camisetes e anáguas a roupas de banho. Nos anos 1920 e 1930, porém, os fabricantes ampliaram sua produção de lingerie de malha para peças de uso externo, e o termo "meias" foi substituído por "malha". Perfeitamente adaptados para atender às necessidades modernas dominantes de "função antes da forma", os tecidos de malha – fabricados pelo entrelaçamento de fios – proporcionavam peças rentes ao corpo que também podiam se expandir e deixavam livres os movimentos de quem as usava, libertando assim as mulheres do fardo de roupas que exigiam muita manutenção. Além disso, variando o número de pontos, era possível alargar ou estreitar as peças para contemplar os diferentes formatos de corpo, característica ideal para o processo de produção em massa que começava a se expandir. Finalmente, por volta de 1925, com a introdução da fibra de lastex, a malha se tornou elastizada, passando a conservar melhor seu formato. Em pouco tempo, fabricantes de roupas de banho como a Jantzen começaram a usar o lastex em suas coleções (ver p. 260).

À medida que os fabricantes de malha passaram a produzir peças de uso externo,

PRINCIPAIS ACONTECIMENTOS

Década de 1920	1922	1927	1927	Década de 1930	1930
John Smedley apresenta a camisa "Ísis", com um modelo de gola patenteado conhecido como "peitilho". Trata-se da precursora da camisa polo.	Elsa Schiaparelli (1890-1973) começa sua carreira na criação de malhas.	A Pringle of Scotland começa a fabricar as meias de seda pura chamadas Prinseta.	Fundação da Malharia Ohio por Harry Stone, em Cleveland, Estados Unidos, para fabricar suéteres de primeira linha para marcas elegantes como a Pendleton.	A empresa britânica Jaeger oferece roupas esportivas da moda em malha jacquard.	A Pringle of Scotland alega ser a primeira empresa britânica a usar caxemira em peças de uso externo.

seu formato deixou de ser ditado pelas habilidades do operador do tear e passou a depender do processo de criação. Isso se aplica em especial ao twin set (à direita, embaixo), um clássico perene da moda. Inicialmente associado a duas malharias britânicas, John Smedley e Pringle of Scotland, a combinação de cardigã abotoado na frente e suéter com decote careca e mangas curtas no mesmo tecido foi inicialmente qualificada de traje esportivo. Conforme sua popularidade aumentou, surgiram variações: um decote em V substituiu o decote careca, o cardigã ganhou uma pequena gola, e estampas ou pontos diferentes eram usados de vez em quando. Independentemente da variação, a premissa básica permanecia a mesma: as duas peças tinham a mesma cor, textura e fio. Usado com uma fileira de pérolas e uma saia de tweed, o twin set – conjuntinho (casaco e blusa de lã) – passou a representar um estilo de vida que defendia os valores da classe média e também demonstrava um refinado bom gosto.

No entreguerras, os fabricantes escoceses eram renomados na Europa e nos Estados Unidos pela qualidade de seus produtos e fios, mas outros fabricantes europeus, notadamente italianos, entenderam que a malha estava subordinada às mesmas demandas de moda das peças de uso externo de tecido plano. Isso levou a Pringle of Scotland (primeira empresa britânica a fazê-lo) a contratar um estilista, o austríaco Otto Weisz. A empresa também introduziu na malharia a estampa intársia (conhecida como xadrez Argyle), que se tornou um item de necessidade básica da moda casual masculina (à direita) e conquistou especial popularidade no campo de golfe.

A perícia do cortador de moldes, explorada pelos estilistas de primeira linha da época, infiltrou-se no design da malha. Os fabricantes começaram a desenvolver peças em estilo "corte e costura", sem modelar os pedaços individualmente, e aplicavam à malha as mesmas técnicas de desenho de molde e manufatura aplicadas aos tecidos planos. Vestidos-suéter ajustados na cintura em fina lã merino tinham pences e costuras astuciosamente escondidas integradas a pregas, golas pendentes e corpetes drapejados. Os quadris eram definidos por costuras moldadas, e os cintos se tornaram muito importantes. O estilo dominante do movimento art déco proporcionou inspiração na forma de listras e zigue-zagues policromáticos. Assim como na moda *mainstream*, havia uma obsessão por detalhes e acabamentos (à esquerda), sobretudo botões e fivelas. Esses elementos eram fabricados sobre processo de injeção usando um dos novos plásticos como o baquelite, e muitas vezes tinham motivos art déco como o leque ou o raio de sol. Os decotes se prolongavam em laços ou gravatas compridas, e as ombreiras eram copiadas franzindo o alto da manga na cava onde esta se encaixava na parte de cima.

Uma das consequências da quebra de Wall Street em 1929 e da subsequente depressão econômica foi a explosão da tricotagem caseira. Um ressurgimento das artes manuais após o culto à mecanização da década anterior ficou evidente na profusão de artigos tricotados personalizados. Flores de crochê, nó francês, ponto cheio e ponto de margarida – além de franjas, pompons e debruns de peles – decoravam não apenas suéteres, mas também chapéus e bolsas de tricô. O estilo mais funcional da moda diurna dos anos 1930 não chegou aos trajes de noite, influenciados pelo glamour de Hollywood (ver p. 270). O uso de teares "de renda" com estampas mecanizadas e de teares tipo Raschel para a confecção de malhas possibilitou suéteres mais leves, adequados também para a noite. **MF**

1931	1934	Década de 1940	Década de 1940	1941	1947
A Pringle of Scotland atenteia a roupa de baixo "Slimfit", que contém lastex na cintura canelada.	Otto Weisz é apontado pela Pringle of Scotland como o primeiro designer exclusivo de roupas de malha da indústria.	A empresa Hadley, uma das principais malharias dos Estados Unidos, produz suéteres de caxemira e lã de camelo.	O fabricante de roupas de banho Catalina patrocina o concurso de beleza Miss Estados Unidos. As candidatas usam maiôs Catalina comprados prontos.	A Jantzen expande seus negócios e acrescenta suéteres e roupas esportivas às suas coleções.	A empresa britânica Pringle of Scotland é a marca mais vendida nos Estados Unidos.

Traje de banho esculpido elasticizado Década de 1930

JANTZEN

Anúncio da Jantzen (anos 1930). A logomarca foi desenhada por Frank e Florence Clark.

NAVEGADOR

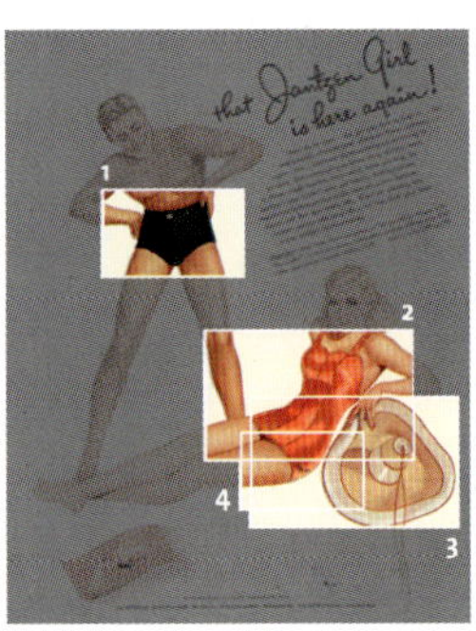

A tríade das grandes fabricantes de roupa de banho americanas – Jantzen, Catalina e Cole – tem uma origem comum: a indústria da malha. De fato, muitas malharias dos Estados Unidos foram rápidas ao explorar o mercado de trajes de banho em malha feitos a máquina, e acabaram se diversificando para as roupas esportivas, criando assim uma indústria da moda florescente na Costa Oeste. Nos Estados Unidos e Europa do entreguerras, homens e mulheres passaram a se preocupar cada vez mais com saúde e esporte. A Jantzen teve a habilidade de canalizar esse interesse pela boa forma física para as tendências de moda e associou seus produtos aos estilos de vida almejados. A malharia aplicou sua perícia na modelagem à produção de trajes de banho ajustados ao corpo, que tinham porém a desvantagem de encharcar e perder a forma quando molhados. Houve tentativas malsucedidas de acrescentar elástico ao processo de confecção da malha, mas foi só com o advento de um fio recém-inventado, o lastex – material que combinava elástico e seda em um fio com acabamento acetinado, desenvolvido pela empresa de borracha United States Rubber Company –, que o tecido ganhou a textura, mais firme e mais resistente, necessária para sustentar e definir o corpo. Os modelos evoluíram de acordo com as tendências mutáveis da época, e no fim dos anos 1940 o maiô virou tomara que caia. **MF**

PONTOS FOCAIS

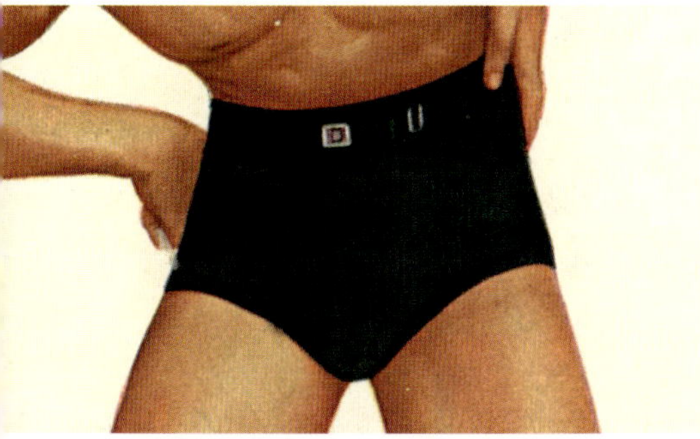

1 SUNGA MASCULINA
Com um corte reconfortante semelhante às peças de uso externo, a sunga de cintura alta reproduz o modelo das calças contemporâneas e tem um cinto integrado preso por passadeiras, diferenciando-se assim da roupa de baixo. O corte é reto no alto das coxas.

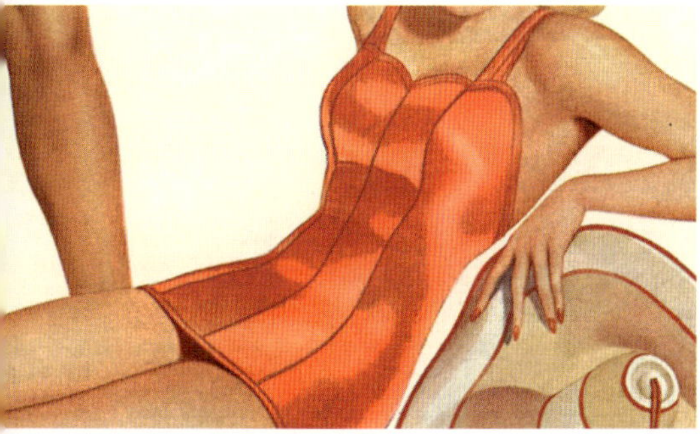

2 MAIÔ FEMININO
O maiô tem o corte semelhante a um espartilho. As costuras paralelas formam uma linha acinturada que se prolonga nas alças dos ombros, presas à cintura das costas decotadas. A barra reta do maiô esconde a calcinha integrada usada por baixo.

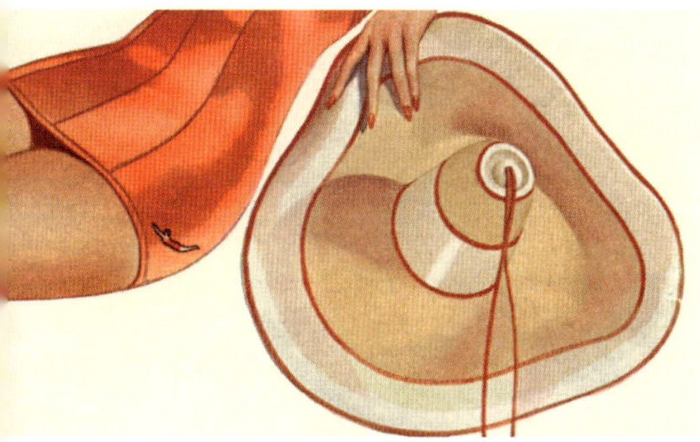

3 SOMBREIRO
O chapéu de sol tem aba bem larga e uma copa alta e cônica típicas do sombreiro mexicano, nome derivado da palavra "sombra". Feito em dois tons de palha com uma faixa contrastante, o chapéu era um popular e útil acessório de praia.

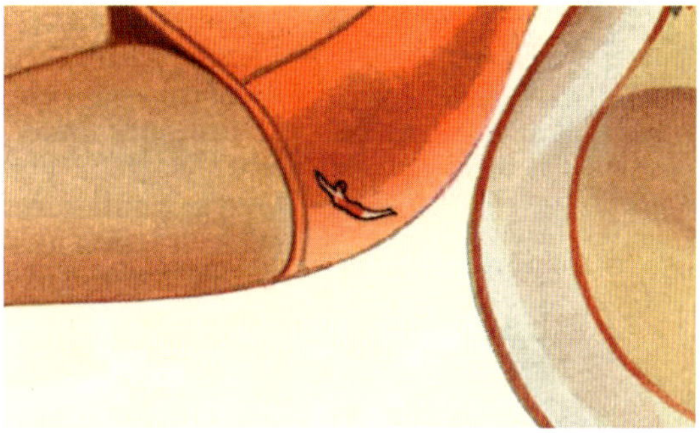

4 LOGOMARCA
A logo da Jantzen é um dos mais antigos ícones de marca da moda, e surgiu pela primeira vez em anúncios da empresa nos anos 1920, quando a insígnia da Moça Mergulhando passou a ser bordada ou costurada nos maiôs a partir de 1923. O slogan da marca, "O traje que transformou o banho em natação", surgiu no mesmo ano.

HISTÓRIA DA JANTZEN

A Malharia Portland foi fundada em 1910 na cidade americana de Portland, Oregon, por C. Roy, John A. Zentbauer e Carl Jantzen. A empresa se limitava a umas poucas máquinas de malharia acima de uma pequena loja de varejo, e produzia meias e suéteres. Em 1915, Jantzen desenhou seu primeiro traje de banho comercial: um short comprido preso a uma parte de cima sem mangas com saiote, em cores fortes e listras. O nome da empresa mudou para Malharia Jantzen em 1918, e em 1940 passou a ser Jantzen Inc. Em 1938, Jantzen criou departamentos separados para homens e mulheres, e anos depois, entre 1965 e 1980, ganhou seis prêmios Woolknit por seus modelos de suéteres masculinos (abaixo). As linhas de roupas esportivas foram encerradas em 1997, e a empresa hoje fabrica apenas roupas de banho.

MODA E SURREALISMO

Criado pelo escritor e poeta francês André Breton, o surrealismo era um exercício de deslocamento que subvertia a normalidade inserindo-a em um contexto novo e muitas vezes perturbador. A conjunção entre moda de vanguarda e absurdo surrealista no fim da década de 1920 proporcionou um necessário antídoto para o funcionalismo utilitário do movimento modernista. Seu principal expoente foi a estilista italiana Elsa Schiaparelli (1890-1973), que ganhou fama com o uso do trompe l'oeil em vistosas peças de malha. O estilismo, como Schiaparelli gostava de dizer, não era para ela uma profissão, mas apenas uma forma diferente de expressão artística; ela não sabia costurar e mal desenhava. O *couturier* parisiense Christian Dior (1905-1957) a acusou de criar roupas de alta-costura somente para pintores e poetas e, como Paris era o epicentro da vanguarda artística, os dois mundos inevitavelmente colidiram.

Schiaparelli lançou sua primeira coleção em 1929 na loja que tinha da Rue de la Paix, em Paris. Lá produziu uma coleção em malha composta de suéteres, casacos, saias, roupas de banho e boinas de crochê. Alguns suéteres usavam o novo tecido

PRINCIPAIS ACONTECIMENTOS

1924	1926	1929	1929	1930	1935
André Breton escreve seu primeiro Manifesto Surrealista, no qual define o movimento como puro automatismo psíquico.	Um novo grupo de artistas surrealistas que inclui René Magritte se forma em Bruxelas antes de se transferir para Paris em 1927.	O pintor surrealista Giorgio de Chirico desenha figurinos para *Le Bal* (O baile), do Ballets Russes, usando como motivos fragmentos de arquitetura clássica.	Dalí faz a curadoria de importantes mostras profissionais, e entra oficialmente para o grupo surrealista no bairro parisiense de Montparnasse.	Schiaparelli emprega mais de duas mil pessoas em suas 26 oficinas da Rue Cambon, em Paris.	Schiaparelli desenha estampas para tecidos de seda e algodão inspiradas nos recortes de jornal que anunciavam a inauguração de sua loja apelidada de "Schiap Shop".

de lã elastizada chamado *kasha*, que aderia ao corpo de forma provocante; outros eram feitos com um ponto especial de duas camadas criado por duas refugiadas armênias que viviam em Paris. Os efeitos de trompe l'oeil incluíam imagens tão diversas quanto laços de mentira (ver p. 264), lenços, gravatas e cintos, tatuagens de marinheiro e um esqueleto branco contra um fundo preto. Quando os dadaístas sucederam aos surrealistas, Schiaparelli colaborou com seu mais célebre expoente, Salvador Dalí, pintor de meticulosas cenas oníricas, de imagens hipnóticas e relógios derretidos em paisagens desérticas. Suas peças incluíam um vestido de noite branco enfeitado com uma estampa de lagosta pintada na saia por Dalí (à esquerda, em cima) e um terninho de saia com bolsos que imitavam uma cômoda. Schiaparelli também desenhou acessórios e fabricou bolsas confeccionadas em torno de objetos cotidianos, como um piano e um telefone. Para sua coleção "pagã" de 1938, ela criou um colar de insetos que dá a ilusão de besouros rastejando em volta do pescoço de quem o usa.

Schiaparelli era particularmente bem relacionada para explorar seus vínculos com o mundo da arte – entre seus amigos estavam Marcel Duchamp, Francis Picabia, Alfred Stieglitz e Man Ray –, situação que a tornava única entre os estilistas da época. Os que estavam fora de sua esfera de influência se contentavam com detalhes: em 1936, a Maison Rochas desenhou fivelas de cinto em forma de candelabros em miniatura, lustres de cristal e escrínios de pelica transbordando com anéis de pérolas e correntes. Os criadores de acessórios eram mais destemidos. A chapeleira parisiense Louise Bourbon criou em 1938 uma boina que lembrava uma folha retorcida de endívia, e bolsas-fantasia se multiplicaram à medida que os criadores experimentavam formas, formatos e materiais para produzir objetos espirituosos e improváveis para uma elite intelectual. Uma das mais importantes foi a francesa Anne-Marie, cujas criações combinavam um desenho provocante e subversivo com fechos inovadores, como por exemplo a bolsa em forma de bandolim que vinha dentro de uma caixa decorada com um libreto de ópera, ou a bolsa-telefone de camurça preta (à direita). Ao final da década, bolsas de inspiração surrealista produzidas em massa se multiplicaram, sobretudo aquelas com mostrador de relógio certamente inspiradas por Dalí.

Em 1935, Schiaparelli abriu uma das primeiras lojas de alta-costura, a Pour le Sport, para vender malhas e roupas esportivas prontas. A estilista teve um grande sucesso comercial internacional com uma pequena boina de malha, a "boina de louco", que podia ser manipulada para adotar vários formatos e, assim como o suéter com laço na frente, foi copiada aos milhares. Estilista iconoclasta, Schiaparelli incorporou sua própria abordagem idiossincrática da moda a experimentos com tecidos texturizados em parceria com Charles Colocombet, fabricante de tecidos francês. Transformou bizarros botões ornamentais em espelhos de mão ou castiçais e decorou chapéus com cachos de uvas e mergulhões. Em 1937, Dalí fez esboços para um chapéu-sapato que Schiaparelli incluiu em sua coleção de outono-inverno. No formato de um sapato feminino com salto, o chapéu tinha o salto na vertical e a ponta inclinada acima da testa de quem o usava. **MF**

1 O lendário vestido de organza de seda com estampa de lagosta de Elsa Schiaparelli é pintado à mão com uma lagosta e ramos de salsa desenhados por Salvador Dalí. Fotografia de André Durst (1937).

2 Esta bolsa de camurça preta em formato de telefone de 1940 criada por Anne-Marie de França tem enfeites dourados e fecho de pressão.

1936

A artista surrealista Eileen Agar impressiona com seu "Chapéu cerimonial para comer *bouillabaisse*", feito de casca de árvore, coral, um grande osso de peixe e uma peça de quebra-cabeça.

1936

O editor-chefe da *Harper's Bazaar*, Carmel Snow (ex-editor da *Vogue*), nomeia Diana Vreeland como editora de moda.

1936

A *Vogue* americana publica um artigo intitulado "Surrealismo ou a vaca roxa", ilustrado pelo retrato de Salvador Dalí pintado por Cecil Beaton.

1936

Dalí projeta uma vitrine para a loja nova-iorquina Bonwit Teller; seu "smoking afrodisíaco" é pendurado junto com pequenos cálices de creme de menta.

1936

Três quadros de Dalí, um dos quais pertencia a Schiaparelli, exibem personagens usando roupas rasgadas e muito justas que sugerem lágrimas e pele esfolada.

1938

Em parceria com Dalí, Schiaparelli inventa a bolsa Acenda a Luz. Duas lâmpadas internas retroiluminam um espelho, com um compartimento para guardar batom.

Suéter trompe l'oeil 1928
ELSA SCHIAPARELLI 1890-1973

A primeira incursão de Elsa Schiaparelli na área do estilismo comercial foi um sucesso imediato. Em sua biografia, *Uma vida chocante* (1954), ela conta que, ao usar pela primeira vez seu lendário suéter de laço em trompe l'oeil durante um almoço no Ritz de Paris, "houve um rebuliço... Todas as mulheres queriam um igual na hora". A ideia do suéter surgiu quando Schiaparelli ficou intrigada com o suéter tricotado à mão de uma amiga, e descobriu que a textura mais firme era resultado de uma técnica que usava três agulhas e tornava a peça resistente ao esticamento, criando um efeito que lembrava o tweed. O ponto era obra da imigrante armênia Aroosiag Mikaelian e de seu irmão, que produziam uma linha de artigos de tricô para o mercado atacadista francês. Embora a própria Schiaparelli não soubesse tricotar, fez para os irmãos Mikaelian um esboço aproximado de um suéter com um grande laço no decote, acrescentando ao formato quadrado e fechado uma gola em trompe l'oeil no mesmo motivo e punhos virados. À medida que ela começou a vender mais peças, outras armênias de Paris que conheciam o ponto foram chamadas para aumentar a produção. Foi graças a essas tricoteiras que essa técnica de tricô ficou conhecida como "armênia".

A primeira encomenda de 40 suéteres com saias no mesmo feitio foi fabricada em 15 dias, e a editora de moda da edição de dezembro da revista *Vogue* chamou o suéter de "obra-prima". Seguiram-se encomendas do atacadista de moda esportiva americano William H. Davidow Sons Co., e em 1928 o modelo era tão onipresente que instruções para tricotá-lo foram publicadas na revista popular americana *Ladies' Home Journal* sem citar a fonte. **MF**

NAVEGADOR

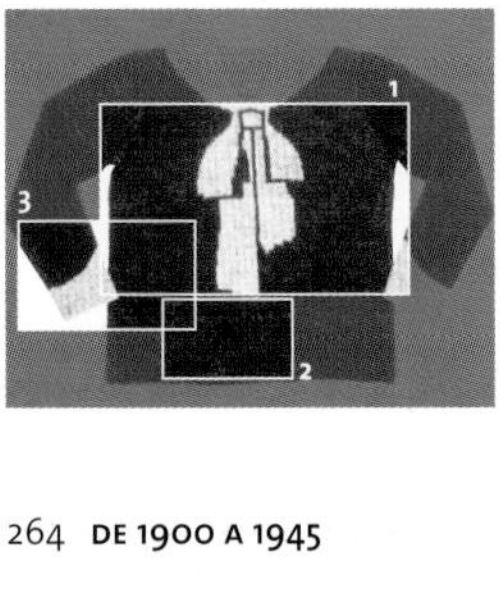

PONTOS FOCAIS

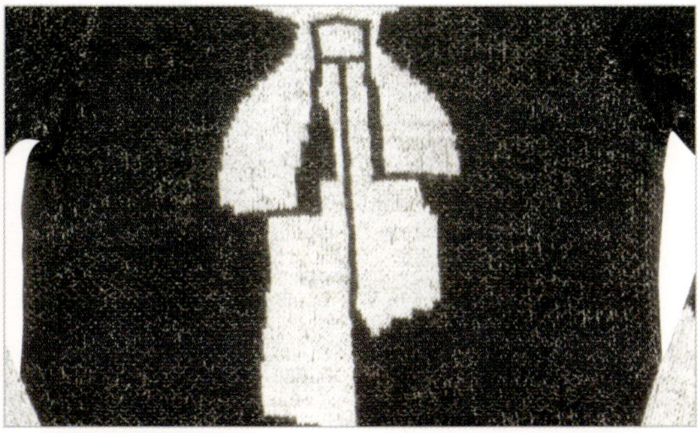

1 LAÇO DE MENTIRA
O laço de mentira é um dos modelos mais copiados de Schiaparelli. A capacidade pictórica da técnica intársia feita à mão é limitada pela densidade de pontos da trama. Schiaparelli transforma em virtude a aspereza necessária dos pontos para evocar uma estratificação art déco.

2 FUNDO SALPICADO DE BRANCO
O fundo de cor lisa é salpicado de branco para criar um efeito de tweed. Isso é obtido passando-se o fio branco por trás do preto e capturando-o outra vez atrás de cada terceiro ou quarto ponto conforme se tricota a peça. Schiaparelli experimentou várias versões desse suéter antes de conseguir o resultado desejado.

3 PUNHOS ILUSÓRIOS
A ilusão de uma manga com punho é obtida com o uso do trompe l'oeil. A expressão significa literalmente "tapear o olho", e foi cunhada durante o período barroco para se referir às ilusões de perspectiva em pintura, a cúpula do teto pintada por Andrea Pozzo (1703) na igreja jesuíta de Viena.

▲ Schiaparelli estendeu a nova técnica de tricô para os trajes de banho. Esta parte de cima (1927) com desenho de peixe era feita para ser usada com uma calça justa de flanela.

PERFIL DA ESTILISTA

1890-1922
Elsa Schiaparelli nasceu no Palazzo Corsini, em Roma, de pais aristocratas intelectuais. Sua mãe, Maria Luisa, era uma aristocrata napolitana, e seu pai, Celestino Schiaparelli, um renomado acadêmico e curador de manuscritos medievais. De 1919 a 1922, Schiaparelli viveu em Nova York, onde trabalhou como roteirista e tradutora; lá conheceu os artistas Marcel Duchamp e Man Ray.

1923-1944
De volta a Paris, a estilista lançou uma primeira coleção em 1929 em sua loja da Rue de la Paix. Em 1937, lançou o perfume Shocking, batizado em homenagem ao chamativo rosa fúcsia típico de sua maison e cujo frasco era baseado no invejável colo da estrela de Hollywood Mae West. Essa primeira fragrância foi seguida por Sleeping (1938), Snuff for Men (1939), Le Roi Soleil (1946), Zut (1948), Succès Fou (1953), Si (1957) e S (1961). Em 1940, Schiaparelli ganhou o prêmio Neiman Marcus por Serviços Notáveis no Campo da Moda. Durante a Segunda Guerra Mundial, deixou Paris para ir morar em Nova York entre 1941 e 1944.

1945-1973
Em 1945, Schiaparelli reabriu sua maison em Paris. Os futuros *couturiers* Hubert de Givenchy (nascido em 1927) e Pierre Cardin (nascido em 1922) foram seus assistentes. Em 1954, Schiaparelli fechou a maison parisiense e retornou a Nova York para se concentrar na criação de bijuterias.

APROPRIAÇÃO DE TRAJES MASCULINOS

1 Brincando com estilos de roupas transgêneros, Marlene Dietrich aparece deslumbrante usando smoking de alfaiataria e cartola (*c*.1935).

2 Calça de alfaiataria combinada com suéter de gola rulê e jaqueta de camurça (1946) para um visual elegante e informal.

3 Katharine Hepburn usa a calça e os sapatos fechados que são sua marga registrada em um ensaio da peça *The Millionaires* (Os milionários, 1952).

Como defensora da racionalidade no vestir, Amelia Bloomer havia tentado obter aceitação social para uma versão feminina da calça comprida no fim do século XIX, mas a peça só conquistou alguma tolerância na década de 1920, quando a *couturière* Coco Chanel (1883-1971) introduziu o "pijama de praia" em suas coleções (ver p. 256). Calças de pernas folgadas também eram usadas em ocasiões informais à noite: conhecidas como traje casual, eram feitas de tecidos macios e fluidos que caíam drapejados sobre o corpo, realçando assim as curvas da mulher. Essas peças eram muito diferentes, tanto na intenção quanto no efeito, dos ternos masculinos usados pela atriz Marlene Dietrich nos anos 1930.

A opinião contemporânea era inequívoca: o terno de calça comprida era o traje dos sexualmente ambíguos. A lendária atriz Marlene Dietrich era célebre pela capacidade de projetar seu estilo pessoal, que incluía o uso de um monóculo – poderoso símbolo de masculinidade. Ela e o marido, Rudolf Sieber, faziam parte da

PRINCIPAIS ACONTECIMENTOS

Década de 1920	1924	1924	1930	1930	1932
Marlene Dietrich continua a trabalhar no teatro e no cinema, em Berlim e Viena, e atrai atenção com seu estilo singular.	Com o aumento da popularidade do trench coat, a Burberry introduz o forro xadrez que é sua marca registrada.	Travis Banton torna-se figurinista-chefe da Paramount. Em colaboração com Josef von Sternberg, cria um estilo visual conhecido como "barroco de Hollywood".	Josef von Sternberg dirige o elogiadíssimo filme *O anjo azul*, falado em alemão e inglês.	Dietrich é contratada pela Paramount Pictures, que tenta vender a atriz como a resposta da Alemanha à estrela sueca da MGM Greta Garbo.	Dietrich estrela o filme *A vênus loira* com Cary Grant e canta uma das músicas vestindo um smoking branco.

"divina decadência" de Berlim durante a República de Weimar, não só renomada pela vanguarda nas artes, mas também pela diversidade de seu submundo. Dietrich já havia aparecido em vários filmes antes de atrair a atenção do diretor Josef von Sternberg em 1929. Encantado com seu fascínio, ele lhe deu o papel da manipuladora e dura cantora de cabaré Lola em *O anjo azul* (1930). No filme, de cartola e meias pretas com smoking de alfaiataria e colarinho alto com pontas viradas (à esquerda), ela usa as artimanhas da sedução para conquistar o tipo de poder tradicionalmente associado aos homens. Dietrich repetiu o papel de Lola em muitos de seus filmes, e levou para Hollywood a cultura da ambiguidade sexual típica de Weimar, que reconhecia o travestismo como um código de comportamento aceitável. Vestida de homem, Dietrich também mantinha um comportamento assertivo, temperando com desenvoltura suas características indiscutivelmente femininas: a antítese do estereótipo feminino da loura submissa.

A apropriação dos trajes masculinos pela atriz (ver p. 268) incluía acessórios como chapéu, gravata, sapatos fechados e charuto, acessório cinematográfico clássico para representar a masculinidade. O status de Dietrich era tal que determinados itens masculinos por ela usados – terno tipo smoking, trench coat, sapatos baixos fechados e chapéus de feltro – se transformaram em clássicos da moda, embora alguns só depois de várias décadas. Yves Saint Laurent introduziu o smoking na moda *mainstream* dos anos 1960 com Le Smoking (ver p. 384), seguido pela popularização do trench coat, que teve várias encarnações no nível mais alto da moda e alcançou a apoteose sob as criativas mãos de Christopher Bailey, da Burberry, no século XXI. Dietrich não usava calça comprida só nos filmes, mas também em ensaios publicitários e na vida particular, criando assim uma tendência de calças femininas, mas que permaneceram aceitas apenas como traje informal. Peça prática para atividades ao ar livre, essa calça tinha um corte suave, pernas folgadas e bainha italiana (à direita, em cima) e era confeccionada em tecidos resistentes como tweed leve, molesquim e veludo cotelê. A cintura alta era arrematada com um cós e passadeiras de cinto. Havia suaves pregas de um lado e outro do zíper central, e espaçosos bolsos verticais embutidos nas costuras laterais permitiam carregar implementos para a tarefa em questão. Usada informalmente com uma blusa de algodão macio ou um suéter simples, a calça comprida se tornou parte inerente do guarda-roupa da mulher moderna, fato confirmado pelo advento da Primeira Guerra Mundial, quando as roupas práticas se tornaram uma prioridade.

A atriz Katharine Hepburn (à direita) também era fã de calças e sapatos fechados. Ginette Spanier, diretora da Maison Balmain, lembra como a atriz "tirou imediatamente nosso lindo vestido bordado e tornou a vestir a calça para ser fotografada" depois da prova de figurino para seu papel na peça de teatro *The Millionaires* (Os milionários, 1952), a ser encenada no West End londrino. Embora Hepburn fosse conhecida por resistir às normas patriarcais tanto na vida quanto nas telas, sua escolha de roupas era vista menos como transgressão e mais como mostra de sua inclinação atlética, abrindo caminho para outras mulheres de atitude semelhante temperarem os conceitos de feminilidade com trajes masculinos. **MF**

1933

Katharine Hepburn estrela o filme da RKO *Assim amam as mulheres* no papel de uma decidida aviadora.

1933

Dietrich é fotografada em Paris usando um terno masculino.

1936

O professor Speakman inventa a primeira solução pronta para permanente a frio para imitar as ondas suavemente despenteadas dos cabelos de Dietrich.

1938

A DuPont começa a produzir náilon comercial, e em 1939 já fabrica meias de malha nesta fibra, mais tarde batizadas em inglês com o nome comercial de *Nylons*.

1939

Um artigo da *Vogue* recomenda: "Seu guarda-roupa não está completo sem um ou dois exemplares de calças de 1939 com seu lindo corte."

1941

No filme *Aquela mulher*, Dietrich veste um trench coat, geralmente usado em expedições de caça nas charnecas; ela incrementa a capa com um cinto amarrado.

Marlene Dietrich usando um terno masculino 1933

TRAJE TRANSGÊNERO

Usando a imitação perfeita de um terno de alfaiataria masculino, a estrela de cinema Marlene Dietrich personifica o glamour inerente à prática de usar roupas do sexo oposto. No entanto, há sutis diferenças entre o terno masculino de alfaiataria tradicional e este usado por Dietrich, cuja astuta construção explora a feminilidade da mulher que o veste.

Em contraste com a silhueta convencional de triângulo invertido do terno masculino, de ombros largos e quadris estreitos, o único botão que fecha o paletó está posicionado exatamente na cintura, e a peça se abre nos quadris e para cima em direção ao busto. Isso confere um formato quase de ampulheta, realçado mais ainda pelas lapelas apontadas para cima da gola. A calça de corte largo tem a cintura alta para se encaixar bem debaixo do fecho do paletó, além de zíper frontal e bainhas italianas. Os artigos masculinos incluem camisa branca engomada usada com gravata e um lenço branco também engomado. A severidade do traje é confirmada pela austera boina, que esconde os cabelos e é usada de lado na cabeça. Dietrich usou um traje semelhante a este, por baixo de um pesado sobretudo de inspiração masculina até os tornozelos, durante uma visita a Paris em 1933. Ao chegar, dizem que a polícia a alertou de que ela corria o risco de ser processada por causa de um regulamento de 1800, quando era explicitamente proibido mulheres se vestirem de homem. **MF**

NAVEGADOR

PONTOS FOCAIS

1 BOINA

De início um símbolo de rebelião, a boina basca era conhecida como boina da liberdade ou *bonnet rouge*. Seu antecessor era o barrete frígio em formato de cone. Usada pelos *sans-culottes* da França revolucionária, a boina representava o boêmio parisiense contestador.

2 GRAVATA

Considerada um símbolo fálico – quando usada por homens, direcionava o olhar para os genitais –, a gravata moderna é uma descendente da *cravate*. Dietrich a usa com um nó Windsor largo e simétrico, batizado em homenagem ao duque de Windsor.

3 LENÇO DE BOLSO

Dietrich usa um lenço de linho branco no bolso, tendência da época. Os paletós de terno masculinos são fabricados com um bolso frontal esquerdo justamente para comportar um lenço, ou "quadrado de bolso". Mais do que por utilidade, o lenço é usado por suas virtudes decorativas.

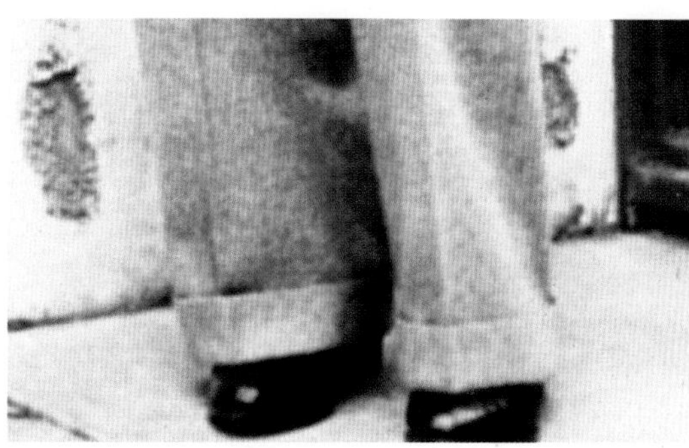

4 BARRA ITALIANA DA CALÇA

A convenção da alfaiataria sob medida de virar a barra das calças masculinas quando há pregas na cintura reforça o caráter transgênero do terno. A barra italiana torna a perna larga da calça mais pesada e protege o tecido de danos.

GLAMOUR HOLLYWOODIANO

1 O vestido de Jean Harlow em *Jantar às oito*, desenhado por Adrian, apresentou o "vestido-deusa" ao mercado americano (1933).

2 Mae West irradia glamour hollywoodiano em intensidade máxima no extravagante figurino criado por Elsa Schiaparelli para *Every Day's a Holiday* (Férias todos os dias, 1937).

3 O ator Clark Gable usa um terno drapejado de três peças e abotoamento simples (1932). Tanto o paletó quanto a calça têm o corte mais largo para um caimento mais confortável.

As imagens hollywoodianas de desejo e atração sexual influenciaram com frequência a moda feminina, e mais do que nunca na era de ouro dos anos 1930, quando os Estados Unidos atingidos pela Depressão buscaram uma fuga no cinema. Estrelas como Carole Lombard e Mae West, as primeiras *bombshells* louras, tornaram-se líderes de moda, ostentando cintilantes vestidos de cetim branco contra o fundo reluzente de superfícies espelhadas dos cenários art déco. Embora a alta-costura parisiense fosse a força motriz que impulsionava essa silhueta sedutora, o figurinista de Hollywood Gilbert Adrian (1903-1959) recontextualizou a contenção e a clareza da linguagem clássica de estilistas como Madeleine Vionnet (1876-1975) para um público mais amplo.

Chefe de figurino no estúdio MGM, Adrian popularizou o corte no viés de Vionnet em filmes como *Jantar às oito* (1933), no qual Jean Harlow arrasava corações usando um vestido frente única cortado no viés, com uma capa de plumas de avestruz brancas e diamantes (acima). Anteriormente, quem ditava a vanguarda da moda de luxo era Paris; Hollywood, porém, teve seu papel ao apresentar a alta-costura francesa para o público em geral, e começou a influenciar o gosto das massas.

PRINCIPAIS ACONTECIMENTOS

1928	1930	1932	1932	1933	1934
Adrian se torna o principal figurinista do estúdio de cinema de Cecil B. DeMille antes de se transferir para a MGM, onde desenha figurinos para mais de 200 filmes.	O estúdio Paramount, de Hollywood, faz uma breve experiência com o Technicolor de duas cores.	A ascendência de Hollywood em relação a Paris como gerador de tendências é confirmada pelo fenômeno do vestido de Letty Lynton, personagem do filme *Redimida* (ver p. 272).	Clark Gable estrela ao lado de Claudette Colbert a comédia romântica *Aconteceu naquela noite*, de Frank Capra.	O vestido frente única cortado no viés criado por Adrian para Jean Harlow apresenta a alta-costura parisiense ao mercado de massa americano.	É criada a Legião Nacional da Decência nos Estados Unidos, dedicada a identificar e combater conteúdo objetável no cinema.

Adrian também foi responsável pelo longo de noite branco usado por Joan Crawford em *Redimida* (1932; ver p. 272), sucesso comercial tanto nos Estados Unidos quanto na Europa.

A edição muitas vezes cortava os detalhes das roupas para garantir a continuidade, e figurinistas como Adrian criavam roupas pensando nos stills publicitários publicados nas cada vez mais numerosas revistas de cinema como *Picture Play* e *Modern Movies*. Além disso, as fotografias de moda da *Vogue* começaram a se assemelhar aos stills de cinema, com objetos fantasiosos e sistemas de iluminação complexos, disseminando assim o estilo para um público mais extenso. A indústria americana do prêt-à-porter reagiu depressa, e cópias produzidas em massa das roupas promovidas pelos filmes se tornaram rapidamente disponíveis. O agente publicitário Bernard Waldman vendia modelos usados pelas atrizes por meio de seu Modern Merchandising Bureau e da cadeia de lojas Cinema Fashion Stores, que em 1937 tinha 400 filiais. Desenhos ou fotos das roupas que seriam usadas por diversas atrizes eram mandados pelo estúdio bem antes do lançamento, sendo as roupas então confeccionadas junto com anúncios para os revendedores. Elas eram exageradas para as telas, e as cópias não tinham os mesmos detalhes extremos de estilo ou materiais luxuosos dos originais. O vestido cortado no viés, por exemplo, foi reproduzido usando a recém-inventada viscose, anteriormente restrita à roupa de baixo e à roupa de dormir, que foi considerada um substituto adequado para a seda, com propriedades semelhantes.

Admirador da alta-costura parisiense, Adrian convenceu o diretor da MGM, Samuel Goldwyn, a atrair Coco Chanel (1883-1971) para Hollywood com uma proposta de 1 milhão de dólares para desenhar roupas para seu elenco. Porém, a visão singular de Chanel e a sutileza de seus cortes não se traduziam bem nas telas, e a colaboração se encerrou em 1931. Elsa Schiaparelli (1890-1973) teve uma relação mais frutífera com Hollywood, e seu senso nato de teatralidade a levou a trabalhar em mais de 30 filmes. Ela assinou os figurinos de Marlene Dietrich e Mae West (à direita, em cima) em *Every Day's a Holiday* (Férias todos os dias, 1937), e chegou a basear o formato do frasco de seu perfume Shocking na corpulência da glamourosa atriz. Dietrich também usava roupas de Travis Banton (1894-1958), principal estilista do estúdio rival, a Paramount Pictures. Considerado um dos mais importantes figurinistas de Hollywood nos anos 1930, Banton se uniu ao diretor Josef von Sternberg para criar figurinos que contrastassem com locações exóticas. Versado nas técnicas da alta-costura, ele despejou na atriz todos os excessos extravagantes da performance teatral, das imensas golas de peles a uma profusão de véus, texturas luxuriantes, meias de renda e plumas.

Ídolos da sala escura como Gary Cooper e Clark Gable (à direita) eram o símbolo do glamour masculino de Hollywood. O terno drapejado americano (ver p. 274) proporcionava o paradigma do ideal masculino atlético em formato de V: ombros largos, quadris estreitos. Mais larga no peito e afunilada em direção à cintura antes de se abrir ligeiramente, essa silhueta revolucionária estabeleceu o estilo para as duas décadas seguintes. **MF**

1934

Claudette Colbert estrela *Cleópatra*, com direção de Cecil B. DeMille e figurinos de Travis Banton. O filme populariza a moda de estilos de inspiração egípcia.

1935

Adrian desenha o figurino de Jean Harlow para o filme *Mares da China*.

1936

Figurinista-chefe da Paramount, Travis Banton desenha vestidos de noite de miçangas cortados no viés para Carole Lombard em *Irene, a teimosa*.

1937

Elsa Schiaparelli apresenta seu primeiro perfume, Shocking. O formato do vidro é inspirado na silhueta de Mae West.

1938

Introdução pela Dupont da viscose, nova fibra à base de madeira, como substituto da seda. Ela é apenas um dos muitos tecidos novos a surgir.

1941

Após deixar a MGM, Adrian abre um próspero ateliê de moda em Los Angeles, onde produz roupas sob medida e prêt-à-porter para o mercado de massa americano.

Vestido de Letty Lynton 1932

GILBERT ADRIAN 1903-1959

Joan Crawford no papel da socialite nova-iorquina Letty Lynton (1932).

O longo de noite cheio de fru-frus usado por Joan Crawford no melodrama de Clarence Brown *Redimida* (1932) inspirou uma profusão de cópias no mercado de massa – onde eram conhecidas como vestidos de manga "borboleta" – e foi uma prova da crescente dominação do estilo de Hollywood sobre a alta-costura parisiense. Desenhado por Gilbert Adrian, figurinista-chefe da Metro-Goldwyn-Mayer, o vestido foi reproduzido ao longo dos anos 1930 tanto em filmes quanto por estilistas. Feito com várias camadas de musselina de seda, o traje na altura dos tornozelos foi um fenômeno de moda, influenciando também os modelos europeus: sua popularidade varreu Paris não só depois de o vestido aparecer nas telas, mas também por ter sido vendido exaustivamente no varejo em Nova York.

Dentro de uma silhueta esguia e relativamente contida, de quadris estreitos e ombros largos, típica da época, o vestido é uma explosão efervescente de fru-frus feitos com pequenas pregas na cintura, na barra e nas mangas. Não há tentativa alguma de sexualizá-lo enfatizando o busto; a parte de cima permanece simples e sem adornos, possibilitando o impacto total das bolas circulares de exuberantes babados em cada ombro. O caráter *ingénue* do vestido é realçado pelo decote alto que termina em uma bem-arrumada gola Peter Pan igualmente debruada por fru-frus e fechada com um pequeno broche. **MF**

NAVEGADOR

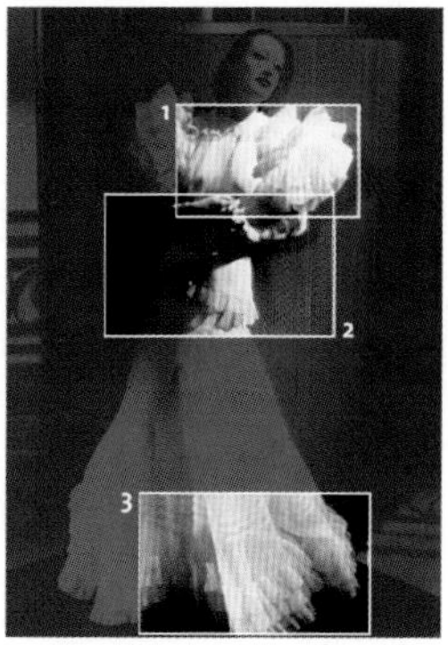

PONTOS FOCAIS

1 MANGAS EM MÚLTIPLAS CAMADAS
Os muitos babados soltos que formam as mangas exageradas têm acabamento em ponto picot. Do ombro até o cotovelo, eles constituem o ponto focal do vestido e inspiraram muitas variações tanto na moda diurna quanto noturna.

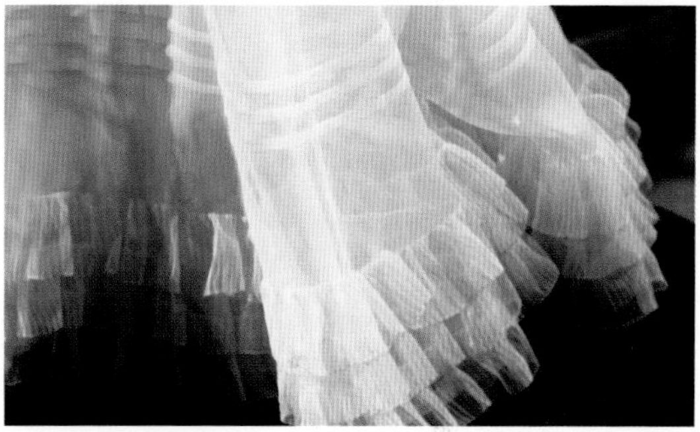

3 BAINHA DE BABADOS
Três camadas de babados cuidadosamente plissados acrescentam volume extra à saia com nesgas na altura do tornozelo. Esses babados decoram a bainha abaixo de três fileiras horizontais de fita de cetim aplicada e repetem o babado do peplo.

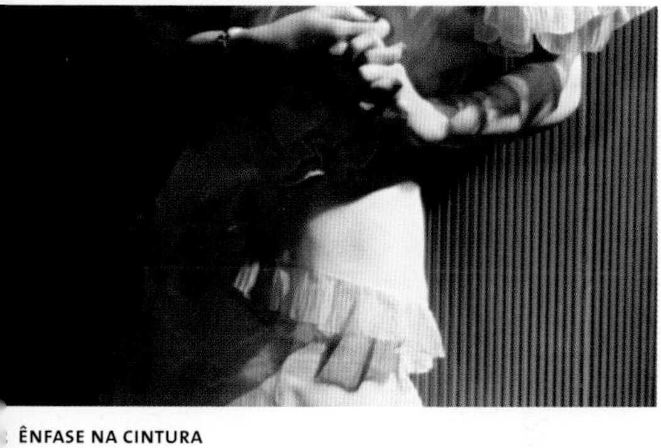

2 ÊNFASE NA CINTURA
Um peplo transparente cai até os quadris e é moldado para se curvar em direção à cintura, para cima. A barra arredondada é debruada por um babado de pequenas pregas que se prolonga em uma roseta no centro do cinto feito no mesmo tecido.

PERFIL DO ESTILISTA

1903-1929
O americano Adrian Adolph Greenberg, conhecido como Adrian, estudou na Escola de Belas-Artes e Artes Aplicadas de Nova York e se transferiu para o campus parisiense em 1922. Tornou-se figurinista-chefe do estúdio independente de Cecil B. DeMille, e em 1928 mudou-se junto com este para a MGM, onde assinou o figurino de mais de 200 filmes.

1930-1959
Nos anos 1930 e 1940, Adrian trabalhou com grandes estrelas, como Greta Garbo, Norma Shearer, Jean Harlow e Katharine Hepburn, embora seu vínculo mais longo tenha sido com Joan Crawford. Ele criou as características roupas com ombreiras da atriz que mais tarde influenciaram a moda. Adrian deixou a MGM em 1941 para montar seu ateliê de moda, mas continuou a trabalhar com estrelas de Hollywood.

Terno drapejado americano Década de 1930

TERNO MASCULINO

Douglas Fairbanks Jr. usa um terno drapejado em xadrez *glenurquhart*.

O terno drapejado introduziu um caimento casual ao vestuário masculino, substituindo os últimos vestígios de influência militar nos modelos de roupas para homens. A versão americana desse terno, usada aqui pelo astro do cinema Douglas Fairbanks Jr., caracteriza-se pelos vincos verticais na frente do paletó, da cabeça da manga até a cava, que criam um perceptível e elegante caimento. Confeccionado sob medida para o ator pelos alfaiates de Savile Row Anderson & Sheppard, em Londres, o terno é feito em um tecido xadrez *glenurquhart* meticulosamente encaixado nas costuras.

A parte superior das mangas permite um amplo escopo de movimentos, mas as cavas, altas e pequenas, seguram o paletó no lugar, impedindo o colarinho de se afastar do pescoço quando os braços são levantados. O paletó tem abotoamento baixo, realçando a cintura afunilada e exagerando o volume do peito e ombros, como fazem também as lapelas largas e oblíquas direcionadas para cima. Um lenço de três pontas está enfiado no bolso dianteiro do paletó, situado na diagonal. A calça tem um corte bem amplo e afunilado em direção à bainha, em geral com pregas duplas e braguilha de zíper. Usado por astros do cinema como Fred Astaire, Robert Mitchum e Clark Gable no auge de suas carreiras, o terno drapejado americano era muitas vezes chamado de terno drapejado de Hollywood. **MF**

NAVEGADOR

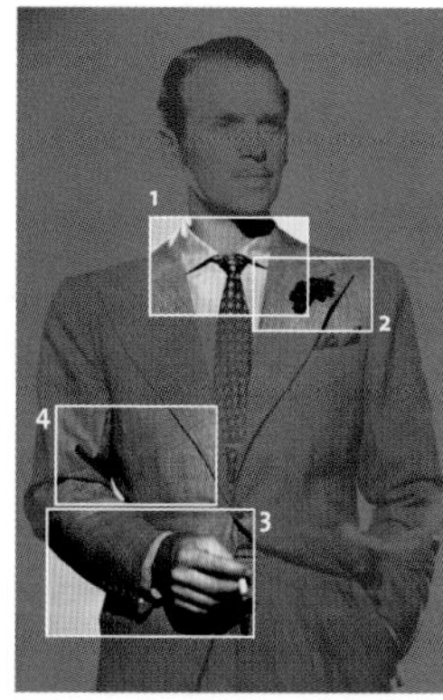

PONTOS FOCAIS

1 NÓ DUPLO WINDSOR NA GRAVATA
Usado com o colarinho largo, o nó duplo Windsor – bem-equilibrado nos volumes à esquerda e à direita para formar um largo nó triangular – confere à gravata uma formalidade simétrica. A estampa floral da seda seria considerada mais desleixada se usada com um nó Half-Windsor.

3 PUNHOS DE CIRURGIÃO
Mangas com "punhos de cirurgião" têm quatro botões que se abrem e uma fenda. Como elemento da manga afunilada do terno drapejado, esse tipo de punho era uma convenção que distinguia a alfaiataria feita sob medida, mais do que um detalhe prático que permitisse arregaçar a manga.

2 CASA DE BOTÃO
As flores usadas em uma casa de botão na lapela entraram em voga a partir de meados do século XIX. Aqui, um clássico cravo vermelho com cálice bulboso enfeita a larga lapela pontuda. A flor é inserida na casa de botão para manter no lugar o enfeite de cor natural.

4 TECIDO
Apelidado de xadrez Príncipe de Gales quando adotado por Eduardo VII antes de sua coroação, o xadrez *glenurquhart* foi escolhido pelo conde de Seafield como o tweed oficial de sua propriedade na década de 1840. O *glenurquhart* original era preto e branco.

PRÊT-À-PORTER AMERICANO

1 Formalizados por acessórios vermelhos, amarelos e marrom-claros, estes terninhos cinza-claros criados pela estilista Claire McCardell (*c.*1943) apresentam uma influência evidente do vestido transpassado que era a sua marca registrada.

2 O vestido transpassado original de linho (1942) de Claire McCardell foi apresentado às mulheres modernas ciosas de estilo da época da guerra, obrigadas a fazer seu próprio trabalho doméstico.

O conceito de moda prêt-à-porter surgiu pela primeira vez nos Estados Unidos no fim dos anos 1920 e início dos 1930. Antes disso, as mulheres elegantes se abasteciam com os *couturiers* parisienses que ofereciam um serviço sob medida para clientes ricas. Também era possível encontrar versões de peças de alta-costura em lojas de departamento americanas como Ohrbach's e Bergdorf Goodman: elas copiavam oficialmente as peças apresentadas nos desfiles comprando dos criadores os direitos de reprodução e também uma peça de prova do modelo, que podia então ser copiado ponto a ponto. Mulheres sem tempo para múltiplas provas ou sem dinheiro para a árdua perfeição desse nível de alta-costura pediam a costureiras locais que confeccionassem as roupas, ou então costuravam para elas mesmas.

Uma alternativa mais em conta e acessível se fazia necessária, e esta começou a se materializar na forma de roupas prontas para o uso, ou prêt-à-porter. Os fabricantes da indústria nova-iorquina da moda, situados em volta da Sétima Avenida, refinaram suas capacidades técnicas e financeiras para melhorar o desenho de peças com preços moderados. Entre eles estava a empresária Hattie Carnegie (1886-1956), pioneira da experiência de varejo da cabeça aos pés, que identificou

PRINCIPAIS ACONTECIMENTOS

1928	1929	1934	1937	1937	1939
A visionária empresária e varejista Hattie Carnegie lança sua primeira linha de prêt-à-porter direcionada para o mercado de elite.	A quebra de Wall Street marca o início da década da Grande Depressão, que afeta todos os países ocidentais industrializados.	Em resposta à Depressão, Hattie Carnegie cria sua linha de prêt-à-porter "Esportes de Público", vendida paralelamente a suas roupas feitas sob medida.	Claire McCardell firma sua reputação com o "monástico", um camisolão vestido, sem pences, preso na cintura por um cinto.	Bonnie Cashin se torna estilista-chefe da Adler & Adler, fabricante de casacos e ternos em Nova York.	Paris perde influência: Elsa Schiaparelli (1890-1973) se muda para Nova York, Madeleine Vionnet (1876-1975) se aposenta e a Maison Chanel fecha as portas.

o potencial de peças elegantes e de preço mais baixo e produziu suas primeiras roupas prontas em 1928. Durante a Grande Depressão nos Estados Unidos, ela apresentou junto com sua marca de luxo uma linha "Esportes de Público" mais em conta, que teve grande sucesso e incluía vestidos e conjuntos prontos que podiam ser encomendados pelo correio ou por telefone. O terninho Carnegie (ver p. 280), sua marca registrada, era um exercício exemplar de uso das proporções que valorizava a silhueta feminina e fugia da severidade dos modelos europeus do período da guerra.

Com o início da Segunda Guerra Mundial e a ocupação alemã de Paris em 1940, fabricantes americanos – em especial o Sindicato Internacional de Trabalhadores da Confecção de Roupas Femininas – se mobilizaram para fazer de Nova York a capital mundial da moda. Essa organização era apoiada pelos talentos criativos de estilistas locais, entre os quais Clare Potter (1903-1999), uma das primeiras estilistas americanas a se tornar amplamente conhecida. No livro de Beryl Williams *Fashion is Our Business* (A moda é o nosso negócio, 1948), ela comenta: "A influência de Paris era dominante demais, na minha opinião. Afetava todo mundo, e todos produziam roupas com essa influência. Não acho que deveríamos deixar isso acontecer de novo. Os estilistas americanos sabem que tipo de roupa as mulheres americanas querem usar, e são capazes de fabricá-las." Em contraste com os almofadados e a estrutura rígida de roupas com espartilhos embutidos adotadas pelo New Look de Dior em 1947 (ver p. 302), estilistas americanos como Potter, Jo Copeland (1900-1982) e Claire McCardell (1905-1958) criaram roupas que acompanhavam os contornos naturais do corpo e eram adequadas à vida de mulheres modernas que, além de administrar a casa, preocupavam-se cada vez mais com o trabalho.

Claire McCardell, a estilista associada mais de perto ao estilo prêt-à-porter americano, redefiniu o visual da moda moderna trazendo para a alta-costura a funcionalidade dos trajes casuais (conhecido nos Estados Unidos como trajes esportivos). Sua carreira profissional começou desenhando modelos de Paris para o mercado de massa dos Estados Unidos, mas ela acabou por traduzi-los em modelos nacionais, "tornando-os um pouco mais casuais, um pouco menos sérios e um pouco mais americanos". A solução de problemas era a característica que mais definia o seu ethos: ela criou vestidos sem mangas e roupas para tomar sol, o maiô "fralda" inteiriço feito com um único pedaço de tecido, e macacões para proporcionar um máximo de conforto; confeccionou vestidos de noite em lã com mangas compridas para o período da guerra (quando a calefação custava caro) e collants de jérsei para bailarinos (para facilitar os movimentos). Além disso, em 1942, a pedido da *Harper's Bazaar*, criou seu modelo mais popular: o vestido transpassado (à direita), com luvas de forno para a "residência sem criados". Usado para proteger as roupas por baixo, esse vestido utilitário era confeccionado em linho ou brim e fácil de lavar. Versões do modelo estariam presentes em todas as coleções posteriores de McCardell, feitas em vários tecidos diferentes e em forma de terninho (à esquerda) para ocasiões mais formais.

Em 1942, o Comitê de Produção de Guerra americano limitou o uso de determinados tecidos, e materiais de luxo como seda e lã foram direcionados para o

1941	1941	1941	1942	1950	1951
McCardell, Cashin e Vera Maxwell (1901-1995) são convidadas pelo prefeito de Nova York, LaGuardia, para criar os uniformes femininos da defesa civil.	Capitalizando as próprias e influentes criações para a MGM, o figurinista Gilbert Adrian abre sua maison e começa a produzir uma ampla gama de prêt-à-porter.	Jantzen, fabricante de trajes de banho, acrescenta à sua linha básica suéteres e roupas esportivas.	Claire McCardell cria o vestido transpassado. Fabricado pela Townley Frocks, ele é qualificado de "peça utilitária" e vendido aos milhares.	Bonnie Cashin tem a honra inédita de receber ao mesmo tempo o Prêmio Neiman Marcus e o Prêmio Coty de Críticos de Moda por suas criações.	Cashin funda a Bonnie Cashin Design Inc. Em parceria com vários fabricantes, cria linhas com diferentes faixas de preço.

3 Este vistoso look de ombros largos e cintura fina assinado por Gilbert Adrian (1944) tornou-se conhecido como formato em V.

4 O poncho de tweed de Bonnie Cashin (1943), usado junto com polainas curtas, foi criado como roupa de viagem e remete aos trajes masculinos para a noite.

esforço de guerra. Assim, McCardell promoveu tecidos "humildes" como meia-malha, algodão, riscado, cambraia e brim, e estampas como listras, xadrezes e quadriculados ao status de alta-costura. Atraída pelo conforto e pela descontração dos trajes masculinos, ela incorporou aos seus modelos bolsos espaçosos que eliminavam a necessidade de carregar bolsas. Também se apropriou do ombro caído na manga das camisas, das pregas sem vinco nas calças e das fileiras de pesponto vistas nos blue jeans, na época usados apenas como roupa de trabalho. Assim nasceu o conceito de *separates* ou "peças avulsas" – um guarda-roupa enxuto composto por peças práticas que podiam ser combinadas entre si de diversas maneiras conforme o clima e a ocasião –, e o vestido-camisa, a blusa de alfaiataria, o saião *dirndl* (de cintura alta e marcada, comprido e volumoso), o conjunto de suéter, o vestido-avental fácil de vestir e a calça de cintura alta tornaram-se clássicos americanos. Os modelos de prêt-à-porter de McCardell se baseavam em formas geométricas simples, e suas silhuetas eram definidas por gravatas, transpassados e drapejados, ou então pela elasticidade do jérsei, e não por moldes com pedaços pré-moldados que podiam requerer horas de ajustes.

Esse visual facilmente identificável e essencialmente americano simbolizado pelos modelos pioneiros de McCardell logo tomou impulso e foi consolidado pela importante expoente da moda esportiva americana Bonnie Cashin (1907-2000), que propôs modelos modernos e descomplicados. Obcecada com a relação entre uso e forma, Cashin olhou para além da alfaiataria ocidental e usou formas de vestir não ocidentais como túnicas, quimonos e ponchos (à direita). Sua abordagem do vestir como uma forma de criação industrial a levava a preferir materiais luxuriantes e orgânicos cujo formato ela podia esculpir, como couro, camurça, mohair, jérsei de lã e caxemira, bem como materiais "não pertencentes" à moda, como os tecidos de decoração.

No início, Cashin trabalhou como estilista em Hollywood, mas foi incentivada por Carmel Snow – influente editor de moda da *Harper's Bazaar* – a usar suas habilidades na criação de prêt-à-porter, e em 1937 assumiu um cargo de estilista na prestigiosa fábrica nova-iorquina de casacos e ternos Adler & Adler. Frustrada com as restrições impostas à criação de roupas pelo período de guerra, porém, voltou para a Califórnia e assinou um contrato de seis anos com a Twentieth Century Fox, vindo a desenhar figurinos para as personagens femininas de mais de 60 filmes. Utilizando os recursos do departamento de figurino do estúdio para produções como *Laura* (1944), *Laços humanos* (1945) e *Ana e o rei do Sião* (1946), Cashin também experimentou criar roupas para fora das telas, e produziu versões sob medida para as atrizes principais. Em 1949, voltou para Nova York e para a Adler & Adler, onde produziu em 1950 uma premiada coleção de prêt-à-porter. No entanto, logo sufocada pelo desejo do fabricante de controlar sua criatividade, abriu sua própria empresa em 1951, a Bonnie Cashin Design Inc. Seu inovador conceito de vestuário em camadas – um guarda--roupa essencial e flexível de peças coordenadas a serem usadas juntas ou separadas – foi popular durante toda a década de 1950, e suas peças eram feitas em tecidos de fácil manutenção como jérsei e fibras naturais – tweed, lã, algodão, brim ou cambraia.

Durante sua expansão, a indústria nova-iorquina do prêt-à-porter enfrentou a competição de outras regiões dos Estados Unidos. Em 1941, a Califórnia apresentou seus próprios desfiles, os "Futuros da Moda", promovidos pelos Grupos de Moda de Los Angeles e São Francisco para exibir o trabalho de 75 estilistas, entre os quais Irene Lentz (1900-1962) e Gilbert Adrian (1903-1959), ambos colaboradores da indústria de cinema de Hollywood. Adrian era conhecido por vestir heroínas das telas como Joan Crawford e Barbara Stanwyck com roupas que valorizavam as listras desencontradas feitas com a inventiva estampa listrada da designer têxtil Pola Stout. Seus modelos incluíam vistosos terninhos, que passaram a ter enorme influência na indústria da moda. Por consequência, em 1941, ele deixou o cargo de figurinista--chefe da MGM para abrir a própria loja de prêt-à-porter em Los Angeles, onde vendia tanto peças prontas quanto sob medida, incluindo modelos pioneiros como o terninho em V (à esquerda). Entre os fabricantes californianos havia também a empresa de roupas de banho e malhas Jantzen e a Koret, que propunham uma alternativa mais descontraída para a alfaiataria precisa de Adrian. Com sede em São Francisco, a Koret oferecia peças avulsas "combináveis" vendidas prontas que atraíam o novo público adolescente: componentes intercambiáveis de peças informais como shorts, calças capri, blusas que deixavam a barriga de fora, macacões e vestidos-tirolesa confeccionados em morim, calicô e jérsei.

No fim da Segunda Guerra, Sally Kirkland, da revista *Life* – considerada a mulher mais influente da moda da época – liderou o movimento para ressuscitar as indústrias de moda francesa e italiana. Os consumidores europeus eram fascinados pelas imposições de estilistas como Christian Dior (1905-1957), Cristóbal Balenciaga (1895-1972) e Hubert de Givenchy (nascido em 1927), mas no mercado americano o prêt-à-porter de luxo nacional começou a ocupar o lugar da alta-costura. Destaques dessa indústria – como Norman Norell (1900-1972), célebre pela simplicidade discreta de suas roupas, e a nascida na França e radicada nos Estados Unidos Pauline Trigère (1909-2002), criadora do corte acinturado tipo princesa – estabeleceram os padrões para roupas de qualidade feitas para contemplar um amplo leque de tipos físicos. Esses pioneiros de um estilo tipicamente americano foram logo sucedidos por uma nova geração de estilistas que incluiu James Galanos (nascido em 1924) e Roy Halston Frowick (1932-1990). Fugindo rigorosamente dos adornos, Halston criou pijamas, cafetãs e vestidos de noite frente única cortados no viés que fizeram dele o óbvio herdeiro da estética informal porém elegante de McCardell, servindo mais tarde de ponte para futuros expoentes do estilo americano como Donna Karan (nascida em 1948) e Calvin Klein (nascido em 1968). **MF**

Terninho Carnegie 1943

HATTIE CARNEGIE 1886-1956

NAVEGADOR

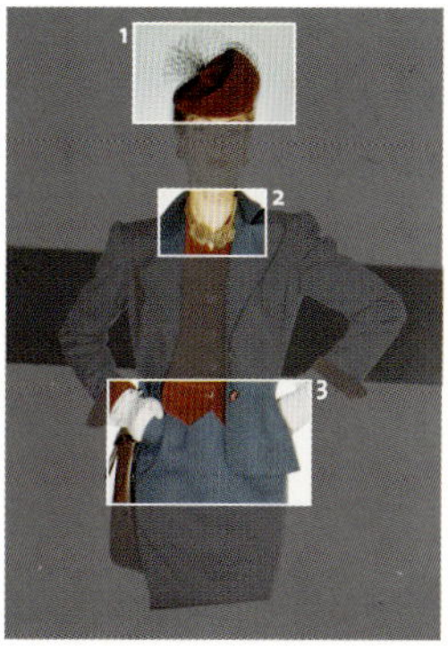

Exercício de alfaiataria urbana sofisticada para a mulher que trabalha, o "terninho Carnegie" – em geral um conjunto com detalhes de alta-costura confeccionado em tecidos de luxo – abria os desfiles da estilista em cada temporada. Em *Fashion is Our Business* (A moda é o nosso negócio, 1948), Beryl Williams informa que "[Carnegie] gosta de tailleurs e os fabrica para qualquer hora do dia e da noite. Ela gosta de montar um visual, pois acredita que uma mulher bem--vestida deve ser coordenada com a mesma perfeição de uma peça de música bem-orquestrada".

De execução impecável, esse tailleur evidencia as características da silhueta do período da guerra – ombros quadrados com enchimento, silhueta alongada –, mas sem a austeridade da alfaiataria britânica. O "azul Carnegie", marca registrada da estilista, é combinado aqui com um tom de telha entre o marrom e o vermelho; os punhos acompanham os botões do paletó e o colete com decote em V abotoado até em cima usado por baixo. O abotoamento simples do colete remete ao terno masculino de três peças e elimina a necessidade de uma blusa feminina, reforçando assim o conceito de alfaiataria para a mulher que trabalha. Sua cor combinava com os punhos para dar a impressão de mangas compridas. O fecho de dois botões do paletó é centrado na cintura, definida por uma costura. Os punhos da mesma largura de pulseiras permitem o uso de luvas compridas, ajustadas com um franzido, e a bolsa a tiracolo no mesmo tom de telha confere um toque de praticidade. **MF**

PONTOS FOCAIS

1 CHAPÉU
O movimento ascendente da lapela que sobe em direção à linha do ombro foi lindamente calibrado para combinar com a curva ascendente do elegante chapéu de feltro cor de telha, ao qual é preso um fino véu de rede.

2 BIJUTERIAS
As bijuterias tiveram um papel significativo no glamouroso guarda-roupa da mulher profissional. Aqui, um colar de ouro fosco, acabamento conhecido como banho de ouro russo, preenche o decote do colete e é usado com brincos redondos no mesmo feitio.

3 SAIA DE CINTURA ALTA
O pano do paletó de abotoamento simples se abre nos quadris para acomodar a saia de corte suave. Os bolsos verticais são presos ao cós e escondidos pela mais externa das duas pregas sem vinco, o que facilita os movimentos.

PERFIL DA ESTILISTA

1886-1933
A partir de uma pequena chapelaria fundada em 1909, Hattie Carnegie (nascida em Viena) construiu um império do vestuário. Em 1918, abriu um ateliê de costura sob medida e começou a vender a própria marca. Em 1928, passou a fabricar prêt-à-porter, contratando estilistas como Norman Norell e Claire McCardell.

1934-1956
Carnegie foi uma das primeiras empresárias do mundo da moda a reconhecer a importância de uma segunda linha mais barata, e começou a fabricar roupas assim a partir de 1934. Em seu ateliê, clientes podiam acrescentar peles, chapéus, bolsas, lingerie, joias, cosméticos e até chocolates como acessórios em conjuntos para o dia ou para a noite. Carnegie ganhou o Prêmio Coty de Críticos de Moda em 1948. Apesar de sua morte em 1956, a empresa permaneceu em atividade até 1976.

A MODA NA ADVERSIDADE

1 Estes três vestidos Utility criados por Norman Hartnell em 1943 respeitam as restrições do governo britânico em relação ao corte e à decoração das roupas.

2 O macacão de alerta Utility, peça única com zíper na frente e grandes bolsos caídos, era usado por cima da roupa de dormir em caso de alerta a bomba (1939).

3 A estilista americana Muriel King criou roupas práticas para o chão de fábrica (1942).

A Segunda Guerra Mundial teve forte impacto na indústria da moda e na subsequente distribuição de ideias e modalidades de manufatura. Isolada pela invasão alemã à cidade, Paris não estava mais em condições de ditar tendências de moda. Algumas maisons fecharam as portas, porém mais de 90, entre as quais Lanvin e Balenciaga, continuaram a lançar pequenas coleções; estas seguiam a tendência de feminilidade e saias volumosas do pré-guerra sem a necessidade de racionamento. Tanto a Grã-Bretanha quanto os Estados Unidos dependiam então de talentos domésticos. Na Grã-Bretanha, isso levou à promulgação de um estilo caseiro que passou a ser considerado tradicionalmente britânico e incluía bem-cortados ternos de alfaiataria e malhas clássicas criadas pelos *couturiers* londrinos Norman Hartnell (1901-1979) e Charles Creed (1909-1966). Nos Estados Unidos, a guerra foi uma oportunidade de formalizar a já florescente indústria do prêt-à-porter que fabricava a moda esportiva dos estilistas caracteristicamente americanos Claire McCardell (1905-1958), Clare Potter (1903-1999) e Muriel King (1900-1977).

PRINCIPAIS ACONTECIMENTOS

1935	1937	1940	1941	1941	1941
O náilon é fabricado pela primeira vez por Wallace Carothers no laboratório de pesquisas da DuPont.	Lucien Lelong (1889-1958) convence os nazistas a transferir a indústria de moda parisiense para Berlim.	O Exército alemão invade Paris, e as maisons fecham durante a guerra.	O Japão interrompe o fornecimento de seda para os Estados Unidos.	O sistema de racionamento, inclusive de roupas, é implementado na Grã-Bretanha.	A implementação da Lei do Serviço Nacional (Nº 2) no Reino Unido convoca as mulheres solteiras entre 20 e 30 anos.

A austeridade da Segunda Guerra substituiu o desejo de inovação em matéria de moda pela necessidade de peças práticas. A maioria das mulheres europeias e americanas em idade matrimonial foram convocadas a contribuir para o esforço de guerra, e os uniformes militares eram frequentes nas ruas. Até mesmo os trajes diurnos civis reproduziam a severidade do corte e as características funcionais das roupas das Forças Armadas. Em 1942, a Câmara de Comércio Britânica promulgou uma Ordem Relativa aos Trajes Civis para poupar matéria-prima e mão de obra e aumentar a produção. Os principais estilistas baseados em Londres da época, entre os quais Norman Hartnell, Hardy Amies (1909-2003), Edward Molyneux (1891-1974) e Digby Morton (1906-1983; ver p. 284) contribuíram para o projeto e foram consultores numa coleção com quatro linhas principais – sobretudo, terno, vestido (à esquerda) e blusa – a partir das quais 32 linhas individuais foram confeccionadas. Mais de 100 fabricantes britânicos encomendaram moldes, o que levou a melhorias nos padrões de produção, bem como a uma democratização do conceito de bom design. Nos Estados Unidos, o Comitê de Produção de Guerra também impôs restrições para regulamentar os vários aspectos da fabricação de roupas, embora não tão rígidas quanto na Grã-Bretanha.

O terninho de guerra, ou *costume*, como era conhecido, consistia em um paletó de abotoamento simples e corte preciso, ajustado na cintura, que terminava acima dos quadris e era abotoado até o alto do pescoço. A saia era levemente evasê e curta o bastante para se andar de bicicleta, indo até abaixo do joelho e não ultrapassando os 203cm de largura, com uma prega nas costas para facilitar os movimentos. Qualquer acabamento decorativo, pesponto ou pregas eram proibidos, bolsos com aba susbtituíram os chapados, e o paletó não podia ter mais de três botões. A fabricação de zíperes de metal enfrentou restrições nos Estados Unidos e na Europa, o que favoreceu os fechos de botão. Os corantes para tingir tecidos também foram redirecionados para o esforço de guerra; os trajes civis eram fabricados em cores sem graça como o azul-marinho da aeronáutica ou o cáqui militar. Além do terno de alfaiataria formal, outras peças práticas como o macacão Utility (à direita, em cima) foram lançadas. Além disso, pela primeira vez, usar calças de corte masculino na vida cotidiana tornou-se aceitável para as mulheres; as calças ajudavam na mobilidade e evitavam a necessidade de usar meias.

Conforme a austeridade aumentou, o mesmo aconteceu com a engenhosidade. Cartazes incentivavam as americanas a "Recordar Pearl Harbor e tricotar com mais energia" para fabricar meias e cobertores para as forças armadas. Em reação ao édito governamental britânico de 1943 sobre "improviso e remendo", os anúncios de revista e clipes de propaganda no cinema promoviam a ideia da reciclagem de tecidos. Estilistas de ambos os lados do Atlântico reagiram ao desafio retrabalhando materiais comuns. Os criadores de calçados usaram tranças de ráfia e cortiça para fabricar sapatos de salto plataforma e salto compensado que deixavam os dedos à mostra, embora isso fosse proibido no chão de fábrica. Os cabelos eram presos sob um turbante (à direita, embaixo) durante o dia, mas depois do expediente a severa silhueta de alfaiataria era compensada por rebuscados chapéus feitos com redes, véus e plumas, com outra rede atrás para segurar os cabelos. **MF**

1942	1942	1943	1943	1944	1949
A Sociedade de Criadores de Moda de Londres é fundada para promover e apoiar os interesses dos *couturiers* londrinos.	O Conselho de Produção de Guerra americano impõe as leis L85, que regulamentam vários aspectos da confecção de roupas.	Muriel King cria uma coleção para operárias de fábrica da Boeing e outras empresas aeroespaciais da Costa Oeste dos Estados Unidos, batizada de Modas Fortaleza Voadora.	Gilbert Adrian (1903-1959) influencia a criação do terno Victory, "vitória", versão americana do terno Utility britânico.	São apresentadas as primeiras coleções francesas de alta-costura desde o início da guerra, com soldados americanos convidados para os shows.	Fim do racionamento de roupas na Grã-Bretanha.

Alfaiataria em tempos de guerra Década de 1940

DIGBY MORTON 1906-1983

A moda é indestrutível, por Cecil Beaton (1941).

NAVEGADOR

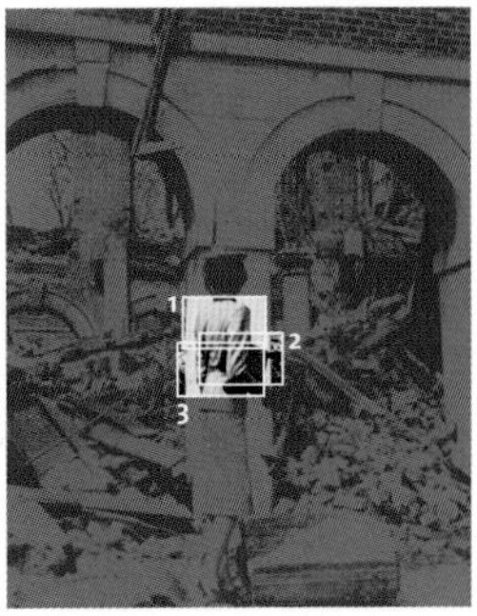

Ao fincar a moda com firmeza na paisagem de uma Londres urbana e castigada pela guerra, o fotógrafo Cecil Beaton captura a dicotomia da mulher bem-vestida em uma época de conflito. Combinando seu papel de fotógrafo encarregado de registrar imagens do fronte nacional para o Ministério da Informação durante a Segunda Guerra Mundial com encomendas para a revista *Vogue* britânica, Beaton situa a modelo no bombardeado Middle Temple londrino.

A infatigabilidade do espírito humano diante da morte e da destruição é representada pela postura ereta da modelo, virada na direção das ruínas do prédio, e não na da câmera. O terno feminino de Digby Morton possibilita uma abordagem profissional da moda em uma época em que utilidade e praticidade eram as palavras de ordem do governo. Morton transforma o terno de tweed clássico, que era sua marca registrada e servira de base à sua reputação na década anterior, em uma peça estilosa por meio do posicionamento cuidadoso das costuras, optando por eliminar detalhes externos em vez de decorar. Essa estética se prestava às restrições dos tempos de guerra e à demanda por sobriedade. Estar bem-vestido diante da adversidade era um incentivo moral conhecido e quase um dever cívico, o que explica o cuidadoso penteado em estilo pajem sob o chapéu inclinado para a frente e as luvas combinando com os sapatos de salto baixo. **MF**

PONTOS FOCAIS

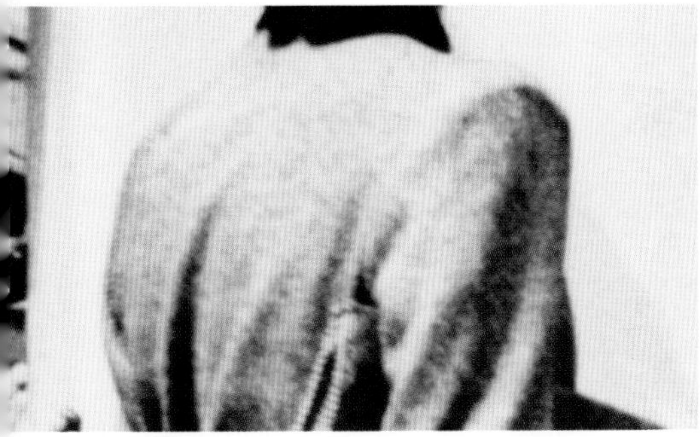

1 OMBROS QUADRADOS
A virada de ombros da modelo ao parar para observar o prédio bombardeado remete à silhueta masculina do triângulo invertido. O efeito é aumentado pelo leve enchimento nas mangas do paletó, que caem da extremidade dos ombros.

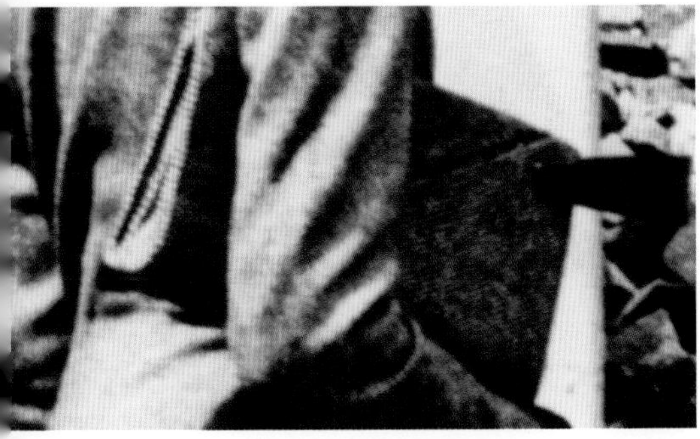

2 ACESSÓRIO FUNCIONAL
A mulher carrega debaixo do braço uma *clutch* sem enfeites, de aspecto profissional, que deixa as mãos livres mas é grande o suficiente para comportar os importantes documentos de seu trabalho cotidiano. Pela lei, ela também deveria estar carregando uma máscara de gás.

3 CINTURA MARCADA
As linhas angulosas do terno são feminilizadas pela cintura marcada e justa, formada por pences e costuras sutis. Isso libera os movimentos das costas, em contraste com o caimento justo do paletó nos quadris.

PERFIL DO ESTILISTA

1906-1932
Nascido em Dublin, Henry Digby Morton estudou na Escola Metropolitana de Arte e Arquitetura antes de se mudar em 1928 para Londres, onde trabalhou como ilustrador para a loja de moda Jay's antes de abrir a alfaiataria Lachasse.

1933-1983
Em 1933, Digby Morton criou sua própria maison, confirmando a reputação de alfaiate. Junto com vários outros *couturiers* britânicos, fundou em 1942 a Sociedade de Criadores de Moda de Londres, e em 1947 abriu uma divisão de exportação na Digby Morton que lhe possibilitou vender roupas nos Estados Unidos. Em 1957, a maison fechou as portas, e de 1958 a 1973 Morton trabalhou para a Reldan-Digby Morton, fabricante de trajes esportivos clássicos.

ALTA-COSTURA AMERICANA

1 A célebre fotografia de Horst P. Horst para a edição de setembro de 1939 da *Vogue* mostra o espartilho amarrado atrás criado por Detolle para Mainbocher.

2 O volumoso vestido de baile "trevo de quatro folhas" (1953) de Charles James – feito em cetim, renda de seda e xantungue de seda cor de cobre – pesava cerca de 5,5kg.

Enquanto as estilistas americanas desenvolviam um estilo idiomático de roupas prêt-à-porter para o mundo feminino corporativo e social em expansão, com ênfase na função e na versatilidade, seus colegas homens como Mainbocher (1891-1976), Charles James (1906-1978) e James Galanos (nascido em 1924; ver p. 290) se concentravam na alta-costura luxuriante e espetacular. Mainbocher e James introduziram rígidas estruturas internas a seus vestidos de baile, que tinham a cintura cingida por espartilhos e o busto definido característicos de uma brusca mudança de silhueta em relação às peças da época, mais casuais e influenciadas pelo esporte. Suas criações foram usadas por socialites nova-iorquinas, entre as quais dois influentes paradigmas de estilo: Babe Paley e C. Z. Guest.

PRINCIPAIS ACONTECIMENTOS

1937	1939	1940	1941-1945	1943	1946
Charles James faz seu primeiro desfile em Paris, que inclui peças com fitas de seda *vintage* da empresa Colcombet.	O espartilho que estruturou a última coleção parisiense de Mainbocher é imortalizado por uma das mais célebres fotografias de Horst P. Horst.	James se muda para Nova York e abre a Charles James, Incorporated no número 64 da rua 57 Leste.	As assinaturas da *Vogue* se multiplicam durante a Segunda Guerra Mundial sob a direção do renomado crítico e ex-editor da *Vanity Fair* Frank Crownshield.	Os Prêmios de Críticos de Moda dos EUA são anunciados pela primeira vez pela empresa de cosméticos e perfumes Coty, Inc. para promover e celebrar a moda americana.	O "Théâtre de la Mode" (Teatro da Moda), exposição itinerante de manequins de moda em miniatura criados pelos melhores estilistas de Paris, chega a Nova York.

Mainbocher fundou sua maison de alta-costura em 1929 e se estabeleceu como costureiro ao longo da década de 1930; em 1937, foi chamado para criar o vestido de noiva de Wallis Simpson (ver p. 288) em seu casamento com o ex-rei Eduardo VIII. Ele passou a colaborar com a Warner Brothers Corset Company depois do lançamento do espartilho Mainbocher (à esquerda), em sua última coleção parisiense de 1939, uma vez que redefinia radicalmente os contornos dos modelos da década de 1930. Essa silhueta com cintura de vespa prenunciava a volta do formato de crinolina oitocentista que iria ressurgir após a Segunda Guerra Mundial, propagado por Christian Dior (1905-1957) e seu New Look. Em 1940, Mainbocher deixou a Paris ocupada e se mudou de volta para os Estados Unidos, onde abriu aquela que era considerada a mais prestigiosa e cara maison de Nova York. Durante a guerra, consolidou sua reputação de luxo discreto usando materiais finos para peças casuais. A teatralidade inerente de seus modelos foi canalizada em seus muitos trabalhos para espetáculos da Broadway, entre os quais *Blithe Spirit* (Uma mulher do outro mundo, 1941) e *Call Me Madam* (Sua excelência, a embaixatriz, 1950).

O inglês Charles James tinha uma abordagem teatral similar. Sem treinamento formal como estilista, começou a carreira desenhando e fabricando chapéus. Abriu sua primeira maison nos anos 1930, em Londres, onde desenvolveu todos os elementos que iriam virar sua marca registrada e com os quais continuaria a trabalhar ao longo da carreira, criando peças-chave como o vestido de noite Corselete ou Sílfide (1937), o justo vestido de noite Sereia de frente plissada (1938) e um vestido com um balonê alto na frente (1939). Em 1940, James se mudou para Nova York e, depois de criar uma coleção para a magnata dos cosméticos Elizabeth Arden entre 1943 e 1945, abriu seu ateliê em 1945 na avenida Madison, 699. Com uma abordagem pouco ortodoxa baseada em conceitos matemáticos que ampliavam as fronteiras da moda convencional, ele foi elogiado pelos trajes de noite de engenharia espetacular produzidos entre 1947 e 1954. Sua estética aliava rígidas estruturas internas, muitas vezes baseadas em protótipos vitorianos, a materiais pesados e texturas lustrosas como *failles* e veludos encorpados.

O vestido pelo qual James é mais conhecido é o "trevo de quatro folhas" (à direita), confeccionado pela primeira vez em 1953. A parte de cima, de cetim duchese marfim, tem uma armação rígida feita de entretela, crina de cavalo e arame forrado, criada para sustentar a imensa saia externa. Esta é projetada para recair sobre os quadris, distribuindo assim o peso. Durante os anos 1950, James desenvolveu linhas de prêt-à-porter, mas teve dificuldade para limitar seus talentos a imitações orientadas para o mercado de massa. Sua solução foi vender modelos originais para as lojas Lord & Taylor e Saks Fifth Avenue, que a partir deles criavam moldes para possibilitar a confecção de cópias. **MF**

1948	1950	1951	1951	1952	1953
Millicent Huddleston Rogers, herdeira da petrolífera Standard Oil, promove uma exposição das criações de James no Brooklyn Museum.	James ganha o primeiro de dois prêmios Coty por seu "grande domínio da cor e arte do drapejado".	James trabalha com o fabricante de manequins Cavanaugh Form Company para criar um manequim em papier mâché.	James Galanos lança a própria marca, seguida um ano depois por sua estreia em Nova York.	Charles James cria coleções de peças avulsas para o fabricante Samuel Winston da Sétima Avenida, vendidas no varejo pela Lord & Taylor.	James cria o vestido "trevo de quatro folhas" para Austine Hearst ir ao baile de posse do presidente Einsenhower, mas ela o usa para ir ao baile da rainha Elizabeth.

Vestido de noiva da duquesa de Windsor 1937

MAINBOCHER 1891-1976

Foto de casamento do duque e da duquesa de Windsor, por Cecil Beaton (1937).

NAVEGADOR

Casada duas vezes, Wallis Warfield Simpson tinha uma elegância austera, cabelos negros como as asas da graúna e o bordão: "Riqueza e magreza nunca são demais." Ao ficar noiva do ex-rei Eduardo VIII – o casal viria a ser conhecido como duque e duquesa de Windsor –, escolheu Mainbocher para desenhar seu vestido de casamento. *Couturier* nascido nos Estados Unidos e residente em Paris na época da cerimônia, Mainbocher se especializava em modelos simples, conservadores, elegantes e muito caros, e criou um vestido que aliava decoro e simplicidade.

A longa silhueta colunar do vestido tem uma saia cortada no viés e um casaquinho no mesmo tecido que termina na cintura. O volume do corpete encorpa a silhueta esguia de Wallis e tem um delicado franzido no decote alto. As mangas estreitas e embutidas com um leve enchimento são franzidas nos ombros. Edna Woolman Chase, editora da *Vogue* americana, não aprovou o vestido. Na autobiografia *Always in Vogue* (Sempre em voga, 1954), ela escreveu: "A duquesa tem muitos vestidos lindos em seu guarda-roupa, mas sinceramente, para uma ocasião do porte de seu casamento com um ex-rei da Inglaterra, acho que ela e Mainbocher poderiam ter se saído melhor. O vestido é uma coisa totalmente reta, comprida e chocha feita de crepe claro cinza-azulado... com um casaquinho justo sem graça nenhuma, uma chatice de se ver." Mainbocher também criou o enxoval de Wallis. **MF**

PONTOS FOCAIS

1 GOLA VERTICAL
A gola do vestido é cortada em duas meias-luas que se afunilam em direção ao centro e à costura do ombro. Os franzidos da gola são trazidos de um lado e outro do corpete, criando assim uma silhueta que lembra a frente única.

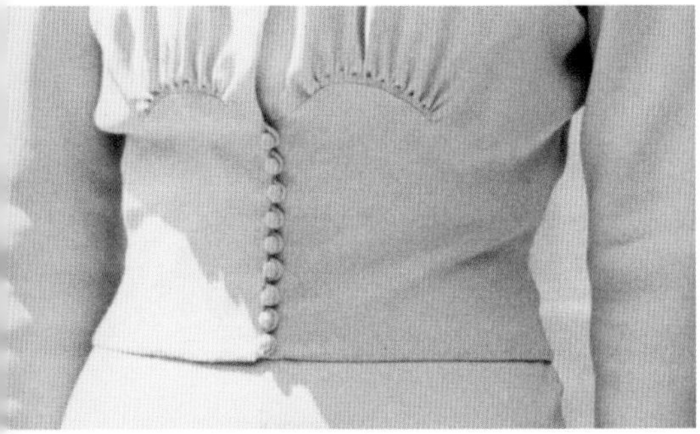

2 DETALHES DO CASACO
O centro em formato de coração do casaco da noiva é fechado por uma fileira vertical de botões forrados bem juntos, com alças de rolotê no lugar de casas. O casaco termina logo abaixo da cintura.

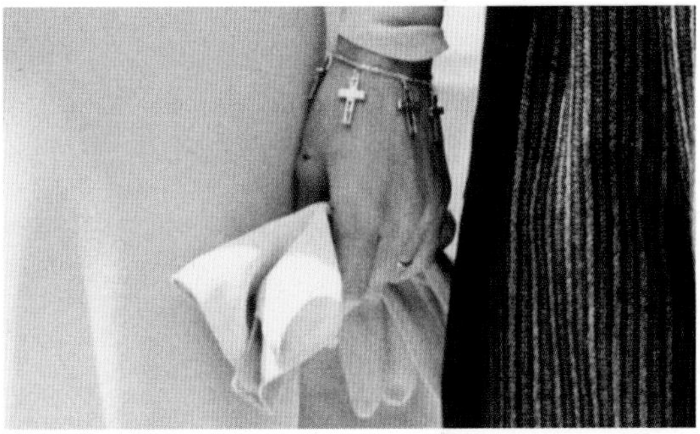

3 JOIAS FEITAS SOB MEDIDA
Wallis está usando uma pulseira de brilhantes com nove cruzes, cada qual com uma gravação referindo-se a um acontecimento da vida do casal. Ela não gostava das próprias mãos, e mandou fazer luvas no mesmo tecido do vestido criadas para acomodar a aliança de casamento.

PERFIL DO ESTILISTA

1891-1939
Nascido em Chicago, Main Rousseau Bocher (Mainbocher) ficou em Paris após sua desmobilização do Exército americano em 1918. Depois de trabalhar como ilustrador para a *Harper's Bazaar*, entrou para a *Vogue* francesa em 1923 e foi nomeado editor-chefe em 1927 antes de decidir que preferia criar do que escolher roupas. Em 1929, abriu um ateliê de alta-costura na Avenue George V, em Paris.

1940-1976
Em 1940, Mainbocher se mudou para Nova York e abriu um ateliê na rua 57 Leste, número 6, onde confeccionou sua primeira coleção de alta-costura para o mercado americano. Em 1961 transferiu-se para o edifício KLM, na Quinta Avenida, e continuou a trabalhar até 1971. Aos 81 anos, fechou as portas de sua maison, vindo a falecer em Munique cinco anos depois.

Vestido de noite listrado 1955

JAMES GALANOS 1924

NAVEGADOR

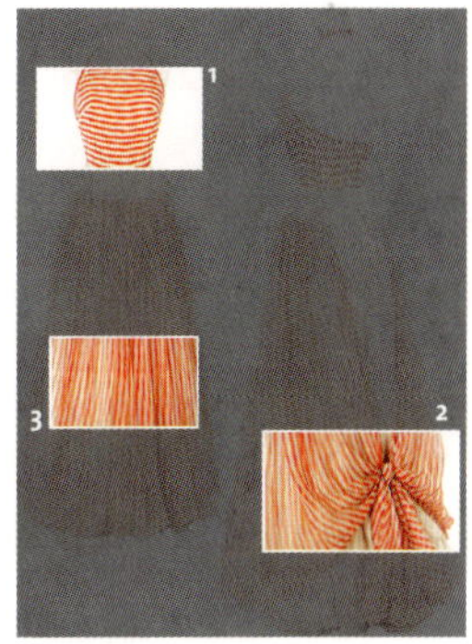

A meio caminho entre os *couturiers* americanos do pré-guerra como Mainbocher e Norman Norell (1900-1972) e o posterior modernismo de Roy Halston Frowick (1932-1990) e Geoffrey Beene (1927-2004), James Galanos firmou na década de 1950 uma carreira que ria durar várias décadas. Defensor de trajes estruturados e decorativos para a noite em uma época dominada pela alta-costura francesa, Galanos ganhou fama graças à habilidade e ao trabalho manual meticuloso produzido em seu ateliê do sul da Califórnia, no mesmo nível de qualquer *couturier* francês. Sua reputação inicial se deveu ao uso habilidoso do chiffon de seda, evidente neste vestido de noite listrado de vermelho e branco.

A irregularidade das listras onduladas, a frente única que lembra um maiô e a amarração na bainha dão ao vestido um ar de informalidade náutica apesar da aderência à silhueta em forma de ampulheta dominante na época. Cortado abaixo das escápulas para deixar as costas à mostra, a linha prossegue até a frente, onde dá a volta para formar uma alça estreita no pescoço, presa na nuca e alinhada com o zíper no meio das costas. O chiffon de seda é franzido em uma costura na cintura natural e cai em dobras soltas até a barra, produzindo vários metros de bainha enrolada e costurada a mão. Sobreposta na superfície do vestido, uma sobressaia termina a meio caminho entre as costuras laterais e o meio das costas. **MF**

PONTOS FOCAIS

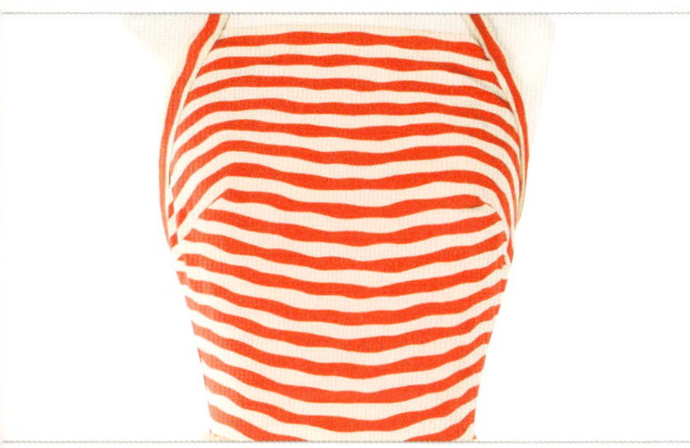

CORPETE
Costuras laterais perfeitamente alinhadas caracterizam o corpete do vestido, feito em crepe de seda com listras horizontais. As listras são distorcidas acompanhando a inserção do pence no busto.

3 LISTRAS ESTAMPADAS
A sobressaia é estampada com as mesmas listras estreitas, equidistantes e onduladas do crepe de seda do corpete. A transparência diáfana do chiffon faz as listras de baixo aparecerem, criando um efeito quadriculado.

TEMA NÁUTICO
As pontas da sobressaia de chiffon de seda são unidas no meio do tornozelo e presas com um nó, remetendo a uma gola de marinheiro fora do lugar. O nome dessa gola em inglês, *middy*, vem da palavra *midshipman*, que designa o aluno de uma academia naval.

PERFIL DO ESTILISTA

1924-1950
Nascido em Filadélfia, James Galanos estudou na Escola de Moda Traphagen, em Nova York, de 1942 a 1943. Começou a carreira como assistente-geral de Hattie Carnegie de 1944 a 1945, e trabalhou por um breve período como ilustrador para Jean Louis da Columbia Pictures, em Hollywood. Depois de se mudar para Paris em 1946, trabalhou como aprendiz de estilista na Maison Robert Piguet, de onde saiu em 1948 para retornar a Nova York.

Desde 1951
Em 1951, Galanos lançou a marca Galanos Originals, que desfilou em Nova York no ano seguinte. Tornou-se particularmente conhecido pelos primorosos vestidos de chiffon de seda. Ganhou vários prêmios, entre os quais o Coty de Críticos de Moda em 1954 e 1956 e o Hall da Fama da Coty em 1959. Aposentou-se no fim dos anos 1990.

MODA AFRO-AMERICANA

1 Um casal usa os modelos típicos para dançar swing. O vestido da moça é feito de fazenda elástica para facilitar os movimentos.

2 Uma jovem negra usa um tailleur ajustado ao corpo; os obrigatórios chapéu, luvas e estola de peles completam o traje.

Se considerarmos a história recente dos Estados Unidos, fica claro que os anos 1940 foram uma década importante de transformação para as minorias e os desfavorecidos. O início e o ápice da Segunda Guerra Mundial tiveram impacto inédito na vida dos cidadãos afro-americanos, preparando o caminho para a integração racial, o movimento em prol dos direitos civis e, de modo geral, uma reflexão mais atenta sobre a cidadania americana e seu verdadeiro significado. Mudanças muito aguardadas se anunciaram, e manifestações nas áreas da música, moda de rua, estilo e atitude convergiram, criando um modelo para o que hoje se reconhece como cultura urbana.

Com o avanço do século XX, mudanças demográficas nos Estados Unidos fizeram muitos negros migrarem dos estados rurais do Sul para as cidades industriais do Norte. Esse movimento anunciou uma revolução cultural à medida que a música produzida pela experiência negra no Sul – sobretudo o jazz e o blues – se tornou a base para os estilos de big band e swing que dominaram a música popular americana

PRINCIPAIS ACONTECIMENTOS

1940	1941	1942	1943	1943	1943
75º aniversário do fim da escravidão. Hattie McDaniel se torna a primeira afro--americana a ganhar o Oscar por *...E o vento levou*.	A canção "God Bless the Child", de Billie Holiday, alcança o terceiro lugar entre as canções britânicas do ano.	O poema de Langston Hughes "O negro fala de rios" é musicado. A renda é revertida para a publicação de compositores clássicos afro-americanos.	Jornais americanos noticiam "Rebeliões de ternos *zoot*" entre os militares brancos e jovens afrodescendentes, em Los Angeles, San Diego, Chicago e Harlem.	O trompetista de jazz Dizzy Gillespie entra para a banda de Earl Hines, considerada a criadora do jazz a partir do bebop.	O cantor americano de jazz Cab Calloway dá credibilidade ao terno *zoot* ao usar o modelo em *Stormy Weather*, musical de sucesso da Twentieth Century Fox

nos anos 1940. O caráter de gueto da sociedade americana fez com que os bairros das cidades muitas vezes se organizassem segundo linhas raciais ou étnicas, e zonas predominantemente negras como o Harlem nova-iorquino viram surgir uma enxurrada de sons, danças e tendências de moda negras. A peça que definia a experiência urbana afro-americana durante a década de 1940 era o terno *zoot* (ver p. 294). *Zoot* é uma corruptela da palavra em inglês *suit*, terno, e sua etimologia vinha da gíria rimada típica da vida no Harlem no começo do século XX, quando *zoot* era um termo de aprovação para designar qualquer coisa "bacana".

O termo *jitterbug*, assim como o termo hip-hop no fim do século XX, tornou-se uma palavra genérica para descrever passos de dança não coreografados aliados a um visual, estilo e comportamento específicos que caracterizavam essa cultura urbana negra nascente. Também surgido na era do swing, o *lindy hop* animava pistas de dança país afora, com músicos do salão de baile multirracial do Harlem Savoy encantando uma plateia que incluía brancos, com a perícia acrobática dos exímios *lindy hoppers* e provocando admiração e assombro. Durante o racionamento da guerra, o traje preferido pela *lindy hopper* do sexo feminino era um vestido simples de viscose ou jérsei sintético com um corte esguio e aerodinâmico (à esquerda); a viscose era popular porque não amassava e tinha um toque semelhante ao da seda, o que possibilitava seu uso do dia até a noite. Um bolero ou casaquinho ajustado também acrescentavam estilo ao guarda-roupa de qualquer dançarina de swing, permitindo criar vários looks diferentes.

Essa atitude do tipo "improviso e remendo" não perdurou nos estilos femininos do pós-guerra, quando as mulheres começaram a buscar a inspiração para suas roupas em Paris, e mais especificamente no New Look de Dior (à direita). Uma estilista que apreciava especialmente essa nova estética era Anne Cole Lowe (1898-1981), considerada a primeira estilista negra a entrar para o establishment da moda. Conhecida por suas peças de alta-costura vendidas bem mais em conta do que as roupas de Paris, Anne formou uma ilustre clientela que incluía os Vanderbilt e os Roosevelt. Nascida no Alabama, cresceu rodeada por vestidos de luxo, pois sua mãe e avó costuravam vestidos de baile para as mulheres da elite branca. Estudar moda em Nova York foi um desafio, uma vez que o diretor zombava do fato de ela frequentar as aulas, mas Anne persistiu e Jacqueline Bouvier escolheu usar um de seus modelos no dia de seu casamento com John F. Kennedy.

Outra estilista negra da época a entrar para a história da moda foi Zelda Wynn Valdes (1905-2001): não só a primeira negra a abrir loja própria, ela foi também a primeira negra a fazer negócio na Broadway. Natural da Pensilvânia, seu amor pela moda surgiu ao observar o trabalho de costureira da avó e trabalhar na alfaiataria do tio. Famosa por ter vestido estrelas tanto negras quanto brancas – entre as quais Josephine Baker, Ella Fitzgerald e Mae West – com vestidos colados ao corpo de fazer cair o queixo, Zelda criou também o figurino original das Coelhinhas da Playboy e foi nomeada designer principal da Dance Theater of Harlem. **RA/WH**

1945

Ella Fitzgerald grava "Flying Home", que o jornal *The New York Times* elege um dos mais influentes discos de jazz vocal dos anos 1940.

1946

A estilista de moda afro-americana Anne Cole Lowe cria o vestido usado pela atriz Olivia de Havilland no Oscar.

1946

Trabalhadores da fábrica de tabaco Piedmont, na Carolina do Norte, entram em greve, contribuindo para a eclosão do movimento pelos Direitos Civis nos Estados Unidos.

1947

Louis Armstrong estreia em Hollywood com sua All Stars Band.

1948

A estilista afro-americana Zelda Wynn Valdes abre sua primeira loja, a Chez Zelda, na Broadway de Nova York.

1948

O artista afro-americano Norman Lewis cria o quadro *Músicos de jazz*, que se afasta da pintura formal em direção à abstração.

O terno *zoot* Década de 1940
TERNO MASCULINO

Dois adolescentes
usando ternos *zoot*, 1943.

NAVEGADOR

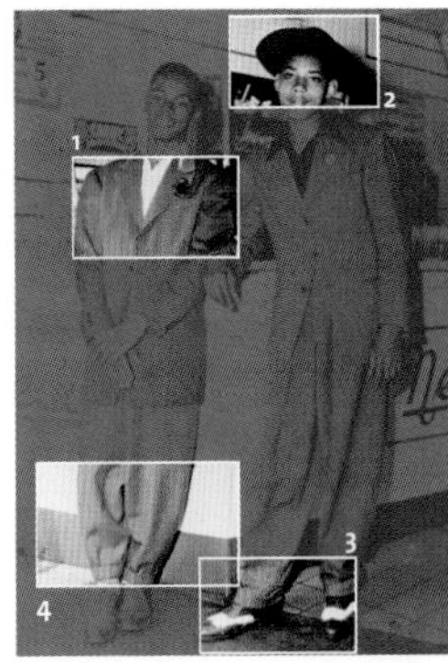

O terno *zoot* é um elemento subcultural fascinante, que previu a ascensão e influência dos estilos de rua urbanos. Embora seus detalhes variem, o modelo básico era sempre o mesmo: bem folgado e afunilado na cintura e na barra da calça. O excesso de pano era fundamental. O terno *zoot* dava a quem o vestia uma sensação de orgulho e presença, uma vez que desafiava os costumes e ideias preconcebidos da maioria da população, para quem o estilo *zoot* era antissocial, abertamente contestatório e associado à delinquência e à criminalidade. A entrada dos Estados Unidos na guerra consolidou a opinião pública contra os *zoots* – com o racionamento de roupas, os que usassem ternos *zoot* eram castigados por antipatriotismo. Além disso, a visão de jovens negros usando ternos chamativos gerava ressentimento. A sociedade americana dos anos 1940 tinha profundas divisões raciais, e esperava-se que os negros fossem dóceis, servis e respeitosos em relação aos brancos. Em 1943, isso levou a uma explosão de violência no que os jornais batizaram de "revoltas do terno *zoot*": capturados por gangues de milicianos brancos, os *zoots* eram não apenas espancados com selvageria, mas muitas vezes despidos de seus ternos e largados ensanguentados nas ruas. Malcolm Little, que mais tarde viria a se reinventar como o político radical Malcolm X, foi um *zooter* cuja infância e juventude de pequeno delinquente e bandido de rua era um típico exemplo das associações negativas do traje. **RA/WH**

PONTOS FOCAIS

1 PALETÓ COMPRIDO
O paletó de ombros largos se afunila até o meio da coxa. De abotoamento simples, com três botões, tem também ombreiras. Os ternos *zoot* em geral eram feitos com estampas risca de giz exageradas ou xadrezes chamativos.

3 SAPATOS OXFORD
Sapatos Oxford com bico decorado por pequenos furos aparecem aqui na popular versão bicolor, preta e branca. Acessórios como chaveiros eram sempre usados de modo aberto e exibido e constituíam uma parte importante do visual.

2 CHAPÉU DE ABA LARGA
Usado inclinado para trás, afastado da testa, o formal chapéu de feltro preto de aba larga é uma afirmação clara: anuncia a presença de quem o usa e remete ao estilo dos gângsteres da época da Lei Seca.

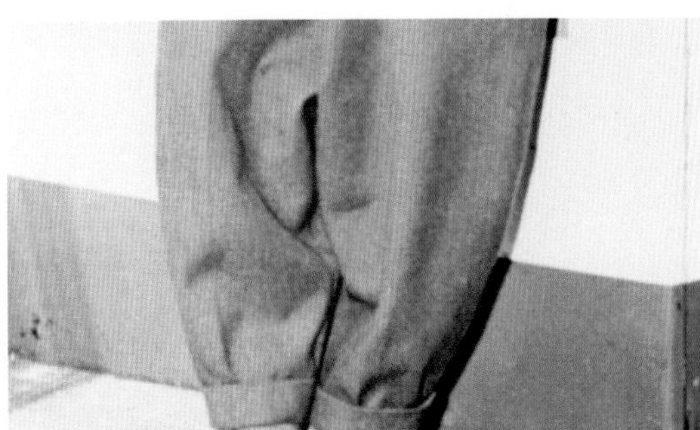

4 CALÇA BAGGY
Excessivamente folgada e volumosa na perna, a calça tem também a cintura bem alta. Presa por suspensórios e com vincos na frente, é bem larga no alto e tem a bainha mais estreita.

179

5 | DE 1946 A 1989

OS ANOS DOURADOS DA ALTA-COSTURA

1 Modelos da maison vestem a coleção primavera/verão de 1957 de Christian Dior na revista *Time*. Fotografia de Loomis Dean.

2 Fotografado por Willy Maywald, o tailleur "Bar" foi o mais vendido da coleção Corolle de Dior (1947).

3 Esse conjunto esculpido de Cristóbal Balenciaga apresenta inconfundíveis mangas encurtadas, tipo bracelete (1952).

A alta-costura é a apoteose da moda. Foi implementada em Paris em 1858 pelo costureiro de origem britânica Charles Frederick Worth (1825-1895), e a cidade permaneceu como líder incontestável da moda até a Segunda Guerra Mundial, quando a ocupação por tropas alemãs ameaçou sua sobrevivência. O renascimento das indústrias da moda e têxtil nas ruínas das cidades europeias, porém, contribuiu para a volta da prosperidade. Quando Christian Dior (1905-1957) lançou seu ateliê de alta-costura em Paris em 1946, reconheceu o otimismo da época com seu New Look (ver p. 302), que, apesar das implicações elitistas da alta-costura, penetrou na psique coletiva como um ícone de um futuro melhor.

Dior possuía uma estética que refletia as influências do século XIX (acima), incluindo o uso de tecidos estruturados, como o cetim duchese e as lãs jacquard, e uma predileção pelo corpo feminino espartilhado. Ele escreveu: "Desenhei roupas para mulheres semelhantes a flores, de ombros arredondados, seios fartos e cinturas

PRINCIPAIS ACONTECIMENTOS

1946	1947	1948	1948	1949	1951
Christian Dior cria seu ateliê de alta-costura em Paris e apresenta sua primeira coleção no ano seguinte.	Dior é o primeiro francês a receber o Prêmio Neiman Marcus da renomada loja de departamentos.	Jacques Fath é acompanhado por sua esposa numa viagem promocional aos Estados Unidos, quadruplicando as vendas de seu salão em Paris.	A primeira faculdade de moda no Royal College of Art de Londres é aberta, dirigida pela professora Madge Garland.	Fim do racionamento de roupas do tempo da guerra no Reino Unido.	Lançado o Festival da Grã-Bretanha, uma celebração patrocinada pelo governo do melhor do design, arte e indústria britânica.

finas sobre saias compridas rodadas. Essa aparência etérea é alcançada por meio de um elaborado trabalho, realizado no ateliê do costureiro, que combinava a atividade tradicionalmente feminina da costura e a alfaiataria geralmente realizada por homens. Estes eram complementados pelos artífices dos ateliês: bordadores, *plumassiers*, peleiros e especialistas em passamanaria e trabalhos em couro.

A peça de alta-costura era desenvolvida a partir de croquis ou enrolando o tecido no corpo ou no manequim. Um costureiro era autorizado a empregar estilistas para ajudar no figurino, mas não podia comprar figurinos de fora da maison. O estilista então escolhia o tecido dentre várias amostras apresentadas por fabricantes, além dos adornos, como fivelas e botões, que então se tornavam exclusivos do ateliê. O desenho era entregue ao *première d'atelier* encarregado da sala de trabalho onde as costureiras (*petites mains*) trabalhavam em torno de pequenas mesas. O croqui era desenvolvido num tecido calicô e ajustado num modelo da maison antes de ser confeccionado no material escolhido. O salão era dirigido pela vendedora, que desenvolvia um relacionamento com o cliente e negociava o cronograma de provas.

Uma nova regulamentação rigorosa para os membros da Câmara sindical da Alta-Costura Parisiense (definida como "a comissão regulamentadora que determina quais maisons têm direito a serem verdadeiros ateliês de alta-costura") foi implementada em 1945. Ela exigia que o estilista mantivesse instalações apropriadas em Paris, com um ambiente adequado para mostrar as coleções semestrais, e fornecesse espaço privado para provas, bem como espaço suficiente para um ateliê e salas de trabalho. As coleções tinham que incluir ao menos 75 figurinos originais sob medida, cada um exigindo um mínimo de três provas. Embora clientes privados alimentassem o prestígio da alta-costura, compradores comerciais, que adquiriam um tecido para reprodução ou uma peça para ser vendida no varejo, tinham preferência nas exposições, com os compradores americanos primeiro, seguidos pelos europeus e enfim pelos clientes privados. Essas exposições se realizavam sob o maior sigilo, sendo proibido o acesso da imprensa por três semanas.

Desde a criação de sua maison em 1946 à sua morte súbita em 1957, Dior permaneceu o protagonista principal da alta-costura de meados do século XX. Seu New Look foi um dos momentos definidores da moda e consolidou a influência de Paris e do sistema de alta-costura. O tailleur "Bar" foi um dos artigos mais vendidos da coleção revolucionária (à direita, em cima). A saia plissada de lã preta até a metade da perna era acompanhada de um casaquinho cintado de xantungue claro. O contorno do ombro arredondado, a cintura apertada e a bainha esculpida convexa do blusão, usada sobre o enchimento no quadril, representavam a nova feminilidade.

Cristóbal Balenciaga (1895-1972) também reinou supremo no auge da alta-costura (à direita, embaixo). Começando num pequeno ateliê em San Sebastian, Espanha, antes de abrir sua maison parisiense em 1937, Balenciaga não estava interessado em influenciar as tendências existentes ou desenvolver uma linha prêt-à-porter, preferindo enfocar a pureza de sua visão das roupas sob medida. Explorou técnicas de corte inovadoras centradas na posição da manga, e dominou a arte de cortá-la

1952
Hardy Amies torna-se o primeiro costureiro de Londres a exibir uma coleção em Nova York.

1953
Norman Hartnell desenha o vestido para a coroação da rainha Elizabeth II.

1953
Pierre Balmain ingressa no mercado americano sob a marca Jolie Madame.

1954
Dior desenvolve a linha A, termo que entra no vocabulário da moda para descrever uma silhueta de ombros estreitos que se alarga em direção à bainha.

1957
A rainha Elizabeth II usa um vestido de Hartnell chamado "Flores dos Campos da França" em sua visita oficial a Paris.

1959-1960
Hardy Amies serve como presidente da Incorporated Society of London Fashion Designers, fundada em 1942 para promover a cultura da moda britânica.

junto com a pala, priorizando a liberdade de movimentos. Diferentemente de Dior, cuja silhueta era baseada numa infraestrutura que explorava os seios e quadris, Balenciaga concentrou-se nos ombros e na bacia da mulher para uma abordagem moderna da alta-costura (ver p. 306). A teatralidade das roupas de Balenciaga era temperada por uma qualidade arquitetônica austera: os colarinhos eram cortados para ficarem afastados do pescoço, as mangas eram encurtadas, tipo bracelete, e tecidos fortemente texturizados eram moldados para flutuar sobre o corpo, resultando numa linha simples e serena, com o mínimo de costura, formando uma carapaça elegante. Durante a década de 1950, ele criou uma silhueta nova, alargando os ombros e abrindo mão de qualquer ênfase na cintura, enfim produzindo o influente vestido-saco em 1958.

Junto com Dior e Balenciaga, Pierre Balmain (1914-1982) formou o centro pós--guerra da indústria da alta-costura francesa. Balmain foi aprendiz do costureiro Edward Molyneux (1891-1974) em Paris por cinco anos, antes de trabalhar com Dior na maison de Lucien Lelong entre 1939 e 1944, e de abrir seu próprio ateliê. Ele abriu a Maison Balmain em 1945. Durante a década de 1950, Balmain desenhou roupas elegantes simples, especializando-se em combinações de saias e casaquinhos esguios e trajes de noite drapejados e plissados, em tecidos bordados decorativos, estampados e ornamentados (à esquerda). Elas eram populares entre a realeza europeia e estrelas de Hollywood como Ava Gardner e Katharine Hepburn. Também se atribui a Balmain a popularização da estola como um acessório diurno e noturno, que costumava incluir adornos de peles em suas peças diurnas. Igualmente importante no renascimento da alta-costura do pós-guerra foi o francês Jacques Fath (1912-1954), mas sua morte prematura resultou no fechamento de sua maison e na redução do impacto de seu breve e bem-sucedido reinado como uma das maiores influências do período. Ele abriu seu ateliê na Rue de la Boétie, exibindo uma primeira coleção de 20 peças. Após um breve período no Exército francês, mudou-se para a Avenue Pierre 1er de Serbie em 1937. Fath foi um mestre da autopublicidade e um homem de negócios astuto: assinou um contrato em 1948 com o fabricante atacadista americano

Joseph Halpert para desenhar diversas coleções por ano para serem vendidas nas grandes lojas de departamentos americanas. Lançou também a linha prêt-à-porter Université em 1953, patrocinada pelos fabricantes de têxteis Jean Provost, usando os métodos sofisticados de produção em massa desenvolvidos nos Estados Unidos do pré-guerra. Conhecidas por seu estilo glamouroso, suas peças acompanhavam os contornos do corpo com um drapejamento assimétrico cintilante (à direita), que era particularmente evidente nos figurinos que desenhou para a bailarina Moira Shearer no filme *Os sapatinhos vermelhos* (1948).

O costureiro Jean Dessès (1904-1970) ofereceu uma estética mais escultural, explorando o drapejamento e plissado de sua origem grega com retrós, grinaldas e pregas precisamente posicionadas em vestidos de noite de chiffon de seda (à esquerda, embaixo). Embora desenhasse para um pequeno ateliê de alta-costura em Paris nos anos 1920 e abrisse sua própria maison em 1937, somente no pós-guerra e nos anos 1950 seu trabalho foi reconhecido. Ele também produziu uma linha prêt-à-porter, Jean Dessès Diffusion, em 1949, mas em 1965 havia encerrado sua atividade na alta-costura.

A indústria da alta-costura de Londres foi criada antes da Primeira Guerra Mundial e seus estilistas eram conhecidos como "costureiros da corte". Seus clientes eram as classes superiores que requeriam trajes apropriados para as rodas sociais da temporada londrina, como a apresentação de debutantes na corte e os casamentos da alta sociedade. A Incorporated Society of London Fashion Designers, criada em 1942, baseou-se no sistema de alta-costura de Paris, mas o patrocínio estatal dos artigos de luxo existente naquela cidade desde o fim do século XVII não se aplicou aos costureiros britânicos. Sua tradição estava enraizada nas habilidades de alfaiataria de Savile Row. Costureiros como Victor Stiebel (1907-1976), Charles Creed (1906-1966) e Digby Morton (1906-1983) ficaram famosos pela qualidade de seus tweeds sob medida. Tanto Hardy Amies (1909-2003; ver p. 304), que abriu sua maison em 1946, e Norman Hartnell (1901-1979) obtiveram o reconhecimento por seu papel como estilistas de Elizabeth, rainha consorte do rei George VI, e, depois, da filha rainha Elizabeth II. A viagem oficial do rei e da rainha consorte à França no início do verão de 1938 proporcionou a Norman Hartnell a oportunidade de exibir seus figurinos em Paris. A pedido do rei, Hartnell desenhou uma coleção de vestidos inspirados nas pinturas de Franz Xaver Winterhalter da imperatriz Elisabeth da Áustria, com seu vestido de crinolina de tule lantejoulada. A morte da mãe da rainha consorte, três semanas antes da visita, resultou no refazimento de todos os vestidos em branco, uma prerrogativa real para o luto. Os vestidos totalmente brancos, compostos de renda valenciana, seda, cetim, veludo, tafetá, tule e chiffon, tornaram-se o marco tanto da rainha consorte como do costureiro, culminando no desenho do vestido da princesa Elizabeth ao desposar o príncipe Filipe da Grécia em 1947, seguido seis anos depois dos seus mantos da coroação. Os adornos exuberantes desses e de outros vestidos foram produzidos na própria maison, em vez de encomendados a um ateliê.

No fim da década de 1950, a demanda pela alta-costura estava em declínio. Junto com costureiros que incluíam Jean Dessès e Robert Piguet (1901-1953), Jacques Fath fundou Les Couturiers associés – precursores da criação do prêt-à-porter – e começou a vender direto para as lojas de departamentos francesas. A Maison Dior continuou após a morte de Christian Dior graças a um compromisso anterior com produtos fabricados sob franquia e a formação anterior de empresas independentes que precisavam ser preservadas. O jovem Yves Saint Laurent (1936-2008) tomou o lugar de Dior como estilista-chefe em 1958, marcando a chegada de uma geração mais contemporânea e iconoclasta de costureiros, entre eles Hubert de Givenchy (1927) e Pierre Cardin (1922). **MF**

4 Este vestido de coquetel de seda estampada de Balmain possui corpete franzido e saia-balão (1957).

5 Esta ilustração de moda de 1952 mostra um vestido com corpete cruzado e drapejado, criado por Jacques Fath.

6 Fotografado por Norman Parkinson, o vestido de noite romântico de Jean Dessès combina três tons de uma cor, entrelaçados em plissados e pregas fluidas (1950).

New Look 1947

CHRISTIAN DIOR 1905-1957

Renée, o New Look de Dior, Place de la Concorde, Paris, Agosto 1947, de Richard Avedon © The Richard Avedon Foundation.

NAVEGADOR

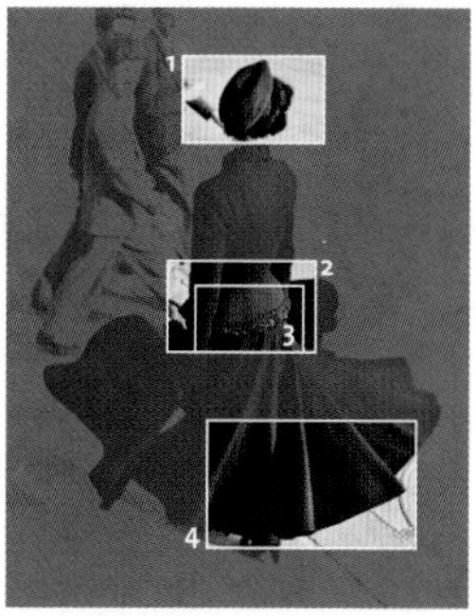

O lançamento da nova linha Corolle radical de Christian Dior, cujo nome faz referência ao termo botânico (corola) para pétalas abertas, anunciou uma nova era de luxo ao ser divulgado em fevereiro de 1947. A coleção celebrou o retorno da figura da ampulheta, em contraste com a silhueta masculina de roupas inspiradas em uniformes. Foi instantaneamente apelidada de "New Look" por Carmel Snow, editora da revista americana *Harper's Bazaar*, que publicou uma série de croquis detalhando a estrutura das peças.

O empenho de Dior no uso extravagante dos tecidos – a maison era financiada pelo fabricante de têxteis Marcel Boussac –, combinado com uma adesão à visão romântica e nostálgica da feminilidade evocando a Belle Époque, resultou em uma coleção que criou um furor na imprensa da moda e encabeçou o renascimento pós-guerra de Paris como o centro da moda internacional. Dando vida às qualidades esculturais do conjunto estruturado, o fotógrafo Richard Avedon capta a modelo Renée num movimento fluido caminhando pela Place de la Concorde, Paris, para a admiração dos transeuntes. As nesgas do vestido alargam-se do quadril para a bainha, que termina logo acima dos escarpins de camurça com saltos cônicos. A modelo carrega um regalo de astracã preto que combina com o adorno do casaquinho, um acessório popular na época. **MF**

PONTOS FOCAIS

1 CHAPÉU
Um chapéu de inspiração militar cujo tecido combina com o casaquinho está posicionado num ângulo inclinado para a lateral e parte posterior da cabeça. Os cabelos da modelo estão perfeitamente penteados e deixam visível o colarinho alto adornado com peles.

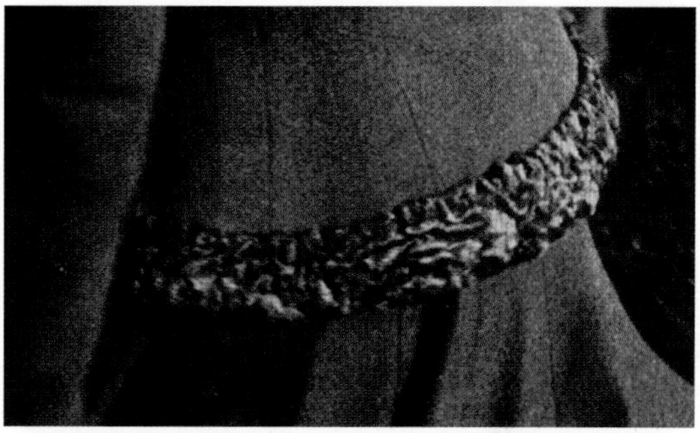

3 ADORNO DE PELES
Um faixa estreita de astracã decora o colarinho e a bainha do casaquinho. A pele de astracã – derivada do carneiro caracul da Ásia Central – possui uma inconfundível superfície rígida, espiralada e irregular, com um ligeiro brilho. A cor preta era considerada a mais desejável.

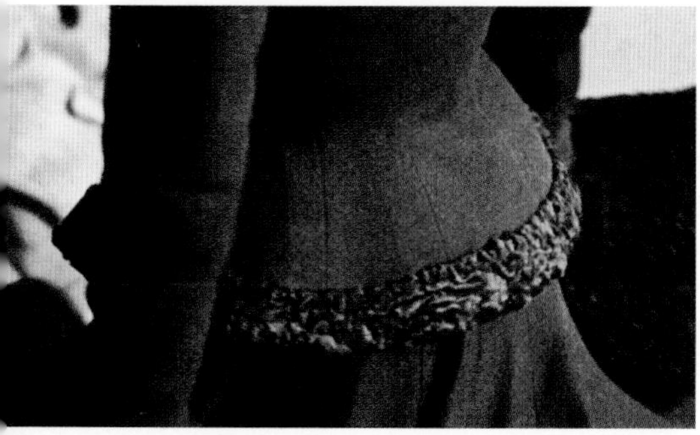

2 SILHUETA DE AMPULHETA
Combinando o enchimento sobre o busto e quadris, uma combinação judiciosa de costuras e pences e o uso de entretelas, barbatana de baleia e arame para contrair a cintura, Dior revisita a silhueta crinolinizada do século XIX.

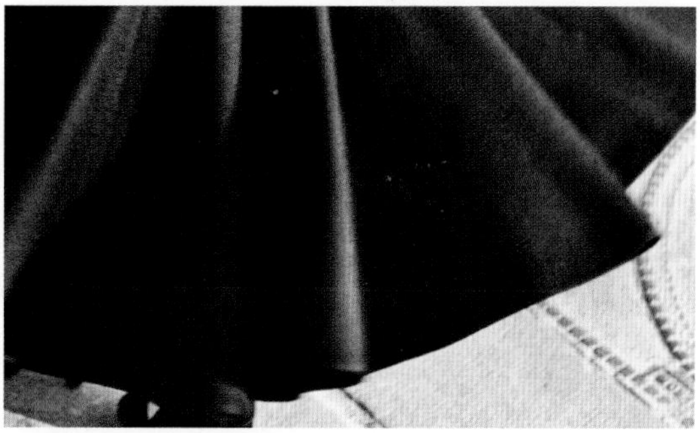

4 BAINHA
Usada sobre anáguas apertadas e com a bainha caindo quase até o tornozelo, a saia volumosa utilizava até 13,5 metros de tecido. O aspecto foi denunciado pela parlamentar britânica Mabel Ridealgh como "um uso estupidamente exagerado de materiais".

Conjunto de tweed Cumberland 1950

HARDY AMIES 1909-2003

NAVEGADOR

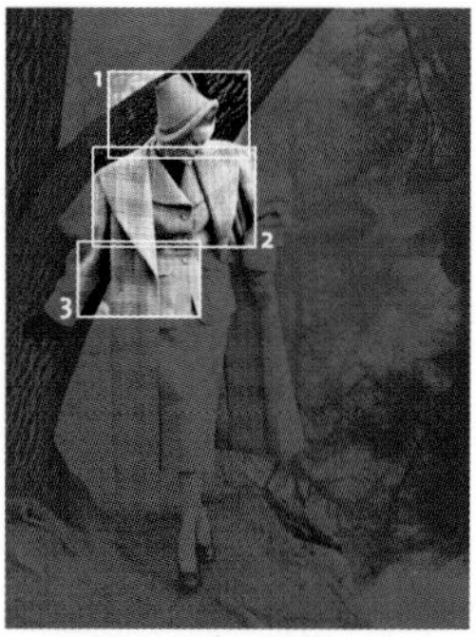

Este conjunto de tweed de Hardy Amies reconhece a herança de alfaiataria de Savile Row, em Mayfair, Londres, enquanto preserva a sofisticação urbana. Famoso por seu talhe curvo, Amies criou uma saia reta esguia até metade da perna que sucedeu a silhueta de ampulheta predominante, embora seja ligeiramente mais simples na forma do que sua correspondente parisiense. A presilha de três botões começa na cintura e termina numa abertura em "V" rasa de onde as enormes lapelas arredondadas se dobram num rolo suavizado. Os grandes bolsos chapados são arredondados para combinar e colocados perto da abertura dianteira central, decorados com uma aba em forma de S situada na cintura.

Em contraste com o conjunto anatômico, o casaco axadrezado correspondente tem um corte amplo nos ombros com profundas mangas dólmã, cortadas na transversal do tecido para justapor os quadrados horizontais do corpo do casaco com os quadrados diagonais das mangas. A gola-xale superdimensionada cai até a cintura alinhada ao botão inferior da jaqueta, tornando-a o ponto focal do conjunto. Os bolsos verticais inclinados no nível do quadril não têm abas: um elemento de minimalismo que se reflete no estilo envelope simples do casaco. Os anos 1950 foram uma época que exigia acessórios completos, e o conjunto e casaco são usados com um chapéu e escarpins de couro preto e luvas de camurça preta combinando. **MF**

PONTOS FOCAIS

1 CHAPÉU DE FELTRO
Um chapéu lanoso de feltro na forma de um vaso de planta virado repousa no lado da cabeça com uma pequena aba que se curva em direção à bochecha. Uma pena elegante está enfiada na fita do chapéu, referência ao aspecto campestre do conjunto.

2 COLARINHO ENVOLVENTE
Dobrada para trás a partir da cintura, a gola-xale é sem chanfros e cortada numa única curva contínua a partir da parte dianteira central, com uma pequena elevação atrás do pescoço.

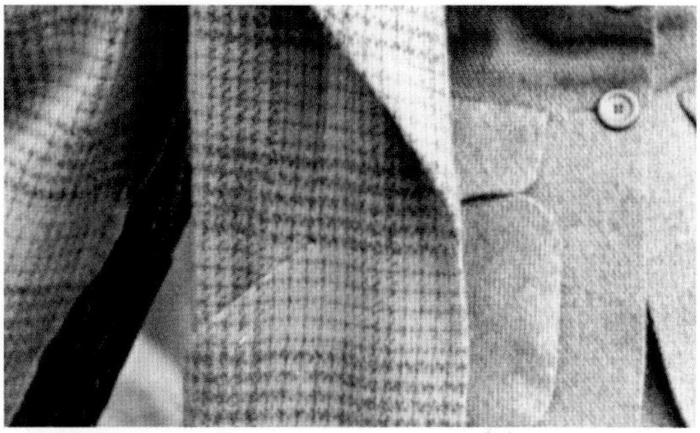

3 TWEEDS TRADICIONAIS
Os quadrados tipo vidraça de janela do casaco combinam com o tweed liso do conjunto. Os costureiros britânicos eram globalmente famosos pelo uso de têxteis nativos tecidos à mão, em especial aqueles do norte da Escócia.

PERFIL DO ESTILISTA

1909-1944
Nascido em Londres, Hardy Amies teve seu primeiro emprego na moda em 1934 quando entrou na Lachasse, para a qual desenhou roupas sob medida para as classes superiores britânicas. Após um período no Exército como executivo de operações especiais, mudou-se para a Maison Worth em 1941.

1945-2003
Em 1945 Amies criou sua etiqueta e a Hardy Amies se tornou a maison de maior êxito internacional na Grã-Bretanha. Em 1952 foi nomeado costureiro da rainha e continuou nesse papel até 1990. Sua longa e bem-sucedida associação com os fabricantes de roupas masculinas Hepworth começou no fim da década de 1950 e levou a uma série de licenciamentos através do mundo. Amies aposentou-se da moda em 2001.

Vestido de noite com anágua de babados 1951

CRISTÓBAL BALENCIAGA 1895-1972

Estes vestidos de noite de Balenciaga (1951) se inspiraram em pinturas de Henri de Toulouse-Lautrec.

NAVEGADOR

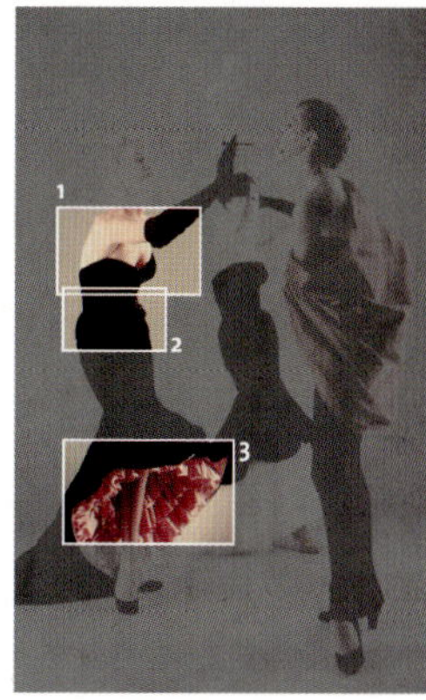

Admirado por sua manipulação magistral dos tecidos, Cristóbal Balenciaga era particularmente conhecido por usar têxteis de natureza escultural, sobretudo gazar de seda. Essa seda pesada e rígida possui uma qualidade resistente e textura fosca, e o tecido é usado aqui para criar a anágua de babados rosa do vestido de veludo de seda preto. Essa peça é esculpida para acompanhar as linhas do corpo até o joelho, onde as curvas ondulantes se estendem para fora em um formato de sino, terminando logo acima da panturrilha e apoiadas por uma anágua enrijecida. A parte posterior da saia está cortada numa curva profunda em direção ao tornozelo e termina numa costura traseira central, onde o tecido está cortado na transversal da tecedura. Isso forma uma pequena cauda rabo de peixe que ondula ao se mover.

O desenho simplificado desses vestidos de noite é típico da evolução do costureiro, da grandeza adornada de seus desenhos iniciais, que evocavam sua origem espanhola, a uma estética quase monástica, com ênfase na forma. Antes a etiqueta havia decretado que os braços deveriam permanecer cobertos até as oito da noite, mas a popularidade do coquetel nos anos 1950, que costumava ocorrer entre as seis e oito da noite, resultou em uma série de peças sem mangas e decotadas, com frequência usadas com um par de luvas de camurça acima do cotovelo e uma estola combinando. **MF**

PONTOS FOCAIS

1 CORPETE ESPARTILHADO
Expondo os ombros, o corpete desse vestido sem alças é moldado por barbatanas, formando picos nas laterais dos seios que produzem uma forma em "V" rasa. O alinhamento corresponde exatamente à beira superior das luvas acima do cotovelo.

3 SAIA ESVOAÇANTE
Balenciaga utiliza a saia esvoaçante para criar uma forma escultural inspirada nas linhas e potencial de movimento inerentes ao vestido de flamenco espanhol. Isso é evidente nas camadas de babados de gazar de seda que compõem a anágua.

2 COSTURA DA CINTURA ONDULANTE
A costura da cintura ondula suavemente para repousar na parte inferior das costas e se eleva ligeiramente na frente para fornecer uma silhueta mais esguia numa forma mais curva. Balenciaga era mestre em interromper uma linha antes que uma curva conduzisse o olho a proporções menos lisonjeiras.

PERFIL DO ESTILISTA

1895-1937
Uma das figuras mais inovadoras da moda do século XX, Cristóbal Balenciaga nasceu na aldeia basca de Getaria, Espanha, filho de uma talentosa costureira. Criou a Maison Balenciaga em 1937, atraindo uma clientela sofisticada e dedicada, incluindo a realeza e astros de Hollywood.

1938-1972
Muitos dos figurinos de Balenciaga foram alusões abertas aos trajes da Infanta Maria-Margarita em retratos de Diego Rodríguez de Silva y Velázquez e ao traje de toureiro, como a capa e os *borlones* (borlas de pompom) do bolero. Em meados da década de 1950, Balenciaga se consagrara como uma força revolucionária na moda, admirado por estilistas da época, entre os quais Christian Dior. Aposentou-se em 1968 e fechou seus ateliês de alta-costura, mas a marca continua.

ESTILOS UNIVERSITÁRIO E PREPPY

Após a Segunda Guerra Mundial, as subculturas jovens exigiram sua própria identidade, e pela primeira vez na história da moda, os jovens abertamente se rebelaram contra vestir as mesmas roupas dos pais. Um mercado separado começou a atender especificamente os números crescentes de adolescentes que estavam começando a definir seu próprio look. O estilo preppy do período foi uma aparência cuidadosamente construída que estabeleceu uma identidade para uma nova geração de indivíduos conscientes do estilo, conservando seu espírito de juventude de uma forma que carecia da natureza rebelde do *rockabilly* ou do beatnik.

O estilo se inspira nos uniformes das escolas preparatórias de elite dos Estados Unidos – daí o termo preppy – e suas bases podem ser remontadas às mais proeminentes escolas públicas britânicas: os alunos de Harrow e Charterhouse, por exemplo, se distinguiam pelos chapéus de palha e cores da instituição que adornavam os uniformes. Porém, com certeza, o estilo preppy é tipicamente americano, um estilo afirmado e celebrado pelos jovens WASPs da época como uma marca da identidade nacional da pessoa e do lugar que ocupa na sociedade americana. O estilo também era conhecido como "Ivy Look", em razã faculdades de elite (a chamada Ivy League) da Costa Leste, e os estudantes de instituições não mistas como Princeton, Harvard, Yale e Dartmouth eram conhecidos por trajarem conjuntos que serviam de indicadores da posição social, política e econômica.

1 Alunos de graduação de Yale em traje preppy padronizado: coletes xadrez, blazers esporte ajustados aos ombros, gravatas listradas e as camisas obrigatórias de colarinho abotoado (1950).

2 Estudante universitário veste suéter de críquete de malha clássico (1954).

3 Adolescente no estilo preppy: saia xadrez, suéter de malha e tiara (década de 1950).

PRINCIPAIS ACONTECIMENTOS

Meados dos anos 1940	1946	1947	1951	1952	1953
A aparência "*bobbysoxer*", incluindo saias até os joelhos e mocassins *penny loafer*, é a moda entre as adolescentes (ver p. 310).	Termina o racionamento nos EUA, resultando numa produção de tênis renovada, com a borracha de novo disponível para as solas.	O alfaiataria Chipp da Ivy League é fundada por Sidney Winston, ex-aluno de J. Press. A empresa fornece roupas ao presidente Kennedy e seus assessores.	O romance americano *O apanhador no campo de centeio*, de J. D. Sallinger, é publicado, apresentando Holden Caulfield, o protagonista rebelde de uma escola preparatória.	Lacoste começa a exportar suas cada vez mais populares camisas polo para os EUA (ver p. 254), o logotipo do crocodilo bordado denotando status e prestígio.	A TV a cores torna-se disponível nos EUA, oferecendo aos espectadores uma representação real das cores vistas nos trajes preppy.

Tal conjunto consistia em um blazer ajustado aos ombros em tons terrosos de marrom ou tweed em zigue-zague marrom ou cinza (à esquerda), uma camisa de colarinho abotoado de tecido de Oxford, uma gravata com listras diagonais em seda firmemente tecida (ver p. 313) e calças sem pregas de flanela cinza ou em veludo cotelê com largas nervuras. Igualmente importante para um aluno de escola preparatória era o calçado correto, os mocassins e sapatos de amarrar em couro preto ou marrom eram altamente populares no campus. O fornecedor preferido da Ivy League era a famosa empresa de roupas masculinas tradicionais Brooks Brothers, fundada em 1818, que alternava com sucesso tradição de roupas sob medida de alta qualidade e uma alfaiataria de roupa pronta. Uma versão mais casual desse estilo incluía suéteres (à direita) e especificamente tecidos de malha de Shetland e Fair Isle popularizados por Eduardo, Príncipe de Gales, nos anos 1920.

Outros itens populares eram camisas polo de puro algodão com mangas cavadas, um colarinho estreito e frente aberta com dois botões, sapatos náuticos Top-Sider (os sapatos oficiais da Marinha) e a jaqueta Letterman (ver p. 312). O estilo foi também interpretado pelas moças da época, que durante a guerra tiveram a liberdade de se vestir de forma mais confortável e prática. À medida que mais mulheres começaram a adotar a vida universitária, sua forma de vestir se alterou (à direita, embaixo) e o estilo "*bobbysoxer*" se tornou imprescindível (ver p. 310).

Ostentar as peças relevantes da cabeça aos pés, porém, era apenas o primeiro passo para o sucesso: além de trajar as grifes certas, nas combinações certas, os detalhes são fundamentais para esse estilo, e um autêntico adepto do preppy estava por dentro da moda. De jeito nenhum as calças podiam ser vestidas com pregas dianteiras – tinham que ser lisas na frente e curtas o suficiente para exibir um pouco do corpo em forma de tornozelos nus, o que significava que meias não tinham lugar no guarda-roupa preppy. Similarmente, as jaquetas sempre apresentavam uma frente com três botões fixos, punhos com dois botões e uma fenda traseira curva. Esses detalhes, por menores que parecessem, simbolizavam o insulamento da sociedade preppy e identificavam os "iniciados", aqueles indivíduos considerados parte daquele grupo seleto.

Como tal, o estilo preppy representava mais do que um conjunto rígido de regulamentos seguidos por um bando de estudantes da mesma instituição. Tais roupas, uma vez coordenadas, criavam um "uniforme" para aqueles jovens que reforçava sua sensação de identidade e integração, unindo-os em suas ideologias. Ao olharem no espelho e para seus colegas em volta, esperavam definir quem eles eram.

A nostalgia pelo estilo preppy foi sentida apenas 20 anos após o auge de sua popularidade, com a televisão e o cinema romantizando o estilo da época. Os personagens autênticos do filme *Grease: No tempo da brilhantina* (1978) e da série de TV *Happy Days* (1974-1984) corporificavam um sentimentalismo retratado através de valores familiares convencionais, tramas harmoniosas e o traje arquetípico. Hoje em dia, o trabalho de Ralph Lauren (1939) e Tommy Hilfiger (1951) demonstra a atração constante do estilo preppy, reconhecendo-o e celebrando-o como uma das grandes contribuições dos Estados Unidos para o estilo global. **RA**

1953	1954	Meados dos anos 1950	1955	1955	1978
Uma matéria da *Vogue* lista J. Press, Chipp e Sills de Cambridge e Fenn-Feinstein como quatro dos alfaiates mais proeminentes da Ivy League.	A empresa de roupas Brooks Brothers inclui uma cabine para mulheres, indicando a popularidade dos estilos preppy também entre as mulheres.	A lenda do jazz e ícone do estilo Miles Davis é aclamado como um autêntico aficionado preppy, influenciando o estilo de muitos jazzistas do período.	O fabricante de roupas preppy Haspel inventa um terno de anarruga "lave e use" sintético que ele garante não amarrotar.	O filme *O homem do terno cinzento*, com Gregory Peck, faz referência ao terno popular preferido por muitos adeptos do preppy.	O filme *Grease: No tempo da brilhantina*, com John Travolta e Olivia Newton-John, torna o estilo preppy autêntico de novo popular.

Bobbysoxer Década de 1940

TRAJE DE SAIA E SUÉTER

1 GOLA PETER PAN

Presa à abertura do pescoço, a gola Peter Pan possui bordas arredondadas e costuma ser cortada em piquê branco. Foi vista pela primeira vez no figurino trajado em 1905 pela atriz Maude Adams quando representou Peter Pan. Costuma ser vista em roupas infantis.

2 SUÉTER DE CAXEMIRA

As saias costumavam combinar com suéteres de mangas compridas ou curtas. Embora a caxemira escocesa importada fosse preferida, as universitárias também usavam peças do maior fabricante americano, a Dalton and Hadley Knitwear Company de Cleveland.

NAVEGADOR

Estudantes da Universidade da Califórnia, campus de Los Angeles (anos 1950).

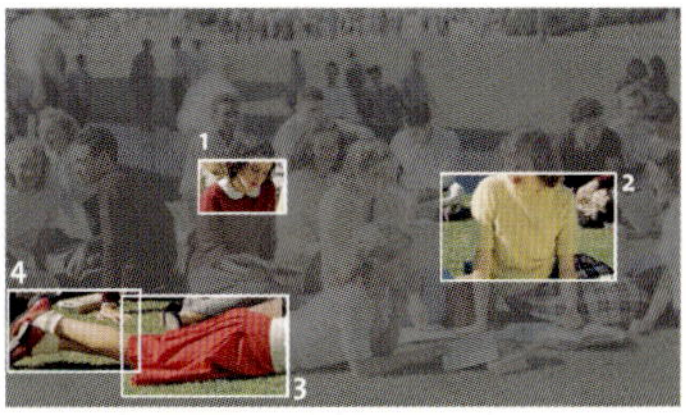

A subcultura jovem americana prosperou com as mudanças mundiais do pós-guerra. O modo como os jovens se viam havia mudado, o que se manifestou nas roupas e atitudes. Adolescentes americanos rebeldes adotaram o estilo de campus universitário "*bobbysoxer*", termo originalmente usado em 1944 para denotar os fãs da swing music, caracterizados como animados e exuberantes. Seus tipos de peças preferidos incluíam suéteres ou cardigãs justos, azul-claros ou angorá rosa, com gola rulê e mangas curtas, usados com blusas de golas Peter Pan pequenas e arredondadas, suas cores combinando com saias xadrez na altura dos joelhos. Saias circulares pregueadas eram usadas sobre camadas de anáguas enrijecidas, muitas vezes com fitas *ric-rac* nas bordas ou recortes da iconografia popular: notas musicais, guitarras e discos dos ídolos Elvis Presley e Jerry Lee Lewis. Bastante populares eram imagens "poodles" de estilo francês, estampados ou como apliques na saia. O poodle supostamente imbuía o usuário de sofisticação continental. A saia circular criava e enfatizava um talhe de ampulheta. Como um ato prematuro de rebelião dos adolescentes em relação às roupas, cardigãs de malha eram vestidos com as costas na frente, com jeans de brim arregaçados e sapatos Oxford. Além disso, os adolescentes evitavam o suéter definidor do talhe, preferindo o "*sloppy Joe*", um suéter grandão que caía solto pelo corpo quase até os joelhos, com uma gola virada, bainha e punhos, muitas vezes apanhado no guarda-roupa do pai ou do namorado, junto com sua camisa xadrez. **MF/RA**

3 **SAIA**

A saia de lã vermelha é cortada no estilo do saiote escocês, com pregas fêmeas amplas bordadas para baixo formando uma pala bem ajustada no quadril, antes de cair em plissados abertos pouco antes do joelho. Saias plissadas e circulares eram bem populares na época.

4 **MOCASSINS *PENNY LOAFER***

Usado com meias curtas, o mocassin *penny loafer* foi originalmente produzido pelo fabricante de botas americano G. H. Bass em 1934, sob o nome Weejuns. A origem do nome vem do fato de os estudantes dos cursos preparatórios inserirem uma moeda de um *penny* na fenda.

Estilo Ivy League Década de 1940

LOOK UNIVERSITÁRIO

Estudantes da Ivy League no campus, foto de Teruyoshi Hayashida (anos 1960).

Embora o estilo Ivy League fosse conhecido e querido por sua precisão e atenção ao detalhe, seus adeptos também eram célebres pela capacidade inata de parecerem simultaneamente casuais e despreocupados. Essa indiferença deliberada era facilitada pela supremacia dos programas atléticos nas faculdades, e a posição social concedida àqueles atletas encorajava o uso de trajes esportivos dentro e fora do campo de jogo. A maioria dos estudantes era certamente o que o economista e escritor Thorstein Veblen denominou "classe ociosa" – famílias ricas com uma afinidade natural por atividades de lazer, como golfe e tênis, requerendo um traje que pudesse ser usado em ocasiões esportivas e sociais. Um item específico da roupa que simbolizava a natureza relaxada do estilo Ivy foi o suéter Varsity ou Letterman. Era em última análise um emblema de realização e superioridade, já que só era concedido aos jogadores mais ilustres, criando assim uma hierarquia dentro do time e concedendo aos atletas homenageados o status de pequenas celebridades. Outra peça icônica para encher os guarda-roupas universitários eram os panos chinos do Exército americano, que emergiram como símbolo da vitória após a Segunda Guerra Mundial, fazendo a transição das associações militares para a vida civil. Esse artigo do vestuário Ivy era perfeitamente contrabalançado pela leve e cada vez mais popular jaqueta Harrington até a cintura, uma camisa xadrez – vestida para fora da calça – e um par confiável de mocassins ou tênis. **RA**

NAVEGADOR

PONTOS FOCAIS

1 SUÉTER LETTERMAN "P"

Declarando a todos no campus que se trata de um grande jogador, o suéter Letterman preto de Princeton é inconfundível, ornado aqui com o "P" de feltro laranja. As namoradas dos atletas escolhidos costumavam pegar emprestado esses suéteres e curtir o prestígio enorme que proporcionavam.

2 CABELO À ESCOVINHA

Conhecido também como "Harvard Clip", "Princeton" ou simplesmente "Ivy League", este tipo de corte de cabelo era comprido o suficiente para se repartir o cabelo de um lado, mas curtíssimo atrás e nas laterais. O cabelo à escovinha foi adotado pelo Exército americano na Segunda Guerra Mundial, tornando-se mais tarde popular na vida civil.

3 MOCASSIM

A popularidade inédita do mocassim de couro podia ser vista em qualquer campus da Costa Leste, o "Weejun" da Bass monopolizando o mercado. Seu nome derivou do chinelo de pescador norueguês tradicional, que paradoxalmente se baseava no mocassim dos índios americanos. Alden e Winthorp também foram marcas populares.

4 PANOS CHINOS

Os panos chinos padrão de algodão do Exército americano eram produzidos nas cores bege e cáqui. Foram popularíssimos entre os estudantes que queriam exibir uma imagem casual e moderna. Como em todas as calças de estilo colegial, a bainha era cortada ou dobrada precisamente a 4,4cm.

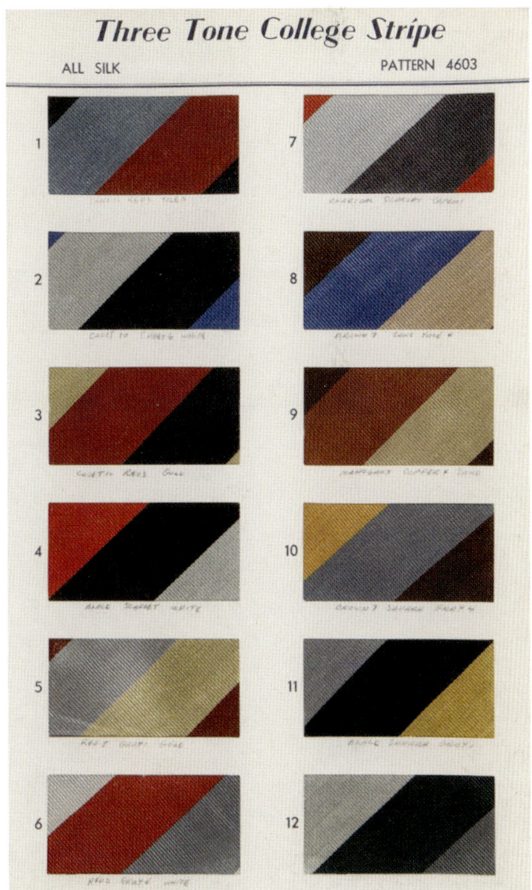

▲ Inspirados nas gravatas dos regimentos britânicos, os Brooks Brothers lançaram a gravata listrada invertendo as listras do padrão, criando um acessório tipicamente americano (amostras de *c.*1956).

FEMINILIDADE JOVIAL

1 Elizabeth Taylor usa um vestido de tule da linha Sweetheart desenhado por Edith Head para *Um lugar ao sol* (1951).

2 Grace Kelly é a estrela do thriller *Disque M para matar*, de Alfred Hitchcock (1954). Seu vestido foi desenhado por Moss Mabry.

Na Europa a linha Corolle, lançada em 1947 e apelidada de "New Look" (ver p. 302) pela imprensa, apresentou a cintura fina e crinolina à moda contemporânea, inspirada nos conjuntos sob medida e roupas práticas da Segunda Guerra Mundial. Nos Estados Unidos, a influente costureira de Hollywood Helen Rose (1904-1985) apoderou-se do New Look da Dior ao lançar a "linha Sweetheart" – vestido com um corpete em forma de coração, cintura fina e saia ondulante. O modelo foi visto pela primeira vez em Elizabeth Taylor no filme *O pai da noiva* (1950), no qual a linha Sweetheart representou a metamorfose de Taylor de uma "*bobbysoxer*" (ver p. 310), com blusa e saias xadrez e calças três-quartos, em uma jovem mulher. No ano seguinte, Taylor apareceu no papel de debutante em *Um lugar ao sol* (1951), filme cuja figurinista foi Edith Head (1897-1981), maior rival de Rose. Head desenhou dois vestidos, ambos sem alças e com barbatanas nos corpetes. O primeiro em cetim branco foi usado para fotos de publicidade, mas foi o vestido de tule branco sobre cetim verde-claro, com um corpete em forma de coração (acima), que chamou a atenção do público para o talento de Head.

PRINCIPAIS ACONTECIMENTOS

1947	1949	1950	1950	1951	1951
Walter Plunkett (1902-1982) e Irene Sharaff (1910-1993) são supervisores de figurinos de todos os musicais da MGM.	O Oscar de Melhor Figurino é criado em duas categorias: filmes preto e branco e coloridos.	Elizabeth Taylor aparece em *O pai da noiva*, trajando figurinos desenhados por Helen Rose.	Elizabeth Taylor casa com seu primeiro marido, Conrad Hilton, usando um vestido desenhado por Helen Rose.	Edith Head ganha o Oscar de Melhor Figurino em Preto e Branco por *Um lugar ao sol.*	Moss Mabry é nomeado supervisor de figurino da Warner Brothers.

Ao contrário da Europa, onde quase todas as coleções de Dior apresentavam uma silhueta nova, nos Estados Unidos a linha Sweetheart tornou-se um artigo da moda duradouro. A cintura com cinto e saias em forma de sino eram preferidas pelo consumidor do mercado médio à silhueta estiolada da linha Dior Sinueuse, ou o vestido *shift* justo acompanhando o contorno do corpo que veio depois. A linha Sweetheart não apenas dominou o estilo dos vestidos de noite, mas foi produzido também em tecidos mais leves para vestidos diurnos de primavera e verão. Estes proporcionavam uma beleza feminina não ameaçadora que enfatizava a juventude do usuário, tornando-o um estilo eminentemente adequado aos bailes colegiais (ver p. 316), um rito de passagem que marcava a transição de uma moça da infância à maturidade sexual. A linha Sweetheart também foi usada para enfatizar os atributos autênticos da "garota da casa ao lado". Ídolos dos adolescentes, como a atriz e cantora Connie Stevens, e a jovial Doris Day, trajavam o vestido estilo baile de formatura de algodão para representar a sexualidade velada não ameaçadora. Tão apaziguador foi o estilo, que a saia cheia e vestido de cintura fina foram também usados por publicitários para promover os artigos de classe média do mercado de massa. A dona de casa dos anos 1950 posava em seu vestido Sweetheart para demonstrar a engenhoca mais recente ou abrir uma caixa de mistura para bolo, um grande contraste com a versão glamourosa usada por Elizabeth Taylor em *Um lugar ao sol*.

A linha Sweetheart não foi uma peça ditada pela moda, mas usada para descrever arquétipos cinematográficos, como a garota da casa ao lado ou a deusa das telas. Edith Head foi a primeira mulher na Paramount Pictures a dirigir um departamento de figurinos, conquistando mais nomeações e premiações do Oscar do que qualquer outro artista da história de Hollywood. Head achava que seu papel como figurinista era definir o personagem, ou levar adiante a narrativa. O vestido de tule branco usado por Taylor em *Um lugar ao sol* (à esquerda) enfatizou tanto a qualidade ingênua da estrela como sua sexualidade explosiva. Head estava consciente do perigo inerente em retratar ou lançar tendências da moda, devido ao risco de os figurinos parecerem ultrapassados na época do lançamento do filme. O vestido desenhado por Head para Taylor, porém, além de bem recebido pela imprensa da moda, também disseminou o estilo a um público maior, sendo depois amplamente copiado por fabricantes, levando à afirmação de que Head não era apenas a figurinista de Hollywood, mas também uma criadora nacional de gostos. Em 1954, Grace Kelly trajou um vestido de tule branco desenhado por Moss Mabry (1918), com uma linha Sweetheart semelhante (à direita), em *Disque M para matar*, de Alfred Hitchcock.

A silhueta bem-talhada, que simbolizou a feminilidade completa da década de 1950, permaneceu a favorita para vestidos de noiva, como mostrou o figurino de Helen Rose para Grace Kelly em seu casamento em 1956 com o príncipe Rainier de Mônaco, que ela conheceu enquanto filmava *Ladrão de casaca* (1955). Combinada com a aparência impecável e acessórios requintados, como a icônica bolsa Hermès Kelly (ver p. 318), cujo nome homenageia a estrela, a linha Sweetheart passou a ser associada à elegância sofisticada. **MF**

1952

Helen Rose ganha o Oscar de Melhor Figurino em Preto e Branco por *Assim estava escrito*.

1953

A Costume Designers Guild é formada em Hollywood para promover a pesquisa, o talento artístico e os conhecimentos tecidos no design de roupas.

Meados dos anos 1950

A clássica bolsa de viagem Hermès fica conhecida como bolsa "Kelly" em homenagem a Grace Kelly, que aparece usando o modelo na capa da revista *Life*.

1956

Grace Kelly desposa o Príncipe Rainier de Mônaco ostentando um vestido de renda desenhado por Helen Rose.

1958

Rose desenha os figurinos para Elizabeth Taylor em *Gata em teto de zinco quente*.

1959

O australiano Orry George Kelly (1897-1964) ganha o Oscar de Melhor Figurino em Preto e Branco por *Quanto mais quente melhor*.

Vestido de baile de formatura Década de 1950

VESTIDO DE ADOLESCENTE

Foi apenas com a prosperidade recente e o número explosivo de adolescentes na década de 1950 que o baile colegial adquiriu tamanha importância social. Consequentemente, o desenho do vestido de baile de formatura tornou-se importantíssimo. Nos anos 1950, a linha Sweetheart de saia completa, com corpete em forma de coração e cintura fina, tornou-se a moda favorita. As debutantes devem ter se familiarizado com o vestido Sweetheart nas revistas de moda, como *Harper's Bazaar* e *Vogue*, mas foi apenas com a influência dos filmes de Hollywood que o estilo foi apresentado ao mercado de massa. O vestido de baile de formatura definia a atratividade da adolescente de classe média, e toda moça do ensino secundário dedicava-se a avaliar suas opções, pedindo a opinião das amigas antes de decidir. Nesta foto, três moças estão agrupadas em torno de um espelho de toucador: uma segurando as sandálias com alças diante do vestido que a moça do meio segura diante do corpo para avaliar o efeito. O corpete do vestido é de uma cor mais escura, delineando o decote típico da linha Sweetheart, e estendendo-se em alças finas e decorativas. Em outras versões, o corpete sem alças da linha Sweetheart poderia ser atenuado com o acréscimo de tiras largas com rufos ou mangas cavadas. O vestido era tradicionalmente usado com um buquê, que as moças ganhavam dos namorados, pregado na cintura do vestido. **MF**

NAVEGADOR

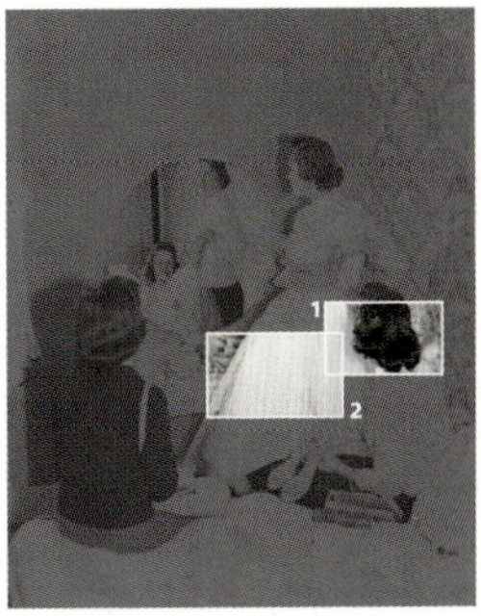

PONTOS FOCAIS

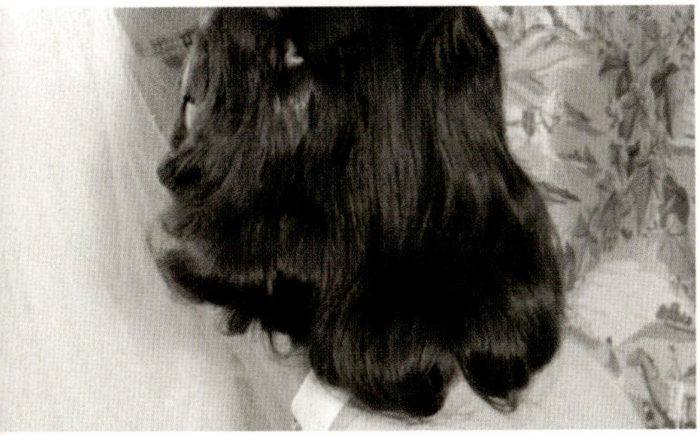

1 MECHAS *PAGEBOY*
Todas as moças têm mechas *pageboy*, enroladas na nuca. Cabelos lisos eram considerados o ideal feminino. Lavados e fixados uma vez por semana, eram presos com grampos à noite e escovados de manhã.

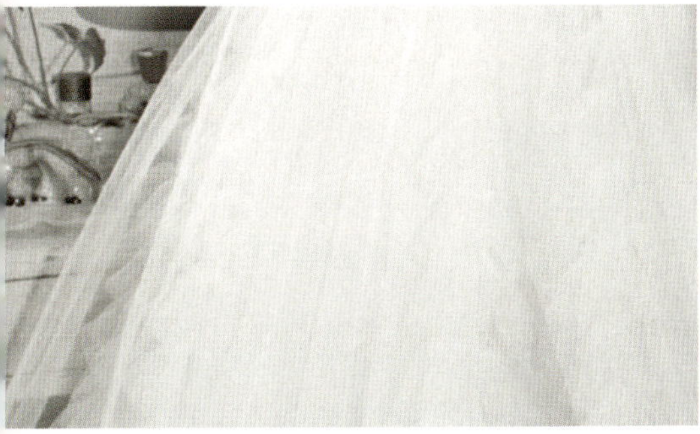

2 CRINOLINA CONTEMPORÂNEA
A saia até metade da perna ou de bailarina até o chão é feita de camadas de babados minúsculos e suportada com anáguas empilhadas e engomadas embutidas. Eram feitas de náilon, tafetá ou malha e enrijecidas com amido ou água açucarada.

A HISTÓRIA DO BAILE DE FORMATURA

Embora agora percebido como um rito de passagem para a fase adulta, o baile adolescente era inicialmente uma reunião de debutantes que desfilavam no início de um evento formal no século XIX. A primeira referência a um desses bailes vem do diário de um estudante do Amherst College, Massachusetts, em 1894, e descreve seu convite e comparecimento a um baile pioneiro no Smith College. Os pais de classe média instituíram bailes formais sob supervisão dos adultos, na esperança de incutir o mesmo equilíbrio e compostura em seus filhos. O evento acabou sendo associado à graduação na faculdade, particularmente as de elite da Costa Leste. Em 1900, os bailes das escolas secundárias eram relativamente simples: os estudantes vinham em seus trajes dominicais, mas não compravam roupas novas para o evento. A partir dos anos 1920, a juventude americana adquiriu mais liberdade, com o advento do automóvel e outros artigos de luxo. O baile tornou-se um evento anual, onde os veteranos chegavam em trajes de noite formal e dançavam (abaixo).

Bolsa Kelly Década de 1950
HERMÈS

A bolsa Kelly permaneceu essencialmente inalterada em seu design. Este exemplo é dos anos 1960.

A bolsa de viagem Hermès clássica, conhecida como *sac haut à courroies* (bolsa alta com alças), foi lançada em 1930. Mas só quando a estrela de cinema Grace Kelly foi fotografada carregando uma versão crocodilo preta nos anos 1950, o modelo ficou conhecido como bolsa "Kelly" em homenagem à atriz, tornando-se um acessório muito cobiçado. Cada bolsa é feita à mão do início ao fim num período de 18 horas, e a tarefa é realizada por um único artífice, cujo nome é estampado dentro da bolsa, junto com a data. Essa prática, além de útil caso a bolsa precise voltar para reparos, também serve como marca de validade para verificar se a bolsa é uma das muitas falsificações.

As peles para cada bolsa são selecionadas de acordo com as necessidades pessoais e chegam ao ateliê em pedaços cortados à mão. O revestimento, feito de couro de cabra, é formado primeiro, e a base da bolsa é então costurada à mão à frente e ao fundo. Cada bolsa necessita de mais de 2.600 pontos, todos eles requerendo que a pele seja primeiro perfurada com uma sovela, ferramenta tradicional de artífice. A granulação e densidade do couro determinam o tamanho do ponto. A bolsa é então passada a ferro para eliminar as irregularidades no couro de cabra, e o estágio final é gravar o nome "Hermès Paris" em cada bolsa. **MF**

NAVEGADOR

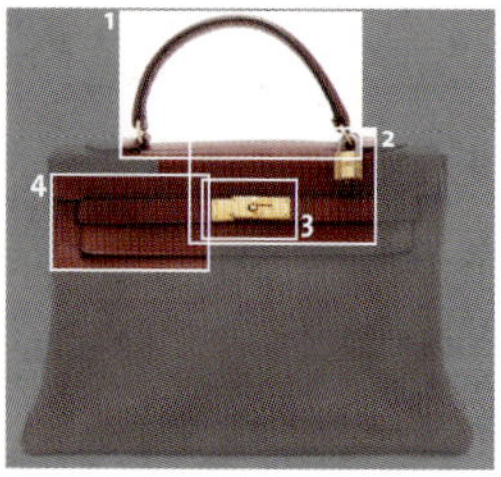

PONTOS FOCAIS

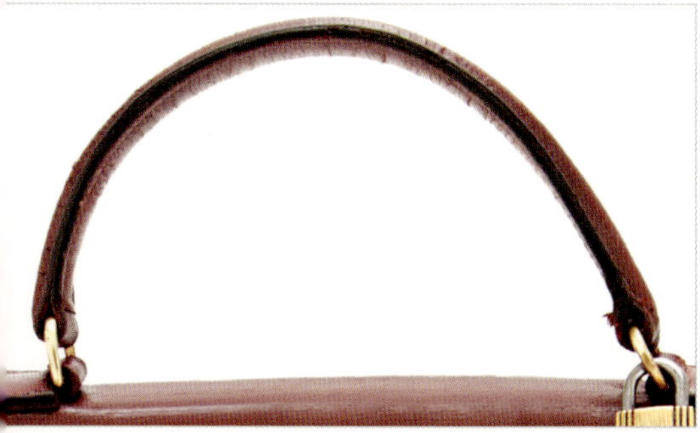

ALÇA

ormada de cinco pedaços de couro, a alça é moldada à mão sobre a oxa do artífice usando uma faca especial. Isso significa que a alça em ada bolsa Kelly é ligeiramente diferente. As bordas chanfradas do couro ão então removidas com lixa e tingidas para combinar com a bolsa.

FECHO DIANTEIRO

) fecho dianteiro fino é preso com uma faixa estreita de couro que erfura os lados pregueados da bolsa antes de se firmar na parte ianteira central, presa por duas barras horizontais douradas discretas.) fecho retangular mínimo da presilha pode ser trancado com um adeado minúsculo.

METAL

) metal da bolsa é sutil e discreto. A placa de metal é aplicada por um nétodo demorado que envolve pregar a placa no lugar e depois rabalhar os pinos cortados para parecerem pérolas. Quatro bases de netal dourado combinando são fixadas no fundo da bolsa.

4 COSTURA

Um ponto duplo, exclusivo da Hermès, é usado para formar a bolsa. Isso envolve um processo de duas agulhas costurando fios de linho encerados em oposição de tração. A técnica assegura que a bolsa não se desfará se um ponto se romper. Cera quente é usada para vedar essa parte da bolsa, protegendo-a da umidade.

▲ Grace Kelly é retratada com seu futuro marido, o príncipe Rainier de Mônaco, no anúncio de seu noivado em 1956. Ela carrega a bolsa que recebeu seu nome.

O IDEAL DE HOLLYWOOD

1 Marilyn Monroe traja um vestido de lamê dourado com *plissé soleil* desenhado por William Travilla para *Os homens preferem as loiras* (1953). Julgado revelador demais pelos censores, o vestido é visto apenas brevemente no filme.

2 Jane Russell arde de raiva na filmagem de *The Revolt of Mamie Stover* (1956). Os figurinos de Travilla enfatizaram a silhueta curvilínea de Russell.

3 Jayne Mansfield foi uma das mais conhecidas "*sweater girls*". O termo foi cunhado para descrever símbolos sexuais da telona que usavam suéteres apertados com sutiã pontudo.

Bem distante da elegância contida da década de 1950, as peças vistas na tela de Hollywood levaram a extremos a silhueta de ampulheta, exemplificando a sexualidade explícita (acima). Do sutiã expondo o espaço entre os seios desenhado pelo diretor Howard Hughes para Jane Russell em *O proscrito* (1943) – mas que ela nunca usou por ser desconfortável demais – ao caso de amor constante de Hollywood com o suéter apertado usado por Lana Turner pela primeira vez em *They Won't Forget* (1937) de Mervyn LeRoy e depois por Jayne Mansfield por toda a década de 1950 (à direita, embaixo), tornou-se o estilo definidor do pós-guerra.

Como a exposição do espaço entre os seios só era permitida nas telas em dramas históricos, o suéter envolvente era um meio de definir os seios sem revelá-los. Tratava--se de uma silhueta que precisava de muitos suportes. Os sutiãs eram rigidamente construídos com os bojos reforçados por fileiras circulares de costuras para formar um cone apontando para cima (ver p. 322). A Frederick's of Hollywood, criada em 1946 pelo ex-pracinha Frederick Mellinger, afirmava em seu slogan: "Não apenas vestimos as

PRINCIPAIS ACONTECIMENTOS

1946	1947	1949	1949	1952	1953
O proscrito (1943), estrelado por Jane Russell, cujos seios são proeminentemente exibidos no filme, enfim chega ao grande circuito de cinemas nos Estados Unidos.	Um biquíni verde e branco de bolinhas da estilista de trajes esportivos Carolyn Schnurer (1908-1998) aparece na edição americana da *Harper's Bazaar*.	Marilyn Monroe é fotografada nua contra um fundo de veludo vermelho por Tom Kelley. As imagens são usadas para um calendário.	O revolucionário estilista de lingerie Frederick Mellinger abre sua loja principal original em Hollywood Boulevard na Califórnia.	A aspirante a atriz Brigitte Bardot serve de modelo para a Lempereur, fabricante francesa de prêt-à-porter.	A entrega do Oscar é televisionada pela primeira vez, dando aos astros a oportunidade de percorrerem o tapete vermelho exibindo trajes de estilistas famosos.

endas de Hollywood, nós as criamos." A empresa inventou o primeiro sutiã *push-up* :hamado "Estrela em Ascensão". Na biografia de David Chierichetti sobre a figurinista :dith Head (1897-1981), a auxiliar de Head, Sheila O'Brien, sintetizou a atratividade de ıma estrela: "Se uma garota tinha um busto de 40 polegadas podia ser uma estrela ıa RKO; de 38, uma atriz protagonista. Menos de 36, nem mesmo um extra."

Tanto os vestidos diurnos como os de noite chamavam a atenção para os seios, om variações no corte e adornos no decote, como bordas recortadas e desenhos em alças deixando os ombros à mostra (à direita). A adoção de colares pesados e ornamentados por joalheiros como Joseff of Hollywood enfatizaram mais a área do órax. As bijuterias atingiram o auge da popularidade naquela década depois que os netais comuns tornaram-se novamente disponíveis após a Segunda Guerra Mundial.

As cinturas eram cingidas por uma cinta, a versão contemporânea do espartilho. nspirado em ideias desenvolvidas pelo estilista francês Marcel Rochas (1902-1955) em 942, Christian Dior (1905-1957) criou o Waspie, um elemento essencial da silhueta de ampulheta, que suprimiu a cintura e resultou em seios e quadris mais arredondados. elasticidade bidirecional proporcionada pela incorporação de lastex e lycra permitia ue a cinta modelasse o corpo com conforto. Era um item evitado pela deusa das elas Marilyn Monroe, que preferia andar sem nenhuma roupa de baixo, às vezes xigindo que fossem costuradas às suas roupas. Famosa por usar roupas tamanho 4, a atriz mesmo assim se enquadrava na proporção cintura-quadril considerada ompatível com a percepção da atratividade feminina. Na comédia *Quanto mais uente melhor* (1959), de Billy Wilder, Monroe trajou um vestido de noite justo e urtíssimo, inspirado na lingerie, para sua interpretação de "I Wanna be Loved by 'ou", que valeu ao figurinista Orry-Kelly (o nome profissional de Orry George Kelly, 897-1964) um Oscar. A arquetípica *bombshell* supostamente costurou botões nos ontos do busto de sua peça para criar a impressão de mamilos excitados. Envolta m cetim duchese rosa com um corpete independente combinando com luvas acima o cotovelo, Monroe forneceu um paradigma da sexualidade na tela em *Os homens referem as loiras* (1953) com sua interpretação de "Diamonds Are a Girl's Best riend". O vestido foi desenhado por William Jack Travilla (1920-1990), então chefe e figurinos da Twentieth Century Fox, que mais tarde abriu seu próprio salão de noda sofisticado, Travilla Inc., em Los Angeles. Travilla trabalhou com Monroe em oito e seus filmes.

O corpete definidor da silhueta, com barbatanas e enrijecido, dos trajes de noite de coquetéis também foi convertido no maiô de uma peça. Esses costumavam er cortados em calções folgados ou incorporavam uma blusa curta para cobrir os uadris, resultando na aparência de vestidos abreviados. Embora o primeiro biquíni osse simplesmente formado de peças triangulares de tecido amarradas entre si, opularizado pela atriz de cinema francesa Brigitte Bardot no controvertido filme de oger Vadim *E Deus criou a mulher*, outras versões foram desenvolvidas como lingerie, om barbatanas nos bojos ou sustentação para a sua máxima elevação (ver p. 324). **MF**

1953

primeira edição da evista masculina *ayboy* é lançada. undada por Hugh efner em Chicago, xibe fotos de ıulheres nuas.

1955

A *bombshell* britânica Diana Dors posa num biquíni de visom em uma gôndola no Festival do Cinema de Veneza.

1955

O pecado mora ao lado é lançado. Seus figurinos incluem o icônico vestido de coquetel marfim plissado usado por Marilyn Monroe e desenhado por William Trevilla.

1956

O símbolo sexual de Hollywood Jayne Mansfield aparece na comédia musical *Sabes o que quero*.

1959

A boneca Barbie, inventada por Ruth Handler (cofundadora da Mattel), é mundialmente lançada na American Toy Fair em Nova York.

1959

O australiano Orry-Kelly ganha um Oscar por seu figurino em *Quanto mais quente melhor*, estrelado por Marilyn Monroe.

Sutiã-cone 1949

ROUPA ÍNTIMA

Anúncio em revista americana do sutiã-cone (anos 1950).

NAVEGADOR

Fundada em 1922 em Bayonne, Nova Jersey, pela costureira Ida Rosenthal (1886-1973), seu marido William e a lojista Enid Bissett, a fábrica de roupas íntimas femininas Maidenform Brands chegou às manchetes nos anos 1950 com uma sequência inovadora de anúncios. Eles colocavam uma mulher parcialmente vestida em uma série de situações fantasiosas, como "Sonhei que era uma sensação em meu sutiã Maidenform", com a modelo posando de boxeadora, e "Sonhei que era desejada" com a modelo fotografada em um cartaz "Procura-se" estilo faroeste. A revolucionária "campanha dos sonhos" que durou até 1969 foi citada em *Mad Men*, a série de TV cult sobre a indústria publicitária da Madison Avenue. Nesse cenário a modelo está posando sobre uma mesa num escritório cheio de cores rosa e pastel que são espelhadas na saia de lã buclê que está usando. O telefone serve de pretexto para ela estender o braço para cima e para fora, realçando assim a elevação do sutiã. A forma do sutiã conforma-se à silhueta elevada e separada da década de 1950, em vez da fenda provocadora entre os seios usada com um decote, sendo feita para ser usada sob saias, suéteres e blusas apropriadas ao escritório. Independentemente dos locais ou trajes exóticos retratados nesses anúncios dos anos 1950, o sutiã é sempre mostrado em cor branca virginal. **MF**

PONTOS FOCAIS

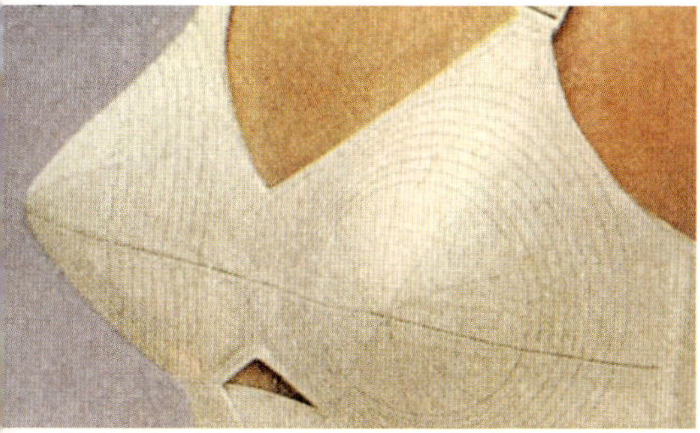

1 CONTORNOS CÔNICOS
Formados de camadas de algodão, os bojos do sutiã são costurados em círculos concêntricos que se movem para fora a partir do ponto do busto e são divididos ao meio com uma costura horizontal. O sutiã-cone foi o traje íntimo mais rigidamente construído após o espartilho.

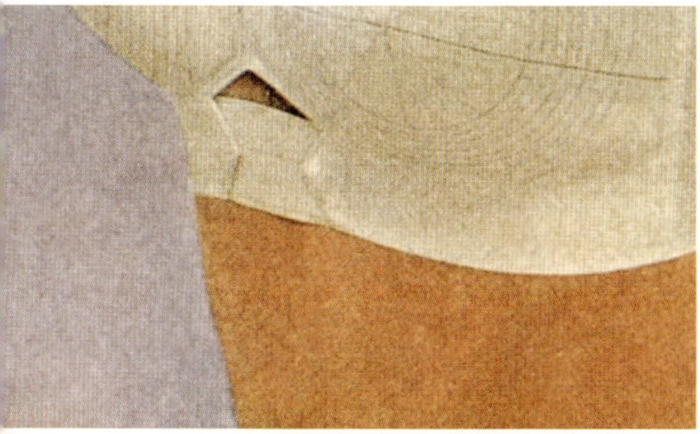

2 ESTRUTURA DE APOIO
Uma inserção com elástico separa os bojos na parte dianteira central, dando liberdade de movimentos e apoiando os bojos com uma banda elástica. Ida Rosenthal foi rápida em observar que a estrutura do sutiã era uma questão de engenharia, tanto quanto de bom design.

A TÍPICA "SWEATER GIRL"

Marilyn Monroe foi retratada em casa para a *Life* pelo fotógrafo da revista Alfred Eisenstaedt em 1953, mesmo ano em que estrelou três filmes memoráveis: *Torrentes de paixão*, *Como agarrar um milionário* e *Os homens preferem as loiras*. A estrela de folga – uma expoente-chave do estilo *sweater girl* – parece relaxada, mas sedutora, num suéter de caxemira de gola rulê preto com mangas arregaçadas. A peça está bem ajustada: com mangas embutidas e nervura profunda na cintura, adere ao contorno de um sutiã-cone e realça as curvas naturais de Monroe.

Biquíni 1947
ROUPA DE PRAIA

NAVEGADOR

Atribui-se ao costureiro francês Jacques Heim (1899-1967) e ao engenheiro suíço Louis Réard a invenção do biquíni, cujo nome se deve supostamente ao teste nuclear realizado em 1946 no atol de Bikini, no Pacífico. O biquíni foi visto pela primeira vez na passarela, usado pela modelo francesa Micheline Bernardini em Paris. Um biquíni verde e branco de bolinhas da estilista de trajes esportivos Carolyn Schnurer (1908-1998) apareceu na edição americana da *Harper's Bazaar*. Embora o maiô de duas peças já tivesse sido aceito como roupa de praia, consistia em uma parte de cima tipo corpete estruturada e uma parte de baixo substancial que cobria os quadris da cintura à coxa, revelando apenas a caixa torácica. O tamanho reduzido do biquíni causou indignação, particularmente a exposição do umbigo, e somente com a nova era de permissividade sexual dos anos 1960 a roupa de banho revolucionária ganhou aceitação generalizada. Hoje é a preferida das mulheres em todo o mundo. O biquíni inicialmente consistia em dois triângulos de tecido para a parte de cima, com cordões amarrados em torno do pescoço e nas costas, e dois triângulos de tecido para a parte de baixo, ligados por cordões nos quadris, revelando várias zonas erógenas – as costas, a parte superior da coxa e o umbigo –, aparência de quase nudez que enfureceu a Liga da Decência Católica. **MF**

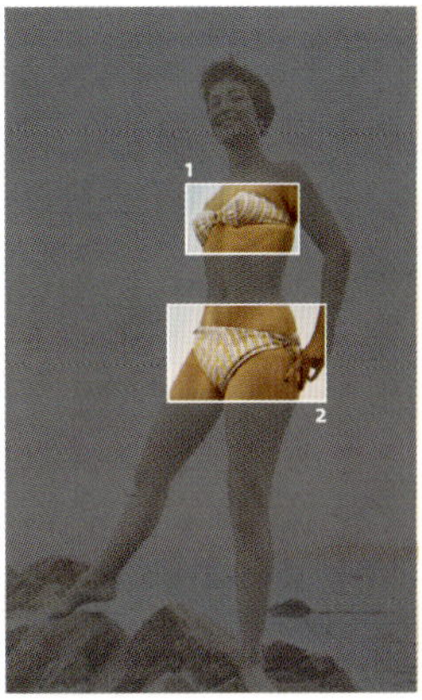

PONTOS FOCAIS

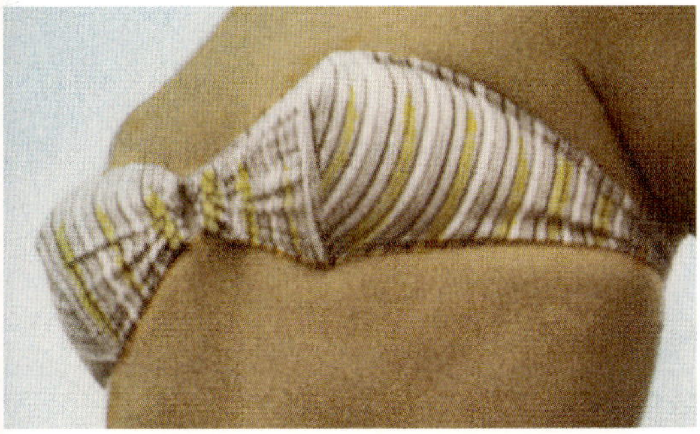

1 PARTE DE CIMA SEM ALÇAS
A parte superior sem alças é estruturada da mesma forma que um sutiã, e a fenda entre os seios é realçada pelos bojos com barbatanas que os elevam e separam. O tecido listrado está alinhado na costura que se estende pelo ponto do busto.

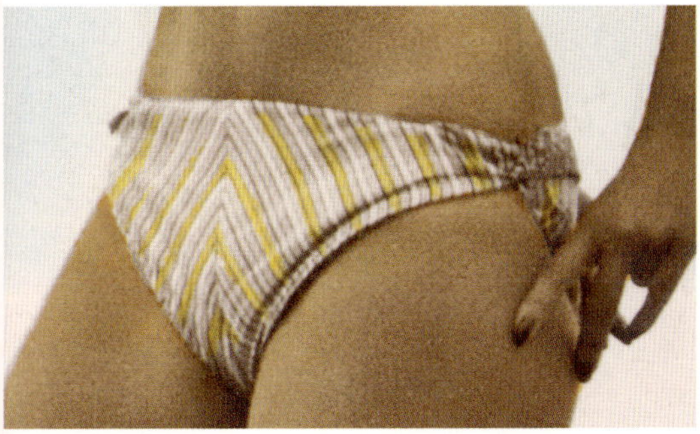

2 PARTE DE BAIXO
A parte inferior do biquíni cobre basicamente o púbis, expondo assim grande parte do tronco. As peças dianteira e traseira são unidas na altura dos ossos do quadril e uma costura dianteira central proporciona listras inclinadas.

A SUPREMA MOÇA DO BIQUÍNI

Na década de 1950, o biquíni era trajado sobretudo por *pin-ups* e sereias das telas como Brigitte Bardot (abaixo), a quem a peça está indelevelmente associada após sua aparição no filme de Roger Vadim *E Deus criou a mulher*, em 1956. Embora ela tivesse aparecido em 16 filmes, este foi amplamente reconhecido como o veículo que deslanchou a carreira de Bardot, criando imediatamente sua imagem de "gatinha", especialmente devido à sua aparição num biquíni. Bardot simbolizou uma era de liberdade e permissividade sexual pós-guerra com seus cabelos louros "de quem acabou de acordar", biquíni e pele bronzeada, própria da sofisticação da Riviera francesa.

DECORO DIURNO

1 Roupas de lã elegantes da estilista Greta Plattry simbolizam a imagem da perfeita dona de casa dos anos 1950 (*c.*1951).

2 A atriz Doris Day veste um cardigã de malha fina adornado e uma blusa com botão de madrepérola (1952).

3 A campanha publicitária do batom "Fogo e Gelo" da Revlon de 1952 vendeu a fantasia de Charles Revson da "prostituta de Park Avenue" a milhões de mulheres.

Um turbilhão perfeito de acontecimentos resultou na deificação da dona de casa da década de 1950. Visada pelas políticas governamentais, pela indústria da moda e pelos publicitários, a "rainha do lar" foi festejada, enfeitada e venerada. Liberada das privações do racionamento da guerra, seu vestuário celebrava a feminilidade com a disciplina da moda. Uma fachada de perfeição precisava ser mantida. Sair de casa sem um chapéu era quase uma insurreição.

A Segunda Guerra Mundial fez com que as mulheres ingressassem na força de trabalho, mas esse progresso cessou após a guerra, com os políticos defendendo a volta das mulheres ao seu papel de donas de casa, para não privar de emprego os soldados que retornavam. A crença predominante nos Estados Unidos era de que a estabilidade social, moral e econômica dependia do retorno dos homens ao seu papel de chefes de família.

A moda desempenhou um papel importante nesse processo, restaurando a ideia do vestido feminino tradicional e tornando complexa a atividade de se vestir,

PRINCIPAIS ACONTECIMENTOS

1947	1947	1949	1949	1951	1951
Christian Dior lança a primeira coleção da Maison Dior, caracterizada por um novo look de pós-guerra, adotando saias cheias e peplos.	Dior apresenta seu icônico conjunto diurno "Bar", combinando uma saia cheia com ombros arredondados e um casaquinho cintado, para criar uma silhueta impressionante.	O racionamento de roupas, iniciado em 1º de junho de 1941, enfim termina na Grã-Bretanha. Medidas de austeridade limitam o corte das roupas e as opções disponíveis.	Pauline Trigère vence o primeiro de três prêmios da Coty American Fashion Critics' Awards; os outros dois foram em 1951 e 1959.	A televisão transcontinental é lançada nos EUA em 4 de setembro pelo presidente Harry Truman, ligando a Costa Leste e a Oeste.	O poliéster é apresentado ao público americano como uma fibra mágica que dispensa o ferro elétrico: barato, fácil de lavar e rápido de secar.

com imposições de estilo para cada função social e doméstica. Como no século XIX, cada período do dia exigia seu próprio estilo, com aplicação rigorosa das regras do traje apropriado. As mulheres, que haviam convivido com roupas racionadas, andado sem meias compridas e até usado calças por serem mais práticas, foram seduzidas pela beleza requintada da primeira manifestação da moda no pós-guerra: o New Look da Dior (ver p. 302). Em apenas uma temporada, Christian Dior (1905-1957) fez o guarda-roupa utilitário parecer *déclassé* e retornou a Paris para uma posição de domínio na moda.

A sublimação das mulheres em tais papéis decorativos jamais poderia ter sido alcançada sem a ajuda da televisão e dos comerciais. Os publicitários reconheceram que, enquanto os homens vinham ganhando o dinheiro, eram suas esposas que o gastavam. A campanha do "Fogo e Gelo" da empresa de cosméticos Revlon (à direita, embaixo), lançada em 1952, foi considerada a campanha publicitária mais eficaz de todos os tempos. Na terra da televisão, as mulheres viviam em uma bolha de felicidade: cozinhavam e faziam faxina trajando alta-costura, com maquiagem perfeita e nenhum fio de cabelo fora do lugar. Esses modelos de perfeição vendiam a imagem fantasiosa da dona de casa dos anos 1950 (à esquerda) para milhões, e Hollywood desempenhou seu papel também. Estrelas como Doris Day (à direita) exemplificaram a noção bem-apessoada da mulher de carreira ou dona de casa com seu estilo impecável, que popularizou peças como o conjunto de corte estreito e cardigã com contas (ver p. 330).

Era do interesse dos costureiros e estilistas, muitos dos quais vinham lançando linhas licenciadas de maquiagem e perfumes, reforçar os padrões e manter todas as mulheres, ricas e pobres, sob o domínio da moda. Uma série de livros foi publicada, incluindo *O pequeno dicionário da moda, A Guide to Dress Sense for Every Woman* de Christian Dior (1954), que sustenta que é possível uma mulher ser elegante sem gastar demais, porque simplicidade, bom gosto e cuidados são os "três fundamentos do bem-vestir", e não custam dinheiro. A estilista americana Anne Fogarty (1919-1980) escreveu *The Art of Being a Well Dressed Wife* (1959) para desmistificar o processo de se vestir para cada tarefa diária. Ela defendeu que o "vestuário da esposa" deve ser administrado como um exercício militar, pois contribuía para um casamento feliz. Fogarty se deleita em cada detalhe do guarda-roupa, da necessidade de possuir meia dúzia de combinações a um guarda-roupa de diferentes silhuetas.

Pauline Trigère (1909-2002; ver p. 332), Giuseppe Gustava "Jo" Mattli (1907-1982), Digby Morton (1906-1983) e Charles Creed (1906-1966) criaram figurinos para mulheres do pós-guerra tranquilas e sofisticadas. Casacos e conjuntos de corte preciso com acessórios desenhados por Trigère marcaram o estilo da atriz Patricia Neal no filme *Bonequinha de luxo* (1961). Aqueles trajes estavam firmemente enraizados nos elaborados e cheios de acessórios anos 1950, em contraste com a modernidade da protagonista do filme, Audrey Hepburn, vestida por Givenchy. No início dos anos 1960, publicações como *A Guide to Elegance*, de Genevieve Antoine Dariaux, tentavam preservar o *status quo* e atrair o consumidor adolescente rebelde, mas na verdade o traje decoroso chegara ao fim de carreira. **JE**

1951	1952	1953	1961	1963	1964
Henry Rosenfeld apresenta seu vestido acinturado em sua coleção primavera/verão (ver p. 328); a peça mostra-se popular e forma o núcleo de coleções posteriores.	A Revlon lança sua campanha "Fogo e Gelo", encorajando as mulheres a esquecerem os anos de guerra e cultivarem um estilo de vida glamouroso.	Cristóbal Balenciaga (1895-1972) lança a jaqueta-balão esférica, que encerra a parte superior do corpo como num casulo.	Patricia Neal ostenta um guarda-roupa sofisticado, cortesia da estilista Pauline Trigère, no filme *Bonequinha de luxo*.	*A mística feminina*, de Betty Friedan, é publicado. O livro enfatiza a insatisfação das mulheres com seu papel de donas de casa.	Genevieve Antoine Dariaux publica *A Guide to Elegance*. Ela afirma que sua missão de vida é transformar a mulher comum em uma mulher elegante.

Vestido acinturado americano Década de 1950

TRAJE DIURNO

Vestido acinturado de lã
Uxbridge Shetland (*c.*1955).

NAVEGADOR

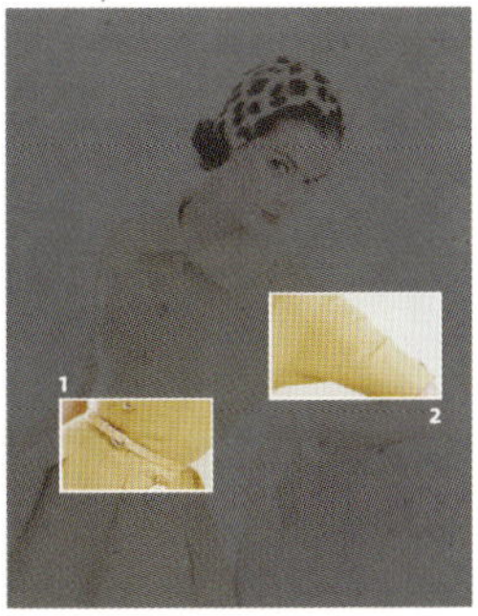

O vestido acinturado foi o supremo uniforme da mulher americana nos anos 1950: alinhado, respeitável, jovial, chique e versátil. Evoluiu de seus primórdios no início do século XX como uma bonita combinação de saia e blusa para um vestido desenhado para parecer um duas peças. O traje foi produzido em massa por Henry Rosenfeld, que oferecia uma variedade acessível de estilos e tecidos para satisfazer todos os gostos. Elizabeth Hilt desenhou vestidos acinturados para Rosenfeld, e foi seu olhar para detalhes que assegurou a superioridade dos seus figurinos em relação aos concorrentes: as golas eram imaculadamente cortadas, e ela pontilhava cada figurino com outros detalhes especiais para criar vestidos de apelo universal.

Este vestido acinturado arquetípico em lã amarelo-limão possui uma gola abotoada no alto ostentando um colarinho quadrado profundo cortado com uma ligeira ondulação nas costas para se afastar do pescoço. Duas costuras sobem da linha da cintura até o ponto do busto, proporcionando um corpete justo. Seis pregas, três na frente e três nas costas, descem até o alto dos quadris de onde se abrem para fornecer volume e plenitude. Bolsos verticais estão inseridos nas pregas dos dois lados da saia. O vestido acinturado sob medida era considerado semiformal, requerendo os acessórios apropriados. Este pequeno chapéu com estampa de leopardo foi ajustado para acompanhar a forma da cabeça. **JE**

PONTOS FOCAIS

1 CINTO COMBINANDO
Um cinto de cor limão, couro estreito, com fivela esconde a costura da cintura enfatizando ainda mais a cintura fina. Um medalhão dourado está fixado pouco abaixo do cinto, um realce que é reproduzido nos botões de vidro dourados na presilha dianteira do vestido.

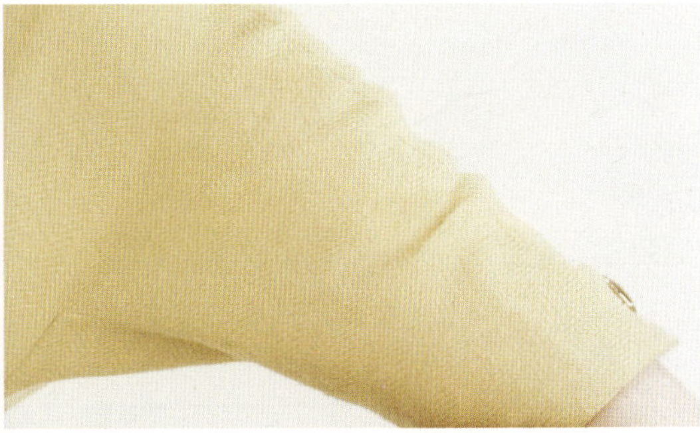

2 MANGA DÓLMÃ
Um aspecto popular na época, o corpete e a manga à altura do cotovelo foram cortados em uma só peça, o que requer uma costura prolongada ao longo do alto do ombro. Um botão decora a beira exterior de cada manga, e luvas de verão de punho largo creme completam o traje.

▲ O estilista Henry Rosenfeld e modelos mostram diversos figurinos de sua coleção primavera/verão de 1951. O vestido acinturado de Rosenfeld foi fundamental para o sucesso da etiqueta Elizabeth Hilt.

Cardigã com contas 1950

ARTIGO DE MALHA REGINA

Foto de Frances McLaughlin-Gill, *Glamour* (novembro de 1950).

NAVEGADOR

O cardigã com contas era um traje diurno básico da mulher elegante na década de 1950, enviando uma mensagem subliminar de suavidade feminina sensual. Este suéter de caxemira verde-hortelã luxuoso de Regina possui uma gola redonda decorada com contas e pérolas adicionais, espalhadas em torno da pala. O cabelo arrumado, a tez pálida, os olhos escuros bem definidos, as sobrancelhas, bem como lábios e unhas de cor vermelho-escura opõem-se à malha delicada, contrastando a feminilidade suave com um controle rígido.

O cardigã também se tornou um traje aceitável para a noite, popularizado pelo costureiro Mainbocher (Main Rousseau Boucher, 1890-1976), que produziu cardigãs orlados de seda, enfeitados com apliques, contas ou colarinhos de peles para serem usados com tubinhos de noite ou saias à altura do tornozelo. No segmento inferior do mercado, suéteres lisos eram importados e depois enfeitados com contas. Muitos suéteres, especialmente os altamente decorados, eram produzidos em Hong Kong, que dispunha de uma boa base industrial de artigos de malha durante esse período, produzindo não apenas caxemira, mas também mesclas de lã de carneiro e angorá em estilos elegantes. Os cardigãs decorados agradavam a todas as gerações: os adolescentes os usavam com saias godê, calças três quartos ou jeans, mas constituíam também o traje casual respeitável da dona de casa, e a roupa de noite favorita. **JE**

PONTOS FOCAIS

1 TOTALMENTE TRICOTADO
Um cardigã é tricotado, e não cortado, para receber sua forma. As marcas do tricô fornecem um padrão decorativo acima das mangas do comprimento do cotovelo. A caxemira era o fio favorito – falando de riqueza e luxo –, mas a lã tornou o estilo mais acessível.

2 PALA DECORADA
As fileiras de contas estendem-se pela gola como um colar de pérolas de várias voltas. Botões de madrepérola combinando fixam a faixa de botões da presilha central dianteira. O cardigã tem por acessórios joias de pérola coordenadas.

▲ Conjunto com saia rodada, blusa de tafetá e malha incrustada de joias (anos 1950). O cardigã angorá ostenta uma gola redonda alta, mangas três quartos e uma cintura apertada.

Conjunto marinheiro 1954
PAULINE TRIGÈRE 1909-2002

NAVEGADOR

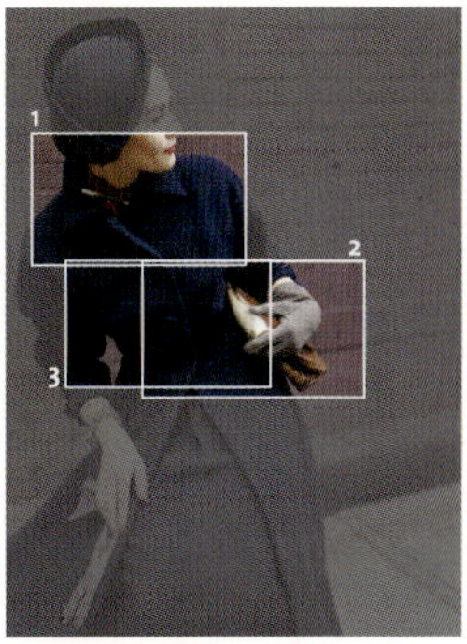

As roupas de Pauline Trigère eram sempre elegantes, de bom gosto e reduzidas para exemplificar componentes-chave da moda com um toque dramático. Este conjunto marinheiro fosco de casaco de lã e vestido de crepe é típico de seu espírito conservador. O casaco está cortado para enfatizar a silhueta feminina, com uma cintura estreita, linha do ombro ligeiramente inclinada e saia alargada, e pretende revelar o vestido coordenado e discreto embaixo. O corpo do casaco possui uma estrutura flexível, com gola virada e mangas dólmã, mas o corte ainda restringe bastante a cintura e os pulsos, que possuem punhos minúsculos alargados e arregaçados. Quatro botões cobertos substanciais sobem da cintura até o pescoço. As presilhas deliberadamente grandes não se abrem por acaso, embora o botão superior deva ficar aberto para revelar o pescoço. A saia do casaco possui uma pence na cintura e se alarga para balançar de leve com o movimento e revelar os quadris e as pernas.

Trata-se de um figurino sofisticado que, embora quase severo em sua simplicidade, contribui para realçar tanto a silhueta como o ritmo ondulante do andar feminino. O desenho do chapéu de Trigère fornece uma contraposição perfeita ao seu casaco feminino. O chapéu de feltro cai sobre um lado da cabeça, contrastando com os cabelos muito bem penteados e o rosto imaculadamente maquiado. **JE**

PONTOS FOCAIS

1 CACHECOL DE SEDA
O cachecol de seda vermelho-escura amarrado é preso por um alfinete de prata. Um leve toque de cor, quase imperceptível, enfatiza a abordagem disciplinada exigida pelo decoro diurno. Cada detalhe era destinado a reforçar o ar de respeitabilidade elegante.

2 BOLSA E LUVAS
Nenhuma mulher que se prezasse na década de 1950 sairia de casa sem luvas e uma bolsa. As luvas cinza fosco macias e a *clutch* de couro brilhante creme e bege estão desafiadoramente descoordenadas para criar um ar predominantemente confiante e seguro.

3 BOTÕES
O botão recoberto de tecido faz parte do vestido decoroso. Esse detalhe típico não chama a atenção, mas se camufla, simbolizando o bom gosto. Indica decência, escondendo os fechos e reforçando a imagem nervosa de elegância esbelta.

PERFIL DA ESTILISTA

1909-1945
A estilista francesa Pauline Trigère mudou-se para os Estados Unidos aos 25 anos e abriu sua maison em Nova York em 1942. É considerada a primeira estilista a usar golas e cachecóis destacáveis em vestidos e casacos e ficou conhecida pelos mantos reversíveis e o uso de adornos de peles. Foi também a primeira estilista a usar lã em trajes de noite.

1946-2002
Trigère começou a produzir linhas prêt-à-porter no fim da década de 1940. Seus figurinos eram esplendidamente cortados e estruturados, atraindo clientes como a Duquesa de Windsor. Sua linha de casacos produzidos em massa era acessível, mas fornecia praticamente a mesma qualidade de figurinos da alta-costura. Ela recebeu o Prêmio Coty dos Críticos de Moda Americanos em 1949, 1951 e 1959, e foi a primeira mulher eleita para a Galeria da Fama.

ESTILO ITALIANO DO PÓS-GUERRA

Sinônimo de vida elegante e suas associações com a *dolce vita*, a Itália tornou-se centro internacional de moda após a Segunda Guerra Mundial. Durante aquele período, conhecido como Ricostruzione, o país passou por uma reorganização industrial com ajuda financeira dos Estados Unidos, administrada pelo Plano Marshall. Essa tentativa de promover o comércio no pós-guerra garantiu às indústrias têxteis do norte, com sua longa tradição artesanal, o acesso a capitais e matérias-primas, permitindo que as pequenas empresas familiares, um elemento importante do setor industrial italiano, continuassem se expandindo.

A consolidação da Itália como fonte de bom design continuou com a ajuda do governo italiano e a promoção oficial do "Made in Italy", que tornou conhecidos nomes como Guccio Gucci (1881-1953), Salvatore Ferragamo (1898-1960) e Emilio Pucci (1914-1992). Em 1951, numa tentativa de distanciar a moda italiana da influência de Paris, Giovanni Battista Giorgini organizou a primeira exposição de moda coletiva de estilistas italianos, coberta pela imprensa internacional. Tamanho foi seu sucesso que a exposição se mudou para a Sala Bianca, no Palácio Pitti (acima), em 1952. Isso preparou o terreno para a década seguinte, em que Florença, e depois Milão, tornaram-se capitais da moda junto com Paris, Nova York e Londres.

Após a Segunda Guerra Mundial, a Itália passou a ser o destino favorito de uma nova geração de turistas, estimulados a viajar em consequência do advento do avião comercial a jato e por filmes como *A fonte dos desejos* (1954), que exaltava as

PRINCIPAIS ACONTECIMENTOS

1947

Salvatore Ferragamo recebe o prestigioso Prêmio Neiman Marcus pela excelência no setor da moda.

1947

Emilio Pucci é fotografado na Suíça vestindo roupas de esqui desenhadas por ele, levando a um contrato com a *Harper's Bazaar*.

Década de 1950

A Cinecittà de Roma torna-se o local de filmagem de produções cinematográficas americanas e o estúdio mais intimamente ligado a Federico Fellini.

1950

Pucci lança seu ateliê de alta-costura no resort exclusivo de Canzone del Mare, na Ilha de Capri.

1951

Giorgini promove a primeira exposição de moda italiana em seu casarão, logo após a Semana da Moda de Paris, para atrair os mesmos compradores.

1952

A empresa italiana de roupas masculinas Brioni apresenta sua primeira coleção de passarela no Palácio Pitti, em Florença.

aventuras românticas na Europa. O jet set fazia suas compras nas maisons de Roma e Florença, atraído pela elegância casual do "*resort wear*", de preferência às estruturas mais formais encontradas em Paris, cuja influência continuou a declinar após a morte de Christian Dior (1905-1957). Emilio Pucci destacou-se nas roupas de resort prêt-à-porter, satisfazendo a demanda da época de fácil ajuste, cores e estampas vibrantes (à direita), bem como de valores de produção sofisticados. Em 1960 o estilista desenvolveu o "Emilioform", um tecido elasticizado baseado numa mescla de jérsei e helanca sintética, que resultou num ajuste aderente e elástico que conservava sua forma. Durante a década de 1960, utilizou tecidos leves, com estampas psicodélicas, caleidoscópicas e policrômicas, em calças capri corsário e blusas soltas, usadas por formadores de estilo como Jackie Kennedy e Marilyn Monroe.

O relacionamento entre filme e moda permaneceu fundamental ao desenvolvimento da indústria cinematográfica italiana, sediada em Roma. Obtendo notoriedade com o vestido de noiva da atriz Linda Christian em seu casamento com Tyrone Power em 1949, as irmãs Fontana (Zoe, 1911-1979, Micol, 1913 e Giovanna, 1915-2004) criaram trajes de noite luxuosos que atraíram encomendas de astros de cinema e talentos nacionais como Gina Lollobrigida e Sophia Loren. Combinando os valores tradicionais da alta-costura com a sensibilidade italiana, as irmãs Fontana vieram a desenhar os trajes de Ava Gardner para *A condessa descalça* (1954; ver p. 338).

O sapateiro italiano dos astros Salvatore Ferragamo teve sucesso primeiro na Califórnia, onde criou sapatos para os luminares de Hollywood. Enquanto esteve lá, estudou anatomia na University of Southern California e depois incorporou todos os aspectos técnicos e ergonômicos da produção de sapatos aos seus produtos sob medida. Ferragamo retornou à Itália em 1927 e passou a produzir em Florença, o centro da indústria italiana de artigos de couro de luxo. Ali criou muitos estilos influentes de sapatos, entre os quais podemos incluir o salto alto, que enfatizou a feminilidade exagerada do pós-guerra: acessório das saias rodadas e da silhueta de ampulheta da década de 1950 ou acréscimo à silhueta esguia do vestido tubinho. A inserção de um ressalto de alumínio no revestimento do salto acrescentou estabilidade e resultou em uma altura e finura sem precedentes. Ferragamo combinou o salto alto com uma biqueira afunilada, e o desenho – conhecido como Winklepicker – passou a corporificar o estilo italiano do pós-guerra.

A roupa masculina também foi influenciada pela alfaiataria elegante e silhueta mais suave do olhar italiano. O "corte continental" da empresa romana Brioni (ver p. 336), que desafiou a alfaiataria tradicional de Savile Row em Londres, atraiu o homem americano, incluindo astros de cinema como Cary Grant e Clark Gable, inspirando também os jovens da vibrante Londres. **MF**

1 Decorada com trabalhos em estuque e afrescos, a esplêndida Sala Bianca no Palácio Pitti, em Florença, foi o local adequado para a alta moda de estilistas italianos consagrados e emergentes.

2 O estilista Emilio Pucci acompanha suas modelos, que vestem uma variedade de estampas Pucci multicores e calças capri (1959).

Década de 1960	1960	1960	1961	1961	1965
Biqueiras bem pontudas, conhecidas como "*winklepickers*", são acrescentadas aos sapatos de salto alto.	A comédia dramática *A doce vida*, escrita e dirigida por Federico Fellini, dissemina o estilo italiano para o público internacional.	Morre Ferragamo e depois sua esposa, Wanda, tendo os seis filhos assumido mais tarde o controle da empresa.	A primeira edição de *Vogue Italia* é publicada por Condé Nast.	Gina Lollobrigida personifica o glamour italiano estrelando com Rock Hudson *Quando setembro vier*, filmado na Riviera italiana.	A agência publicitária nova-iorquina Jack Tinker and Associates contrata Pucci para atualizar o design do uniforme das aeromoças da Braniff International Airways.

Terno continental Década de 1950

BRIONI

Terno de tarde elegante Brioni (1960).

O influente terno de "estilo continental" Brioni foi desenhado pelo alfaiate experiente Nazareno Fonticoli, que fundou a empresa e a marca Brioni com o mestre das relações-públicas Gaetano Savini, em Roma, em 1945. Seu corte estava bem distante do estilo americano de ombros largos predominante na alfaiataria do pós-guerra e da silhueta neoeduardiana disseminada pelos alfaiates britânicos de Savile Row.

Apelidado de *ordine dorico* (ordem dórica, um tipo de coluna) pela imprensa da moda, o terno Brioni agradou à nobreza europeia e ao jet set internacional, sendo considerado adequado a um estilo de vida contemporâneo dinâmico. Feito sob medida por uma equipe de especialistas, o terno justo e funcional foi projetado para o homem moderno – ativo, atraente e jovial – e introduziu cores e padrões no guarda-roupa masculino. Brioni foi a primeira grife de roupa masculina internacional a implementar mudanças sazonais, além de organizar a primeira exposição de moda masculina, em Florença, em 1954. Em seguida veio uma exposição de moda em Nova York, disseminando assim o estilo italiano ao consumidor americano. **MF**

NAVEGADOR

PONTOS FOCAIS

SILIHUETA NATURAL
O resultado final de dois meses de trabalho intensivo e 185 operações diferentes, o terno pronto tem uma linha do ombro dianteira sem enchimento. O paletó, com uma só fileira de botões, vai se afunilando até abaixo dos quadris, com fendas curtas do lado.

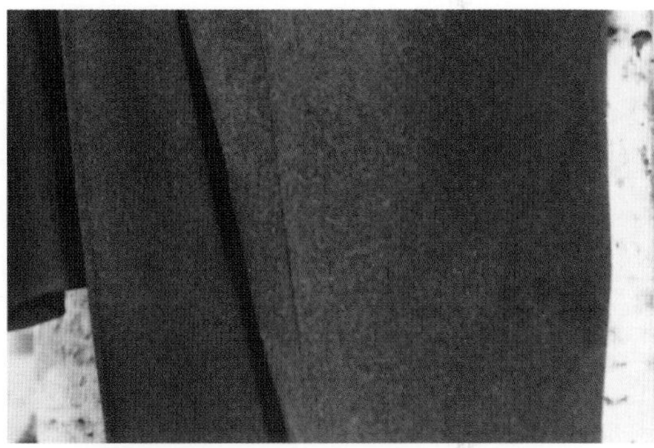

3 CALÇAS AFUNILADAS
Tecidos leves e luxuosos, como seda dupioni, e fibras nobres, como vicunha, foram usados por Brioni e permitem o corte esguio das calças, que se afunilam no tornozelo e medem apenas 43cm na bainha.

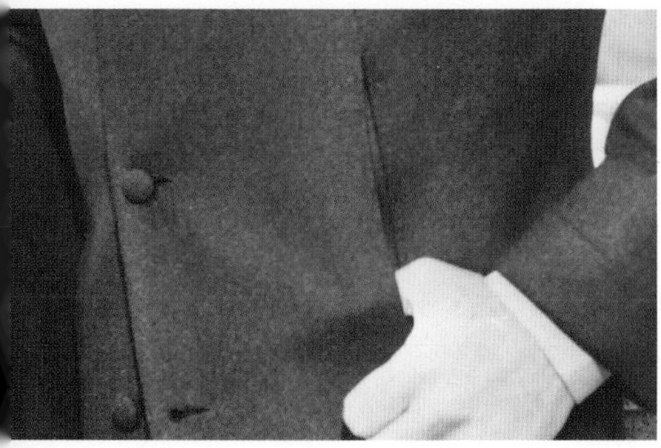

PALETÓ ESGUIO
O paletó com uma só fileira de três botões possui bolsos verticais dos dois lados da presilha dianteira central. As lapelas pontudas têm corte estreito para enfatizar a silhueta delgada.

PERFIL DA GRIFE

1945-1989
A Maison Brioni de moda italiana foi fundada em 1945 pelo alfaiate Nazareno Fonticoli e seu sócio Gaetano Savini na Via Barberini em Roma. Em 1952 a empresa expôs pela primeira vez roupas masculinas na passarela no Palácio Pitti em Florença, e em 1954 promoveu uma exposição de moda na cidade de Nova York, seguida de exposições em mais oito cidades americanas. Astros do cinema como Clark Gable e Cary Grant passaram a comprar ternos Brioni na década de 1950, enquanto trabalhavam nos estúdios da Cinecittà de Roma.

DESDE 1990
Em 1990, Umberto Angeloni foi nomeado executivo principal e lançou um plano de expansão que incluiu o lançamento de uma linha de roupas femininas. Conseguiu também que a Brioni, e não a Savile Row, vestisse os atores principais dos filmes de James Bond a partir de 1995.

Vestido de noite 1954
SORELLE FONTANA

Ava Gardner é a estrela em *A condessa descalça* (1954).

NAVEGADOR

Combinando a tradição da alta-costura parisiense com a dramaticidade e exuberância da estética italiana, as irmãs Fontana (Sorelle Fontana) ofereceram um glamour ao estilo de Hollywood a estrelas de cinema como Ava Gardner, Loretta Young e Myrna Loy. Para Gardner, as irmãs desenharam o sedutor e extravagantemente crinolinado vestido de noite sem alças, feito de cetim duchese azul-celeste, que ela usou na história de Cinderela de *A condessa descalça*, dirigida por Joseph L. Mankiewicz. O vestido aparece na cena em que sua personagem, o símbolo sexual espanhol Maria Vargas, é celebrada pela primeira vez como uma estrela bem-sucedida do cinema. Toda a dramaticidade luxuosa inerente à grife Fontana serve para mostrar a passagem da heroína de dançarina descalça a um ícone do cinema. O vestido adere enfaticamente à rigidez da estrutura interna, emanando do corpete anatômico, que termina logo acima da linha natural da cintura, com o acréscimo de um falso cinto entre o corpete e a saia. O corpete estende-se acima e afora para formar pontas aladas dramáticas atingindo quase os ombros, contrastando com a suavidade da estola de raposa-prateada enrolada em seus braços. **MF**

PONTOS FOCAIS

1 JOIAS
Ava Gardner como Maria Vargas usa brincos, colar e anel de diamantes coordenados. Uma das joias mais eróticas, o colar conduz o olho ao decote. Casas de joias como Boucheron, Tiffany e Cartier floresceram na década de 1950, pois as bijuterias lembravam demais as privações recentes da guerra.

2 CORPETE
A forma pronunciada do busto é delineada pela costura em estilo lingerie. Os bojos do alto do sutiã emanam de duas pences paralelas a partir da cintura e são ainda mais enfatizados pelos adornos de lantejoulas e falsos diamantes que combinam com os motivos em voluta dos falsos diamantes espalhados pela saia.

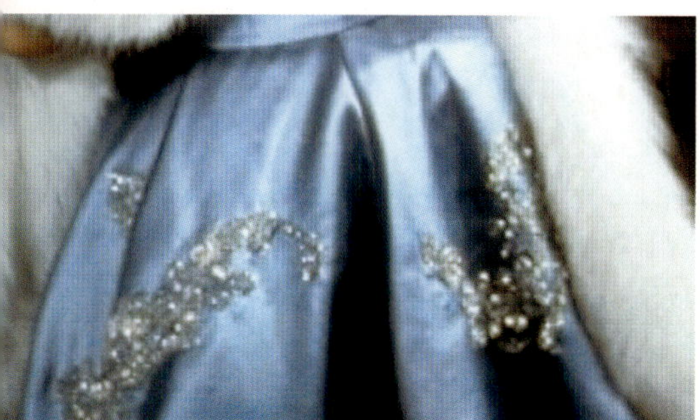

3 SAIA
As dobras da saia até a metade da perna contam com pregas invertidas fixadas no cós e plenitude na costura lateral, apoiados ainda por uma anágua com camadas de tule de seda que chega ao chão. Cetim duchese brilhante fornece volume e rigidez para a saia em estilo crinolina.

▲ Um cartaz de *A condessa descalça* (1954). Todos os trajes de Ava Gardner no filme foram desenhados pelas irmãs Fontana.

PERFIL DAS ESTILISTAS

1943-1950
As três irmãs Fontana – Zoe, Micol e Giovanna – de Traversetolo, perto de Parma, Itália, seguiram os passos de sua mãe, Amabile Fontana, uma destacada costureira. Após estagiarem em Milão, Roma e Paris, abriram um ateliê de alta-costura chamado Sorelle Fontana em Roma em 1943. Sua fama internacional foi assegurada com o desenho de um vestido espetacular para a estrela de cinema Linda Christian ao se casar com Tyrone Power em 1949, resultando em uma longa lista de clientes que incluiu membros da aristocracia italiana e o jet set internacional.

1951-1959
As irmãs participaram da primeira exposição de moda italiana realizada em Florença em 1951. Durante a década de 1950, desenharam roupas para muitas das mais conhecidas estrelas de Hollywood, entre as quais Grace Kelly e Elizabeth Taylor. Foram convidadas à Casa Branca em 1958 como representantes da Itália na conferência Moda ao Redor do Mundo.

1960-1992
As Sorelle Fontana lançaram uma linha de moda prêt-à-porter, seguida por uma linha de peles, guarda-chuvas, cachecóis, joalherias e roupa de mesa. Em 1992, a marca Fontana foi vendida para um grupo financeiro italiano.

ROUPA DE TRABALHO DO PÓS-GUERRA

1

2

3

L ogo após a Segunda Guerra Mundial, os bens de consumo americanos tornaram-se a pedra de toque para o futuro modernista e abundante. De algum modo, carros, roupas e alimentos pré-embalados americanos tornaram-se "metaprodutos". Para muitos, os Estados Unidos representavam liberdade, oportunidade e modernidade. Consequentemente os produtos americanos estavam imbuídos de qualidades semelhantes. A guerra ajudara a disseminar a mensagem do consumismo americano e Hollywood ajudou a popularizar esses produtos. A onipresença do brim azul tem suas origens nesses processos de comunicação cultural

Em 1853, Levi Strauss (1829-1902) chegou à Califórnia para abrir uma filial da empresa de têxteis da família e faturar com o desenvolvimento explosivo do Oeste. Durante a Corrida do Ouro, fabricou roupas duráveis para mineiros, e desses primórdios obscuros emergiu o fenômeno do brim azul americano. Após 30 anos, Levi estava produzindo suas conhecidas calças de trabalho de brim azul com rebites de cobre, e no início do século XX, o triunvirato dos grandes fabricantes de jeans americanos haviam se firmado: Levi Strauss & Co, H. D. Lee Company (fabricante das calças Lee; acima) e Blue Bell Overall Company (mais tarde Wrangler; à direita, em cima).

Os processos de transformação cultural que tornaram essas roupas de trabalho especializadas em roupas de lazer onipresentes foram alimentados por Hollywood. Espetáculos sobre o "Oeste selvagem" eram uma forma popular de entretenimento e,

1 James Dean veste jeans Lee em seu papel vencedor do Oscar como Jett Rink em *Assim caminha a humanidade* (1956).

2 Anúncio da Blue Bell/Wrangler da década de 1950 mostra o brim "Western autêntico" para homens e para toda a família.

3 Elvis Presley usa uma jaqueta de brim e jeans para interpretar a canção-tema no filme *Jailhouse Rock* (1957).

PRINCIPAIS ACONTECIMENTOS

1951	1952	1953	1954	1955	1956
O cantor Bing Crosby é barrado num hotel em Vancouver por estar trajando blue jeans. Na época estes eram associados aos "macacões de brim".	A H. D. Lee Company produz pela primeira vez o Chetopa Twill, uma nova sarja de brim durável, para uso em suas ofertas de roupas de trabalho.	Marlon Brando interpreta Johnny Strabler em *O selvagem*. As roupas do personagem ajudam a criar o modelo de traje masculino do fim do século XX (ver p. 342).	Um fecho de zíper é introduzido no jeans de cintura clássica da Levi's. A empresa H. D. Lee ingressa no mercado de roupas de lazer americano com sua coleção Leesure.	O atraente James Dean populariza o brim em *Juventude transviada*, vestindo jeans Lee 101 Riders, tingido para exibir um azul mais vibrante na tela.	O filme de James Dean *Assim caminha a humanidade* é lançado postumamente. Ele veste o estiloso jeans com fecho de zíper Lee Rider, muito popular na época.

com o advento da indústria americana do cinema, o faroeste foi absorvido pelo cânone de Hollywood. Na década de 1930, os estúdios vinham produzindo uma variedade de faroestes apresentando ídolos da tela que regularmente apareciam trajando brim. O mito cinematográfico do caubói promoveu o apelo de massa do blue jeans. Estadias nos "*dude ranches*" também popularizaram o brim azul entre as classes médias. Famílias pagavam para se hospedar naqueles ranchos e curtir o estilo de vida dos caubóis. A aparência certa era essencial à experiência, e os visitantes cada vez mais adotaram a roupa de trabalho de brim azul associada aos caubóis e trabalhadores dos ranchos. Da década de 1930 à de 1950, quando a popularidade dos *dude ranches* estava no auge, o catálogo de vendas varejistas da Sears Roebuck apresentava grandes variedades de roupas do Oeste visando à clientela suburbana. A associação essencialmente modernista entre entretenimento de massa, lazer pessoal e atividade de consumo ajudou a desenvolver uma narrativa popular em torno do brim.

Na década de 1950, a satisfação e prosperidade percebidas dos estilos de vida da classe média americana – desenvolvidos em torno da conveniência, conforto e riqueza material – preocupavam muitos americanos mais jovens. Esse questionamento do "sonho americano" filtrou-se em fenômenos culturais como o expressionismo abstrato, a poesia beat e os filmes instigantes voltados para um público mais jovem. *O selvagem* (1953), estrelando Marlon Brando (ver p. 342), e *Juventude transviada* (1955), com James Dean – filmes moralmente ambíguos em que atores jovens resmungavam, andavam de forma relaxada e davam de ombros para a câmera –, tiveram um efeito sísmico sobre o público. As roupas escolhidas pelos realizadores dos filmes para vestir aqueles jovens atores foram centrais à sua atratividade: jaquetas de couro curtas com zíper, camisetas, botas de trabalho pesado e jeans. O conjunto simples de peças grosseiras, resistentes e funcionais, basicamente associadas ao mundo do trabalho, e não do lazer, criou uma matriz da qual evoluiu grande parte da roupa masculina do pós-guerra.

O jeans tornou-se um símbolo facilmente identificado com a juventude, o sexo e a rebelião, e na imaginação popular um artigo antes associado ao trabalho, à parcimônia e à economia era agora encarado como algo contestatório e ameaçador à geração mais velha. A associação do blue jeans ao rock 'n' roll realçou uma sensação de demarcação geracional. Não apenas Elvis Presley (à direita) aparecia nas telas e em fotos publicitárias vestindo brim, mas referências ao blue jeans tornaram-se comuns nas letras de músicas dos anos 1950. As garotas também puderam adotar o jeans sem sacrificar a feminilidade. De fato, os contrastes visuais criados quando as curvas da forma feminina eram cobertas por roupas de trabalho pesado simplesmente serviram para enfatizar o sexo do usuário. O apelo explosivo dos blue jeans abrangeu um amplo público jovem, de moças adolescentes a turmas de motociclistas, de astros do cinema a gangues de rua, dos subúrbios respeitáveis aos conjuntos habitacionais do centro. O jeans não apenas cobria a silhueta, mas também definia o usuário. **WH**

1957

A Lee Jeans lança sua linha Double Knees, um figurino mais resistente visando meninos e jovens.

1957

Elvis Presley aparece em dois filmes – *A mulher que eu amo* e *O prisioneiro do rock* – vestindo brim azul da cabeça aos pés.

1957

A Levi's causa indignação com um anúncio que mostra um aluno e o mote "Apropriado à escola".

1959

Uma exposição da cultura, ciência e tecnologia americanas é promovida em Moscou para mitigar as tensões da Guerra Fria. Um dos objetos expostos é uma Levi's 501.

1961

Marilyn Monroe veste blue jeans no filme *Os desajustados*, escrito por Arthur Miller.

1962

A canção de Howard Greenfield e Jack Keller "Venus in Blue Jeans", gravada por Jimmy Clanton, chega ao sétimo lugar na parada da Billboard.

Jaqueta e jeans de motocicleta 1953

ESTILO MOTOCICLISTA

Marlon Brando em *O selvagem* (1953).

NAVEGADOR

O personagem de Marlon Brando em *O selvagem*, Johnny Strabler, tornou-se um arquétipo da roupa masculina: jaquetas de couro, botas, camisetas e jeans são itens básicos do estilo masculino moderno. A jaqueta de Brando pode ser claramente identificada como uma jaqueta de motocicleta de couro "estilo lanceiro" Schott Perfecto. A Schott Perfecto foi desenhada por Irving Schott em 1928 especificamente para o mercado de motocicletas (recebendo o nome de seu charuto favorito) e permanece em produção desde então. As primeiras jaquetas de Schott eram feitas de couro de cavalo, sendo conhecidas pela durabilidade: dificilmente se desgastavam. James Dean raramente era visto sem sua Perfecto, e a jaqueta aumentou de popularidade após a morte do ator em 1955.

Os jeans são usados com botas pesadas conhecidas como "botas de engenheiro". Esse tipo de calçado foi produzido por muitas empresas americanas a partir da década de 1940, sendo originalmente desenhado como um calçado protetor para engenheiros e trabalhadores da construção civil. O boné militar de sete pontas era popular entre motociclistas antes que os capacetes se tornassem obrigatórios. Costumava ser usado também por motoristas de ônibus e policiais. Não se sabe exatamente qual marca de boné o ator usou, por ser um artigo genérico produzido por várias empresas da época. **WH**

PONTOS FOCAIS

1 JAQUETA DE COURO
A jaqueta de motocicleta Schott Perfecto de Brando se assemelha ao modelo One Star de Schott, que tem uma estrela em cada dragona, lembrando estilos militares. As estrelas foram acrescentadas pelo departamento de figurinos do filme e colocadas no meio da dragona.

2 JEANS E BOTAS
O jeans de brim azul tem um aspecto franzido e confortável, popular até hoje, e, o que é fundamental, é usado com bainhas arregaçadas, exibindo as resistentes botas de couro preto. Elas possuem salto Woodsman sobreposto e sola Goodyear reforçada.

A HISTÓRIA DO BLUE JEANS

No início da década de 1870, um alfaiate de Nevada chamado Jacob Davis começou a produzir calças de trabalho fortes e resistentes, usando um tecido de "brim" de algodão com acabamento de rebites de cobre nos bolsos, para sua clientela de mineiros, fazendeiros e peões de fazenda (à direita). Depois procurou Levi Strauss (de quem certa vez comprara tecido de brim) em busca de apoio financeiro, e assim começou a associação da Levi Strauss & Co com os jeans de brim azul. De início eram confeccionados em casa por costureiras, mas com o aumento da demanda tornou-se necessário abrir uma fábrica em São Francisco. No fim da década de 1880, a Levi's acrescentou sua faixa de couro típica atrás do cós, e a partir da década de 1890 a empresa começou a produzir uma versão do sempre popular estilo Levi's 501.

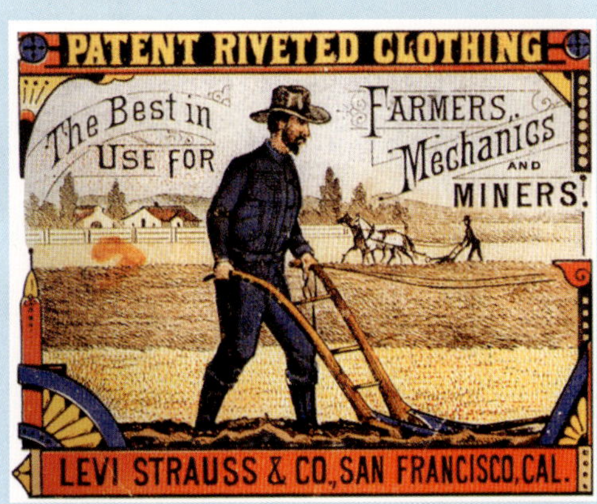

SIMPLICIDADE MODERNA

1 A atriz de cinema Audrey Hepburn veste um Givenchy sem alças como a modelo ingênua em *Cinderela em Paris* (1957).

2 Jackie Kennedy faz uma visita de Estado à Índia (1962). Suas pérolas inconfundíveis preenchem o decote em "V" de um vestido de seda damasco simples de Oleg Cassini, com um único laço na cintura.

O glamour de Hollywood do pós-guerra girava em torno da silhueta de ampulheta, até Audrey Hepburn aparecer em seu primeiro filme americano, *A princesa e o plebeu*, em 1953. Mas foi seu desempenho no filme *Sabrina*, de Billy Wilder, em 1954 – que marcou sua transformação da filha de chofer desajeitada para a mulher sofisticada mediante uma série de trajes sensacionais –, que sua posição como ícone duradouro do estilo foi assegurada. Em seguida veio *Cinderela em Paris* (acima) em 1957. Não querendo depender da figurinista de Hollywood Edith Head (1897-1981) para seu guarda-roupa no filme, Hepburn consultou o costureiro Hubert de Givenchy (1927), levando ao início de uma longa parceria que alcançou a apoteose com o filme *Bonequinha de luxo* (1961), no qual Hepburn trajou o arquetípico vestido preto. Sua adoção da linha chemise e elegância simples de Givenchy (ver p. 346) anunciou a aproximação do minimalismo dos anos 1960.

Os conjuntos funcionais de Givenchy em blocos sólidos de cores brilhantes, fechados por um único botão ou dobra de tecido, simbolizavam o glamour clean,

PRINCIPAIS ACONTECIMENTOS

1951	1952	1952	1953	1953	1957
Jacqueline Bouvier (depois Kennedy Onassis) vence o concurso Prix de Paris da revista *Vogue* para universitários. Sua mãe a convence a recusar o prêmio.	Oleg Cassini abre sua maison na Sétima Avenida de Nova York.	Hubert de Givenchy abre seu ateliê de alta-costura em Paris.	Jacqueline Bouvier se casa com John F. Kennedy em Newport, Rhode Island.	Roger Vivier desenha os sapatos usados por Elizabeth II em sua coroação na catedral de Westminster em Londres.	Givenchy lança seu influente vestido-saco ou chemise. A peça acaba se tornando um ícone da moda.

descomplicado. Embora Hepburn incorporasse a alta-costura ao seu guarda-roupa pessoal, aumentou essas peças com roupas do dia a dia, sempre trajadas de uma forma bem pessoal: trench coats bem fechados, calças capri, golas olímpicas pretas de malha fina, cardigãs, sapatilhas de balé e lenços de cabeça intricados.

A influência de Hepburn estendeu-se além do público do cinema. A primeira--dama dos Estados Unidos na época, Jackie Kennedy, admirava o estilo da estrela e adotou seus enormes óculos de sol, o decote canoa inconfundível de Givenchy e a silhueta acompanhando o contorno do corpo. Jacqueline Kennedy tinha apenas 31 anos quando seu marido, John F. Kennedy, tomou posse, em 1961, tornando-se uma das primeiras-damas mais jovens da história dos Estados Unidos. Seu corpo esguio e andrógeno representou o advento de uma nova era de juventude e vitalidade. A linha chemise de Givenchy proporcionou a silhueta que ela preferia, com a infraestrutura da peça cortada menor do que a peça externa para formar uma carapaça. Isso criava uma corrente de ar entre as camadas, permitindo o movimento e uma leve sugestão da forma abaixo. Instantaneamente rotuladas de "look Jackie" pela imprensa da moda, as mangas de comprimento três quartos e jaquetas cortadas usadas sobre vestidos linha A sem mangas tinham como acessório luvas brancas. Seu estilo mínimo era enfatizado pelas cores brilhantes de Givenchy, realçando o seu bronzeado permanente.

A simplicidade do estilo estendia-se às roupas formais, e a primeira-dama preferia uma silhueta colunar em tecidos texturizados suntuosos, sem alças ou com um decote em barco e mangas cavadas pequenas. Ela descartava padrões, peles e joias, achando que a envelheciam, e substituía joias finas por bijuterias de estilistas como Jean Schlumberger (1907-1987). Suas muito copiadas pérolas de três voltas (à direita) eram desenhadas por Kenneth Jay Lane (1930). O estilo de cabelos bufantes típico de Jackie aumentava sua altura e circunferência da cabeça. Embora Christian Dior (1905-1957) e Cristóbal Balenciaga (1895-1972) já tivessem apresentado antes o chapéu *pillbox*, foi Roy Halston Frowick (1932-1990), então modista na Bergdorf Goodman, quem o reinterpretou, e a própria Jackie quem o reposicionou na parte de trás da cabeça. Ela também gostava da bolsa Chanel 2.55 e da bolsa Gucci com alça de bambu, mais tarde conhecida como "Jackie". Abandonando as biqueiras pontudas e salto alto em voga, Jackie popularizou o escarpim Pilgrim de salto baixo (ver p. 348).

Para evitar as críticas aos seus gastos com alta-costura europeia, Jackie designou Oleg Cassini (1913-2006) como seu estilista oficial. Ela usava seus ateliês como fachada para a alta-costura que continuava adquirindo, enquanto colaborava com ele em ideias que ela ou seus olheiros de moda descobriam na Europa. Como um ex--figurinista de cinema, Cassini conhecia a importância de cativar um público e incluía detalhes visíveis a distância, como botões enormes ou um laço estilizado. Jackie apreciava o seu impacto, mas se recusava a falar sobre seu estilo, sabendo que tal silêncio aumentaria a sua aura. O conjunto Chanel que usava quando o presidente foi assassinado em 1963 permanece na memória coletiva como uma das imagens icônicas do século XX. **MF**

1957

O filme de Stanley Donen *Cinderela em Paris*, baseado na vida do fotógrafo de moda Richard Avedon e na da modelo Suzy Parker, é lançado.

1961

John F. Kennedy torna-se o 35º presidente dos Estados Unidos.

1961

Oleg Cassini é designado costureiro exclusivo da primeira-dama.

1961

O presidente e sua esposa visitam a França oficialmente, onde Jackie é admirada por sua elegância.

1961

Audrey Hepburn aparece como Holly Golightly em *Bonequinha de luxo*. Seu figurino foi criado por Givenchy.

1962

Roy Halston Frowick desenha o icônico chapéu *pillbox* muitas vezes usado por Jackie Kennedy.

Vestido plissado *c.*1955

HUBERT DE GIVENCHY 1927

Audrey Hepburn fotografada por Norman Parkinson (*c.*1955).

NAVEGADOR

Contrastando completamente com o estilo rígido, espartilhado predominante de Dior, as roupas desenhadas por Hubert de Givenchy para sua musa, a atriz de cinema Audrey Hepburn, definiram o ideal de moda e o novo paradigma da beleza feminina. Com apenas 25 anos quando apresentou sua primeira coleção, Givenchy ofereceu uma abordagem moderna à alta-costura, evitando decorações e adornos irrelevantes em prol da pureza da linha – uma filosofia que compartilhava com seu mentor, Cristóbal Balenciaga. Desenhado antes da criação da silhueta chemise revolucionária em 1957, este vestido reconhece a linha natural da cintura com uma costura, mas é cortado com clareza e simplicidade. Todo o interesse e volume estão restritos às costas da saia, que apresentam uma série de plissados invertidos. A silhueta arquitetônica do vestido é esculpida de um só bloco de cor viva, típico de Givenchy. Hepburn sabia de suas clavículas ossudas, por isso Givenchy criou uma gola cortada verticalmente, direto de um ombro ao outro, e no alto do pescoço, para cobri-las. Esse aspecto se tornou recorrente nas peças que veio a desenhar para a estrela através dos anos. O vestido tem como acessórios mínimos luvas de pelica brancas curtas, com um botão fechando no pulso, e um bracelete de pérolas. **MF**

PONTOS FOCAIS

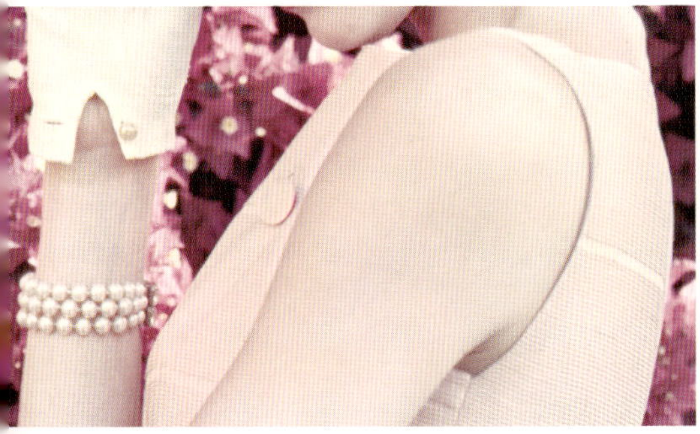

1 CORTE NOS OMBROS
O vestido está cortado com uma gola alta, revelando assim a parte de cima dos ombros, em vez de terminar no encontro do ombro com o braço. A axila é cortada em uma linha horizontal reta da costura dianteira à traseira.

2 CORPETE COSTURADO
O corpete do vestido é constituído de quatro barras horizontais equidistantes. Com o acréscimo de uma costura lateral, eles incorporam a forma da peça. O tecido de gazar de seda vivo de cor rosa-pérola delicada conserva a forma da saia.

3 SAIA
Uma série de pregas invertidas estão posicionadas na parte inferior das costas. Presas à costura da cintura, podem cair livremente atrás da saia, facilitando o movimento e dando volume na bainha.

PERFIL DO ESTILISTA

1927-1951
Nascido em 1927 em Beauvais, França, Givenchy estudou no Lycée Collège Félix Faure antes de se mudar para Paris a fim de frequentar a École Nationale Supérieure des Beaux-Arts. Após um período trabalhando para os costureiros Lucien Lelong (1898-1958), Robert Piguet (1898-1953) e Jacques Fath (1912-1954), Givenchy começou a desenhar peças individuais para Elsa Schiaparelli (1890-1973).

DESDE 1952
A Maison Givenchy foi aberta em 1952, e a primeira coleção tornou-se um sucesso imediato. Givenchy criou as roupas usadas por Audrey Hepburn em diversos de seus filmes, incluindo *Sabrina* e *Bonequinha de luxo*, e ela permaneceu sua musa por quase 40 anos. A empresa foi vendida para a LVMH em 1988 e Givenchy expôs sua última coleção de alta-costura em 1995, depois disso se aposentando da indústria da moda.

Escarpim Pilgrim Década de 1960

ROGER VIVIER

A mudança radical da silhueta no princípio dos anos 1960 exigiu uma mudança igualmente drástica no estilo dos calçados, porque uma saia cada vez mais curta exigia um sapato mais baixo. Embora o inventivo estilista de calçados Roger Vivier já viesse experimentando um escarpim de salto baixo e biqueira arredondada para o costureiro Christian Dior, as mulheres de início relutaram em descartar o salto alto e a biqueira pontuda da década anterior que deixavam a perna mais comprida. Somente em meados da década de 1960 o novo sapato de salto baixo na forma do escarpim Pilgrim entrou na moda, quando fotografado nos pés de Jackie Kennedy na edição de dezembro de 1966 da *Women's Wear Daily*. O sapato havia sido desenhado a pedido de Yves Saint Laurent (1936-2008) para complementar seus vestidos Mondrian retos e sem mangas lançados em 1965 (ver p. 360). Vivier havia antes criado o salto de cunha e o salto luís moderno, mas o escarpim Pilgrim se mostrou o modelo mais icônico. Foi primeiro produzido com um tipo novo de couro artificial chamado Corfam, desenvolvido pela DuPont em 1962, mas foi mais tarde fabricado de uma série de couros, particularmente couro envernizado colorido, e com muitas variedades de adornos. O sapato popularizou-se ainda mais e foi continuamente imitado depois que a atriz francesa Catherine Deneuve o calçou em seu filme *A bela da tarde* (1967). **MF**

NAVEGADOR

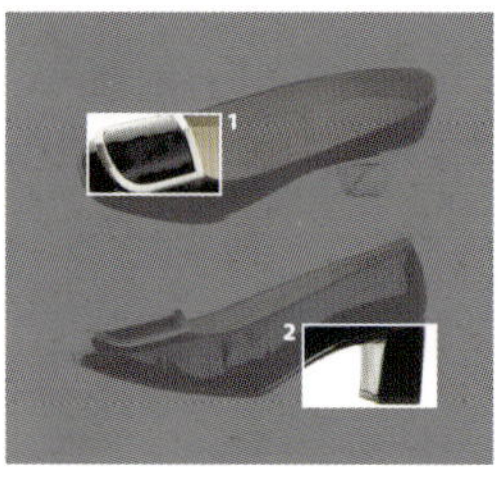

▲ Jackie Kennedy sai num casaco de couro de leopardo sob medida com duas fileiras de botões, combinado com seus acessórios favoritos, o clássico escarpim Vivier e a bolsa Chanel 2.55 (1967).

PONTOS FOCAIS

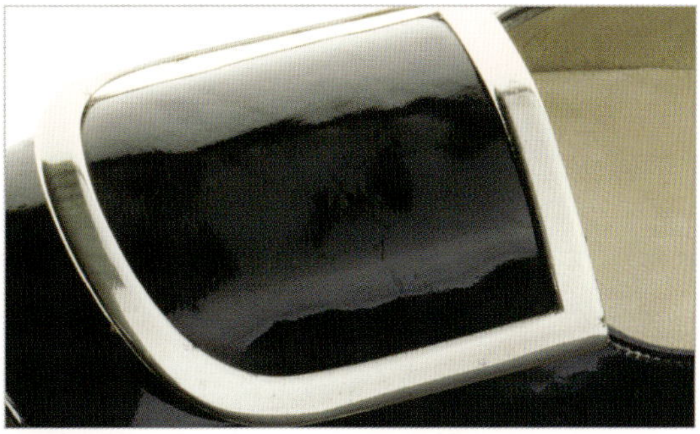

1 FIVELA
A ponteira afunilada e quadrada ostenta uma grande fivela de prata em uma interpretação dos sapatos dos peregrinos puritanos do século XVII. O escarpim ainda continua em produção, e o estilo clássico permaneceu quase inalterado e acima da moda. A fivela icônica também aparece nas sapatilhas de balé e acessórios Vivier modernos.

2 SALTO
O escarpim de fácil uso possui um salto robusto de 3,5cm, construído de um tipo de couro envernizado que recebeu revestimento altamente brilhante. O salto baixo é ideal de usar com saias curtas e minivestidos, criando um look mais esportivo do que abertamente sedutor.

PERFIL DO ESTILISTA

1930-1952
Roger Vivier começou a experimentar com formas de calçados na década de 1930, incluindo a cunha em 1937. Montou sua primeira loja em Paris no mesmo ano, tendo Josephine Baker como uma de suas primeiras clientes, e trabalhou com a costureira Elsa Schiaparelli. Durante a Segunda Guerra Mundial, emigrou para os Estados Unidos e abriu uma loja de sapatos e chapéus em Nova York.

1953-1963
Tendo retornado à Europa após a guerra, Vivier desenhou um par de sapatos com granadas incrustadas para a coroação da rainha Elizabeth II em 1953, e por 10 anos trabalhou para Christian Dior, cujo New Look voltou a enfatizar o pé. Criou uma série de formas de salto novas, e atribui-se a ele a invenção do salto alto moderno, que reimaginou em 1954 com metal em vez de madeira.

1964-1970
Na década de 1960, Vivier criou sapatos para Yves Saint Laurent, incluindo botas de crocodilo na altura da coxa, mas o escarpim Pilgrim, desenvolvido para combinar com os vestidos Mondrian de Saint Laurent, tornou-se sua criação mais conhecida. Depois passou a criar para Emanuel Ungaro (1933), tendo entre seus clientes estrelas de cinema e a realeza internacional.

1971-1998
Durante a década de 1970, Vivier trabalhou com várias grifes famosas, entre elas Balmain, Balenciaga, Nina Ricci e Guy Laroche, mas Yves Saint Laurent permaneceria seu parceiro mais importante. Christian Louboutin (1963), que viria a se tornar um renomado estilista de calçados, estagiou com Vivier na década de 1980. Vivier morreu em 1998, mas a marca continua até hoje.

TECIDOS DO LESTE DO NEPAL

1 Meninas limbu em dia de mercado com suas exuberantes mantilhas tecidas (*c.*1983). Elas estão usando brincos de ouro, anéis de nariz e suas melhores roupas, que incluem as coloridas mantilhas tecidas usando a técnica Dhaka, cobrindo de padrão toda a superfície.

2 Esse xale preto é feito de algodão tingido e mercerizado. O padrão é chamado "de sapato" por causa do formato do tema principal recorrente. Cada tema é tecido à mão e julgado pelo olho do tecelão.

O traje nacional nepalês masculino – o *daura suruwal* – consiste em uma túnica, colete e calças, usados com um colorido chapéu Dhaka Topi (ver p. 352). Ele evoluiu através dos séculos, mas desde os dias do Império Vitoriano certos eventos estabeleceram variantes e estimularam a confecção dos tecidos inconfundíveis usados para as peças componentes. O *daura suruwal* foi amplamente imitado depois que o primeiro-ministro Jung Bahadur Rana o usou durante uma célebre viagem à Grã-Bretanha e França em torno de 1850, tendo acrescentado o presente de um paletó e colete ocidentais sob medida ao conjunto tradicional. Entretanto, o *daura suruwal* não foi declarado traje nacional, a ser usado em todas as cerimônias formais, até meados da década de 1880. Entre os anos 1950 e os primeiros anos do século XXI o traje nacional apareceu e desapareceu das fotografias reais, refletindo a oscilação entre os governos autocrático e democrático. A tecelagem Dhaka estampada, usada nos chapéus *topi*, desenvolveu-se em dois locais no Nepal: em Palpa, a oeste de Katmandu, e em Tehrathum, nas montanhas do

PRINCIPAIS ACONTECIMENTOS

Meados dos anos 1950	1955	Década de 1960	1962	1973	1980
Ganesh Man Maharjan vai à Índia e retorna com as habilidades para tecer *jamdani*.	O rei Mahendra emite uma lei suntuária que designa os *topis* Bhadgauni pretos o traje oficial para todos os funcionários do governo.	Exige-se que os adolescentes sejam fotografados no traje nacional para obter seu documento de cidadão ao virarem adultos.	Sob o governo Panchayat todos os funcionários públicos precisam trajar o *topi* básico tecido em Bhadgaun.	A produção de Palpali Dhaka atinge seu ápice, com 350 trabalhadores produzindo *topis* para os homens mais pobres.	O Programa de Desenvolvimento Rural da Área dos Montes Khosi, um projeto financiado pelos britânicos, fomenta habilidades empresariais entre os tecelões nativos.

leste do Himalaia, onde se mostrou popular entre os povos Rai e Limbu. Palpali dhaka é considerado uma inovação introduzida pelo empresário Ganesh Man Maharjan, que visitou a Índia em meados da década de 1950, onde dominou a arte de tecer *jamdani* (pano de musselina tecido à mão com padrões abstratos inseridos na trama). O tecido *jamdani* era cobiçado pela elite indiana e valorizado pela complexidade de sua estrutura, e a produção esteve no auge em Dhaka (atual capital de Bangladesh) e arredores durante o século XVII. Criar a musselina de algodão fina pontilhada de temas exigia muita mão de obra – os desenhos estilizados de flores e vasos eram individualmente inseridos à mão como um efeito de trama extra. Um algodão fino, liso e não tingido, leve e fresco para maior comodidade e conforto, era chamado de *mosuli* ou *mosulin* pelos mercadores. Em seu retorno ao Nepal, Maharjan começou a produzir esses tecidos em Palpa, de meados da década de 1950 em diante. O pano largo era tecido por duas mulheres sentadas lado a lado num tear de pedal compartilhado para uma produção mais veloz, criando um tecido cujo comprimento permitisse a confecção de diversos chapéus *topi*.

Os tecelões de Palpa eram empregados em fábricas o ano inteiro, enquanto em Tehrathum os tecelões do Dhaka eram fazendeiros de subsistência – seu trabalho agrícola vinha em primeiro lugar, a tecelagem só sendo realizada depois de completadas todas as tarefas domésticas, o que costumava acontecer nos meses de inverno. As mulheres armavam seus teares, facilmente transportáveis e simples de usar, em grupos ao ar livre. A abundância de luz solar tornava aquele trabalho minucioso mais fácil aos olhos. Já os tecelões de Palpa tinham de trabalhar em prédios de fábrica com poucas janelas.

O desenvolvimento do tecido Dhaka no distrito de Tehrathum originou-se da mesma forma que em Palpa. Situado mais próximo de Bengala, Tehrathum inevitavelmente se engajou no comércio: os homens viajavam às planícies da Índia e retornavam com presentes. Saris eram ofertados às mulheres da casa nas festas de outono de Desain e Tihar. Quando o valorizado tecido *jamdani* chegava num lar, tecelãs hábeis copiavam os desenhos complexos e os desenvolviam ainda mais. As fazendas também costumavam cultivar e desfiar seu próprio algodão até 1940, mas em meados do século XX a terra precisou ser usada somente para culturas alimentícias.

O lançamento do algodão tingido e mercerizado, com uma variedade maior de cores tecidas na trama, levou a uma diversificação dos tecidos dhaka (à direita). No início da década de 1980, fios foram importados da Índia, e os novos fios de algodão e acrílico de cores vibrantes expandiram as opções para tecelagem. Daqueles fios um pano estreito, com cerca de um palmo de largura, era criado num tear, para um *petty* (cinto). Um trecho no final era decorado com tecelagem Dhaka para acrescentar um toque de cor. A introdução de um pente de 61cm para descer o fio no tear permitiu uma urdidura mais larga e a produção, pelos tecelões, de um tecido para confeccionar *cholos* (blusas curtas e justas) e mantilhas exuberantes (à esquerda). **PH**

1980	1980-1985	1986	1990	1990	1990
Fios tingidos são importados da Índia, ampliando a variedade de cores. O Tehrathum Dhaka é trazido das montanhas para ser vendido em Katmandu.	Consultores de desenho têxtil britânicos trabalham com os tecelões para expandir sua gama de produtos e aumentar sua renda.	O primeiro tecelão de Tehrathum Dhaka muda-se para Katmandu.	O governo Panchayat chega ao fim com a Revolução Popular e é substituído por um governo interino.	O traje nacional, antes um símbolo da monarquia, entra em declínio.	O Tehrathum Dhaka é adotado por empresários para aumentarem a variedade da moda em Katmandu.

Topi século XX
CHAPÉU MASCULINO

Chapéus dhaka *topi* usados por fazendeiros dos montes Limbu e Rai com sua versão do *daura suruwal* (*c.*1983).

NAVEGADOR

Amostras coloridas de tecidos Dhaka têm sido usadas há décadas pelos homens de Tehrathum, os "dândis" nepaleses, na forma de chapéus *topi*. Vivendo nas montanhas da parte central do Himalaia, na zona Koshi Oriental do Nepal, somente os membros dos grupos étnicos Limbu e Rai optaram por usar seus *topi* com a altura plena de 18cm. Distinguidos por seus *topis* de cores vibrantes, esses homens se destacam dos outros comerciantes e lojistas no "bazar de chapéus" realizado nas sextas-feiras. Os chapéus sem abas, em forma de fez, são tecidos para os homens pela esposa ou pela mãe deles, constituindo presentes valiosos nas festas de Desain e Tihar. Os padrões tecidos à mão possuem um toque individual e são específicos a cada família, sendo transmitidos de mãe para filha, irmã para cunhada ou outra tecelã na família estendida. Na década de 1980, a cor da urdidura mudou de branca para outras cores, muitas vezes azul. Com o tempo e o uso diário, as cores dos *topis* começavam a desbotar. Com a conclusão do ciclo anual do fazendeiro, os *topis* antigos são usados até que as tecelãs da família criem novos. Funcionários do governo, por outro lado, são obrigados a usar *topis* Bhadgauni pretos desde meados da década de 1950, seu status profissional sendo identificado pela forma escura, elegante e curta do chapéu. **PH**

PONTOS FOCAIS

FORMA PONTUDA

Os fazendeiros usam seus *topis* na altura plena. Os *topis* Tehrathum Dhaka são feitos das extremidades estampadas de um pedaço de tecido imples, sua trama sendo bem esmurrada para produzir um tecido de strutura densa, permitindo que o *topi* fique de pé.

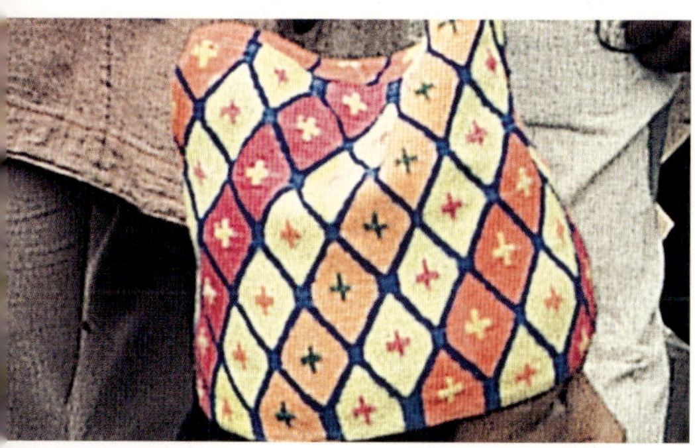

CORES VIBRANTES

Os *topis* são tecidos em cores vibrantes. Os fios acrílicos fluorescentes parecem em laranja, verde, rosa e vermelho num fundo de algodão om faixas diagonais dentadas. O padrão continua através da copa, feita m máquinas de costura manuais.

▲ Uma mulher tecendo um pano Tehrathum Dhaka num tear simples feito de bambu e madeira entalhada. Trata-se de um processo lento que emprega mão de obra intensiva, mas que proporciona o sustento.

A REVOLUÇÃO VAREJISTA

1 Modelos vestem uma variedade de estilos na inauguração da butique Just Looking em King's Road, Chelsea (1967).

2 Um casaco de tweed da Mary Quant com bolso enfeitado de veludo combinando com um minivestido de malha (1964).

3 A coleção de inverno de John Bates (1966) para Jean Varon apresentou peças individuais de lã coordenadas.

A abertura de butiques em Londres, como Mary Quant, Biba, Granny Takes a Trip e Bus Stop, bem como o fenômeno varejista de Carnaby Street, transformaram a natureza da experiência de compras numa época de grande agitação social, quando o auge da geração *baby boom* do pós-guerra em 1947 resultou num número sem precedente de adolescentes atingindo a puberdade em 1960. Após a Segunda Guerra Mundial, o Reino Unido viveu um período de afluência inédita, em que os adolescentes vislumbravam a independência financeira e menor controle dos pais.

O Butler Education Act de 1944 expandiu as oportunidades para que crianças da classe trabalhadora obtivessem uma educação de mais qualidade, e números crescentes de estudantes matricularam-se em escolas de belas-artes, onde desfrutavam de um currículo que incluía artes gráficas, projeto de produtos, arquitetura, têxteis e desenho de moda, aprendendo a forjar novos meios de solucionar novos problemas. A insatisfação surgiu quando os jovens estilistas tentaram encontrar emprego em indústrias que se atinham às práticas de fabricação e marketing dos anos 1950. Consequentemente, alguns deles decidiram que, para realizar seu potencial criativo, seria necessário abrir um espaço varejista para vender suas próprias criações. Embora butiques já houvessem aderido antes aos salões dos costureiros parisienses, vendendo linhas e acessórios mais baratos, a butique de moda independente foi essencialmente um fenômeno inglês: um produto do

PRINCIPAIS ACONTECIMENTOS

1955	1961	1961	1963	1964	1964
Bazaar, a primeira butique de moda, é inaugurada em King's Road, Londres. Seus proprietários são Mary Quant e Alexander Plunket Greene.	A empresária da moda Vanessa Denza é escolhida pelo varejista Martin Moss para abrir uma butique dentro da loja Woollands 21 em Knightsbridge.	Marion Foale e Sally Tuffin encontram um local para um ateliê de costura em Carnaby Street, na época uma rua secundária decadente no Soho, em Londres.	Gerald McCann abre uma butique na Raphael and Leonard's House of Beauty na Upper Grosvenor Street em Mayfair, Londres.	A jornalista de moda Marit Allan escreve uma coluna na *Vogue* britânica, intitulada "Jovens Ideias", apresentando os novos estilistas.	Inauguração da primeira butique Biba. Segue-se em 1968 o revolucionário catálogo de encomendas postais que leva seu estilo a todo o país.

empreendedorismo dos anos 1960 baseado em um inspirado amadorismo. Aquelas butiques deram voz, forma e local ao desejo jovem de moda como um meio de autoexpressão (à esquerda).

Antes do advento das butiques, comprar roupas era um tarefa cansativa para a maioria dos adolescentes, realizada em uma das lojas de departamentos do centro da cidade que vendiam de tudo, desde cachecóis até frigideiras. A butique mudou a experiência de venda para sempre, fazendo dela uma atividade social. Uma das características principais da cultura de butique foi o desejo de derrubar as fronteiras entre trabalho e diversão. As instalações costumavam ficar afastadas das áreas comerciais principais, em ruas secundárias da cidade onde o aluguel fosse barato, e os donos da butique não apenas estavam familiarizados com seus clientes, mas também eram membros das subculturas que vinham proliferando na época, fazendo parte portanto de um vasto mercado novo. Aqueles valores, atitudes e práticas compartilhados foram fatores fundamentais no desenvolvimento bem-sucedido da cultura de butique.

A primeira butique a ser nacionalmente reconhecida foi a Bazaar em Markham House, King's Road, Londres. Foi aberta por Mary Quant (1934) em 1955 numa época em que a resignação estoica às privações britânicas da guerra vinha dando lugar às primeiras manifestações do desejo por cores, vida e mudança. Tendo se formado professora no Goldsmith College, onde conheceu seu futuro marido Alexander Plunket Green, Quant começou seu negócio de moda adaptando padrões de papel Butterick. Confeccionava sua produção diária de vestidos em seu quarto alugado, e vendia-os no fim da tarde para financiar a compra de tecido do dia seguinte na loja londrina Harrods. De início seus clientes eram do mesmo meio social. O preço de um vestido-macacão mostrado na *Vogue* em 1960 correspondia a quase três semanas de salário de uma secretária. A etiqueta Mary Quant simbolizava o "Chelsea Look", uma silhueta que permitia liberdade de movimentos inspirada nas roupas infantis e de dançarinos: meias até o joelho, vestidos-macacão, collants, guingão e flanela, aliados a um estilo de vestir de estudantes de arte, com suas raízes na Rive Gauche parisiense e nos "beats" americanos. Quant brincava com a proporção de peças da moda clássicas: cardigãs aumentados e camisas de futebol tornaram-se vestidos. Esse novo estilo requeria um vocabulário novo para descrever as moças vestidas por Quant. Elas eram "*dolly birds*" trajando "*kooky, kinky gear*" (à direita, em cima). John Bates (1938) fez parte da experiência varejista inicial de Mary Quant e colaborou com ela na criação das vitrines da Bazaar. Como Quant, ele é um dos vários estilistas associados à invenção dos minivestidos (à direita). Bates criou sua etiqueta Jean Varon em 1960 e depois abriu 24 butiques independentes no Reino Unido. Seu vestido Casbah (ver p. 358) foi considerado o Vestido do Ano em 1965 e exemplificou o uso de materiais inovadores.

O Royal College of Art de Londres, sob os auspícios da professora Janey Ironside, estava sintonizado com o desejo por moda jovem. Sally Tuffin (1938) e Marion Foale (1939) eram estudantes de pós-graduação do curso de moda quando o marido e

1964

Lee Bender abre a Bus Stop na Kensington Church Street. Pintada em vermelho e dourado brilhantes, é a primeira de 12 lojas localizadas nas principais cidades britânicas.

1965

A Society of London Fashion Designers, encabeçada por Edward Rayne, promove a moda britânica, a bordo do navio de cruzeiros *QE2*, para os compradores americanos.

1965

O fotógrafo James Wedge e a modelo Pat Booth lançam Countdown e Top Gear na King's Road, duas das butiques londrinas mais influentes da época.

1965

Paul Young abre a Paraphernalia na Madison Avenue de Nova York entre as ruas 66 e 67.

1973

A quarta e última Biba é inaugurada na loja de departamentos art déco Derry and Toms, em Kensington, proporcionando uma experiência completa de compra de estilo de vida.

1976

Yves Saint Laurent abre sua primeira butique na Rive Gauche em Paris vendendo prêt-à-porter.

sócio de Quant, Alexander Plunket Greene, fez uma palestra sobre sua experiência na abertura da Bazaar, levando as moças a alugarem instalações em Carnaby Street, onde uma explosão varejista semelhante vinha ocorrendo na moda masculina (ver p. 364). Foale e Tuffin foram as primeiras a experimentarem o corte de calças para mulheres (à esquerda), reduzindo o número de pregas e pences e abaixando o cós para se ajustar aos quadris, em tecidos como lã e veludo cotelê. Na época Londres vinha atraindo a imprensa internacional como o epicentro de uma revolução jovem em todos os aspectos da cultura britânica, particularmente a moda e a música. A revista *Time* (1966) chamou Londres de "*swinging city*", a cidade descolada: "Nesta primavera, como nunca antes nos tempos modernos, Londres está ligada. A elegância antiga e a nova opulência estão emaranhadas numa mescla estonteante de op e pop. A cidade está viva com pássaros e beldades, fervilhando de gente comum e astros da TV, pulsando com meia dúzia de veios de entusiasmo diferentes."

No início da década de 1960, as butiques ainda eram exclusivas, uma vez que as roupas só eram acessíveis a uma clientela relativamente afluente capaz de viajar a Londres. A Biba foi a primeira butique a entrar na consciência popular, e sua variedade de roupas e acessórios estilosos (abaixo) revolucionou a forma de vestir da moça comum. A primeira loja em Abingdon Road, Kensington, aberta por Barbara Hulanicki (1936) e seu marido Steven Fitz-Simon, criou uma experiência de compra em que as clientes podiam adquirir roupas estilosas e baratas num ambiente decorado com móveis art nouveau e papel de parede de William Morris. Enquanto Mary Quant havia derrubado a fachada de Markham House para acomodar uma vitrine ampla e removido a grade de ferro para melhorar a acessibilidade ao Bazaar, o exterior da Biba permaneceu inalterado, com o aspecto da antiga farmácia dilapidada.

O conceito de butique chegou aos Estados Unidos em meados da década de 1960, quando o trabalho da "impetuosa nova estirpe de estilistas britânicos", revista

Life havia identificado em 1963, começou a alcançar a imprensa americana. Essa primeira reação foi típica da natureza conservadora dos líderes do establishment da moda americana. Jornalistas influentes como Kathleen Casey, editora da revista *Glamour*, e Geraldine Stutz, presidente da prestigiosa loja de departamentos Henri Bendel, de Nova York, tiveram dificuldades em categorizar a vanguarda e a irreverência, e insistiram firmemente no estilo da "Mocinha Adolescente". Isso mudou quando o empresário da moda Paul Young, responsável por atrair Mary Quant em 1963 para a etiqueta J. C. Penney, encorajou a butique nova-iorquina Paraphernalia. Sob a orientação da compradora britânica Sandy Moss, a butique vendeu figurinos de Foale e Tuffin, Emmanuelle Khanh (1937), Sylvia Ayton (1937), Zandra Rhodes (1940), Ossie Clark (1942-1996) e do modista de chapéus James Wedge (1939) ao "*beautiful people*", incluindo o ícone do estilo Jackie Kennedy Onassis e a modelo britânica Twiggy (à direita).

Projetado pelo arquiteto Ulrich Franzen como uma série de plataformas elevadas onde modelos vivas giravam ao som de música, o interior da Paraphernalia corporificava o brilho metálico da era espacial. Não havia vendas aparentes, a vitrine se restringia a modelos vivas e as mercadorias eram discretas. Bem mais importante era o espaço: bancos inovadores, mais tarde expostos no Whitney Museum of American Art de Nova York, forneciam o ambiente perfeito para a atividade de lazer urbana de "dar uma volta". Betsey Johnson (1942; ver p. 362) era vista como o talento nacional capaz de usurpar o domínio britânico sobre a vanguarda. Seu trabalho havia sido observado por Paul Young ao visitar a revista *Mademoiselle* em busca de novos talentos. Ela foi muito influenciada pela butique Biba, cuja loja havia visitado em uma viagem a Londres. Johnson utilizou materiais existentes como plástico e papel, laminado e vinil, contribuindo para a natureza transitória das roupas. Estimulada pelo ímpeto do talento de Betsey Johnson, a Paraphernalia passou a franquear filiais por todos os Estados Unidos.

Durante os "loucos" anos 1960, a cultura de butique começou a levar em conta o desejo dos hippies pelo nostálgico e extremo. Essa estética foi adotada com entusiasmo por Nigel Weymouth e John Pearse com sua butique unissex Granny Takes a Trip na King's Road. A fragmentação de estilo do mercado jovem também resultou em roupas que representavam o estilo de vida alternativo da contracultura, incluindo os jeans, as camisas de trabalho e os trajes étnicos comprados na trilha dos hippies ou nas lojas "cabeça" locais. A cultura de butique havia florescido durante os empreendedores anos 1960. Porém, durante a recessão da década de 1970, o espaço de varejo ficou caro demais para ser usado para fins recreativos, e a informalidade casual dos interiores facilitava os furtos. Além disso, um mercado de massa cada vez mais voraz, ávido por explorar a demanda dos adolescentes, rapidamente copiava as novas ideias para depois vendê-las por meio das redes mais baratas nas ruas principais. A imitação não apenas da moda das butiques, mas também de peças notáveis como o vestido Mondrian (ver p. 360) do costureiro francês Yves Saint Laurent (1936-2008), resultou em uma multiplicidade de cópias baratas em tecidos inferiores. Saint Laurent logo percebeu a existência de um público maior para seu trabalho e abriu butiques sob o nome de "Rive Gauche" em 1966, tornando o conceito de butique de novo uma experiência varejista como um adendo à moda sofisticada. Os estilistas britânicos que continuaram seguindo carreira na moda estavam então igualmente ávidos por ingressar na arena da moda internacional e mostrar suas roupas em Paris, assegurando assim sua participação na florescente indústria do prêt-à-porter. **MF**

4 O terninho de veludo cotelê de Foale e Tuffin (1964) se tornou um objeto de desejo da mulher moderna dos anos 1960.

5 Twiggy exibe um vestido de corte enviesado branco à venda na Paraphernalia em 1967.

6 Um vestido de lantejoulas pretas e prateadas com toucado e véu combinando (1969) é típico do glamour e da decadência da grife Biba.

Vestido Casbah 1965
JOHN BATES 1938

Jean Shrimpton usa um vestido Casbah, fotografado por Brian Duffy para a *Vogue* (janeiro de 1965).

NAVEGADOR

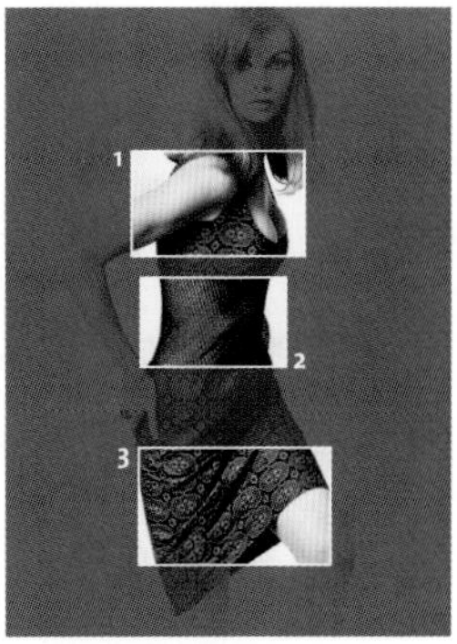

Símbolo da juventude, do vigor e da liberdade, o minivestido emergiu em meio à transformação da sociedade do conservadorismo austero do pós-guerra para o modernismo resoluto dos anos 1960. Com a procedência disputada entre os estilistas britânicos Mary Quant, John Bates, Barbara Hulanicki da Biba e o costureiro parisiense André Courrèges (1923), seu impacto foi inegável, significando nada menos que uma revolução sexual. Algumas das roupas mais ousadas da época foram desenhadas pelo britânico John Bates sob a etiqueta Jean Varon. Ele foi o primeiro estilista a expor a barriga, elevando a cintura e acentuando a linha dos quadris, usando recortes, malha ou materiais transparentes como plástico para prender o corpete na saia, redefinindo assim as proporções do vestido e elevando a cintura.

O vestido Casbah, selecionado pelo Museu da Moda de Bath, na Inglaterra, para representar o ano 1965, ostenta a inconfundível barra da barriga. Vendido por seis guinéus, estava disponível nas lojas de departamentos Woollands, em Londres, e Darling, em Edimburgo. Com o encurtamento das saias, a postura e a atitude mudaram. A gatinha dos anos 1960 podia passear livre em suas botas ou Mary Janes baixas, meias-calças substituíram as meias compridas e suspensórios, e os cabelos já não eram mais penteados em alturas bufantes, mas cortados por Vidal Sassoon num estilo acompanhando a forma da cabeça. **MF**

PONTOS FOCAIS

1 MANGAS CORTADAS
O minivestido folgado tinha um corpete com as mangas cortadas na linha do ombro, formando uma alça curva com a ampla gola cavada. Os ombros assumiram uma nova importância na década de 1960, sendo com frequência deixados expostos.

2 BARRIGA EXPOSTA
Este vestido ostenta a ênfase inconfundível de Bates na barriga. Aqui uma barra de malha azul-marinho, material normalmente usado em camisetas de malha masculinas, preenche o vazio entre o corpete e a saia. A barra é justa e enfatiza a silhueta.

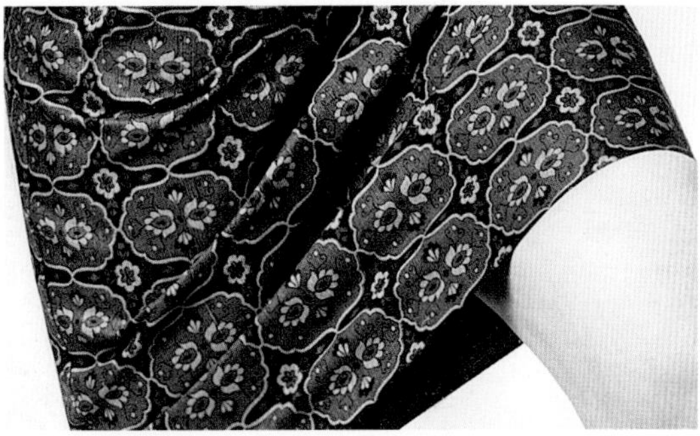

3 SAIA DE LINHA A
A saia de linha A se alarga apenas ligeiramente em direção à bainha. O tecido do corpete e saia é de linho sintético terracota e azul-marinho de Wallach, estampado com um desenho geométrico que lembra os azulejos mouriscos.

PERFIL DO ESTILISTA

1938-1964
John Bates nasceu em Ponteland, Northumberland. Em 1956 estagiou com Gerard Pipart na maison de design de Herbert Sidon na Sloane Street, Londres, e em 1960 começou a desenhar figurinos sob o nome Jean Varon. Entre seus desenhos mais conhecidos estão as roupas preto e branco e metálicas inspiradas na op art criadas para a atriz inglesa Diana Rigg em seu papel de Emma Peel na série de televisão cult dos anos 1960 *The Avengers*.

DESDE 1965
O vestido Casbah de Bates foi escolhido como o Vestido do Ano pela Fashion Writers' Association em 1965. Na década de 1970 ele vestiu a realeza, como a princesa Margaret, e atrizes incluindo Maggie Smith. Em 2006, uma retrospectiva de sua obra realizou-se no Museu da Moda em Bath, na Inglaterra.

Vestido Mondrian 1965

YVES SAINT LAURENT 1936-2008

NAVEGADOR

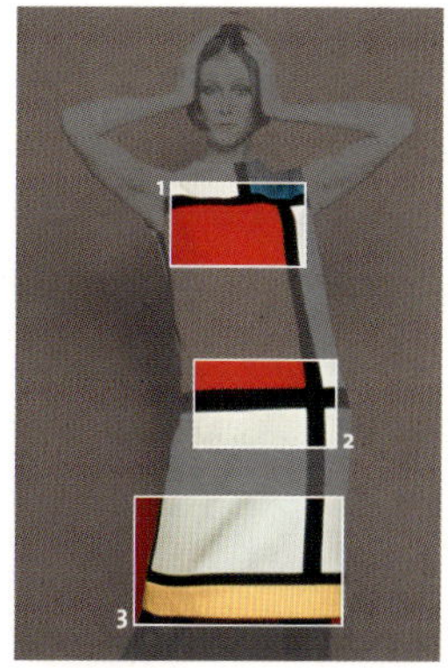

Em 1965, Yves Saint Laurent prestou uma homenagem direta ao rigor composicional das pinturas neoplasticistas de Piet Mondrian da década de 1930 com um vestido diurno de lã no comprimento do joelho que apresentou a obra do artista à elite elegante. O costureiro tentou evocar as abstrações radicalmente minimizadas de cores primárias e geometria do pintor holandês no vestido *shift* (reto e sem mangas) justo, uma evolução do vestido-saco dos anos 1950 que ignorava os contornos do corpo para cair reto dos ombros ao joelho.

Em pinturas como *Composicional C (III)* (1935), que tem uma forte equivalência visual com este vestido *shift* de Yves Saint Laurent, Mondrian optou por limitar sua composição a um formato quadrado. Aqui, a ênfase recai sobre os limites verticais do vestido, obtida pela solidez do forte bloco de cor no ombro e na bainha. O uso de Saint Laurent da arte ousada de Mondrian para vestidos de alta-costura abriu uma ponte cultural à sua clientela para a explosão mais democrática da op art e da moda jovem, vistas nas ruas de Londres e butiques de Nova York. O vestido Mondrian popularizou-se quando apareceu na capa da *Vogue* francesa em setembro de 1965. Muitas cópias mais baratas se seguiram: algumas com o desenho meramente estampado na superfície do vestido, mal se reconhecendo a forma. **MF**

PONTOS FOCAIS

1 USO DA COR
A paleta está limitada a três cores primárias combinadas com branco, criando um forte contraste que reflete o estilo de pintura de Mondrian. Influenciado pelo pintor Bart van der Leck, Mondrian desenvolveu seu estilo geométrico característico.

2 LINHAS PRETAS GROSSAS
Respeitando o formato de retrato da silhueta humana e a arquitetura despojada do vestido, a composição é reconfigurada, em vez de cortada, e a delineação preta entre os blocos coloridos retangulares recebe uma proporção mais pesada que na pintura.

3 COSTURA DISCRETA
Yves Saint Laurent exibe sua perícia na construção das peças. Ele junta cada bloco de jérsei para acomodar o corpo ocultando imperceptivelmente a forma mínima do vestido *shift* na grade de costuras.

PERFIL DO ESTILISTA

1936-1965
Yves Saint Laurent nasceu em Oran, Argélia. Em 1958, foi designado estilista-chefe da Dior, lançando com sucesso a "linha trapézio" com sua primeira coleção. Depois de servir no Exército francês em 1960, foi posteriormente declarado incapacitado para o serviço e sofreu um colapso nervoso.

1966-2008
Saint Laurent e seu sócio, o industrial Pierre Bergé, abriram sua própria maison de moda com recursos do milionário J. Mack Robinson, de Atlanta. Em 1966, a primeira loja Rive Gauche, vendendo a linha prêt-à-porter inovadora, foi inaugurada no 6º *arrondissement* de Paris. Aposentou-se em 2002 para viver em suas casas na Normandia e no Marrocos, e foi agraciado com o título de *Grand officier de la Légion d'honneur* em 2007, um ano antes de morrer.

Minivestidos com estampas op art 1966

BETSEY JOHNSON 1942

Os minivestidos despojados do início dos anos 1960 forneceram uma tela perfeita para desenhos têxteis da tendência contemporânea de gravuras inspiradas na op e na pop art. Embora Betsey Johnson se inspirasse nesses dois movimentos, as estampas geométricas dos três vestidos que desenhou em 1966 fazem referência à op art, termo usado pela revista *Time* em 1964 para descrever ilusões de óptica que enganam o olho. O primeiro trabalho puramente óptico do artista britânico Bridget Riley, *Movimento em quadrados*, surgiu em 1961, e o fabricante de vestidos americano Larry Aldrich logo enxergou o potencial comercial daquele trabalho singular. Ele comprou obras de Riley e do pintor abstrato americano Richard Anuszkiewicz e encomendou uma série de tecidos inspirados por suas novas aquisições.

A pop art surgiu no final da década de 1950 e elevou a imagística mundana e os objetos do dia a dia, como latas de sopa, histórias em quadrinhos, embalagens e revistas, às belas-artes, como na obra de Andy Warhol. Johnson incluiu em seus figurinos objetos existentes, como argolas de cortinas de chuveiro e vestidos de plástico transparente com apliques "faça você mesmo". Os vestidos de malha estampados são cortados sem pences numa linha A simples com uma bainha acima da cintura, mais longos que os minivestidos britânicos. As estampas são em tons discretos: marrom-chocolate com *eau de nil*, verde tartã com betume e azul-marinho escuro com bege. **MF**

NAVEGADOR

PONTOS FOCAIS

1 ALTO DA MANGA ESTREITO
As mangas compridas estão fixadas numa pequena cava, que se encaixa no alto do braço e não na extremidade do ombro, criando a impressão de um tronco alongado, efeito aumentado pelo corte estreito das mangas.

2 PADRÃO GEOMÉTRICO
Contra um pano de fundo de imagens vibrantes dos movimentos op e pop art, Johnson adota um conjunto de estampas de escala média e tela única simples – rosquinhas, divisas e losangos – que são uma expressão comercial da modernidade.

▲ A estilista americana Betsey Johnson (acima) exerceu um grande impacto sobre o mundo da moda nos anos 1960 com desenhos originais como o vestido-espelho (1966), visto aqui na modelo espanhola Valma.

A REVOLUÇÃO MASCULINA BRITÂNICA

1 O estilista John Stephen (ao centro) posa diante de sua butique em Carnaby Street, em Londres (1966).

2 Um cliente experimenta uma jaqueta militar diante da I Was Lord Kitchener's Valet em Portobello Road, Londres (1967).

3 Fundador da butique Granny Takes a Trip, Nigel Weymouth veste um paletó *vintage* com estampa floral de sua coleção.

No fim da década de 1950, o primeiro sinal da futura posição de Londres como uma cidade descolada veio de John Stephen (acima), nascido em Glasgow, ao inaugurar a butique His Clothes com um só salão, em Beak Street, em 1957. Após se mudar para a Carnaby Street, na época uma área decadente do Soho de lojas de produtos domésticos, Stephen construiu um impressionante império varejista vendendo roupas masculinas em uma atmosfera de anarquia animada. Seus clientes eram sobretudo *mods*, vindos de toda a Inglaterra para comprar roupas no estoque sempre renovado de tendências efêmeras.

Os *mods* eram uma "seita" minoritária, um grupo de jovens que expressavam suas preocupações por meio de seus casacos militares e seus uniformes e ternos influenciados pelos italianos. Usados com camisas de colarinho abotoado e uma gravata estreita de malha, esses modelos foram lançados por Cecil Gee em 1956 e se basearam na alfaiataria da marca Brioni de Roma (ver p. 336). Com o florescimento da cultura jovem inglesa, a moda *mod* tornou-se cada vez mais exuberante. Seguindo a linha da moda feminina, na qual camisas justas eram cortadas rente ao corpo e reduziam a facilidade de movimentos. As camisas de padrões vibrantes caracterizavam-se por colarinhos amplos, usados abertos ou com uma gravata larga e colorida. O corte das calças boca de sino (baixas e estreitas nos quadris) se alargava sobre as botas Chelsea, e tempos depois enfiadas em botas justas de salto, compradas na icônica loja Chelsea Cobbler. Além disso, o estilo dândi da Regência era

PRINCIPAIS ACONTECIMENTOS

1957	1964	1965	1965	1966	1966
John Stephen abre sua primeira loja, His Clothes, em Beak Street, Londres.	Jeff Simons abre The Ivy Shop em Hill Rise, Richmond, na Inglaterra, vendendo roupas no estilo Ivy League.	Os tradicionais fabricantes de camisas Turnball & Asser empregam Michael Fish (1940) como estilista.	A Dayton Company de Minneapolis lança a primeira butique de John Stephen nos Estados Unidos.	Michael Fish abre sua loja, Mr. Fish, em Clifford Street, vendendo camisas transparentes, chapéus com estampas de flores e gravatas largas com padrões vibrantes.	A loja de departamentos de Nova York Bonwit Teller instala uma butique masculina Pierre Cardin

evocado por colarinhos altos em jaquetas com duas fileiras de botões de veludo ou brocado ornado, a abertura preenchida com cachecóis de seda orlados ou gravatas. O sucesso da loja de Stephen precipitou um influxo de novas butiques de roupas masculinas em Carnaby Street, que se tornou um destino essencial não apenas para o *mod* que queria se manter atualizado com as tendências, mas também para os clientes do show business, como Peter Sellers, e da aristocracia, como lorde Snowden.

Em 1967 a Carnaby Street havia se tornado um destino turístico para aqueles que estavam ávidos por experimentar o que a imprensa descrevia como "Swinging London". Consequentemente, o centro da moda mudou-se para King's Road, em Chelsea, local da Bazaar, a primeira butique aberta por Mary Quant (1934). Hung on You, pertencente a Michael Rainey, foi inaugurada em King's Road no fim da década de 1960 e vendia uniformes militares *vintage* junto com a nova alfaiataria, como ternos cor pastel com lapelas largas, usados com camisas com franjas em cambraia Liberty Tana ou voile transparente. O varejista britânico Rupert Lycett Green explorou o desejo por roupas que combinassem as inovações da Carnaby Street com as virtudes tradicionais de Savile Row de tecido e feitio de qualidade. Junto com o cortador Eric Joy lançou a Blades, em Dover Street, Mayfair, em 1963 para atender a demanda por ternos sob medida, tanto do cliente aristocrático quanto de celebridades. O londrino Dougie Hayward (1934-2008) também costurou para muitas pessoas famosas, como Tony Bennett, Terence Stamp e Michael Caine. Indiferente às novidades, Hayward fornecia uma alfaiataria clássica, porém moderna, apresentando um terno de linha esguia com fendas altas no paletó e amplitude na bainha da calça. Oferecendo uma experiência de alfaiataria mais extrema a astros pop e suas namoradas, o estilista e alfaiate britânico Tommy Nutter (1943-1992; ver p. 368) abriu a Nutters of Savile Row em 1969.

À medida que os anos 1960 progrediram, o modernismo deu lugar a um período de retrocesso no desenho de moda. Uma cultura que ainda refletia as mudanças profundas nos costumes sociais e sexuais tornou-se mais nostálgica da moda do passado, o que para os homens incluía subverter alegremente uniformes militares históricos (à direita, em cima). Podiam ser encontrados em pontos de venda como I Was Lord Kitchener's Valet, de Ian Fisk (ver p. 366), em Portobello Road, e nos mercados de antiguidades de Kensington e Chelsea. O estilo transformou a alfaiataria austera dos *mods* no espírito de fantasias dos hippies. O revivalismo histórico também incluiu a moda das formas serpeantes e fluidas do art nouveau, e estampas da época foram transformadas em paletós coloridos para homens (à direita) que, juntos com roupas *vintage* renovadas e objetos *fin de siècle,* eram vendidos em butiques como Granny Takes a Trip, aberta em 1967 por Nigel Weymouth, Sheila Cohen e John Pearse.

John Stephen tentou lançar uma cadeia de butiques nos Estados Unidos. Porém, a maioria dos jovens americanos do sexo masculino não conseguiu ser facilmente desviada do estilo acadêmico Ivy League de camisas de colarinho abotoado usados com um terno "saco" Brooks Brothers e sapatos *wing-tip* (ver p. 308). **MF**

1966	1967	1967	1967	1967	1968
Ian Fisk (proprietário) e John Paul (gerente) abrem a loja I Was Lord Kitchener's Valet, em Portobello Road, Notting Hill, Londres.	O aristocrata Sir Mark Palmer abre a agência de modelos English Boy, apresentando dândis de cabelos longos que redefinem o estereótipo do machão bruto.	O lançamento do álbum *Sergeant Pepper's Lonely Hearts Club Band* dos Beatles confirma a moda de falsos objetos militares.	A Carnaby Street Traders' Association promove a primeira reunião dos "Magníficos Sete", nomeando John Stephen como secretário.	*Bonnie e Clyde* define o estilo da moda masculina inspirada em gângsteres, um dos efeitos mais amplos sobre a moda obtidos por um filme.	O estilista Tom Gilbey (1939) de início trabalha para John Michael antes de abrir sua própria consultoria de figurinos e maison de moda em Sackville Street, Mayfair, Londres.

Terninho Union Jack 1966

I WAS LORD KITCHENER'S VALET

No sentido horário: Keith Moon, John Entwistle, Roger Daltrey e Pete Townshend do The Who (1966).

NAVEGADOR

A apropriação dos uniformes militares e a adoção da bandeira britânica – popularmente conhecida como Union Jack – como um dispositivo decorativo foram indicadores do questionamento dos valores pós-imperiais que ocorria na época. A música, a arte e a moda substituíram o poder militar na colonização de outras culturas, situando Londres firmemente como uma geradora importante da cultura contemporânea. O empório varejista I Was Lord Kitchener's Valet, nome evocativo do marechal de campo britânico ex-comandante em chefe do Exército na Índia, facilitou a subversão pelos jovens dos valores inerente aos uniformes cheios de medalhas do Exército britânico, vendendo as peças como itens da moda. Da mesma forma, a bandeira britânica tornou-se uma imagem útil na renovação da cultura popular e foi um emblema persuasivo da "Londres descolada", em vez de um símbolo tradicional de patriotismo.

O paletó justo, com uma só fileira de botões e com a bandeira, aqui usado por Pete Townshend – lendário guitarrista e compositor da banda de rock inglesa The Who, formada em 1964 – tem todos os atributos da alfaiataria *mod*. A bandeira, cujo desenho data da união da Irlanda e Grã-Bretanha em 1801, está cuidadosamente posicionada no paletó para tirar proveito de suas fortes linhas gráficas. **MF**

PONTOS FOCAIS

1 LINHA DO OMBRO PRIMOROSA
O tronco de corte estreito é ainda mais alongado pela cava apertada e pela abertura sobre a fileira de três botões brancos regularmente espaçados. Eles combinam muito bem com o pesponto branco.

2 DESENHO DA BANDEIRA
A cruz vermelha de São Jorge, padroeiro da Inglaterra, forma o centro do paletó, mais largo na cintura e estendendo-se até as lapelas estreitas. O vermelho se sobrepõe à cruz diagonal branca de Santo André, padroeiro da Escócia, que forma a cor básica.

▲ David Bowie veste um paletó Union Jack surrado desenhado em colaboração com Alexander McQueen (1969-2010). O paletó apareceu na capa do álbum *Earthling* (1997).

Terno Nutter 1969

TOMMY NUTTER 1943-1992

Ringo Star aparece num anúncio de revista para Tommy Nutter (anos 1970).

NAVEGADOR

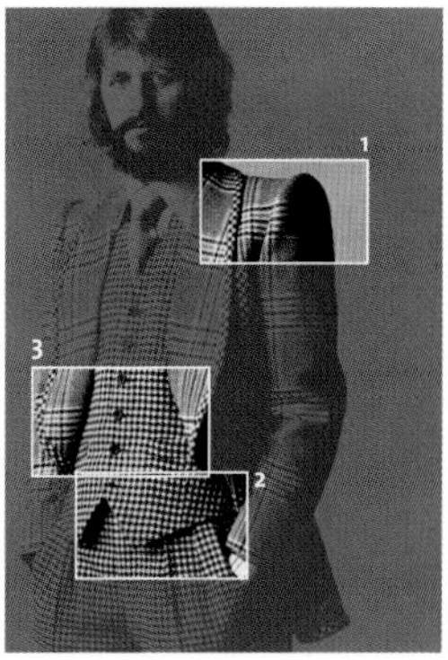

Como um fenômeno dos anos 1960, o alfaiate-estilista foi sintetizado por Tommy Nutter, exímio em se autopromover. Distante do tom reticente de seus concorrentes do comércio sob medida, Nutter adotou as extravagâncias de épocas anteriores, da urbanidade elegante e ostentosa de Fred Astaire à androginia de Marlene Dietrich e a mudança das proporções do físico implícita no terno *zoot*.

Embora ousasse revolucionar o impacto visual externo das peças de alfaiataria, Nutter continuou fiel aos princípios da manufatura sob medida, que dá grande importância à infraestrutura oculta das telas de crina de cavalo e linho, fitas adesivas, enchimentos e amarras, fixadas entre o forro e o tecido externo. Tomou a arquitetura do terno clássico masculino de três peças e o reformatou num kitsch de alfaiataria, tipicamente usando debruns contrastantes em torno de grandes lapelas, ou tweeds elegantes remendados com forros axadrezados e ousados bolsos chapados. Embora o corte, obtido em colaboração com Edward Sexton, explorasse formas radicais, a configuração dos estilos resultantes se comportava impecavelmente, apesar das combinações de tecidos experimentais. Em 1969, Nutter criou terninhos para três membros dos Beatles para a capa do álbum *Abbey Road* e foi muito procurado depois, no início dos anos 1970, por astros do rock como David Bowie e Elton John. **MF**

PONTOS FOCAIS

1 OMBROS RETANGULARES
Chegando à proeminência numa época em que a moda buscava inspiração nos passados anos 1930 e 1940, Nutter acolchoou o ombro para formar um ângulo agudo, enfatizado pelo alto da manga proeminente.

3 GOLA-XALE
O foco do terno de três peças é a gola-xale enrolada que apresenta um debrum contrastante cortado no cruzamento do tecido. O colarinho interrompe-se na cintura fina acima do botão superior que fecha o paletó.

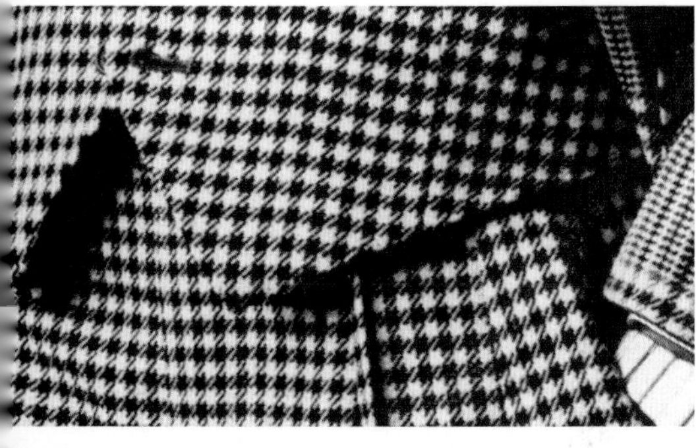

2 VOLTA DA CALÇA *OXFORD BAG*
As calças de pernas largas e forro axadrezado são cortadas no alto da cintura, e as pregas centrais dianteiras estão alinhadas com os pontos do colete de uma só fileira de botões acima, também com forro axadrezado. Bolsos verticais espaçosos estão fixados na costura lateral.

PERFIL DO ESTILISTA

1943-1969
Tommy Nutter estudou na Tailor and Cutter Academy e trabalhou para os alfaiates Donaldson, William & Ward. Inspirou-se nas mudanças na cultura popular nos anos 1960, e em 1969 abriu sua própria loja, a Nutters of Savile Row, no enclave da alfaiataria sob medida de Londres.

1970-1992
Nutter trabalhou com Edward Sexton e foi financiado pela cantora inglesa Cilla Black e Peter Brown, diretor-executivo da Apple Corps dos Beatles. Na década de 1970, sua empresa teve menos êxito, mas ele diversificou no ramo de roupas prontas, vendidas através da Austin Reed. Nutter também se expandiu com sucesso no Leste Asiático, instituindo a marca Savile Row no Japão. Em 1989, criou os figurinos para o Coringa, usado por Jack Nicholson no filme *Batman*.

MODA AFROCÊNTRICA

1 *Nuit de Noël* (1963) de Malick Sidibé mostra um jovem casal do Mali dançando e usando a moda francesa que reflete a sensação de estilo cosmopolita da geração pós-colonial.

2 Estudantes do ensino médio em Cape Coast, Gana (*c.*1960) usam saias feitas de tecido kente tradicional, o mais conhecido da África.

Como continente, a África possui uma história rica e significativa de adornos corporais, desenvolvimento de tecidos e práticas de vestuário. Não é de admirar, portanto, que, à semelhança do Ocidente, tenha adotado o conceito de "moda contemporânea" na década de 1960. As inúmeras estéticas da África haviam enfrentado séculos de assimilação, à medida que mercadores, invasores e emigrantes influenciaram os gostos nativos. Os berberes trouxeram tecidos fiados em tear; os venezianos, contas de vidro; os holandeses, estampas batique e os ingleses, a habilidades da alfaiataria. A mudança não era novidade, mas quando o colonialismo europeu chegou ao fim (Gana declarou sua independência em 1957 com o presidente Kwame Nkrumah e 17 outros países seguiriam seus passos até o fim de 1960), a moda tornou-se a expressão de uma renovada sensação de identidade cultural e posse da própria sensação do eu.

Nkrumah exortou seu povo a rejeitar as formas de roupas ocidentais a favor do traje nacional. Porém a jovem elite urbana estava ansiosa por escolher suas próprias

PRINCIPAIS ACONTECIMENTOS

1960	1962	Década de 1960	1966	1967	1967
Shade Thomas-Fahm abre sua primeira butique de prêt-à-porter afrocêntrica em Lagos, Nigéria.	Jackie Kennedy veste um casaco com estampa de leopardo de Oleg Cassini (1913-2006), desencadeando uma tendência por estampas de animais, também ecoada pela alta-costura de Christian Dior.	Malick Sidibé faz uma série de fotografias documentando a cultura jovem do Mali.	O fotógrafo ganense James Barnor fotografa jovens modelos negros usando as últimas tendências para a edição nigeriana da revista *Drum*.	A coleção de Yves Saint Laurent de vestidos africanos desperta adoração na moda internacional.	Chris Seydou abre uma alfaiataria, seu primeiro passo para se tornar o primeiro estilista africano de renome internacional.

roupas. Inspirado pela música de resistência e pelos estilos de Fela Kuti e Hugh Masekela, e estimulado pela educação universitária no exterior, o jet set mesclou peças de marcas europeias como Yves Saint Laurent, Pierre Cardin e Balenciaga com itens tradicionais feitos por alfaiates – uma blusa de grife usada com uma saia tradicional, por exemplo. Cada alfaiate tinha seu instinto individual – especialmente no Senegal, onde a habilidade era mais refinada –, mas foram as comerciantes de tecidos – sempre mulheres – que dominaram. Elas viajavam pelo mundo coletando tecidos desejáveis e os traziam para os ávidos consumidores na terra natal.

Os melhores tecidos locais, como o kente de Gana (à direita) e kanga do Quênia, também eram valorizados, não apenas visando a moda, mas também tradicionalmente como símbolos de riqueza, poder e status. O *ase oke* nigeriano, um tecido iorubá, tradicionalmente vinha em branco, azul, bege e vermelho, mas com o aumento da demanda urbana, novos fios, cores e padrões de tecelagem foram inseridos. Uma vez bordados, ornados e ajustados ao corpo, aqueles tecidos investiam o usuário no supremo estilo africano. O conceito de prêt-à-porter africano foi introduzido na Nigéria pela estilista Shade Thomas-Fahm (1933). Ela estudou em Londres e abriu uma linha de butiques em Lagos, na década de 1960, oferecendo versões modernas e cômodas de estilos nigerianos tradicionais, como uma *buba* (blusa) de algodão branca usada com uma *ase oke iro* (manta) listrada e *ipele* (xale) (ver p. 374).

O estilo pós-colonial no Mali foi imortalizado pelo trabalho de vários fotógrafos famosos. Seguindo as pegadas do pioneiro fotógrafo de estúdio Seydou Keita, Hamidou Maiga e Soungalo Malé fotografaram malineses diante de fundos pintados e posando com seus bens estimados, como uma lambreta Vespa e um rádio transistor – símbolos da mobilidade ascendente –, enquanto Malick Sidibé, apelidado de Olho de Bamako, saía à noite para fotografar jovens dançando (à esquerda) e se expressando. Os rapazes formavam clubes e usavam ternos especiais para mostrar suas preferências musicais e de estilo. As moças saíam das casas de seus pais vestindo *grand pagnes* (mantas), mas as tiravam quando chegavam à festa, revelando seus minivestidos. Faziam parte da cultura jovem africana esperançosa quanto ao seu futuro, engajada num diálogo com a moda e as tendências musicais internacionais.

O Mali também foi o local de origem do revolucionário estilista Chris Seydou (1949-1994), que aprendeu alfaiataria na pequena cidade de Kali e abriu sua primeira loja em Ouagadougou, Burkino Faso, em 1967. A ambição levou-o a Paris no início da década de 1970, onde trabalhou para várias maisons de moda e foi aclamado por seu uso inovador do *bògòlanfini*, o "tecido de lama" malinês. Feito por mulheres Bamana, acredita-se que tenha poderes rituais e distingue-se pelos padrões geométricos marrons e brancos. Seydou foi o primeiro a transformá-lo num tecido para vestir, usando-o para confeccionar estilos ocidentais.

Um arquivo de estilos que refletem a moda afrocêntrica pode ser encontrado nas páginas da *Drum*, a primeira revista africana de estilo de vida. Lançada na África do Sul em 1951, tornou-se uma voz poderosa contra o apartheid. Seus repórteres foram atraídos inicialmente por Sophiatown, um subúrbio racialmente misto de

1968

J. D. Okhai Ojeikere inicia sua série fotográfica de cabelos e lenços de cabeça de mulheres nigerianas.

1968

Yves Saint Laurent cria o conjunto safári. Franco Rubartelli imortaliza o estilo fotografando a modelo alemã Veruschka usando esse conjunto no Mali.

1968

O musical *Hair* começa sua temporada no West End, e a atriz Marsha Hunt chama a atenção com seu enorme penteado afro. Ela aparece na *Vogue* britânica no ano seguinte.

1969

A modelo ugandense Princesa de Torro torna-se a primeira africana a aparecer na capa da *Harper's Bazaar*.

1975

Iman é apresentada ao mundo da moda pelo fotógrafo Peter Beard e vem a ser a modelo africana de maior êxito.

1979

O cantor de *soukous* Papa Wemba torna-se o líder espiritual de Le Sape, a liga congolesa de cavalheiros bem-vestidos.

Johanesburgo onde beatniks cruzavam as ruas. A revista expandiu suas edições para o restante da África anglófona durante os anos 1960 e cobria a moda feminina com influência ocidental, de calças boca de sino a vestidos curtos estampados (à esquerda).

A influência europeia sobre as roupas do Congo deixou um legado especial na formação de Le Sape (Société des Ambianceurs et Persons Elégants; Sociedade dos Formadores de Gosto e Pessoas Elegantes), um grupo de elite de dândis chamados *sapeurs* dedicados à alta moda. O movimento originou-se em Kinshasa e Brazzaville na década de 1920, quando homens desafiaram suas condições de escassez desenvolvendo gostos refinados por ternos europeus e acessórios burgueses, como monóculos, gravatas-borboleta e bengalas. Seus guarda-roupas extravagantes eram acompanhados por um código de conduta e moralidade cavalheiresca que os distinguiu como celebridades locais. Após a independência do Congo em 1960, a insegurança econômica e a ditadura do presidente Mobutu, que proibiu por completo a moda ocidental como parte de sua campanha pela autenticidade em 1971, levaram muitos *sapeurs* a acorrerem a Paris. Ali se tornaram uma presença na alta sociedade e puderam comprar mais facilmente as etiquetas de grife. Ao envergarem a moda de seus antigos opressores, e levarem aquele estilo aos extremos, estavam afirmando sua própria modernidade rebelde e tornando a arte de vestir uma espécie de religião. O estilo *sapeur* persiste até hoje (ver p. 552).

De modo oposto, a moda francesa mostrou seus primeiros sinais de influência africana nos anos 1960, graças a Yves Saint Laurent (1936-2008). Ele nasceu e passou seus anos de formação na África (Oran, Argélia), vivendo grande parte de sua vida adulta em Marrakech, Marrocos. Sua memorável coleção primavera/verão África, lançada em 1967, apresentou vestidos *shift* reveladores feitos de ráfia e contas de madeira (abaixo). A *Harper's Bazaar* descreveu-a na época como "uma fantasia de genialidade primitiva – conchas e joias selvagens reunidas para cobrir o seio e os quadris, treliçados para expor a barriga". Em 1968 o estilista inventou o agora icônico conjunto safári, e coleções sucessivas ostentaram estampas de animais, bem como sua versão das túnicas, cafetãs, djallabas e turbantes norte-africanos. Yves Saint Laurent também foi fundamental em introduzir modelos africanas e negras nas passarelas internacionais nas décadas de 1960 e 1970 junto com maisons de moda pró-negros como Paco Rabanne, Pierre Cardin, Courrèges, Oscar de la Renta, Thierry

Mugler, Givenchy e Halston, além do estilista afro-americano Stephen Burrows (1943). As modelos de origem africana Rebecca Ayoko, Khadija Adam e Katoucha Niane passaram a compartilhar a notoriedade com a jamaicana Grace Jones e afro-americanas como Sandi Bass, Billie Blair, Toukie Smith e Bethann Hardison. As grandes revistas seguiram o exemplo, e a princesa ugandense Elizabeth Bagaaya Nyabongo de Toro e as afro-americanas Naomi Sims e Donyale Luna tornaram-se as primeiras garotas de capa negras para a *Harper's Bazaar* (1969), *Life* (1969) e *Vogue* (1966), respectivamente. Foi Iman, porém, quem com certeza exerceu mais impacto como modelo negra. Em 1975, ela foi apresentada à cena da moda de Nova York pelo fotógrafo Peter Beard, que inventou que ela era uma mulher tribal iletrada que ele descobrira no Saara. Na verdade, Iman nascera na Somália, filha de um diplomata e uma médica, e conhecera Beard quando estudava na Universidade de Nairóbi. O plano do fotógrafo funcionou: o primeiro trabalho de Iman como modelo foi para a *Vogue*, ela se tornou a musa de Yves Saint Laurent e permanece uma das modelos africanas de maior sucesso de todos os tempos. O próprio Beard foi aclamado por seus trabalhos de moda fotografados *in loco* na África, continente que se tornou um novo panorama selvagem para revistas. Em resposta, a *Vogue* enviou Norman Parkinson à Etiópia, e Franco Rubartelli fotografou a modelo alemã Veruschka usando um conjunto safári de Yves Saint Laurent no Mali.

Durante os anos 1960, a ascensão de modelos negras foi apenas um dos resultados das mudanças sísmicas provocadas pelo movimento dos Direitos Civis e sua busca de autodeterminação estética, com seu brado de guerra "*Black is beautiful*" ("Negro é bonito"). Enquanto artistas da Motown chegavam às paradas de sucesso, Muhammad Ali declarava "Sou tão bonito" e Martin Luther King, Malcolm X e os Panteras Negras confrontaram o *status quo*, a moda e a beleza tornaram-se uma expressão da reafirmação dos negros americanos de sua posição na diáspora. A fissura causada pela escravidão, aliada à luta pela igualdade política e social, foi canalizada à política de vestir o corpo como símbolo da consciência racial. Por conseguinte, estilos de cabelo eram importantes. Cabelos e perucas quimicamente alisados para mulheres e o alisamento para homens foram denunciados como sinais de baixa autoestima e deram lugar aos cabelos afro berrantes e orgulhosos (à direita, em cima). Os Panteras Negras e estudantes radicais usavam seus cabelos afros desgrenhados, com boinas, suéteres de gola rulê, jaquetas de couro e a *dashiki* (túnica) africana ocidental. Barbeiros apregoavam aquele estilo natural como "africano". Na moda, o cultivo de cabelos afro grandes e redondos tornou-se uma tendência importante, e as caucasianas faziam permanente para obter aquele penteado.

Paradoxalmente, em algumas partes da África, os cabelos afro eram vistos como americanos demais, e o governo da Tanzânia proibiu o estilo como uma importação indesejável que se tornara popular demais entre as mulheres locais. Nesse ínterim, a série *Estilos de cabelo* do fotógrafo nigeriano J. D. Okhai Ojeikere, iniciada em 1968 e incluindo cerca de mil fotos de penteados trançados complicados, celebrou o esforço admirável das mulheres africanas em nome da boa aparência, mas não incluiu o afro. Estilos africanos reais como as tranças e *dreadlocks*, foram adotados na diáspora nos anos 1970, graças em parte aos astros da música Stevie Wonder, Nina Simone e Bob Marley.

O Reino Unido viu uma forte imigração da África Ocidental e do Caribe após a Segunda Guerra Mundial. Ali, a moda foi um ato simultaneamente de autoafirmação e assimilação e ajudou a definir uma nova identidade intercultural entre sucessivas gerações. As pessoas fundiram as modas europeias aos trajes africanos e ostentavam o onipresente corte afro. O foco recaía em mostrar sua melhor imagem, sempre com atenção aos detalhes, como chapéus variando das boinas bordadas usadas pelos jovens aspirantes ao estilo de vida rastafári aos chapéus elegantes usados por mulheres na igreja. Os anos 1960 e 1970 foram décadas empolgantes para a moda afrocêntrica, que refletiu e influenciou o *mainstream*. Os estilos e tendências duradouros daquela época continuam exercendo influência até hoje. **HJ**

3 Esta fotografia de James Barnor para a revista *Drum* mostra a influência dos estilos e estampas ocidentais sobre o vestido africano nos anos 1960.

4 Roanne Nesbitt ostenta uma peruca afro adornada com um toucado e um colar compatível para a revista *Life* (1968).

5 A icônica coleção África de Yves Saint Laurent (1967) apresenta contas entrelaçadas ornadas com conchas.

Iro completo Década de 1960

SHADE THOMAS-FAHM 1933

Sra. Francesca Emmanuel
na casa do estilista (1960).

NAVEGADOR

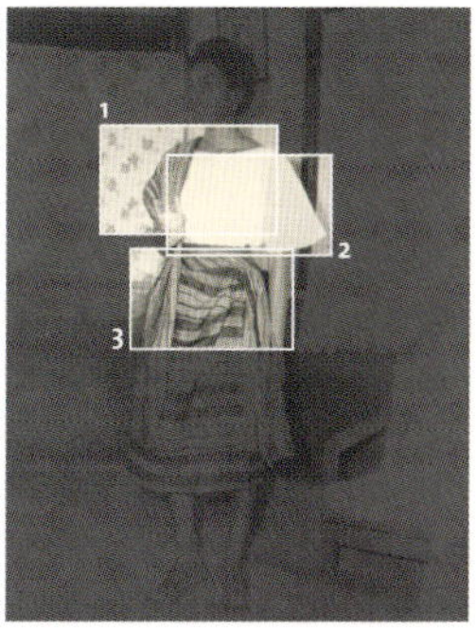

Um dos estilos mais populares da estilista nigeriana Shade Thomas-Fahm baseou-se na clássica *iro* (manta) e *buba* (blusa) usadas com um *iborun* ou *ipele* (xale) coordenada. Ela o chamou de *iro* completo, ou adaptação de *iro*. Modernizou o aspecto com diferentes estilos de blusa e combinações encantadoras de tecidos nativos. Esta fotografia foi tirada em 1960 pelo aclamado fotógrafo Sr. Ajidagba em uma das reuniões sociais de Fahm. Mostra o conjunto exibido por uma das muitas clientes abastadas de Fahm em Lagos, Sra. Francesca Emmanuel, a primeira secretária permanente do sexo feminino da República Federal da Nigéria. A *buba* é confeccionada de organza branca refinada, enquanto a *iro* e o *ipele* são feitos de um *ase oke* listrado, um dos tecidos favoritos da estilista. O *ase oke*, termo que significa "tecido superior", é feito à mão por homens iorubás no sudoeste da Nigéria com um tear de tiras estreitas. É feito de seda e algodão, e as tiras estreitas são costuradas umas nas outras para adquirirem a largura necessária à peça. Entre os outros figurinos e inovações de sucesso de Fahm desse período estão o *gele* (lenço de cabeça) pré-amarrado, a transformação da *agbada* (túnica folgada) masculina em um *bobou* (vestido justo) bordado feminino, o traje de praia baseado na *tobi* (saia plissada) e a saia-calça. **HJ**

PONTOS FOCAIS

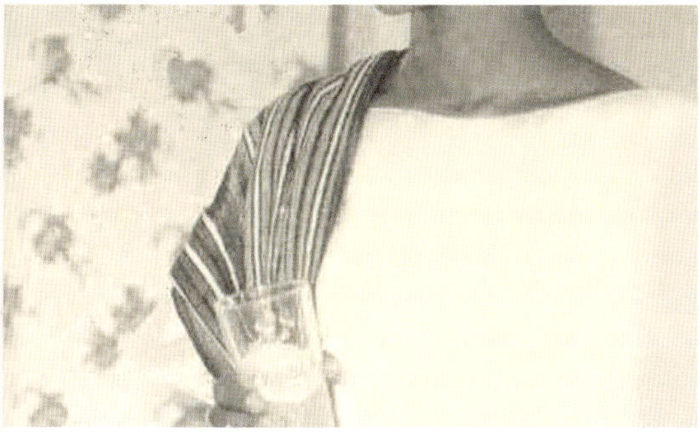

1 *IPELE*
A Sra. Francesca Emmanuel veste um *ipele* sobre um dos ombros, mas para um traje completo poderia também ter usado o *iro* com um *gele* combinando. Esse estilo reconhece o vestido tradicional, mas parece totalmente moderno.

2 *BUBA*
A *buba* foi introduzida na moda africana ocidental pelos missionários cristãos europeus que queriam que as mulheres cobrissem o corpo. Fahm manteve a gola larga autêntica da *buba*, mas desenhou vários tipos de manga: alargada, com babados, pregueada ou bufante.

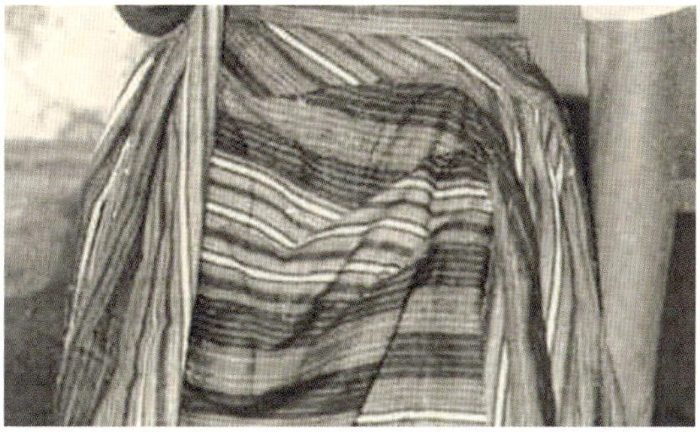

3 *IRO*
A *iro* é um tipo de manta: uma peça única de tecido enrolada em torno da parte inferior do corpo. Fahm transformou a *iro* numa saia prática com um zíper interno oculto. A aparência é a mesma, mas a versão saia é bem mais fácil de vestir.

PERFIL DA ESTILISTA

1933-1960
Shade Thomas-Fahm nasceu em Lagos. Mudou-se para Londres a fim de estudar enfermagem, mas acabou se inscrevendo no Central Saint Martins College of Art and Design. Trabalhou também como modelo e numa casa de peles. Retornou a Lagos em 1960 onde abriu a Butique Shade's, a primeira loja de moda africana contemporânea da cidade, que se tornou uma cadeia de lojas, junto com a Maison Shade, uma fábrica de vestidos.

Desde 1961
A popularidade de Fahm veio de seu estilo pioneiro, que oferecia versões elegantes e fáceis do estilo tradicional. Fahm assumiu a missão de promover os tecidos nigerianos e recebeu elogios por seus bordados engenhosos em colarinhos e bainhas. Exibiu e vendeu sua moda internacional e ajudou a criar a Associação dos Estilistas da Nigéria.

MODA FUTURISTA

1 Figurinos futuristas de Pierre Cardin (1968) tendo por acessórios luvas acima do cotovelo, cintos largos e ferragens de prata.

2 Este vestido de lantejoulas de Paco Rabanne (*c.*1966) foi confeccionado usando cortadores de metais, alicates e um maçarico, em vez de máquina de costura e linha.

A era espacial levou ao surgimento de um novo estilo futurista no projeto de produtos, interiores e moda: o russo Yuri Gagarin tornou-se o primeiro homem no espaço em 1961, e o costureiro francês André Courrèges (1923) lançou sua minissaia naquele mesmo ano. Figurinos simples e funcionais anunciaram o limiar de uma nova década que descortinou um futuro livre de restrições sexuais, sociais e de moda.

Em Paris, um grupo de estilistas, entre os quais Pierre Cardin (1922), Courrèges e Paco Rabanne (1934), utilizaram os recentes tecidos esportivos sintéticos de alta tecnologia para revitalizar a alta-costura francesa seguindo a tendência da era espacial. A coleção Garota da Lua, lançada por Courrèges em 1964, foi uma coleção modernista, toda branca e prateada, caracterizada por calças e túnicas combinando e minivestidos na altura da coxa que contornavam as curvas do corpo e eram cortados com precisão matemática. Courrèges utilizou tecidos densos que formavam uma cobertura de pano, e as estruturas rígidas conseguiam ficar de pé sozinhas. Esse estilo de guerreiro alienígena foi ainda mais enfatizado pelos capacetes de "astronauta" – gorros que se afastavam dos contornos da cabeça –, óculos de sol enormes e botas lunares de pelica

PRINCIPAIS ACONTECIMENTOS

1961	1961	1962	1962	1964	1964
André Courrèges deixa Balenciaga para abrir sua própria maison de alta-costura.	O piloto e cosmonauta soviético Yuri Gagarin orbita ao redor da Terra no primeiro voo espacial tripulado.	Cardin lança sua coleção de roupas masculinas reduzidas da Place Beauvau, que inclui a jaqueta Nehru, inspirada em suas viagens.	Surge o primeiro protótipo do monoquíni (ver p. 378), desenhado por Rudi Gernreich.	André Courrèges exibe sua influente coleção Era Espacial.	Emanuel Ungaro começa a trabalhar com Courrèges. Em 1965 parte para abrir sua própria maison.

ou patenteadas brancas, cortadas na metade da panturrilha, com uma biqueira aberta, anunciando desse modo a era das botas bizarras. Essa versão da alta-costura incluía casacos com duas fileiras de botões usados sobre vestidos de gola alta com mangas cortadas. A costura de debrum duplo típica de Courrèges aumentava a resistência do tecido, e debruns coloridos contrastantes realçavam a geometria ousada da silhueta. O estilista francês Emanuel Ungaro (1933) trabalhou por duas temporadas com Courrèges (de 1964 a 1965) antes de abrir sua própria maison de moda com a artista têxtil Sonja Knapp. As primeiras coleções de Ungaro seguiram as linhas futuristas e as minissaias de Courrèges (ver p. 380), porém em cores mais fortes e brilhantes. Protestando contra a natureza formal do sistema de alta-costura parisiense, Ungaro dedicou sua primeira coleção aos trajes diurnos, recusando-se a desenhar roupas de noite, típicas da alta-costura, com exceção de um gesto satírico em forma de um vestido de noite decorado com bolas de pingue-pongue.

Numa tentativa de fundir moda e ciência, Cardin promoveu a ideia das roupas unissex com sua primeira coleção Era Espacial ou Cosmo Corps, apresentando vestidos *all-in-one* de malha branca usados sob tabardos e vestidos tubulares. Coleções mais comerciais se seguiram ao longo dos anos 1960, compreendendo minivestidos-macacão e túnicas em cores brilhantes com recortes estilizados, vestidos com botas de PVC na altura das coxas (à esquerda). Mais tarde o estilista combinou vinil e metal para uma série unissex de jaquetas com zíper dianteiro e tabardos de gabardine axadrezada inspirada na op art e vestidos sobre *leggings all-in-one* metálicos.

Um defensor entusiástico dos novos materiais e técnicas, o espanhol Paco Rabanne trouxe sua experiência de desenho industrial para sua primeira coleção de "joias corporais" em 1966: bainhas prêt-à-porter formadas de quadrados e discos de Rhodoid – um plástico de acetato de celulose – fixadas ao tecido (à direita). Rabanne evitou as técnicas tradicionais de alta-costura, rotulando sua primeira coleção de "Doze Vestidos Intrajáveis em Materiais Contemporâneos", e firmou sua reputação como um iconoclasta da moda. Foi pioneiro na reciclagem de materiais e experimentou com metal batido, pele tecida, jérsei de alumínio e couro fluorescente ou fibra de vidro, chegando a produzir vestidos de papel em 1967. Rabanne patenteou o processo Giffo em 1968, em que todos os componentes da roupa, incluindo botões e bolsos, eram moldados numa só peça. Sua bolsa de cota de malhas icônica reinventou as bolsas de malha dos anos 1920 para a era espacial.

Courrèges, Cardin, Ungaro e Rabanne, além de radicais em sua abordagem dos figurinos, oferecendo uma versão mais cara das roupas jovens da Londres descolada, também foram fundamentais em desmistificar e desafiar os preceitos da alta--costura, tornando-a assim relevante a um público novo. O estilista austríaco--americano Rudi Gernreich (1922-1985) foi o contraponto americano à trindade parisiense da era espacial. Ele experimentou diferentes materiais usando recortes, vinil e plástico, além de desenvolver ainda mais as roupas unissex para incluírem cafetãs, túnicas e o traje de banho *topless* icônico. **MF**

1966

O vestido de Rabanne é celebrado em *Qui êtes-vous Polly Magoo?*, o filme satírico de William Klein sobre os absurdos da indústria da moda.

1967

André Courrèges lança Protótipos, sua linha sob medida.

1968

Paco Rabanne desenha os trajes de Jane Fonda para o filme *Barbarella*, de Roger Vadim.

1968

Pierre Cardin cria um tecido de fibras ligadas que não amarrota e conserva formas geométricas elevadas em padrões complexos.

1969

Os astronautas Neil Armstrong e Buzz Aldrin pousam na Lua e andam por sua superfície.

1971

Paco Rabanne é reconhecido como um costureiro por seus colegas, tornando-se membro da Câmara Sindical da Alta-Costura Parisiense.

Monoquíni 1964

RUDI GERNREICH 1922-1985

Peggy Moffit, a musa de Gernreich, oferece
um paradigma da moda de vanguarda dos anos 1960.

NAVEGADOR

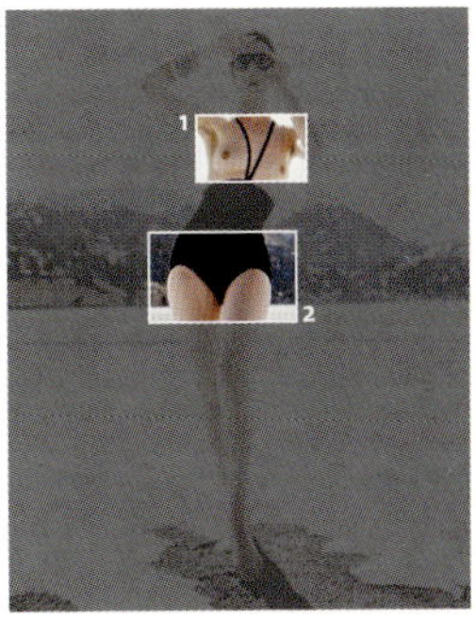

Momentos icônicos na moda designam modificações importantes nas atitudes para com diferentes áreas do corpo e marcam mudanças nos tabus sociais. O estilista californiano Rudi Gernreich lançou o monoquíni – palavra cunhada por ele – num ponto em que os conservadores anos 1950 vinham dando lugar à livre expressão dos anos 1960. Suas experiências com o desnudamento culminaram no traje de banho topless rompedor de tabus. Gernreich procurou promulgar a ideia de roupa unissex e derrubar as barreiras sexuais e de gênero na sociedade. Concebido para ser usado por homens e mulheres, o primeiro protótipo do monoquíni surgiu em 1962, e passou a ser vendido em 1964.

Embora moderno em sua exposição dos seios, o traje de banho parece curiosamente antiquado no corte das pernas e na cintura alta. Sem exatamente visar a prática da natação – ele foi tecido de lã permeável – o conjunto preto estende-se do meio do diafragma até o alto da coxa, com uma costura na parte central dianteira. O cós está primorosamente dobrado para baixo e embainhado. O monoquíni recebeu avaliações variadas da imprensa da moda e foi em geral criticado pelos dignitários da Igreja. Apesar da reação, os consumidores adquiriram a peça em números recordes, e ao final da temporada de verão Gernreich vendera 3 mil trajes de banho e auferira um bom lucro. **MF**

PONTOS FOCAIS

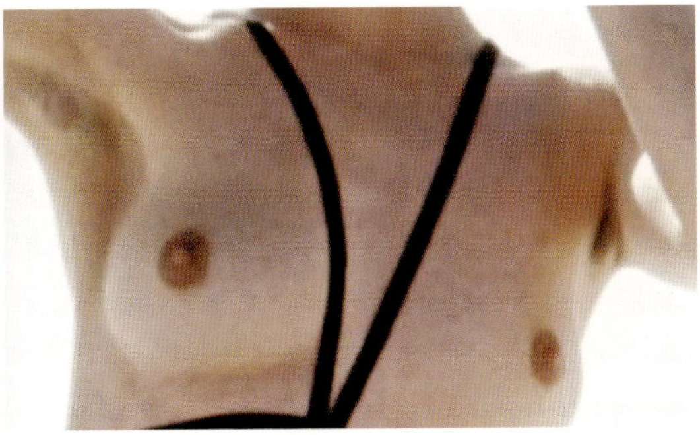

1 ALÇA AMARRADA
Uma única alça de malha estreita está fixada à parte dianteira central do traje de banho topless e presa atrás do pescoço. Contorna os seios e segura o monoquíni bem acima da linha da cintura de modo a expor os seios.

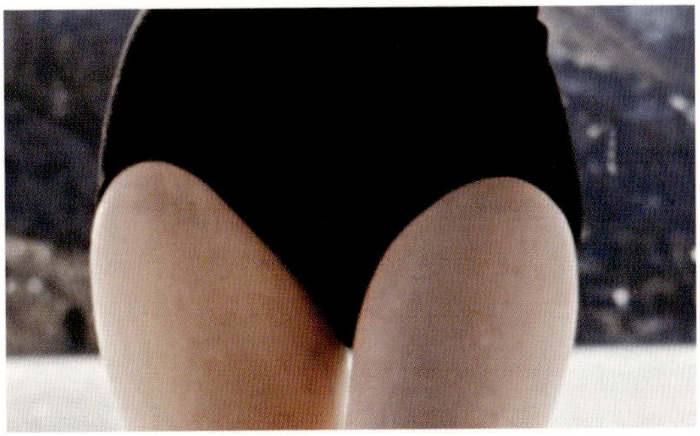

2 LINHA DA PERNA
As beiras das aberturas da perna estão viradas embaixo e embainhadas. Cortadas através do alto da coxa no estilo do maiô, um traje de banho popularizado por Gernreich em 1952 que eliminou a estrutura interna complicada dos trajes de banho da época.

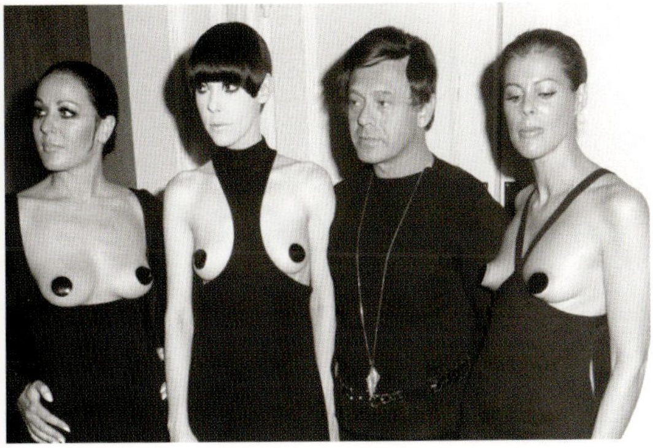

▲ Três modelos usam vestidos de noite de jérsei de malha topless de corpo inteiro desenhados por Rudi Gernreich. Cada vestido apresenta um corpete diferente que deixa os seios expostos.

PERFIL DO ESTILISTA

1922-1964
Gernreich nasceu em Viena, filho de um fabricante de lingerie. Após fugir dos nazistas no fim da década de 1930, fixou-se em Los Angeles. Passou 10 anos na Horton Dance Group, usando sua experiência com dança moderna como inspiração para libertar o corpo das limitações das roupas. Em colaboração com a empresa de lingerie Exquisite Form, Gernreich desenvolveu o sutiã "sem sutiã" em 1964, fabricado em jérsei neutro sem enchimento nem barbatanas.

1965-1985
Gernreich diversificou suas criações para vestidos tubinho de malha de jérsei e roupas esportivas, abrindo um showroom na Sétima Avenida de Nova York na década de 1960. Tornou-se membro da Coty American Fashion Critics Hall of Fame em 1967 e ganhou o prêmio da Knitted Textile Association em 1975.

Vestido linha A 1967

ANDRÉ COURRÈGES 1923

NAVEGADOR

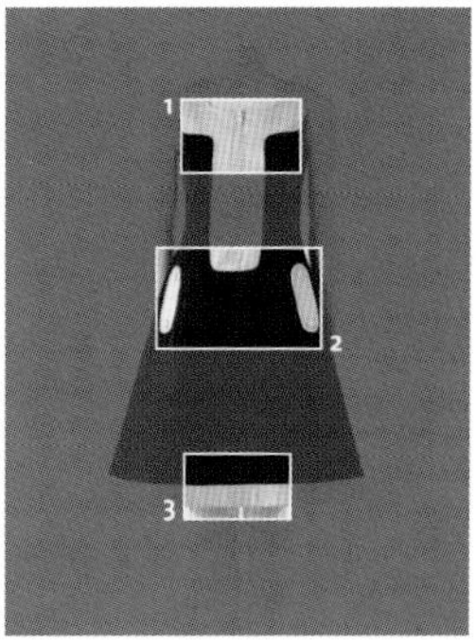

Este vestido arquitetonicamente esculpido de André Courrèges apresenta todos os detalhes característicos de sua abordagem futurista do desenho de moda. O vestido linha A é formado de um tecido de lã emaranhada dupla face, dividido na barra, virado para dentro e pespontado para produzir as bordas arredondadas típicas da peça. A pala branca estende-se para uma abertura e está firmemente posicionada na frente do vestido. Esta também é pespontada sobre a base preta. Na metade da cava, a abertura se desvia para atravessar o corpete acima do ponto do busto, antes de se estender para baixo numa barra estreita para terminar no nível do quadril.

Todos os ângulos do vestido, da abertura dianteira à gola rasa e larga, são suavisados em curvas modulares. Isso inclui os dois bolsos verticais, que estão alinhados com o alargamento ligeiro da saia e ornados com botões brancos uniformes. A proporção de preto para branco está cuidadosamente calibrada: a largura do bolso equivale à largura da abertura dos dois lados do zíper de plástico grosso e corresponde à profundidade da bainha. Como a saia revela a coxa, seu comprimento é considerado míni. O ponto corrido decorativo em algodão é branco sobre branco e compatível com sua profundidade através da peça. **MF**

PONTOS FOCAIS

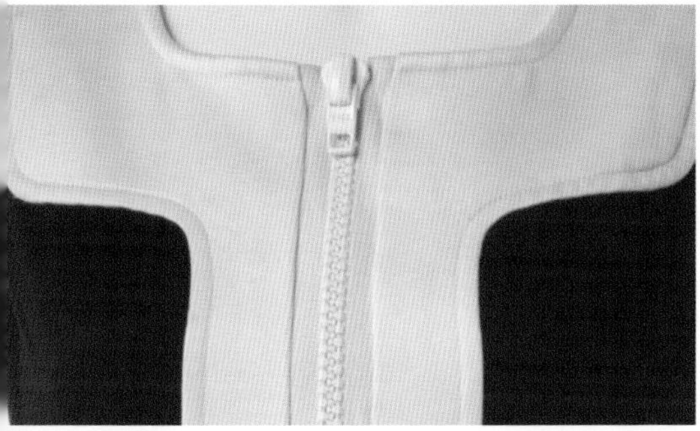

1 ZÍPER DE PLÁSTICO
Um zíper de plástico branco grande está situado na parte dianteira frontal da abertura, estendendo-se do pescoço ao quadril. As extremidades são retangulares para refletir a forma da abertura. A estética despojada de Courrèges foi copiada pelos fabricantes do mercado de massa.

2 BOLSOS OCULTOS
Os bolsos verticais embutidos estão escondidos sob um pedaço de tecido de forma ovoide, fixado com um pesponto à superfície do vestido. Um par de botões de haste simples prende cada decoração dos dois lados.

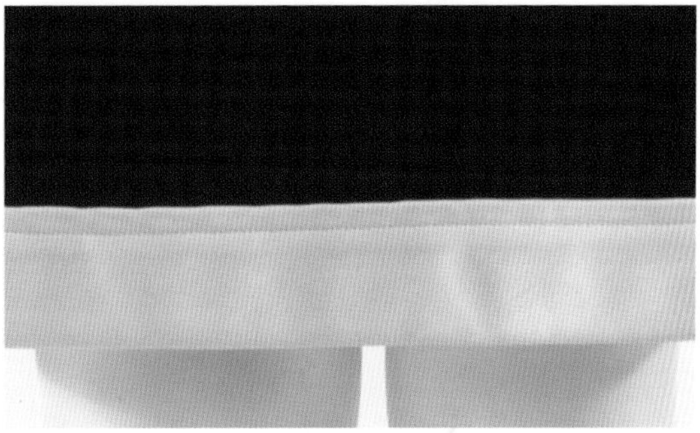

3 BAINHA CONTRASTADA
A bainha está ligada num tecido contrastante ao vestido, enfatizando a brevidade abrupta da saia. Uma única linha de pesponto gera interesse situado abaixo da dobra para trás, criando uma extensão singular à saia.

PERFIL DO ESTILISTA

1923-1963
O francês André Courrèges estudou para ser engenheiro civil antes de ir a Paris para trabalhar na maison de moda Jeanne Lafaurie aos 25 anos. A partir de 1950 trabalhou sob a supervisão de Cristóbal Balenciaga (1895-1972), e partiu em 1961 para abrir sua própria maison de alta-costura com sua esposa Coqueline.

DESDE 1964
Courrèges lançou sua influente coleção Era Espacial em 1964, que utilizava materiais modernos como plástico e metal. Após uma breve ausência decorrente da pirataria em massa de seus figurinos, reabriu sua casa e lançou um sistema de moda de três níveis consistindo em Couture Future, Prototype e Hyperbole. Courrèges desenhou o uniforme para as Olimpíadas em 1972, e em 1973 lançou uma linha de peças esportivas individuais masculinas. Aposentou-se em 1996 e foi sucedido por sua esposa.

O NOVO PRÊT-À-PORTER

1 Yves Saint Laurent posa com modelos diante de sua loja na Rive Gauche em 1969.

2 Fortemente influenciado pelo tempo despendido na África, Yves Saint Laurent lança seu icônico conjunto safári em 1968.

3 Os desenhos libertadores de Walter Albini para a Etro surgiram na *Vogue Italia* em 1971.

Quando a alta-costura foi inicialmente organizada e estruturada em 1944, não existia a indústria francesa de roupas prontas para usar. O novo prêt-à--porter surgiu entre o fim da década de 1960 e início dos anos 1970, um ótimo período para o lançamento de roupas prontas, em consequência da adoção na Europa dos sistemas de manufatura cada vez mais sofisticados implementados nos Estados Unidos. Além disso, durante os distúrbios políticos e da rebelião jovem dos anos 1960, a alta-costura foi considerada irrelevante para os consumidores modernos, cuja vida cada vez mais dinâmica deixava pouco tempo para provas de roupas demoradas e dispensava os trajes formais oferecidos pelos costureiros. À medida que as tendências se aceleraram e os estilistas contemporâneos jovens criaram suas butiques, a moda pela primeira vez se voltou para as ruas, com ideias inovadoras adotadas por estilistas como Yves Saint Laurent (1936-2008).

Como o sucessor imediato de Christian Dior (1905-1957) em 1958, e tendo estudado na Câmara Sindical da Alta-Costura Parisiense, Yves Saint Laurent fundou sua própria maison de alta-costura em 1962 em Paris antes de ser pioneiro no prêt-à--porter em 1966 com o lançamento da Rive Gauche (acima), uma rede de butiques oferecendo uma linha mais barata de roupas com alusões à vida boêmia da área parisiense de mesmo nome. Os dois outros fundadores foram Pierre Bergé (1930) e Didier Grumbach (1937). Yves Saint Laurent inicialmente exibiu um de seus figurinos característicos, o traje a rigor, conhecido como "Le Smoking" (1966, ver p. 384), na

PRINCIPAIS ACONTECIMENTOS

1964

Walter Albini abre sua maison de moda em Milão. Torna-se estilista freelance para a Lanerossi, Basile e outras empresas italianas.

1965

Walter Albini passa a desenhar para a marca italiana Krizia junto com Karl Lagerfeld (1933).

1966

Yves Saint Laurent lança sua linha prêt-à-porter Rive Gauche em Paris. A primeira cliente da loja é a atriz Catherine Deneuve.

1968

Estudantes protestam durante o mês de maio, resultando numa greve geral nacional. Multidões se reúnem na Rive Gauche durante as manifestações.

1968

O costureiro parisiense Cristóbal Balenciaga (1895-1972) se aposenta, fechando suas maisons de moda de Madri, Barcelona e Paris em rápida sucessão.

1968

Yves Saint Laurent lança seu pioneiro estilo "safári" com o terninho revolucionando o conceito de roupa casual "apropriada" para as mulheres.

passarela de alta-costura, mas após o lançamento da grife prêt-à-porter Rive Gauche ele ofereceu uma versão mais acessível do smoking. O terninho para mulheres tornou-se sinônimo de Yves Saint Laurent, e ele apresentou seu conjunto safári (à direita) na coleção primavera/verão de 1968. Na verdade, ele desenhou variações de Le Smoking para todas as suas coleções até sua aposentadoria em 2002. Em 1971, Grumbach e Andrée Putman (1925), renomados desenhistas franceses de interiores e produtos, formaram a cooperativa de prêt-à-porter Créateurs et Industriels, que visava a reduzir a distância entre estilistas e a indústria. Em 1973 ocorreu a primeira semana da moda prêt-à-porter em Paris, incluindo estilistas como o marroquino Jean-Charles de Castelbajac (1949), conhecido como o "rei dos desenhos animados" pela utilização de personagens de desenhos animados em seus desenhos irreverentes de malhas. A influente estilista francesa Emmanuelle Khanh (1937) também esteve na vanguarda do prêt-à-porter, junto como Sonia Rykiel (1930), Michèle Rosier (1930) e a maison de moda Dorothée Bis.

Na Itália, o centro da alta-costura, ou alta moda, foi Roma, enquanto Florença foi o centro para acessórios e roupas de butique. A alta-costura italiana tradicional vinha afundando durante aquele período, e Walter Albini (1941-1983) previu a necessidade de uma indústria italiana próspera de prêt-à-porter. Ele foi o primeiro estilista a iniciar reformas inovadoras que puseram em movimento a mudança para um processo no mesmo nível do prêt-à-porter francês. Sob sua iniciativa, os estilistas deixaram de trabalhar anonimamente para empresas fabricantes de coleções sem marca, passando a colaborar em coleções de empresas especializadas em diferentes setores da moda. Após um acordo em 1971 com a FTM (Ferrante, Tositti, Monti), a marca "Walter Albini para" seguida do nome do fabricante foi lançada. Cada coleção era então vendida em sua totalidade a varejistas, resultando no sistema de prêt-à-porter que conhecemos hoje.

Albini trabalhou como estilista freelance para várias empresas como Krizia, Basile e Etro (à direita, embaixo). Fornecendo uma elegância discreta que fazia referência aos desenhos libertadores de Paul Poiret (1879-1944) e às modas das décadas de 1920 e 1930, Albini oferecia uma alternativa glamourosa à até então predominante moda da contracultura. Interessou-se particularmente pelo desenho de estampas, e seus temas de inspiração favoritos incluíam balé, o zodíaco e art déco. O estilista lançou sua própria linha, Mister Fox, em 1972. Com a ascensão das fábricas do norte da Itália, Albini, Missoni e Krizia lideraram o êxodo dos estilistas de moda em 1972 para apresentarem suas coleções na passarela do Circolo del Giardino, fazendo assim de Milão a capital da moda. Apesar de sua morte prematura aos 42 anos, Albini teve uma influência duradoura sobre a moda e a produção de roupas italianas, e jornalistas compararam seu trabalho com Halston nos Estados Unidos e Yves Saint Laurent na França. Ele iniciou o desenvolvimento do estilo italiano que foi perpetuado por Giorgio Armani (1934) e Gianni Versace (1946-1997). **DS**

1971

Yves Saint Laurent provoca um escândalo ao ser fotografado nu por Jeanloup Sieff para o lançamento de seu primeiro perfume masculino, Homme.

1971

O mundo da moda fica de luto pela morte de Coco Chanel (1883-1971). Main Rousseau Bocher (1890-1976) se aposenta e se muda para a Europa.

1972

Influenciado por Chanel, Albini lança sua própria linha, Mister Fox, em sociedade com o homem de negócios Luciano Papini.

1973

Albini encerra seu acordo com a FTM e funda a Albini Srl com Luciano Papini. A empresa produz e distribui a grife WA.

1975

O desenhista de lingerie Chantal Thomass (1947) lança sua marca de mesmo nome com Bruce Thomass como diretor de licenciamento e vendas.

1975

Albini apresenta sua primeira coleção de outono para homens. Apenas dois anos depois, morre em Milão.

Le Smoking 1966

YVES SAINT LAURENT 1936-2008

Yves Saint Laurent exibiu seu primeiro smoking como parte de sua coleção de alta-costura outono/inverno em 1966. Porém, foi uma série de fotografias preto e branco tiradas para a *Vogue* francesa em 1975 pelo fotógrafo de moda teuto-australiano Helmut Newton que apresentou "'Le Smoking" para um público mais amplo, tornando-o uma das peças mais importantes e influentes do século XX, junto com o "pretinho básico" criado por Coco Chanel (ver p. 224).

Evocando o estilo andrógino da estrela do cinema Marlene Dietrich nos anos 1930 (ver p. 268), a modelo posa em uma atitude tipicamente masculina: uma das mãos enfiada no bolso do colete e a outra segurando um cigarro. A silhueta estiolada é esculpida numa forma feminina pelas pences na cintura do paletó e o colete anatômico vestido embaixo. O terno risca de giz de três peças inspirado nos anos 1930 é cortado ao longo de linhas masculinas com ombros pronunciados enfatizados pelo ângulo das lapelas e calças com pregas dianteiras vestidas com um cinto. Em 2005 Yves Saint Laurent escreveu no catálogo de sua exposição "Smoking para Sempre": "Para uma mulher, le smoking é uma peça indispensável com que se acha constantemente na moda, porque se trata de estilo, não de moda. As modas vêm e vão, mas o estilo é para sempre." **MF**

NAVEGADOR

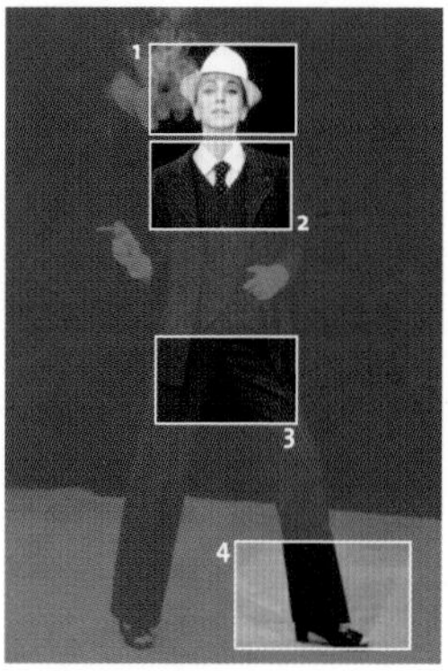

PONTOS FOCAIS

1 CHAPÉU MASCULINO
Típico dos ídolos da tela masculinos de Hollywood dos anos 1920 e 1930, a modelo está usando um chapéu de feltro branco de abas ajustáveis posicionado na parte de trás da cabeça e encobrindo os cabelos rentes e penteados para trás.

2 LINHA DE OMBRO ANGULAR
Cortado com o expertise tradicional de um terno masculino, o ombro retangular é enfatizado com o uso de enchimento no alto da manga, em forma de ângulo. A cava alta torna o tronco ainda mais estreito.

3 CALÇAS DE CINTURA ALTA
Cortadas de tecido listrado – listras muito finas paralelas e que costumam ser associadas ao terno comercial conservador –, as calças têm uma elevação profunda e foram cortadas nos moldes de uma calça masculina clássica, com um fecho dianteiro e uma única prega.

4 BAINHA DA CALÇA
As calças do terno de boca larga são estreitas na coxa e gradualmente se alargam na direção da bainha. O comprimento se estende para cobrir a parte superior do sapato de salto baixo, dando assim a aparência embelezadora de pernas mais longas.

HIPPIE CHIQUE

1 A atriz e modelo Jane Birkin veste um conjunto de Ossie Clark com estampa desenhada por Celia Birtwell. Fotografia de Patrick Lichfield (1969).

2 A estilista americana Mary McFadden exibe seus próprios desenhos de seda estampados à mão, inspirados em tecidos orientais e africanos (1973).

3 Uma estampa de inspiração tipicamente étnica figura num vestido de chiffon com fitas emplumadas de Zandra Rhodes (1970).

No fim da década de 1960, a moda liderada pelos jovens feita de tecidos futuristas inspirados pela era espacial foi rejeitada a favor de peças feitas à mão e uma reverência pelas fibras naturais. Os hippies, uma subcultura jovem originária do movimento beat americano, preferiam vestir roupas coletadas em suas viagens globais, em vez de itens feitos à máquina e produzidos em massa. Os processos industriais e produtos sintéticos eram execrados pelos protagonistas do estilo de vida hippie de "volta à natureza". Nas agitações sociais e políticas de 1968, o *"flower power"* simbolizou a força da natureza contra o poder da autoridade. Essa fidelidade a um estilo de vida alternativo fora da sociedade convencional culminou num desejo de livre expressão em todos os aspectos da cultura: da moda e arte à música e mídia. A contracultura apropriou-se de todos eles e, com o tempo, infiltrou-se na cultura predominante.

Na moda, o espírito antimaterialista dos hippies resultou numa obtenção eclética do vestuário vernacular, com a estrutura da peça enraizada na forma mais simples de utilizar todo o tecido. Peças globais da trilha hippie à Índia e Extremo Oriente, como as camisas de oração indianas decoradas com sinos, paletós Nehru, saias pregueadas à altura do tornozelo adornadas com fragmentos de espelhos, calças corsário, coletes bordados e variações sobre o cafetã em forma de "T" apareceram em coleções de grandes estilistas europeus e americanos, entre os quais Emilio Pucci (1914-1992; ver p. 388), Zandra Rhodes (1940) e Bill Gibb (1943-1988).

PRINCIPAIS ACONTECIMENTOS

1964

Após se graduar no Royal College of Art de Londres, a estilista britânica Zandra Rhodes abre seu primeiro ateliê de estampas com o colega estudante Alex MacIntyre.

1966

Thea Porter (1927-2000), nascida na Síria, abre um ateliê de projetos de interiores no Soho, vendendo almofadas de chão e tecidos franceses, italianos e turcos.

1967

O ano de 1967 é designado o "verão do amor", uma época de libertação das restrições dos subúrbios de classe média branca.

1968

Uma série de protestos de estudantes irrompe em Paris em várias universidades, quase paralisando o país e envolvendo 11 milhões de trabalhadores.

1968

Zandra Rhodes e Sylvia Ayton (1937) abrem The Fulham Road Clothes Shop, vendendo peças desenhadas por Ayton com estampas de Rhodes.

1969

O festival de música de Woodstock ocorre em agosto, um momento definidor na história da música.

Os acessórios dos trajes e decoração dos índios americanos, como franjas e contas, agradaram particularmente aos hippies americanos – localizados sobretudo no bairro Haight-Ashbury em São Francisco – e esse estilo foi comercializado pelo americano nascido na Itália Giorgio di Sant'Angelo (1933-1989). Zandra Rhodes também usou as contas e penas dos índios americanos como inspiração para seus desenhos de estampas, junto com a arte e artefatos de outras culturas. Famosa principalmente por seus trajes de noite, Rhodes maximizou o efeito da estampa (à direita, embaixo), recorrendo a camadas, pregas, bordados e plissagem para criar a silhueta. Suas roupas eram projetadas para acomodar a localização das estampas, em vez de cortada de uma extensão de tecido contínua e repetitiva.

Naquela época, era possível aos estilistas lançar-se produzindo uma coleção pequena e vendendo-a para uma única loja, e após algum sucesso inicial Mary McFadden (1938) abriu seu próprio negócio em 1973. Ela havia trabalhado antes na África do Sul, onde ingressou na *Vogue* africana em 1965. Como resultado de sua influência, as coleções de Nova York e Paris em 1966 e 1967 homenagearam o continente, mostrando estampas e joias inspiradas em animais e paletós safári. McFadden de início desenhou roupas para si (à direita), feitas segundo suas próprias especificações de tecidos que ela havia achado em suas amplas viagens, criando assim um estilo eclético que combinava peças de grife com trajes étnicos. Também desenhou vestidos de noite em seda plissada usando uma técnica "Marii" singular, que evocava aquela usada por Mariano Fortuny (1871-1949), que ela patenteou em 1975. Ela combinou aquilo com elementos de pintura à mão, quilting, contas e bordado, coletando ideias e inspiração de diferentes culturas antigas e étnicas. Os vestidos hippie chique eram ideais para suas clientes ricas e viajadas, por serem feitos de poliéster com fundo de cetim e não amarrotarem. A dupla de estilistas britânicas Celia Birtwell (1941) e Ossie Clark (1942-1996) também produziu peças elegantes e de fácil uso (à esquerda) que agradaram ao jet set. As estampas inspiradas na natureza típicas de Birtwell combinavam perfeitamente com a feminilidade fluida dos desenhos de Clark (ver p. 390).

O espetáculo romântico das roupas do estilista de origem escocesa Bill Gibb também se conectou ao espírito da moda durante um período em que o revivalismo histórico e objetos de outras culturas se juntaram (ver p. 392). Usando detalhes e a qualidade como da alta-costura em seus vestidos de baile de fantasia, Gibb elevou as peças dos mercados de rua dos hippies à posição de alta-costura. Ele foi atraído pelas técnicas estruturais e adornos do Renascimento, bem como pela imagística visual de outras culturas, misturando estampas florais mistas com geométricas e juntando diferentes tecidos com naturalidade. Embelezou vestidos de contos de fadas com fitas, pregas de raios de sol, apliques, beiras recortadas e passamanaria com borlas. Gibb também aplicou sua estilística às roupas diurnas. Em 1969 colaborou com o estilista de malhas americano Kaffe Fassett (1937) para produzir uma coleção muito apregoada que combinou uma mescla eclética de tweeds e xadrez, tartã e malha de Fair Isle, e estampas florais Liberty. **MF**

1969

Rhodes produz sua primeira coleção individual, que figura na *Vogue* americana. A coleção inclui peças ondulantes românticas em tecidos exuberantes.

1970

Enquanto trabalha como estilista freelance para Baccarat, Bill Gibb é considerado o Estilista do Ano pela *Vogue*.

1971

Celia Birtwell e Ossie Clark causam um frenesi na mídia com seu extravagante desfile de moda no Royal Court em Londres.

1973

Emilio Pucci apresenta sua coleção Salzburg, que inclui vestidos de noite de jérsei de seda em cores brilhantes com aventais estampados.

1975

Gibb torna-se membro da Society of Industrial Artists and Designers de Londres. No mesmo ano abre sua própria loja em Bond Street, Londres.

1976

Mary McFadden trabalha no porão de casa e se consagra suficientemente para abrir a Mary McFadden Inc.

Cafetã com estampa psicodélica 1967

PUCCI

A modelo francesa Simone D'Aillencourt num cafetã Pucci, Palácio do Lago, Udaipur, Índia (1967).

NAVEGADOR

Um dos desenhistas de estampas mais identificáveis do século XX, intitulado o "príncipe das estampas" pela imprensa da moda da época, Emilio Pucci desenhou para o "*beautiful people*", definidores de estilo e beldades célebres da época. Inspirando-se em diversas fontes, como padrões nativos de países exóticos e as insígnias da corrida de cavalos Palio em Siena, Pucci produziu estampas abstratas policromáticas em turbilhões psicodélicos de padrões, muitas vezes cercadas de áreas de escala e cor contrastantes. Adotou o novo ecletismo do florescente movimento hippie do fim dos anos 1960 e transformou os excessos multiestampados da contracultura em alta moda. Ele também projetou o desenho das estampas para criar roupas leves e não amarrotáveis em cores deslumbrantes, como cafetãs em forma de "T" e djallabas folgados, adorados pelos hippies americanos e europeus mais sofisticados. Cada peça trazia a assinatura "Emilio".

Fotografada dentro do Palácio do Lago, em Udaipur, Índia, um destino popular dos diletantes abastados em busca da iluminação, a modelo Simone D'Aillencourt veste um cafetã de chiffon com estampa de seda transparente com padrões vertiginosos de fúcsia, vermelho, pistache, azul-piscina e amarelo, acompanhado de um par de calças de cores fortes, folgadas e de pernas largas com uma pequena bainha adornada. As beiras do cafetã foram enroladas à mão. **MF**

PONTOS FOCAIS

1 ESTRUTURA SIMPLES
As mangas e o corpo foram cortados em uma só peça. A estrutura enganadoramente simples do cafetã, assim com a gola cortada, criam a impressão de uma peça retangular de pano simplesmente solto sobre a cabeça.

2 ESTAMPA PROJETADA
Cada cor da estampa requer uma tela de seda separada sem sobreposição ou estampagem sobreposta de cores, resultando na clareza e definição do desenho. O efeito distorcivo de drogas alucinógenas sobre a percepção influenciou os desenhos da época.

▲ Uma foto impressionante tirada no teto do Palazzo Pucci, com a cúpula da Catedral de Florença ao fundo, capta a qualidade diáfana dos cafetãs de Pucci (1969).

Vestido margarida silvestre 1971

CELIA BIRTWELL 1941 OSSIE CLARK 1942-1996

NAVEGADOR

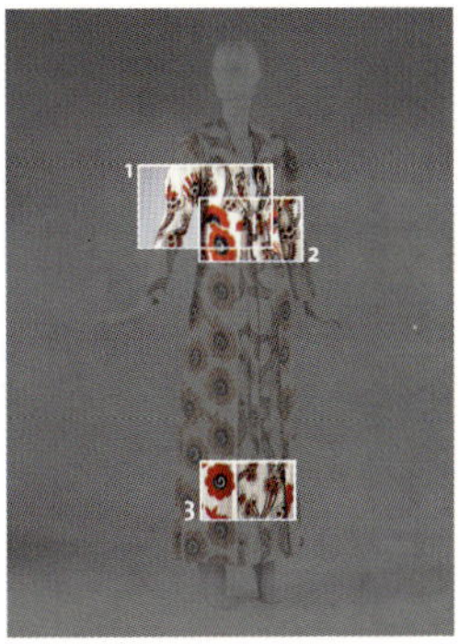

Celia Birtwell desenhou estampas projetadas em torno da sofisticação fluida do corte de estampas do estilista Ossie Clark, que ele aplicou com uma sensibilidade refinada à forma feminina. Evocando as linhas flutuantes dos anos 1930 e a técnica de corte enviesado exemplificada pela costureira Madeleine Vionnet (1876-1975), os figurinos foram realçados pelo impacto das camadas de estampas refinadas e complexas de Birtwell.

O casaco e vestido mostram o desenho da "margarida silvestre" estampado à mão na Ivo Prints em Londres. A estampa de duas cores – vermelha e preta sobre um tecido creme – é usada no vestido, no corpete e na parte inferior das mangas. Uma mudança da escala da estampa é fornecida por inflorescências grandes, sólidas e estilizadas de clareza gráfica estampadas num sistema de repetição de ponto de meia gota. A cava está cortada alta para alongar o tronco, com as lapelas do colarinho se estendendo por todo o corpete. Inserções de chiffon da estampa de tema único são uma característica das mangas de forma triangular, e as partes inferiores das longas mangas em crepe estampado são estreitas e presas com zíperes nos punhos. A gola em V possui uma faixa *modesty* horizontal e uma gola redonda alta atrás. O vestido refulge abaixo do nível da cintura: a frente possui uma barra com pences e as costas, quatro barras alargadas. O casaco está cortado em barras alargadas, duas na frente e três atrás. **MF**

PONTOS FOCAIS

1 MANGAS
Há uma justaposição de escalas de estampa nas mangas, com temas únicos de clareza gráfica com um padrão geral em escala menor. As mangas são compostas em duas peças; um topo da manga bufante pregueado em uma manga inferior estreita, do comprimento do pulso.

2 LAÇOS FLUIDOS
O corpete do casaco incorpora dois laços longos amarrados acima da cintura, que se estendem até o comprimento do joelho, criando assim um efeito drapejado facilitado pelo uso de crepe de raiom fluido. As beiras estão dobradas para baixo e pespontadas.

3 INFLUÊNCIA ART DÉCO
Pequenos grupos de florescências estilizadas são unidos por zigue-zagues inspirados no art déco com beiras dentadas. A estampa, resultante de um sistema de repetição de ponto de meia gota, é empregada para a saia do casaco e a parte superior das mangas.

PERFIL DOS ESTILISTAS

1941-1966
Celia Birtwell nasceu em Salford, Lancashire, Inglaterra, e conheceu o colega estilista de Lancashire "Ossie" Raymond Clark enquanto estudava na Salford School of Art. A dupla colaborou primeiro em 1966 com uma coleção para a Quorum em Londres, uma butique exclusiva de Alice Pollock que vendia para celebridades internacionais como os Rolling Stones, Beatles, Pattie Boyd, Verushka e Talitha Getty.

DESDE 1967
Em 1967 Clark apresentou uma primeira exposição de moda icônica sob o patrocínio da Radley, no Chelsea Town Hall, para a Pathé News, usando suas amigas celebridades como modelos. Em 1969 Birtwell e Clark se casaram, mas se divorciaram em 1974. Clark morreu em 1996. Birtwell restaurou sua carreira na moda em 2006 com uma coleção para a badalada loja Topshop.

World Dress Década de 1970

BILL GIBB 1943-1988

O *World Dress* de Bill Gibb, fotografado
por Clive Arrowsmith para a *Vogue* (outubro de 1971).

NAVEGADOR

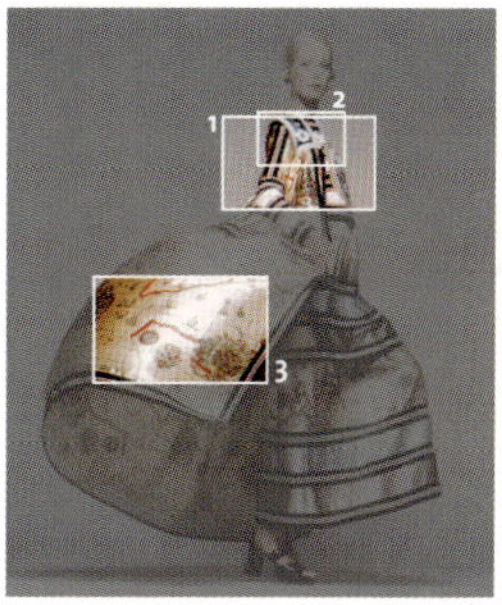

O estilista londrino Bill Gibb combina a padronagem e silhueta eclética fluida da era hippie com uma abordagem tipo alta-costura ao embelezamento e detalhamento das peças nesse corpete, saia e casaco combinando de cetim champanhe desenhados para a grife Bill Gibb for Baccarat. As peças evocam influências renascentistas – uma das fontes mais usadas pelo estilista –, da pala enrijecida criando uma manga cavada no casaco às áreas acolchoadas no corpete e nas mangas.

O casaco e saia são formados de uma estampa corrida de listras e um mapa do mundo colorido em prateado e dourado. As barras dianteiras do casaco da altura do tornozelo estão delicadamente pregueadas na pala abreviada, que é aplicada ao corpo. As listras pretas e terracota de larguras variáveis são usadas horizontal e verticalmente. Listras horizontais estampadas secionam ao meio a saia ondulada, que é unida a um cós. Uma barra mais larga da estampa do mapa corrida está inserida no nível do joelho. Listras são usadas verticalmente nas mangas do casaco e também para acentuar a bainha e as bordas dianteiras centrais. O corpete semelhante a um tabardo de gola alta está ligeiramente acolchoado em toda parte, incluindo as mangas justas e longas nas quais o ponto de costura está diametralmente oposto às listras horizontais e referências da grade do mapa da saia e casaco estampados. **MF**

PONTOS FOCAIS

1 MANGAS INSPIRADAS NO RENASCIMENTO
A pala enrijecida revestida com a seda estampada estende-se ligeiramente sobre as mangas do comprimento do cotovelo do casaco, criando um arco sobre a abertura da manga que lembra o desenho do gibão militar renascentista.

3 ESTAMPA ANTIGA
Desenhada por Sally McLachlan e confeccionada por Piero Boboli, a estampa corrida delicada possui uma qualidade antiga e inclui áreas de padrões xadrez pequenos em terracota e preto. A natureza ondulada do tecido realça a estampa com grande efeito.

2 PALA BORDADA
Dentro de suas bordas mitradas, a pala do casaco apresenta apliques brancos, rosas de pétalas planas numa única haste, bordadas por Lillian Delevoryas sobre uma base preta. Artista consagrada, Delevoryas ficou conhecida por suas habilidades de apliques na década de 1970.

PERFIL DO ESTILISTA

1943-1972
Nascido em Fraserburgh, Escócia, Gibb mudou-se para Londres em 1962 para estudar na Central Saint Martins College of Art and Design e no Royal College of Art, após o qual fundou a butique Alice Paul. Trabalhou como estilista freelance para Baccarat de 1969 a 1972, e foi considerado o Estilista do Ano pela *Vogue* em 1970. Na década de 1970, foi influenciado pelo movimento hippie, e fundou a Bill Gibb Ltd em 1972.

1973-1988
Gibb abriu seu primeiro ateliê independente em Londres em 1975. Suas estampas de malhas complexas, policromáticas, feitas em tear manual, inspiradas por suas origens escocesas e o romantismo etéreo dos vestidos de noite, se mostraram comercialmente inviáveis. Durante a década de 1980, desenhou pequenas coleções compactas e criou peças únicas para clientes de longo prazo.

AS MALHAS ESTILOSAS

1 2 3

1 Um cardigã de pelo de cabra angorá longo se sobrepõe ao suéter listrado característico de Rykiel. O cinto do cardigã está trançado a um lenço de cabeça para formar uma faixa (1975).

2 Muitas vezes comparadas a uma forma de arte, as malhas de luxo da Missoni são facilmente identificáveis por sua combinação de cores fortes e vibrantes (1981).

3 O suéter xadrez púrpura e dourado criado pela Krizia compreende um pulôver com gola em V e bolero. Está acompanhado de uma saia de malha laranja também da Krizia (1979).

As malhas alcançaram o status de alta moda nos anos 1970 quando se tornaram um elemento vital do cada vez mais importante mercado do prêt-à-porter. Os estilistas de malhas começaram a produzir coleções glamourosas modernas que ofereciam um look que ia além dos meros acessórios, suéteres, cardigãs, luvas e xales. A francesa Sonia Rykiel (1930) foi uma das primeiras estilistas a promover a malha de sua imagem artesanal desmazelada anterior a um componente importante da moda contemporânea (acima). Ela abriu sua primeira butique em 1968 na Rive Gauche de Paris, que era sinônimo de estilo boêmio e criatividade, onde Yves Saint Laurent oferecia sua linha prêt-à-porter luxuosa em uma loja de mesmo nome. Com uma silhueta inconfundível criada cortando alto nas cavas e rente ao corpo, e mangas estreitas alongando o tronco, Rykiel projetou uma estética jovial que incluía uma paleta singular de listras contra um fundo preto. A estilista também esteve na vanguarda da desconstrução da moda (ver p. 498) e utilizou bordas inacabadas, costuras reversas e detalhes inovadores, como bainhas pespontadas.

PRINCIPAIS ACONTECIMENTOS

Década de 1960	1965-1972	1966	1967	1968	1970
Sonia Rykiel é intitulada "a rainha das malhas" e vende seus figurinos em lojas de Nova York como Henri Bendel e Bloomingdale's.	Laura Biagiotti trabalha como estilista freelance para a Schuberth, Barocco, Cappucci, Heinz Riva, Licitro e outras marcas.	A primeira coleção Missoni da estilista parisiense Emmanuelle Khanh (1937; ver p. 383) é exibida em Milão.	Mariuccia Mandelli apresenta a malha em suas coleções e, em seguida, uma linha prêt-à-porter.	Francine Crescent assume o controle da *Vogue* francesa e mais tarde encomenda trabalhos aos fotógrafos Guy Bourdin e Helmut Newton.	Os Missoni abrem sua primeira butique americana na Bloomingdale's de Nova York.

Além disso, foi pioneira no uso de textos nas malhas, incorporando slogans de pedraria nos trajes de noite.

A empresa italiana Missoni foi uma das primeiras a utilizar inovações tecnológicas para explorar os parâmetros dos têxteis estampados (à direita), sendo a única marca a oferecer com sucesso aos consumidores internacionais um guarda-roupa inteiro composto exclusivamente de tecidos tricotados (ver p. 396). Enquanto Roma continuava mostrando apenas marcas de alta-costura, Missoni e uma estilista de destaque, Mariuccia Mandelli (1933) da grife Krizia (abaixo), começaram a exibir em Milão, cidade que vinha emergindo rapidamente como uma das capitais da moda da Europa e um centro vigoroso de produção de prêt-à-porter. Confeccionadas com a técnica intársia em tear manual, as estampas das malhas de Mandelli costumavam mostrar animais, como ovelhas, gatos, ursos, raposas, leopardos e tigres. Uma pantera predadora estilizada permanece o símbolo da marca. Em 1964 a Krizia recebeu o prêmio Critica Della Moda, e em 1967 Mandelli lançou a etiqueta Krizia Maglia. Produzir suas roupas à mão logo se mostrou inviável, e peças foram manufaturadas em uma fábrica na periferia de Milão.

A primeira butique Dorothée foi inaugurada em 1958, em Paris, seguida pela marca de prêt-à-porter Dorothée Bis, que difundiu as sobreposições em camadas no desenho de malhas no fim da década de 1970. Uma combinação de desenhos multitexturizados e estampados, essas peças eram vestidas juntas, criando camadas externas grandes e volumosas em contraste com as peças de malha esguias vestidas por baixo. Disseminando um estilo italiano simplificado para um público internacional, atribui-se à romana Laura Biagiotti (1943), apelidada de "rainha da caxemira" pelo *The New York Times*, ter transformado o fio luxuoso – antes confinado a peças de malha clássicas como o conjunto de cardigã e suéter – em alta moda. Ela fundou sua própria marca em 1972. Em 1974 Biagiotti adquiriu a MacPherson Knitwear e começou a fabricar moda influenciada pelos trajes esportivos. **MF**

1970
Emmanuelle Khanh abre seu próprio negócio, mas continua desenhando para a Missoni, Krizia e Max Mara.

1972
Laura Biagiotti exibe sua primeira coleção com seu nome.

1972
A marca Dorothée Bis oferece o míni, mídi e máxi na mesma coleção, com malhas longas, de corte estreito, vestidas sobre minivestidos e minissaias.

1972
Criada para promover o melhor da indústria da moda italiana, a primeira feira Pitti Uomo exibe roupas e acessórios masculinos.

1973-1974
Os sistemas de manufatura e produção da Itália são reestruturados em meio ao tumulto político.

1977
A primeira edição da Pitti Filati, exibindo fios e pesquisas de tendências, torna-se um ponto de referência para os fabricantes e estilistas de malhas no mundo inteiro.

Vestido e chapéu de malha raschel 1975

MISSONI

NAVEGADOR

No auge da saturação de seu mercado do início a meados da década de 1970, a padronagem da cabeça aos pés foi o estilo definidor da inimitável marca de têxteis Missoni. Com sua combinação de virtuosidade técnica e uso singular de padrões e coloração extravagante, a etiqueta italiana tornou-se sinônimo do posicionamento da malha na vanguarda do mercado de prêt-à-porter luxuoso.

O longo suéter tipo túnica é formado de listras de cores ousadas, simples, de malha de trama combinando através da pala e mangas embutidas. O raiom é usado em vez da seda porque fornece um acabamento mais brilhante e maior capacidade de drapejo. A túnica é moldada rente ao corpo e cortada de uma peça circular de tecido de malha, fornecendo assim uma silhueta esguia acima da saia volumosa. O drapejo solto da saia resulta do uso da técnica de tricotagem de malhas de teia, que produz o tecido em zigue-zague, listrado longitudinalmente mas usado transversalmente. Tecidos de malha de teia foram muito utilizados pelos Missoni durante a década de 1970, quando a marca produziu listras sinuosas policromáticas e raios de cores em fios *space-dyed* efervescentes. Seu interesse pelo movimento de arte moderna dos futuristas italianos, como Giacomo Balla e Umberto Boccioni, influenciou a padronagem geométrica complexa de suas peças, inclusive sua típica estampa de chama. **MF**

PONTOS FOCAIS

1 CHAPÉU *PULL-ON*
O chapéu de malha contribui para a forma atenuada que representava a silhueta da época e tornou-se um acessório popular na década de 1970. Originalmente associado ao equipamento de trabalho, esse era antes usado por trabalhadores para prender os cabelos.

3 SAIA VOLUMOSA
A saia é uma estrutura flexível leve formada por tricotagem de malhas de teia, um sistema de construção têxtil que é um cruzamento entre a tricotagem e a tecelagem. Uma urdidura de vários fios cria cadeias verticais de laços interligados.

2 TÚNICA LISTRADA
A túnica é criada por meio de uma técnica chamada tricotagem de malha de trama. É formada de fileiras horizontais de pontos em que um único fio atravessa uma carreira inteira de agulhas antes que um fio diferente produza grupos subsequentes de fileiras em cores vivas diversas.

PERFIL DA GRIFE

1953-1968
A empresa Missoni foi fundada por Ottavio (Tai) Missoni (1921-2013) e sua esposa Rosita Jelmini (1931) em 1953 e começou como um pequeno ateliê de três máquinas de tricô no porão de casa em Gallarate, na Lombardia, Itália. Em 1958 apresentaram sua primeira coleção sob a marca Missoni em Milão.

Desde 1969
Em 1969 a fábrica Missoni foi aberta em Sumirago, no Lombardio, Itália. Durante meados da década de 1970, a empresa acrescentou tecidos para decoração e artigos de cama e mesa à sua coleção de malhas, acessórios e joias. Em 1976 a primeira butique Missoni foi aberta em Milão, seguida por pontos de venda varejista em Paris, Alemanha, Japão, Extremo Oriente e Nova York. Em 1977 a diretoria criativa passou para a filha dos Missoni, Angela, enquanto Rosita concentrou-se na etiqueta de interiores.

ROUPAS *ONE-STOP*

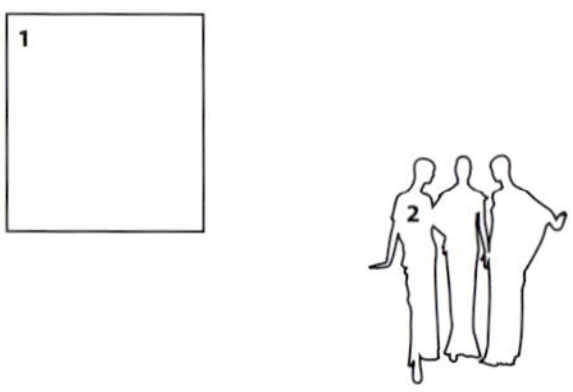

1 A atriz americana Lauren Hutton sintetiza o estilo de vida da década de 1970 trajando peças individuais de fácil uso para a Calvin Klein (1974), como uma blusa com laço, blusão de seda e calças sob medida.

2 A trinca de vestidos de noite de jérsei de seda de Halston (*c.*1976) apresenta um vestido de babados preto *halter-neck*, um figurino com um só ombro pregueado no quadril e um vestido verde de corte enviesado com mangas esvoaçantes.

Durante a década de 1970, a moda americana tornou-se menos complexa, enquanto um novo modernismo emergia, simbolizado pelos trabalhos de Roy Halston Frowick (1932-1990) e Calvin Klein (1942). Ambos os estilistas ofereceram uma alternativa aos trajes formais ou aos experimentos difíceis de usar da vanguarda. Um interesse crescente no feminismo e um desejo por autonomia pessoal fizeram com que a mulher profissional recém-emergente necessitasse de um guarda-roupa conciso de peças individuais versáteis (acima), compreendendo peças facilmente intercambiáveis como blusas em tecidos suntuosos, calças sob medida e saias na altura dos joelhos, que pudessem ser compradas de um só estilista e preferencialmente em um só lugar. O desejo por roupas prêt-à-porter sofisticadas levou lojas de departamentos como Bergdorf Goodman e Saks Fifth Avenue, em Nova York, a fecharem seus departamentos de alta-costura e abrirem butiques internas para vender as criações dos novos estilistas.

Com a popularização da ideia de roupas *one-stop*, certas peças tornaram-se básicas no guarda-roupa, como o blazer de um só botão, usado com a saia ou calça e a camisa de estilo masculino. Muitos consumidores resistiram ao lançamento da midisaia, preferindo as calças, embora certos locais de trabalho tivessem um código

PRINCIPAIS ACONTECIMENTOS

1968	1969	1973	1973	1973	1976
Roy Halston Frowick exibe sua primeira coleção de mesmo nome em seu novo showroom em Nova York.	Em setembro, as roupas para o ar livre de Calvin Klein aparecem na capa da *Vogue* americana.	Halston vende o nome "Halston" e o negócio prêt-à-porter e de alta-costura para a Norton Simon Incorporated.	Calvin Klein vence o primeiro de três Prêmios Coty consecutivos.	Diane von Furstenberg cria seu vestido--envelope (ver p. 400). Ele aparece em muitas coleções subsequentes.	Halston desenvolve um perfume de sucesso, Halston. Sua garrafa em forma de lágrima foi desenhada por Elsa Peretti (1940).

de vestuário que proibia calça. Essas peças não eram as calças *palazzo* ou capri da era anterior, mas se baseavam na alfaiataria masculina, com frentes pregueadas e bolsos verticais na costura lateral. Os trajes de noite evidenciaram a nova simplicidade de estilo, conforme os jantares e bailes de caridade a rigor foram sendo substituídos por casas noturnas como o Studio 54 de Nova York, frequentado por celebridades como Bianca Jagger e Angelica Houston, com frequência vestidas por Halston. Um proponente do minimalismo luxuoso e da simplicidade de corte, fazendo referência às inovadoras dos anos 1950 como Claire McCardell (1905-1958) e Bonnie Cashin (1907-2000), Halston ficou conhecido pelos cafetãs de seda, trajes de noite de jérsei fosco e fluido (à direita) e macacões *halter-neck*, mas sua peça mais vendida foi a blusa-vestido de ultracamurça lavável à máquina, um novo tecido artificial japonês. Ele desenvolveu peças individuais discretas, de fácil uso, inter-relacionadas, em tecidos flexíveis como seda e jérsei de lã. A roupa *one-stop* fácil incluía seu inconfundível conjunto de cardigã e suéter de caxemira na altura do tornozelo em cores neutras.

Durante meados da década de 1970, Calvin Klein concentrou-se em roupas para o ar livre, antes de detectar com sucesso o desejo da mulher trabalhadora por um uniforme profissional e oferecer uma versão relaxada da roupa masculina. O estilista expandiu sua coleção para incluir vestidos-casacos, jaquetas de marinheiro de luxo, camisetas de seda e macacões. Seu blazer restrito às cores branca, cinza, creme, azul-marinho ou preta era cortado rente ao corpo com cavas estreitas e altas. De acordo com a informalidade crescente, Klein evitou o vestido para "grandes ocasiões" e desenhou coleções restritas, de produção limitada de vestidos *slip* inconfundíveis e tubinhos pretos simples de jérsei para a noite. Vender com sucesso um guarda-roupa de peças individuais "atemporais" delicadamente cortadas que diferiam um pouco de estação para estação requeria um marketing inteligente. Klein foi pioneiro no conceito de estilo de vida e promoveu seus figurinos usando uma imagística irresistível de moradores de Manhattan ou dias lânguidos e divertidos na praia. Em 1976 ele mostrou o jeans pela primeira vez na passarela, com seu nome bordado no bolso traseiro.

Apesar de peças individuais prêt-à-porter constituírem o guarda-roupa da mulher trabalhadora, o vestido na altura dos joelhos – uma blusa-vestido abotoada até embaixo, forro de jérsei de malha pull-on com um cordão na cintura ou o vestido-envelope icônico (ver p. 400) desenhado por Diane von Furstenberg (1946) – apareceu em 1973 e se tornou cada vez mais popular. Exemplificando a elegância profissional, o vestido resolveu o dilema do traje do dia para a noite, pois podia ser usado sob um blazer no trabalho e com joias e saltos altos à noite. **MF**

1977

Ralph Lauren (1939) desenha um guarda-roupa inspirado em roupas masculinas para Diane Keaton no filme *Noivo neurótico, noiva nervosa*, de Woody Allen.

1978

Calvin Klein lança sua primeira coleção para homens, licenciada para o fabricante francês Maurice Bidermann.

1980

Calvin Klein lança sua linha de jeans com um comercial apresentando Brooke Shields (ver p. 426). Seu sucesso impele a marca à frente dos concorrentes.

1982

Imagens do fotógrafo Bruce Weber vestindo apenas roupas de baixo Calvin Klein homenageiam o corpo sarado da época.

1982

Halston assina um contrato multimilionário com a rede e de lojas de departamentos J. C. Penney, erodindo assim o prestígio da grife.

1984

Halston abandona a marca Halston após conflitos com a Norton Simon Incorporated.

Vestido-envelope 1973

DIANE VON FURSTENBERG 1946

NAVEGADOR

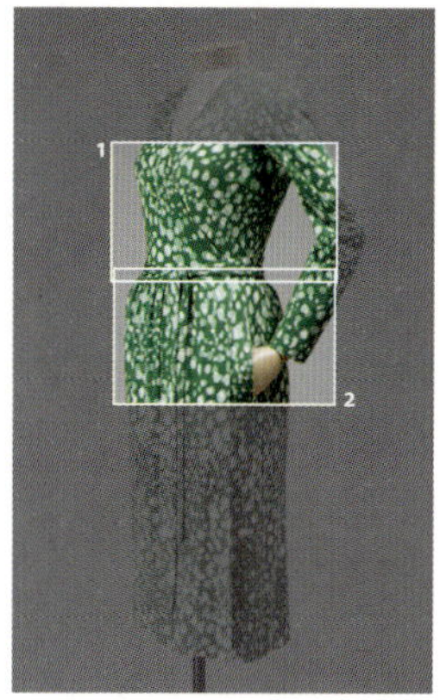

Diane von Furstenberg inspirou-se em Julie Nixon Eisenhower vestindo um *wrap top* e saia em uma transmissão televisiva no início da década de 1970 e decidiu combinar as duas peças em uma única: o vestido-envelope. Uma decisão que levou a um império da moda global baseado num único estilo. A estilista registra sua motivação em sua autobiografia *A Signature Life* (1998): "Tudo que tive foi uma intuição de que as mulheres queriam uma opção de moda além das roupas hippie, bocas de sino e terninhos que ocultavam sua feminilidade."

O vestido envelope para ir a qualquer lugar logo se tornou um sucesso de vendas entre as mulheres trabalhadoras e celebridades. Apresentava uma gola em V formada amarrando-se a cinta larga em torno da cintura, e o corpete era cortado para se ajustar rente ao corpo, com mangas embutidas longas e estreitas. Acompanhado de salto alto e joias, o vestido podia ser usado à noite, ou sob um blazer para o escritório. Sem zíperes, ganchos, presilhas ou botões, uma vez que passou a simbolizar a libertação sexual feminina. era fácil de pôr e tirar. O Diane von Furstenberg Studio produziu vestidos de malha de uma mescla de raiom e algodão, com pequenas estampas geométricas e textura de madeira, de fácil uso, típicos da estilista, de 1970 a 1977, introduzindo estampas de cobras e leopardos em 1974. Tops, vestidos longos e vestidos *halter-neck* foram mais tarde acrescentados à coleção. **MF**

PONTOS FOCAIS

1 CORPETE AMOLDADO
O tecido de malha de jérsei do corpete é justo e se amolda à forma do corpo. A cinta estreita na cintura proporciona comodidade e definição, e o laço também permite ao usuário ajustar a profundeza do decote.

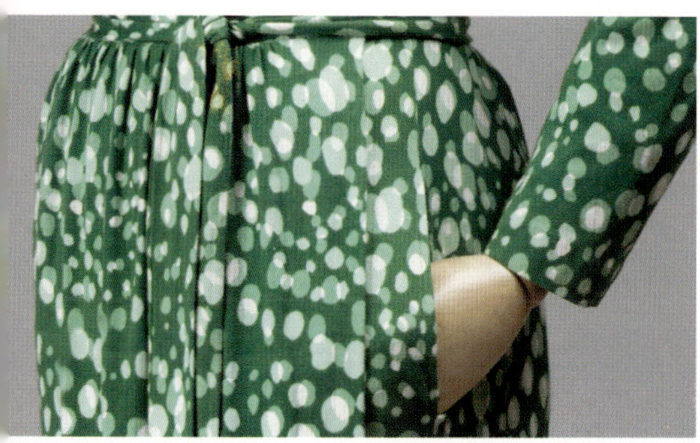

2 LIBERDADE DE MOVIMENTO
A saia de corte suave adere aos quadris, antes de se alargar para terminar pouco abaixo do joelho, permitindo um caminhar irrestrito. Bolsos verticais estão fixados nas costuras laterais e aumentam a utilidade da peça.

▲ Diane veste um de seus próprios figurinos (1973). O slogan "Sinta-se como uma mulher, use um vestido!" apareceu em todas as etiquetas e tornou-se a marca registrada da empresa.

DESIGN JAPONÊS MODERNO

1 A coleção prêt-à-porter de Kenzo para o outono/inverno de 1984 apresentou estampas florais chinesas e tecidos e malhas de inspiração peruana.

2 Este figurino de Yohji Yamamoto para sua coleção outono/inverno de 1985 combina estampas florais e geométricas.

A partir da década de 1970, uma nova geração de estilistas japoneses começou a emergir como protagonistas-chave na arena da moda internacional. Um dos mais proeminentes foi Kenzo Takada (1939; conhecido como Kenzo), que exibiu sua primeira coleção em Paris em 1970 em sua butique Jungle Jap, localizada na Galerie Vivienne. Sua justaposição característica de estampas fortes e coloridas misturadas com intársia florais ou malhas jacquard (acima) foi motivada por sua juventude como estudante em Paris, quando só conseguia comprar seus tecidos em mercados de pulgas.

Kenzo foi o primeiro estilista japonês legitimizado pelos profissionais da moda ocidentais, e sua etiqueta persiste como uma das marcas de prêt-à-porter mais influentes no mundo inteiro. Em suas coleções, o estilista apresentou uma estética nova à moda ocidental, incluindo a camisa estilo túnica feita de um *yukata* (quimono de verão) e um vestido feito de um obi, ou faixa de quimono. Sua combinação de cores e tecidos, técnicas de quilting e formas quadradas tiveram sua origem no quimono japonês. Kenzo eliminou as pences e usou linhas retas e fortes, apresentando ao Ocidente o que estava fora de moda no Japão na época. Logo após sua primeira

PRINCIPAIS ACONTECIMENTOS

1970	1971	1972	1973	1975	1975
Kenzo Takada abre sua primeira loja em Paris e exibe sua coleção a jornalistas e editores franceses.	O empresário da moda Joseph Ettedgui lança a etiqueta Kenzo em Londres.	Yohji Yamamoto abre sua própria empresa após trabalhar como estilista freelance por quatro anos.	Issey Miyake faz sua primeira exposição em Paris junto com os estilistas europeus Sonia Rykiel (1930) e Thierry Mugler (1948) para promover o prêt-à-porter.	Hanae Mori apresenta sua primeira coleção em Paris e dois anos depois abre seu ateliê de alta-costura na Avenue Montaigne.	Laforet Harajuku, um grande complexo de moda, é inaugurado em Tóquio.

exposição em 1970, um de seus figurinos em *sashiko* – uma técnica de costura japonesa tradicional – apareceu na capa da influente revista de moda francesa *Elle*.

No início da década de 1980, Rei Kawakubo (1942) – trabalhando sob sua grife Comme des Garçons (ver p. 404) – e Yohji Yamamoto (1943) começaram a apresentar suas coleções em Paris junto com o já consagrado Issey Miyake (1938). Juntos os três formaram uma nova escola da moda – a vanguarda japonesa – e prepararam o terreno para o início de uma interpretação pós-moderna da moda, eliminando a fronteira entre Ocidente e Oriente, moda e antimoda, e moderno e antimoderno. À semelhança de Kenzo, esses estilistas davam grande importância aos estilos de vestir herdados do passado, incluindo as roupas de fazendeiros japonesas criadas e trajadas por necessidade. Adaptaram tecidos tingidos e técnicas de quilting do Japão antigo, apresentando-os ao sistema de moda ocidental como alta moda (à direita).

Commes des Garçons apareceu pela primeira vez em Paris em 1981, e sua estética inflexível combinou a subversão da noção consagrada de estrutura da peça com uma preocupação com textura e materiais. As peças eram cortadas para disfarçar, em vez de revelar a forma do corpo, e a grife inaugurou o preto como a cor típica da moda de vanguarda dos anos 1980. O minimalismo e austeridade de Kawakubo simbolizaram a abordagem pós-moderna da moda, na qual quaisquer classificações, ideologias e definições fixas eram questionadas. No fim da década, Commes des Garçons confirmara sua posição entre as marcas de moda globais, com 25% de seus pontos de venda varejista situados fora do Japão.

Yohji Yamamoto começou a desenhar roupas femininas em 1970 e dois anos depois criou sua própria linha em Tóquio, substituindo a obsessão ocidental com tendências vertiginosas por uma sensibilidade estética. A partir de um primeiro desfile de moda feminina – "Y's for Women" – em Tóquio em 1977, a marca se ampliou para incluir uma linha de moda masculina em 1979 e a segunda linha "Y's for Men" em 1981, mesmo ano da primeira exposição de Yamamoto em Paris. No surto posterior de marcas DC (Designer Character) – um fenômeno que apresentou linhas mais acessíveis por grifes como Comme des Garçons e Issey Miyake – Yamamoto tornou-se o único estilista japonês a receber o título francês de Chevalier de l'Ordre des Arts et des Lettres. No campo da alta-costura, Hanae Mori (1926) tornou-se a única costureira francesa a ser aceita na prestigiosa Câmara Sindical da Alta-Costura Parisiense, para a qual foi eleita em 1977. Ela combinou técnicas de confecção de vestidos e drapejamento ocidentais com temas de estampas japoneses para criar influentes coleções de alta-costura, figurinos de ópera e túnicas para clientes da realeza.

A influência dos estilistas japoneses afastou em parte as fronteiras da moda dos ideias ocidentais do corpo e convenções de vestuário. Além disso, a moda ocidental incorporou influências, tradições e formas não europeias às práticas predominantes, fenômeno exemplificado pelo sucesso estrondoso em 2002 do Y-3, a colaboração de Yamamoto com a Adidas (ver p. 532). **YK**

1976	1977	1980	1981	1983	1993
A primeira butique Comme des Garçons abre as portas em Tóquio.	Hanae Mori torna-se a primeira costureira japonesa a trabalhar na alta-costura francesa.	O fenômeno das marcas DC começa no Japão e grifes domésticas tornam-se populares.	Yohji Yamamoto e Rei Kawakubo da Comme des Garçons exibem sua primeira coleção em Paris.	Rei Kawakubo vence o primeiro de dois Prêmios de Design Mainichi. O segundo é concedido em 1987.	A marca Kenzo é comprada pela empresa de artigos de luxo francesa LVMH.

Conjunto assimétrico 1983
COMME DES GARÇONS

NAVEGADOR

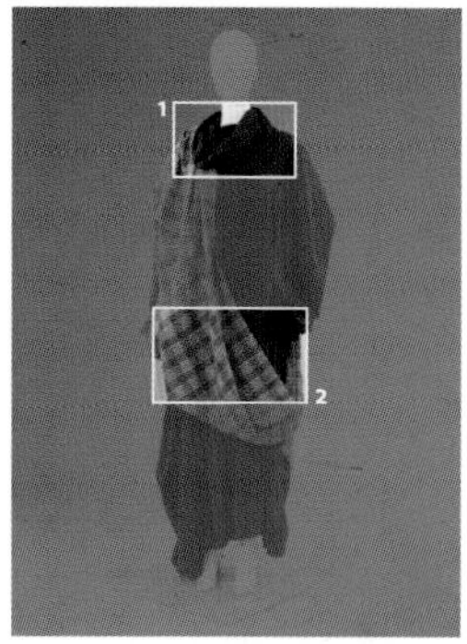

Em meados da década de 1980, o rótulo jornalístico "Hiroshima Chic" – aplicado à austeridade contemplativa dos figurinos de Rei Kawakubo – havia sido abandonado pela imprensa. A beleza elegante e assimétrica das peças de Kawakubo foi reconhecida como sinal de uma composição refinada. Sua elegância esculpida tinha a fascinação do abstrato em contraponto com a fisicalidade do corpo. A paleta neutra de preto, cinza-escuro e branco, usada continuamente por Kawakubo em meados da década de 1980, enfatizava tal sensibilidade escultural. A integração de método e filosofia em seu trabalho depende de um diálogo íntimo entre o estilista e seus colaboradores técnicos de longo prazo. Eles são consultados para inventar métodos novos de modo a conseguir as nuances de seus figurinos abstratos.

A silhueta de sua blusa-quimono retangular e saia estreita referencia a forma tradicional do traje japonês, o quimono: um manto em forma de "T", de linhas retas, caindo até o tornozelo. A estrutura complexa da blusa-quimono de lã tricotada em ponto de jarreteira minimiza a necessidade de cortá-la e moldá-la, pois ela é moldada enquanto tricotada. As fendas e curvas resultantes entram e saem da peça para enrolar e envolver o corpo superior, formando um nó tipo obi na parte central dianteira. **MF**

PONTOS FOCAIS

1 ***COWL NECK***
A grande e folgada gola virada forma uma gola pendente profunda e se integra ao corpo do traje principal. Quando usado puxada sobre a cabeça, a gola forma um capuz enorme que emoldura o rosto.

2 **TECIDO DRAPEJADO**
Uma peça de tecido axadrezado é drapejado através do corpo do ombro ao quadril, realçando a silhueta solta e em camadas. O padrão assemelha-se no estilo ao da manta escocesa, e os padrões axadrezados são juntados em 45° na costura.

PERFIL DA ESTILISTA

1942-1975
Rei Kawakubo nasceu em Tóquio e graduou-se em belas-artes pela Universidade de Keio, uma das mais prestigiadas no Japão. Antes de fundar a Comme des Garçons (o nome faz alusão à letra da canção de Françoise Hardy) em Tóquio em 1969, trabalhou na publicidade de um fabricante de fios e como estilista independente. Desde o início, foi considerada extraordinariamente inovadora em seus figurinos, criando roupas que desafiavam as convenções do setor.

1976-1983
Em 1976, a estilista abriu sua própria loja em Tóquio, projetada pelo artista Takao Kawasaki. A primeira linha de moda masculina, Comme des Garçons Homme, foi lançada em 1978. O colega estilista Yohji Yamamoto (1943) teve a ideia de organizar sua primeira exposição com Kawakubo durante a temporada do prêt-à-porter de Paris em 1981, no Hotel Intercontinental, a fim de criar um impacto maior. Kawakubo abriu sua primeira boutique em Paris no ano seguinte, e em 1983 diversificou para a produção de móveis.

1984-1993
Nas décadas de 1980 e 1990, Kawakubo experimentou com técnicas de desconstrução, utilizando materiais com aspecto de gastos em suas peças. Em 1992, ela desenhou uma série de vestidos que pareciam moldes de papel, surpreendendo e encantando a imprensa de moda. No mesmo ano, Kawakubo deu à sua pupila Junya Watanabe (1961) a oportunidade de lançar sua própria linha sob a etiqueta Comme des Garçons. O trabalho de Kawakubo foi exibido como parte da exposição "Mode et Photo" (Moda e Fotografia) de 1986 no Centro Pompidou, em Paris.

DESDE 1994
Os figurinos de Kawakubo foram expostos no Instituto de Figurinos de Kyoto em 1993. A marca se ramificou em fragrâncias, abrindo uma loja em Paris em 2000. Uma série de lojas pop-up foram abertas em locais incomuns ao redor do mundo em 2004, e em 2008 Kawakubo colaborou com o varejista de roupas H&M.

GLAM ROCK E ESTILOS DISCOTECA

Na década de 1970, tanto a Grã-Bretanha como os Estados Unidos produziram movimentos culturais que eram um antídoto à austeridade econômica. A resposta britânica foi o glam rock – um movimento que começou no início da década de 1970 e foi definido pela teatralidade e excentricidade dos trajes –, enquanto nos Estados Unidos o movimento da discoteca emergiu após 1976.

Embora ambos compartilhassem o mesmo amor por lantejoulas e variações de collants justos, o glam rock foi mais exuberante, simbolizado pelos figurinos de palco de músicos britânicos como Elton John e Marc Bolan (acima). O movimento do glam rock favoreceu uma androginia provocadora, com David Bowie como seu representante, usando trajes desenhados pelo japonês Kansai Yamamoto (1944; ver p. 408). O excesso da cabeça aos pés incluía botas plataforma altas, vestidos *all-in-one* estampados, mullets tingidos e pintura facial e corporal. As plataformas exageradamente grandes de Terry de Havilland foram vistas nos pés de muitos roqueiros *glam* após a abertura de sua loja Cobblers to the World em 1972. Aqueles desenhos exuberantes e pesadões eram tipicamente produzidos de pele de cobra tingida com apliques de flores e faixas de arco-íris, sendo usados por homens e por mulheres. O par sob medida de Elton John foi adornado com suas iniciais (à esquerda).

PRINCIPAIS ACONTECIMENTOS

1971

"Hot Love" de T. Rex chega às paradas de sucesso britânicas. Marc Bolan veste uma roupa brilhante de cetim para interpretar na série de TV *Top of the Pops*.

1972

A grife Swanky Modes é criada em Camden Town, Londres, por Willie Walters, Melanie Herberfield, Judy Dewsbury e Esme Young.

1972

David Bowie apresenta seu alter ego andrógino à cena do glam rock, retratado no álbum *The Rise and Fall of Ziggy Stardust and the Spiders from Mars*.

1973

David Bowie lança seu álbum seminal *Aladdin Sane*. O estilista japonês Kansai Yamamoto cria os figurinos de palco para a turnê correspondente.

1976

Fotos coloridas de Marte excitam a imaginação de uma geração. Artistas, como David Bowie, são inspirados pela ideia de viagens espaciais.

1976

O clássico da discoteca "Dancing Queen" é lançado pela banda sueca internacionalmente bem-sucedida Abba.

Outras butiques londrinas, como a Alkasura em King's Road e a Biba de Barbara Hulanicki, disseminaram o glam rock com um mix eclético de echarpes de plumas, blusões lantejoulados, coletes elaborados e mantos exuberantes. A butique Mr. Freedom de Tommy Roberts abriu as portas em 1973 em Covent Garden e oferecia camisetas com personagens de desenhos animados, hot pants de cetim e jaquetas de couro e camisas de cetim em cores primárias. Calças de cintura alta aderiam à entreperna e coxas e se alargavam sobre as botas, sendo usadas com suéteres encolhidos ostentando temas metálicos da era espacial.

Nos Estados Unidos, o hedonismo natural do movimento hippie deu lugar ao glamour urbano do fenômeno da discoteca. O som sintético insistente e palpitante de hits como "I Feel Love" de Donna Summer serviu de panorama para um período da moda baseada no brilho e resplendor, visto na casa noturna Studio 54. Indelevelmente associada à decadência hedonista da época, a discoteca prosperou de 1977 a 1979 e testemunhou os excessos do *demi-monde* nova-iorquino. A antiga e nova Hollywood encontrava-se com estilistas, como Calvin Klein (1942) e Halston (1932-1990), e músicos misturavam-se com artistas, incluindo Andy Warhol e Jean-Michel Basquiat. Um controle rigoroso restringia a entrada somente aos bonitos e famosos, como Bianca Jagger e Liza Minnelli.

O movimento discoteca passou a ser associado à cultura e moda, atingindo seu auge no fim da década de 1970. A inspiração musical foi a música latina, o funk e o soul, e a sexualidade intrínseca daqueles gêneros se refletiu na moda das peças justas que aderiam ao corpo enquanto os dançarinos giravam sob as luzes estroboscópicas e bolas espelhadas no salão de dança. A iluminação refletia o brilho das blusas *halter-neck* de lurex, tops tomara que caia lanteloujados e calças spandex justas. O pessoal da moda preferia a boate Xenon, que tinha a fama de ter uma interpretação mais radical do estilo discoteca e dançarinos em gaiolas trajando apenas collants spandex e *body glitter*. Em 1977 a discoteca conquistou a cultura de massa com a popularidade do filme *Os embalos de sábado à noite*, o ápice desse estilo. O filme, com John Travolta num terno de três peças (à direita), disseminou o estilo discoteca, barato e fácil de copiar pela moda predominante. Tecidos elásticos sintéticos em variações do collant e vestidos de spandex reveladores do corpo, usados com sapatos de salto alto e meias curtas, proliferaram.

A marca britânica Swanky Modes, com uma equipe de quatro jovens estilistas, difundiu o estilo discoteca no Reino Unido com peças justas de lycra apresentando recortes sensuais, uma estética abertamente sexy celebrada durante a década de 1970 nas imagens do fotógrafo francês Guy Bourdin (ver p. 410). A popularidade da discoteca e do glam rock atingiu seu fim natural quando um novo movimento jovem se insurgiu. A discoteca foi substituída pela estética adstringente do punk rock. Além disso, a liberdade sexual e o hedonismo associados à discoteca pareceram fora do alcance, se não perigosos, com o advento da aids no início da década de 1980. **EA**

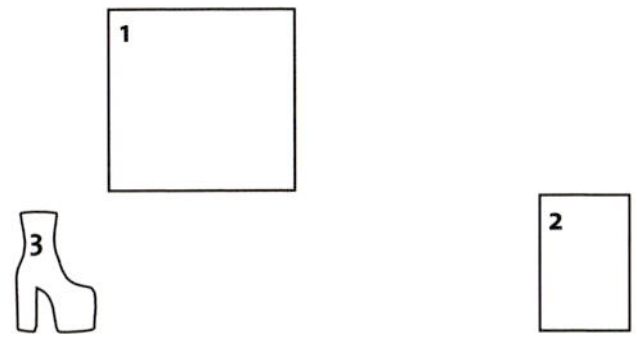

1 O autointitulado líder do T. Rex Marc Bolan combina cetim, veludo e penas para o glam rock dos anos 1970.

2 O terno branco e calça preta de John Travolta com colarinho pontudo, desenhados por Patrizia von Brandenstein em 1977, tornaram-se emblemáticos da década da discoteca.

3 As botas plataforma vermelhas e prateadas metálicas de Elton John receberam apliques com as iniciais do músico (anos 1970).

1977	1977	1977	1978	1979	1981
Steve Rubell e Ian Schrager abrem a seminal discoteca Studio 54 em Nova York.	Donna Summer, conhecida como a "rainha da discoteca", lança a icônica canção "I Feel Love" pela Casablanca Records.	John Travolta atua em *Os embalos de sábado à noite* como um jovem insatisfeito cujo mundo gira em torno da discoteca. A trilha sonora dos Bee Gees torna-se um fenômeno global.	Peppo Vanini e Howard Stein abrem a Xenon, que se torna a única concorrente real da discoteca Studio 54.	O sedutor anúncio de Guy Bourdin para os sapatos Charles Jourdan é publicado na *Vogue* (ver p. 410).	A ideia do amor livre e o hedonismo da era da discoteca terminam com o surto da aids.

Traje Ziggy Stardust de David Bowie 1973

KANSAI YAMAMOTO 1944

1 O MULLET

O cabelo em mullet foi parte fundamental do estilo Ziggy Stardust. Criado por Suzy Fussey, que se tornou a cabeleireira pessoal de Bowie, o estilo compreendia uma frente curta e pontuda, longas laterais e uma "cauda" traseira longa – tudo tingido de vermelho Schwartzkopf.

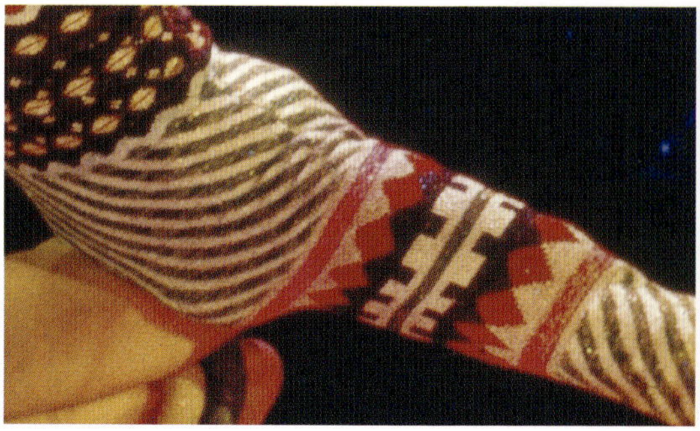

2 TÉCNICA DE TRICOTAGEM

Fileiras horizontais de renda preta tricotada estão intercaladas entre a cor forte do unitard e as barras de verde diagonal e listras brancas que espiralam em torno do corpo e da perna. A peça foi cortada na forma do corpo, em vez de se ajustar a ele.

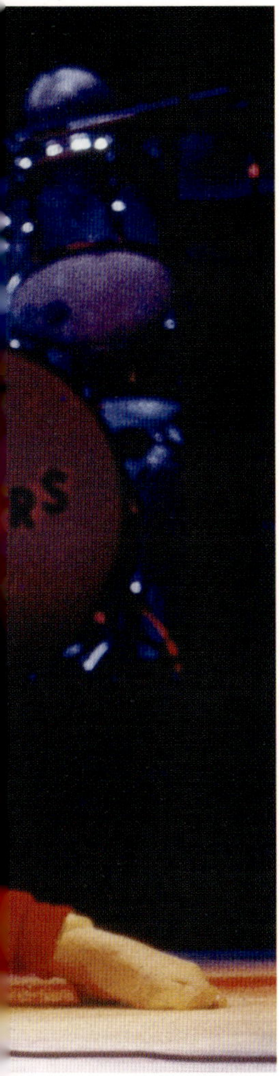

Bowie apresenta-se no Hammersmith Odeon em London (1973).

NAVEGADOR

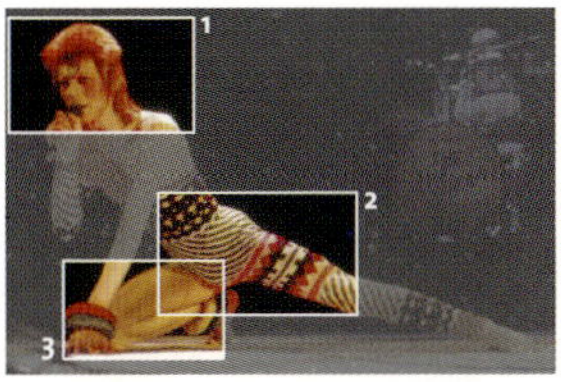

Este traje de glam rock, usado por David Bowie, é um dos muitos figurinos de palco da sua turnê "Aladdin Sane/Ziggy Stardust" nos Estados Unidos e Reino Unido (1972-1973). Foi desenhado no espírito dos figurinos do teatro Kabuki pelo estilista japonês Kansai Yamamoto, que exibiu sua primeira coleção europeia em Londres em 1971. O unitard é formado inteiramente de fio tricotado, usando as inovadoras máquinas de tricotar jacquard de cartões perfurados da época.

Embora o material tricotado forneça elasticidade, a peça também tem um zíper situado sob o braço esquerdo para dar firmeza. O unitard é extremamente justo – em especial em torno da cintura e entreperna – e serve para enfatizar o corpo emaciado, quase assexuado, de Bowie. As partes faltantes da peça, expondo a perna e o braço esquerdo, deram ao traje uma androginia provocadora apropriada ao personagem criado por Bowie para corporificar um "alienígena de Marte". Fios de lurex metálico foram introduzidos por toda parte para refletirem sob a iluminação do palco, e o traje tem como acessórios diversos braceletes gigantes em forma de donuts nos pulsos e tornozelos, feitos do mesmo tecido metálico.

Os cabelos em estilo mullet de Bowie foram tingidos de vermelho para combinar com a cor do tecido. Sua testa está adornada com um círculo dourado – o logotipo de "Ziggy" – e suas bochechas estão exageradamente maquiadas com blush, uma referência à maquiagem de palco do cabúqui. O artista da maquiagem londrino Pierre LaRoche decorou a cabeça do astro com um anel de pedrarias para a turnê do Ziggy, depois pintou o icônico raio em zigue-zague em seu rosto para a capa de *Aladdin Sane*, que liderou as paradas de sucesso britânicas em 1973. A teatralidade chocante do unitard impeliu Bowie para a notoriedade nos Estados Unidos e Reino Unido, gerando imitadores nos dois países. Tão popular foi o estilo que a revista americana *Rock* publicou uma matéria intitulada "Faça você mesmo: o look de David Bowie" na edição de outubro de 1973. **EA**

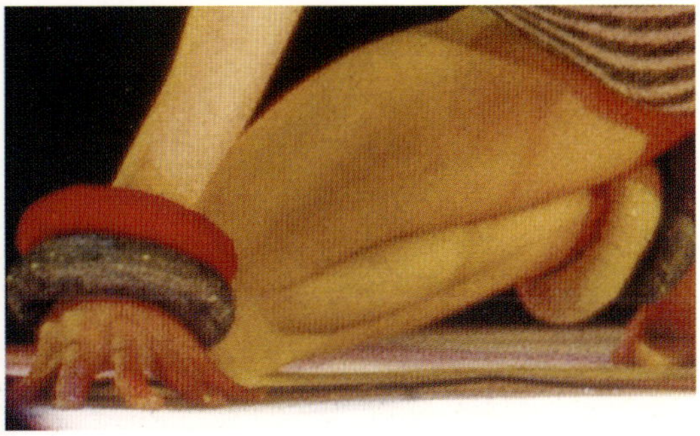

3 ACESSÓRIOS IMENSOS
Quatro grandes braceletes, dois no pulso esquerdo e dois na perna direita, fornecem um contrapeso visual à assimetria do traje. Formados simplesmente de fio lurex vermelho e azul combinando, os braceletes fazem alusão a algemas.

PERFIL DO ESTILISTA

1944-1970
Nascido em Yokohama, Japão, Kansai Yamamoto é mais conhecido por suas colaborações nos trajes de David Bowie. O músico ficou conhecendo o trabalho de Kansai quando comprou o "traje de animal selvagem" para o Rainbow Concert em 1972 na boutique londrina do estilista. Kansai inicialmente estudou engenharia civil e inglês na Universidade Nippon antes de estudar moda no Colégio de Moda Bunka em Tóquio.

DESDE 1971
Após um período trabalhando para Junko Koshino (1939) e o Estúdio Hisashi Hosono, o estilista lançou sua etiqueta Yamamoto Kansai Company Ltd., em Tóquio, em 1971. Sua primeira coleção foi lançada em Londres no mesmo ano. Sua estreia parisiense ocorreu em 1975, seguida da inauguração da Boutique Kansai, em 1977.

Disco Femme 1979

CHARLES JOURDAN

Anúncio para a empresa de sapatos Charles Jourdan, fotografado por Guy Bourdin para a *Vogue* (1979).

O fotógrafo Guy Bourdin criou imagens definidoras da época de mulheres com uma sexualidade potente e às vezes pervertida. Esta fotografia de três mulheres semiletárgicas reclinadas, com collants combinando, salto alto e echarpes de plumas, capta a essência da *"disco femme"*. As três mulheres parecem drogadas e sedutoras: a epítome do clichê feminino passivo e glamouroso de Bourdin. O fato de as três peças, sapatos e cabelos serem quase idênticos – com exceção de uma variação mínima de cor e posição das alças – implica que as mulheres são intercambiáveis.

Esta imagem é típica da abordagem de Bourdin de representar a moda desafiando tabus. O uso dos collants possui diversos níveis de significado e fornece mensagens complexas sobre os trajes: a peça quintessencial dos anos 1970 está confeccionada sem presilhas e deve ser vestida por cima, como um pulôver. A peça única, geralmente feita de um tecido misto de lycra, é justa e cobre apenas o tronco. Cortada no alto da coxa, alonga as pernas e, sem nenhuma infraestrutura, exige do usuário um corpo perfeito. A exiguidade da peça sugere calor, seja um local tropical exótico ou uma casa noturna suarenta e quente. Basicamente, porém, a peça evoca a lingerie, e a mensagem da roupa é essencialmente sexual. Além disso, as modelos estão cobertas com estolas de peles tingidas, um símbolo de luxo, glamour e sexo. Desenhadas pela empresa francesa Charles Jourdan, as sandálias com alças são lanteloujadas, com sola fina e salto alto e recuado. A série de imagens publicitárias criadas por Bourdin para a marca de sapatos de 1967 a 1981, das quais esta é um exemplo, ficou famosa por sua estética de publicidade de moda anticonvencional e atípica. **EA**

NAVEGADOR

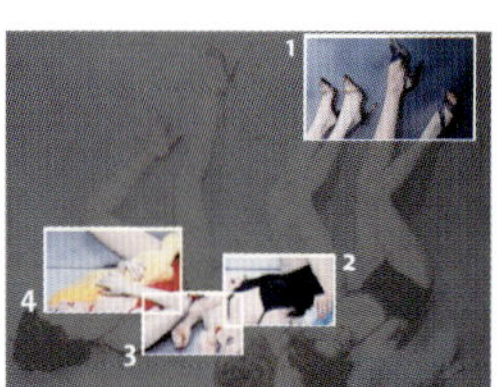

PONTOS FOCAIS

1 SAPATOS DE SALTO ALTO
As sandálias de Charles Jordan possuem tiras estreitas adornadas com lantejoulas. Três estilos e cores diferentes são mostrados, permitindo a cada mulher um pequeno grau de individualidade. Todas as três usam sapato de salto alto e fino, servindo para arquear o pé num simulacro da entrega sexual.

2 COLLANT
Inicialmente associado aos esportes, o collant era basicamente prático e permitia movimentos livres, mas com o tempo começou a ser usado como traje de casas noturnas. Como parente próximo do maiô, é relativamente modesto, mas como uma peça trajada fora da piscina, é altamente sexualizado.

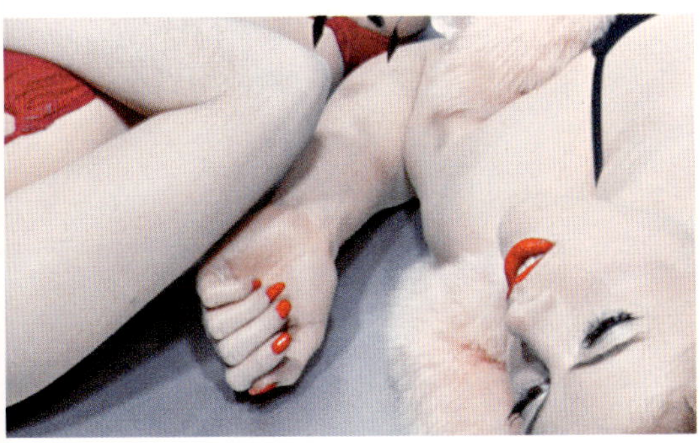

3 MAQUIAGEM
As modelos usam batom e esmalte vermelho vivo, cujo tom é refletido no collant da esquerda e evoca o glamour das sereias das telas dos anos 1940 e 1950. Sua maquiagem nos olhos é mínima e compreende um estilo de delineador em forma de asa combinando com a referência de época dos lábios.

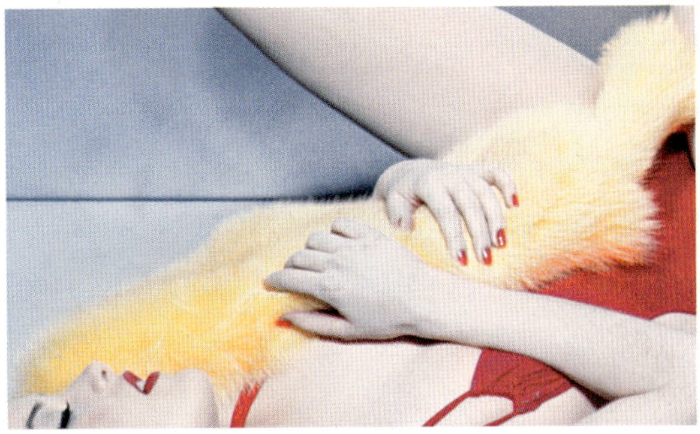

4 ESTOLA DE PELES
As modelos estão cobertas com estolas de peles em cores chocantes. Feitas de peles macias e leves, essas estolas são um contraponto textural aos saltos altos pontudos e collants esguios. Nestas imagens as estolas são mais acariciadas do que trajadas, como se ainda fossem animais respirando.

PERFIL DA GRIFE

1883-1944
Nascido em 1883, Charles Jourdan estudou para ser sapateiro e em 1919 abriu uma sapataria em Romans-sur-Isère, em Drôme. Com a subida das bainhas após a guerra, Jourdan beneficiou-se de uma maior atenção aos sapatos. Como Coco Chanel (1883-1971), ele usava apenas os melhores materiais para confeccionar seus sapatos e assim ascendeu na alta-costura.

1945-1960
Após a Segunda Guerra Mundial, os três filhos de Charles – René, Charles e Roland – assumiram o império do pai. A Jourdan cresceu e obteve reconhecimento internacional como marca de luxo. Butiques foram abertas nas capitais europeias (a primeira em Paris em 1957), mas também nos Estados Unidos. Em 1959, mesmo ano em que a Jourdan & Sons abriu um negócio em Londres, um contrato foi firmado para que criassem sapatos para Christian Dior.

1961-1979
Nas décadas de 1960 e 1970, a Jourdan promoveu seu perfil de vanguarda através de campanhas publicitárias em revistas, que empregaram imagens do fotógrafo Guy Bourdin. Apesar da diversificação de produtos no final dos anos 1970, com o acréscimo de roupas prêt-à-porter e linhas de acessórios de moda, a marca continuou mais conhecida por seus saltos altos. Após a morte de Charles em 1976, seu filho mais novo assumiu a liderança como chefe de design.

Desde 1980
A década de 1980 gerou um estilo Jourdan mais conservador. O controle familiar da empresa chegou ao fim em 1981. Com a aposentadoria de Roland, a empresa suíça Portland-Cement-Werke assumiu o controle. Em 1997, a empresa adotou o e-commerce com o lançamento de seu site. Patrick Cox tornou-se diretor de design da Jourdan em 2003. O primeiro estrangeiro a exercer o cargo, partiu após apenas dois anos para criar sua própria marca, sendo substituído por Josephus Thimister. Hoje a empresa possui 80 butiques, com quase 90% de sua produção ainda baseada em Romans.

VENDENDO UM ESTILO DE VIDA

1 Robert Redford veste um terno Ralph Lauren de três peças como Jay Gatsby em *O grande Gatsby* (1974).

2 Este anúncio da Polo Ralph Lauren da década de 1980 mostra roupas confortáveis de luxo fáceis de usar, para todas as gerações.

3 Eva Wallen posa com uma blusa de crepe de seda impressa e uma saia vinho de Calvin Klein (1980).

A atribuição de marcas aos produtos existe desde a era da fabricação em massa no século XIX, quando os fabricantes deixaram de ser anônimos e suas mercadorias se tornaram universalmente reconhecidas pelo logotipo. Durante a década de 1980, a marca emergiu como um ativo tangível merecedor de avaliação financeira. Foi reconhecida como uma promessa de uniformidade e tornou-se vital ao sucesso de uma empresa, particularmente no mercado de artigos de luxo no qual o licenciamento é uma opção. Um modelo da gestão de marca e um importante expoente inicial do marketing de estilo de vida (à direita, em cima) é o estilista americano Ralph Lauren (1939). Sua marca inspira-se na moda e nos acessórios de épocas passadas – da elite jogadora de polo do Império Britânico aos pioneiros do Oeste Americano –, transformando-as em produtos altamente desejáveis. A coleção Ralph Lauren inclui roupas e peças de decoração e se estende para artigos de toalete, óculos, bolsas e acessórios. Existem vários níveis de preços, o que tornou a marca acessível a um público mundial de consumidores, mas todos os produtos ostentam o logotipo cobiçado que fez da Ralph Lauren uma marca global.

PRINCIPAIS ACONTECIMENTOS

1970

Ralph Lauren recebe o Prêmio Coty para moda masculina e lança sua primeira linha de conjuntos para mulheres.

1971

A primeira loja Ralph Lauren independente é aberta em Rodeo Drive, Beverly Hills, Califórnia.

1978

Calvin Klein lança sua primeira coleção de moda masculina, seguida de sua primeira fragrância.

1981

A posse do Presidente Reagan marca o retorno do consumo ostentoso na sociedade americana.

1981

A primeira loja internacional Polo Ralph Lauren é inaugurada em New Bond Street, Londres.

1982

O lançamento da cueca Calvin Klein muda a forma de comercializar roupas de baixo masculinas. Uma coleção feminina é lançada no ano seguinte.

A marca de roupas Polo surgiu em 1967 da primeira coleção de gravatas do estilista, cujos desenhos se basearam nas gravatas acadêmicas da Ivy League americana e das fraternidades esportivas. Em 1971 ele acrescentou uma linha feminina de camisas de corte masculino, com um cavalo e cavaleiro jogando polo bordados no punho, seguida de suéteres, shorts, calças e trench coats inspirados nos anos 1930, todos apresentando detalhes da alfaiataria masculina clássica, como camisas com punho duplo e fecho dianteiro, em materiais naturais incluindo tweed, caxemira e algodão. Esportes de luxo tradicionais, como polo, tênis e golfe, inspiraram suas linhas de roupas prêt-à-porter. Um de seus figurinos mais conhecidos é a camisa de tênis de algodão piquê e mangas curtas – identificada pelo pequeno logotipo bordado na parte esquerda do peito – que passou a ser conhecida como camisa "polo" após a adoção do estilo pela marca Polo Ralph Lauren em 1972. Essa peça continua sendo vendida no mundo todo até hoje e tornou-se um item básico da moda.

Ralph Lauren conquistou o reconhecimento internacional com a descrição da elegância da Era do Jazz em seus figurinos para Robert Redford como o herói de *O grande Gatsby* (1974; à esquerda). Embora Theoni V. Aldredge obtivesse um Oscar por seus figurinos para o filme, foram os trajes de Ralph Lauren para o ator principal que apresentaram a marca a um público maior e desencadearam uma tendência da moda, reforçada ainda mais quando a influente revista de moda masculina *GQ* mostrou Redford como Gatsby na capa. Combinando herança com uma relevância contemporânea, a estética dos clássicos da Ivy League americana – como calças cáqui, ternos de linho com duas fileiras de botões, blazers acadêmicos e bonés de regata, camisas de colarinho fundo e gravatas de seda em cores pastéis de sorvete – associaram a marca ao estilo americano da classe alta e desencadearam a tendência pelo look preppy em voga. Durante a década seguinte, a coleção Prairie (ver p. 414) apresentou um estilo de vida rural mais rústico ao mundo da moda, e a marca Lauren também satisfez as exigências dos consumidores pelo estilo preppy sofisticado. Utilizando seus tecidos tradicionais favoritos – linho, renda e tweeds – em blazers com duas fileiras de botões e de fácil ajuste e saias tirolesa até metade da perna, Ralph Lauren expandiu ainda mais sua marca para incluir trajes de noite como suéteres de caxemira largos num estilo simplificado característico.

Cada vez mais, as marcas foram compelidas a oferecer um look total, enraizado numa identidade de marca visível e consagrada. O estilista Calvin Klein (1942) difundiu uma estética igualmente americana, porém mais contemporânea do que a de Lauren (à direita). A expansão de Klein no mercado global também incluiu produtos de estilo de vida, além de moda para homens, mulheres e crianças, facilmente identificáveis pelo logotipo CK. No entanto, a gestão da marca não se restringe às grifes prêt-à-porter sofisticadas. Oferecendo um estilo de vida mais democrático (menos caro), a marca americana Gap Inc., lançada originalmente por Donald e Doris Fisher em 1969 no Ocean Drive de São Francisco, foi transformada de um empório de jeans com desconto em uma megamarca global pelo CEO Millard Drexler. Ele lançou uma série ambiciosa de anúncios, incluindo "Quem Usou Cáquis?", que associou o produto a celebridades como Andy Warhol, Marilyn Monroe e Pablo Picasso, posicionando assim a etiqueta como uma das marcas de vestuário mais reconhecidas no mundo. **MF/DS**

1983

A retrospectiva de Diana Vreeland da obra de Yves Saint Laurent (1936-2008) é inaugurada no Metropolitan Museum, Nova York.

1984

Criação do prêmio do Council of Fashion Designers of America, conhecidos como "os Oscars da moda".

1986

A mansão Rhinelander Waldo, em Madison Avenue, Nova York, é transformada na loja conceito da Polo Ralph Lauren.

1987

A Gap abre sua primeira loja em Londres. Trata-se também da primeira loja Gap aberta fora dos Estados Unidos.

1987

O segundo maior colapso da bolsa de valores (conhecido como Segunda-Feira Negra) na história dos Estados Unidos precede outra recessão.

1988

Anna Wintour substitui Grace Mirabella como editora-chefe da *Vogue* americana.

Coleção Prairie 1988

RALPH LAUREN 1939

NAVEGADOR

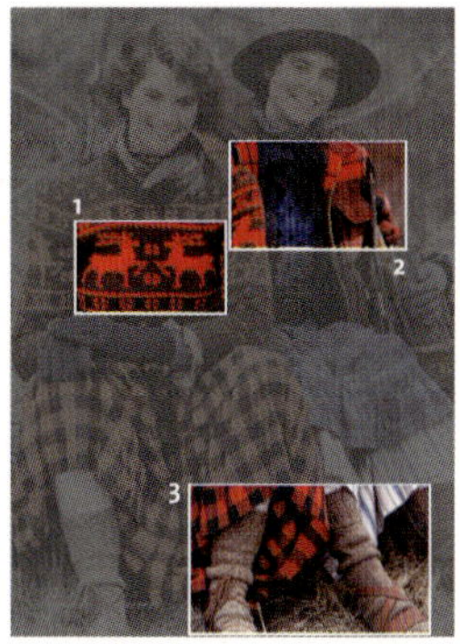

Evocando a imagística rural – sentadas sobre um fardo de feno, as modelos têm rosto resplandecente e uma exuberância saudável do ar livre –, esse anúncio reconstrói uma atmosfera simples de fazenda para os moradores urbanos sequiosos por um meio de vida menos complexo e mais calmo. A coleção Prairie apresenta camadas confortantes de cores harmonizadoras, e as texturas evocam imagens de um passeio de inverno em uma tarde gélida.

Saias volumosas até o meio da perna pregueadas na cintura e com babados na bainha são confeccionadas de tecido xadrez de lã fina em tons primários de vermelho e azul com preto. Estão sobrepostas a anáguas de flanela listrada creme e azul e collants de lã creme minuciosamente estampados. A blusa de seda xadrez preta e azul possui um babado *pie-crust* em torno do pescoço e uma abertura rufada, terminando num arco de cetim de seda azul--escuro. Uma jaqueta de tweed em zigue-zague azul-escura está sobreposta entre a blusa e uma jaqueta de lenhador de lã em tecido xadrez vermelho e preto. Luvas grossas tricotadas à mão, um cachecol xadrez orlado e meias castanho-amareladas, semelhantes à plumagem de uma perdiz, fornecem proteção extra contra as intempéries. O chapéu de lá de feltro sem adornos possui uma copa arredondada e aba plana e reta, sendo usado puxado sobre as orelhas. **MF/DS**

PONTOS FOCAIS

1 TEMA DAS RENAS
O suéter é formado no padrão bicolor típico do tricô norueguês. Apresenta uma variação da estrela Selbu, às vezes chamada de estrela norueguesa ou floco de neve. As outras imagens são temas florais e iniciais, ou imagens de animais, incluindo renas.

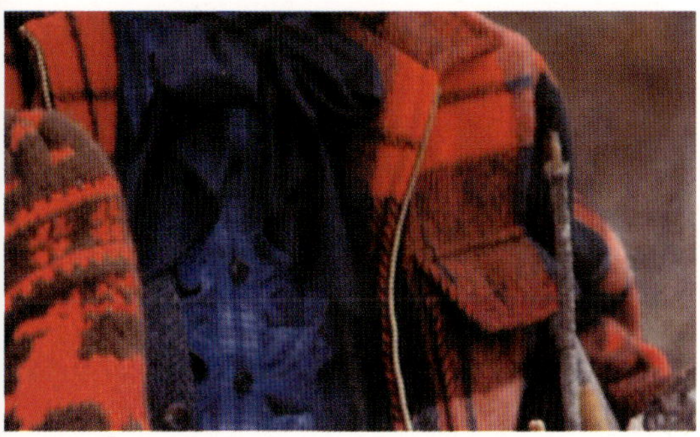

2 JAQUETA DE LENHADOR
Em flanela vermelha e preta escovada dos dois lados para maior maciez, a enorme jaqueta de lenhador possui dois bolsos práticos. Ela tem um zíper dianteiro central.

3 SAPATOS
Um par de sapatos macios é calçado sobre meias grossas, uma referência aos usados nas danças campestres escocesas. Feitos de couro maleável, a sola tem a forma do pé, com cordões ziguezagueando no alto e capturados por ilhós antes de serem amarrados.

PERFIL DO ESTILISTA

1939-1974
Nascido Ralph Reuben Lifshitz em 1939, em Nova York, Ralph Lauren começou sua carreira, vendendo gravatas na Brooks Brothers. O império de moda global Polo Ralph Lauren foi fundado em 1967 com sua primeira loja de gravatas. Mais tarde ele passou para camisas e alfaiataria, lançando sua primeira coleção feminina em 1971. Também foi pioneiro no conceito de merchandising de estilo de vida.

DESDE 1975
Lauren desenhou trajes para *O grande gatsby* em 1974, consolidando sua reputação por coleções inspiradas na tradição. A marca Polo Ralph Lauren expandiu-se através de butiques, licenciamento e publicidade até se tornar um dos maiores impérios globais da moda, levando seu criador à Galeria da Fama Coty em 1992 com um prêmio pelas realizações de sua vida.

A REVOLUÇÃO PUNK

1 O traje-fetiche de Vivienne Westwood é modelado em 1976. A loja Sex usou o slogan "roupa de borracha para o escritório".

2 Jordan posa diante da loja em 430 Kings Road, em 1976. Ela se tornou um anúncio ambulante para a moda inspirada no punk da Sex.

3 Vivienne Westwood (extrema direita) posa em um de seus trajes de bondage xadrez com moças punk numa rua de Londres em 1977.

O fenômeno punk irrompeu em Londres em 1976. Embora muitas influências musicais viessem dos Estados Unidos, em particular a cena protopunk de Nova York, foi em Londres que todos os elementos se reuniram, criando um projeto para o movimento. Este consistiu em um mix explosivo de música simples, alta e agressiva combinada com uma abordagem surpreendente do traje e da aparência. O punk adotou uma estética "faça você mesmo" que habilitava o indivíduo a construir sua própria identidade através da música, aparência, atitude e até mudanças de nome. A autoexpressão, experimentação e, acima de tudo, indignação foram os princípios norteadores do que se tornou uma abordagem de bricolagem da reinvenção do eu. Paradoxalmente, dado o espírito anticonsumista tão arraigado na filosofia do punk, foi uma loja de roupas situada na King's Road, a oeste de Londres, que iniciou a vibração criativa do punk.

Esta loja foi a Sex, de propriedade de Vivienne Westwood (1941) e Malcolm McLaren (1946-2010), renomeada Seditionaries em 1976. O empório de McLaren e Westwood passara por uma série de aparências anteriores, até o surgimento

PRINCIPAIS ACONTECIMENTOS

1971	1972	1973	1974	1975	1976
Malcolm McLaren e Vivienne Westwood abrem sua primeira loja em Londres, a Let It Rock, na King's Road, 430.	McLaren viaja para visitar uma exposição de roupas em Nova York, onde conhece a ultrajante banda New York Dolls. Ele cogita se tornar empresário de rock.	McLaren e Westwood mudam o nome de sua loja Let It Rock para Too Fast To Live, Too Young To Die. O nome muda para Sex um ano depois.	McLaren e Westwood criam sua seminal camiseta "You're Going to Wake Up" ("Você irá despertar") inspirado pela Internacional Situacionista.	McLaren e Westwood são fundamentais no lançamento da banda Sex Pistols. As roupas de inspiração fetichista de Vivienne recebem o reconhecimento da imprensa da moda.	A Sex muda seu nome para Seditionaries, refletindo seu próprio flerte com o anarquismo. A banda Sex Pistols lança seu primeiro compacto "Anarchy in the UK".

da banda Sex Pistols em 1974. O mix da loja de trajes fetichistas resistentes (à esquerda) e roupas nazistas com temas chiques atraiu uma multidão de adolescentes insatisfeitos. No grupo destacou-se uma jovem modelo e atriz chamada Pamela Rooke que, fiel ao espírito punk, reinventou-se simplesmente como Jordan (à direita, em cima). Foi na Sex que McLaren descobriu o grupo que se tornou a corporificação do punk: os Sex Pistols. O interesse inicial de McLaren na banda aparentemente pouco promissora era como veículo promocional para a loja de King's Road, a que o nome da banda fazia referência. Por dois anos, até seu colapso em 1978, a banda Sex Pistols gerou um turbilhão de manchetes chocantes e matérias sensacionalistas e, quanto mais o grupo se tornava ultrajante, mais as atenções se voltaram para suas roupas. Das "camisas anarquia" (1976; ver p. 418) às "calças bondage", de "camisetas destruição" aos "trajes de carrasco", Westwood, com ocasionais conselhos de McLaren, produziu uma série de peças que redefiniram as ideias de moda e gosto.

Em contraste com o power dressing da época que refletia a eficiência profissional, os figurinos de Westwood exploraram as roupas de formas novas e radicais. A abordagem da estilista à produção de peças era instintiva (ela tinha pouca formação em desenho de moda), e seus métodos não tradicionais deram aos seus figurinos uma contundência visual nitidamente estranha. As abordagens inovadoras de Westwood incluíam cortar o tecido em sua forma completa e sobre o corpo, e não numa superfície plana, processo ideal para a qualidade fluida do jérsei de malha. A técnica foi usada inicialmente com a muito copiada camiseta rasgada de 1979, baseada numa forma tradicional, mas com a abertura sob o braço, permitindo que a peça encontrasse seu próprio lugar no corpo. Peças eram cortadas em retângulos com nesgas para criar uma forma tridimensional. As proporções eram alteradas cortando-se o topo bem mais alto que a cintura. As peças eram às vezes adaptadas de itens existentes do vestuário com técnicas de fabricação deliberadamente rudimentares servindo para realçar sua estrutura. Slogans estampados à mão ficavam ao lado de uma série de objetos, todos colocados numa justaposição incrivelmente inventiva. Westwood, encorajada por McLaren, tentou imbuir seus figurinos de ideias extraídas da Internacional Situacionista radical – as roupas visavam ser ações de guerrilha para subverter os sistemas de valores da burguesia. Nesse contexto de indignação e confronto, imagens pornográficas foram usadas em estampas de camisetas, suásticas apareceram junto a retratos de Karl Marx, e referências explícitas ao bondage e trajes-fetiche se justapunham a ideias extraídas diretamente das roupas militares e dos motociclistas.

As cores também foram usadas para efeitos surpreendentes, com preferência pelo vermelho, preto e branco, além de rosas fluorescentes, amarelos Day-Glo e azuis elétricos acrescentando uma sensação de paleta "toda dinâmica". O uso por Westwood de padrões xadrez foi igualmente ousado. Ela produziu trajes inspirados no bondage, como jaquetas e calças numa variedade de tecidos xadrez (à direita), associando seus temas urbanos modernistas à história celta. **WH**

1977	1978	1978	1979	1980	1981
O Jubileu de Prata da rainha Elizabeth II dá um foco à música dos Sex Pistols e influencia a iconografia dos figurinos de Westwood para a Seditionaries.	Westwood produz camisetas ultrajantes, como a "Prick Up Your Ears", com um desenho de uma orgia punk gay e texto de Joe Orton.	Ao final de sua turnê americana, Johnny Rotten abandona a banda Sex Pistols, causando sua dissolução.	O baixista do Sex Pistols – e muso do punk de McLaren e Westwood – Sid Vicious morre de uma overdose de drogas.	É lançado o pseudodocumentário de Julien Temple sobre a banda Sex Pistols *The Great Rock 'n' Roll Swindle*.	Num afastamento consciente do punk, Westwood e McLaren promovem o desfile de modas Pirate.

Camisa anarquia 1976

MALCOLM MCLAREN 1946-2010 VIVIENNE WESTWOOD 1941

Simon Barker em uma camisa anarquia, fotografado por
Ray Stevenson para o fanzine dos Sex Pistols *Anarchy in the UK* (1976).

NAVEGADOR

A "camisa anarquia", trajada aqui por Simon Barker, um dos primeiros fãs dos Sex Pistols, é um dos figurinos mais importantes da Sex/Seditionaries, exemplificando a abordagem ousada e inventiva de Malcolm McLaren e Vivienne Westwood. A camisa foi confeccionada a partir de uma camisa mod Wemblex dos anos 1960. McLaren adquiriu um estoque delas com a intenção de vender em sua loja quando ainda se chamava Let It Rock. Ele começou a usar as camisas que não eram vendidas, até que Westwood personalizou uma delas pintando listras. McLaren então modificou ainda mais a peça acrescentando imagens e slogans políticos, transformando-a em algo diferente. Sua intenção foi chocar com camisas de uma "guerrilha urbana". Na época, a banda Sex Pistols estava compondo a canção "Anarchy in the UK", expressando ideias que haviam se popularizado no meio da Sex/Seditionaries. Usando descolorante, McLaren aplicou slogans anarquistas dos muros de Paris, incluindo o emblema e mais tarde os nomes de herois do movimento anarquista, como La Mano Negra espanhola (organização Mão Negra). Cada peça era única (mais tarde foram imitadas, e cópias chegaram a figurar em museus), tingida de vermelho com listras pretas e marrons pintadas à mão, e uma braçadeira vermelha foi colocada na manga. A camisa anarquia foi uma colagem provocadora de símbolos contraditórios, incluindo a controvertida suástica – mais um manifesto que uma roupa. **WH**

PONTOS FOCAIS

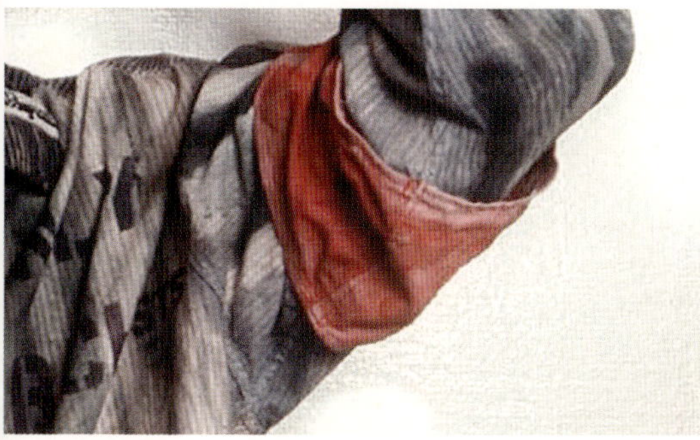

1 BRAÇADEIRA
A braçadeira vermelha na manga homenageia os Guardas Vermelhos de Mao e tem a palavra "caos" estampada. O elemento mais controverso, embora nem sempre presente nas camisas, foi um remendo de suástica invertida na barra da mão direita ou no colarinho.

2 TEXTO ESTAMPADO
A imagem mostra o slogan em estêncil "Only Anarchists Are Pretty" ("Só anarquistas são bonitos"). Este e outros slogans da Internacional Situacionista foram desenhados com um ramo mergulhado em descolorante. Outras palavras foram gravadas nas mangas com estênceis do filho do casal.

3 BARRA DIANTEIRA
Retalhos de seda e musselina oblongos tingidos estão costurados do lado direito da barra dianteira. Uma imagem estampada de Karl Marx também foi costurada no tecido. McLaren adquiria esses retalhos de seda de uma loja chinesa no Soho, em Londres.

PERFIL DOS ESTILISTAS

1941-1970
Vivienne Swire nasceu em Derbyshire, Inglaterra. Estudou moda no Harrow Art College, Londres, antes de se tornar professora primária. Em 1963 casou-se com Derek Westwood e tiveram um filho. O casamento acabou quando ela conheceu o colega estilista Malcolm McLaren. Tiveram um filho em 1967.

Desde 1971
Westwood e McLaren abriram sua primeira loja em 1971, chamada Let It Rock, em King's Road, Londres. Usaram esse endereço para várias lojas, incluindo o seu último negócio juntos, World's End, com temática de piratas. Westwood organizou seu primeiro desfile, "Pirate", em 1981. Uma grande retrospectiva de sua obra foi realizada no Victoria & Albert Museum, em Londres, em 2004. Em 2006, foi nomeada Dama do Império Britânico por seus serviços à moda. McLaren faleceu em 2010..

VALQUÍRIAS DA MODA

Na década de 1970 e início dos anos 1980, três estilistas abriram caminho na consciência do público com uma fusão de retrô-chique radical e glamouroso. Os franceses Thierry Mugler (1948) e Claude Montana (1949), e o britânico Antony Price (1945) celebraram e exploraram teatralmente a sexualidade das mulheres. A valquíria, a princesa guerreira, a soldada de tropa de choque e a dominadora sexual se tranferiram para o mundo da alta moda numa mescla curiosa de passado, presente e futuro. A sexualidade é uma ferramenta da moda comumente usada, gerando publicidade, atraindo divergência e vendendo figurinos. Pode ser sedutora, misógina, andrógina ou fortalecedora. Às vezes é tudo isso. Uma dicotomia interessante é que, à medida que a segunda onda de feminismo ganhou força, as imagens femininas da moda tornaram-se mais subjetivas e sexualizadas.

Claude Montana explicou sua visão em entrevista à revista *Encens* em 2010: "Quando comecei a criar roupas sob meu próprio nome, todas as mulheres estavam usando trajes de cigana. A moda da rua girava em torno de um vestido amplo,

PRINCIPAIS ACONTECIMENTOS

1978	1979	1979	1980	1981	1981
Thierry Mugler abre sua primeira butique em Paris na Place des Victoires e lança uma coleção de moda masculina no mesmo ano.	Antony Price lança sua própria etiqueta com lojas em South Molton Street e King's Road, Londres.	Claude Montana funda sua própria grife, um sucesso imediato que conquista a aclamação dos críticos.	Antony Price exibe sua primeira coleção na London Fashion Week.	A feminista radical Andrea Dworkin publica *Pornography: Men Possessing Women*, que analisa os efeitos prejudiciais da pornografia na sociedade.	Com a estreia da novela americana *Dynasty* na televisão, as ombreiras se tornaram tão populares que passaram a ser vendidas para o mercado de massa.

empilhado sobre uma cascata burlesca de anáguas, camisas de camponesa e outros empréstimos do folclore oriental. Foi em 1978, e eu tinha a impressão de que jamais veríamos o fim daquilo. [...] Assim, meu desejo foi pôr certa espinha dorsal naquilo tudo. Oferecer uma nova estrutura de roupas." Montana trouxe a ombreira de volta, junto com linhas masculinas agressivas inspiradas nas forças armadas (à direita). Nascido em Paris, de pai catalão e mãe alemã, ele começou sua carreira desenhando joias. Um dos primeiros estilistas a ficar conhecido pelo uso de couro de fetiche, era um exímio técnico da segunda pele, esculpindo-a em sua silhueta inconfundível e utilizando cores fortes, ousadas. Suas roupas esculturais enfatizavam uma silhueta mais pesada em cima, com ombros exagerados e golas gigantes sobre a parte inferior mais estreita, encerrada em saias esguias ou calças estreitas. Montana também favoreceu detalhes militares, dragonas, golas masculinas e cintos estreitos, acompanhados de pinos, correntes, fivelas e zíperes sadomasoquistas.

Os figurinos teatrais e futuristas de Thierry Mugler se inspiraram no cinema noir dos anos 1940 e 1950 e apresentavam diferentes conjuntos de fetiches, da amazona com botas e esporas à dominadora de salto alto. Ele era famoso pelo uso de couro, desenvolvendo conjuntos de alta-costura inteiros usando acessórios fetichistas como um espartilho de pescoço de couro. Enfatizando uma cintura fina e modelada, Mugler reformulou o corpo usando tecido, costuras e artifício para criar super-heróis exuberantes que combinavam ficção científica com o glamour de Hollywood. Uma fotografia icônica de seu vestido corseletado automotivo, tirada em 1989 (à esquerda), sintetiza a dualidade da mensagem. Uma modelo repousa sobre o capô de um carro em uma pose inequivocamente sugestiva. Seu espartilho enfatiza sua sexualidade, ao mesmo tempo que a defende como uma armadura. Seu olhar, explorado pela vilania das séries americanas dos anos 1980 e tipificado por Joan Collins em *Dynasty*, não era para os inibidos. Mais recentemente, a cantora de R&B americana Beyoncé Knowles encomendou a Mugler seu espartilho de alta-costura para sua turnê "I am... Sasha Fierce" em 2009.

O exímio alfaiate Antony Price, que se considera responsável pelo casamento de moda e rock, não se envergonha de sua abordagem, como explicou à *Vogue* em 1994: "As minhas roupas são as ideias dos homens do que as mulheres deveriam vestir. [...] Os homens estão em busca do robô sexual de *Metropolis* de Lang com o corpo perfeito oferecendo sexo fantasioso ilimitado. Estão obcecados com o tamanho das protuberâncias sexuais – as suas próprias, bem como as das mulheres. E sou um ilusionista. Minha função é lhes dar o que querem." Tendo se graduado no Royal College of Art de Londres, Price – que ajudou a definir a imagem retrô-chique da banda Roxy Music para vários de seus álbuns, incluindo *For Your Pleasure* (1973; ver p. 378) – passou do estilo de rua para a alta-costura no início da década. O estilista "constrói" seus vestidos para o máximo impacto com barbatanas e interfaceamento entre as sedas e tafetás. Seu estilo claro é mais bem representado pela supermodelo Marie Helvin nos anos 1970 e sua colega texana contemporânea Jerry Hall. **JE**

1 O vestido corseletado automotivo de Thierry Mugler (1989) foi inspirado nos estilos de carros de Detroit dos anos 1950.

2 Ombros extremos, uma cintura fina e um peplo tufado tipificam a alfaiataria agressiva para mulheres de Claude Montana (outono/inverno 1981/82).

1982

Price desenha ternos *tonic* de seda pastel para o vídeo "Rio" da banda britânica Duran Duran, dando origem a uma tendência de estilo entre os "Novos Românticos".

1983

Claude Montana abre sua primeira butique em Paris.

1989

Price é nomeado Estilista Glamour do Ano pelo British Fashion Awards.

1991

Montana vence um prêmio Golden Thimble por seu trabalho de estilista para a House of Lanvin. Obtém um prêmio consecutivo no ano seguinte.

1992

Mugler lança seu perfume Angel e também completa sua primeira coleção a pedido da Câmara Sindical da Alta-Costura Parisiense.

1992

Montana lança uma linha secundária conhecida como State of Claude Montana.

Vestido de couro da capa do álbum do Roxy Music

1973 ANTONY PRICE 1945

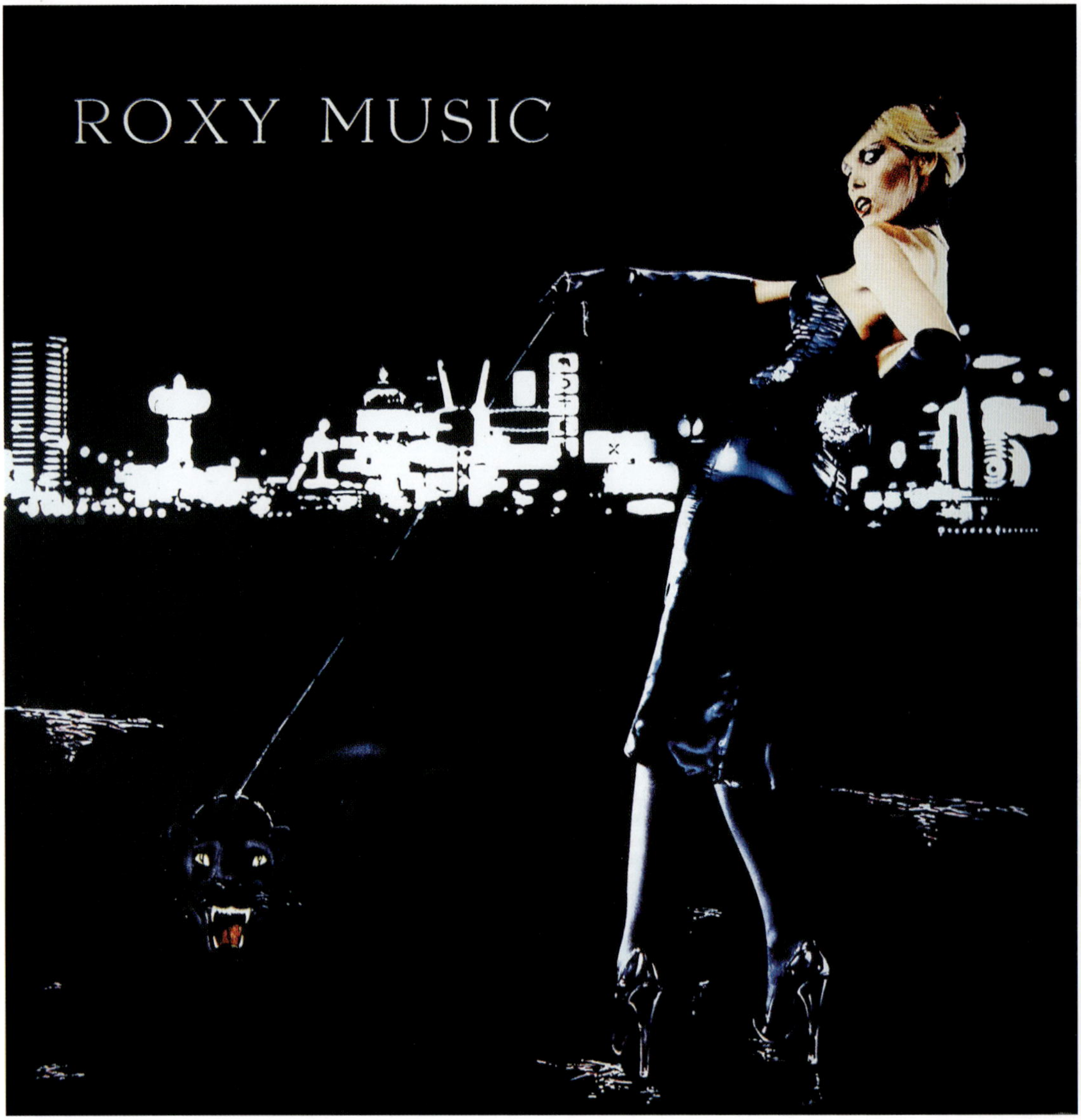

Detalhe do álbum do Roxy Music
For Your Pleasure, mostrando Amanda Lear.

NAVEGADOR

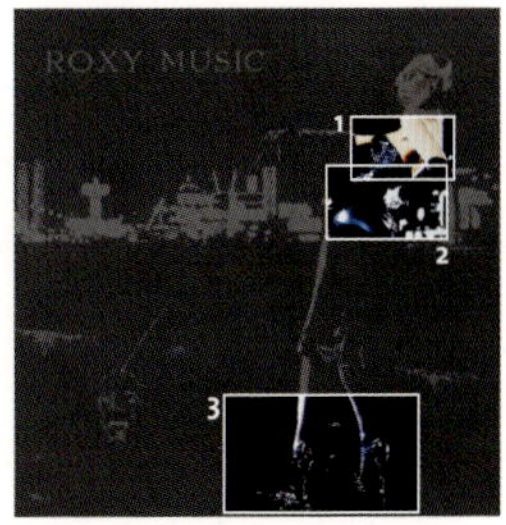

A capa panorâmica do segundo álbum do Roxy Music em 1973, *For Your Pleasure*, deu continuidade à colaboração de Antony Price como estilista do grupo. O tom visual é definido pelo glamour noturno de uma cena urbana genérica iluminada a néon, diante da qual uma vampe dominadora em traje de couro controla uma pantera feroz com uma correia. Amanda Lear – a protagonista em salto alto – veste-se como uma fusão da sensualidade em luvas de ópera de *Gilda* (1946) – a criação cinematográfica da atriz Rita Hayworth e do figurinista Jean Louis Berthault (1907-1997) – e a nobreza teutônica friamente velada de Marlene Dietrich. O fundo noir do cenário urbano criado por Price combina com a alienação e angústia das inovações do sintetizador de Brian Eno e as letras melancólicas, declamatórias do álbum. A modelo e cantora Amanda Lear – na época noiva do vocalista Bryan Ferry – posa brilhando no escuro. Sua forma curva é tensa e lustrosa. As ondulações atléticas de seu tronco são realçadas pelo lustre de seu vestido de couro, que forma uma linha sinuosa contínua dos seios ao joelho, criando assim a forma clássica de ampulheta. Com essa mescla de referências, Price criou um código visual para reforçar o caráter literário, teatral e musical tanto do álbum como da banda. **JE/MF**

PONTOS FOCAIS

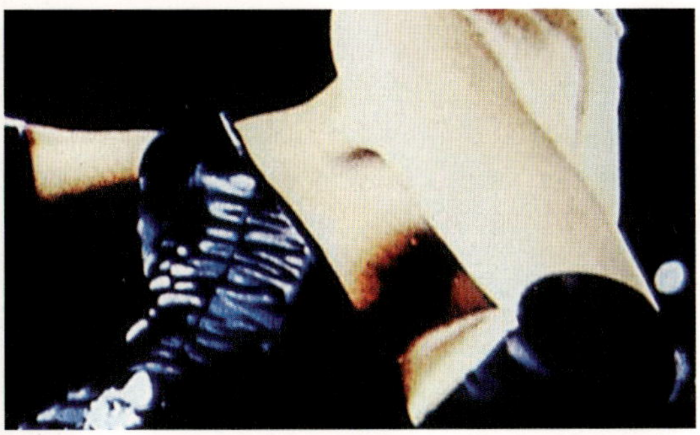

1 BUSTIÊ
Tão rígido na estrutura que se move independentemente do corpo, o bustiê revela a parte superior dos seios, que formam uma linha horizontal ao longo do braço de Lear. A pele branca exposta contrasta drasticamente com o bustiê e as luvas à altura do cotovelo.

2 JOIAS
O vestido de Gilda que Berthault desenhou para Hayworth não é a única inspiração hollywoodiana de Price. O amplo bracelete de pedras preciosas usado sobre a luva faz referência ao conjunto de Marilyn Monroe desenhado por William Travilla (1920-1990) em *Os homens preferem as loiras* (1953).

3 SALTOS VERTIGINOSOS
Combinados com o couro preto e justo constritivo do vestido, os saltos altos pontudos proporcionam o máximo em moda de fetiche. Feitos de couro envernizado brilhoso, os sapatos alongam ainda mais o comprimento das pernas de Lear.

PERFIL DO ESTILISTA

1945-1979
Nascido na Inglaterra, Price estudou na Bradford School of Art e no Royal College of Art, em Londres, antes de trabalhar para a Stirling Cooper e Plaza Clothing Company em 1972. Começou a desenhar sua marca em 1979 e abriu uma loja na King's Road de Londres, seguida por outra em South Molton Street.

DESDE 1980
Price colaborou com muitos músicos: desenhou calças para Mick Jagger, cuidou do estilo dos oito álbuns da Roxy Music, incluindo a roupa de sereia de Jerry Hall em *Siren*, a contracapa do álbum de Lou Reed *Transformer* e Duran Duran para *Rio*. Atribui-se à sua alfaiataria masculina influente a criação do conjunto "rock 'n' roll". Price foi agraciado com o Prêmio Evening Glamour no British Fashion Awards em 1989. Em 2008, 2009 e 2010, colaborou em coleções com Topman.

ROUPAS SEGUNDA PELE

1 Azzedine Alaïa apresenta uma coleção de vestidos justos em tons atenuados em Paris (1986).

3 O vestido-bandagem de Hervé Léger (1992) tornou-se um clássico atemporal que domina suas coleções.

Embora a moda feminina tenha desafiado os limites da decência nas roupas através da história, a ênfase geralmente foi sobre a constrição. No fim da década de 1970, porém, uma nova geração de roupas segunda pele liberou as mulheres, deleitando-se na juventude, celebrando o vigor e o físico, permitindo a liberdade de movimento e exibindo o corpo. O termo "roupas segunda pele", cunhado inicialmente pelo *Women's Wear Daily* em 1980 para descrever os figurinos de Azzedine Alaïa (1940) reveladores do corpo, marcou o início de um período progressista. O uso de elastano em malhas e tecidos, a influência da revolução da aptidão física e a assimilação das roupas esportivas pela moda predominante combinaram-se para criar um novo estilo em moda reveladora do corpo.

Atribuiu-se ao escritor James Fixx o novo interesse pela forma física em 1977, quando o sucesso de seu livro *Guia completo de corrida* transformou o jogging em uma obsessão americana. A cultura de manter-se em forma, defendida pela atriz de cinema Jane Fonda, em seus vídeos de aeróbica, e filmes como *Fama* (1980) e *Flashdance* (1983) estimularam homens e mulheres a exibirem um corpo levado à perfeição por exercícios intensos, o que por sua vez popularizou as roupas segunda pele.

As roupas esportivas e de dança haviam evoluído bem pouco desde a década de 1930: tecidos de malha proporcionavam a elasticidade, mas esses materiais esticavam e perdiam a firmeza de forma pouco atraente. A borracha, que se desgastava com

PRINCIPAIS ACONTECIMENTOS

1978	1978	1979	1980	1980	1980
A *Vogue* enfoca as roupas esportivas de verão como sua matéria de moda principal na edição de fevereiro.	Norma Kamali abre sua nova loja em Nova York e lança a linha OMO (On My Own).	Debbie Moore abre o Pineapple Dance Studios em Londres e desenvolve sua própria linha de roupas de dança, collants e leggings em cores brilhantes.	Calvin Klein anuncia sua coleção de jeans de grife usando como modelo Brooke Shields, de 15 anos (ver p. 426).	Norma Kamali desenha sua coleção A Fashion at a Price apresentando trainings.	Azzedine Alaïa lança sua primeira coleção. O jornal de moda *Women's Wear Daily* apelida-o de "rei da aderência".

as lavagens, havia sido o único material elástico. Esta situação mudou em 1959, quando a empresa química DuPont desenvolveu o elastano. A DuPont, que chamou a fibra de lycra (ver p. 428), começou a explorar os usos possíveis de um fio capaz de esticar 600%, mas retornando à sua forma original. Conquanto o foco inicial fosse no desenvolvimento de roupas íntimas, a empresa reconheceu o potencial do tecido em trajes de banho e outros setores do mercado, porque a lycra podia ser entremeada ou entrelaçada com outras fibras para criar uma geração inteiramente nova de tecidos de alto desempenho para a geração saúde.

Calvin Klein (1942) foi o primeiro estilista a adotar plenamente o culto do corpo, embora o explorasse através do corte, e não da elasticidade. Ele lançou sua linha de jeans em 1976 com pouco sucesso, mas quando esculpiu seus jeans alguns anos depois (ver p. 426) enfatizando a entreperna e elevação e moldando o traseiro para se ajustar feito uma segunda pele, estes tornaram-se um sucesso comercial. Uma estilista americana inovadora foi Norma Kamali (1945), que promoveu a mudança empregando tecidos comuns de formas totalmente novas. Sua coleção em 1980, feita inteiramente de tecido moletom cinza, apresentava ombros acolchoados gigantes, calças com listras laterais reveladoras do ventre, saias *ra-ra*, capuzes e blusas deixando os ombros à mostra, fazendo os tecidos transcenderem o mero papel funcional fornecendo roupas folgadas que tanto revelavam como escondiam o corpo esculpido pela ginástica. A coleção influente de Kamali introduziu o conceito de traje ativo na moda de rua do dia a dia, e embora disponível apenas nos Estados Unidos, inspirou cópias do mercado de massa.

Na alta moda, o corpo bem torneado permitiu que estilistas como Azzedine Alaïa e Hervé Léger (1957) criassem coleções de vestidos justos que delineavam cada curva. O estilista parisiense Alaïa nascido na Tunísia lançou sua primeira coleção em 1980: cor totalmente preta, fazia referência ao punk e empregava zíperes e pinos. Designado o "rei da aderência" pelo *Women's Wear Daily* em 1980, ele usou diferentes tecidos elásticos de corte enviesado, mas foi quando passou a usar lycra que realmente desenvolveu sua paixão por esculpir o corpo feminino. Os figurinos de Alaïa baseavam-se na arte intricada do corte, e seu trabalho era uma trama multicostura. Os trajes eram justos na melhor tradição da alta-costura, mas utilizavam a elasticidade para serem confortáveis e não havia constrição (à esquerda). O estilo de Alaïa começou a emergir em 1985 com o vestido de rendas laterais icônico, seguido em 1987 pelos vestidos de gola canoa e mangas compridas tendo por acessórios meias-calças e sapatos opacos combinando. O vestido-bandagem original de Hervé Léger foi originalmente lançado em 1989 e utilizava faixas elasticizadas de tecido enrolados firmemente ao redor do corpo para moldar a silhueta (à direita). O corte permanece tão desejável, e o impacto tão significativo, que o vestido-bandagem de segunda pele se tornou comum nas grandes celebridades, cujos corpos cuidadosamente esculpidos são uma mercadoria valiosa. **JE**

1981	1981	1982	1989	1994	1995
A revista *Time* apresenta a mania da aptidão física como matéria de capa intitulada "America Shapes Up".	O compacto de Olivia Newton-John "Physical" permanece 10 semanas em primeiro lugar na lista das 100 mais da Billboard.	O vídeo aeróbico de Jane Fonda revoluciona o mundo da aptidão física e permaneceu como o vídeo de malhação caseira mais vendido.	Hervé Léger é pioneiro do desenho icônico do vestido-bandagem.	Azzedine Alaïa exibe vestidos longos feitos de "*houpette*", um novo tecido elástico que se ajusta ao corpo.	Alaïa produz roupas de "Relax", um tecido antitensão com fibras mergulhadas em carbono que repelem ondas eletromagnéticas.

Anúncio de jeans com Brooke Shields 1980

CALVIN KLEIN 1942

1 TEXTURA SENSUAL

Uma camisa de seda ou cetim de corte clássico é usada com jeans reveladores: o contraste sensual entre o brim funcional tipicamente americano e a seda luxuosa e ultramacia realça a ética dos figurinos de Klein, combinando roupas práticas com tecidos confortáveis.

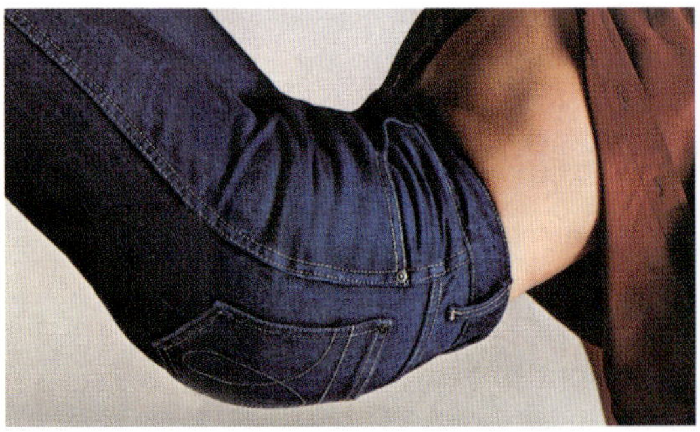

2 CORTE ANATÔMICO

A forma esculpidora do jeans de Calvin Klein foi enfatizada pela cintura alta, acima do umbigo, de Brooke Shields. Klein também ajustou a costura que se estendia entre as nádegas para enfatizar a forma do bumbum.

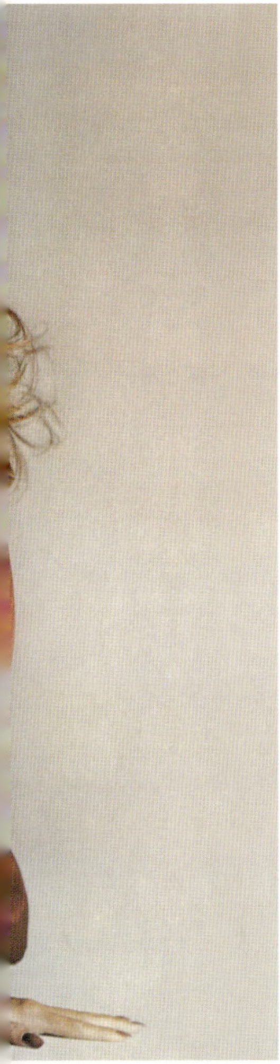

NAVEGADOR

Não foi apenas a qualidade dos figurinos de Calvin Klein, mas também o impacto de seu marketing que levaram a revista *Time* a declarar, em 1996, que Klein era um dos 25 americanos mais influentes. A campanha publicitária para sua linha de jeans iniciara de forma pouco espetacular em 1976, mas a série inovadora de comerciais de Klein, dirigidos por Richard Avedon, com a atriz de 15 anos Brooke Shields, mudou tudo. Shields, apertada em seu jeans, pernas bem à vontade, perguntou: "Sabe o que fica entre mim e a minha Calvin? Nada."

A jovem atriz, que já aparecera como uma prostituta criança no filme *Pretty Baby* (1978) de Louis Malle, usou uma série de camisas casuais, de seda cinza e ferrugem, e cetim dourado, todas combinando com o icônico jeans justo e acompanhadas por pés descalços ou, como nesta versão, com botas de caubói pretas. Shields posou de forma provocadora, com uma perna dobrada e a outra esticada no ar, a fim de enfatizar a aderência específica do jeans nas áreas mais íntimas e as propriedades sedutoras que proporcionava. Em outro anúncio, Shields declarou: "Tenho sete Calvins no meu armário, e se pudessem falar, eu estaria arruinada."

A sugestão de sexualidade prematura nos anúncios provocou uma torrente de queixas, e eles chegaram a ser removidos por três grandes redes de televisão. Klein não se perturbou. A sexualidade explícita da promoção valera a pena, e as vendas dos jeans Calvin Klein alcançaram 2 milhões de peças ao mês e um quinto da participação no mercado. Em 1982 Klein apareceu com Brooke Shields – usando o execrável jeans outra vez – na capa da revista *People*. "Sempre tive uma filosofia de design e ponto de vista claros", o estilista contou ao *Women's Wear Daily* em junho de 2000, "sobre ser moderno, sofisticado, sexy, clean e mínimo. Tudo isso se aplica à minha estética de design". Em 1999, um terço do fluxo de caixa da empresa devia-se à venda dos jeans Calvin Klein. **JE**

3 BOLSO COM MARCA
Klein lançou o conceito de jeans de grife desenvolvendo uma marca justa com sua assinatura no bolso de trás. Seu jeans ostensivamente erótico vendia sexo e criava o espírito de todas as suas campanhas, de roupas de baixo a perfumes.

PERFIL DO ESTILISTA

1942-1970
Calvin Klein, nascido no Bronx, graduou-se no Fashion Institute of Technology em 1962. Em 1968, financiado pelo amigo Barry Schwartz, vendeu sua primeira coleção de casacos femininos à Bonwit Teller, que fez um pedido de 50 mil dólares.

Desde 1971
Em 1971 Klein acrescentou as roupas esportivas à sua linha, e em 1973 recebeu seu primeiro prêmio Coty American Fashion Critics. O estilo de Klein foi simples e luxuoso, e ele adotou o licenciamento para expandir sua marca: sapatos, cintos, óculos de sol, peles, jeans, roupas íntimas e perfumes. A linha de roupas de baixo masculinas faturou 70 milhões de dólares em seu primeiro ano, e anúncios eróticos controvertidos geraram uma renda enorme. Apesar do sucesso, a marca passou por dificuldades financeiras, e em 2002 foi vendida à PVH Corp.

Traje aeróbico de lycra Década de 1980

ROUPA ESPORTIVA

A modelo Christie Brinkley exibe um unitard de mangas compridas (1982).

A supermodelo Christie Brinkley, fotografada numa peça rosa açucarado de spandex, simboliza o aspecto ingênuo das roupas de segunda pele – bem distantes das atuais roupas esportivas que têm como objetivo melhorar o desempenho. Enquanto os estilistas utilizaram a lycra nos anos 1980 para produzir roupas sensuais, as tendências do mercado de roupas esportivas eram influenciadas pela aeróbica e dança, e voltadas para o desenvolvimento de coleções favoráveis ao usuário, com um bom ajuste, numa paleta açucarada. Brinkley conquistou a capa prestigiosa de três edições da *Sports Illustrated Swimsuit* entre 1979 e 1981 e escreveu um livro ilustrado sobre saúde e beleza que liderou a lista de best-sellers do *The New York Times*. Seu sucesso marcou a tendência rumo a modelos altas, de compleição sublime, como Cindy Crawford, Naomi Campbell e Elle Macpherson. A influência crescente das roupas esportivas no fim da década de 1970 e início dos anos 1980 marca o afastamento da formalidade nos figurinos influenciados pelos esportes, que são, acima de tudo, funcionais. **JE**

PONTOS FOCAIS

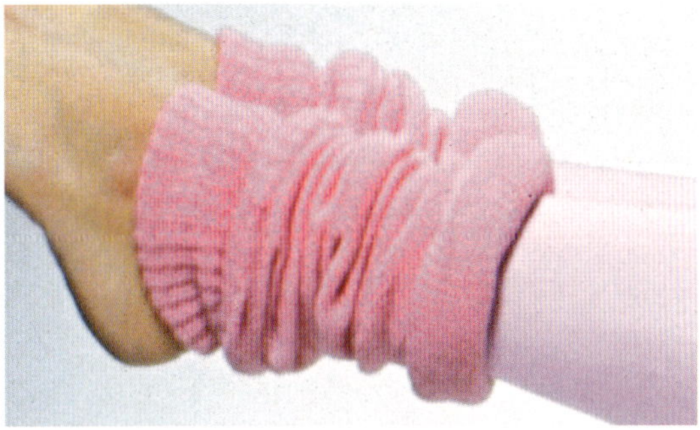

1 POLAINAS
Acessórios de ginástica como polainas, usados por dançarinas de balé para manter os músculos ativos quentes, realçaram a mensagem da aptidão física e infiltraram a moda predominante, aparecendo como malhas estampadas e listradas em roupas casuais.

2 SPANDEX ORVALHADO
Um conjunto único com mangas justas na altura dos pulsos, cortado até o tornozelo, fornecia proteção para todo o corpo. Estava disponível em uma paleta açucarada de tons suaves de rosa, lavanda, azul-esmalte e turquesa em acabamentos brilhantes.

▲ A modelo inglesa Debbie Moore fundou o Dance Pineapple Studios em Londres em 1979. Ela desenhou sua própria marca de roupas de dança usando lycra no início da década de 1980.

NAVEGADOR

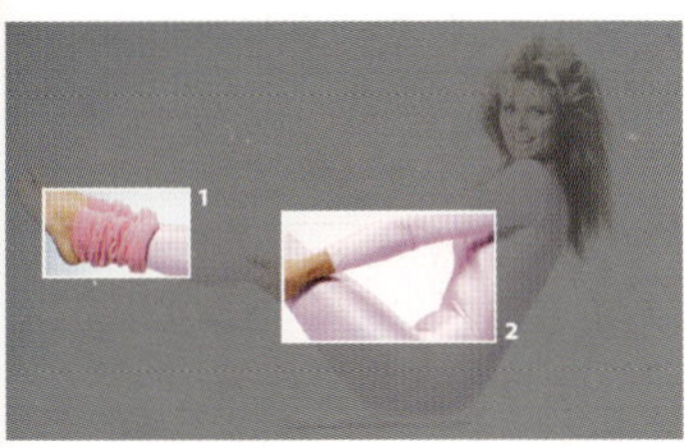

FIGURINO RADICAL

1

2

3

1 O exuberante estilo Novos Românticos do Spandau Ballet fez dessa banda uma das mais descoladas dos anos 1980.

2 Este traje da coleção de John Galliano, de 1989, foi inspirado nos estilos da Revolução Francesa.

3 Katharine Hamnett veste uma camiseta com os dizeres "58% DON'T WANT PERSHING" no encontro com Margaret Thatcher, em Downing Street, em 1984.

Depois do estilo rude do punk nos anos 1970, a nova década testemunhou uma súbita explosão de criatividade exuberante. O movimento dos Novos Românticos, uma subcultura pós-punk, subverteu a noção de glamour numa exibição excessiva de puro pastiche, apoiada pelo armário de fantasias e confiando numa apreciação singular de outras culturas e da história dos trajes. A estilista britânica Vivienne Westwood (1941) exemplificou essa estética em 1981 com sua primeira coleção de grife própria, Pirates, inspirada em uma variedade eclética de fontes, incluindo a alfaiataria do século XIX e uma versão hollywoodiana do bucaneiro de alto-mar. Essa síntese de ideias culturais desencadeou o antídoto ao estilo de rua do punk, sendo um processo que, em última análise, pressagiou a "pirataria" de ideias que levou ao movimento dos Novos Românticos. Em Londres, uma geração de estudantes de arte e seus colegas acorreram a clubes como Billy's, Blitz e Hell para se entregarem a um narcisismo ostensivo. Esse grupo difícil de contentar compreendia numerosas pessoas criativas que emergiram como contribuintes sérios não apenas ao ambiente imediato, mas também à evolução da cultura popular: os pop stars Duran Duran, Spandau Ballet (acima) e Boy George, os editores de estilo Dylan Jones e Iain R. Webb e os estilistas Stephen Jones (1957), Stephen Linnard (1959) e Pam Hogg.

A capital vibrava com ideias radicais e novos talentos, em grande parte originários das faculdades de arte de Londres, particularmente o Central Saint Martins College of Art e Design e o Royal College of Art. Além disso, as dinâmicas casas noturnas de Londres forneceram uma plataforma para a interfertilização de moda, música e arte performática. Isso atraiu estilistas consagrados como John-Paul

PRINCIPAIS ACONTECIMENTOS

1979	1980	1980	1981	1982	1983
Steve Strange e Rusty Egan criam a casa noturna Blitz, em Londres, onde só entravam "os estranhos e maravilhosos".	Terry Jones, ex-editor de arte da *Vogue* e criador do logotipo do Memphis Design Group, cria a revista de estilo *i-D*.	Lançamento da mais influente revista de design da época, *The Face*, de Nick Logan, sob a direção de arte de Neville Brody.	A estilista britânica Betty Jackson (1949) lança sua empresa com seu marido francês de origem israelense David Cohen.	A banda pop Culture Club, filiada aos Novos Românticos e liderada por Boy George, lança seu primeiro álbum, *Kissing to Be Clever*.	Malcolm McLaren (1946-2010) lança seu álbum *Duck Rock*, com destaque para a música "Buffalo Gals".

Gaultier (1952) e Issey Miyake (1938), ambos os quais visitaram a cidade em busca de inspiração. O entrecruzamento de estilos também foi adotado por David Bowie, que se reposicionou como um Novo Romântico adotando o estilo Pierrô e povoando seu vídeo "Ashes to Ashes" com Blitz Kids usando ornamentos unissex. Tal teatralidade pós-punk reforçou a ruptura dos estereótipos de sexo, simplesmente transpondo elementos da roupa tradicional percebidos como femininos, como cosméticos e cabelos tingidos.

O figurino pretensioso radical enfim decolou em 1984 com Les Incroyables (à direita, em cima), a coleção de graduação de John Galliano (1960), que foi inteiramente comprada pelo influente varejista Joan Burnstein da loja Browns de Londres. Em suas inventivas criações, Galliano inspirou-se no vestuário usado durante a Revolução Francesa. A dupla Bodymap também exibiu sua coleção, The Cat in a Hat takes a Rumble with a Techno Fish, muito aclamada em 1984 (ver p. 432). Ela combinou tecidos e elásticos numa série de peças individuais, e o sucesso da coleção foi reforçado pelas estampas vivas da desenhista de têxteis Hilde Smith. Tecidos estampados também integravam o trabalho da estilista Betty Jackson (1949), que encomendou à cooperativa de estilistas britânica The Cloth as estampas em grande escala de sua coleção English Rose em 1985. As silhuetas avantajadas das grandes camisas e saias à altura do tornozelo forneceram uma superfície ideal para estampas dramáticas.

A estilista Katharine Hamnett (1947) lançou os jeans de brim "rasgados" em 1979, antecipando tendências em lavagens e tinturas, e achou inspiração nas lojas de excedentes militares, como a renomada Laurence Corner em North London. Peças individuais de fácil uso em seda artificial comprimida, com detalhes como pinos, pespontos e zíperes expostos, tornaram-se sua marca registrada. Famosa por seu compromisso com a política radical, a estilista também criou a camiseta com palavra de ordem em 1983. Um ano depois, foi capturada pela imprensa global ao ser apresentada à então primeira-ministra Margaret Thatcher num jantar em Downing Street usando uma camiseta enorme com os dizeres "58% DON'T WANT PERSHING" ("58% rejeitam os mísseis Pershing") em oposição às armas nucleares (à direita).

A nova onda de estilistas constatou que as organizações da indústria da moda estavam dispostas a explorar a nova atenção da mídia internacional com uma variedade de iniciativas de marketing. Em 1982, Caroline Coates criou a Amalgamated Talent, que promoveu o trabalho de jovens estilistas vanguardistas, de estilo casual, no mercado internacional. O British Fashion Council foi criado em 1983 e no ano seguinte promoveu a primeira London Fashion Week. O florescer do desenho de moda britânico nesse período foi impelido sobretudo pelos instintos marginais de jovens pioneiros experts em mídia, e permaneceu a base da influência internacional do ensino de design britânico. Além disso, a diáspora de estilistas inovadores das principais faculdades do Reino Unido continuou como um fenômeno e estendeu seu alcance nas décadas subsequentes. **MF**

1983

A estilista Maripol (1947) veste Madonna com renda gasta, leggings rasgadas e vários braceletes.

1983

O desfile de modas "New London in New York" ocorre no rinque de patinação Roxy em Manhattan, tendo por curadora a organizadora de eventos Susanne Bartsch.

1983

Graduados do Royal College of Art de Londres formam o grupo de desenho de têxteis The Cloth para facilitar o movimento entre arte e projetos de design (ver p. 434).

1984

Katharine Hamnett (1947) veste uma camiseta antinuclear com os dizeres "58% DON'T WANT PERSHING" para se encontrar com a primeira-ministra britânica Margaret Thatcher.

1984

A estilista britânica Pam Hogg abre sua primeira concessão no mercado de moda Hyper Hyper, em Kensington High Street, Londres.

1985

O estilista britânico John Galliano exibe sua coleção Fallen Angels, que contou com a colaboração da estilista Amanda Grieve.

Roupas de tricô de malha 1984
BODYMAP

A grife britânica Bodymap participou de seu primeiro grande desfile de moda – "The Cat in a Hat Takes a Rumble with a Techno Fish" – em 1984, confirmando sua posição como uma das principais etiquetas da moda britânica contemporânea. Lançando mão de amigos, músicos e dançarinos, além de modelos, os estilistas ofereciam teatro performático com sua coleção de moda, numa resposta irreverente aos desfiles mais formais de alta-costura. A coleção apresentou uma combinação de peças individuais em tecidos de fácil uso, como malha de jérsei e veludo de algodão, e incorporou tecidos estampados em preto e branco da coleção "Big Mesh" da desenhista de têxteis britânica Hilde Smith. Utilizadas para os dois suéteres avantajados à altura dos joelhos à direita – ambos com cavas profundas e caídas – as estampas se combinam com áreas de tecido liso: as mangas são divididas em liso e estampado, um traje com preto, outro com branco. As golas fundas e enroladas exibem um contraste similar, bem como as bainhas com punhos e nervuras fundas.

Proporção e escala, bem como a justaposição de listras horizontais e verticais largas e estreitas, são divertidamente empregadas na coleção. A largura do ombro estende-se aos quadris antes de estreitar nos joelhos e se ampliar de novo na bainha. O vestido tubular em forma de "T" na esquerda, em listras horizontais estreitas pretas e brancas, é cortado de forma longa e estreita até metade da perna e ostenta mangas extralongas com punhos pretos para contrastar com a faixa branca inserida no ombro. Meias monocromáticas com listras horizontais e gorros fazem parte do look total produzido pela grife. As roupas foram selecionadas por Brenda Polan do *Guardian* em 1984 para o Museu de Roupas de Bath. **MF**

NAVEGADOR

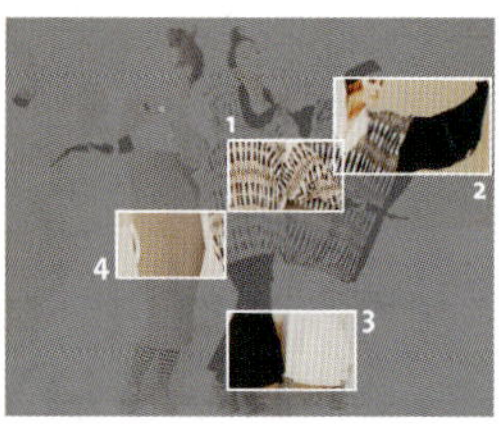

PONTOS FOCAIS

1 ESTAMPA MONOCROMÁTICA
A padronagem bem demarcada da coleção "Big Mesh" da desenhista de têxteis britânica Hilde Smith é um componente essencial da coleção. As estampas, numa mescla de algodão/lycra, formam a base para os suéteres avantajados.

2 FORMA "T" GIGANTE
A costura deslocada do ombro cria um efeito de asa de morcego nas mangas, fundas na cava e estreitas no pulso. Construída com uma costura horizontal, a parte inferior da manga é estampada, enquanto a parte superior permanece lisa.

3 SAIA ESTRIADA
O volume em torno das saias de pétala à altura do tornozelo é criada de oito barras. O tecido especialmente encomendado é um algodão e viscose waffle de dupla face, desenvolvido na Suécia pela Fixtrikafabrika.

4 RECORTES
Ligado em tecido contrastante e muito referenciado pelo mercado de massa, o recorte circular inconfundível da grife no quadril aparece em outras partes da coleção em saias e leggings. Os recortes chamaram a atenção para áreas do corpo raramente expostas.

PERFIL DA GRIFE

1982-1986
A Bodymap foi formada em 1982 por Stevie Stewart (1958) e David Holah (1958), que se conheceram no Middlesex College of Art. Em 1983, venceu o prêmio Martini de estilistas inovadores do ano, e em 1984 promoveu seu primeiro desfile. No mesmo ano foi escolhida pela jornalista Brenda Polan para representar o traje do ano, junto com o trabalho de Katharine Hamnett e Betty Jackson. A Bodymap foi designada Estilista do Ano pela BBC em 1986, e a etiqueta foi convidada para participar do Best of British na embaixada britânica em Paris.

1987-1991
Em 1987, a Bodymap venceu o Prêmio Bessie por seus figurinos para a Companhia de Dança Michael Clark, uma colaboração que continuou pela década de 1980. Preparou também peças encomendadas para o Ballet Rambert e London Festival Ballet. Em 1989, a Bodymap abriu seu próprio ponto de vendas varejista, mas seu sucesso foi efêmero, e a etiqueta deixou de ser vendida em 1991.

▲ Dançarinos da Companhia de Dança Michael Clark no Riverside Studios em Londres em 1984. Os figurinos foram desenhados pela Bodymap e apresentam os recortes circulares típicos da etiqueta.

Tecidos estampados 1985

THE CLOTH

Estampas de camisas da The Cloth,
fotografadas por Corbin O'Grady Studio (1985).

NAVEGADOR

A cooperativa de design britânica "The Cloth" ficou conhecida por seus desenhos de têxteis expressivos, em cores brilhantes, combinados com roupas avantajadas dos anos 1980. Em 1985, esses figurinos apareceram na vitrine da loja londrina Liberty, onde o grupo criou uma série de panos de fundo para expor sua coleção Summer Simmitts. As camisas estampadas evidenciavam a influência de fontes tão diversas como a obra do pintor pós-impressionista Henri Matisse, que defendia as cores brilhantes, e o estilo gráfico despojado do artista de rua americano Keith Haring, que obteve reconhecimento internacional na década de 1980 por seus murais coloridos e desenhos no metrô. Empregando uma marcação fluida com cores intensas, The Cloth evitava todos os processos que não o desenho à mão e usou a forma humana como fonte de inspiração, além de paisagens naturais e urbanas, as galerias grega, romana e egípcia clássicas do British Museum e as superfícies gastas e erodidas de interiores e exteriores urbanos. O grupo aplicava uma intensidade variável de pinceladas através de uma grande variedade de escalas, de miniaturas a estruturas repetidas em grande escala com até 2m de comprimento. Com isso, o comprimento estampado era cortado e remontado a fim de produzir um traje, que ocultava ainda mais a repetição, tornando a imagem ainda mais abstrata. **MF**

PONTOS FOCAIS

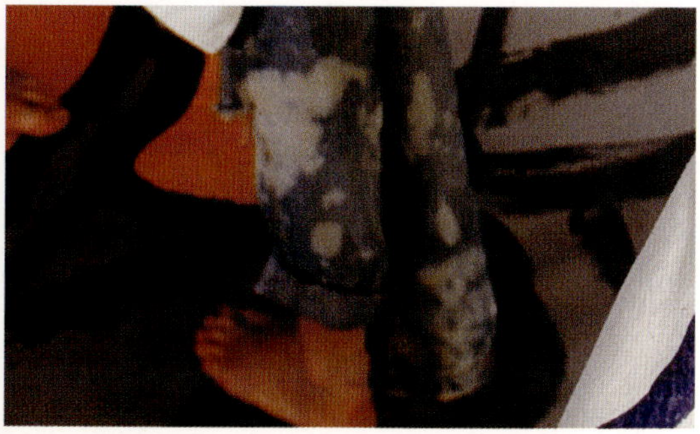

1 JEANS SURRADOS
Jeans naturalmente desbotados e gastos são realçados com rasgões para fornecer um acabamento deliberadamente surrado. Essa técnica transforma os jeans funcionais do dia a dia em um item de moda popular, aqui com a bainha arregaçada.

2 CORTE
A estrutura da camisa de corte tradicional é subvertida e obscurecida pela estampa. A silhueta extrema das ombreiras que caracterizaram o início dos anos 1980 fornece uma grande área semelhante a uma tela para as cores vivas.

3 CONTORNOS PRETOS
Os contornos densos, largos e pretos das figuras estampadas em cores vibrantes na camisa e no pano de fundo da loja evocam as silhuetas animadas que aparecem na obra de Keith Haring. Estão justapostos com marcas soltas, pictóricas, fluidas.

PERFIL DOS ESTILISTAS

1983-1985
Todos graduados pelo departamento de têxteis estampados do Royal College of Art de Londres, Fraser Taylor, Helen Manning, David Band e Brian Bolger formaram seu estúdio de design interdisciplinar em 1983 para facilitar o movimento entre arte e projetos de design. Estes incluíram o desenho de muitas capas de discos para bandas, entre elas Altered Images, Spandau Ballet, Aztec Camera, Friends Again e The Bluebells, além de suas próprias coleções de tecidos e moda.

1986-1987
Os clientes incluíam Betty Jackson, Paul Smith, Yves Saint Laurent, Bill Blass e Calvin Klein. O grupo dissolveu-se em 1987. Fraser Taylor agora é Artista Visitante do Departamento de Estudos de Fibras e Materiais no School of the Art Institute de Chicago e um artista visual interdisciplinar.

VESTINDO-SE PARA O SUCESSO

1 Um tailleur preto e branco de Jean-Louis Scherrer (1935) de 1983 ilustra a forma triangular popular nos anos 1980.

2 A atriz Charlotte Rampling exibe um lado mais suave do power dressing num casaco de risca fina com duas fileiras de botões e saia de Giorgio Armani.

3 Os atores Don Johnson e Philip Michael Thomas usando Hugo Boss na popular série de detetive *Miami Vice*.

Os anos 1980 anunciaram um novo ideal feminino. A *glamazon* requintada e arrumada, percorrendo a passarela em seus saltos altos, representava o poder e a sexualidade da mulher de negócios contemporânea. À medida que mais mulheres começaram a entrar na sala da diretoria, o cardigã modesto ou saia longa ondulante da década anterior foram descartados a favor da alfaiataria de ombros acentuados, e a minissaia reapareceu. A *glamazon* recusou-se a seguir as recomendações do guru dos negócios T. Molloy, em *The Women's Dress for Success Book* (1977), de usar roupas sombrias e simples, preferindo o tailleur em cores vivas. A linha dos ombros retangular, com enchimento, da jaqueta era equilibrada nos quadris por um peplo dilatado – uma peça de tecido presa à cintura, com o efeito visual de estreitá-la, muitas vezes cingida por um cinto largo (acima). A jaqueta era usada com uma minissaia combinando. Ao contrário de sua versão anterior dos anos 1960, que fazia referência ao elemento ingênuo do look, a saia longa dos anos 1980

PRINCIPAIS ACONTECIMENTOS

1979	1979	1981	1984	1984	1985
Margaret Thatcher (conhecida como "A Dama de Ferro" e uma expert em power dressing) é eleita a primeira mulher primeira-ministra da Grã-Bretanha.	Paul Smith abre sua primeira loja londrina na Floral Street, em Covent Garden.	A novela americana *Dynasty* começa a ser transmitida, promovendo a moda dos ombros largos.	Paul Smith assina um contrato de licenciamento com a trading japonesa Itochu.	O seriado da TV americana *Miami Vice* começa sua primeira temporada. O programa exibe roupas masculinas atraentes da Hugo Boss.	Anna Wintour torna-se editora da *Vogue* britânica. Ela visa a nova mulher dos anos 1980, interessada em negócios e dinheiro, mas sem tempo para fazer compras.

exprimia poder e liberdade. Usada com salto alto de ponta fina, representava dominação. Blusas de ombros grandes apresentavam estampas vivas com efeitos de trompe l'oeil de correntes, grinaldas, arcos e fitas, bem como estampas de animais. Os acessórios eram ambiciosos. Incluíam o cachecol Hermès, a bolsa a tiracolo *"gilt and quilt"* reelaborada por Karl Lagerfeld (1933) para a Chanel, meias-calças opacas pretas e saltos *killer* de Manolo Blahnik (1942).

Uma versão mais sutil do traje de trabalho foi oferecida pela estilista Donna Karan (1948), que apresentou uma presidente mulher fictícia dos Estados Unidos em um de seus anúncios. Karan tinha em mira a mulher profissional urbana, e como estilista atendia a executiva endinheirada e sem tempo com um guarda-roupa conciso em preto compreendendo "sete peças fáceis". Formados de tecidos elásticos, os trajes revelavam o corpo sem exagero e incluíam o inovador corpo *all-in-one*, saias plissadas e vestidos tubulares. O estilista italiano Giorgio Armani (1934) também ofereceu uma forma mais relaxada de power dressing com sua silhueta simplificada, paleta neutra e tecidos luxuosos (ver p. 438). A linha do ombro com enchimento macio de jaquetas de linha longa com duas fileiras de botões em crepe de lã combinava facilidade de movimento com sofisticação na sala da diretoria para homens e mulheres (à direita, em cima).

Os yuppies – jovens profissionais em ascensão – viviam e trabalhavam nas capitais financeiras do mundo. Uma florescente imprensa da moda e a indústria publicitária enfatizavam a importância de um estilo de vida que incluísse não apenas roupas, mas acessórios icônicos, como o mocassim Gucci (ver p. 440), relógio Rolex e a agenda Filofax, popularizada pelo estilista britânico Paul Smith (1946). Após abrir uma butique em Nottingham em 1970, Smith inaugurou a primeira loja Paul Smith em Covent Garden, Londres, em 1979. Os ternos masculinos de Smith tornaram-se o traje padrão do executivo jovem ou do aspirante a magnata da mídia. Sua fusão de habilidades de alfaiataria tradicionais com um olho arguto e subversivo para o detalhe, assim como o seu uso extravagante de cor e textura, proporcionavam a seus clientes uma consciência da moda, mas de acordo com os códigos de vestuário da cidade.

A empresa alemã Hugo Boss forneceu ternos prêt-à-porter para os anos 1980. Fundada em 1923 por Hugo Boss (1885-1948), a empresa produzia roupas de trabalho e uniformes antes de se expandir para trajes masculinos em 1953. Porém, somente com o aumento da popularidade do terno na década de 1980, a marca forjou uma reputação internacional. Estilizado por homens de negócios em vez de um único estilista nomeado, o terno era feito de materiais de qualidade e preencheu a lacuna entre a restrita e tradicional alfaiataria de Savile Row e os ternos produzidos em massa vendidos por lojas de ruas comerciais. Geralmente com duas fileiras de botões, calças com frente pregueada, a silhueta reforçou a forma masculina tradicional do triângulo virado para cima com paletós cômodos e calças de fácil ajuste. A marca se envolveu num exemplo prematuro de merchandising quando a etiqueta apareceu em um dos seriados de televisão mais estilosos e influentes da década, *Miami Vice* (à direita). **MF**

1985
Donna Karan, antes na Anne Klein, apresenta sua primeira coleção independente de roupas femininas, incluindo suas sete peças "fáceis" essenciais.

1987
Publicação do romance de Tom Wolfe, *A fogueira das vaidades*. Satiriza o profissional jovem, urbano e ambicioso conhecido como yuppie.

1987
Liz Tilberis assume o comando da *Vogue* britânica. Ela se manteve no cargo até 1992.

1988
Anna Wintour torna-se editora-chefe da *Vogue* americana.

1988
O filme de Hollywood *Uma secretária de futuro*, com as atrizes Melanie Griffiths e Sigourney Weaver, expõe as aspirações da mulher que trabalha fora.

1988
Donna Karan lança DKNY, uma versão mais jovem e barata da linha principal.

Terno desconstruído 1980
GIORGIO ARMANI 1934

Richard Gere como Julian Kaye em *Gigolô americano* (1980).

NAVEGADOR

Substituindo a carapaça confinante do terno Savile Row de corte tradicional, Giorgio Armani apresentou uma noção de fluidez e comodidade que revolucionou o design do traje formal masculino. Ele obteve essa silhueta mais relaxada removendo o esqueleto de entretelas e revestimentos rígidos, prescindindo do forro e abaixando os botões da jaqueta para enfatizar os quadris. Armani desenvolveu uma estética nova e moderna que agradou aos homens que trabalhavam nas áreas criativas, como publicidade, mídia e arquitetura. O estilista também reduziu o peso do terno, substituindo tweed e flanela por tecidos palpáveis drapejados mais suaves, como crepe de lã, resultando na mesma facilidade de uso de um cardigã de malha. Descartando a risca de giz azul-marinho da sala da diretoria, Armani criou uma paleta de cores neutras, como cinza-amarronzado e antracito, a mais típica sendo o tom entre cinza e bege. A linha italiana de roupas masculinas conquistou a aclamação global em 1980 quando o ator americano Richard Gere representou um *escort* masculino no filme noir *Gigolô americano,* de Paul Schrader. O filme forneceu uma vantajosa vitrine para a estética de Armani de glamour luxuoso, de corte suave e discreto. O sucesso do filme levou a uma colaboração prolongada com o cinema: Armani desenhou figurinos para mais de 100 filmes, incluindo *Os intocáveis* em 1987. **MF**

PONTOS FOCAIS

1 LINHA DO OMBRO SUAVE
A linha do ombro suave e moldada típica de Armani é formada estendendo a costura do ombro para além da linha natural do corpo e aprofundando a cava. Isso proporcionava mais fluidez e facilidade de movimento ao usuário.

2 TRONCO
A camisa com pence, de ajuste esguio, contrasta com o drapejo solto do paletó. Esse efeito é enfatizado pela estreiteza do colarinho virado, com pontos do colarinho curtos e o pequeno nó da gravata esguia, microestampada.

3 PALETÓ DRAPEJADO
O paletó de lã de caxemira marrom com uma só fileira de botões é longo na aba e sem abertura, drapejado nos quadris, em uma referência indireta ao zoot suit da década de 1940. Está aberto para revelar a calça ligeiramente alta usada com um cinto de couro estreito.

PERFIL DO ESTILISTA

1934-1974
Giorgio Armani nasceu em Piacenza, norte da Itália. Após um período estudando medicina e completando o serviço militar, trabalhou no varejo antes de ingressar no Grupo Cerruti como estilista na década de 1960. Em 1973, Armani abriu um escritório em Milão após conhecer o arquiteto Sergio Galeotti, marcando o início de um relacionamento pessoal e profissional.

DESDE 1975
Em 1975, a Giorgio Armani Spa foi formada. Armani apresentou sua primeira coleção de prêt-à-porter em 1976. A marca começou a ser comercializada nos Estados Unidos na década de 1980. Uma nova linha prêt-à-porter, Emporio Armani, veio em seguida em 1989. A coleção de decoração doméstica Armani Casa foi lançada em 2000, e o grandioso Armani Hotel Dubai abriu em 2010.

Loafer Década de 1980
GUCCI

Desde seu lançamento na década de 1960, o clássico *loafer* Gucci tem sido um símbolo de status cobiçado por homens e mulheres, calçado pelo jet set internacional e pelo "*beautiful people*". Mas foi durante a logomania dos anos 1980 que o *loafer* Gucci tornou-se parte do uniforme de Wall Street, quando sua imagem elegante e visivelmente cara foi considerada compatível com o traje de passeio ou executivo.

Esse estilo de calçado baixo e sem cadarço originou-se na Europa Setentrional. Na década de 1930, um fabricante norueguês produziu sapatos mocassim que encontraram mercado no restante da Europa e nos Estados Unidos, onde ficaram conhecidos como Weejuns. Na década de 1950, com variantes como o *penny loafer* e o *tasselled loafer*, eles se tornaram básicos no guarda-roupa preppy de fim de semana. Na Itália, uma linha mais despojada evoluiu como o *Venetian loafer*. O desenho do *loafer* permaneceu em grande parte inalterado desde os anos 1950, quando Gucci acrescentou pela primeira vez uma tira de metal com a forma de um bridão de cavalo.

O autêntico *loafer* de Gucci está na coleção permanente do Costume Institute do Metropolitan Museum of Art de Nova York. O *loafer* feminino original – conhecido como Modelo 360 – foi modificado para ter um salto sobreposto engastado com uma corrente de ouro estreita, e outra corrente na frente combinando. Feitos de uma série de peles de luxo tingidas à mão no ateliê Gucci na periferia de Florença, os *loafers* costurados à mão são individualmente processados por uma equipe de artífices altamente versados. Após serem costurados e colocados na forma, os calçados são então guarnecidos com uma vira antes de passarem pelo processo de acabamento que inclui polimento, secagem e o acréscimo do bridão característico em dourado claro. "*Loafer* Gucci" é agora usado como designação para mocassins ornados com metal. Quando era editora da *Vogue*, Diana Vreeland instalou o *loafer* Gucci em sua exposição "Homem e o Cavalo", em 1984, em reconhecimento ao entrelaçamento atemporal de lazer endinheirado, luxo, equitação e alta moda. **MF**

NAVEGADOR

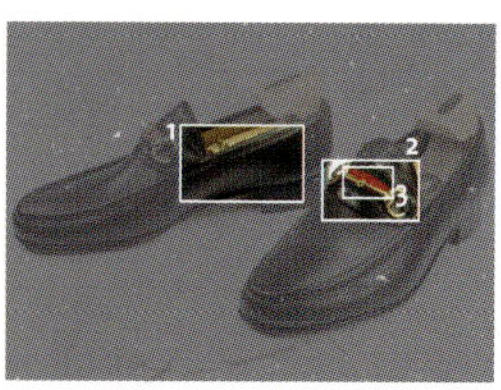

PONTOS FOCAIS

1 PESPONTO
A maciez da camurça pegueada é reduzida para o mínimo de enrugamento sob a orla superior pespontada, outro exemplo da influência equestre nos desenhos da Gucci. O mocassim de couro foge do estereótipo do *loafer* com o acréscimo de um amplo salto chato e dos adornos metálicos em forma de bridão.

2 BRIDÃO DE CAVALO
O bridão dourado entrou na Gucci na década de 1950, quando muitos dos clientes italianos eram aristocratas que queriam equipamento de equitação. O bridão foi inicialmente fixado em bolsas com duplo pesponto. Em 1953 decorou o dorso de mocassins macios para homens. Em 1968 havia se estendido como um emblema de sapatos femininos.

3 LISTRA VERMELHA E VERDE
Como um componente do libré que passou a denotar a identidade de marca dos produtos de luxo da Gucci, a listra de tecido verde-vermelha--verde longitudinal origina-se das cores tradicionais de uma tira de cincha. Essa combinação de cores vermelha e verde também faz referência à bandeira tricolor italiana.

▲ Escarpins de couro femininos azul-marinho da Gucci do início dos anos 1970. Os sapatos ostentam correntes douradas decorativas tanto na frente como engastadas no calcanhar bloco.

PERFIL DA GRIFE

1921-1952
A Gucci foi fundada em 1921 por Guccio Gucci (1881-1953), que trabalhou em hotéis em Paris e Londres, onde se impressionou com a bagagem luxuosa dos hóspedes, particularmente no Hotel Savoy. Ao retornar a Florença, criou um ateliê de artigos de couro feitos à mão. Ao lado dos filhos, expandiu a empresa para abrir lojas em Roma em 1938 e em Milão em 1951 vendendo artigos de couro de luxo, seda e malha. A bolsa com alça de bambu, o primeiro dos produtos icônicos da Gucci e até hoje um esteio da empresa, foi lançada em 1947. Tornou-se conhecida como a bolsa "Jackie" em alusão à primeira-dama Jackie Kennedy. A grife Gucci tornou-se símbolo de status internacional, reconhecível pelo tecido listrado vermelho e verde inconfundível derivado da cincha.

1953-1988
Quando o fundador morreu em 1953, seus filhos Aldo, Vasco, Ugo e Rodolfo assumiram o negócio, que foi se fortalecendo. Na década de 1960, a marca foi associada às celebridades. A estampa de lenço de pescoço Flora foi criada a pedido da Princesa do Mônaco, Grace Kelly. O *loafer* Gucci com adornos de metal em forma de bridão foi incorporado à coleção permanente do Costume Institute do Metropolitan Museum of Art em Nova York. Em meados da década de 1960, Gucci adotou o logotipo do "G" duplo entrelaçado e continuou se expandindo, com lojas em Londres, Paris e Estados Unidos. Durante a década de 1970, Gucci sofreu um declínio causado pelo *overbranding* e licenciamento de produtos.

Desde 1989
Em 1989, a executiva varejista americana Dawn Mello foi designada para reposicionar a marca problemática. Em 1990 ela contratou o estilista americano Tom Ford (1961) para dirigir o prêt-à-porter feminino. Ele se tornou diretor criativo em 1994 e conseguiu reposicionar a marca da grife. Ford deixou o cargo em 2004, e em 2006 a desenhista de acessórios Frida Giannini (1972) tornou-se diretora criativa.

A DÉCADA DOS ESTILISTAS

1 Andie MacDowell usa um vestido de noite de veludo metálico azul-acinzentado de Bill Blass em 1983. O estilo de um só ombro e tecido luxuoso reflete a extravagância dos anos 1980.

2 Joan Collins complementa seu grande vestido de festa com joias caras e um estilo imaculado.

3 Carolina Herrera veste um de seus próprios figurinos: um vestido de noite verde-esmeralda ondulado com uma jaqueta brilhante de corte perfeito.

Uma mudança radical nas atitudes em relação à moda ocorreu na década de 1980, quando a sociedade se mostrou disposta a adotar o consumismo ostentatório após a recessão dos anos 1970 – período em que o movimento feminista crescente e os defensores da "volta à natureza" consideraram a moda intrinsecamente frívola. A moda jovem do hippie chique (ver p. 386) e o movimento punk (ver p. 416) foram descartados a favor do glamour exagerado e adulto. Como Nicholas Coleridge escreveu em seu livro *The Fashion Conspiracy* (1988): "A década a partir de 1978 foi decisiva para a moda. [...] Estilistas como Ralph Lauren, Calvin Klein e Giorgio Armani criaram do nada impérios em uma escala e com uma velocidade que pareciam impossíveis em meados da década de 1970. [...] Isso produziu um novo fator irresistível na economia do mundo: o dinheiro gasto em moda." O poder do dólar americano de 1980 a 1985 resultou numa nova demanda pela alta-costura e roupas prêt-à-porter luxuosas. Estilistas que haviam consolidado suas carreiras nos anos 1950, como Bill Blass (1922-2002), James Galanos (1924), Geoffrey Beene (1927-2004), Arnold Scaasi (1930), Oscar de la Renta (1932) e Adolfo (1933), viram ressurgir a demanda por seu estilo formal sofisticado para o dia e seu vestido de noite glamouroso e notável – como o vestido de veludo metálico de Blass (acima).

Em 1981, a posse do presidente Ronald Reagan anunciou um retorno da recepção formal, após o estilo sóbrio e pouco cerimonioso do governo Carter. Reagan restabeleceu as tradições dos bailes de caridade formais, incluindo o traje a rigor e vestidos longos, uma guarda cerimonial para visitas de Estado e jantares de Estado

PRINCIPAIS ACONTECIMENTOS

1980

A estilista de bolsas Judith Leiber vence o Prêmio Neiman Marcus pelos Serviços Destacados no Campo da Moda.

1980

María Carolina Josefina Pacanins y Niño lança a etiqueta Carolina Herrera em Nova York, oferecendo roupas elegantes feitas de materiais luxuosos.

1981

Lady Diana Spencer traja um volumoso vestido de noiva de crinolina de tafetá ao se casar com o príncipe Charles na St. Paul's Cathedral, em Londres.

1981

Nancy Reagan veste um vestido tubinho de um só ombro com contas brancas sobre cetim de seda, de James Galanos, para o baile de posse de seu marido.

1981

Joan Collins ingressa no elenco de *Dynasty* para representar Alexis Carrington. Sua adesão é bem-recebida e aumenta a audiência.

1982

O estilista americano Geoffrey Beene recebe sua quinta condecoração do Prêmio Especial Coty, seguidos de dança. Tais eventos forneceram mais oportunidades para as aspirantes endinheiradas exibirem as texturas lustrosas e adornos sobrepostos de seus vestidos para grandes ocasiões desenhados pelos costureiros preferidos.

O estilo de vida dos ricos e famosos conforme ficcionalizado nas séries de TV americanas, como *Dallas* (1978-1991) e *Dynasty* (1981-1989), exibia o trabalho do estilista americano Nolan Miller (1933-2012). As criações extravagantes usadas pelo elenco apresentavam ombros extremos e acessórios caros (à direita, em cima), fixando assim o paradigma para a ostentação excessiva. Os anos 1980 foram um período de exibicionismo social, em que as reformas fiscais e a desregulamentação dos mercados financeiros por Reagan e pela primeira-ministra britânica Margaret Thatcher aumentaram a renda disponível ao estrato superior da sociedade. O acessório favorito dessa elite endinheirada foi a *minaudière* com joias desenhada por Judith Leiber (1921 em Budapeste). Uma combinação de alta moda e luxo decadente, a bolsa representou a apoteose do consumismo ostentatório na década de 1980: o acessório como um item de coleção dos muito ricos.

O "*shiny set*" nova-iorquino – as esposas abastadas dos americanos influentes – foi satirizado pelo romancista Tom Wolfe em seu livro *A fogueira das vaidades* (1987). Ele descreveu "mulheres de 'certa idade', todas elas pele e osso (perfeitas em suas dietas). Para compensar a falta de concupiscência de suas costelas insípidas e traseiros atrofiados, recorriam aos estilistas. Nessa temporada nenhum pompom, babado, prega, peitilho, arco, asa de morcego, desenho de concha, renda, pence ou franzido na diagonal da roupa são extremos demais. Elas eram os raios X". O "raio X social" mais visível de todos era Nancy Reagan. Como traje diurno a esposa do presidente preferia os conjuntos de malha inspirados no Chanel inconfundíveis de Adolfo em tecido buclê texturizado, usado com uma blusa de seda com a cor combinando. Enquanto outros estilistas americanos se lançaram na área das roupas esportivas, Adolfo continuou fornecendo aos seus clientes vestidos de seda estampados para cerimônias diurnas formais. Ele forneceu muitas das roupas de Nancy sem cobrar. A publicidade resultante aumentou suas vendas exponencialmente e garantiu sua inclusão com outros estilistas populares em bailes e banquetes de Estado. A estilista nova-iorquina Carolina Herrera (1939; à direita) oferecia roupas refinadas para as "damas que almoçam", enquanto Arnold Scaasi produzia seus trajes de noite luxuosos (ver p. 444).

Pela primeira vez, os estilistas se misturaram socialmente com a clientela. Oscar de la Renta – cujas roupas femininas exuberantes foram influenciadas por suas raízes na República Dominicana – jantava com as clientes socialmente proeminentes que ele vestia. Como presidente do Council of Fashion Designers of America (CFDA), ele aumentou a visibilidade do setor com eventos de gala no Metropolitan Museum of Art nova-iorquino para celebrar os prêmios pelo conjunto da carreira do CFDA. De acordo com Kitty Kelley, biógrafo de Nancy Reagan, ele saudou a volta das recepções formais na Casa Branca com as palavras: "Os Reagan trarão de volta o tipo de estilo que a Casa Branca deveria ter." **MF**

1983

A maison de alta-costura de Chanel é transformada sob a diretoria criativa de Karl Lagerfeld (1933). Seu objetivo é atrair o novo mercado jovem.

1987

Nomeação de Christian Lacroix (1951), por Jean-Jaques Picart e Bernard Arnault, como chefe da 24ª maison de alta-costura em Paris.

1987

Lançamento do filme *Wall Street*. O personagem principal Gordon Gekko defende que "ganância é bom".

1987

Tom Wolfe publica *A fogueira das vaidades*, um romance sobre ambição, racismo, classe, política e ganância na Nova York contemporânea.

1987

O maior conglomerado de luxo do mundo é fundado, com a fusão entre Moët Hennessy e Louis Vuitton, formando a marca LVMH.

1989

Dawn Mello, executiva do mercado de varejo americano, é indicada para resposicionar a marca Gucci; ela contrata Tom Ford como estilista-chefe do prêt-à-porter.

Vestido de noite 1987

ARNOLD SCAASI 1930

NAVEGADOR

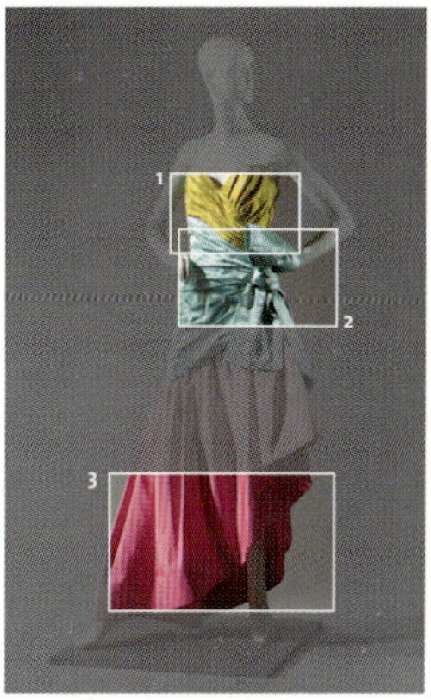

O costureiro Arnold Scaasi desfrutou de uma nova popularidade na década de 1980, quando seus vestidos formais opulentos tornaram-se populares entre o "*shiny set*". Seus figurinos satisfaziam o desejo por trajes de noite ostentatórios e validavam mutuamente suas celebridades. Scaasi é famoso pelo uso de cores brilhantes em combinações surpreendentes, mas mesmo assim sutilmente calibradas para se harmonizarem em expressões práticas da teoria das cores. Em seu vestido, o dourado do corpete e o fúcsia da saia são reunidos pela cinta turquesa, que recobre as duas cores acompanhantes em forma de um nó apertado imenso, estabelecendo assim a âncora visual da forma e o ponto focal do vestido.

A silhueta do vestido faz clara referência ao trabalho do costureiro americano Charles James (1906-1978), com quem Scaasi estagiou, com sua ênfase na estrutura dramática do traje em vez de decorações ou adornos acrescidos. Típico dos dois estilistas é o tronco ajustado atenuado envolto em dobras de seda tecida simples. O corpete dourado é pregueado e enrolado seguindo uma costura diagonal para formar um decote em coração sem alça que se afasta dos seios – uma característica de Scaasi. Ele costumava desenhar casacos *edge-to-edge* de tafetá ou cetim de seda justos e longos revestidos de um tecido contrastante para ser usado com vestidos de noite. **MF**

PONTOS FOCAIS

1 CORES INTENSAS
Scaasi usa dourado com turquesa e fúcsia. Essas cores terciárias estão equidistantes na roda das cores e têm o mesmo grau de intensidade. Correspondem aos valores de distribuição dos componentes amarelos, cianos e magentas em códigos de saída de impressão e tingimento.

2 FALSO LAÇO
A barra central assimétrica turquesa do vestido começa sob os seios antes de ser alçada para dentro de um falso laço amarrado posicionado na lateral dos quadris. Assemelha-se a um adorno de fita de cetim amarrado em torno de um presente.

3 BAINHA ASSIMÉTRICA
A assimetria do vestido continua na saia fúcsia à altura do tornozelo, pregueada até a linha do quadril oblíqua, elevando a bainha acima do joelho, uma referência fugaz ao exotismo da atriz-cantora de samba e carnaval Carmen Miranda.

PERFIL DO ESTILISTA

1930-1963
Arnold Scaasi nasceu em 1930 no Canadá. Estudou na Cotnoir-Capponi School of Design e na Câmara Sindical da Alta-Costura Parisiense. Estagiou na Maison Paquin. Trabalhou para Charles James e lançou uma linha prêt-à-porter em 1955. Ganhou o Prêmio Coty em 1958.

Desde 1964
Scaasi abriu um salão de alta-costura em 1964 especializado em trajes de noite e vestidos de coquetel adornados com penas, peles, lantejoulas e bordados. Em 1968, obteve o reconhecimento internacional quando Barbra Streisand vestiu sua blusa e calças simples para receber seu Oscar por *Funny Girl*. Em 1984 ele relançou sua linha prêt-à-porter Scaasi Boutique. Recebeu o Prêmio do Council of Fashion Designers of America em 1996.

CULTURA HIP-HOP E ESTILO DE RUA

1 O grupo de rap da Costa Leste EPMD representa o estilo hip-hop no fim dos anos 1980 na foto da capa de seu álbum *Unfinished Business*.

2 Esse vestido com casaco de estampa grafite, de Stephen Sprouse, foi fotografado por Arthur Elgot para a *Vogue* italiana em 1988.

3. Os artistas de rap americanos Run-DMC adornam seus trainings Adidas com correntes *dookie* douradas ultrapesadas.

O hip-hop sempre foi uma expressão da experiência afro-americana e constantemente se ocupa dos problemas sociais enfrentados por essas comunidades urbanas e de suas aspirações. Trata-se de uma mensagem forte que agrada aos negros e a uma cultura jovem mais ampla, bem como ao mundo da moda. Quando a música hip-hop emergiu no fim dos anos 1970 e início dos anos 1980, o movimento estava particularmente preocupado com o nacionalismo e fortalecimento dos negros. Os intérpretes costumavam usar o tecido kente tradicional de Gana (ver p. 134) e as cores verde, vermelha, preta e amarela do nacionalismo negro. O movimento originou-se nas cidades americanas e está intimamente ligado à cultura *gangsta*. Entre os pioneiros estão as bandas NWA e a Wu-Tang Clan, ambas cooperativas de artistas onde um estilo em comum de vestir significa a inclusão no grupo. A primeira empresa a se especializar na costura hip-hop foi aberta em 1989, quando Karl Kani (1968) criou sua grife de mesmo nome. A Wu-Tang Clan havia lançado sua própria marca, a Wu Wear, no início da década de 1990.

A proveniência política do hip-hop levou jovens artistas, como LL Cool J, Public Enemy e Run-DMC (à direita, embaixo), a rejeitarem a alta moda e as grifes tradicionais, adotando em seu lugar roupas esportivas e de rua. Um traje típico incluía um chapéu de pescador Kangol (acima), training Adidas e tênis Adidas Superstar ou Chuck Taylor Allstar. O chapéu Kangol, que se tornou um acessório quase obrigatório, foi um acréscimo curioso, já que era de uma empresa inglesa fundada em 1938 e conhecida sobretudo pela confecção de chapéus militares. As mulheres, inspiradas

PRINCIPAIS ACONTECIMENTOS

1980

Blondie lança o single "Rapture", em que Debbie Harry declama e menciona Grandmaster Flash, trazendo o hip-hop para a cultura predominante.

1982

Afrika Bambaataa e Soul Sonic Force produzem "Planet Rock", uma das faixas mais sampleadas da história do hip-hop.

1983

Grandmaster Flash lança "The Message". O documentário de TV de Tony Silver *Style Wars* é exibido.

1983

O filme *Wild Style* é lançado, contendo vários elementos da cultura hip-hop, como grafites, breakdance e batalhas de MC.

1984

Def Jam Records, a etiqueta de rap mais influente, é fundada pelo produtor americano Rick Rubin e o magnata Russell Simmons.

1985

O jogador de basquete americano Michael Jordan passa a recomendar a Nike, levando os artistas do hip-hop a trocarem seus Adidas pelo Nike.

por artistas como Aaliyah, TLC e Salt-N-Pepa, usavam roupas semelhantes às dos homens, ou camisas regatas brancas justas.

Além dos artistas que produziam a música, a cultura hip-hop tinha outras comunidades criativas, com destaque para os *b-boys* e grafiteiros, que faziam da rua uma arena para sua expressão. Os *b-boys* e *girls* (dançarinos de break) precisavam de jeans e camisetas folgadas para se movimentarem sem restrições, criando a estética de rua do hip-hop. Além dessa razão prática para roupas folgadas, vários outros fatores são citados, mas constitui um mito urbano que os jeans rebaixados fossem usados sem cinto para imitar as roupas de prisão. Os grafites e a cultura hip-hop também estavam estreitamente entrelaçados. A arte de rua e moda se encontraram no trabalho do estilista Stephen Sprouse (1953-2004), que mergulhou no cenário artístico nova-iorquino dos anos 1980 e ficou conhecido por suas estampas inspiradas em grafites (ver p. 448). Outros estilistas, cono Vivienne Westwood (1941, à direita), também criaram roupas com padrões típicos do grafite.

Enquanto alguns artistas do hip-hop continuavam abordando problemas sociais, a cultura passou a se ocupar mais da imagística da ambição, à medida que a ideia de ostentação e extravagância passaram ao primeiro plano. Desejosos de projetar uma imagem de sucesso, os artistas hip-hop usavam casacos de peles, ternos alinhados, sapatos de couro de jacaré e joias de platina cobertas de diamantes para indicar o sucesso de escapar da pobreza do gueto. No decorrer dos anos 1980, porém, as correntes de ouro tornaram-se um elemento-chave do estilo hip-hop, vistas como refletindo a tradição guerreira africana em que os homens mais poderosos exibem muito ouro. As correntes de ouro pesadas eram feitas de cabos grossos de elos trançados. Isso evoluiu para o acréscimo de um medalhão decorativo com objetos cada vez mais estranhos – microfones, emblemas de carros e cifrões – fornecendo mais indicadores da identidade do grupo. Outro elemento-chave eram os *"grillz"* (enfeites dentários de ouro) para realçar a destreza verbal de um artista de rap. Essa tendência emergiu na década de 1980 com muitos artistas cobrindo seus dentes com placas, às vezes acrescentando pedras preciosas ou outros aspectos decorativos.

A camiseta branca folgada era uma parte importante da aparência hip-hop. Contanto que fosse impecável e nova em folha, não importava qual era sua marca. Essa estética neofílica também se aplicava aos calçados e roupas íntimas (muitas vezes à mostra sob os jeans caídos). O consumo conspícuo de roupas, usadas uma só vez antes de serem descartadas, contribuía para a sensação de sucesso e afluência. Outro elemento vital de autoexpressão era a cabeça: em meados da década de 1980 estava em voga o *high top fade* (cabelos raspados dos lados, podendo formar figuras, e bem altos em cima). No fim da década de 1980, o *doo-rag* – uma tira de tecido de náilon para manter os cabelos trançados no lugar – estava generalizado. Era enrolado bem apertado em torno da frente da cabeça com as extremidades amarradas atrás ou deixadas soltas. **EA**

1985

LL Cool J lança seu primeiro álbum *Radio*, marcando o momento em que o hip-hop da velha escola ganha notoriedade e se torna a nova escola.

1985

O designer americano Stephen Sprouse mescla cultura de rua com pop art no desenho de seu casaco grafite (ver p. 448).

1988

Public Enemy lança o álbum seminal *It Takes a Nation of Millions*, amplamente aclamado.

1988

Stephen Sprouse produz sua coleção Signature, uma colaboração com o artista de rua Keith Haring.

1989

Carl Williams torna-se o primeiro negro a lançar uma linha de moda hip-hop com sua marca Karl Kani.

1995

Lançamento da etiqueta Wu Wear pela banda Wu-Tang Clan, com roupas desenhadas pelo produtor executivo do grupo Oli "Power" Grant.

Coleção Grafite 1984

STEPHEN SPROUSE 1953-2004

Vestido grafite da coleção primavera/verão de Stephen Sprouse de 1984, fotografado por Paul Palmero.

NAVEGADOR

A silhueta como de um casulo deste casaco grafite e usada aqui com "*plain back stilettoes*" é típica dos anos 1980, mas Stephen Sprouse o avivou acrescentando sua estampa grafite inconfundível e juntando-o a um tecido em um tom rosa quente. Sprouse era conhecido por sua habilidade brilhante em combinar cultura de rua, grafites urbanos e a pop art. Seu trabalho foi influenciado por sua intimidade com Andy Warhol e o ambiente nova-iorquino, e ele morou no mesmo prédio Bowery da atriz Debbie Harry. Ela fazia parte do mundo da moda, o que tornava-a uma colaboradora natural, com frequência fotografada usando figurinos de Sprouse.

A estrutura simples, ocultadora da forma, do casaco, com seu colarinho Nehru simples e botões discretos, serve como um contraponto interessante ao desenho vibrante e espalhafatoso da estampa grafite, sendo usado aqui com saltos altos pretos. As letras pretas se tornam abstratas pelo movimento natural e dobras do modelo, e o fundo do casaco fica progressivamente mais escuro à medida que fio preto é entrelaçado com o rosa, criando um efeito degradê que dá a impressão de que a bainha do casaco sujou com o tempo. Isso cria uma estética em que elementos da cultura hip-hop urbana convivem com a qualidade artesanal de um modelo da alta moda. **EA**

PONTOS FOCAIS

1 TECIDO
Sprouse ficou conhecida por usar tecidos caríssimos, feitos à mão e tingidos. Este casaco, de alpaca e caxemira da maior qualidade, teria sido tecido na Itália com o fio tingido segundo as especificações exatas do estilista.

2 GRAFITE
As letras grafitadas à mão eram um dos temas característicos de Sprouse, mais tarde revividas por Marc Jacobs. O grafite como um meio ousado de autoexpressão torna-se provocador quando usado na alta moda. O conjunto de casaco e leggings cria um aspecto impressionante.

▲ Em 2001, Sprouse colaborou com Marc Jacobs na Louis Vuitton para criar uma versão da popular bolsa "Speedy", com suas letras de grafite sobrepostas ao logotipo "LV" clássico.

PERFIL DO ESTILISTA

1953-1986
Stephen Sprouse nasceu em Ohio e começou sua carreira na Halston na década de 1970 antes de criar sua própria coleção em 1983. Produzia roupas segundo os padrões mais elevados, mas os custos de produção ultrapassavam de longe o lucro, e sua etiqueta foi encerrada em 1985.

1987-2004
Em 1987 Sprouse apresentou uma coleção baseada em sua colaboração com o artista de rua Keith Haring. Apesar da grande aclamação, a linha não deu lucro, e a etiqueta teve de ser encerrada de novo. Sprouse continuou seu trabalho de estilista nos anos 1990, mas sem grande sucesso até 2001, quando seu antigo fã, o estilista Marc Jacobs (1963), pediu que renovasse a linha de bagagens de Louis Vuitton com sua estampa de grafite.

O RENASCIMENTO DA ALTA-COSTURA

1 A dramática coleção outono/inverno de 1987/88 de Emanuel Ungaro de vestidos franzidos, com rufos e babados, teve um grande impacto e foi amplamente copiada.

2 Este conjunto Chanel de Karl Lagerfeld mostra uma bolsa *gilt and quilt*, falsa camélia e cinto de elos de corrente dourados (1985).

Durante a década de 1980, a elite elegante voltou a investir na alta-costura europeia, um sistema que estava florescendo depois da preocupação da década anterior com a promulgação do prêt-à-porter. Foi também a década que viu a ascensão de uma professora de educação infantil tímida, aparentemente modesta, aos altos escalões da família real britânica. Representando o novo glamour, Diana, Princesa de Gales, inicialmente divulgou estilistas britânicos, como Bruce Oldfield (1950), que vestia a alta sociedade londrina, e a estilista francesa vivendo na Grã-Bretanha Catherine Walker (1945-2010). Para a visita da princesa Diana à Casa Branca em 1985, porém foi um vestido de veludo azul-escuro de corpo inteiro de Victor Edelstein (1945) que consolidou seu novo status como ícone da moda global, quando ela foi para o salão de dança nos braços do astro do cinema John Travolta, o que lhe valeu o apelido "Dynasty Di".

Em Paris, Emanuel Ungaro (1933), um dos pioneiros da alta-costura na década de 1960, fomentou seu renascimento e subsequente visibilidade nos Estados Unidos com uma coleção sedutora de trajes de festa: vestidos de noite bem justos com saias diagonalmente drapejadas adornadas com detalhes de rufos e babados (acima). Esses vestidos também ostentavam estampas vivas em combinações de cores fortes típicas

PRINCIPAIS ACONTECIMENTOS

1981	1981	1984	1983	1985	1986
O vestido de casamento de Lady Diana Spencer, desenhado por David (1952) e Elizabeth (1953) Emanuel, inicia uma tendência por crinolinas de tafetá volumosas.	Catherine Walker, costureira particular de Diana, Princesa de Gales, lança sua própria marca.	O estilista britânico Bruce Oldfield abre sua primeira loja vendendo prêt-à-porter e alta-costura para uma clientela internacional.	A tradicional Maison Chanel é transformada sob a diretoria criativa de Karl Lagerfeld: seu objetivo é atrair o mercado jovem.	Uma exposição na Galeria Nacional de Arte Moderna em Roma celebra os 60 anos da Fendi e os 20 anos de Lagerfeld como diretor criativo.	A Jacques Bogart S. A. adquire a maison de alta-costura Balenciaga, e Michel Goma (1932) é designado desenhista chefe no ano seguinte.

da moda impetuosa da década: turquesa e fúcsia, amarelo-canário e verde-garrafa, escarlate e púrpura, lilás e ocre.

Dando impulso ao renascimento da alta-costura, o estilista alemão Karl Lagerfeld (1933) foi designado diretor artístico da então quase moribunda Maison Chanel em 1983. O estilista primeiro recusou o cargo de diretor artístico quando oferecido por Alain Wertheimer, presidente do conselho de administração da Chanel, mas o aceitou quando ficou claro que ele não seria contratado apenas como um estilista da empresa. De início responsável somente pela alta-costura, com Hervé Léger (1957) encarregado do prêt-à-porter, Lagerfeld logo assumiu o controle da produção total da casa, tornando-se assim um dos estilistas mais prolíficos e visíveis na moda. Ele desconstruiu o estilo típico da Chanel, especialmente o conjunto de cardigã de buclê de lã de duas peças (ver p. 454). O modelo compreendia uma jaqueta *edge-to-edge* em forma de caixa, tradicionalmente com uma fita em torno do pescoço sem gola e da parte central dianteira, usada com uma saia de linha A à altura dos joelhos. Lagerfeld transformou seu aspecto para atrair uma clientela mais jovem e consciente da moda, introduzindo tecidos "humildes" como brim elástico e tecido felpudo na fabricação, e alterando drasticamente as proporções.

Sua abordagem irreverente da moda tornou mais atraente a bolsa *gilt and quilt* 2/1955 original, desenhada originalmente por Coco Chanel (1883-1971) em 1929 e aperfeiçoada pela estilista em 1955. Lagerfeld exagerou seus aspectos característicos alargando os duplos Cs entrelaçados do logotipo e os reposicionando na frente da bolsa. Com isso criou o mais cobiçado símbolo de status da década, bem como o mais facilmente identificado e falsificado. Famoso por seus emblemáticos rabos de cavalo empoados, óculos de sol e rigidez na condução da moda, Lagerfeld defendeu um estilo pessoal disciplinado de camisas brancas com colarinhos altos e ternos pretos que criou em suas coleções, com ênfase no monocromático. Continuou com as tradições da maison do conjunto de duas peças (à direita) e o pretinho básico. Neste último, injetou ironia executando seu design em vinil preto fetichista e jérsei de poliéster. Lagerfeld combinou a imediação do prêt-à-porter com o luxo da alta--costura e reconheceu astuciosamente a necessidade de continuar as tradições de acabamento fino e exclusividade. Sob sua direção, a Chanel restabeleceu a alta--costura como o auge da qualidade, explorando plenamente as habilidades dos ateliês e seus artesões. Seus figurinos também restauraram a alta-costura referenciando o estilo de rua e itens influenciados pelas casas noturnas, como *bodystockings* de rede de pesca preta, jaquetas estilo motociclista, jeans de PVC e bustiês e shorts de tweed. Energizado por modelos e musas, entre elas Inès de La Fressange, Lagerfeld mobilizou muitas celebridades para representar o perfil da marca, particularmente na publicidade e no marketing dos perfumes Chanel de renome global.

Numa paródia aberta à nova estética da Chanel, o estilista italiano Franco Moschino (1950-1994), que também lançou sua grife em 1983, atacou o sistema da alta-costura com uma série de campanhas publicitárias provocadoras em revistas de moda sofisticadas, exortando os consumidores a ignorarem as tendências sazonais

1987

Christian Lacroix é designado por Jean-Jacques Picart e Bernard Arnault dirigente da 24ª maison de alta-costura em Paris.

1987

O maior conglomerado de luxo do mundo, LVMH, é fundado com a fusão entre Moët Hennessy e Louis Vuitton.

1988

A jornalista britânica Liz Tilberis substituiu Anna Wintour como editora da *Vogue* britânica.

1988

A controvertida editora de moda Franca Sozzani assume o comando da *Vogue* italiana.

1989

Gianfranco Ferré (1944-2007) é escolhido pelo proprietário Bernard Arnault para substituir Marc Bohan (1926) como diretor estilístico da Christian Dior, Paris.

1989

A executiva do varejo americano Dawn Mello é designada para reposicionar a marca Gucci e contrata Tom Ford (1961) como estilista de prêt-à-porter.

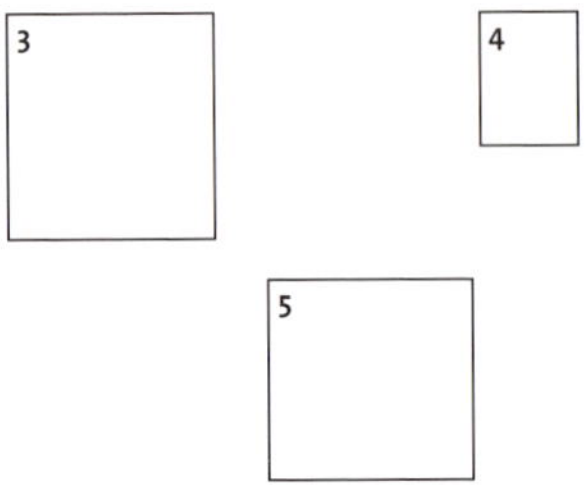

3 Este vestido altamente adornado da coleção extravagante outono/inverno 1989/90 de Christian Lacroix apresenta um espartilho bordado de veludo vermelho, com mangas de gaze transparentes e uma volumosa saia cinza e rosa.

4 Apelidado pela imprensa de "menino mau da moda", Moschino usou humor e trocadilhos visuais para subverter e explorar o consumismo da moda da década de 1980 nessa campanha publicitária de 1990.

5 Esse conjunto figurou na coleção eclética primavera/verão de 1991 de Moschino. O conjunto de duas peças sob medida é vestido com uma camiseta de slogan oculta sob um colar de pérolas intricado, e a abertura da jaqueta é adornada com dados.

e as roupas sob medida (à direita, em cima). Ocasionalmente ofereceu uma paródia direta do estilo Chanel, como visto nesta coleção de 1987, que mostrou flores de plástico e brinquedos de praia ampliados (ver p. 458). Dando continuidade ao tema surrealista adotado por Elsa Schiaparelli (1890-1973) e a tática do deslocamento, ele confeccionou um casaco em 1989 com um capuz e gola formados de ursos de pelúcia, e um vestido de raiom e spandex com uma saia formada inteiramente de sutiãs pretos. Desinteressado pelas inovações técnicas e construção, Moschino adotou formas de trajes básicas para propagar suas ideias com humor e verve. Disposto a decorar a superfície das roupas com trocadilhos visuais e slogans, em 1991 o estilista mostrou um terninho vermelho com o texto "*Waist of Money*" (trocadilho entre *waist*, cintura, e *waste*, desperdício) bordado em torno da cintura e camisetas com os dizeres "Where, When, Why?" (Onde, Quando, Por Quê? – à direita, embaixo). Essa coleção divertida também mostrava uma jaqueta adornada com enormes pontos de interrogação brilhantes e camisas de caubói com as cores do arco-íris.

O sucesso do relançamento da Chanel por Lagerfeld inspirou muitas outras grandes marcas a revisitarem seus arquivos e explorarem o desejo por roupas de status instantaneamente identificáveis. De acordo com a imprensa da moda, tratava-se da era da "logomania", quando o emblema de uma marca, usado para identificar uma empresa específica, tornou-se cada vez mais importante e atraente para o consumidor. Empresas como Fendi, Christian Dior e Louis Vuitton produziam artigos e trajes com seus logotipos externamente repetidos, em geral configurações das iniciais da marca.

Na década de 1980, o luxo era definido pelo uso da marca certa. Com o avanço da década, a marca emergiu como um ativo tangível vital ao sucesso da empresa, em particular no mercado de produtos de luxo. Os consumidores adotaram o conceito de "marketing de estilo de vida", termo usado para descrever a natureza aspiracional da mercadoria, e o design começou a ser percebido como uma atividade de serviço, em vez de um processo criativo. Embora a alta-costura estivesse prosperando, permaneceu como um líder deficitário. O espetáculo da alta moda, porém, fornecia a publicidade para uma série de produtos lucrativos ligados à moda, como perfumes, cosméticos e bolsas de grife. A mais cobiçada, comercializada pela Gucci, exibindo o monograma do duplo "G".

O maior conglomerado de luxo do mundo foi fundado em 1987 quando a Moët Hennessy e Louis Vuitton se fundiram para formar a marca LVMH. Seu rival pela supremacia do mercado de luxo era o Grupo Gucci, resultando uma indústria da moda e acessórios dominada por dois conglomerados. Fundada em Milão em 1906 como uma casa de artigos de couro, a Gucci prosperou após a Segunda Guerra Mundial quando o emblema do duplo "G" tornou-se internacionalmente reconhecido. A expansão excessiva de contratos de licenciamento durante a década de 1980, incluindo roupas e artigos domésticos, causou uma queda temporária, e conflitos internos dentro da empresa familiar também atrapalharam. Porém, com a nomeação em 1988 do executivo do varejo americano Dawn Mello, muitos dos acordos de licenciamento foram rescindidos, consolidando assim o prestígio da grife.

Em 1987 existia um otimismo infundado no avanço constante da economia, a ponto de, no início de um colapso financeiro global, Christian Lacroix (1951) abrir uma nova maison. O lançamento da saia balonê em 1987, enquanto o estilista trabalhava na maison de alta-costura Patou, desafiou o power dressing de ombros acentuados da sala da diretoria. A silhueta elegante dos anos 1980 sofreu uma mudança quase da noite para o dia quando Lacroix lançou sua primeira coleção revolucionária de alta-costura, também em 1987, que suplantou o power dressing com uma grande variedade de modelos como a saia estilo crinolina e os vestidos tomara que caia de veludo que enfatizavam a silhueta de ampulheta espartilhada (ver p. 456). Em coleções subsequentes, Lacroix continuou fornecendo uma cornucópia de tecidos luxuosos, adornos estravagantes inspirados por sua origem espanhola e uma silhueta evocativa do século XVIII (à esquerda), no que se revelaria uma extravagância efêmera antes do advento do minimalismo sóbrio dos anos 1990. **MF**

Conjunto de duas peças Década de 1980
KARL LAGERFELD 1938

Inès de La Fressange como modelo da Chanel.

NAVEGADOR

Como modelo e musa, Inès de La Fressange representa a frieza afetada da maison de alta--costura Chanel renascida sob a direção artística de Karl Lagerfeld. De fato, Inès corporifica a imagem e a despreocupação elegante da própria Coco Chanel. Lagerfeld faz referência ao estilo inconfundível de Chanel e parodia as peças icônicas da estilista, subvertendo o conjunto de duas peças de buclê arquetípico da marca, conservando a jaqueta *edge-to-edge* de tweed tecida à mão, enquanto impunha o tweed dos anos 1980. Botões dourados ornam cada uma das aberturas das mangas, envolvidos por uma fita trançada de cor natural. O mesmo detalhe ousado adorna os bolsos do peito horizontais dos dois lados dianteiros centrais, fixados por outro par de botões.

A jaqueta sob medida é feita à mão pela costureira, que corta e monta cada barra componente antes que sejam costuradas umas nas outras. Ao enfeitar a jaqueta do conjunto com diversas correntes douradas, estilizadas com enormes fileiras de pérolas, Lagerfeld alude ao costume da marca Chanel de aumentar o peso da bainha da jaqueta e saia com uma corrente de metal para que a roupa tenha um caimento correto. A jaqueta é usada sobre uma camisa engomada branca com uma gola arregaçada alta. Para completar o pastiche reiterativo de associações internas, um floreio final está nos broches dourados com os retratos dos próprios Lagerfeld e Fressange. **MF**

PONTOS FOCAIS

1 CHAPÉU *PILLBOX*
Em tweed combinando, o chapéu *pillbox* está pousado na lateral do penteado ligeiramente para cima. O chapéu apresenta uma falsa camélia branca impecável – outro marco inconfundível da marca Chanel – fixada no centro de um laço de veludo preto comum.

2 DETALHES EXAGERADOS
Lagerfeld sobrecarrega a clássica jaqueta sem gola *edge-to-edge* com uma abundância de pérolas e botões dourados imensos nos punhos e nos bolsos. Cada botão traz estampado o logotipo definitivo do duplo "C" da Chanel.

3 ACESSÓRIOS COM MARCA
Em mais uma referência à antiga propensão da Maison Chanel pelas bijuterias, Lagerfeld adota como acessório um bracelete com berloques pendurado com medalhões de madrepérola, cada um com o logotipo da marca.

PERFIL DO ESTILISTA

1938-1982
Karl Lagerfeld nasceu em Hamburgo, Alemanha. Mudou-se para Paris em 1952 e foi contratado como assistente de design na Pierre Balmain. De 1958 a 1962, foi diretor de arte da Maison Patou antes de se tornar estilista freelance. Nos 20 anos seguintes, desenhou vestidos femininos para a Chloé, uma etiqueta jovem de prêt-à-porter, mas também trabalhou para as italianas Krizia e Valentino e criou a coleção de peles da Fendi, onde continuou como diretor criativo.

Desde 1983
Lagerfeld assinou muitas coleções, incluindo suas próprias linhas com seu nome, e se envolveu com marcas no mercado mais amplo. Em 1983, tornou-se diretor artístico da Chanel, cargo que ocupa até hoje, visto como o auge de sua importância para a indústria global da moda.

A primeira coleção 1987

CHRISTIAN LACROIX 1951

A coleção de estreia de Christian Lacroix sob seu próprio nome atraiu a publicidade global e uma cobertura efusiva que não se via desde o lançamento do inovador New Look de Christian Dior (1905-1957) em 1947. Exibida no Hotel Intercontinental na Rue de Faubourg Saint-Honoré, Paris, decorada com as cores inconfundíveis de Lacroix – escarlate, púrpura, laranja e preto – em uma passarela adornada com juncos, a coleção foi apresentada para uma horda ansiosa de fotógrafos e jornalistas de moda. Um deles, Nicholas Coleridge, testemunhou a primeira coleção de 60 trajes e registra sua reação em *The Fashion Conspiracy* (1988): "Suspire e o mundo suspira com você. As modelos que percorreram a passarela usaram roupas com proporções tão estranhas, tão fora do comum que desafiavam a lógica convencional. Havia enormes chapéus cloche presos com ramos e juncos dourados, e saias feitas de pele de pônei, raposa-prateada e cordeiro persa-preto. Havia jaquetas ornadas com temas de Carmargue e casacos feitos de cetim duchese vermelho."

Lacroix se inspirou nos detalhes e adornos vernaculares das roupas do sudoeste da França e Espanha, justapostos a influências do século XVIII e início do século XIX, moldando os tecidos luxuosamente embelezados sobre crinolinas e anáguas para formar sobressaias com grinaldas *à la polonaise*. Os vestidos utilizavam toda a virtuosidade artesanal do ateliê, como franjas, contas, bordados e couro, num conjunto eclético de trajes. **MF**

NAVEGADOR

PONTOS FOCAIS

1 VESTIDO BUSTIÊ DE CETIM DE SEDA E VELUDO FOSCO
Cheio de rufos ao redor do tronco, o cetim de seda duchese vermelho forte estende-se para formar uma bainha enrijecida ondulada revelando camadas de anáguas de tule pretas embaixo, evocando o movimento da dançarina de flamenco. As mangas superiores separadas em forma de cálice depois se estreitam do cotovelo ao pulso.

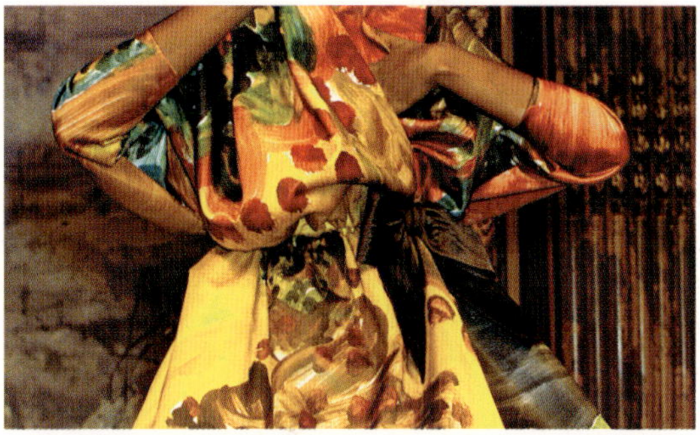

2 SILHUETA EM ESTILO CRINOLINA
Vivamente teatral e cheia das cores luxuriantes do local de nascimento de Lacroix – púrpura, mimosa, laranja, rosa e verde-esmeralda –, a saia em forma de sino apresenta uma barra central dianteira com uma estampa impressionista. As mangas dólmã formam uma peça única com o corpete enrolado em forma de blusa.

3 MIX DE REFERÊNCIAS CULTURAIS
Uma saia de pele de pônei linha A à altura dos joelhos é acompanhada por um blazer de tweed cortado segundo as linhas da silhueta do século XVIII, com ênfase na cintura e uma gola ampla que se estende até os ombros. O enorme chapéu de abas chatas lembra o sombreiro espanhol.

PERFIL DO ESTILISTA

1951-1986
Nascido em Arles, França, Christian Lacroix tornou-se estilista da Maison Patou em 1986. Ali lançou a saia balonê, mudando a silhueta afunilada de ombros largos dos anos 1980 para uma forma mais reconhecidamente feminina. O sucesso de Lacroix levou o empresário da moda Jean-Jacques Picart e o homem de negócios Bernard Arnault a criarem a 24ª maison de alta-costura em Paris, com Lacroix no comando. Embora muito influente, a maison nunca foi lucrativa.

DESDE 1987
A abertura da loja de Christian Lacroix em Nova York coincidiu com o colapso da Bolsa de Valores de 1987 que induziu uma reação adversa às roupas abertamente luxuosas e opulentas. O fracasso do primeiro perfume Lacroix (*C'est la vie!*), de uma marca de jeans e de uma linha prêt-à-porter chamada Bazaar anunciaram a queda da marca. Em 2005 Bernard Arnault vendeu a casa ao varejista de *duty-free* Falic Group. De 2002 a 2005 Lacroix atuou como diretor criativo da maison italiana Emilio Pucci, depois passou a se dedicar a outros projetos.

Tailleur 1987
FRANCO MOSCHINO 1950-1994

Tendo lançado a Moschino Couture em 1983, Franco Moschino esforçou-se por contestar o sistema de valores e as afetações burguesas da moda elitista, usando princípios do dadaísmo e da pop art como suas armas prediletas. O interesse de Moschino, quando estudante de belas-artes nos anos 1960, pelas transposições antiestablishment de artistas como Marcel Duchamp e Roy Lichtenstein forneceu um vocabulário pronto de dissidência irônica.

A coleção outono/inverno de 1986 de Karl Lagerfeld para a Chanel foi amplamente divulgada com um silêncio aristocrático afetado pela modelo Inès de La Fressange em uma cornucópia de excesso de identidade de marca – o logotipo, o rosto, o laço e camélia, as correntes, as pérolas – e o blusão de cardigã branco com fitas pretas definitivo. Em contraste, a continuação de Moschino, lançada em 1987, apresentou um pastiche irreverente da marca Chanel em que cada significante recebeu um alter ego: a camélia quase branca é transformada numa fileira de botões de plástico espalhafatosos em forma de florões. O elegante duas peças aparece como um conjunto mal combinado ornado com temas da pop art, e o chapéu sofisticado de Chanel é reproduzido como uma pilha de brinquedos de praia. Moschino lançou sua primeira coleção de difusão, Cheap and Chic, em 1988, cujo sucesso comercial internacional completou a ironia. **MF**

NAVEGADOR

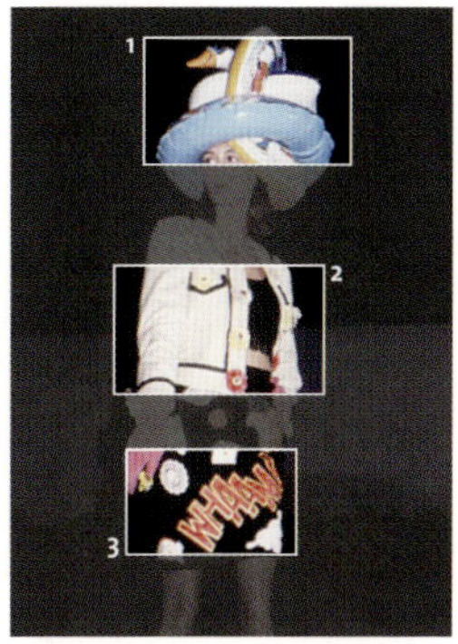

PONTOS FOCAIS

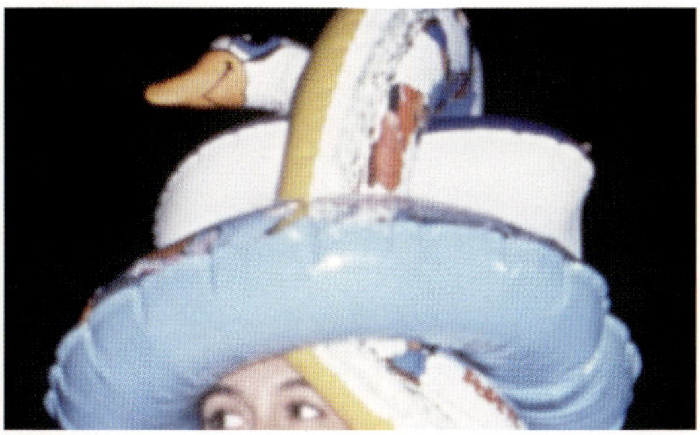

1 CHAPÉU
O sofisticado chapéu-palheta, laço e camélia do chapéu Chanel arquetípico torna-se, no léxico de Moschino, uma folia de acessórios de praia. As peças infláveis de plástico são empilhadas, mal se equilibrando na cabeça da modelo.

2 CORTE PRECISO
Sob a frivolidade de Moschino repousa um blusão *edge-to-edge* tradicionalmente cortado em buclê de lã creme, impecavelmente adornado com uma fita preta contrastante na parte dianteira central, bolsos costurados por fora e mangas à altura do bracelete.

3 APLIQUES DE LETRAS
Moschino usa humor e trocadilhos visuais para subverter as linhas clássicas da saia. Espelhando a tipografia dourada de um bracelete de corrente de letras, o traje apresenta um aplique "WHAAM!" no estilo do artista pop Roy Lichtenstein.

PERFIL DO ESTILISTA

1950-1983
Nascido em uma aldeia no norte de Milão, Franco Moschino estudou na Accademia di Belle Arti em 1967. Graduou-se em 1971, e passou vários anos coleborando com Gianni Versace (1946-1997), como seu ilustrador. Em 1977 foi designado desenhista da empresa italiana Cadette antes de partir para lançar sua própria etiqueta em 1983, que exibiu em Milão.

1984-1994
Em 1986, o estilista produziu sua primeira coleção de roupas masculinas, seguida em 1988 pela coleção com o título irônico Cheap and Chic (Barato e Chique), a qual, embora menos cara que sua linha principal, foi vendida no segmento superior do mercado. A etiqueta continuou após a morte prematura do estilista em 1994 sob a égide da amiga e antiga colaboradora Rossella Jardini (1952), que trabalhava na grife desde 1985.

ROUPA ÍNTIMA VISÍVEL

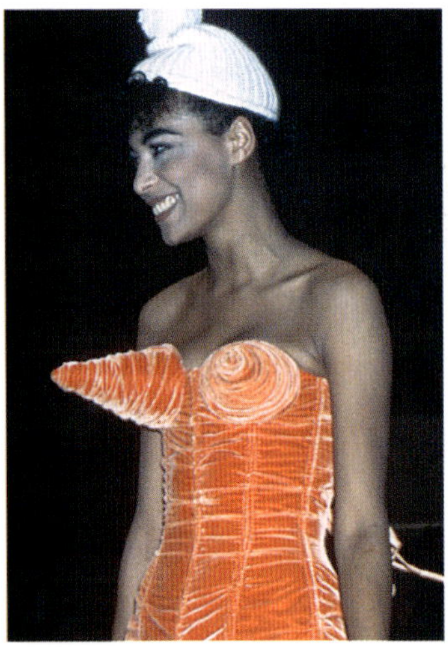

O sutiã moderno foi pela primeira vez desenvolvido em 1913 pela socialite americana Mary Phelps Jacob (1891-1970) sob o pseudônimo Caresse Crosby. Ao contrário do espartilho, usado para transmitir certo status social e probidade sexual – e antes o único meio de sustentar os seios –, o sutiã implicava modernidade e liberou o torso das mulheres de restrições. Mas foi somente no fim do século XX que o sutiã e espartilho se tornaram uma parte visível da moda. Ao reviverem e reinterpretarem os espartilhos históricos, estilistas como Vivienne Westwood (1941), Jean-Paul Gaultier (1952) e Alexander McQueen (1969-2010) transformaram um item de restrição e sexualização em uma projeção fortalecedora e potente da identidade feminina.

A estilista britânica Westwood lançou a ideia da roupa íntima visível em sua coleção Buffalo Girls de inspiração peruana para o outono/inverno de 1982/83, que apresentou um sutiã de cetim marrom de linha longa com costas profundas e bojos circulares, usado sobre lãs de feltro e tops assimétricos. Não mais funcional nem proecupado com os valores tradicionais de suporte ou elevação, o sutiã tornou-se um item da roupa decorativa que, não obstante, rompeu as regras do que era considerado apropriado. Historicamente, os espartilhos controlavam rigorosamente o porte feminino para promover uma silhueta específica que enfatizava a cintura e ajudava a desenvolver a diferenciação vital entre busto e quadris, produzindo

PRINCIPAIS ACONTECIMENTOS

1982	1982	1983	1983	1984	1985
Vivienne Westwood abre sua segunda loja em Londres, Nostalgia of Mud.	O sutiã de cetim marrom da coleção Buffalo Girls de Westwood lança a roupa íntima visível além do marcado punk/ de bondage.	John-Paul Gaultier lança sua coleção dadaísta, com silhuetas fazendo referência aos seios exagerados dos símbolos de fertilidade africanos.	Gaultier lança uma linha masculina. Suas coleções apresentam espartilhos e saias para homens.	O álbum *Like a Virgin* lança Madonna na consciência do público como uma artista provocadora.	Westwood incorpora uma crinolina abreviada em sua "Mini-Crini".

assim a silhueta de ampulheta tradicionalmente considerada uma representação da feminilidade. Em 1990, Westwood apropriou-se da identidade excitante do espartilho colocando uma estampa fotográfica de *Pastor observando uma pastora dormindo*, do "artista pornógrafo" do século XVIII François Boucher, em seus espartilhos curtos historicamente exatos (à esquerda, em cima). Embora cheios de barbatanas, eram fechados por um zíper nas costas e ironicamente, para maior conforto, as barras laterais creme foram elasticizadas com lycra para maior conforto.

O estilista francês Gaultier revolucionou o espartilho, transformando-o num dispositivo estratégico de fortalecimento que dava ao usuário autonomia sobre sua sexualidade. Seus desenhos icônicos para a turnê "Blond Ambition" de Madonna em 1990 realçaram a sexualidade visível da cantora, vestindo-a num espartilho cônico que subverteu muitas ideias de feminilidade (à direita). O cetim duchese macio rosa--bebê contrasta com o tronco controlado e fortemente pespontado do "sutiã-cone" e seu zíper dianteiro. Enquanto as cinturas minúsculas das mulheres eram criadas pelo espartilho antes oculto, a de Madonna é enfatizada por um cinto em estilo militar, normalmente uma peça de roupa para o ar livre. Os suspensórios estão visíveis, usados como ornamento, e não pela praticidade. Para a mesma turnê, Gaultier justapôs o toucador e o local de trabalho com seu desenho de um smoking cortado verticalmente e perfurado pelos seios cônicos de Madonna, tornando-se um novo tipo de power dressing.

Conta-se que Gaultier originalmente desenhou o sutiã-cone para seu ursinho de pelúcia quando tinha 6 anos, tendo desde então se tornado um de seus desenhos característicos. A primeira aparição na passarela dos seios cônicos e do vestido corseletado rendado nas costas foi na coleção Barbès de Gaultier para o outono/inverno de 1984/85 (à esquerda, embaixo). Era feito de veludo palpável castanho--amarelado, em forte contraste com os seios cônicos rígidos. Os cones dos seios apontavam diagonal e obtusamente para fora do corpo, em vez de comprimir os seios para dentro e para cima, criando uma ruptura com a lingerie tradicionalmente sedutora ou os espartilhos históricos. A associação entre sexo e espartilhos é desafiada à medida que o seio se torna agressivamente cônico, proibindo qualquer intromissão no espaço do usuário. O espartilho de Madonna está claramente relacionado com os sutiãs dos anos 1950, enquanto o vestido espartilhado castanho-amarelado foi uma opção deliberada para sugerir algo um pouco esmaecido, mas ainda venerado.

Após o renascimento do espartilho por Westwood e Gaultier, a integração da roupa íntima à moda contemporânea se generalizou. O estilista francês Christian Lacroix (1951) ofereceu uma versão do romantismo histórico do século XVIII com sua primeira coleção em 1987, mas outros estilistas, como o belga Olivier Theyskens (1977) e Alexander McQueen, divulgaram uma versão bem mais sombria com insinuações de sadomasoquismo. McQueen, que combinou o traje com uma alfaiataria ardorosa, lançou o espartilho como fetiche na moda oficial com seu espartilho de dominadora para a coleção Dante (1996) e seu espartilho guerrilha para a coleção Nº 13 em 1999 (ver p. 462). **PW**

1 Vivienne Westwood fez uma releitura do espartilho – aqui com estampa baseada na obra de Boucher – para sua coleção Portrait, de 1990.

2 A pop star Madonna veste um top com sutiã-cone criado por Jean-Paul Gaultier para sua turnê "Blond Ambition", em 1990.

3 Esse vestido de veludo laranja, de 1984, foi inspirado por um espartilho que Jean-Paul Gaultier encontrou no guarda-roupa de sua avó.

1987	1990	1992	1994	1996	1998
A Segunda-Feira Negra resulta no colapso da Bolsa de Valores e início da recessão econômica na Grã-Bretanha.	Westwood inspira-se na pintura francesa do século XVIII para sua coleção Portrait e de espartilhos com estampas de Boucher.	O supermodelo masculino Tanel Bedrossiantz apresenta um vestido espartilhado de veludo para Jean-Paul Gaultier.	A campanha publicitária Wonderbra com a modelo Eva Herzigova relança a marca e ressexualiza o sutiã.	A coleção Dante de Alexander McQueen evita as qualidades brincalhonas da roupa íntima visível para apresentar uma estética bem mais sombria.	Madonna usa um vestido desenhado por Olivier Theyskens para a entrega do Oscar, chamando a atenção do público para o trabalho do jovem estilista.

Espartilho guerrilha 1999

ALEXANDER MCQUEEN 1969-2010

Conjunto Nº 13, consistindo em um espartilho de couro marrom, saia de seda e renda creme e pernas protéticas de olmo entalhado (1999).

NAVEGADOR

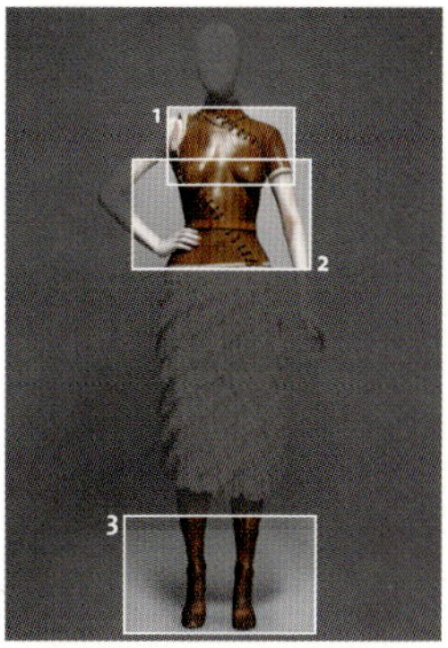

Os desenhos de Alexander McQueen para a primavera/verão de 1999 exploram a ideia do selvagem nobre numa coleção que apresenta sarja dégradé bordada com renda, camuça caseada, saias com borda de ráfia e espartilhos afivelados com chiffon drapejado. O peitoral da princesa guerreira baseia-se na lenda das temíveis guerreiras amazonas.

O espartilho, que vai quase até os quadris, reverte a função tradicional do item: em vez de conter os seios, esse traje toma a forma dos próprios seios, incluindo a linha dos mamilos e a concavidade sob as costelas. O couro vidrado dá ao espartilho uma dureza camuflada, protetora como de uma concha, e o ponto de luva diagonal está colocado com precisão cirúrgica através do corpo. Evoca as faixas de munições dos guerrilheiros. O cinto fino é um coldre potencial. Os movimentos do usuário estão limitados pela gola alta, inspirada no gorjal medieval usado sobre a armadura para proteger o pescoço. Justapondo texturas contrastantes, o espartilho moldado vem acompanhado de uma saia linha A à altura dos joelhos composta de camadas assimétricas de renda, costuradas na direção oposta ao corpete, criando assim um ponto focal no quadril. **PW**

PONTOS FOCAIS

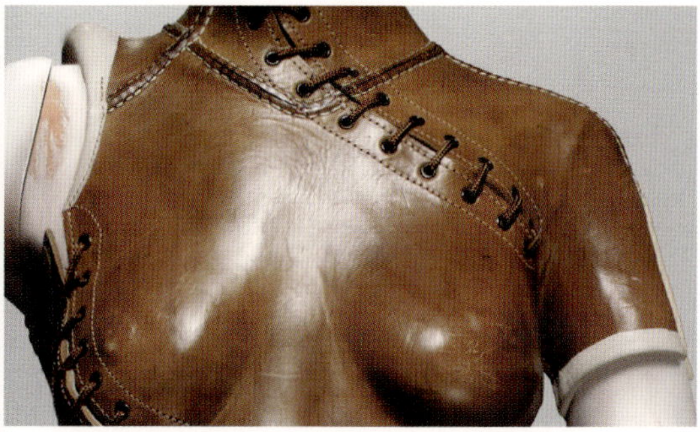

1 MANGAS APARADAS
Referindo-se à lenda das amazonas, as mangas são cortadas assimetricamente para que as flechas possam ser retiradas mais fácil de sua aljava e lançadas sem impedimento. Estão adornadas em um primoroso estilo grego com um tecido branco rígido contrastante.

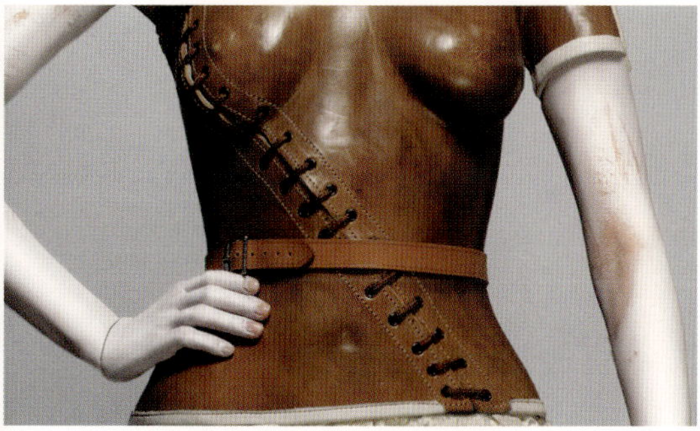

2 ESPARTILHO MOLDADO
A forma moldada do espartilho transforma a mulher num manequim de loja nu, muitas vezes usado para simbolizar as mulheres como objetos sexuais mudos. Neste contexto, os pontos largos falam de uma mulher danificada que usa roupas como proteção.

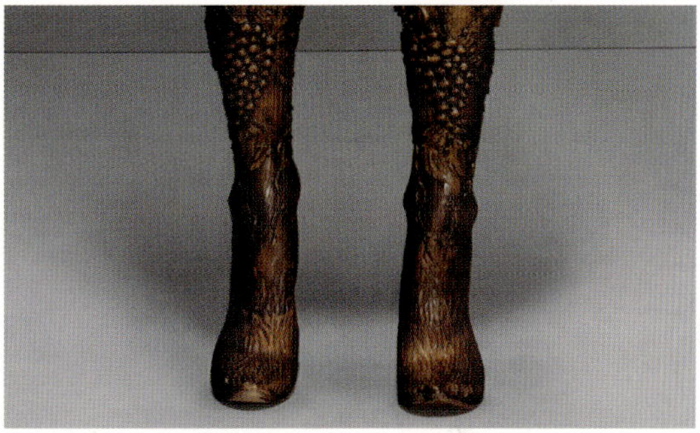

3 PERNAS DE MADEIRA
Este conjunto foi exibido pela modelo Aimee Mullins, uma atleta paraolímpica, e inclui pernas protéticas de olmo entalhadas. Sua veracidade, e o espartilho moldado, leva os espectadores a questionar o que é real e o que pode ser projetado sobre nosso corpo.

PERFIL DO ESTILISTA

1969-1995
Lee Alexander McQueen nasceu em Londres. Após deixar a escola, estagiou na alfaiataria Anderson & Sheppard e depois na Gieves & Hawkes de Savile Row, seguido de um período com os figurinistas Angels and Berman. Após se candidatar a cortador de figurinos no Central Saint Martins College of Arts and Design, ofereceram-lhe uma vaga no mestrado. Terminou o curso em 1994, e sua coleção de mestrado foi comprada pela estilista Isabella Blow.

1996-2010
McQueen foi desenhista-chefe na Givenchy de 1996 a 2001. Em 2000, o Grupo Gucci assumiu o controle majoritário da grife do próprio McQueen, conservando o estilista como diretor de moda. As realizações de McQueen foram reconhecidas por numerosos prêmios, incluindo Estilista Britânico do Ano em 1996, 1997, 2001 e 2003.

6 | DE 1990 ATÉ HOJE

LUXO DECADENTE E EXCESSO

Com aspirações abertamente sexuais e raízes na *dolce vita* da Itália nos anos 1950, os estilistas italianos Gianni Versace (1946-1997), Roberto Cavalli (1940) e Dolce & Gabbana (Domenico Dolce, 1958, e Stefano Gabbana, 1962) celebraram a volta da moda de alta voltagem durante a década de 1990. As chamativas estampas de Versace (acima), o fascínio de Cavalli por peles de animais e o estilo intrinsecamente siciliano de Dolce & Gabanna, aliados às luxuosas peles e artigos em couro da Fendi (ver p. 472), evocavam uma impressão de sensualidade luxuosa e decadente. Nos anos 1990, Versace foi o símbolo dessa fase de consumo exagerado aliado a um forte glamour ao pôr na passarela as supermodelos Christy Turlington, Linda Evangelista, Naomi Campbell e Cindy Crawford, transformando-as em celebridades internacionas.

Gianni Versace lançou sua primeira coleção feminina em 1978 em Milão, cidade que a essa altura já havia superado Roma e Florença como centro reconhecido da moda na Itália. Sua estética aliava arte sofisticada e cultura contemporânea, e o brasão por ele adotado foi a cabeça da Medusa, símbolo do glamour decadente e da aura de provocação inerentes à marca Versace. Em 1989, abriu o Ateliê Versace, e ao longo da década seguinte foi pioneiro na criação de voluptuosos vestidos de

PRINCIPAIS ACONTECIMENTOS

1988	1989	1989	1990	1990	1992
A Dolce & Gabbana cria uma linha de prêt-à-porter baseada no ateliê da família Dolce, em Milão.	Versace abre seu ateliê de alta-costura para criar vestidos de alta moda feitos à mão.	A Dolce & Gabbana lança uma coleção de lingerie e roupas de banho.	A Dolce & Gabbana introduz uma linha masculina.	Roberto Cavalli começa a cortejar seriamente o mercado americano, vendendo no varejo em lojas de luxo como a Bergdorf Goodman, em Nova York.	Versace causa controvérsia com o lançamento de sua coleção de bondage, abertamente sexual.

noite em combinações ofuscantes de cores para os super-ricos. No início dos anos 1990, passou a se concentrar em trajes de noite, sobrepondo opulentas camadas de ornamentações feitas com miçangas, fios metálicos, bordados e apliques a estampas multicoloridas em estilo maneirista em peças fendidas até a cintura ou decotadas nas costas até as nádegas, que muitas vezes exibiam imagens da cultura popular como quadrinhos e semblantes de Marilyn Monroe e James Dean inspiradas por Andy Warhol (ver p. 470). As coleções de Versace também resplandeciam com o dourado que era sua marca registrada: trench coats e ternos de lamê dourado, franjas douradas e arabescos bordados a ouro, além de um tutu de renda dourada usado pela modelo Christy Turlington (à direita).

O sexo era fundamental nessa estética: a coleção de bondage, lançada no outono/inverno 1992, fez parte da proliferação de roupas fetichistas cada vez mais explícitas, que se apropriaram das correias de couro e dos sapatos de salto agulha da dominatrix. O couro preto era muito usado nas roupas justas de Versace, que o esculpiu, forrou com matelassê, pespontou e cravejou de tachinhas para criar uma série de vestidos justos e jaquetas com detalhes exagerados em estilo motoqueiro. Em 1994, ele revisitou a contracultura punk londrina e ganhou cobertura inédita da imprensa mundial quando a atriz britânica Elizabeth Hurley usou seu "vestido-alfinete" ao acompanhar Hugh Grant à estreia do filme *Quatro casamentos e um funeral* (1994). O decote vertiginoso e as costuras laterais fendidas do vestido preto justo eram presas por alfinetes de kilt dourados e prateados decorados com uma cabeça de Medusa feita com imitações de diamantes. Um paletó masculino de lã branca no mesmo estilo tinha uma costura aberta fendida na parte externa da manga, também presa por alfinetes de kilt enfeitados com predrarias. Embora Versace tenha lançado uma linha masculina em 1979, foi somente uma década depois que sua alfaiataria sofisticada e exuberante começou a seduzir estrelas do rock e do pop como Sting, que usou uma criação do estilista em seu casamento com Trudi Styler em 1992.

Ao longo da carreira de Versace, estampas graúdas em cores vibrantes de motivos barrocos ou gregos e o uso generoso da cor dourada permaneceram sua marca registrada tanto na linha masculina quanto na feminina. O estilista usou muito um material de tela metálica por ele patenteado em 1982, explorando repetidamente a sensualidade de seu brilho, caimento e fluidez. Em sua última coleção, no outono/inverno 1997, ele usou esse material em um minivestido de noiva de duas camadas desfilado pela supermodelo Naomi Campbell. Antes chefe da Versus, linha mais jovem da marca desde 1990, sua irmã e musa Donatella assumiu a direção criativa da marca principal após a morte prematura de Versace em 1997.

Domenico Dolce, natural da cidade siciliana de Polizzi, e Stefano Gabbana, de Milão, fundaram a Dolce & Gabbana nesta última cidade em 1982 e lançaram sua primeira coleção feminina em 1985. Com uma combinação de alfaiataria severa, porém sensual – sempre um componente essencial da moda italiana –, e uma mistura sexualmente expressiva de roupas inspiradas em espartilhos e lingerie, a D&G personificou uma visão nostálgica do sul da Itália, simbolizada pelas heroínas

1 Na passarela, Gianni Versace comemora sua coleção de 1993 cercado por supermodelos.

2 Christy Turlington veste uma jaqueta de tweed luxuosamente ornamentada e um delicado tutu de renda criados por Versace (1992).

1993	1994	1994	1997	1998	2000
Karl Lagerfeld causa sensação na Semana de Moda de Milão ao usar strippers para desfilar sua coleção preta e branca para a Fendi.	Elizabeth Hurley recebe farta atenção da mídia ao usar o "vestido--alfinete" na estreia de *Quatro casamentos e um funeral*.	Impulsionada pela bem-sucedida publicidade gerada pela popstar Madonna, a Dolce & Gabbana lança uma linha de difusão.	Versace é assassinado em Miami; Donatella, sua irmã, assume a casa como estilista-chefe.	Roberto Cavalli lança a linha jovem Just Cavalli.	Roberto Cavalli veste seus modelos com listras de zebra da cabeça aos pés para a estreia na passarela de sua coleção primavera/verão.

do cinema neorrealista italiano. O uso da renda em forma de véus ou vestidos justos com profundos decotes e a preponderância do preto e branco, muitas vezes aliados a acessórios que remetiam à iconografia religiosa, representam a dicotomia da marca e refletem a criação católica da dupla. A sensualidade incandescente da marca se inspira em italianas de personalidade forte, como Isabella Rosselini e Monica Bellucci, ambas estrelas de campanhas publicitárias de grande sucesso fotografadas por Steven Meisel, e presenças marcantes no tapete vermelho. A D&G também contratou a fotógrafa e diretora alemã Ellen von Unwerth para contribuir com sua sensibilidade erótica. Ela realçou a sensualidade inerente das roupas por meio de referências de teor sexual explícito e poses langorosas (acima). O reconhecimento internacional da D&G aumentou mais ainda após sua colaboração com a ícone da música pop Madonna, que encomendou à dupla um espartilho e jaqueta a serem usados na estreia do filme *Na cama com Madonna*, em 1990, e em seguida 1.500 figurinos para a turnê "The Girlie Show", em 1993. Os mesmos elementos-chave de sexualidade explícita combinados a uma alfaiataria precisa definem a linha masculina da D&G, exibida pela primeira vez em 1990. Sob a supervisão do pai de Dolce em um ateliê de artesãos sicilianos, os estilistas confeccionaram ternos desestruturados baseados em paletós de abotoamento alto e calças estreitas e justas ou leggings no estilo dos *briganti* (bandidos) italianos.

Assim como Dolce & Gabbana, o estilista florentino Roberto Cavalli é um exemplo de look ousado e sedutor. Reduzidas a formas abstratas ou replicadas com exatidão, as pintas ou listras das pelagens animais são indissociáveis da estética de Cavalli. Pinturas rupestres primitivas mostram figuras humanas vestidas com peles não apenas para se camuflar e enganar predadores, mas também na tentativa de incorporar algumas das qualidades míticas do animal caçado. Na moda contemporânea, o uso de peles é interpretado como um desejo de transmitir os mesmos instintos perigosos e predadores dos grandes felinos. As pintas da fêmea do leopardo – mais agressiva do que o macho – são vistas como uma representação da arquetípica mulher fatal.

Cavalli entrou no universo da moda com uma inovadora técnica de estamparia sobre couro, patenteada no início dos anos 1970, que lhe valeu encomendas de Hermès e Pierre Cardin. Na década de 1980, ele lançou trajes casuais sofisticados e muito copiados em brim e couro estampados, ornamentados e trabalhados

3 | 4

5

3 Nessa imagem da *Vogue* italiana (1991), Ellen von Unwerth usa elementos visuais de forte conotação sexual: tamanco de pompom, um vestido-espartilho de cetim de seda preto Dolce & Gabbana e batom vermelho-vivo.

4 Eva Herzigova desfila o excesso de estampas animais na coleção primavera/verão 2000 de Roberto Cavalli.

5 O luxo sofisticado da coleção outono/inverno 2000 de Lagerfeld para a Fendi.

em patchwork, mas foi só nos anos 1990, quando se concentrou no barroco e nas estampas complexas, que a marca alcançou nível internacional e passou a ser prestigiada pelas celebridades. Ao contrário de Versace, baseado em Milão, até 1994 Cavalli continuou a apresentar suas coleções em Florença a cada temporada, refletindo sua predileção por um glamour mais discreto. Eva, sua segunda mulher, é apontada como inspiradora do renascimento da marca durante esse período, que resultou na adoção dos típicos vestidos com estampas animais por uma nova geração de celebridades do rock e do pop. Na coleção primavera/verão 2000, Cavalli vestiu suas modelos da cabeça aos pés com listras de zebra em escala reduzida (à direita); as modelos ficavam presas em um "curral" com paredes listradas feito um couro de zebra, amarradas por rédeas e coleiras de diamantes falsos.

Além das estampas animais, as peles de verdade também contribuíram para divulgar o look de luxo decadente e excesso tipicamente italiano, uma vez que simbolizam não apenas riqueza material como certo tipo de sensualidade. Os estilistas italianos foram desavergonhadamente pródigos no uso de peles, sem se importar com a mundialização política da questão por meio da regulamentação nacional e internacional da Lei das Espécies Ameaçadas de 1973, nos Estados Unidos, e da Convenção sobre o Comércio Internacional de Espécies Ameaçadas da Flora e Fauna Selvagem, assinada em 1973. Na década de 1980, com o surgimento do movimento em defesa dos direitos dos animais People for the Ethical Treatment of Animals (O Povo pelo Tratamento Ético dos Animais) e por causa da sensibilidade contemporânea, tornou-se necessário encontrar uma forma de interpretar a moda das peles que mantivesse o glamour do original sem comprometer as preocupações éticas. Em 1995, Karl Lagerfeld (1933) foi nomeado consultor criativo da grife italiana Fendi, originalmente especializada em peles e artigos de couro de luxo, para modernizá-la e mudar a percepção da pele como um símbolo de status convencional (abaixo). O estilista explorou e experimentou novas formas de processar as peles de animais para multiplicar os modos possíveis de fabricação dos materiais, permitindo que fossem estampados e tingidos (abaixo). Isso disfarçava a procedência das peles, tornando-as praticamente indiferenciáveis das peles falsas ou "fantasia" e reconhecíveis apenas pela etiqueta da peça. **MF**

Vestido com estampa Warhol 1991

GIANNI VERSACE 1946-1997

Naomi Campbell usa um vestido de
noite Versace com estampa Warhol (1991).

Enfatizando uma explosão mundial de consumo exagerado, Gianni Versace combinou formas sensuais com referências à cultura pop neste sedutor vestido de noite usado pela supermodelo internacional Naomi Campbell. Em homenagem às coloridas gravuras de celebridades do artista americano Andy Warhol, Versace criou uma estampa que recobre todo o tecido com imagens da mais duradoura deusa do sexo de Hollywood, Marilyn Monroe, e do ídolo do cinema James Dean para com ela confeccionar um vestido de noite comprido e justo. O corpete frente única valoriza os bojos circulares do bustiê, sustentados por uma alça na mesma estampa. As áreas com apliques são feitas com pedaços suplementares de tecido presos a suportes de arame, enfatizando assim o seu aspecto tridimensional.

Na elaboração da estampa, as imagens são montadas usando verde-esmeralda, vermelho, azul-cerúleo, roxo e dourado, e o registro de cada cor é levemente deslocado, levando a uma superposição de cores propositalmente descombinadas. Como a estampa é unidirecional, foi preciso usar várias telas de silkscreen para criá-la. Além disso, era necessário que a escala das imagens coincidisse nas costuras, o que encarecia a reprodução do tecido, embora este tenha sido cortado com a mesma casualidade de uma camiseta. **MF**

NAVEGADOR

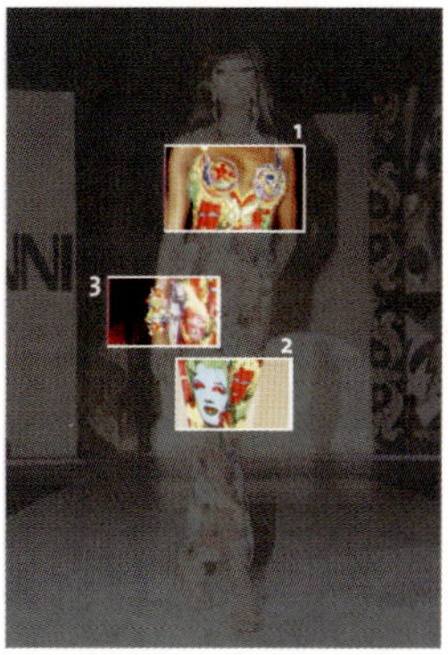

PONTOS FOCAIS

1 CORPETE-BUSTIÊ
Os seios são levantados e separados por um bustiê em estilo vedete ricamente decorado com arabescos de diamantes falsos e apliques desenhados. Eles traçam padrões curvilíneos ao redor dos seios antes de mergulhar em um decote em V central.

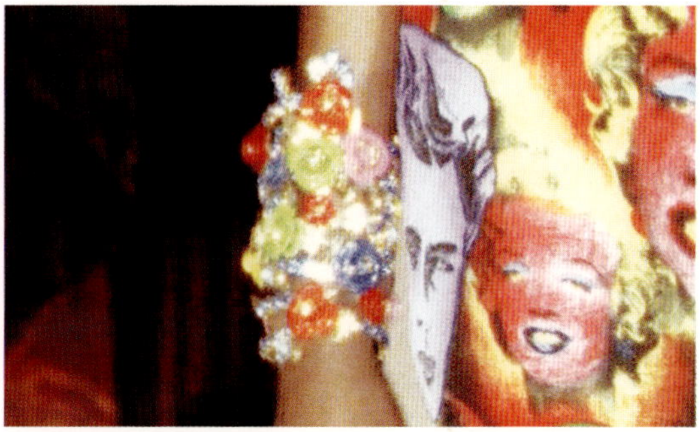

3 ACESSÓRIOS RELUZENTES
Confirmando o gosto de Versace pelo excesso exuberante, o vestido já ornamentado é complementado por acessórios no mesmo estilo: joias policromáticas cujo componente principal é o dourado. Elas prolongam o brilho do vestido até os pulsos e às orelhas.

2 ESTAMPA EM TODO O TECIDO
Feito em cetim de seda, o vestido é cortado a partir de um tecido de estampa graúda com repetição 96 x 140cm e fabricado por uma das mais renomadas estamparias em silkscreen da Itália, a Manifattura Ratti.

PERFIL DO ESTILISTA

1946-1988
Gianni Versace nasceu em Reggio Calabria, na Itália. Começou a carreira de estilista em 1972 e trabalhou para as casas Complice, Genny e Callaghan antes de lançar sua marca em 1978. A primeira loja da Versace abriu as portas no mesmo ano na Via della Spiga, em Milão.

1989-1997
Em 1989, Versace abriu a oficina de alta-costura Ateliê Versace, e nos anos 1990 passou a simbolizar o glamour de alta voltagem com extrovertidos vestidos colados, confeccionados com as estampas maneiristas que eram sua marca registrada e cujo público-alvo eram os super-ricos. Em 1990, Versace lançou uma linha mais jovem, a Versus, sob a direção de sua irmã e musa Donatella. Ela assumiu a diretoria criativa da marca após a morte repentina do estilista em 1997.

Bolsa-baguete 1997

FENDI

Bolsa-baguete de ráfia.
O modelo básico permanece o mesmo; a versão retratada é de 2010.

A bolsa-baguete da Fendi foi desenvolvida por Silvia Venturini Fendi (1960), neta dos fundadores da marca, e tornou-se um clássico instantâneo ao ser lançada em 1997. Após os excessos consumistas dos anos 1980, a bolsa simbolizava um retorno aos valores boêmios e detalhes étnicos que não condiziam com seu preço exorbitante. Cobiçada por consumidores hippie chique e *boho*, a bolsa proporcionava um contraponto de luxo e fantasia às práticas bolsas-sacola e modelos minimalistas da época.

A baguete foi a primeira bolsa a passar por mudanças sazonais como se fosse uma peça de roupa, e estas, aliadas à edição limitada de cada coleção, garantem sua popularidade até hoje. A bolsa é produzida em uma profusão de cores vibrantes em mais de mil modelos com diversos materiais diferentes, dos exóticos e caros como visom, pele de réptil, pelo de pônei, veludo de seda, cetim duchese e pluma aos mais comuns como tweed, ráfia trançada e brim. Os materiais muitas vezes têm acabamento em patchwork e apliques, além de outros enfeites com fios de metais preciosos, lantejoulas, cristais e joias. O preço se justifica pelos métodos de produção artesanais e pelo meticuloso trabalho manual, exemplificados pela Baguete Lisio. As bolsas são fabricadas pela Fondazione Arte della Seta Lisio, sediada em Florença. Feitas com técnicas manuais em teares de jacquard que podem exigir até um mês de preparação, a produção é restrita a 5cm de tecido por dia. **MF**

NAVEGADOR

PONTOS FOCAIS

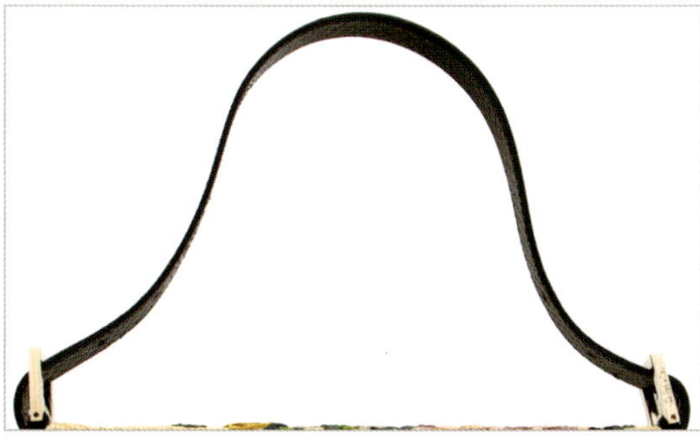

1 ALÇA
A alça curta a ser usada nos ombros, presa a cada extremidade da peça, exige que a pochete seja usada bem alta debaixo do braço e carregada como o pão *baguette* ao qual deve seu nome. Pequena e pouco prática, a Baguette exige que a pessoa use uma segunda bolsa para carregar qualquer coisa a mais do que um batom e um telefone celular.

2 DECORAÇÃO
A base de ráfia da bolsa-baguete é enfeitada com fitas de gorgorão pretas e em tons pastel aplicadas em formatos de flor, conferindo ao estilo simples um aspecto veranil e bem-humorado, muito feminino. Os desenhos de flores se prolongam na parte de trás.

3 FIVELA/LOGO
A fivela presa à faixa que fecha a bolsa é comparativamente grande. Seu formato acompanha a logo da Fendi, formado por um duplo F unido em ângulos opostos para criar um retângulo. A logo foi lançada em 1965, mesmo ano em que Karl Lagerfeld começou a trabalhar para a grife.

▲ Obrigatória dos anos 1990, a bolsa-baguete da Fendi, retratada neste anúncio de revista junto com um casaco de peles típico da marca, exibia quase sempre a grande logo da grife na fivela.

PERFIL DA GRIFE

1918-1964
Nascida em Roma, Adele Casagrande (1897-1978) fundou uma pequena empresa de couros e peles em 1918. Em 1925, após seu casamento com Edoardo Fendi, os dois abriram um ateliê de couros e peles na Via del Plebiscito, em Roma. Com a morte do marido, as cinco filhas do casal – Paola (1931), Anna (1933), Franca (1935), Carla (1937) e Alda (1940) – passaram a dividir a gestão da empresa, posteriormente lançada como grife de moda.

1965-1999
Em 1965, Karl Lagerfeld foi contratado como consultor de criação para supervisionar as coleções de peles. Em 1977, a Fendi lançou uma coleção completa de prêt-à-porter e passou a fabricar moda masculina, acessórios e artigos de casa. Em 1996, Silvia Venturini Fendi tornou-se chefe de artigos de couro, e um ano depois criou a lendária bolsa Baguette. Em 1999, a Fendi firmou parceria com o conglomerado LVMH.

DESDE 2000
A baguete se popularizou entre as celebridades e apareceu no seriado de TV *Sex and the City* (1998-2004). Uma edição especial para o 10º aniversário da bolsa foi lançada em 2008.

LUXO MINIMALISTA

1 A campanha publicitária para a Gucci de 1999, projeta uma imagem de sofisticação e apresenta um casaco branco simples com um cinto fino em laço.

2 O macacão com painéis da coleção outono/inverno 1999 de Helmut Lang tem pedaços de organza de seda sobre algodão branco e uma gola circular futurista.

Na fase em que trabalhou como diretor criativo da grife de artigos de luxo italiana Gucci, o americano Tom Ford (1961) – junto com o principal executivo da marca, Domeninco de Sole – refletiu e moldou a cultura da moda de luxo nos anos 1990: a marca alcançou a estratosfera da indústria e veio a se tornar a mais cobiçada do período (ver p. 478). Ford aderiu a uma política de estilo coerente, trabalhada com minúcia, e a uma abordagem visionária do marketing e da publicidade que serviu de paradigma para outras grifes desejosas de regenerar uma imagem cansada e ocupar uma nova fatia de mercado. Na Gucci, sua estratégia incluiu campanhas publicitárias (acima) veiculadas juntamente com editoriais da marca, bem como a exploração de um logotipo marcante e facilmente reconhecível: o duplo "G".

As décadas de 1990 e 2000 foram marcadas pela rivalidade entre dois conglomerados de luxo e sua briga por novas aquisições. O competidor da Gucci pela supremacia no mercado de luxo era o gigante mundial LVMH, fundado em 1987 após a fusão entre Louis Vuitton e Moët Hennessy. A partir dos anos 1990, a indústria de moda e acessórios continuou dominada por estes dois grupos: o conglomerado LVMH

PRINCIPAIS ACONTECIMENTOS

1989	1989	1991	1992	1993	1994
A Prada lança sua primeira coleção prêt-à-porter outono/inverno no Palazzo Manusardi em Milão.	A Jil Sander AG se torna uma das primeiras maisons a entrar para o mercado financeiro ao ser cotada na Bolsa de Valores de Frankfurt.	Em uma tentativa de entrar no mercado de massa americano, Giorgio Armani lança uma linha de roupas a preços acessíveis com a marca A/X Armani Exchange.	A Prada lança sua segunda linha, a Miu Miu, trazendo novo fôlego para a grife.	Jil Sander abre uma loja de quatro andares em Paris, em um ponto anteriormente ocupado por Madeleine Vionnet (1876-1975) e usado como ateliê e showroom.	Tom Ford é nomeado diretor de criação da Gucci e embarca em sua missão para rejuvenescer a grife.

liderado por Bernard Arnault, que incluía as marcas Loewe, Céline, Givenchy, Fendi, Pucci e Donna Karan; e o grupo Gucci, que controlava total ou parcialmente a marca italiana Bottega Veneta além de Yves Saint Laurent, Alexander McQueen, Balenciaga e Stella McCartney. Em 1997, a Louis Vuitton se expandiu para o prêt-à-porter feminino, e o americano Marc Jacobs (1963) foi nomeado para supervisionar e atualizar a grife. Lançada em 1998, sua coleção de estreia de camisas brancas e discretas e monocromáticas saias na altura do joelho remetia ao minimalismo depurado da época, e ele limitou o monograma "LV" a sutis iniciais brancas sobre fundo branco em uma única bolsa de alça comprida a ser usada cruzada em frente ao corpo.

Outro competidor no mercado de luxo era a maison italiana Prada (ver p. 480), que no fim dos anos 1990 também efetuou uma série de complexas manobras profissionais, comprando e vendendo participações nas grifes Gucci, Fendi, Church & Co. (um fabricante de sapatos), Jil Sander e Helmut Lang, entre outras. Oposto do produto facilmente identificável, a Prada deu um exemplo de riqueza dissimulada com o lançamento em 1988 da Vela, mochila pequena e leve desenhada por Miuccia Prada (1949), neta do fundador da grife. A discreta logomarca triangular e os tecidos utilitários voltados para o desempenho esportivo representavam um acentuado contraste com o consumo exagerado dominante no período, e o sucesso da mochila levou à criação de uma linha de prêt-à-porter. A primeira coleção foi apresentada no outono/inverno 1989 na sede da Prada, o Palazzo Manusardi em Milão. Com uma abordagem original e intelectual do design, Miuccia Prada desdenhou a extroversão e o excesso em prol de um refinamento que era quase uma paródia do recato da mulher elegante, com ênfase em estampas fantasiosas ou tecidos utilitários em complexas e sutis combinações de cores.

Essa estética minimalista encontrou seu equivalente na simplicidade puritana e fastidiosa atenção à qualidade e ao detalhe das grifes Jil Sander (ver p. 476) e Helmut Lang, compradas pela Prada no fim dos anos 1990. A partir de um ateliê de roupas sob medida aberto em 1977 em Viena, o austríaco Helmut Lang (1956) desenvolveu uma abordagem modernista tanto da moda masculina quanto da feminina que simplificava uma silhueta atenuada com uma alfaiataria bem-moldada, confeccionada em tecidos de luxo monocromáticos misturados com sintéticos mais estilosos para contrastar (à direita). Seu look essencialmente urbano incluía camadas justas de texturas contrastantes – transparente com opaco, mate com brilhante – usadas em ternos de alfaiataria de pernas esguias; os tecidos eram usados indiscriminadamente em roupas femininas ou masculinas. Nos anos 1990, a grife se expandiu para armações de óculos, lingerie, jeans e perfumes, estabelecendo presença global no varejo.

No século XXI, prejudicado pela expansão da pirataria, apesar das sanções legais contra cópias, o uso de marcas aparentes na moda tornou-se pouco atraente. O design da Gucci passou a ser um processo colaborativo, mais do que a visão de um único estilista; a empresa passou a oferecer produtos mais diversificados, e a marca voltou a ser posta dentro das roupas, e não do lado de fora. **MF**

1995	1997	1999	1999	2001	2001
Helmut Lang apresenta roupas íntimas em sua coleção; no ano seguinte, lança uma linha de jeans.	O recém-nomeado diretor de criação da Louis Vuitton, Marc Jacobs, produz sua primeira linha de prêt-à-porter feminino.	O grupo LVMH e a Prada adquirem 51% da empresa italiana de peles e couros Fendi.	A Gucci compra a grife Yves Saint Laurent; no ano seguinte, adquire o controle acionário da grife Alexander McQueen.	Stella McCartney (1971) lança sua marca própria dentro do Grupo Gucci.	O grupo LVMH adquire controle acionário da DKI (conglomerado que inclui DKNY, Donna Karan e sua bem-sucedida marca de roupas esportivas e jeans).

“O grande simples”, *Vogue* 1993
JIL SANDER 1943

Christy Turlington e um modelo fotografados por Ellen von Unwerth para a *Vogue* (agosto de 1993).

NAVEGADOR

Perfeccionista sem concessões, Jil Sander é uma das mais austeras puristas da moda. Na década de 1990, sua marca era sinônimo de fibras "nobres" de luxo e minimalismo andrógino, vistos aqui em uma imagem do editorial de moda "O grande simples", produzido pela iconoclasta diretora de criação da *Vogue* americana, Grace Coddington, e fotografada pela alemã Ellen von Unwerth. A modelo americana Christy Turlington é retratada como uma moça amish de origem holandesa na Pensilvânia, usando até uma peruca curta loura descolorida pelo sol e sem maquiagem nenhuma no rosto. A pose e o conceito remetem ao quadro *Gótico americano* (1930), de Grant Wood, que retrata um casal de agricultores de pé em uma pose estoica em frente a uma casa em estilo gótico. Durante a Grande Depressão, a imagem passou a representar o espírito pioneiro americano.

O estilo sem ornamentos e a estrutura do quadro serviram claramente de inspiração para o conceito que norteou o ensaio da revista, exemplificando o imperativo moral dos amish de evitar qualquer ornamento. O porte atlético e ombros largos de Turlington conferem uma sóbria autoridade ao sobretudo de abotoamento simples. Os sapatos fechados de cadarço que a modelo calça não aparecem na foto. Já o modelo homem usa um chapéu de feltro de aba larga em estilo amish reto sobre a cabeça e um paletó de abotoamento simples da grife de prêt-à--porter francesa APC, conhecida por seus estilos minimalistas e pela ausência de logomarca, por cima de uma camisa de trabalho de brim azul sem colarinho. **MF**

PONTOS FOCAIS

1 COLARINHO PEQUENO
As linhas compridas e despojadas do volumoso sobretudo na altura do tornozelo são realçadas pelo pequeno colarinho alto cortado em uma única peça e virado de modo a formar uma gola estreita e arredondada em falso estilo Peter Pan. O colarinho tem um corte bem rente na nuca. A ausência de pesponto ou qualquer outro detalhe de alfaiataria condiz com o contorno fluido e minimalista da peça. Botões grandes sem pé começam abaixo do colarinho e fecham o sobretudo na frente com uma pequena sobreposição central.

2 SOBRETUDO
O sobretudo preto de abotoamento simples cai a partir dos ombros em uma linha ininterrupta até a barra na altura do tornozelo. As mangas embutidas ultrapassam ligeiramente a linha dos ombros, criando volume na horizontal da peça. O sobretudo de estrutura simples é usado sobre um vestido-camisa azul-acinzentado de algodão grosso feito em casa usando um molde da *Vogue* disponível no comércio. O vestido tem decote alto careca e botões nas costas.

▲ O quadro *Gótico americano* (1930), de Grant Wood, é uma das imagens mais perenes e mais parodiadas da arte americana do século XX. Os personagens tiveram supostamente por modelo a irmã do artista e o dentista de ambos, e representam os valores tradicionais da vida rural em uma cidadezinha.

Vestido branco vazado 1996

TOM FORD PARA GUCCI

NAVEGADOR

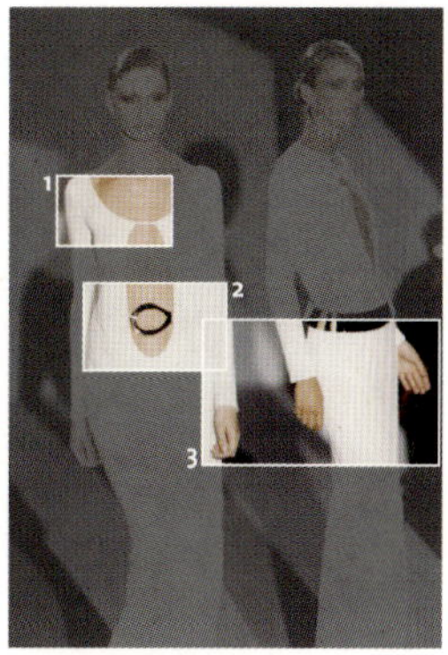

O estilista americano Tom Ford definiu o look fundamental de 1990 com uma coleção de vestidos de noite retos em jérsei opaco que combinavam apelo sexual e alta-costura. As linhas sensuais do vestido são uma homenagem ao fabricante de roupas esportivas americano Halston (ver p. 398) e a seus trajes de noite em jérsei colante usados pelos amantes da disco music que frequentavam a boate nova-iorquina Studio 54. Em vez da sexualidade óbvia inerente aos decotes vertiginosos ou às altas fendas nas saias, Ford enfatiza novas zonas erógenas como o umbigo ou a parte inferior do quadril. Essas áreas são mais acentuadas pela ausência de detalhes externos: não há pences na cintura ou no busto, nem qualquer infraestrutura de realce para conter ou destacar as curvas. O que confere formato ao vestido é um corpo perfeitamente torneado.

Assim como os vestidos cortados no viés da Hollywood dos anos 1930, aos quais o modelo de Ford também faz referência, a linha da peça exige um corpo nu por baixo. Além disso, não há nenhum indício aparente das técnicas de construção; a barra da saia e das mangas tem bainha invisível. Variações do modelo apontam ênfase nas costas graças ao amplo e alto decote frontal que se abre até a base das costas, preso atrás do pescoço por um estreito cordão. Com exceção da funcionalidade espúria da "ferragem", a pureza sem adornos do vestido branco deixa a silhueta ao mesmo tempo intocável e desejável. **MF**

PONTOS FOCAIS

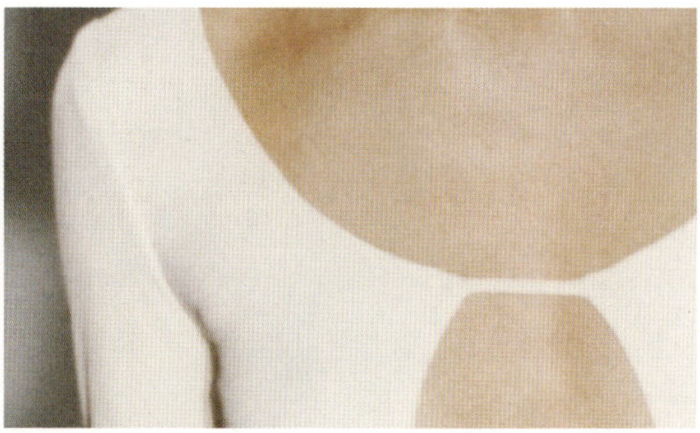

1 MANGAS EMBUTIDAS
As mangas embutidas de corte estreito se encaixam em uma cava alta para criar a ilusão de um tronco mais comprido e esguio. Essa silhueta sensual é ainda mais realçada pela estreiteza das mangas justas que descem até os pulsos.

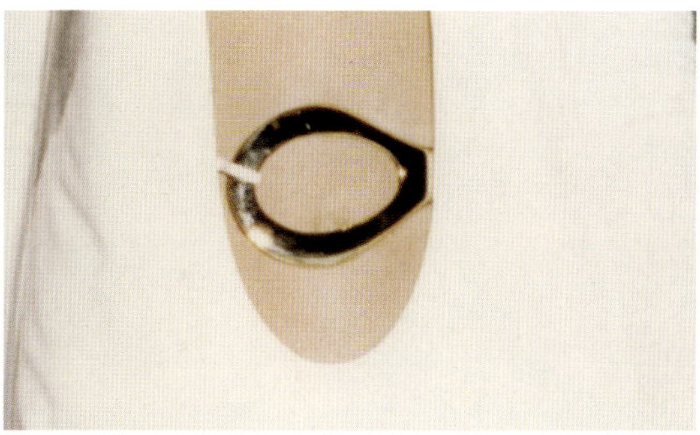

2 FERRAGENS DOURADAS
A ferragem dourada na forma de uma fivela simples moldada aos contornos do corpo é o ponto focal de um dos vestidos de noite brancos. A fivela se mantém no lugar graças a estreitos cordões que não distorcem a linha sinuosa da peça.

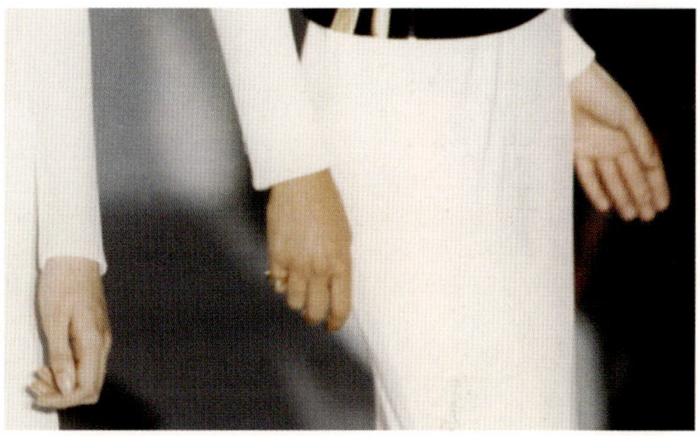

3 SAIA RETA
O jérsei opaco é um tecido que não perdoa, e a saia reta e comprida desce colada às curvas do corpo exceto quando a linha vertical é quebrada pelo movimento, como se vê nessa foto em que a modelo está posando com o peso apoiado em um dos lados do quadril.

PERFIL DO ESTILISTA

1962-1993
Thomas Carlyle Ford nasceu no Texas e se mudou para Nova York para estudar arquitetura na Parsons The New School for Design, onde passou o último ano estudando moda. Trabalhou para a empresa de roupas esportivas a preços medianos da estilista americana Cathy Hardwick e em 1988 para Perry Ellis antes de ser nomeado estilista-chefe do prêt-à-porter feminino da Gucci, em 1990.

Desde 1994
Em 1994, Ford se tornou diretor de criação da Gucci, e em 1995 sua inovadora coleção reinventou a marca e ressuscitou o duplo G – hoje, todos os produtos da Gucci levam o logotipo. Quando a Gucci comprou a marca Yves Saint Laurent, Ford foi nomeado seu diretor de criação. Em 2004, ele apresentou sua última coleção para a Gucci. Em 2006, abriu sua primeira loja Tom Ford em Nova York.

Vestido e sobretudo estampados 1996

PRADA

NAVEGADOR

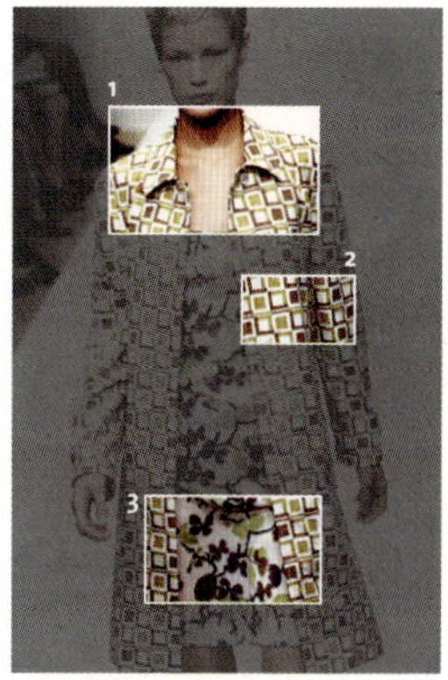

Miuccia Prada contrasta o chique e o ousado, e sua estética irônica ocupa a vanguarda da evolução do bom-gosto. Depois de ser muito copiada, a estilista criou uma visão inusitada e marcante. Sua coleção prêt-à-porter primavera/verão 1996, conhecida como "de mau gosto" pela imprensa especializada, estava decididamente fora de compasso em relação à moda da época.

Explorando materiais e referências de estilo ausentes no mercado de luxo, a coleção tinha peças como um uniforme de funcionário de lanchonete com zíper feito em náilon ou estampas com forte referência à fórmica, o onipresente plástico laminado dos anos 1970. A grife subverteu as efêmeras normas de beleza e glamour sedutor brincando com as percepções de bom e mau gosto por meio de uma exploração de formas e volumes apresentadas nas cores, estampas e tecidos de loja de bugigangas baratas.

O vestido e o sobretudo estampados aqui mostrados têm o mesmo tom; o conjunto exibe o decoro de uma datilógrafa da época de Doris Day, e consequentemente todos os elementos típicos da Prada. Ao dissolver os elementos-clichê da atratividade vinculada às roupas, o impacto da Prada alça as peças ao status de objetos cuidadosamente selecionados e interessantes por si só; seu objetivo, portanto, é conferir uma aura intangível de interesse à personalidade de quem as usa. **MF**

PONTOS FOCAIS

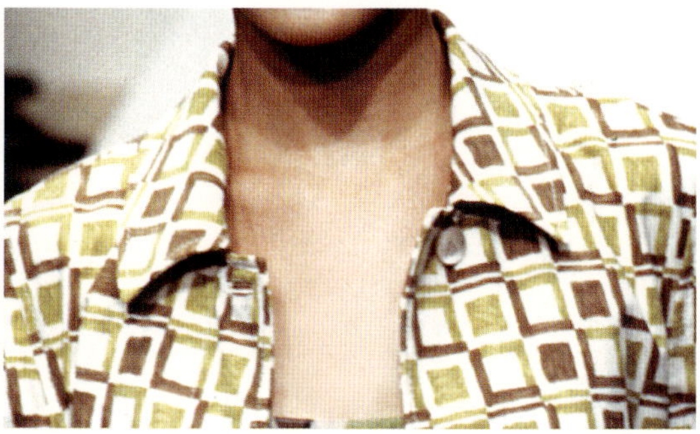

1 CAMISA SOCIAL
A gola simples em estilo camisa social do sobretudo se destaca da sobreposição na qual estão pregados os botões para revelar o decote baixo e reto do tubinho estampado usado por baixo. As mangas embutidas e compridas têm um caimento largo.

3 VESTIDO FLORAL
Em contraste com a estampa geométrica do sobretudo, o tubinho é confeccionado com um tecido floral de superfície lisa e inspiração chinesa com uma vistosa estampa multidirecional que ocupa todo o tecido. Ele confere ao conjunto um ar de sutil feminilidade.

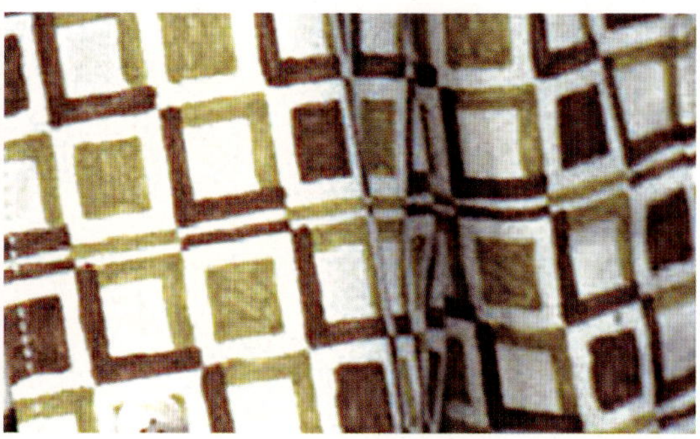

2 ESTAMPA RETRÔ
O sobretudo tem uma estampa geométrica de inspiração retrô com quadrados modulares abstratos sobrepostos a uma paleta discreta de tons verde-ervilha e roxo-berinjela sobre fundo creme. A simplicidade da estampa confere ao sobretudo um toque de refinamento.

PERFIL DA GRIFE

1913-1994
A partir de uma pequena loja de bagagens de couro de luxo, fundada por Mario Prada em Milão, em 1913, sua neta Miuccia tornou a Prada uma das mais importantes grifes da moda. Estudante de mímica com doutorado em ciências políticas, a estilista relutou em assumir a marca herdada em 1988, mas lançou sua primeira coleção de prêt-à-porter em Milão em 1993.

DESDE 1995
Em 1995 foi lançada uma linha "irmã mais nova" batizada com o apelido de infância da estilista, Miu Miu, seguida pela Linea Rossa Sport, reconhecida pela logo da alça vermelha. Em 2011, a empresa lançou 20% de suas ações na bolsa de Hong Kong – refletindo o fato de que a região da Ásia-Pacífico é atualmente o maior mercado da grife.

ANTIMODA

1 Marc Jacobs se afasta do glamour em sua coleção grunge (1992), com modelos inspirados pela cena musical de Seattle.

2 Kirsty Hume desfila um look boêmio pós-punk de Anna Sui em 1994.

Uma nova tendência contrária ao glamour permeou algumas áreas da indústria da moda no início dos anos 1990. Fartos das representações lustrosas, do consumo exagerado e das exigências dignas de divas das supermodelos, alguns estilistas começaram a se interessar por uma nova geração de modelos e por aspectos subversivos da cultura. A longilínea modelo britânica Kate Moss não apenas simbolizava a antítese do establishment das passarelas como também marcou o advento de um estilo mais jovem e anárquico, cuja voz passou a ser o selo independente Sub Pop e a música das bandas de Seattle Pearl Jam e Nirvana. A simplicidade, o niilismo e a visceralidade dessa música se refletiu na moda grunge, que privilegiava peças baratas, vestidos de brechó usados com cardigãs soltos, camisolas tipo babydoll, jeans rasgados e desbotados, camisas de flanela quadriculadas sobrepostas a camisetas, gorros e calças cargo. Esse estilo coloquial foi retratado em editoriais de moda de realismo extremo por modelos como Stella Tennant, Kristen McMenamy e

PRINCIPAIS ACONTECIMENTOS

1989	1990	1990	1991	1991	1992
Marc Jacobs entra para a Perry Ellis como vice-presidente de criação feminina. Ele ganha o prêmio Criador de Moda Feminina do Ano.	A banda de rock americana Pearl Jam é criada em Seattle, no estado de Washington.	A modelo britânica Kate Moss é fotografada por Corinne Day para a edição de julho da revista *The Face*.	A banda Nirvana lança seu segundo disco, *Nevermind*, primeiro álbum grunge a virar disco de platina.	Anna Sui faz seu primeiro desfile, seguido pela inauguração de uma primeira loja no bairro nova-iorquino do SoHo.	A revista britânica *Dazed & Confused* é lançada como um pôster preto e branco dobrado de publicação esporádica.

Karen Elson, renomadas por um visual esquisito em vez da voluptuosidade madura e ultraproduzida das supermodelos bronzeadas de corpos bem-torneados; estas últimas representavam um estilo de vida que era objeto de anseio, em contraste com a filosofia mais sombria e niilista daquela que veio a ser conhecida como "geração X".

No Reino Unido, revistas de estilo como *i-D*, *The Face* e *Dazed & Confused* celebraram os protagonistas dessas correntes culturais, experimentando novos estilos gráficos e subvertendo o conceito da revista de moda de papel cuchê com o uso de fotos granuladas, textos distorcidos e títulos à mão. Terry Jones, fundador da *i-D*, chamava as fotografias de pessoas de verdade usando roupas de verdade de "puras": eram a documentação social de uma geração que vestia a si mesma. Em 1990, Kate Moss foi clicada por Corinne Day para a *The Face* na matéria de capa "O terceiro verão do amor". Dois anos mais tarde, o marginal adentrou o *mainstream* quando o estilista americano Calvin Kelin (1942) sancionou o look "magrela" após incluir Kate Moss em campanhas publicitárias com Mark Whalberg, dando início à estética que seria descrita como *heroin chic*. Moss também saiu na capa da *Vogue* britânica fotografada pela mesma Corinne Day em 1993 (ver p. 484), mesmo ano em que causou furor com as controversas propagandas de relançamento do perfume Obsession, de Calvin Klein.

O estilo grunge entrou para o *mainstream* da moda quando o nova-iorquino Marc Jacobs (1963) ganhou as manchetes em 1992 com sua inovadora coleção para a marca de roupas esportivas americana Perry Ellis (à esquerda). Conhecida por uma estética de bom-gosto, a empresa estava firmemente enraizada na moda esportiva universitária chique, e a coleção grunge foi uma surpresa para os consumidores e um desastre comercial. Vestidos floridos e abotoados na frente de inspiração *vintage* usados por cima de shorts com coturnos e saias de seda estampadas para parecer de flanela tiveram enorme influência, mas os consumidores não estavam preparados para o falso desleixo. A coleção, porém, firmou Jacobs como um estilista visionário, e em 1997 ele foi convidado por Yves Carcelle, presidente da Louis Vuitton, para criar a primeira coleção de prêt-à-porter da grife, em uma decisão então considerada tão ousada quanto a escolha de John Galliano (1960) pela Givenchy em 1995. A americana Anna Sui (1964) também foi influenciada pela tendência grunge (à direita). Após se formar pela Parsons The New School for Design de Nova York, onde conheceu o fotógrafo de moda Steven Meisel, Sui trabalhou para diversas empresas juniores de moda esportiva. Ao mesmo tempo, desenhou roupas que eram vendidas no varejo por gigantes nova-iorquinos do varejo como Macy's e Bloomingdale's antes de ganhar fama com sua própria versão da moda grunge em 1992.

A fase da antimoda teve curta duração. Quando Bill Clinton, presidente dos Estados Unidos, afirmou em 1997 que "não é preciso transformar o vício em glamour para vender roupas", e acusou a indústria da moda de fazer a heroína parecer "glamourosa, sexy e bacana por meio da publicidade", um mercado de moda bem mais fragmentado já estava evoluindo para abraçar o glamour incisivo de Versace, o minimalismo fácil de usar dos estilistas americanos contemporâneos, ou a teatralidade dos britânicos John Galliano e Alexander McQueen (1969-2010). **MF**

1992

Marc Jacobs cria a coleção primavera/verão "grunge" para a Perry Ellis.

1992

O grunge é mencionado pela primeira vez na *Women's Wear Daily* em 17 de agosto: "Três looks quentes – rave, hip hop e grunge – ganharam as ruas e lojas."

1993

Marc Jacobs e Robert Duffy criam sua própria empresa de licenciamento e estilo: a Marc Jacobs International Company L. P.

1993

Fotografada por Corinne Day, Kate Moss é capa da *Vogue* britânica de junho (ver p. 484).

1997

O presidente dos EUA Bill Clinton condena a alusão ao *heroin chic* na publicidade de moda.

1997

O conglomerado de artigos de luxo LVMH nomeia Marc Jacobs diretor de criação para sua primeira linha de prêt-à-porter.

"Exposta", *Vogue* 1993
ROUPA ÍNTIMA

Kate Moss fotografada por Corinne Day para a *Vogue* (junho de 1993).

NAVEGADOR

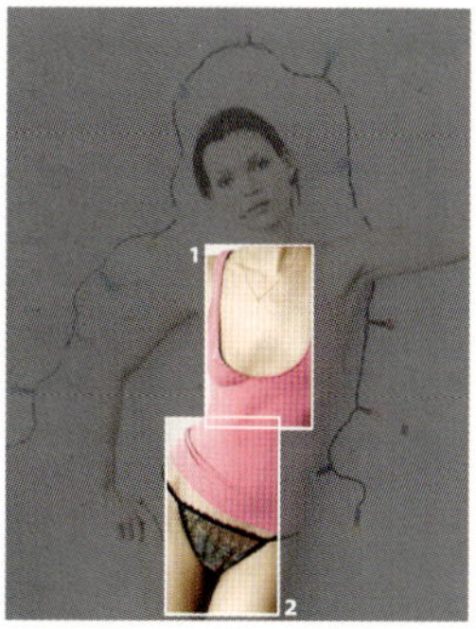

Afastando-se do artifício inerente à fotografia de moda contemporânea em um ensaio para a *Vogue* britânica, Corinne Day retrata Kate Moss aos 19 anos em seu apartamento londrino da época, que a modelo dividia com o então namorado Mario Sorrenti, fotógrafo de moda. O primeiro trabalho de Day para a revista mostrava Moss como uma entre muitas "garotas londrinas" em um editorial produzido por Kate Phelan, diretora de moda da revista. A matéria era uma homenagem às modelos preferidas de Day, criadora do conceito da modelo como uma pessoa real, com seus próprios defeitos, e não apenas um manequim – uma antítese das verdadeiras amazonas que eram as supermodelos. Alexandra Shulman, editora da *Vogue* britânica, foi quem encomendou de Day em 1993 o famoso ensaio "Exposta". Pensado como um editorial de moda íntima, o título da matéria era "O que usar por baixo de roupas casuais? Uma lingerie que quase não aparece, claro." Produzido por Cathy Kasterine, o ensaio traz Moss posando em frente a um fundo de luzinhas de Natal casualmente penduradas. As fotos causaram escândalo na imprensa, e Day foi acusada de promover o *heroin chic* e a anorexia.

As fotografias de moda de Corinne Day se caracterizavam pela falta de etiquetas: ela preferia retratar peças *vintage* ou até mesmo sem marca. Suas imagens tinham um ar documental obtido com o uso de luz natural e cenários comuns; as locações eram igualmente naturalistas: um quitinete desenxabido, uma cama desfeita, um tapete encardido. **MF**

PONTOS FOCAIS

1 CAMISETA E CORDÃO
Discretamente sensual na magrela Kate Moss, a camiseta rosa sem mangas de malha dupla da estilista americana Liza Bruce (1955) forma um generoso decote redondo a partir de alças estreitas e cavadas. Um simples e inocente crucifixo dourado de uma cadeia popular de joalherias quase não aparece no centro da composição. O cordão é o único adorno visível da modelo, uma vez que ela usa pouca maquiagem perceptível e tem os cabelos despenteados e presos para trás em um rabo de cavalo frouxo.

2 ROUPA ÍNTIMA PARA O MERCADO DE MASSA
Kate Moss veste uma calcinha da bem-sucedida cadeia popular Hennes (hoje conhecida como H&M) posicionada logo abaixo do osso pélvico. O triângulo de chiffon transparente em estampa animal é preso por um contorno de renda preta. A lingerie teoricamente devia ter sido o foco principal do ensaio, mas aparece apenas como mais um elemento da composição, ofuscada pela expressão ambígua da modelo e pela disposição das luzinhas de Natal que sublinham sua pose.

▲ Este anúncio de perfume da Calvin Klein com Kate Moss foi fotografado por Mario Sorrenti (década de 1990). Sorrenti fazia parte de um grupo que incluía Juergen Teller e Rankin e fotografava a moda de um jeito alternativo, usando modelos pouco produzidas em imagens propositalmente desproduzidas.

MODA SUSTENTÁVEL E ÉTICA

1 A Edun apresenta um vestido de seda drapejado com estampa de árvore e zebra para o outono/inverno 2012.

2 A atriz Cameron Diaz usa um vestido de noite confeccionado em seda orgânica com certificação GOTS (Global Organic Textile Standard, ou "padrão têxtil orgânico global") criado por Stella McCartney (2012).

3 Essa parca de paraquedas de Christopher Raeburn fez parte da coleção primavera/verão 2013. Cada peça traz uma etiqueta com os dizeres "Remade in England" ("refeito na Inglaterra").

O sucesso de uma marca se mede pelas vendas de produtos novos. A obsessão pelo consumo possibilitou a expansão do setor da "moda rápida", mas esse ciclo de compra, uso e descarte tem consequências. O estilismo sustentável – ou seja, a produção com danos mínimos ao meio ambiente e a melhoria nas condições de trabalho – está ganhando importância. Alguns estilistas vêm tentando encontrar formas de reduzir o impacto ambiental e ético negativo. No início dos anos 1990, a indústria fez experimentos com a moda ecológica: o algodão orgânico surgiu no mercado, mas teve um desempenho ruim junto a consumidores ciosos dos custos de uma indústria cuja maior parte da produção era offshore, em condições de trabalho cada vez piores. Ao mesmo tempo, o mercado que priorizava marcas com credenciais ecológicas sólidas – como por exemplo a Birkenstock, que reutiliza as rolhas de cortiça da indústria do vinho – continuou a crescer. Hoje, um número maior de consumidores conscientes se preocupa com a forma como as roupas são fabricadas.

PRINCIPAIS ACONTECIMENTOS

1990

Em discurso na ONU, a estilista britânica Katharine Hamnett exige mais responsabilidade ecológica na indústria da moda.

1992

A varejista de moda internacional Esprit lança sua linha Ecollection.

1993

A empresa de roupas esportivas Patagonia começa a fabricar peças em fleece a partir de lixo reciclável, como garrafas PET.

2000

Criação do Project Alabama por Natalie Chanin e Enrico Marone Cinzano para fabricar roupas com materiais sustentáveis.

2001

Depois de trabalhar na Choé, Stella McCartney lança sua grife, que estabelece a moda sustentável como uma proposta séria.

2004

O Desfile de Moda Ética é lançado em Paris, seguido dois anos depois pelo Esthetica, em Londres, para promover novas grifes de moda ética.

Empresas voltadas para o mercado de massa, como Marks & Spencer, Patagonia e Nike, reagiram a essas preocupações implementando estratégias ambientais e éticas. Além de modificar as práticas de fabricação, a Marks & Spencer vem educando os consumidores com a iniciativa "Olhe atrás da etiqueta", proporcionando em suas prateleiras informações sobre produtos comercializados de forma ética. A Patagonia foi pioneira no desenvolvimento de um sistema de desperdício mínimo, respeitando o mantra "reduzir, reparar, reutilizar, reciclar". Depois de começar a fabricar roupas de fleece usando lixo reciclável, em 1993, a empresa lançou em 2005 a iniciativa Common Threads ("linhas comuns"), que recicla roupas de poliéster descartadas,

Em 2005, Ali Hewson e o marido, Bono, o vocalista da banda U2, criaram sua etiqueta de roupas éticas Edun (à esquerda), reconhecida tanto pelo design criativo quanto pela missão de melhorar o comércio com países africanos como Uganda e Quênia. Todas as fábricas passam por auditorias bianuais para garantir o respeito aos padrões estabelecidos. Sharon Wauchob, diretora de criação, descreve a Edun como "mais do que uma simples etiqueta de moda", e considera o processo de produção uma parte intrínseca da criação. Já a estilista americana Linda Loudermilk dá preferência às fibras orgânicas, e o Project Alabama (hoje Alabama Chanin) fabrica roupas a partir de fibras naturais e muitas vezes recicladas, confeccionadas por costureiras locais. No Reino Unido, a pioneira varejista do *fairtrade* ("comércio justo") People Tree só usa algodão certificado e se firmou como uma marca de ponta na moda, promovendo também colaborações com estilistas como Thakoon Panichgul (1974).

Grifes de estilistas consolidados e grifes de luxo demoraram para abraçar a sustentabilidade, mas há exceções como Katharine Hamnett (1947) e Stella McCartney (1971). McCartney nunca usa couro nem pele, e sua coleção adota tecidos e corantes orgânicos sempre que possível. Em 2012, ela lançou uma linha de lingerie feita com algodão orgânico e metal reciclado. Seus vestidos de noite (à direita, em cima) são escolha frequente das celebridades no tapete vermelho. O britânico Christopher Raeburn (1982) é conhecido pelo uso inovador de materiais reciclados, em especial pelo reaproveitamento de tecido camuflado e pelas parcas confeccionadas com paraquedas reciclados. Lançada em 2008, a marca começou com roupas masculinas; a primeira coleção feminina foi lançada em 2012, e suas parcas de paraquedas se tornaram uma peça básica, reinventada em vermelho para 2013 (à direita).

Gary Harvey, que trabalha em Londres, destaca-se na fabricação de peças de materiais descartados inspiradas na alta-costura (ver p. 488). Conhecido por reconstruir 42 calças Levi's 501 para fabricar um vestido de alta-costura, o estilista trabalhou com materiais que vão de jornal a camisas de rúgbi descartadas para produzir roupas únicas, que brincam com a justaposição do luxo e do cotidiano. Tornar grandes marcas mais comprometidas com a sustentabilidade é o objetivo do Green Carpet Challenge (Desafio do Tapete Verde) lançado por Livia Firth (ver p. 488), que levou algumas grifes como Lanvin, Prada e Valentino a repensarem suas práticas vigentes. **AG**

2005

A Edun é fundada por Ali Hewson e Bono com o objetivo de se posicionar como força criativa na moda e ao mesmo tempo promover mudanças positivas na África.

2006

A Marks & Spencer lança a campanha "Olhe atrás da etiqueta", para conscientizar os clientes sobre questões ambientais.

2006

A Marks & Spencer anuncia o "Plano A", que detalha os objetivos ambientais e éticos da empresa durante um período de cinco anos.

2008

Christopher Raeburn apresenta sua primeira coleção, inspirada pelo desafio da moda sustentável e que inclui roupas reversíveis recicladas.

2009

Livia Firth leva a ecomoda pela primeira vez ao tapete vermelho com o Desafio do Tapete Verde (ver p. 488).

2012

A Cúpula de Moda de Copenhague é realizada para marcar a Rio+20, conferência sobre Desenvolvimento Sustentável da ONU.

Vestido de noite reciclado 2011
GARY HARVEY

Livia Firth em um vestido reciclado, na cerimônia do Oscar com o marido, Colin Firth (2011).

NAVEGADOR

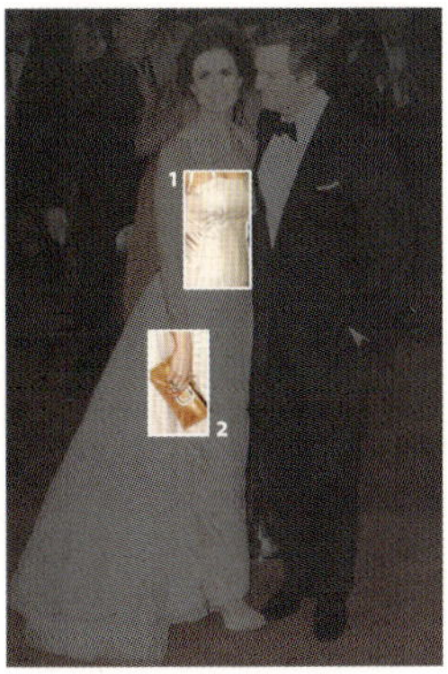

Produtora de cinema e dona da loja Eco Age, Livia Firth levou a ecomoda aos eventos de celebridades como a cerimônia do Oscar, o Festival de Veneza e o Bafta. Desde 2009, Firth vem usando regularmente peças ecológicas como parte do Desafio do Tapete Verde, criado em parceria com a jornalista britânica Lucy Siegle. O desafio procura aumentar o prestígio da ecomoda e angariou apoio de algumas celebridades de primeira linha, como Meryl Streep e Cameron Diaz. Além de apoiar novos talentos do estilismo, Firth tem se esforçado para promover a moda "verde" junto a grifes já consolidadas, como por exemplo Gucci e Valentino, que produziram cada qual uma peça para o Desafio do Tapete Verde usando materiais reciclados ou com certificação ecológica.

Gary Harvey é conhecido por trabalhar com uma ampla gama de materiais de descarte pouco usuais, usando a técnica do upcycling – ou seja, agregando valor a materiais descartados por meio de uma abordagem cuidadosa da criação e dos detalhes decorativos. É dele o vestido usado por Livia Firth na 83ª Academy Awards, na qual seu marido, o ator Colin Firth, ganhou a estatueta de Melhor Ator por seu papel em *O discurso do rei* (2010). O tecido, os zíperes e os detalhes foram tirados de 11 vestidos *vintage* diferentes, comprados em lojas de caridade e brechós do sudeste londrino. A linha usada para costurar o vestido foi o único material novo utilizado. Feita inteiramente de materiais reciclados, a roupa era muito apropriada para um evento de gala. **AG**

PONTOS FOCAIS

1 ESPARTILHO
O vestido tem um espartilho embutido, item presente em muitas peças de Harvey. Feita com materiais reciclados de vestidos *vintage* e de segunda mão, a peça tem um apelo romântico enfatizado pelo uso de tons suaves e neutros. As cores discretas foram inspiradas em um vestido que pertencera à avó de Firth e fora herdado pelas gerações mais jovens da família, e Harvey escolheu as peças *vintage* de acordo com sua relevância para a década de 1930.

2 JOIAS
Os acessórios que completam o vestido são joias éticas da designer britânica Anna Loucah feitas em colaboração com a joalheria britânica CRED. Feitas em ouro certificado pela Fairtrade Foundation e pela Alliance for Responsible Mining (Aliança pela Mineração Responsável), o anel e os brincos têm águas-marinhas vindas de uma mina comunitária na Zâmbia, ouro OroVerde da Colômbia e diamantes da Cooperativa de Mulheres Mineradoras de Liqhobong, em Lesoto.

▲ O vestido-jornal de Gary Harvey, uma das criações mais exuberantes do estilista para a coleção primavera/verão 2008, foi confeccionado com 30 exemplares do *Financial Times*.

RENASCIMENTO DO OFÍCIO MANUAL

1 Em evocação à deusa Palas Atena, o bustiê de Sarah Burton representa a cabeça de uma coruja dourada. A ilusão de um trabalho em palha de milho dourada se deve a uma fabricação complexa com fios metalizados, galões trançados e canutilhos (2010).

2 Holly Fulton contrasta cores sólidas com uma estampa gráfica quadriculada adornada com cristais em uma coleção cujo tema é a beira-mar (2012).

3 Olivier Rousteing enfeita um vestido Balmain branco e justo com bordados de pérolas e cristais (2012). O intrincado desenho remete aos ovos Fabergé.

Na década de 1990, os ofícios manuais começaram a passar por um renascimento global, impulsionado pela confluência de técnicas artesanais tradicionais com as novas possibilidades da revolução digital na manufatura têxtil, às vezes chamada de "alta tecnologia". O ponto principal da especialização se originou em Paris, onde os ateliês operavam sob a égide da Câmara Sindical da Alta-Costura Parisiense – associação que reflete os compromissos com o luxo ilimitado que o melhor da alta-costura vem demonstrando há mais de 100 anos. A cadeia de fornecimento da alta-costura se estendeu a todos os nichos de manufatura que pudessem proporcionar habilidades exclusivas e métodos de produção de luxo, e suas tradições de fabricação altamente especializadas e métodos de ornamentação vêm há muito atendendo às demandas de consumo exagerado mundo afora.

Hoje em dia, os avanços da tecnologia possibilitam técnicas híbridas de riqueza extraordinária, nas quais a potência de sistemas digitais – como por exemplo os sistemas de criação de estampas e malhas desenvolvido pela Shima Seiki, líder em

PRINCIPAIS ACONTECIMENTOS

1991

A primeira impressora digital que permite imprimir amostras de estampas diretamente sobre tecidos é apresentada pelo fabricante têxtil holandês Stork & Co.

1995

O fabricante japonês Tajima Inc. desenvolve teares de bordado com uma opção de corte a laser.

2000

A líder em fabricação de teares de malha Shima Seiki despacha seu 10.000º sistema de criação digital de estampas e malhas.

2002

A Chanel cria o grupo Paraffection, que inclui a Lesage para bordados, a Massaro para a fabricação de sapatos e a Michel para a fabricação de chapéus.

2005

Erdem lança sua marca e passa a trabalhar em um pequeno estúdio onde cria as estampas gráficas, sua marca registrada, usando uma demorada e complexa série de processos.

2006

Christopher Kane funda a marca que leva seu nome com o apoio de uma bolsa Nova Geração da varejista popular britânica Topshop.

teares de malha computadorizados – é canalizada para criar bases complexas que em seguida são incrementados por técnicas manuais. O princípio de elevar um produto complexo a um nível superior de refinamento levou a um ressurgimento de preciosas habilidades artesanais. Essa reverência pelos ofícios manuais também se estende às linhas de prêt-à-porter de grifes como a Rodarte (ver p. 492), fundada em 2005, cujas excêntricas peças raramente não apresentam algum enfeite feito à mão.

No século XXI, alguns estilistas usaram sistemas digitais para produzir tecidos antes impossíveis de criar e que, de tão inovadores e complexos, acabam por definir a coleção à qual pertencem. A exuberância de origem digital das estampas e bordados de estilistas como Erdem (1976; ver p. 496), Holly Fulton (1977) e Mary Katrantzou (1983) demonstra toda a perícia e refinamento que arrancariam elogios de qualquer mestre de outro ofício. Os motivos gráficos alegres e ingênuos estampados na base da peça e depois enfeitados por Fulton ficam ainda mais divertidos graças à superposição de componentes sólidos (à direita). Os conceitos em múltiplas camadas, confeccionados em tecido e traduzidos em forma de roupa por Sarah Burton (1974) para Alexander McQueen, tornam-se mais intrigantes graças aos componentes naturais. A capacidade que Burton tem de explorar um vocabulário surreal de estruturas e superfícies suntuosas – corpete metalizado em imitação de palha de milho com saia de plumas exóticas (à esquerda) – proporciona o mesmo impacto alegórico de uma máscara jacobina.

Incontido na opulência, mas menos dramático do ponto de vista imagético, o francês Olivier Rousteing (1986), da Maison Balmain, alçou o conceito de adorno irrestrito de superfícies a um nirvana repleto de joias em sua coleção outono 2012 (à direita, embaixo). Quase superando os adornos de Fabergé que lhe serviram de inspiração com bordados incrustados de pérolas em formações barrocas, ele suavizou o impacto da formalidade apresentando as preciosas roupas como peças avulsas, em vez de um reluzente traje completo de toureiro. O bordado feito à mão tinha o mesmo refinamento do trabalho em ouro dos trajes cerimoniais ou das roupas de gala militares, mas, no meio da coleção, o corte a laser era usado para criar filigranas de couro perfurado, costurado ou colado em contraste com matelassê de couro. O efeito tinha a mesma intensidade e delicadeza do trabalho de um ourives, graficamente exato e com uma engenharia perfeitamente adaptada à forma da roupa, enquanto o efeito geral ganhava um ar contemporâneo e casual graças aos zíperes visíveis das jaquetas de motoqueiro.

Da mesma forma, novos tecidos extremistas ganham evidência nas coleções do estilista escocês Christopher Kane (1982; ver p. 494), que vão de líquidos coloridos encapsulados em gel plástico e colados a tecidos e barras a um couro todo recortado a laser até virar uma renda. Essa ânsia por encontrar sistemas digitais e manuais para adornar tecidos é um fenômeno que abrange todo o mercado. Trata-se de uma expressão natural da saturação visual da cultura contemporânea dominada pela imagem e pelo comércio on-line, na qual a falta de adornos se tornou desinteressante. **JA**

2007

A Rodarte produz uma coleção inspirada por trabalhadores terceirizados mexicanos, dando continuidade à ênfase da grife em têxteis trabalhados à mão.

2007

A coleção de pós-graduação de Holly Fulton tem peças enfeitadas com pedaços cortados a laser dispostos para formar painéis que imitam joias.

2008

Erdem apresenta uma luxuosa coleção de modelos com estampas florais digitais adornados com renda feita à mão e cristais Swarovski.

2009

Olivier Rousteing vai para a Balmain após cinco anos na Roberto Cavalli.

2010

Mary Katrantzou colabora com o ateliê de bordados Lesage, em Paris, para criar uma coleção caracterizada por modelos trompe l'oeil.

2011

O fabricante japonês Shima Seiki exporta o 100.000º tear de malha digital para o mercado internacional.

Vestidos de tule 2008

RODARTE

NAVEGADOR

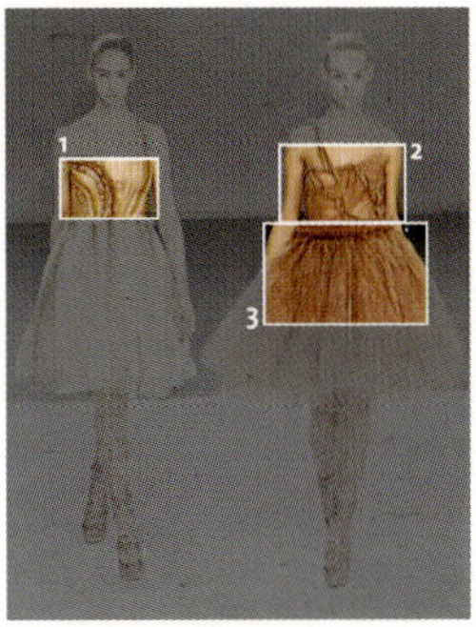

Kate e Laura Mulleavy, fundadoras da Rodarte, aplicam técnicas manuais de alta-costura e uma visão singular a suas oníricas e fantasiosas coleções de prêt-à-porter. Os modelos são incrementados por sua experiência com as artes liberais e respectivas especializações em arte e literatura. Na coleção outono 2008, elas lançam mão de uma poderosa imaginação visual e bebem em uma complexa mistura de fontes diferentes, incluindo tanto as tradições do cabúqui japonês quanto seus filmes de terror. A coleção também foi inspirada nas esculturas em barbante da artista plástica alemã Eva Hesse e nos trajes de balé tradicionais retratados pelo pintor impressionista Edgar Degas.

Vestidos de tule claro são presos ao corpo por cordas retorcidas feitas de chiffon tingido por isolamento de áreas. A fragilidade do tecido contrasta com a crueza primitiva do processo, criando uma aparência de bonecas de pano cujo recheio começou a vazar. Corpetes assimétricos e praticamente invisíveis são mantidos por um forro indiscernível e parecem se sustentar sozinhos. As estilistas prestam muita atenção nos detalhes, e as dobras e pregas drapejadas em torno do busto são bordadas com minúsculas pérolas. Tutus de textura diáfana feitos com várias camadas de tule se prendem na cintura por um fio de barbante que cria um franzido estreito e desfiado, e o tema do balé é representado também pelos cabelos presos bem apertados. **MF**

PONTOS FOCAIS

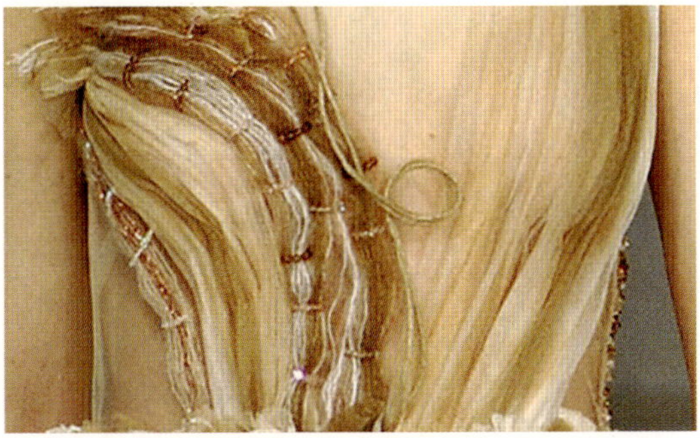

1 CORPETE COM PONTO CASEADO
Chiffon de seda em vários tons claros de chá, damasco e creme, dobrados e drapejados de forma grosseira, curvam-se a partir da axila e por cima dos seios até a cintura. Os pedaços de tecido são costurados grosseiramente no lugar com ponto caseado.

3 TUTU INSPIRADO EM DEGAS
Para a saia do vestido da direita, camadas de tecido em textura fibrosa, com um brilho obtido graças a fios de lurex, são franzidas na cintura para criar um volume pronunciado no corpo da saia e um largo babado vertical acima. As bainhas não têm acabamento.

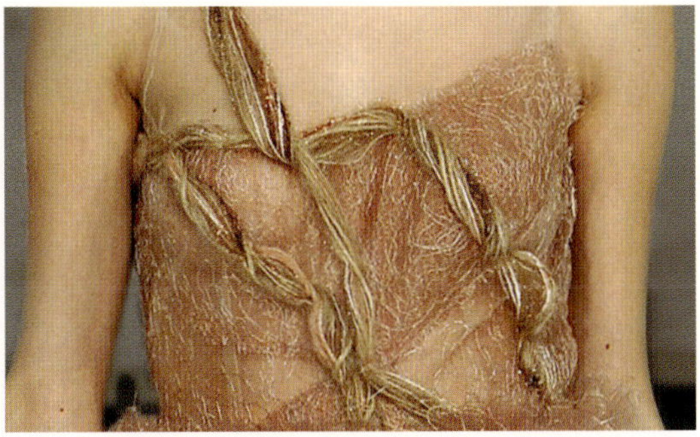

2 CORPETE COM ALÇA
O vestido da direita tem uma alça única e assimétrica feita de tecido áspero torcido e bordado com pequeninas contas iridescentes, dando a aparência de sustentar o corpete no meio da frente antes de contornar o corpo de forma aparentemente aleatória.

PERFIL DA GRIFE

2005-2007
Depois de serem criadas na Califórnia e de começarem cedo a desenhar modelos de vestidos, as irmãs Kate (1979) e Laura (1980) Mulleavy lançaram sua marca em 2005, em Los Angeles. Sem formação oficial, aprenderam sozinhas as técnicas de alta-costura e criaram uma coleção de 10 peças com acabamento à mão retratada em fevereiro de 2005 na capa da *Women's Wear Daily*.

Desde 2008
Em 2008, as irmãs receberam o prêmio Swiss Textiles, tornado-se as primeiras mulheres e as primeiras não europeias a conquistar essa honraria. As duas assinaram várias das roupas de balé usadas por Natalie Portman no filme vencedor do Oscar *Cisne Negro* (2010). Em 2012, a Rodarte colaborou com o arquiteto Frank Gehry na montagem de *Don Giovanni* pela Filarmônica de Los Angeles.

Saia bordada e suéter de malha 2012

CHRISTOPHER KANE 1982

NAVEGADOR

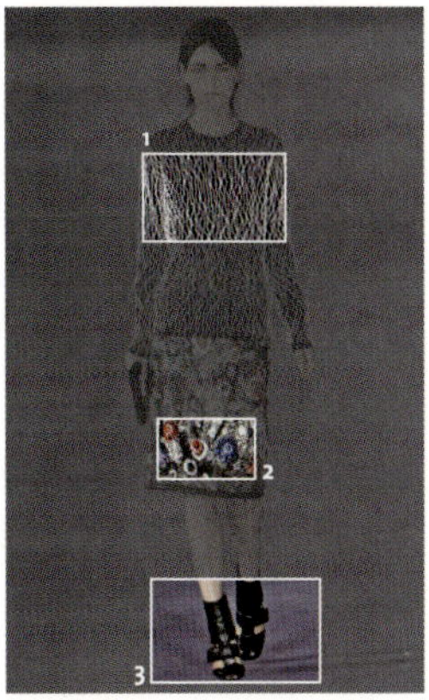

A coleção outono 2012 de Christopher Kane é um coquetel de ingredientes curiosos: couros bordados e estampados, erupções de flores de plástico, agitadas listras verticais e motivos geométricos atravessados por faixas de couro em rolotê. Bordados sobre tecido para criar uma risca de giz, tubos curvos de plástico em progressão irregular por todo o comprimento de um suéter de caxemira preto largo estilo *boyfriend*. Kane usa o caráter efêmero dos plásticos para promover um sutil contraste com o luxo dos métodos e materiais clássicos da alta-costura e desafiar o perverso sistema de valores da moda. Tanto a saia-lápis quanto o suéter folgado têm uma movimentação pesada devido à elaborada superestrutura do bordado.

A complexidade dos tecidos construídos à mão exigem que as peças tenham linhas essenciais e detalhes mínimos. A tela plastificada que serve de base para os bordados da saia lembra telas de bordado em ponto de cruz com molduras laqueadas, e cria um fundo escuro que vai sumindo sob as cores saturadas dos desenhos de clematites rebordados com lantejoulas soltas para formar uma rede lustrosa que lembra o couro perfurado. A bainha em rolotê da saia se repete na borda retangular de uma bolsa-carteira que traz a mesma ornamentação da saia. Os passos restringidos pela saia, o aperto da bainha e as amarrações e saltos dos sapatos fazem uma leve referência à cultura Edo japonesa, dos trajes de corte aos interiores quadrados. **JA**

PONTOS FOCAIS

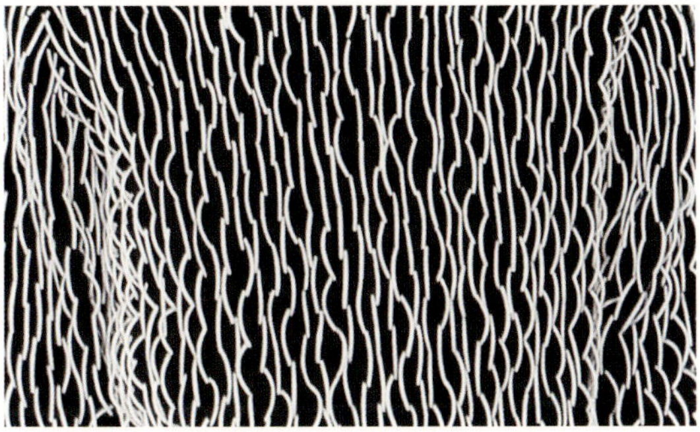

1 MALHA ESCOCESA
A malha de Kane é produzida na região de Scottish Borders, tradicionalmente associada à manufatura de roupas confeccionadas em fios de luxo. O fio de caxemira também foi produzido na Escócia pela Johnsons de Elgin, fundada em 1797.

2 TELA DE BORDADO
Uma tela de bordado proporciona uma grade perfurada de modo a conferir mais exatidão a técnicas tradicionais como o bordado de Berlim usando fio de lã. Kane abre mão da precisão e prefere criar uma impressão borrada de flores que flutuam sobre a superfície em uma variedade de canutilhos.

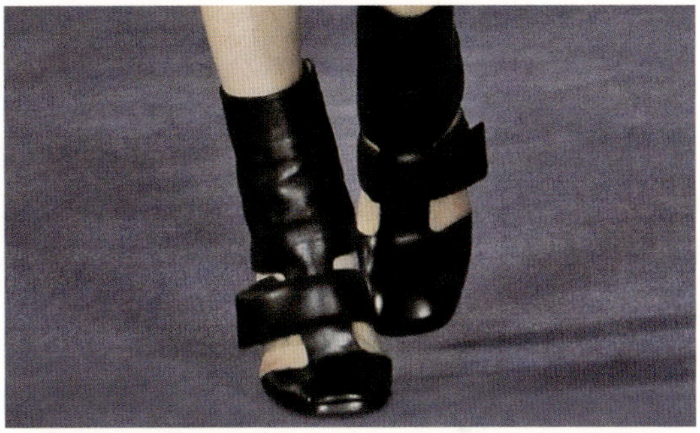

3 BOTAS DE SALTO ALTO
As botas de salto alto de pelica preta acolchoada, misto de sandália gladiador com sapatilha de *kickboxing*, envolvem o tornozelo até a parte inferior da canela. A geometria lustrosa lembra os móveis japoneses arredondados de bambu laqueado.

PERFIL DO ESTILISTA

1982-2006
Nascido perto de Glasgow, na Escócia, Christopher Kane é o caçula de quatro irmãos, dois dos quais são seus sócios. Depois de estudar estilismo no Central Saint Martins College of Art and Design, em Londres, exibiu sua coleção de mestrado numa vitrine da Harrods em 2006 e fechou contrato com a Versace para trabalhar na coleção de alta-costura.

DESDE 2007
Depois de criar sua marca, Kane lançou uma linha ajustada ao corpo de vestidos-bandagem fluorescentes que lhe valeram o prêmio Jovem Estilista do ano no Scottish Fashion Awards e o alçaram ao status de estilista internacional, com direito a uma linha de difusão na Topshop em 2007. No mesmo ano, ele foi eleito Novo Estilista do Ano no British Fashion Awards. Em 2011, ganhou o prêmio Fashion Fund da *Vogue*.

Vestidos com estampa floral 2013

ERDEM

NAVEGADOR

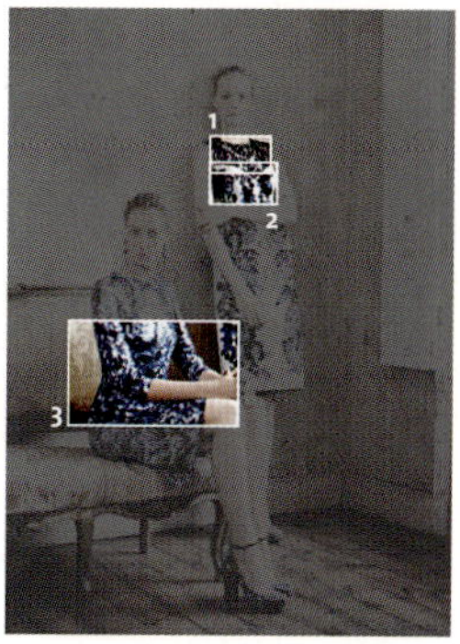

Dentro de uma cartela de cores restrita, com poucos tons, a Erdem transmite uma feminilidade serena cuja essência é o decoro, sem nenhum alarde. Quaisquer gestos subversivos são passageiros e implementados de forma contida: o uso do avançado neoprene é justificado como base de modelagem por suas características esculturais únicas, que mantêm a silhueta de forma natural e podem sustentar estampas em camadas sem se deformar.

Os adornos seguem o mantra que é a marca registrada da Erdem: interpretações florais impressionistas. O vestido de manga três quartos todo estampado tem o efeito vazado da cobertura de folhagem de uma floresta em contraste com um céu aberto e branco. O vestido segue os contornos do corpo até o joelho e é usado com escarpins de salto alto com tira confeccionados no mesmo tecido floral. A coordenação fluida prossegue na reprodução tridimensional dos tons e formatos florais em brincos de várias camadas, que gozam de amplo espaço acima de um decote careca simples. Já no tubinho de festa justo as flores têm um desenho mais preciso e formam uma cascata de guirlandas em relevo feitas de renda recortada e bordados que parte da pala em formato de coração, desce pelo saiote saliente e cai em direção à barra da saia-lápis. Os tufos mais escuros de folhas são apliques recortados a partir da mesma renda em malha raschel usada no ombro, e completam uma coordenação direta dos tecidos que constituem a peça. **JA**

PONTOS FOCAIS

1 PALA DE RENDA
A renda em malha raschel da pala tem uma longa tradição de uso no período do pós-guerra para formar painéis de renda em roupa íntima. Os mecanismos contemporâneos eletrônicos hoje possibilitam uma grande diversidade de desenhos possíveis.

2 DECOTE EM FORMATO CORAÇÃO
Muito utilizado em vestidos de formatura e para o tapete vermelho, o decote coração que valoriza o busto tem aqui uma opacidade contida. Os adornos foram aplicados de maneira espelhada de um lado e outro da costura central dianteira.

3 TONS MAIS ESCUROS
De acordo com o dogma de Claude Monet de construir tonalidades, os tons do tubinho de mangas compridas se intensificam a partir do fundo em direção ao primeiro plano, passando de ciano a azul-royal até terminarem junto à bainha em um azul-marinho bem fechado.

PERFIL DA GRIFE

2004-2008
A Erdem foi fundada em 2004. O estilista Erdem Moralioglu (1977) havia estagiado com Vivienne Westwood (1941), trabalhado para Diane von Furstenberg (1946) e estudado no Royal College of Art de Londres. Em 2005, depois de vencer o concurso Fashion Fringe, obteve contratos com importantes varejistas como a Harrods, seguidos por propaganda de celebridades. Em 2006, a Erdem colaborou com a fabricante de capas de chuva britânica Mackintosh.

DESDE 2009
Em 2009, a Erdem ganhou o Swiss Textiles Award. No mesmo ano, colaborou com a Cutler and Gross em uma linha de óculos e com a Smythson em papelaria de luxo. Em 2010, ganhou o primeiro prêmio Fashion Fund concedido pelo British Fashion Council (Conselho Britânico de Moda) e pela revista *Vogue*.

MODA DESCONSTRUTIVISTA

1 Nesta blusa transparente "inacabada" de 1995, Martin Margiela deixa propositalmente visíveis a construção e a costura da peça. Para concentrar a atenção nas roupas em si, Margiela muitas vezes põe as modelos na passarela com o rosto coberto.

2 Esse vestido da coleção de prêt-à-porter primavera/verão 1994 de Issey Miyake é todo feito de tecido plissado, por sua vez transformado em uma série de "serpentinas" plissadas, duplicando o efeito.

A moda desconstrutivista vem se tornando cada vez mais comum desde a década de 1980. O desconstrutivismo em si se refere a uma filosofia crítica muito complexa e sofisticada, associada ao pensador franco-argelino do século XX Jacques Derrida. Na moda, a ideia do desconstrutivismo adveio de uma série de simplificações e mal-entendidos da filosofia original. Muitos artigos, técnicas e práticas do mundo da moda – entre os quais os estilos conhecidos como "moda desconstrutivista", "grunge" e "moda *destroy*" – foram identificados por serem de certa forma devedores ao desconstrutivismo.

O mais importante elemento da moda desconstrutivista é chamar atenção para a construção de uma peça. A moda tradicional e *mainstream* pode ser entendida como a construção e o consumo de roupas completas, acabadas e convencionais. A moda desconstrutivista, por sua vez, deve enfatizar a natureza inacabada de uma roupa, as partes que formam a roupa completa, e desmantelar ou testar com

PRINCIPAIS ACONTECIMENTOS

1993

Issey Miyake lança sua primeira coleção Plissados Por Favor. Cortadas e costuradas a partir de um único pedaço de tecido, as roupas passam por uma prensa quente para ficarem plissadas.

1994

Com uma estética batizada de "utilitária disfarçada", a Geração Atormentada é criada em Londres por Adam Thorpe (1969) e Joe Hunter (1967).

1995

A Parca Atormentada é exibida no primeiro desfile da Geração Atormentada. Feita de náilon resistente, é acolchoada para proteger quem a usa.

1995

Hussein Chalayan vence o prêmio Absolut de criação de moda. A cantora Björk usa uma jaqueta criada por ele na capa de seu terceiro disco, *Post*.

1996

Alexander McQueen é eleito pela primeira vez Estilista Britânico do Ano, título que tornaria a conquistar em 1997, 2001 e 2003.

1996

A designer belga Ann Demeulemeester lança sua primeira linha masculina.

bom-humor essas convenções. Seu objetivo é expor as características que em geral permanecem ocultas: pences, alinhavos, forros e outras "infraestruturas" que tornam a peça possível, mas em geral não são mostradas. Na década de 1990, o trabalho da estilista belga Ann Demeulemeester (1959) com t-shirts e camisetas sem manga foi um exemplo de desconstrutivismo por atrair o olhar para as costuras; as peças foram torcidas até ficarem quase completamente deformadas e terem a superfície desgastada. As roupas resultantes pareciam ter sido danificadas e consertadas de forma errada ou descuidada, o que realçava o fato de terem sido construídas em primeiro lugar.

Alexander McQueen (1969-2010) demonstrou certa empatia com esse aspecto da moda desconstrutivista ao afirmar que passava muito tempo aprendendo como se constrói as peças, pois isso era necessário para mostrar como elas talvez pudessem ser desconstruídas. Martin Margiela (1957) é conhecido por esse tipo de moda desconstrutivista, e seus modelos muitas vezes expõem costuras e forros (à esquerda). A desmontagem de peças para mostrar como são feitas também pode ser vista no trabalho do estilista turco radicado em Londres Hussein Chalayan (1970), como por exemplo a coleção Posfácio, de 2000 (ver p. 504). Issey Miyake (1938) usa com frequência em seus modelos novas tecnologias de tecidos com elementos desconstrutivistas, e tem demonstrado um interesse perene por experimentações com plissados (à direita).

Os escritos de Derrida podem também ter influenciado o uso do bricolagem – termo muito usado nas artes visuais para designar uma obra criada a partir de um conjunto diverso de materiais disponíveis. Em um ensaio sobre o antropólogo Claude Lévi-Strauss, Derrida afirma que até mesmo o cientista e o engenheiro são *bricoleurs*. Ele descreve o *bricoleur* como uma espécie de faz-tudo ou pau para toda obra, que usa as ferramentas, técnicas e materiais disponíveis, e não aqueles que a tradição consideraria "corretos". Essa ideia também tem relação com a reciclagem, pois o *bricoleur* usa peças velhas ou que já existem. O uso de objetos para fins para os quais eles não foram originalmente criados pode ser descrito como reciclagem ou transposição. O trabalho de Margiela é às vezes descrito como bricolagem ou reciclagem. Quando ele usa meias para criar mangas ou reutiliza luvas de couro para fazer um colete frente única, está usando o que consegue encontrar, em vez de se dar ao trabalho de buscar materiais especializados e elementos previsíveis.

A decomposição e a desintegração também são temas que foram identificados como característicos da moda desconstrutivista. Igualmente oriundos de uma interpretação literal da filosofia de Derrida, esses temas remetem às maneiras como os estilistas usam o look ou aparência das roupas sob um viés desmontado ou em decomposição. Derrida afirmou que a desconstrução não é um método que possa ser controlado e aplicado; pelo contrário: é algo que simplesmente ocorre com ideias, argumentos e identidades. Em moda, isso se traduz em um look que evidencia um processo – como o envelhecimento ou a decomposição – pelo qual a roupa se desmontou ou se desintegrou. Em 1993, quando estudava no Central Saint Martins

1997

Martin Margiela é nomeado diretor de criação do prêt-à-porter feminino na Hermès.

1999

É lançado o sistema A-POC de Issey Miyake e Dai Fujiwara (ver p. 502), feito com roupas pré-construídas em um único rolo de tecido.

1999

Yohji Yamamoto lança a inovadora coleção Casamento.

1999

Ann Demeulemeester abre sua loja homônima em Antuérpia, Bélgica.

2002

Inauguração da loja-conceito 10 Corso Como de Tóquio, uma colaboração entre a editora Carla Sozzani e a Comme des Garçons.

2002

O vestido Medeia, de Hussein Chalayan, revela sua construção: a forma da peça pode ser modificada fechando ou abrindo os zíperes.

3 O aspecto ligeiramente desgastado das ondulações desse tecido de 1997 da NUNO é característico da moda desconstrutiva. O material é criado com a "ondulação" dos pentes em um tear japonês tradicional.

4 A superposição de diferentes pesos e cores de tecido realça a construção das diversas partes deste vestido de 1998 criado por Rei Kawakubo para a Comme des Garçons. Cada elemento é articulado e destacado em um tom diferente.

5 Materiais reciclados e pedaços aplicados à mão combinam-se para criar a complexa aparência de um vestido da coleção prêt-à-porter primavera/verão 1999 da Xuly Bët.

College of Art and Design de Londres, Hussein Chalayan enterrou alguns vestidos junto com aparas de ferro; ao serem desenterradas para seu desfile de formatura, as roupas exibiam todos os indícios de decomposição. Já a britânica Shelley Fox (1967) usa técnicas pré-industriais com mão de obra intensiva, como o feltro, para criar uma superfície desgastada. Nesse processo, em geral obtido de forma acidental, a lã é submetida a altas temperaturas e à fricção para criar uma textura encolhida e compacta. A estilista desafia os preceitos do bom gosto ao degradar a superfície do clássico twin set com cera de vela, tinta ou alvejante. Da mesma forma, o malinês Lamine Badian Kouyaté (1962) remenda, aplica overloques e borda suéteres reciclados para sua linha Xuly Bët (abaixo). Seu trabalho é considerado moda desconstrutivista, pois aplicar remendos e bordados em uma peça já existente se assemelha ao que Derrida descreve como "palimpsesto" – um texto que foi apagado e reescrito. O uso de suéteres reciclados por Kouyaté também se assemelha ao bricolagem. Seu impulso é desconstrutivista, já que a moda em geral não é pensada como criação de algo que está sendo retratabalhado ou que já foi feito antes.

O modo como a percepção e a natureza repetitiva das roupas feitas à máquina acabava se desfazendo e se descompondo foi exibido como o suéter "de renda" feito por Rei Kawakubo (1942) para a Comme des Garçons em 1983. O suéter sublinha as imperfeições de todas as roupas, mas insiste nos artigos fabricados à mão: segundo Kawakubo, embora a peça não seja feita à mão, um look ou efeito artesanal pode ser obtido soltando um parafuso ou dois da máquina que produz o tecido. Isso borra a distinção entre a perfeição reproduzível da máquina e o artigo único feito à mão, com suas inevitáveis idiossincrasias. As camadas do vestido da coleção 1998 (à direita, embaixo) chamam a atenção para o modo de construção da roupa em si.

Kawakubo também é conhecida pela estética boro boro, cuja melhor tradução do japonês é "gasta". Ela cria roupas que parecem já usadas, e em alguns casos gastas, imprimindo vincos permanentes com o ferro de passar em alguns tecidos e desgastando outros previamente. Sua colaboração com a empresa NUNO – líder mundial em moda experimental e tecidos de decoração fundada em 1984 por Jun'ichi Arai (1932) e Reiko Sudo (1953) – permitiu a produção de tecidos de alta tecnologia feitos à máquina que incluem feltros com rasgos e buracos, ou um visual *destroy* (à direita, em cima) obtido queimando-se com ácido um dos fios dos tecidos de fio duplo. Um dos nomes mais importantes da inovação têxtil, Jun'ichi Arai combinou ao longo dos últimos 50 anos técnicas tradicionais de tear e tecnologias têxteis

avançadas, e usou sua engenhosidade para fabricar tecidos para todos os principais estilistas japoneses, como Issey Miyake e a Comme des Garçons. Outro estilista japonês, Yohji Yamamoto (1943), aproveita as características de diversos fios para criar costuras propositalmente torcidas e formatos assimétricos.

O ato de brincar com as convenções que regem a produção e o consumo da moda e de subvertê-las é outra expressão generalizada do desconstrutivismo. Derrida afirmou várias vezes que usar os conceitos e a gramática do idioma para desconstruí-lo ou criticá-lo é inevitável. Esse conceito também influencia a moda desconstrutivista: os estilistas não têm outra escolha senão usar os elementos e convenções existentes da moda para subvertê-los. Por exemplo, há costumes e regras culturais sobre quando e onde se pode exibir roupas de baixo. Há também convenções sobre a estética do que é usado. A moda popular exige que as camisas tenham um só colarinho de tamanho idêntico e botões com espaçamento regular, pois é isso que constitui um traje "correto". A Comme des Garçons subverteu esse conceito ao criar uma camisa com dois colarinhos e botões de tamanhos diferentes e espaçamento irregular para a linha "Camisas", de 1988.

A ideia do espectral ou fantasmagórico é um aspecto da filosofia de Derrida que foi relativamente negligenciado no desconstrutivismo em moda. O filósofo insiste que, seja qual for a identidade, a presença ou o significado que experimentamos, este só significa alguma coisa em relação à ideia da ausência radical – em outras palavras, da morte. O trabalho de Margiela pode ser descrito como "fantasmagórico" no sentido de que os modelos às vezes são construídos a partir de roupas, perucas, lenços ou luvas mais antigos, que passam a "assombrar" as novas roupas. Nesse sentido, a condição da roupa "viva" é definida pela "presença" das roupas "mortas". A coleção primavera/verão 2008 de Margiela tinha saias e calças jeans feitas com retalhos de brim que formavam mais um buraco do que uma roupa de verdade. Ele também transplantou acessórios para as roupas em si, como uma bolsa a tiracolo costurada na cava de um vestido. Seria quase possível afirmar que toda a moda na verdade é desconstruída, uma vez que toda roupa é definida pela "ausência" – o que não foi usado no modelo tem tanta importância quanto o que foi. **MB**

A-POC 1997
ISSEY MIYAKE 1938

O A-POC na mostra "Beleza Futura: Trinta Anos de Moda Japonesa", no museu Barbican de Londres (2011).

O conceito do A-POC – acrônimo da expressão "A Piece of Cloth", ou "um pedaço de pano" – foi desenvolvido em 1997 por Issey Miyake em parceria com o criador de tecidos Dai Fujiwara (1948), embora tenha sido exibido pela primeira vez em malha de algodão e faixas de linho em 1976. O A-POC é um sistema de produção de roupas a partir de uma única peça de tecido, sem desperdício e com uma quantidade mínima de cortes, bem semelhante ao quimono. Nas versões mais avançadas do sistema, a peça de tecido era construída a partir de um tubo de malha raschel: um tubo parecido com uma meia fina feito de malha dupla cujos fios se entrelaçam em uma fina trama de pontos corrente. Quando o tecido é cortado, as fibras mais elásticas da primeira camada encolhem, apertando assim a malha de ponto corrente e impedindo que o tecido desfie. Este é impresso com peças de molde que não requerem costura quando cortadas e podem ser ajustadas pelo usuário. A data de confecção de cada A-POC e as instruções para ajustes vêm acopladas ao tecido, bem como uma diminuta tesoura. Ao longo do tempo, o sistema passou por vários estágios de refinamento e desenvolvimento: em 1999, o A-POC Esquimó tinha estampas gráficas e matelassê, enquanto a versão baguete de 2000 deixava de lado as peças de molde e podia ser cortada em qualquer ponto do tubo principal. Essa forma de fabricar roupas reintroduz na produção e no consumo da moda contemporânea elementos do ofício da confecção de roupas. A participação do consumidor na produção das próprias roupas representa uma união singular de práticas tradicionais e não tradicionais. **MB**

NAVEGADOR

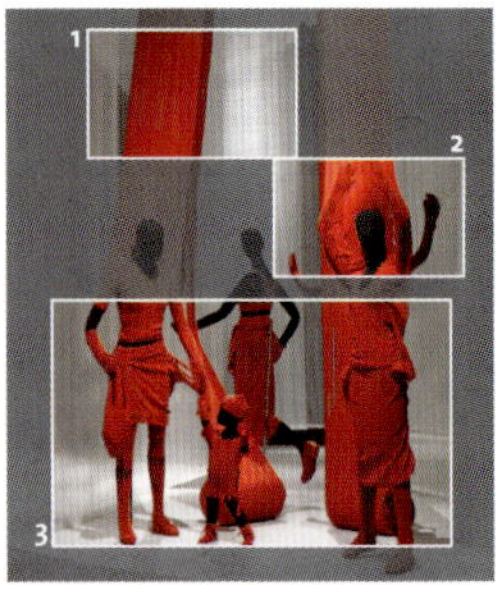

PONTOS FOCAIS

1 MATERIAL
As roupas A-POC são cortadas em um longo rolo de tecido tubular. O tecido é produzido por um complexo tear industrial computadorizado que tece o formato e o molde de roupas inteiras no próprio tecido. Ao consumidor cabe apenas cortar o "tecido" de acordo com seu tamanho, imprimindo assim a forma da roupa final que irá usar.

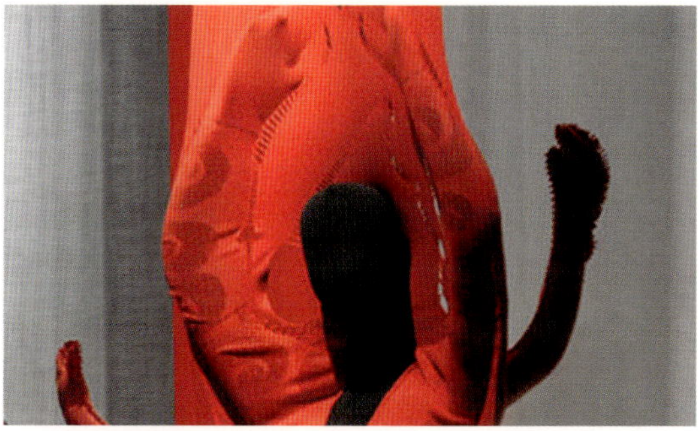

2 TUBO DE TECIDO
As roupas são confeccionadas a partir do tubo de tecido e não requerem costura. O processo é suficientemente sofisticado para que peças tão complexas e diferentes quanto luvas para a mão esquerda e direita, bem como mangas relativamente simples, possam ser cortadas diretamente do tubo e confeccionadas com sucesso como roupas.

3 ROUPAS VERSÁTEIS
Os manequins de diferentes tamanhos demonstram a versatilidade do rolo de tecido e das roupas que podem ser feitas a partir dele. As opções incluem um vestido feminino três quartos de mangas curtas ou compridas, uma legging e uma bolsa de cordão, ou ainda um vestido-túnica infantil com chapéu, luvas e meias soquete.

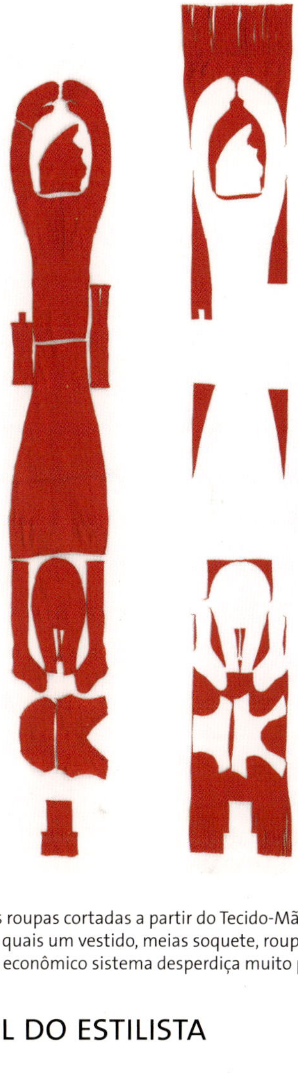

▲ Contorno das roupas cortadas a partir do Tecido-Mãe do A-POC (1997), entre as quais um vestido, meias soquete, roupas íntimas e um capuz. Esse econômico sistema desperdiça muito pouco tecido.

PERFIL DO ESTILISTA

1938-1980
Issey Miyake nasceu em Hiroshima, Japão, e sobreviveu à bomba atômica de 1945. Estudou design gráfico em Tóquio e se formou em 1964; depois trabalhou em Nova York e Paris. Voltou a Tóquio em 1970 e fundou o Estúdio Miyake de Design, no qual criou roupas femininas e adotou novos tecidos como o jérsei de poliéster ou a malha acrílica Pewlon. Em 1980, inspirado pelo manequim de alfaiate, Miyake desenvolveu o bustiê em formato de torso moldado em acrílico.

DESDE 1981
No fim dos anos 1980, Miyake iniciou experimentos com plissados, criando uma nova técnica (Plissados Por Favor); criou também figurinos para o Balé de Frankfurt. Depois de se aposentar, em 1997, reduziu sua participação na empresa a projetos de pesquisa. Em 2010, foi condecorado pelo imperador Akihito com a Ordem Cultural do Japão.

Posfácio 2000

HUSSEIN CHALAYAN 1970

Coleção Posfácio de prêt-à-porter outono/inverno no teatro Sadler's Wells, em Londres (2000).

NAVEGADOR

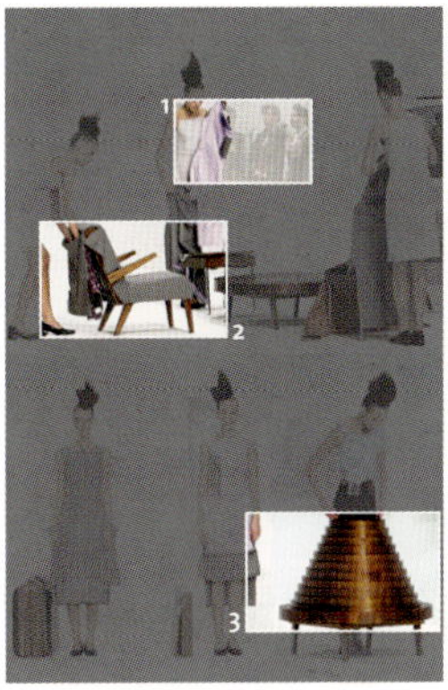

Hussein Chalayan é respeitado por sua abordagem altamente cerebral da criação de moda. Seu trabalho se insere em referências culturais desconstruídas e híbridas para obter efeitos diversos, de estéticos a didáticos. A coleção Posfácio se inspira na sina dos refugiados obrigados a fugir de casa levando apenas a roupa do corpo ou o que podem carregar. A família do próprio Chalayan foi realocada após a partição do Chipre, em 1974, quando 250 mil cipriotas turcos e gregos foram expulsos. A coleção é uma exploração visual do instinto de criar um locus de identidade residual para os refugiados. Tal instinto muitas vezes depende da posse de roupas e móveis que foram conservados e funcionam como relicários dessa narrativa deslocada.

Chalayan apresentou sua coleção em um ambiente interior sóbrio no teatro londrino de Sadler's Wells, em 2000. As modelos aparecem usando roupas cada vez mais complexas. O drama emblemático se intensifica quando as capas de tecido solto se metarmofoseiam em vestidos-túnica de corte simples, e a estrutura das cadeiras as faz virar malas. Em um derradeiro *coup de théâtre*, uma modelo sobe ao palco usando uma simples saia-anágua com uma blusa de babados. Ela então retira da mesa um painel central e entra no móvel, segurando duas alças escondidas que lhe permitem erguer os aros em forma de telescópio de uma saia-trapézio feita de madeira. **MB**

PONTOS FOCAIS

1 TELA DE TV
O palco sóbrio é iluminado pela presença de um grande televisor de plasma no qual um grupo de cantores *a capella* trajando roupas típicas de Kosovo aparece cantando. A Guerra de Kosovo, em 1999, foi marcada por milhares de refugiados que perderam suas casas.

3 SAIA-MESA
A saia-mesa se transforma em mesa ao ser baixada dos quadris da modelo até o chão. Para não ficar nua, ela usa outra saia por baixo, no que alguns interpretariam como um típico exemplo da moda desconstrutivista, que nega a finalidade original da saia.

2 MALA-CADEIRA
O que parece uma cadeira se dobra para virar uma mala. Apesar disso, porém, a cadeira não pode conter nada além de si mesma. Isso pode ser visto como uma metáfora do caráter autorreferente e vazio de determinados exemplos da chamada moda desconstrutivista.

PERFIL DO ESTILISTA

1970-1997
Hussein Chalayan nasceu no Chipre e estudou na Faculdade de Educação Turca em Nicósia. Após a crise cipriota de 1974, a família se mudou para a Inglaterra em 1978. Chalayan estudou estilismo no Central Saint Martins College of Arts and Design, formando-se em 1993. Em 1995, criou as roupas da capa do terceiro disco de Björk, *Post*, e da turnê da cantora.

Desde 1998
De 1998 a 2001, Chalayan foi o nome por trás da marca nova-iorquina de malhas em caxemira TSE. Foi escolhido Estilista do Ano pelo British Fashion Council duas vezes, em 1999 e em 2000. Em 2001, foi nomeado diretor de moda da joalheria de luxo britânica Asprey, e em 2008 trabalhou com a Svarovski para criar um vestido coberto com os cristais da marca e luzes de LED.

CULTURA DE RUA JAPONESA

1 Duas garotas *ganguro*, com a maquiagem branca nos olhos, adesivos faciais, acessórios de néon e pele bronzeada obrigatórios, posam para uma foto nas ruas de Tóquio.

2 Esse traje de Lolita gótica é ao mesmo tempo uma provocação bem-humorada e uma adorável adaptação da estética das bonecas vitorianas; ele é composto de minicrinolina preta, blusa recatada, bolsa em forma de despertador e adereço de cabeça usado sobre uma peruca em estilo quadrinhos.

A moda de rua japonesa é conduzida sobretudo por alunas do ensino médio, que se tornaram muito influentes nas tendências de estilo. As subculturas jovens do Japão também são com frequência dominadas por mulheres e sempre geograficamente definidas, já que o domínio territorial reforça a identidade adolescente e uma sensação de poder. Como agentes de mudança na moda, essas adolescentes participam da produção e disseminação das culturas de rua e da moda oriunda de redes e subculturas sociais. Em meados dos anos 1990, o fenômeno se concentrava em volta do célebre edifício Shibuya 109, em Tóquio, um centro comercial de oito andares. Originalmente definido como *kogyaru*, ou estilo "colegial", era caracterizado por imitações de uniformes escolares na forma de curtos saiotes plissados ou vestidos--avental, meias soquete brancas e blusas recatadas com gola Peter Pan. O estilo de Shibuya evoluiu e gerou várias subculturas, mas os conceitos primordiais de *ero-kawaii* (erótico e fofo) e *kowa-kawaii* (assustador e fofo) permanecem.

Uma das primeiras subculturas de moda a emergir de Shibuya foi a *ganguro* (rosto preto), caracterizada por rostos bronzeados até ficarem escuros em cabines de ultravioleta ou com a ajuda de cosméticos, pesada maquiagem branca nos olhos e cabelos descoloridos (acima). O estilo é uma afirmação de rebeldia contra a pele

PRINCIPAIS ACONTECIMENTOS

Início dos anos 1990	Início dos anos 1990	1995	1995	1998	Final dos anos 1990
O *ganguro* surge como novo estilo entre as jovens japonesas.	A banda de garotas japonesa Princess Princess influencia a moda de rua; suas integrantes usam elaboradas fantasias.	A grife 6%DOKIDOKI é criada por Sebastian Masuda, marcando o início do *decora* (uso de cores e muitos acessórios).	Em Tóquio, o Shibuya 109 troca todos os seus inquilinos por varejistas que vendem somente peças no estilo Shibuya. O *ganguro* começa a surgir no bairro Shibuya.	O visual *yamamba* (bruxa da montanha), com maquiagem mais pesada e forte, começa a surgir em Shibuya para substituir o *ganguro*.	O visual da subcultura gótica chamado Lolita e subgrupos Lolita começam a aparecer em uma ponte próxima à estação de Harajuku, no bairro Shibuya.

clara e os cabelos pretos tradicionalmente valorizados pela cultura japonesa, e imita o visual "garota da Califórnia". As meninas usam cores néon fortes, saias curtas e altos sapatos plataforma para parecerem intimidadoras, característica que é um elemento importante de seu estilo. Adeptas extremistas do estilo *ganguro*, que exageram na pintura escura do corpo, colorem os lábios de branco, colam paetês no rosto e usam volumosos apliques nos cabelos, passaram a ser conhecidas mais recentemente como *yamamba* (ou *mamba* ou *bamba*, em contração), nome que é uma homenagem ao personagem folclórico da velha encarquilhada de cabelos brancos. Esses grupos se subdividem em grupos menores de acordo com a marca de moda que escolhem: a loja Egoist de Shibuya, por exemplo, é conhecida por seus estilos *yamamba* e por ter popularizado minitendências como a "Garota Rodeio" e a "Sexy e Andrógina".

Para as meninas que consideram o estilo *ganguro* provocante e sexualizado demais existe a subcultura da Lolita, que tem por centro o bairro Harajuku, em Tóquio. Surgida na década de 1990 como reação a Shibuya, essa subcultura é um dos estilos japoneses mais duradouros e mais populares no exterior. Embora no Ocidente o termo "Lolita" tenha uma conotação sexual devido ao romance homônimo de Vladimir Nabokov, as integrantes dessa subcultura japonesa afirmam o contrário. Elas representam uma imagem inocente e feminina de boneca vitoriana, com vestidos de babados e detalhes em renda, toucas e às vezes perucas louras, e usam como acessórios coloridas bolsas e sombrinhas *kawaii* (fofas). Sapatos em estilo boneca e enfeites com fitas nos cabelos em tons de sorvete incrementam a imagem fofinha. As Lolitas se dividem em diferentes subgrupos, cada qual com características de estilo próprias. A Doce Lolita é um estilo que só usa cores pastel (ver p. 508), enquanto a Lolita Punk inclui elementos punks como correntes e alfinetes (uma versão ocidentalizada desse look foi criada em 2004 por Vivienne Westwood (1941) para a turnê "Harakuju Girls", de Gwen Stefani). A Wa-Lolita usa elementos tradicionais japoneses e quimonos. A Lolita Gótica (à direita) usa uma combinação de elementos Lolita e góticos, uma vez que o visual é descendente direto da cena gótica britânica dos anos 1980, simbolizando a elegância fúnebre da era vitoriana com uma versão curta da crinolina em forma de sino com armação de metal.

Akihabara e Ikebukuro são bairros de Tóquio que atraem fãs de animê e mangá, constituindo assim outra comunidade subcultural de bairro. Antes conhecida como uma região de comércio de eletrônicos e jogos de computador, Akihabara começou a atrair *otaku* (nerds) e fãs de *cosplay* (fantasias) em 2000, quando as tendências do animê e do mangá emergiram desses games. Esse visual não se limita apenas ao uso de camisetas que retratam os personagens em si, mas adota também as formas, silhuetas e proporções dos personagens dos animês, além de usar tecidos que imitam as características de plástico dos bonecos. Estes podem tomar a forma de roupas customizadas ou peças de grifes caras como Wut Berlin, Jenny Fax e Junya Suzuki, que exibem suas coleções na Tóquio Fashion Week. Outras marcas se apropriam da estética animê e fazem referência às formas e cores extremas sem serem propriamente um pastiche das roupas dos personagens. **EA/YK**

1999

A grife Lolita Gótica Moi-même-moitié é criada pela musicista e estilista Mana.

2000

As tendências animê e mangá surgem a partir dos games, e o bairro de Akihabara começa a atrair os *otaku* (nerds).

2001

FRUiTS: Tokyo Street Style (Estilo de rua de Tóquio), livro de fotografias de Shoichi Aoki sobre a juventude japonesa de Harajuku, Tóquio, é publicado no Reino Unido.

2002

A mostra de fotografias "FRUiTs" é inaugurada no museu Powerhouse de Sydney, Austrália.

2004

A turnê "Harajuku Girls", da cantora americana Gwen Stefani, tem elementos do visual Lolita Punk.

2010

A grife 6%DOKIDOKI festeja 15 anos com a Harajuku Fashion Walk, desfile de moda na rua.

Doce Lolita Década de 1990

ESTILO DE RUA

1 SOMBRINHAS
As senhoras vitorianas usavam sempre sombrinhas para proteger a pele delicada do sol; ao contrário das adeptas do *ganguro*, as Lolitas seguem a tradição de tez clara da cultura japonesa. A sombrinha também aumenta as oportunidades de usar enfeites.

2 ADEREÇOS DE CABEÇA
Uma parte essencial do estilo Lolita são os adereços de cabeça, usados aqui pelas quatro jovens em versão branca ou preta. O laço rígido preso a uma faixa é usado por cima da típica peruca rosa com franja que realça a imagem de boneca.

NAVEGADOR

Meninas vestidas no estilo Doce Lolita fotografadas em frente à Individual Fashion Expo IV, em Tóquio (2008).

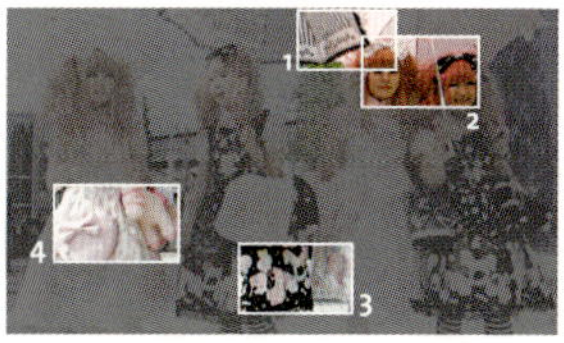

Essas quatro jovens, fotografadas em frente à Individual Fashion Expo IV, um dos mais populares eventos de moda japoneses, aparecem usando variações do Doce Lolita, um dos primeiros estilos de rua japoneses. Na tradição da recatada *geisha* do Japão, o estilo é influenciado sobretudo pelos trajes das meninas vitorianas com um viés japonês "kitsch fofo". Os tons pastel, decotes comportados e estética rebuscada da Doce Lolita fazem desse um dos estilos de rua japoneses mais fáceis de se reconhecer. O componente-chave do look é a silhueta: as roupas incluem invariavelmente um saiote curto em estilo baby-doll tornado ainda mais rodado graças a várias camadas de anáguas ou a uma armação de arame que imita a crinolina vitoriana em formato de sino. O comprimento curto da saia é em geral realçado por meias na altura das coxas ou 7/8 usadas com salto alto, embora os sapatos geralmente sejam do tipo boneca ou botas vitorianas em vez de escarpins de salto fino. O uso da cor é parte integrante do visual como um todo, e o rosa é o tom mais importante nessa paleta suave que pode incluir também o lilás e o verde-claro. O uso do rosa chega a ganhar os cabelos, e as meninas em geral usam perucas coloridas com franjas proeminentes. Meias com listras que lembram pirulitos, sombrinhas enfeitadas e fitas exageradas nos cabelos também contribuem para o visual de uma boneca vitoriana em tamanho real. Os acessórios muitas vezes remetem ao livro infantil *Alice no País das Maravilhas* (1865), de Lewis Carroll. As jovens aqui retratadas tentaram propositalmente aparecer como dois pares usando trajes idênticos de modo a enfatizar sua identidade de grupo e criar uma estética coesa. **EA**

3 CORES
Tons pastel suaves caracterizam o look; as cores são escolhidas por sua "fofura" e por sua associação com a inocência infantil, e aqui são combinadas com preto e branco para maior impacto. O esquema de cores se estende aos cabelos e acessórios.

4 BOLSAS
As bolsas acompanham o tom dos vestidos. Algumas são decoradas com laços femininos, enquanto outras têm o formato de uma ferradura, assemelhando-se a brinquedos e realçando o caráter brincalhão e infantil do estilo.

ALTA-COSTURA MODERNA

Uma mudança radical na percepção da alta-costura ocorreu no fim do século XX, quando Bernard Arnault, do poderoso conglomerado francês de artigos de luxo LVMH (Louis Vuitton Moët Henessy) convidou John Galliano (1960) para chefiar a Maison Givenchy, em 1995, e depois a prestigiosa maison Dior, em 1996. Aproveitando a potência da exposição midiática renovada de grifes tradicionais, essa iniciativa foi uma reação oportuna à penetração no mercado de novas grifes cuja estratégia de *branding* tornaram muito visíveis e rentáveis. A alta-costura voltou a ser relevante na cultura contemporânea, e tornou-se um caldeirão de ideias liderado por estilistas jovens e inovadores ansiosos para explorar as habilidades do ateliê ao mesmo tempo que respeitavam a herança da maison. De forma importante, também, esses estilistas se esforçaram para deixar sua marca na identidade da grife. No início do novo século, a alta-costura havia atraído a atenção de uma clientela mais jovem e de vanguarda, e firmou-se outra vez como o símbolo moderno de excelência, fato confirmado pela celebração do sexagésimo aniversário do New Look de Dior em 2007 e, em 2008, pelo 25º aniversário da chegada de Karl Lagerfeld (1933) à Chanel.

PRINCIPAIS ACONTECIMENTOS

1996	1996	1996	1998	2000	2001
Alexander McQueen recebe o prêmio Estilista Britânico do Ano, feito que viria a repetir em 1997, 2001 e 2003. Nesse ano, recebe ainda da rainha a honraria de Comandante do Império Britânico.	O grupo LVMH transfere Galliano para a Christian Dior, onde ele permanece como diretor de criação até ser demitido em 2011.	Alber Elbaz se muda para Paris para chefiar a Maison Guy Laroche.	Elbaz é nomeado chefe do prêt-à-porter da Yves Saint Laurent. Três coleções mais tarde, é demitido quando o grupo Gucci assume a grife.	Hedi Slimane apresenta sua nova silhueta *skinny* e deixa a Yves Saint Laurent em troca de uma participação na direção da linha masculina da Christian Dior.	Shaw-Lan Wang, magnata da imprensa chinesa, adquire o controle acionário da Lanvin e nomeia Elbaz diretor artístico da maison.

Ávidas para participar da recém-reforçada ascensão de status da alta-costura, outras maisons ingressaram na dinâmica do fenômeno cada vez mais forte de "mobilidade de estilistas". A trajetória de carreira desses profissionais normalmente inclui múltiplas experiências com maisons e grifes individuais. O marroquino Alber Elbaz (1961) passou vários anos com o estilista americano Geoffrey Beene (1924-2004) antes de se mudar para Paris e assumir a direção da Maison Guy Laroche (1921-1989), passando em seguida um breve período como chefe de prêt-à-porter da Yves Saint Laurent em 1998. Depois disso, em 2001, Elbaz assumiu o cargo de diretor artístico da Lanvin; desde então, ele tem sido um dos estilistas mais cobiçados do novo milênio. Ao oferecer um glamour refinado baseado no favorecimento da silhueta feminina por meio dos tecidos e do corte, executado com segurança e ousadia técnica, Elbaz é célebre pelos vestidos "deusa", pelos levíssimos trench coats (hoje peças-chave da Lanvin) e pelos vestidos com franzidos confeccionados em tecidos opulentos (à esquerda). A empresa é pequena em comparação com o tamanho de sua reputação e influência, permitindo que Elbaz cuide de cada detalhe da grife. Em 2005, ele escolheu Lucas Ossendrijver (1970) como estilista-chefe da linha masculina (ver p. 514); Ossendrijver já havia trabalhado com Hedi Slimane (1968) na Dior Homme.

Uma das grifes mais caras e influentes da moda, a maison francesa Balmain iniciou uma nova era em 2005 sob a batuta criativa de Christophe Decarnin (1964). Ele alçou a marca a um status cult, e a Balmain se tornou o mais exclusivo fornecedor do estilo rock chique (à direita), elevando o preço de uma calça jeans rasgada para 2.165 dólares em 2009. Com uma coleção que trazia mangas justas e ombros definidos em jaquetas de estilo militar e botas de caubói com franjas, a Balmain foi um exemplo de alta-costura moderna para o século XXI.

No universo da moda, os estilistas criativos participam de uma constante e séria dança das cadeiras. Desestabilizados por algum vetor de mudanças – queda de vendas, esgotamento, incompatibilidade com o estilo tradicional da casa, críticas ruins da imprensa especializada, ou simplesmente o desejo de correr atrás do grande "prêmio" seguinte –, os estilistas trocam de emprego com uma regularidade incansável. Uma vaga na direção de um ateliê de alta-costura sem dúvida gera muitas páginas de especulação na imprensa de moda. A estilista britânica Sarah Burton (1974), assistente de longa data de Alexander McQueen (1969-2010), dá continuidade à estética de seu mentor (ver p. 516). Da mesma forma, a dupla de estilistas italianos Pierpaolo Piccioli (1967) e Maria Grazia Chiuri (1964) assumiram as rédeas da reverenciada maison italiana Valentino (ver p. 512) e perpetuam a elegância que é a marca registrada de seu fundador. Após a demissão de John Galliano da Dior em 2011, o cargo permaneceu vago por duas temporadas até Raf Simons (1968) ser nomeado diretor de criação. Seu estilo disciplinado, altamente editado e depurado contrasta profundamente com a fantasia efervescente de Galliano, e é considerado mais adequado à estética moderna do luxo "menos é mais" que domina a segunda década do século XXI. **MF**

1 A coleção 2012 criada por Alber Elbaz para a Lanvin traz os franzidos e drapejados fluidos que são sua marca registrada.

2 Christophe Decarnin incrementa o look rock chique de Balmain com alamares de cristal na jaqueta e sandálias enfeitadas com diamantes falsos (2009).

2002

Yves Saint Laurent se aposenta. A maison fecha, mas a grife continua a existir.

2004

Após disputas com os controladores da Gucci, PPR SA, Tom Ford (1961) é substituído na Yves Saint Laurent por Stefano Pilati (1965).

2004

O estilista britânico Julien Macdonald (1972) dirige a Maison Givenchy, sendo substituído a partir de 2005 pelo italiano Riccardo Tisci (1974).

2011

Christophe Decarnin deixa a Balmain. O francês Olivier Rousteing (1986) é nomeado diretor-geral de criação em seu lugar.

2012

Nicolas Ghesquière (1971) é substituído pelo nova-iorquino Alexander Wang (1983) após 15 anos na Maison Balenciaga.

2012

Hedi Slimane volta à Yves Saint Laurent como estilista criativo e muda o nome da marca para Saint Laurent Paris.

Vestidos vermelhos 2008

VALENTINO 1932

1 VERMELHO MARCA REGISTRADA
A cor escarlate patenteada (cuja fórmula é 100% de magenta, 100% de amarelo, 10% de preto) foi vista pela primeira vez em um vestido de festa na coleção de estreia do estilista, em 1959, e permanece um elemento forte da grife Valentino.

2 CORPETE ESCULPIDO
A alfaiataria é representada pelo vistoso corpete "cata migalhas", assim chamado por ser esculpido para se estender além da linha dos seios. O corpete é preenchido por um dos típicos laços de Valentino, aqui extragrande e preto.

Valentino: O último imperador (2008), dirigido por Matt Tyrnauer (cartaz do filme).

NAVEGADOR

Tirada do documentário *Valentino: O último imperador* (2008), que celebra 45 anos de vida e obra do estilista italiano de renome internacional, essa imagem transmite um glamour atemporal enraizado na alta-costura clássica e na feminilidade italiana. As modelos posam contra um fundo espetacular de antiguidades romanas usando uma variedade de vestidos vermelhos. Exibido na passarela em Paris, em 2007, o desfile de despedida de Valentino reuniu 30 modelos usando várias criações do *rosso Valentino* (vermelho Valentino), sua marca registrada desde os primórdios da maison. Valentino foi um dos últimos estilistas a realizar uma alta-costura exclusivamente manual – reza a lenda que seus assistentes jamais encostaram em uma máquina de costura –, e os vestidos são um exemplo da atenção do ofício aos detalhes em tecidos luxuosos e opulentos.

Os modelos vistos na imagem remetem a meio século de estilos diferentes a partir do ingresso de Valentino na moda, em meados do século. Todas as marcas registradas do estilista estão representadas, do tomara que caia com corpete tipo saiote e laço achatado na cintura usado por uma modelo na pose "corcunda Dior" ao contemporâneo e reto tubinho também tomara que caia (à esquerda, extrema esquerda), com sua cauda comprida. O curto vestido em formato trapézio, com um largo babado duplo na barra e uma capa integrada, reconhece a juventude da estética dos anos 1960, enquanto o sensual e ajustado vestido de noite com corpete pregueado na horizontal e saia em duas camadas na altura dos tornozelos, além de largos laços achatados no pescoço e no quadril, evidencia a silhueta de ombros marcados dos anos 1980. Alfaiataria impecável e atenção à proporção e à escala são sempre a base para ornamentações explícitas. **MF**

3 GLAMOUR ASSIMÉTRICO

O vestido da extrema direita é um exemplo do estilo frufru, com babados festonê decorando as várias camadas da saia e o corpete meio-bustiê com fecho transpassado terminando em um laço na cintura. Valentino é um dos principais expoentes do glamour de um ombro só.

▲ Antigos criadores de acessórios da marca, Pierpaolo Piccioli e Maria Grazia Chiuri dão prosseguimento à herança de alta-costura Valentino com uma coleção primavera/verão 2012 muito feminina.

Terno de duas peças 2008

LUCAS OSSENDRIJVER 1970 (PARA LANVIN)

NAVEGADOR

Chefe da seção masculina da Lanvin, Lucas Ossendrijver cria um jogo monocromático de camadas e proporções luxuosas nesta versão contemporânea do terno de duas peças. O estilista embaralha as cartas dos conhecidos pilares da indumentária masculina em uma celebração de elementos clássicos do guarda-roupa do homem, que são então contrastados com a informalidade de um universitário descabelado. A paleta sóbria e a escala diferente das roupas lembram os heróis cômicos do cinema mudo: o paletó justo tipicamente usado por Charlie Chaplin e os suéteres muito folgados de Jackie Coogan em *O garoto* (1921).

O paletó propositalmente menor do que o normal, tanto na largura quanto no comprimento, tem uma linha de ombros suave e sem ombreiras, e mangas estreitas que realçam o caráter ingênuo do traje. No colarinho há uma efêmera aparição da malha na forma de uma delgada faixa contrastante dentro da estreita moldura formada pela costura da lapela. Em referência às academias de ginástica, a calça em estilo esportivo fechada nos tornozelos, em preto sóbrio, tem um gancho baixo que alonga ainda mais o tronco, aumentando a impressão desengoçada proposital. A composição é arrematada por ingredientes de refinamento dignos de um dândi vindos diretamente do fraque: a lapela com revés lustroso se conclui com uma opulenta *boutonnière* de clematite roxa. **MF**

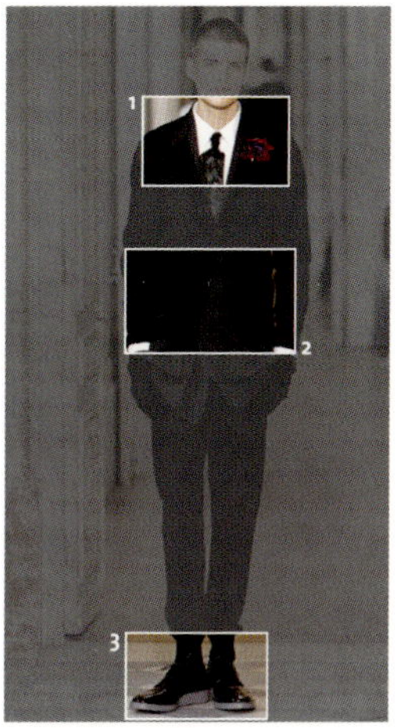

PONTOS FOCAIS

1 COLARINHO E GRAVATA
Sobre uma camisa branca com colarinho folgado sustentado por uma pequena armação, a estrutura mole de uma gravata estampada é presa bem alto sob um nó simples *four-in-hand* de colegial. O colarinho engomado se repete nos punhos que ultrapassam as mangas do paletó.

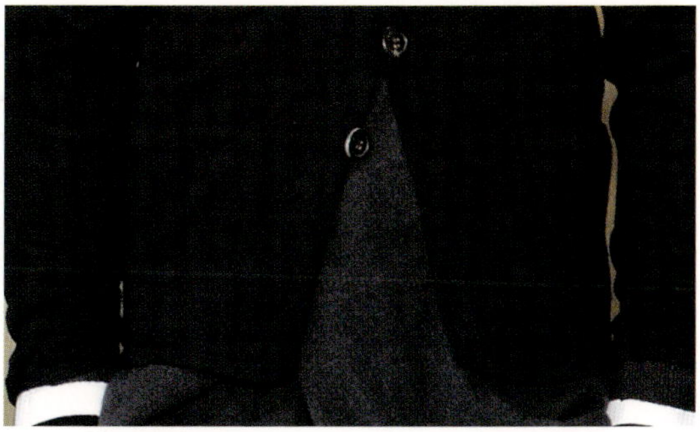

2 PALETÓ ENCOLHIDO
O paletó de alfaiataria justa fica difícil de fechar no peito, e apenas dois dos três botões estão em suas casas. O volume de um cardigã cinza extragrande escapa incontido por baixo da bainha alta do paletó.

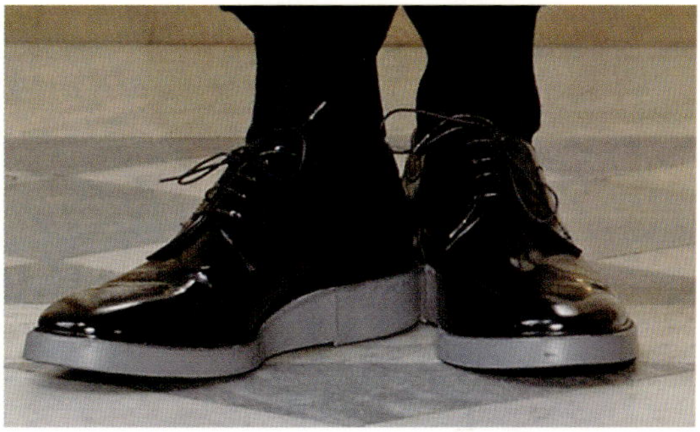

3 SAPATOS PLATAFORMA
A superestrutura de um sapato de noite de verniz preto com cadarços é suspensa sobre uma plataforma de borracha em cor contrastante, que remete ao solado dos tênis e dos sapatos utilitários e descarta o conceito de calçados tradicionais para acompanhar um terno.

PERFIL DO ESTILISTA

1970-1995
Lucas Ossendrijver nasceu em Amersfoort, cidade próxima de Amsterdã, e estudou no Instituto de Moda de Arnhem. Junto com os colegas Viktor Hosting (1969) e Rolf Snoeren (1969) – mais tarde Viktor & Rolf –, formou o coletivo "Le Cri Néerlandais" para criar um novo paradigma de moda.

DESDE 1996
Pouco depois de se mudar para Paris, em 1996, e de um breve período na marca de roupas femininas Plein Sud, Ossendrijver trabalhou na Kenzo antes de se transferir para Munique e assumir o cargo de diretor de criação masculino da Kostas Murkudis. Menos de um ano depois, voltou para Paris e trabalhou na Dior como assistente de Hedi Slimane. Em 2005, Alber Elbaz, diretor de criação da Lanvin, contratou Ossendrijver como estilista da seção de roupas masculinas.

Vestido Rainha do Gelo 2011

SARAH BURTON 1974 (PARA ALEXANDER MCQUEEN)

Um dos 49 trajes definidores de uma época arquivados no Museu da Moda em Bath, Inglaterra, esse vestido de noite da coleção outono/inverno de Sarah Burton para Alexander McQueen foi escolhido por Hamish Bowles, editor colaborador da *Vogue* americana, como vestido do ano. A roupa foi exibida pela primeira vez na La Conciergerie, em Paris, a prisão de Maria Antonieta, em um memorável desfile que levou lobos vivos para a passarela.

Explorando o pleno potencial da perícia artesanal dos ateliês McQueen, o vestido altamente trabalhado combina a severidade e *froideur* da intocável rainha do gelo dos contos de fadas com a sensualidade inerente da peça que é a marca registrada de McQueen: o espartilho com cadarço. O vestido tem cadarços cruzados da cintura para cima, e o corpete marfim acompanha a curva do tronco até os quadris e é cortado na horizontal abaixo das clavículas. A severidade da silhueta é realçada pela touca metálica prateada, que cria uma cabeça pequena e despojada para contrastar com a circunferência volumosa da saia, e pela ofuscante pureza da cor; o efeito geral, porém, é suavizado pela efervescência dos babados de tule sem acabamento e pelas superfícies ornamentadas. A coleção Rainha do Gelo e Sua Corte foi a segunda criada por Burton após a morte prematura de seu mentor Alexander "Lee" McQueen em 2010. **MF**

NAVEGADOR

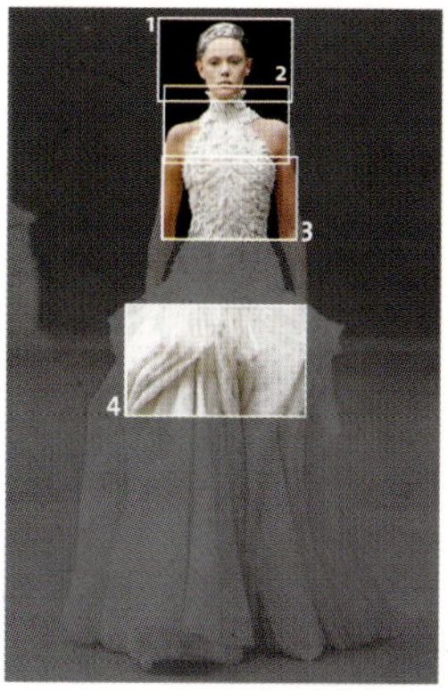

PONTOS FOCAIS

1 TOUCA METÁLICA
O caráter etéreo do tema rainha do gelo é enfatizado pela touca metálica prateada colada à cabeça que esconde os cabelos. Esta parece feita com pedaços de antigas hastes usadas para fazer permanente, moldadas para acompanhar o formato do crânio.

2 GOLA
O corpete é cavado para criar um formato sem mangas com uma gola alta, ornamentada mais ainda com a aplicação de penas para imitar a plumagem do pescoço de um pássaro. A gola remete às golas altas da época eduardiana, mas faz também referência ao bondage.

3 CORPETE DE TULE
O corpete é enfeitado com plumas bordadas tridimensionais de organza de seda feitas à mão. Geralmente usado em véus de noivas, o tule tem uma estrutura semelhante à de uma tela, que proporciona buracos hexagonais muito pequenos como base para contas e bordados.

4 SAIA DE SEDA
A saia é feita por painéis separados de organza dobrada dispostos a partir de uma costura no quadril; as bainhas foram deixadas desfiadas e suaves, em contraste com os bem-definidos desenhos de águia bordados à mão em todo o tecido em repetição tipo *spot*.

A ESTAMPARIA NA MODA

Ao longo da evolução global dos têxteis, sempre existiu o impulso de modificar o impacto visual de tecidos lisos com variações – na forma de padronagens de cores ou imagens –, mas mantendo a homogeneidade fluida do tecido original. Essa abordagem difere dos diversos métodos alternativos de manipular tecidos para criar superfícies estampadas: tapeçarias, bordados e efeitos de cores inseridos na trama. Essas técnicas modificam a natureza e o comportamento do tecido original, pois acrescentam peso, comprometendo as dobras e movimentos. Ao longo da história do artesanato e da manufatura, muitos métodos de estamparia em tecidos lisos surgiram, morreram e ressurgiram. *Plangi*, *shibori*, *ikat* e batique são exemplos de tingimento por isolamento de áreas, nos quais pedaços de tecido são isolados para não absorver a cor dos corantes seja pela aplicação de ceras ou pastas, seja amarrando-os com barbante. Para aumentar a produtividade, foram desenvolvidos sistemas para mecanizar a repetição dos padrões de posicionamento das substâncias isolantes usando variações de carimbos, blocos ou estênceis com desenhos. Essa abordagem diminuía a habilidade exigida do artesão e aumentava sua produção.

Inovações tecnológicas na estamparia têm se desenvolvido desde que o primeiro bloco para isolamento de áreas foi criado por culturas de lugares como China, Índia, África e Japão, e os processos vêm sendo usados há séculos. Derivado da palavra em latim *pater*, "padrão" significava originalmente "forma primordial", e a característica

PRINCIPAIS ACONTECIMENTOS

1999

O holandês radicado em Londres Peter Jensen lança sua primeira coleção de moda masculina, seguida pela feminina em 2000.

2002

Jonathan Saunders conclui mestrado no Central Saint Martins College of Art and Design e lança sua grife no ano seguinte.

2004

Como diretora de criação de acessórios da Gucci – cargo criado especialmente para ela –, Frida Giannini (1972) reintroduz a estampa Flora.

2005

O estilista britânico Matthew Williamson lança a tendência de roupas *boho* com o vestido de estampa de pavão usado pela atriz Sienna Miller.

2005

A grife Basso & Brooke apresenta uma coleção de estampas exclusivamente digitais na London Fashion Week.

2006

Matthew Williamson cria sua primeira coleção para a grife italiana Pucci.

que o define é a repetição por meio de auxílio mecânico. A partir dessa origem simples, a tecnologia de estamparia contemporânea se desenvolveu durante o período industrial até o ponto de resultados criativos quase instantâneos ficarem disponíveis para todos os criadores, não apenas aqueles versados nos segredos da preparação de pigmentos, e não restritos unicamente a padrões repetitivos.

Estilistas como Peter Jensen (1969), Peter Pilotto (ver p. 526), Erdem (1977), Jonathan Saunders (1977) e Mary Katrantzou (1983; ver p. 524) exploram a poderosa relação entre estamparia e alta-costura para aumentar o potencial de mercado dos produtos. Para esses pioneiros na integração entre a forma da roupa e os desenhos impressos, a tecnologia inovadora nada mais é do que um meio para alcançar um fim. Seguindo o desejo implícito de decorar e adornar a forma humana, estilistas contemporâneos descartam o conceito de estampa como mera ornamentação. Ao incorporar uma complexa configuração de padrões estampados na própria topografia dos componentes da roupa, eles na realidade a usam para estabelecer, moldar ou redefinir o formato do corpo que está por baixo. Originalmente inspirada no trabalho de artistas tão diversos quanto M. C. Escher, Victor Vasarely, Richard Hamilton e Jackson Pollock, a temática de Saunders, ainda que permaneça insquestionavelmente abstrata (à direita), também exibe interpretações de imagens bem mais suaves, de padronagens inspiradas no art nouveau a estampas paisley retrabalhadas e montagens de fotografias desbotadas em ousados borrões de cor. A mesma imagética é mediada tanto por tecidos estampados quanto construídos, proporcionando o jogo de texturas que é a marca registrada do estilista.

Embora os estilistas se mostrem ávidos para aproveitar a praticidade das novas tecnologias, muitos preferem usá-las em conjunção com técnicas de estamparia em silkscreen aprendidas no ateliê da faculdade de artes, onde ocorre a maior parte das experimentações. Outros optam por se limitar exclusivamente à pureza dos processos manuais, como os precursores da ressurreição da estamparia no século XXI Mark Eley (1968) e Wakako Kishimoto (1965), responsáveis pela grife Eley Kishimoto (à esquerda, em cima e embaixo). Expoentes importantes da difícil técnica de estampar um tecido inteiro com um padrão multidirecional, a dupla criou o famoso desenho "instantâneo", que alia a longevidade de uma estampa clássica à vantagem de se poder aplicá-la em qualquer superfície além dos tecidos de moda.

A invenção do processo em silkscreen foi instrumental para proporcionar ao mercado os primeiros tecidos de moda em quantidade. Samuel Simon registrou a primeira patente de um desses processos em 1907. O método relativamente barato e menos laborioso acelerou a reação às mudanças de tendência na moda e libertou os estilistas das limitações dos caros métodos de estamparia por blocos ou máquinas rotativas. Novas invenções e patentes vieram em seguida, e nos anos 1930 oficinas de estamparia em silkscreen foram montadas em toda a Europa e nos Estados Unidos. Essas inovações democratizaram a criação de estampas e revolucionaram a indústria da estamparia têxtil, sobretudo na área dos tecidos de moda.

As práticas modernas de estamparia hoje permitem ao estilista integrar a

1 Os designers baseados em Londres Eley Kishimoto fazem das estampas o foco principal de sua coleção primavera/verão 2010.

2 Para 2011, Jonathan Saunders justapõe uma estampa linear à moda de Escher que ocupa todo o tecido a um painel sobreposto de pássaros e folhagem.

3 Desde a criação de sua grife, em 1992, Eley Kishimoto usaram processos artesanais tradicionais em todas as suas estampas.

2007
Nascida em Edimburgo, Holly Fulton se forma no Royal College of Art de Londres; ela apresenta sua primeira coleção em 2009.

2008
A ateniense May Katrantzou exibe sua primeira coleção na London Fashion Week.

2009
Christopher de Vos (1980) e Peter Pilotto lançam a grife Peter Pilotto.

2009
Dries van Noten recebe a medalha de Chevalier de l'Ordre des Arts et des Lettres do ministro da Cultura francês.

2009
O norueguês Peter Dundas (1969) apresenta sua primeira coleção para a Pucci no rebuscado salão Bracco do setecentista Palazzo Serbelloni, em Milão.

2012
A grife Marni, criada em 1994 como braço da empresa milanesa de peles Ciwi, colabora com o fabricante de roupas sueco H&M.

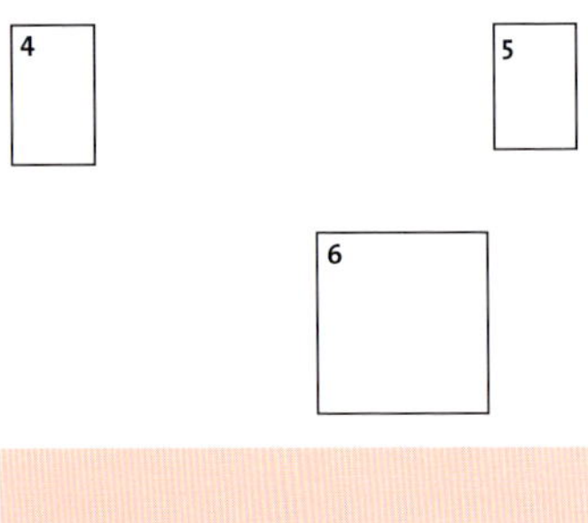

4 A grife italiana de design Marni reinterpreta as estampas e cores modernas do século XX, combinando em 2012 padrões e texturas gráficos com silhuetas simples.

5 As estampas de Holly Fulton têm desenhos futuristas inspirados no Antigo Egito e em motivos art déco, bem como nos mosaicos e no glamour hollywoodiano dos anos 1930.

6 Dries van Noten, na Antuérpia, usa os arquivos de moda como narrativa para seus tecidos estampados, então transformados em peças de alta-costura de precisão linear para o outono/inverno 2012.

estampa à roupa de forma plena desde a criação, em vez de apenas acomodar um padrão fixo e repetitivo aos componentes cortados da peça, em uma fragmentação arbitrária. A impressão digital possibilita levar uma imagem diretamente da câmera ou da tela do computador para o tecido em um único fluxo de trabalho digital usando cores ilimitadas, em vez dos demorados métodos tradicionais de silkscreen, que demandam uma tela plana ou rotativa separada para processar cada cor. Essa separação de cores, por sua vez, exige que cada tela e cada cor tenha um "registro" perfeito de modo a produzir uma imagem completa precisa, com processos de adição de cor, secagem e lavagem intercalados entre cada etapa da produção. Por esse motivo, o custo de tiragens limitadas de tecido tingido por silkscreen feito sob medida, muitas vezes exigidas pelos estilistas de moda no estágio de desenvolvimento de uma coleção, é proibitivo.

Com a impressão digital, uma estampa pode ser modificada em segundos, seja para mudar a escala, recolorir ou reconfigurar a imagem. O processo também é rápido: $550m^2$ de tecido podem ser estampados a cada hora, embora a impressão de grande volume para o mercado de massa com impressoras rotativas ainda consiga superar essa produção. A impressão digital também é capaz de suportar uma ampla gama de tecidos, da mais diáfana das sedas até algodões e veludos pesados, passando por chiffon, habotai, georgette, popeline, lona, cambraia de algodão, lã fina, lycra e outros materiais extensíveis. Tecidos diferentes requerem tintas diferentes e métodos de aplicação distintos para maximizar o efeito. Entre elas estão as tintas ácidas, as reativas, as tintas dispersas de sublimação e os pigmentos.

As tintas ácidas são mais adequadas à seda e à lã, mas as reativas – também conhecidas como corantes Procion – funcionam tanto com fibras de celulose (algodão, linho e viscose) quanto de proteína (lã e seda). As tintas dispersas têm grande afinidade com o poliéster, e podem ser impressas digitalmente por dois métodos. Até recentemente era comum imprimir tintas dispersas sobre papel para em seguida transferi-las para o tecido preparado por meio da sublimação por calor; no entanto, algumas impressoras digitais hoje reduzem as etapas desse processo imprimindo diretamente sobre o tecido de poliéster, que passa então por um secador e por uma prensa de calor rotativa integrados para completar a fusão química entre corante e tecido. Cores saturadas podem ser usadas a um preço muito inferior ao dos métodos de silkscreen, e a pequena capacidade produtiva é ideal para o estilista independente que atende nichos de mercado específicos. Além disso, toda a comunicação entre estilista e fabricante – incluindo a transferência da imagem do estúdio para a sala de impressão – pode ser feita eletronicamente, e a indexação da fidelidade de cores garante uma produção homogênea.

O ressurgimento do interesse pela criação de estampas levou a maioria dos mais importantes estilistas internacionais a incorporar estampas a suas coleções como forma de consolidar uma identidade visual em uma época de saturação e exposição visual aceleradas. Consuelo Castiglioni (1959), da Marni, o estilista britânico Matthew Williamson (1971), a marca de design italiana Etro (ver p. 522) e o estilista belga Dries van Noten (1958) são conhecidos pela relação simbiótica entre roupa e estampa. A grife Marni tem uma abordagem pessoal e eclética da estamparia, reinterpretando desenhos de meados do século XX com híbridos de padronagens gráficas (à esquerda, em cima). O poderoso senso de composição de Dries van Noten, seu uso irrestrito de cores e sua óbvia paixão pelas estampas utilizam numerosas e variadas técnicas, e todas elas podem ser incorporadas em uma única peça de múltiplas camadas. Estampas inspiradas por uma heterogênea mistura cultural obtida de fontes variadas mundo afora e em arquivos de vestuário são combinadas com decorações como bordados e miçangas para criar uma superfície interrompida (à direita, embaixo).

Estampas abstratas, alheias à representação e que raramente procuram retratar qualquer forma de realismo têm o potencial de exigir mais do olhar. O desenho fragmentado de uma estampa abstrata se alia ao corte da roupa para criar um complexo enigma visual. A tensão reside na fluidez do corpo a animar uma estampa gráfica que pode ser puramente geométrica, e certamente não figurativa. Estampas abstratas se opõem de maneira inerente à forma humana, criando uma ambiguidade que pode disfarçar ou realçar o corpo vestido, pois o estilista cria uma linguagem visual inteiramente nova, sem qualquer associação ou precedente. Isso permite o surgimento de formatos sem equivalente na natureza, conforme exemplificado pelo trabalho da estilista escocesa contemporânea Holly Fulton (1977; à direita). Motivos art déco e antigos símbolos egípcios são usados como inspiração para roupas futuristas com silhuetas simples que combinam estampas criadas digitalmente com cortes a laser, apliques, miçangas e ornamentações em Perspex para criar efeitos de trompe l'oeil e tridimensionais.

Ao contrário do pequeno estilista e criador independente, as grifes e ateliês de alta-costura, em vez de produzir as estampas internamente, compram ideias de um criador renomado ou de um estúdio que estiver expondo em uma das feiras da área, como a Première Vision/Indigo, organização de marketing comercial voltada para a promoção da indústria têxtil que reúne até 800 fabricantes têxteis do mundo inteiro para exibir e vender seus produtos. As estampas são vendidas a partir de amostras de tecidos ou desenhos. A arte inicial pode permanecer igual, seja ela destinada à impressão em silkscreen ou digital, a menos que a grande quantidade de tons da estampa exclua a possibilidade do silkscreen. Apenas empresas do porte da Hermès mobilizariam uma quantidade infinita de telas para produzir uma única estampa: seu recorde foi de 43 cores distintas.

Os avanços da estamparia hoje englobam tintas "inteligentes" – como as termocromáticas e fotocromáticas, que reagem às condições atmosféricas mudando de cor –, tecidos lisos que se tornam estampados quando molhados, e até mesmo pigmentos contendo células solares em miniatura capazes de absorver a luz do sol. Assim, a estamparia de moda possibilita ao corpo uma interação singular com o mundo externo. **MF**

Vestido com estampa paisley 2006
ETRO

NAVEGADOR

Em 1981, inspirado por uma viagem à Índia, "Gimmo" Etro, fundador da maison de luxo italiana Etro, incluiu uma coleção de estampa paisley em sua linha de acessórios de casa, e posteriormente em suas linhas de acessórios masculinos e femininos. Quando a empresa lançou sua primeira coleção prêt-à-porter, em 1994, a rebuscada padronagem indiana apareceu pela primeira vez nas roupas da Etro.

O paisley, que é a marca registrada da grife, aparece neste vestido na altura dos tornozelos em painéis canelados de chiffon esvoaçante. A estampa policromática do vestido é astutamente concebida para dar a impressão de um tecido paisley jogado por cima de um corpete simples em formato de T, deixando uma larga faixa berinjela na base. A saia do vestido usa a estampa na vertical, e a escala do desenho de folhas curvas vai aumentando em direção à barra. As cores fazem referência ao caráter folclórico da estampa, ao mesmo tempo cheia e fechada, mas suavizada por áreas de verde-maçã. A estética hippie chique dos estilistas britânicos Bill Gibb (1943-1988) e Zandra Rhodes (1940) é revisitada no volume do etéreo chiffon estampado nos tornozelos e nas mangas folgadas. O largo cinto de couro na cintura, enfeitado com fileiras paralelas de tachinhas e fechado por uma fivela de metal, torna mais rígida a estrutura do vestido longo. **MF**

PONTOS FOCAIS

1 CORPETE AJUSTADO
O corpete ajustado do vestido usa o paisley na horizontal, acentuando a linha do busto. A estampa é espelhada dos dois lados do profundo decote em V, e um pequeno protetor da mesma estampa preenche a ponta do V.

3 FALSA BAINHA
As linhas geométricas estampadas na saia criam uma bainha com pontas em trompe l'oeil. A área estampada se limita ao corpo principal da saia antes de se concluir com uma larga faixa preta debruada por listras contrastantes.

2 MANGAS DE QUIMONO
As mangas em chiffon de seda transparente cor de beringela são posicionadas de forma reta na costura do ombro e pendem soltas até abaixo do cotovelo. A ampla cava da manga remete ao caimento frouxo do quimono e dos trajes populares.

PERFIL DA GRIFE

1968-1982
Fundada em 1968 por Gerolamo Etro, o "Gimmo", a empresa original era fornecedora de tecidos muito ornamentados e luxuosos de caxemira, seda, linho e algodão para estilistas e costureiros de Milão, e mais tarde expandiu suas atividades para a produção de artigos em couro e acessórios de casa.

Desde 1983
A grife Etro se tornou mais conhecida em 1983, ano em que foi aberta sua primeira loja. Em 1991, quando estudava economia na Universidade de Nova York, Ippolito Etro fundou o braço americano da empresa. As primeiras coleções de prêt-à-porter desfilaram em 1994. Ao modo dinástico italiano clássico, a direção de criação permanece nas mãos dos filhos de Gimmo; Veronica, formada pelo Central Saint Martins College of Arts and Design de Londres, assina a coleção feminina.

Vestido trompe l'oeil 2012

MARY KATRANTZOU 1983

NAVEGADOR

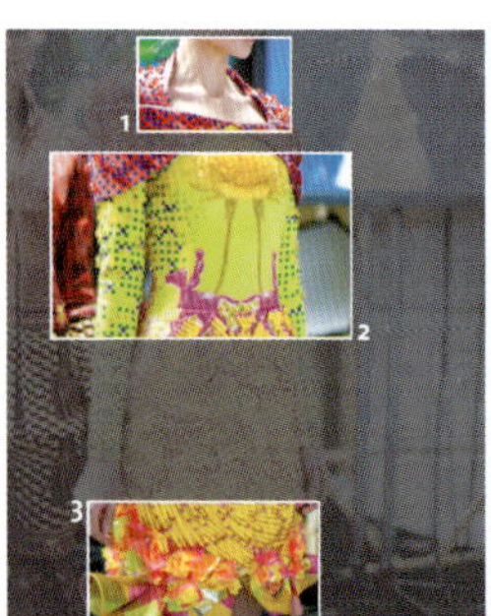

Mary Katrantzou cria estampas localizadas complexas e ultrarreais que incluem preciosos e belos objetos em trompe l'oeil – como biombos de madeira laqueada, ovos Fabergé, porcelana chinesa da dinastia Quinlong e de Meissen – para construir silhuetas estruturadas. Este vestido da coleção outono/inverno 2012, por sua vez, apresenta objetos cotidianos e banais: lápis de cera e de grafite e outros materiais efêmeros encontrados em qualquer escritório criam uma peça extraordinária que traz uma estonteante mistura de realidade, absurdo e hiper-realismo que tem por base um vivo tom dominante de amarelo-ovo.

A saia do vestido é formada por uma colagem curva de lápis HB de plástico, com as borrachas, criando um irresistível trocadilho visual com a expressão saia-lápis. Esses objetos reais foram transformados em um vestido tridimensional pelo ateliê de bordados parisiense Lesage, propriedade da Chanel desde 2002. Essa colaboração marcou a estreia da Lesage com matérias-primas pouco ortodoxas e sua primeira relação com uma estilista britânica. Na década de 1930, o ateliê Lesage teve uma relação comercial próxima com a couturière surrealista Elsa Schiaparelli (1890-1973), estabelecendo um precedente precoce para a empreitada de dar vida à visão criativa idiossincrática de Katrantzou. **MF**

PONTOS FOCAIS

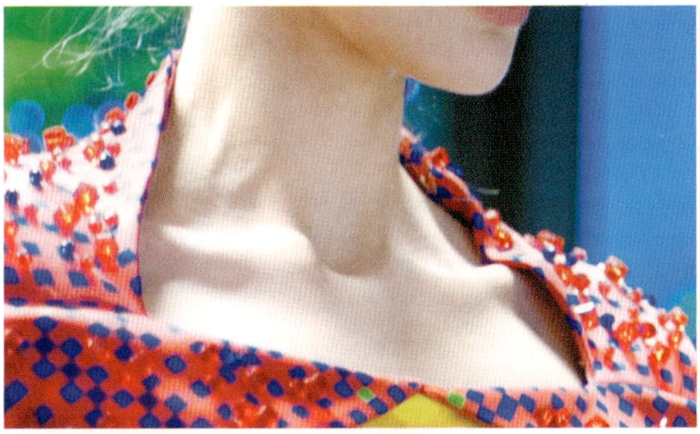

1 DECOTE QUADRADO
O decote é construído juntamente com uma cabeça de manga exagerada que forma a parte superior de um corpete, remetendo assim ao rufo elizabetano tanto na rigidez da estrutura quando na propensão à abundância de adornos. Uma estampa de mosaicos bicolor é enfeitada ainda mais com o complexo bordado.

2 TRONCO DE ESPARTILHO
O corpete bem ajustado é estampado com uma única e grande rosa de dois caules enfeitada com joias, a partir da qual uma imagem espelhada de cavalos de carrossel rosa-choque parte da costura central. Os cavalos encaram duas costuras paralelas que vão da cintura à pala.

3 SAIA DE ORIGAMI
Respeitando a silhueta que é a marca registrada de Katrantzou, o estiloso efeito de origami dos arremates dobrados da bainha interrompe a linha da saia-lápis para formar uma série de exuberantes e estreitos babados circulares que se estendem para fora a partir do meio da frente para criar volume nas laterais.

▲ Objetos cotidianos são tema recorrente na coleção outono-inverno 2012, e o vestido de veludo vermelho com estampa rococó traz uma máquina de escrever em **trompe l'oeil** na pala e um saiote de teclado.

PERFIL DO ESTILISTA

1983-2007
Nascida em Atenas, Mary Katrantzou deixou a Grécia para estudar arquitetura em Rhode Island, EUA. Acabou passando para o setor têxtil e formou-se em 2005 pelo Central Saint Martins College of Arts and Design de Londres. A partir de 2006, trabalhou duas temporadas com a estilista grega Sophia Kokosalaki (1972).

Desde 2008
A coleção de pós-graduação de Katrantzou tinha por tema central o trompe l'oeil e trazia inovadoras estampas digitais de joias em tamanho extragrande inspiradas no construtivimo russo (ver p. 232) e em cartazes de cinema do início dos anos 1970. A primeira coleção de prêt-à-porter da estilista, com 9 vestidos, foi produzida para o outono/inverno 2008. Em 2012, colaborou com a Longchamp na criação de duas estampas exclusivas para a bolsa Pliage e para a bolsa tipo sacola, e criou uma minicoleção de 10 peças para a varejista popular Topshop.

Vestido-cascata 2013

PETER PILOTTO

NAVEGADOR

Com uma rica bagagem cultural – Peter Pilotto (1977) é ítalo-austríaco, e Christopher de Vos (1980) belga-peruano –, os dois sócios da grife Peter Pilotto continuam a buscar inspiração em muitas fontes. Com sua justaposição de estampa e ornamento visualmente suntuosa, esse vestido da coleção primavera/verão 2013 reflete a visita da dupla à catedral de Santa Maria Assunta, em Siena, Itália, e viagens à Índia e ao Nepal.

A estampa montada na roupa inteira traz uma interpretação do impacto da arte óptica nos quadros dos anos 1960 e 1970 assinados por Bridget Riley, abstraídos até criar um efeito óptico estonteante com fragmentos de azul-elétrico. As largas listras pretas e brancas com motivos de inspiração art déco cuidadosamente posicionados e realçados pela aplicação tridimensional de miçangas são usadas para criar os formatos arquitetônicos curvos da pala estreita com uma linha de ombros arredondada e uma saia-lápis assimétrica. O decote remete ao universo do esporte, com uma abertura no ponto em que a frente do corpete se sobrepõe à parte de trás na cabeça da manga. Combinada a esses desenhos geométricos há uma delicada estampa floral barroca feita a caneta e pincel, em azul delavê e verde bem claro, disposta em um largo babado de cetim de seda. Este começa na cintura e desce se afunilando em direção à bainha. O mesmo azul forma um punho em trompe l'oeil. **MF**

PONTOS FOCAIS

1 PALA INTEIRIÇA
Contornada nos ombros por um branco vivo, a costura alta da pala prolonga a estampa na vertical e depois na horizontal por toda a extensão das mangas até o punho em trompe l'oeil. As mangas são então contornadas com o mesmo branco vivo.

2 MEIO-SAIOTE
Um estreito cinto do mesmo tecido separa o corpete da saia. É ele que sustenta o meio-saiote de babado duplo em cetim de seda com estampa barroca, que enfeita a cintura até o ponto central da frente antes de descer na diagonal pelo corpo até a bainha.

3 BABADO EM CASCATA
Uma continuação do babado em cascata de cetim de seda forma um largo fru-fru franzido e costurado à bainha da saia-lápis. Este se interrompe de repente em um ponto da bainha, deixando uma fenda assimétrica na frente.

PERFIL DA GRIFE

2000-2007
Peter Pilotto e Christopher de Vos se conheceram durante os estudos na Real Academia de Belas-Artes de Antuérpia, na Bélgica. Pilotto se formou em 2003, e de Vos em 2004.

Desde 2008
Com apoio do British Fashion Council e da iniciativa "Nova Geração" da Topshop, Pilotto e de Vos lançaram sua primeira coleção conjunta da grife Peter Pilotto em 2009. Um ano antes, os dois foram finalistas da segunda edição dos prêmios de moda El Boton Mango, e em 2009 ganharam o prêmio de Melhor Talento Emergente da Swarovski nos British Fashion Awards, sendo também finalistas do prestigioso prêmio Swiss Textiles. Em 2011, Peter Pilotto foi premiado com o Fashion Forward, apoiado pela Coutts & Co, e trabalhou em uma minicoleção de bolsas para a Kipling.

ROUPAS ESPORTIVAS E MODA

As roupas esportivas de alta performance otimizam a capacidade do corpo de atingir sua funcionalidade máxima em ampla gama de condições ambientais, e até dar conta de condições extremas de agressão física. Elas também podem funcionar como ferramenta de marketing com temática esportiva para o público em geral. Esses trajes influenciam as roupas na forma de novos materiais, e os avanços científicos na área das roupas de combate e da exploração espacial ajudaram a expandir o repertório das roupas de alta performance. Os estilistas também desconstroem a iconografia da moda esportiva, sobretudo em nome do impacto visual, mas também, possivelmente, para sugerir que o usuário pratica esportes.

A corrida espacial do pós-guerra nos anos 1950 e 1960 gerou investimentos em inovações científicas, e os administradores de marca desde então vêm usando e adotando o vocabulário científico para batizar produtos, por exemplo, ao chamar a fibra de polímero de cristal líquido de Vectran. Os trajes esportivos de marca emergiram nos anos 1980, e desde então não deram sinais de enfraquecimento; um dos exemplos foi a parceria da Adidas com a banda de hip hop Run-DMC, cujo single "My Adidas" (1986) sobre os populares tênis levaram a um contrato publicitário com a empresa (ver p. 446).

As roupas esportivas usadas no contexto da moda ocupam um terreno intermediário entre esporte e alta-costura. Curiosamente, foi possível observar que um atleta de elite no auge da carreira ganha uma vantagem suplementar e inquantificável na competição quando tem o estímulo psicológico oriundo da sensação de estar com boa aparência, e não é por coincidência que estilistas de ponta são recrutados como diretores de criação por marcas mundiais de roupas esportivas para definir a identidade visual de seu kit para atletas de elite, tanto em situações de ação quanto

PRINCIPAIS ACONTECIMENTOS

2000

A Speedo anuncia o primeiro de seus trajes de banho biométricos, usados nos Jogos Olímpicos de Sydney, Austrália.

2002

Em colaboração com a gigante Adidas, Yohji Yamamoto (1943) cria a grife Y-3, levando a difusão de roupas esportivas a um novo patamar (ver p. 532).

2004

O estrondoso sucesso da roupa de banho sharkskin na Olimpíada de Atenas gera uma proibição. A versão revista de 2011, Fastskin3, é autorizada nos Jogos de 2012.

2004

A estilista britânica Stella McCartney (1971) começa a colaborar com a gigante de roupas esportivas Adidas.

2005

É lançado o tênis Adidas 1, com funções eletrônicas pioneiras, mas o modelo é recolhido no ano seguinte.

2006

A Adidas compra a marca de roupas esportivas britânica Reebok, fundada em 1895 com o nome J. W. Foster and Sons.

de lazer. Por sua vez, estilistas de moda têm se diversificado criando linhas esportivas próprias ou em colaboração para o mercado de massa, e usado com frequência referências à moda esportiva em suas coleções de luxo.

A maximização da performance é sugerida pelo uso de superlativos no marketing dos produtos, como "o mais leve", "o mais forte" ou "o mais inteligente". As roupas esportivas de alta performance e os têxteis esportivos são objeto de hipérboles em suas campanhas publicitárias; o objetivo é reforçar a validação científica do desempenho técnico. Grandes empresas como Nike, Adidas e Speedo criaram uma relação direta com a elite do esporte, e até hoje sustentam uma rivalidade no uso de novas tecnologias, competindo com a mesma garra dos atletas com quem trabalham. Um dos principais exemplos de parceria bem-sucedida entre estilista de renome e fabricante de roupas esportivas de alta tecnologia é a colaboração da Adidas com Stella McCartney para o kit Team GB dos atletas britânicos na Olimpíada de 2012 (à direita). McCartney (1971), que criou sua grife em 2001, começou a trabalhar com a Adidas em 2004, produzindo roupas esportivas elogiadas pelos críticos para diversas modalidades, entre as quais corrida, tênis, natação, esportes de inverno e ciclismo. Para o kit olímpico, ela aliou inovações esportivas com seu toque criativo singular em uma linha para atletas e paratletas que incluiu roupas de treino, roupas de competição e uniformes de apresentação. A Adidas forneceu a engenharia têxtil necessária a um desempenho otimizado, como controle de umidade e temperatura, e McCartney trabalhou dentro dessa rigorosa infraestrutura científica acrescentando coerência de estilo e o valor de sua marca.

A estreita relação entre roupas esportivas de marca e desempenho atlético fica evidente na controvérsia em torno da revolução dos trajes de natação provocada em 2000 pela Speedo com a criação dos fastsuits, feitos de um material excepcionalmente leve e revestidos com uma substância que repele a água. Todas as marcas esportivas vivem procurando formas de superar a concorrência, e a imitação das peles de animais, a aerodinâmica aquática e a eliminação da força de resistência, bem como uma construção científica "sem costuras", são áreas de inovação típicas da indústria. O Fastskin da Speedo (à esquerda, em cima) foi fabricado para se assemelhar à pele dos tubarões e texturizado com finíssimos sulcos que afastam do corpo a camada de contato, reduzindo a força de resistência. Quando veio a Olimpíada de Pequim, em 2008, o traje havia evoluído para o LZR, arrebanhando 83 dos 97 ouros olímpicos e respondendo por mais de 100 novos recordes mundiais em apenas dois anos. Nos Estados Unidos foram publicadas diversas matérias sobre o assunto, e a imprensa de moda, incluindo a *Women's Wear Daily*, divulgou o fenômeno para uma audiência global. Depois de algum tempo, o fastsuit evoluiu para o Fastskin 3, mais curto (à esquerda, embaixo).

Adidas, TYR e Jaked, concorrentes da Speedo, responderam ao desafio com novos avanços tecnológicos que pareciam superar o LZR, sobretudo com a criação de trajes de compressão feitos com filmes de

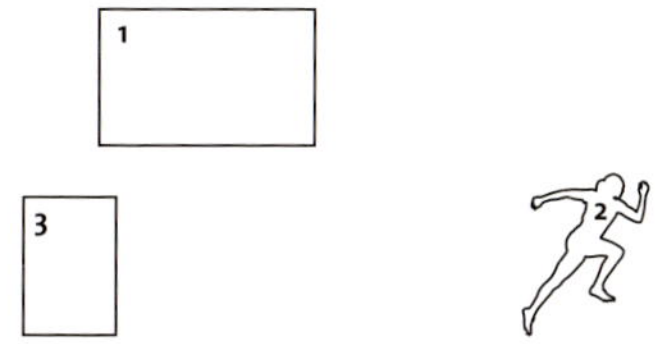

1 A nadadora australiana Susie O'Neill usa o maiô Fastskin da Speedo (2000). A empresa trabalha com nadadores de elite desde os anos 1930.

2 Medalhista de ouro do heptatlo, Jessica Ennis veste roupa de treino da coleção da equipe olímpica da Grã-Bretanha criada por Stella McCartney em 2012.

3 Em 2011, o regulamento obrigou que o Fastskin 3 da Speedo fosse até os joelhos; o modelo anterior descia até o tornozelo.

2008
Hussein Chalayan (1970) torna-se diretor de criação da empresa de roupas esportivas Puma.

2008
Alexander Wang (1983) recebe o prêmio de moda Council of Fashion Designers of America/*Vogue* e começa a criar roupas "esportivas de luxo".

2009
O congresso da Fédération Internationale de Natation (Federação Internacional de Natação) proíbe o uso de qualquer traje de banho de corpo inteiro em competições.

2011
A Adidas lança o tênis "inteligente" AdiZero, com wireless integrado, seguido pelo modelo de basquete Hyperdunk.

2012
A estilista americana Vera Wang (1949) apresenta roupas de inspiração esportiva em sua coleção primavera/verão.

2012
Stella McCartney apresenta o kit oficial Team GB para a Olimpíada de Londres.

poliuretano, que conquistaram 29 recordes mundiais no Campeonato Mundial de Natação de 2010. Foi então que a Fédération Internationale de Natação (Federação Internacional de Natação; FINA) interveio, proibindo os trajes impermeáveis de alta compressão que "ajudassem na flutuação" de descerem abaixo dos joelhos e, no caso dos homens, de subirem acima da cintura. Os Jogos Olímpicos de 2012 tiveram trajes autorizados pela FINA, com especificações revistas, confeccionados por até 60 fabricantes.

As invenções futuristas estão aos poucos se infiltrando no vestuário esportivo *mainstream* e nas linhas de difusão de roupas esportivas. Há investimentos crescentes em conceitos destinados a modificar os formatos aerodinâmicos ou evitar o desgaste de tendões, e também em roupas de malha com as tecnologias Seamless ou Wholegarment, que otimizam os movimentos graças à ausência de costuras inibidoras e reduzem a acumulação de ácido láctico por meio da compressão. Processos de solda térmica ou ultrassônica de costuras também têm sido aproveitados do esporte de ponta em uma gama mais ampla de modelos utilitários. Tecidos de tecnologia complexa relacionados a outros universos, como por exemplo os geotêxteis ou os materiais que isolam o som, também têm sido transportados para produtos de moda, incluindo calçados.

O tênis Adidas 1, lançado em 2005, foi pioneiro nos conceitos de interatividade eletrônica inteligente embutida em calçados esportivos. Após alguns problemas de confiabilidade, o tênis foi recolhido em 2006, mas reencarnou em 2011 como o AdiZero, com uma capacidade de download sem fio de velocidades de pista e dados de performance. A Nike respondeu com o Nike+, que permite ao usuário comunicar a terceiros dados sobre sua performance e cuja mais recente encarnação é o tênis de basquete Hyperdunk (à esquerda). O formato do calçado leve ganha estabilidade graças a fortes cordões elástico fixados ao cabedal. Sensores embutidos registram cada passo e sincronizam os dados de performance com o smartphone do usuário por meio de um adaptador sem fio. Três tipos de dados de desempenho são coletados – velocidade da passada, atividade total e altura do salto –, e os números podem ser transferidos diretamente para o celular de modo a serem compartilhados nas redes sociais, cuja importância é cada vez maior para o marketing de roupas e artigos esportivos, sobretudo junto aos consumidores jovens.

Em outro aspecto da relação entre ciência, esporte e moda, o escultor Tom Sachs (1966) colaborou com a Nike no sofisticado NikeCraft, que utiliza componentes típicos dos equipamentos da Nasa e os reconfigura para fabricar acessórios inusitados e roupas artesanais: o airbag de aterrissagem de um veículo de exploração do planeta Marte é reutilizado como fibra Vectran em um tênis casual, uma parca estilizada com costuras soldadas tem dados científicos gravados no forro, e um airbag de automóvel usado vira uma bolsa de náilon tipo sacola.

O verdadeiro contexto científico de um novo produto esportivo é apenas uma pequena parte de sua estratégia de marketing. Qualquer associação positiva passível de ser estabelecida quanto à consolidação da herança intrínseca da marca é usada na apresentação de um novo produto. Respaldadas por novos conceitos científicos e pelo uso de materiais "inteligentes", as roupas são retratadas sendo usadas por gigantes do esporte ou embaixadores da marca, e seu glamour é aumentado por meio da associação a nomes importantes da moda como Stella McCartney (à esquerda, em cima), Yohji Yamamoto (1943; ver p. 532), Giorgio Armani (1943), que trabalha com a Reebok, a "Black Label" da Puma criada por Alexander McQueen e Hussein Chalayan (1970). Nomeado diretor de criação da Puma, Chalayan apresentou em 2008 a coleção Inércia, que continha revolucionárias roupas moldadas em látex.

Trajes de performance genuínos serão sempre necessários nas piscinas, pistas ou velódromos olímpicos, e precisam ser fabricados segundo as mais altas exigências e com materiais "inteligentes". Algumas roupas também precisam ser construídas de modo especial para auxiliar o usuário em condições meteorológicas extremas, como o macacão wingsuit desafiador da gravidade para saltos de BASE jumping ou materiais com mudança de fase (os PCM, da sigla em inglês) para roupas de alpinismo que aumentam automaticamente a temperatura corporal sob frio extremo. Na outra ponta do espectro, estilistas de moda muitas vezes incorporam influências esportivas a suas coleções. Com a consolidação da ênfase no corpo própria ao século XXI, materiais ou construções de inspiração esportiva transformaram a moda e, inversamente, artigos esportivos sérios são com frequência transformados em roupas esportivas de marca com floreios de fantasia decorativa.

Exemplos sofisticados dessa abordagem podem ser vistos nas coleções do designer americano Alexander Wang (1983): sua versão de roupas esportivas é uma elegante reinterpretação do contexto urbano que inclui camisetas sem manga perfuradas, casacos quebra-vento e utilitárias calças de corrida. Praticamente a cada temporada, Wang desmantela algum aspecto da iconografia do esporte, insuflando--lhe mais vigor e atitude graças a combinações inesperadas e afirmando uma visão alternativa das roupas femininas e esportivas. Na coleção primavera/verão 2012 houve muitas referências a bicicross e motocross, gerando uma abordagem multifacetada do agressivo streetwear metropolitano, de interpretações florais de roupas de motoqueiro a diáfanos organdis e couros perfurados a laser com marcas de desgaste combinado com sandálias de salto alto.

Da mesma forma, a designer americana Vera Wang (1949), mais conhecida pelos estilosos vestidos de noiva muito populares entre estrelas de cinema e celebridades mundo afora, buscou inspiração para seus modelos nas roupas esportivas, e em especial nos tecidos de alta tecnologia. Entre estes estão a tecnologia Swift Running, da Nike, e as camadas geométricas da tecnologia Techfit/PowerWeb, da Adidas, usada em roupas esportivas como meias-calças de corrida para melhorar a estabilidade e a postura por meio da sustentação dos músculos. Na coleção primavera/verão 2012, Wang usou círculos estampados em etéreos vestidos de chiffon perfurado e esculpido (à direita); o delicado recorte biométrico dos detalhes do tecido também evoca os padrões de crescimento dos ouriços-do-mar. Capuzes e jaquetas de cadarço usados com shorts também apareceram na coleção, acrescentando mais um toque atlético ao look feminino que é a marca registrada da estilista. **JA**

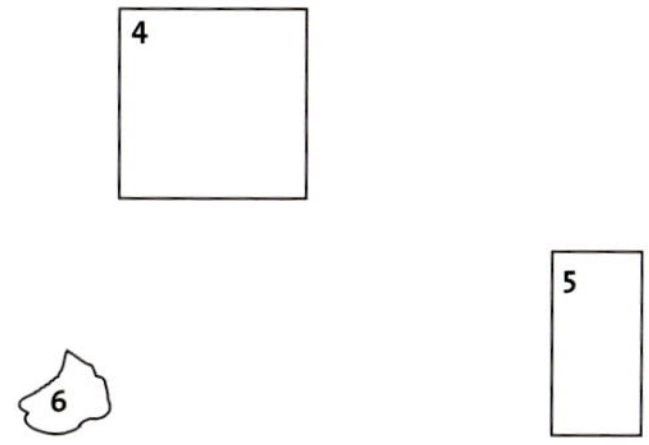

4 Vários modelos esportivos da coleção primavera/verão 2009 Adidas by Stella McCartney misturam a alfaiataria feminina que é a marca registrada da estilista com influências vindas da lingerie.

5 A coleção primavera/verão 2012 de Vera Wang inclui arejados painéis de bordado inglês branco que formam uma geometria em zigue-zague de frágeis camadas sustentadas na cintura.

6 Os tênis de basquete Nike+ Hyperdunk têm uma sofisticada tecnologia sem fio embutida na forma de sensores.

Roupas esportivas multiuso 2004

Y-3

NAVEGADOR

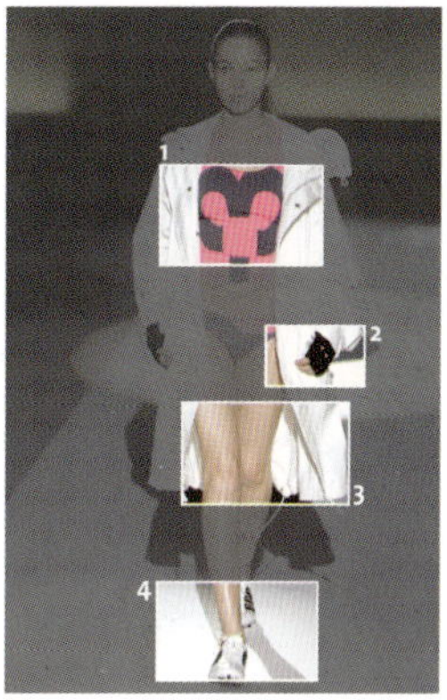

Amplamente considerado um estilista de inclinação intelectual, quase espiritual, Yohji Yamamoto abraça a dimensão física na colaboração de sucesso com a gigante de roupas esportivas Adidas para a grife Y-3 (Y de Yamamoto, e 3 por causa das três listras patenteadas da Adidas). Segundo a abordagem de "dissecção analítica" de Yamamoto, componentes-chave das roupas esportivas são realinhados e recombinados em uma bem-humorada série de elementos de estilo em grande parte genéricos em termos de modalidade esportiva, mas que sugerem atletismo e consciência corporal.

Aqui, uma volumosa parca, que faz referência ao uniforme de aquecimento usado no futebol americano, é apresentada por cima de um top justo com estampa gráfica e calcinha de biquíni na mesma estampa, um logotipo da Y-3 que domina as peças usadas com luvas pretas sem dedos e tênis brancos, todos de função indeterminada. Uma maquiagem luminosa recobre o cenho e a face: a faixa tem mais ou menos a mesma largura da fita de uma medalha e lembra serpentinas de papel ou curativos adesivos. Ao realizar experimentos bem-humorados na área das roupas esportivas, a grife Y-3 também usa novas fibras, tecidos e métodos de construção, combinando materiais sintéticos elegantes e acabamentos inovadores, da solda por ultrassom às estampas por transferência de calor. **JA**

PONTOS FOCAIS

1 LOGO DA Y-3
O top e calcinha rosa de estampa gráfica têm função indeterminada, mas parecem adequados a uma série de atividades esportivas, entre as quais o vôlei de praia. O logo tipográfico Y-3 em grande escala se estende pelas duas peças, dando-lhes um aspecto de quadrinhos.

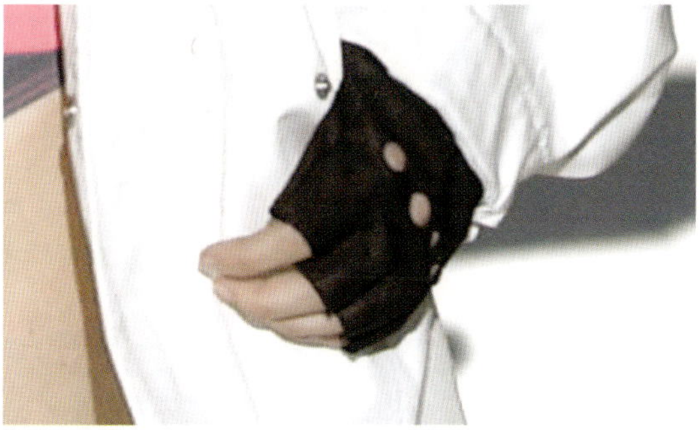

2 LUVAS SEM DEDOS
As luvas pretas sem dedos tampouco têm função específica, mas sua associação mais estreita é com o skate, que desde os anos 1950 evoluiu até assumir uma posição proeminente no universo esportivo. Essa ascensão acarretou uma onda de acessórios ligados ao esporte.

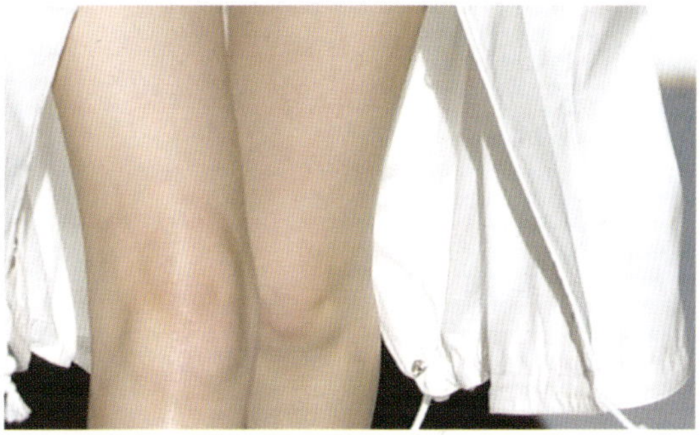

3 PARCA VOLUMOSA
A parca na altura dos joelhos envolve o top e tem listras paralelas da Adidas nas costas. Usada pelas forças armadas americanas na Guerra da Coreia, nos anos 1950, a parca se tornou uma roupa utilitária popular e um um ícone de estilo.

4 TÊNIS TÍPICO DA MARCA
O clássico tênis branco tem o conhecido trio de listras na lateral. As listras, introduzidas pela primeira vez em 1949, são há muitas décadas parte integrante da identidade da Adidas; a empresa passou muitos anos defendendo seu copyright.

PRÊT-À-PORTER DE LUXO

1 Essa campanha publicitária da Burberry (2010) simboliza o renascimento de uma marca tradicional que consegue ser relevante no contexto moderno.

2 A alfaiataria despojada e extragrande e os tecidos de luxo vistos na coleção outono/inverno 2012 são típicos de Phoebe Philo para a Céline.

3 A coleção "mais esportiva" outono/inverno 2012 de Victoria Beckham tem camisa polo e saiotes em estilo líder de torcida.

O fenômeno contemporâneo de roupas prêt-à-porter de luxo se posiciona entre a alta-costura e o mercado de massa. As grifes que ocupam esse nicho cada vez maior oferecem roupas que seguem a moda vigente confeccionadas em materiais de luxo, que se equiparam à alta-costura na alta qualidade da produção e ao preço. O prêt-à-porter de luxo, também conhecido como demi-couture, é ao mesmo tempo democrático e acessível, e muitas vezes tem a mediação de mecanismos de comércio on-line, aliviando o demorado processo exigido pelas provas das roupas feitas sob medida. Embora o custo do prêt-à-porter de luxo esteja longe de ser modesto, existe um valor agregado subjacente proporcionado não apenas pela grife, mas também pelas formas artesanais e éticas de produção em ateliê que ajudam a justificar os preços de quatro ou cinco dígitos. A demi-couture engloba todos os aspectos da moda, das luxuosas peças hippies em "estilo festival de música" de Isabel Marant (1967; ver p. 536) aos trajes contemporâneos usados no tapete vermelho criados por Stella McCartney (1971; ver p. 538) e às roupas justas para o dia a dia assinadas por Victoria Beckham (1974). Além disso, as grifes de prêt-à-porter de luxo se tornaram tão influentes quanto a alta-costura, senão mais.

Burberry e Burberry Prorsum, talvez as mais importantes marcas britânicas de roupas, oferecem a seus clientes acesso instantâneo a suas tendências prêt-à--porter de luxo (acima) graças a um método de venda por *streaming* 3D em tempo real conhecido como "Passarela para a realidade". Seu principal executivo de criação,

PRINCIPAIS ACONTECIMENTOS

2000	2001	2001	2001	2004	2004
A designer francesa Isabel Marant lança a Etoile, linha de difusão que inclui moda íntima.	O estilista britânico Christopher Bailey é nomeado diretor de criação da Burberry pela executiva-chefe Rose Marie Bravo.	Phoebe Philo é nomeada diretora de criação da Chloé e assina as roupas da grife por cinco anos até se demitir, em 2006.	É criada a See, linha mais jovem e mais barata da Chloé.	Christopher Bailey ganha uma cadeira honorária no Royal College of Art de Londres.	Victoria Beckham cria uma linha em edição limitada para a Rock & Republic, a VB Rocks, seguida por uma linha de óculos de sol em 2006 e por uma grife de jeans, a dvb Style.

Christopher Bailey (1971), lançou essa abordagem em 2010, e em 2012 ela já era utilizada em 30 dos mais importantes pontos de venda internacionais, incluindo a nova loja-conceito de Pequim. No *streaming* em tempo real, os clientes podem reservar as compras na própria loja por meio de uma interação on-line direta via iPad. Esse feedback imediato sustenta a logística comercial da marca e permite à empresa saber quais peças colocar em produção e quais descartar. Bailey é responsável pela imagem geral da marca, incluindo toda a publicidade, a direção de arte corporativa, os projetos e a decoração das lojas, assim como pela criação de todas as coleções e linhas de produtos da Burberry. Seu sucesso na reinvenção da grife é sintoma de uma transição na mentalidade dos consumidores. Os fãs atuais da marca não são necessariamente fiéis a sua identidade fixa, mas desejam se vincular à estética criativa e à personalidade do estilista que está por trás dela. Junto com Bailey, a executiva principal da empresa, Angela Ahrendts, foi pioneira no uso de *webcasts* e tecnologias dentro das lojas para dar aos clientes a oportunidade de percorrer coleções inteiras em telas de iPad. A Burberry também entrou no mundo das redes sociais ao lançar o site Art of the Trench (A arte do trench), onde é possível carregar e compartilhar fotos.

Expoente da nova geração de estilistas mulheres na vanguarda da moda contemporânea, Phoebe Philo (1973) deixa de lado a fantasia e a dramaticidade em prol de roupas cujas prioridades são o caimento e a textura (à direita, em cima). Tendo trabalhado na Chloé por vários anos, em 2008, ela reposicionou com sucesso a grife francesa Céline e liderou um movimento em prol da elegância, praticidade e simplicidade que também pode ser visto nas coleções de Hannah MacGibbon (1970), da Chloé, e de Clare Waight Keller (1971), que substituiu esta última em 2011. Keller alia a atitude e o estilo descontraído da festival girl inglesa com a feminilidade e o charme ingênuo da *jeune fille* parisiense. Essa mistura produz *duffel coats* e parcas em tons pastel usadas com blusas de renda e seda, uma estrutura de alfaiataria com um toque de feminilidade proposto pela primeira vez por Stella McCartney em seus anos à frente da Chloé. Fundada em 1952 por Gaby Aghion (1921) como uma alternativa à formalidade da alta-costura, essa maison de prêt-à-porter tornou-se uma das grifes mais cobiçadas dos anos 1980. Em 1997, a Chloé contratou McCartney como diretora de criação, e ela levou consigo uma combinação de alfaiataria precisa, estampas femininas e estilo *vintage* para as coleções de prêt-à-porter de luxo, demitindo-se em 2001 para criar a grife que leva seu nome.

Grande defensora do conceito de marketing do estilista como consumidor da própria marca, Victoria Beckham supostamente já afirmou que só fabrica coisas que ela mesma usaria. Sua estética inicial como estilista foi marcada por um estilo com forte ênfase no corpo, quase sem ornamentação, em uma coleção enxuta de vestidos de gala apresentada pela primeira vez em Nova York em 2008. Desde então, essa estética evoluiu; a infraestrutura arquitetônica das primeiras roupas para o tapete vermelho deu lugar ao uso de grossos jérseis canelados, lonas e técnicas de matelassê que dão a sensação de uma linha mais esportiva (à direita). **MF**

2004

Stella McCartney firma parceria com a Adidas para produzir roupas esportivas de alta performance de luxo (ver p. 529).

2008

A estilista britânica Hannah MacGibbon (1970) substitui Phoebe Philo na Chloé.

2009

Phoebe Philo, a visionária ex-Chloé, é indicada pelo grupo LVMH como diretora criativa da Céline, prêt-à-porter francesa.

2009

Bailey é eleito Estilista do Ano nos British Fashion Awards e recebe a medalha de Membro da Ordem do Império Britânico.

2010

Victoria Beckham lança uma linha de bolsas criada em colaboração com a designer de acessórios Katie Hillier.

2011

Victoria Beckham lança uma linha de difusão bem mais em conta que propõe uma silhueta mais suave em formato trapézio inspirada nos anos 1960.

Roupa de festival 2010
ISABEL MARANT 1967

NAVEGADOR

Líder das grifes parisienses de prêt-à-porter que levam o nome do próprio estilista, a francesa Isabel Marant simboliza as roupas hippies chiques em estilo festival de música para os ricos que gostam de andar na moda. A bata de musselina rosa-choque ultralarga tem um corte folgado dos ombros até o meio da coxa, com o volume preso na parte baixa dos quadris por um sólido cinto de couro e metal que proporciona um contraste de texturas. A cabeça da manga é franzida em uma costura baixa no ombro com uma cava profunda, e outros franzidos formam um punho estreito no mesmo tecido posicionado logo acima do pulso e um tanto largo para proporcionar liberdade de movimento.

A roupa é aberta no meio, na frente, e contornada por um debrum branco que combina com as estreitas faixas também brancas embutidas na costura do ombro. O mesmo debrum decora o bolso vertical posicionado de forma oblíqua na altura dos quadris e pontuado em cada canto por um disco de metal. Os mesmos discos realçam a cabeça da manga, e quatro deles decoram o meio da frente da bata, com o maior de todos posicionado logo abaixo dos seios para sustentar a abertura. A bainha é simplesmente virada e pespontada. Com acessórios que trazem a descontração hippie característica de Marant – cabelos despenteados, pulseiras de latão e prata e brincos de penas –, o visual personifica a atitude jovem e descolada da estilista. **MF**

PONTOS FOCAIS

1 DECOTE AMPLO
O amplo decote com bainha simples se abre no meio da frente, onde é contornado de ambos os lados por um debrum branco contrastante que desce até a altura do quadril. O decote é deixado aberto e preso logo abaixo dos seios por um disco de metal.

2 CINTO BAIXO
Dando solidez à etérea bata de musselina, o cinto de couro tem uma dupla fileira de malha metálica e uma fivela no mesmo feitio. Em vez de ser fechada, a ponta do cinto é presa de maneira informal, realçando o look casual.

3 BOTAS DE VERÃO
Sucessos de venda, essas botas de pirata muito influentes têm uma larga faixa do cano virada para fora, além de fileiras de franjas e salto grosso. Várias correntes enroladas no tornozelo repetem os elementos metálicos do cinto.

PERFIL DA ESTILISTA

1967-1994
A parisiense Isabel Marant começou a vender suas criações caseiras nos arredores do shopping em Les Halles, Paris. Em 1987, inscreveu-se no estúdio Berçot e começou um estágio na Michel Klein; pouco depois, lançou uma linha de acessórios. Em 1994, Marant criou a grife que leva seu nome e abriu sua principal loja em um antigo estúdio de artista em Paris.

DESDE 1995
Sua reputação de roupas descoladas e casuais se espalhou da França para a Europa e os Estados Unidos com a inauguração em 2011 de uma loja no bairro nova-iorquino do SoHo. A grife tem hoje 10 lojas ao redor do mundo em cidades como Paris, Tóquio, Hong Kong, Pequim, Madri e Beirute, além de pontos de venda em mais de 35 países. A linha de difusão, chamada Étoile, oferece uma versão mais acessível do look.

Vestido de tela estampado 2012

STELLA MCCARTNEY 1971

Gwyneth Paltrow vestindo Stella McCartney em Pequim (2011).

NAVEGADOR

Aproveitando sua escolha oficial como estilista do Team GB para a Olimpíada de 2012, Stella McCartney usou a oportunidade para incorporar um tecido esportivo de tela resistente inspirado no Aertex nesse vestido na altura da coxa em sua coleção de prêt-à--porter de luxo para o verão de 2012. A inspiração maior, porém, vem de uma dissecção sutil e assimétrica da rebuscada anatomia dos instrumentos de corda do fim do período barroco. Violas e violoncelos de cintura marcada – com sua tipologia esotérica de tampos, corpos e bordos, cavaletes e volutas, braço e estandartes – evocam as curvas de um corpo humano. O vestido justo, aqui usado por Gwyneth Paltrow, é modelado por pences na cintura, e as linhas principais da peça feita sobretudo em viscose sobem curvando-se por cima de um dos seios para criar um grande desenho em formato de vírgula que aparece em outras roupas da mesma coleção. O tecido estampado tem a estrutura necessária para sustentar os pesados componentes bordados em toda a peça. Em contraste com a estampa de repetição tipo spot, o corpete e as costas do vestido são feitos em uma estampa diagonal estilizada azul-marinho e dourada sobre branco. A parte de cima recortada e com uma alça ao redor do pescoço também faz referência às origens esportivas do modelo, e o decote alto e redondo é preso de forma discreta. Um zíper invisível nas costas é moldado de forma a manter o realce nas curvas naturais do corpo. **MF**

PONTOS FOCAIS

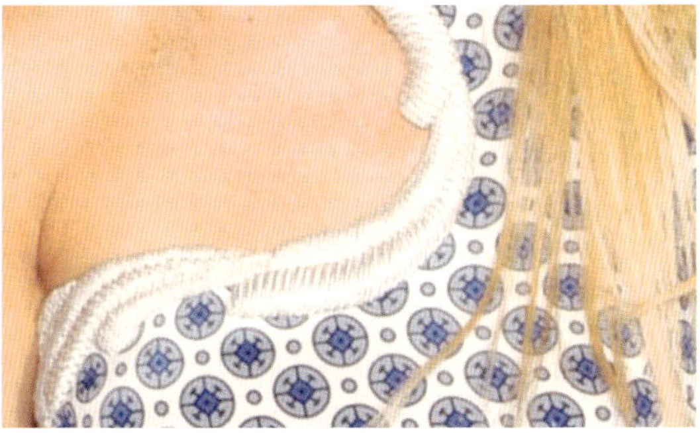

1 BORDADOS 3D
As inserções curvas de tela vazada são isoladas das áreas de estampa miúda em repetição por um rolotê acolchoado tridimensional de corda rococó italiana bordada com fios de cetim branco.

2 ESTAMPA DE MEDALHÕES E PAISLEY
McCartney construiu o painel frontal do vestido usando uma estampa azul ultramarino e cinza de medalhões do tamanho de moedas sobre fundo branco. Em toda a coleção essa estampa repetida se justapõe a um paisley em escala reduzida.

3 BARRA ASSIMÉTRICA
Curvas ainda mais rígidas são criadas por pesados arabescos de bordado em ponto cheio e escala exagerada, feitos com fio preto na bainha que vai até o meio da coxa. O bordado se curva para cima na parte frontal para formar um V invertido.

PERFIL DA ESTILISTA

1971-2000
Nascida em Londres, Stella McCartney é renomada por sua alfaiataria precisa e feminina combinada a roupas discretamente sexy que muitas vezes remetem à sensibilidade dos anos 1970. Um vegetarianismo radical fez com que nenhuma de suas coleções tivesse peles ou couros. Depois de estagiar na Christian Lacroix e trabalhar para um alfaiate de Savile Row, McCartney estudou no Central Saint Martins, onde as modelos de sua formatura foram as amigas Naomi Campbell e Kate Moss. Foi nomeada diretora de criação da Chloé em 1997.

DESDE 2001
McCartney lançou sua marca em 2001. Depois vieram os acessórios e perfumes, e em 2007 uma linha de produtos faciais orgânicos. Trabalhou com a Adidas em 2004, e em 2012 criou o kit olímpico do Team GB.

GLAMOUR AMERICANO DISCRETO

1 Tons de bege e cor da pele são suavizados por um toque de estampa de oncinha nas peças avulsas de semialfaiataria da Thakoon para o outono/inverno 2012. A jaqueta folgada tem um ombro caído casual e uma gravata amarrada na cintura.

2 A 3.1 Phillip Lim primavera/verão 2012 apresenta tons pastel suaves nesse levíssimo top desestruturado.

3 Os tons de amarelo e laranja, marca registrada de Tory Burch, combinam-se em camadas de estampa e malha para 2012. A silhueta descontraída apresenta uma saia logo abaixo do joelho.

Usada em marketing, a palavra em inglês "*masstige*" combina *mass* (massa) e *prestige* (prestígio) e é usada para definir produtos de primeira linha, porém possíveis de se ter: artigos de luxo a preços acessíveis. Em moda, o conceito inclui a distinção de usar uma grife de renome sem pagar o preço de um prêt-à-porter de luxo – abraçada em especial por uma nova geração de estilistas americanos contemporâneos. Ao oferecer roupas acessíveis e lançadoras de tendência a preços mais em conta, as grifes 3.1 Phillip Lim, Alexander Wang e Theyskens at Theory propõem peças avulsas esportivas de luxo que definem a discreta casualidade urbana com uma sensibilidade moderna. O trio de estilistas Proenza Schouler, Tory Burch (1966) e Thakoon Panichgul (1974) contribui para uma mistura tipicamente americana com alfaiataria suave, tons universitários chiques e o uso de desenhos e estampas. Proenza Schouler reconfigura peças-chave do estilo universitário, como a japona e a jaqueta de beisebol (ver p. 542), acrescentando enfeites e bordados obtidos de fontes étnicas para criar um visual hippie relaxado. Simbolizando um look definido como

PRINCIPAIS ACONTECIMENTOS

2000	2004	2004	2005	2005	2007
O designer americano Phillip Lim funda sua primeira grife de moda, a Development, que mantém até 2004.	Nascida em Filadélfia, Tory Burch lança sua grife de moda no apartamento em Uptown Manhattan, onde mora.	O americano tailandês Thakoon Panichgul produz sua primeira coleção de prêt-à-porter.	É lançada a grife 3.1 Phillip Lim, que se expande dois anos depois para a moda masculina.	A loja-conceito de Tory Burch em Nova York ganha o prêmio Rising Star do Fashion Group International de melhor conceito em nova loja de varejo.	Após somente um ano de estudo na Parsons The New School of Design e de um estágio na *Teen Vogue*, Alexander Wang lança a grife que leva seu nome.

MOD (*model off duty*, "modelo de folga"), as camadas soltas da grife T by Alexander Wang reinventaram a moda casual com variações da camiseta básica: em tamanho extragrande, com um decote largo e profundo e cavas baixas, ou então sem mangas com decote nadador. Wang (1983) lançou sua primeira coleção prêt-à-porter em 2007, seguida por uma segunda linha, T, by Alexander Wang, em 2009. Ele foi escolhido como diretor de criação da Balenciaga em 2012.

A 3.1 Phillip Lim criou uma estética bem característica de simplicidade despojada e aerodinâmica que vem sendo desenvolvida desde que Phillip Lim (1973) e seu sócio e ex-fornecedor de tecidos Wen Zhou lançaram a marca, em 2005. Minimalistas sem ser severos, os modelos já apresentaram calças curtas de couro segunda pele, refinadas blusas (à direita, em cima) e blazers sem mangas alongados usados sobre tops finíssimos; a variação do visual entre uma temporada e outra é mínima. A grife se expandiu em 2007 para a moda masculina, com peças básicas e bem-cortadas como a clássica japona.

Thakoon Panichgul produz uma moda discreta e urbana com um viés diferente, muitas vezes lançando mão de combinações ousadas de cores e estampas que brigam entre si, um look atraente que seduziu Michelle Obama. Thakoon criou sua primeira coleção de prêt-à-porter em 2004 e logo ganhou fama pela capacidade de brincar com êxito com proporções e construção. Especialista em fusão de culturas, ele alia elementos aparentemente conflitantes como seda indiana e estilos de caubói. Seus modelos fazem referência a peças arquetípicas como blazers, casacos com enchimento em gomos, vestidos drapejados para usar durante o dia e jaquetas casuais (ao lado) com um viés inovador.

Olivier Theyskens (1977) foi nomeado diretor artístico da grife de roupas esportivas de luxo Theory em 2011. Antes expoente do estilo gótico Grand Guignol (teatro de horror), foi ele quem criou o vestido de couro preto de Madonna no clipe da música "Frozen" (1998); depois disso, contudo, refinou sua estética trabalhando em maisons francesas de renome como Nina Ricci e Rochas. Theyskens usa tecidos japoneses tecnicamente avançados, como couro delavê, para confeccionar jaquetas de alfaiataria ou algodão de trama fechada para camisetas com corte desestruturado, e já lançou calças típicas de pernas largas até o chão e blusas de seda.

Demonstrando um toque firme e uma aguçada noção da posição de sua marca no espectro da moda, Tory Burch conseguiu transformar um estilo de vida em grife de sucesso. O visual tem por base seu próprio estilo e sua compreensão de como as mulheres querem se vestir. Burch ganhou experiência trabalhando na Ralph Lauren, Vera Wang e Loewe antes de perceber um espaço no mercado para roupas bonitas bem-cuidadas porém subversivas a preços acessíveis. Lançou sua própria linha em 2004, e fez seu primeiro desfile na passarela em 2012. A paleta de cores da grife, imediatamente reconhecível, tem laranja amarelado (à direita) e verde-oliva muitas vezes trabalhados em estampas miúdas e vivazes para blusas e saias esvoaçantes na altura do joelho. As malhas justas em tons de joia e os casacos de inverno com cinto, além de vestidos-trapézio de cintura baixa e jaquetas trançadas para o verão, remetem às roupas femininas e casuais da Chanel. **MF**

2007	2007	2008	2008	2009	2011
Phillip Lim leva o prêmio Swarovski de Talento Emergente do Council of Fashion Designers of America.	A primeira loja independente da 3.1 Phillip Lim é aberta em Nova York.	Alexander Wang recebe o prêmio Fashion Fund da CFDA/*Vogue*.	Tory Burch é escolhida Criadora de Acessórios do Ano pela CFDA. Suas sapatilhas Reva, com um medalhão redondo formado pelas iniciais de seu nome, tornam-se um sucesso de vendas.	É lançada a Thakoon Addition, segunda e mais acessível linha de peças essenciais da Thakoon.	Olivier Theyskens, nascido em Bruxelas, é nomeado diretor artístico da Theory.

Jaqueta de matelassê e saia de couro 2012

PROENZA SCHOULER

NAVEGADOR

Ao interpretar os trajes típicos da região himalaia do Nepal e do Butão para o rock chique urbano, a grife Proenza Schouler recupera o conceito de roupa como proteção: o tecido é disposto em camadas e acolchoado em uma remodelagem elaborada de uma peça-chave yuppie contemporânea: a jaqueta de beisebol. A pala e a cabeça da manga têm cores contrastantes, sublinhando o efeito de armadura de dois painéis frontais dourados em cetim de seda trabalhados em matelassê com um padrão de ondas entrelaçadas que continua na horizontal em um painel separado abaixo do cós debruado em cetim preto. A estampa graúda é usada outra vez na lateral para formar uma camada final em um vivo tom de laranja, incorporando duas abas de bolso quadradas posicionadas na horizontal contornadas de preto. As mangas têm a mesma padronagem em matelassê, que remete ao ratã trançado.

Proenza Schouler é uma premiada marca de criação de acessórios, e suas extraordinárias invenções em couro são recorrentes na forma de roupas em que o material é tecido, gravado em relevo e perfurado. Acabamentos detalhados são evidentes aqui na lustrosa saia de couro que tem a mesma construção complexa vista em sapatos ou bolsas de grifes de luxo. Tiras de couro dão à saia a aparência de uma colmeia, formando pregas verticais corrugadas com fitas de couro dourado e preto que aparecem nos ilhoses como joias enterradas. **MF**

PONTOS FOCAIS

1 DESIGN NATIVO E CLÁSSICO CONTEMPORÂNEO
O decote alto e canelado e o zíper central na frente da clássica jaqueta de beisebol combinam com as texturas de patchwork e com as formas da toego, jaqueta curta e larga de mangas compridas que é uma peça central do traje nacional butanês.

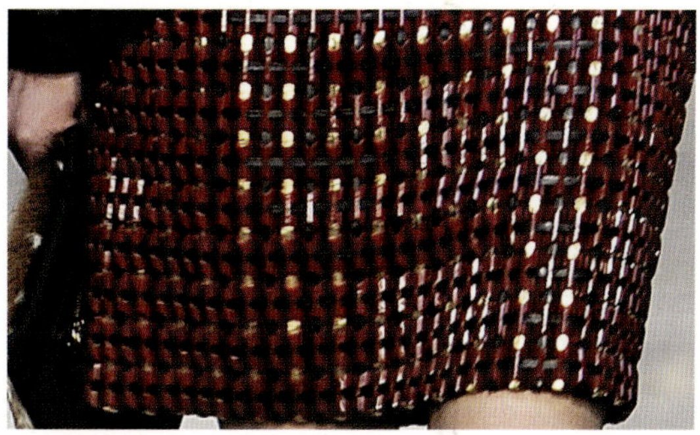

3 SAIA-LÁPIS
Com uma altura logo acima do joelho, o couro vermelho laqueado que forma a base da saia é perfurado com uma trama contínua e saliente de ilhoses com fitas de couro em cores contrastantes inseridas nas aberturas para formar a trama e o urdume.

2 BORDADO DE INSPIRAÇÃO ASIÁTICA
Em contraste com as linhas geométricas da jaqueta de beisebol, os painéis frontais são bordados com dois faisões orientais em ponto cheio, numa composição heráldica. Os pássaros têm plumagem azul-clara acinzentada sobre um fundo de matelassê dourado.

PERFIL DA GRIFE

1998-2002
Lazaro Hernandez (1978) e Jack McCollough (1978), dupla de estilistas da grife Proenza Schouler, conheceram-se em 1998, na Parsons The New School for Design. Enquanto estagiavam respectivamente na Kors e na Marc Jacobs, estabeleceram relações cruciais com fábricas e fornecedores. Em seguida trabalharam como consultores enquanto fundavam a própria empresa. Esta foi lançada em 2002 com um nome formado pelos sobrenomes de solteiras de suas respectivas mães.

Desde 2003
Em 2007, o grupo Valentino adquiriu 45% da grife, permitindo a expansão dos negócios. No mesmo ano, a Proenza Schouler recebeu o prêmio de grife de moda feminina do CFDA, seguido em 2009 por outro prêmio pela criação de acessórios.

A ASCENSÃO DO E-COMMERCE

O comércio eletrônico (e-commerce) vem transformando a maneira de se fazer compras. Clientes compram na internet e recebem alertas de tendências via celular e mídias sociais. Isso proporciona aos consumidores, em casa e em deslocamento, escolhas potencialmente globais, e também podem veicular instantaneamente exigências pessoais ou comentários sobre produtos. No início, o e-commerce não tinha uma tecnologia de comunicação eficaz e faltava confiança em relação à estrutura de apoio financeira e logística. Os consumidores não se sentiam à vontade para fornecer seus dados de cartão de crédito, e os varejistas digitais não haviam preparado seus sistemas para lidar com devoluções. Isso tudo melhorou com o advento da banda larga mais veloz, dos iPhones e de outros dispositivos.

Tais avanços levaram a uma explosão do comércio on-line. Hoje, é possível comprar roupas de grife em sites como o Net-a-Porter (acima) e customizar estilos a um preço acessível. Foram desenvolvidos links com outras tecnologias como realidade virtual, scanner corporal 3D, personalização cocriativa e fabricação customizada de massa. Vender na internet permite aos varejistas acompanhar os hábitos de consumo dos clientes de maneira mais eficiente e personalizar seu marketing. Materiais

PRINCIPAIS ACONTECIMENTOS

2000

A ex-jornalista de moda, Natalie Massenet cria a Net-a-Porter, site de roupas de grife femininas no formato de uma revista de moda on-line.

2000

Estoura a bolha das pontocom. O comércio on-line é superestimado em virtude de uma limitação de usabilidade e da falta de infraestrutura para entregas e devoluções.

2000

Nick Robertson cria a ASOS – acrônimo de "As seen on screen", ou "conforme visto na tela" – como varejista de moda *pure play* (exclusivo à internet).

2002

A empresa de consumidor a consumidor americana eBay compra o sistema de cobrança PayPal por 1,5 bilhão de dólares.

2003

A Amazon.com, que começou como livraria on-line em 1995, anuncia seu primeiro lucro anual. O site é o maior varejista on-line do mundo.

2004

O programador Mark Zuckerberg cria a rede social Facebook na Universidade de Harvard.

promocionais podem ser enviados por e-mail ou mensagem de texto para clientes com interesse provável, e marketing e publicidade podem ser focados com maior eficiência de custo. Anúncios incluem códigos de "resposta rápida" que podem ser escaneados com o telefone celular, proporcionando mais informações pela internet, ou vinculados a descontos imediatos.

A maioria dos varejistas tem sites e lojas físicas; em geral, o volume de negócios on-line é superior ao das lojas maiores de "cimento e tijolo". O volume de vendas de roupas obtido na internet aumentou de menos de 0,5% no início dos anos 2000 para mais de 11% do mercado em 2011. A rede também gerou empresas que não têm lojas – as chamadas *pure players* como a ASOS (ver p. 546), que vende exclusivamente pela internet.

A desvantagem de comprar roupas on-line é a falta de provador, e o motivo mais frequente para as devoluções é "não serviu". No entanto, sistemas cada vez mais sofisticados de prova virtual estão disponíveis. É possível modificar um avatar-padrão (ou um "e-manequim" 3D) com algumas medidas definidas pelo usuário, como circunferência e altura. Junto com opções de menu relativas ao formato do rosto, traços, colorido e postura, um "espelho eletrônico" mais realista pode dar uma ideia melhor do caimento de uma roupa em um cliente. Scanners corporais em 3D, como por exemplo os da Human Solutions, podem captar o formato do corpo e tirar 150 medidas em poucos segundos. Um scan corporal do formato 3D de um indivíduo pode então ser carregado em um *smart card*. Assim, um varejista ou fabricante com o leitor adequado pode avaliar o tamanho-padrão que melhor se encaixa ou sugerir customizações sob medida. Sistemas computadorizados de corte de moldes também podem ser programados para fazer ajustes em moldes padronizados de modo a possibilitar uma fabricação sob medida.

Juntamente com os ajustes personalizados, a customização de estilo, ou o DIY design (design faça você mesmo), é o objetivo final do e-commerce, e varejistas como a Nike (à direita) permitem criar calçados on-line. O cliente escolhe as cores, estampas e materiais do tênis, e personaliza o modelo com seu nome e número. Sediada em Amsterdã, a Customax dá aos varejistas a possibilidade de proporcionar uma interface que conecta várias marcas a uma customização de massa na fábrica. Por exemplo, um link para a Matteo Dosso, localizada em Hamburgo, oferece aos clientes menus com múltiplas escolhas de tecidos, cores, detalhes de modelo e acessórios para personalizar a criação de ternos femininos.

Para consumidores dispostos a pagar um pouco mais e abrir mão da gratificação instantânea de comprar em uma loja física, o e-commerce tem benefícios claros. Além disso, promete também roupas com modelos exclusivos e feitas sob medida anteriormente disponíveis apenas para quem pudesse pagar pela alta-costura. **AK**

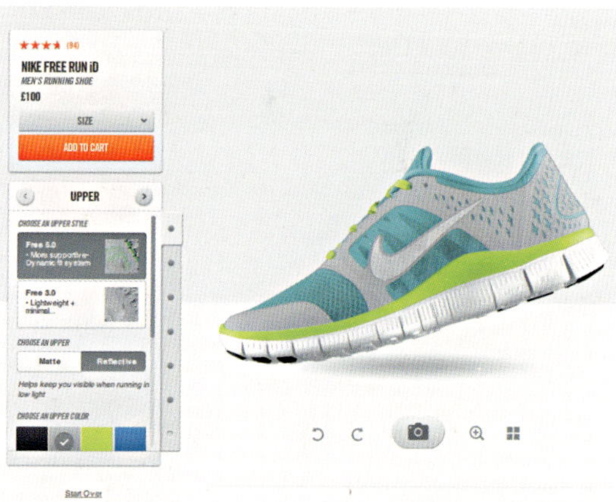

1 A Net-a-Porter, varejista on-line de moda e acessórios femininos, oferece coleções sazonais de mais de 350 dos principais estilistas do mundo.

2 A NikeiD permite aos clientes customizar e criar os próprios calçados desde 1999. O serviço está disponível on-line e em estúdios NikeiD no mundo todo.

2006	2007	2008	2010	2011	2012
A ASOS introduz vídeos de desfiles on-line com modelos vestindo os produtos disponíveis no site.	A Apple Inc. lança seu primeiro smartphone – o iPhone.	Mais de 300 milhões de computadores pessoais são vendidos anualmente no mundo todo.	Quase todos os varejistas importantes desenvolveram operações de e-commerce, com links para celular e mídias sociais.	É lançado o varejista on-line mundial de moda masculino Mr. Porter.	Quase metade dos consumidores de roupas do Reino Unido entram na internet pelo menos uma vez por mês, segundo uma pesquisa do Cotton Council International.

ASOS 2000

SITE DE VENDA DE MODA NO VAREJO

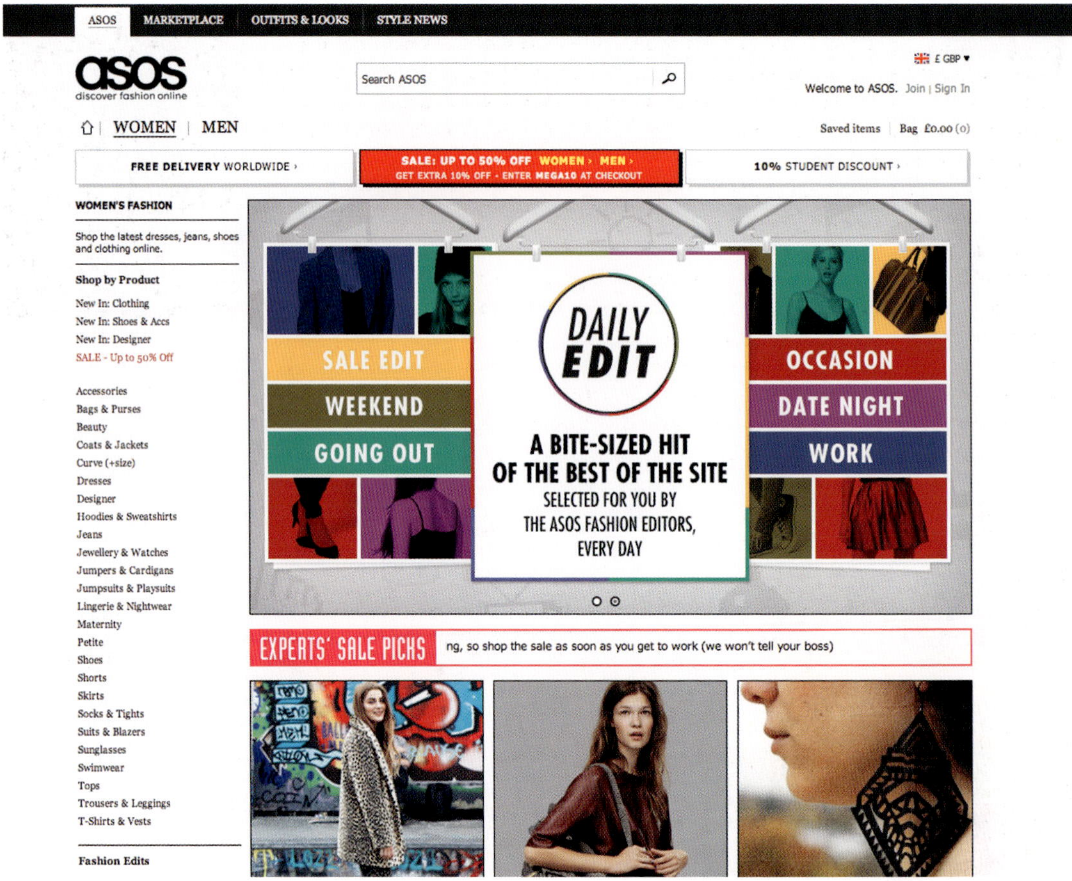

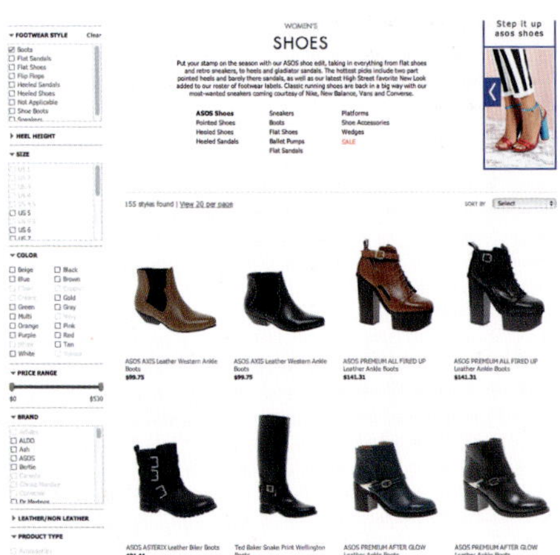

Fotos de tela do site ASOS (2012).

NAVEGADOR

Um dos melhores exemplos de como o e-commerce está mudando a forma de se comprar moda é a varejista ASOS, que não tem lojas físicas nem opções tradicionais de compra pelo correio e opera somente na internet. Desde a fase de *start up*, em 2000, quando era operada pelo fundador Nick Robertson e três colegas, a empresa cresceu até atingir um volume de vendas de quase 500 mil libras esterlinas em 2012. Com mais de 4 milhões de clientes em 160 países, seu público-alvo são consumidores na faixa dos 20 anos.

A loja inicialmente se chamava "As Seen On Screen", "conforme visto na tela", e seu objetivo era oferecer a chamada *fast fashion* – ou seja, vender peças que parecessem réplicas de roupas de celebridades a preços acessíveis. Essa demanda de mercado já existia, pois muitos consumidores na faixa dos 20 anos ligados em estilo se inspiravam em filmes e na TV. A cultura pop de moda tende a se concentrar em astros do mundo da música, esporte e entretenimento. Sediada em Londres e com um centro de logística baseado no Reino Unidos, a ASOS manteve sua fórmula de venda somente pela web, mas a oferta de produtos aumentou: o site hoje não vende somente modelos próprios, mas possui também um portal para vender outros produtos de marcas conhecidas. Existe até um "mercado" onde os clientes podem vender as próprias peças, aproveitando mídias sociais como o Facebook. **AK**

PONTOS FOCAIS

1 VISUAL DE REVISTA
Em termos de fontes e layout de páginas, o site tem um *look and feel* de revista. Editores escrevem conselhos sobre tendência diariamente, e mais de 2 mil novos produtos são postos à venda a cada semana. Em 2007, a ASOS lançou uma revista impressa no Reino Unido.

3 VISUAL DE ALTA QUALIDADE
Os produtos são expostos por meio de fotografias de alta resolução, com vários *thumbnails* para mostrar ângulos diferentes e detalhes em close. O site também disponibiliza clipes de passarela mostrando várias peças em desfile.

2 INTERNACIONALIZAÇÃO
As vendas internacionais cresceram 142% durante o ano fiscal de 2010. Para responder ao rápido aumento da demanda global, a ASOS lançou "lojas" internacionais nos Estados Unidos, França (acima), Alemanha, Espanha, Itália e Austrália.

4 EXPERIÊNCIA DO USUÁRIO
A ASOS tem uma navegação global simples, que funciona por menus *drop-down*. Os resultados de uma pesquisa podem ser filtrados por estilo, tamanho, preço, cor e marca. O cliente pode ver até 200 artigos por página ao mesmo tempo. E a ASOS também oferece entrega gratuita.

MODA CONTEMPORÂNEA AFROCÊNTRICA

1 A coleção primavera/verão da Jewel by Lisa apresentou peças muito ornamentadas com miçangas e lantejoulas e incrustadas com joias que acentuavam a estampa africana.

2 Em sua exuberante coleção primavera/verão 2011, Ozwald Boateng combinou elegância na alfaiataria com cores vibrantes.

Uma nova geração de estilistas nascidos na África conquistou reconhecimento internacional no século XXI graças à força de seu trabalho e a ascensão cultural e econômica mais ampla do continente. Essa classe criativa cada vez mais numerosa aproveitou as melhorias de infraestrutura, educação e governança da África para atualizar suas próprias e ricas culturas e tradições, criando coleções atraentes que são vendidas mundo afora. Seu trabalho equilibra tendências sazonais *mainstream* com uma reinterpretação inteligente de tecidos e adornos nativos, gerando uma sensação de autenticidade, ética e frescor na moda que produzem. Esses estilistas também vêm tendo apoio de semanas de moda, veículos de imprensa, livros e estrutura de varejo com foco na África, bem como de mídias sociais e iniciativas de e-commerce.

Lagos, na Nigéria, tornou-se uma das maiores capitais da moda na África. Grifes importantes como a Jewel by Lisa, de Lisa Folawiyo (1976), conhecida por ter reinventado o algodão estampado wax como tecido de luxo graças a enfeites manuais

PRINCIPAIS ACONTECIMENTOS

2004	2005	2005	2008	2008	2009
Duro Olowu lança sua grife com a coleção de vestidos Duro para a primavera-verão, firmando-se como maior estilista da Nigéria.	Jean-Paul Gaultier (1952) apresenta uma alta-costura com escudos de casco de tartaruga e um vestido de noiva formado por uma máscara africana de couro branco.	Pela força de sua primeira coleção e sem ter desfilado na passarela, Duro é escolhido Estilista da Nova Geração nos British Fashion Awards.	A estilista ganense Mimi Plange (1978) lança a grife que leva seu nome, com roupas de luxo inspiradas em estilos africanos e vitorianos.	As grandes marcas Alexander McQueen, Tsumori Chisato, Louis Vuitton, Junya Watanabe e Diane von Furstenberg apresentam coleções com influência africana.	A moda africana chega à New York Fashion Week por meio da revista de estilo africana *Arise*. Grace Jones participa do desfile coletivo.

(à esquerda), e a Maki Oh, de Amaka Osakwe, que usa o tecido plano ase oke e o adire, um tecido tingido com índigo e estampado com símbolos, para criar roupas femininas sensuais. Entre os estilistas baseados em Joanesburgo estão Marianne Fassler (1949), cuja marca registrada é o vestido com estampa de leopardo, e Gavin Rajah (1970), que brilha nas roupas românticas femininas. Os opulentos vestidos da KLûK CGDT cascateiam com plumas, tules e fitas, enquanto na moda masculina o estilista Stiaan Louw cria coleções andróginas que exploram a sexualidade e as tribos sociais masculinas. Em outros locais da África e da diáspora, a nativa da Costa do Marfim radicada em Paris Laurence Chauvin-Buthaud dedica sua etiqueta de moda masculina, a Laurenceairline, a ajudar mulheres a aprender ofícios ligados à produção de roupas em Abidjan. Camisas, shorts, conjuntos de pijama e parcas têm ousadas estampas ocidentais e africanas feitas sob medida. Em Londres, o anglo-ganense Ozwald Boateng (1967) revigora a Savile Row com seus ternos coloridos (à direita, embaixo), e a dupla de pai e filho Joe (1956) e Charlie Casely-Hayford, de mesma origem geográfica, cunhou a expressão "afropunk" para designar sua versão de estilo nômade.

No nível mais elevado, estilistas do norte da África têm tido um impacto significativo: Alber Elbaz (1961) comemorou 10 anos na Lanvin em 2012, e Azzedine Alaïa (1939), que abriu seu ateliê em Paris em 1980, ainda é reverenciado como "rei do justo" por seus vestidos colados ao corpo; já Max Azria (1949) reina sobre seu império de moda global BCBG MAXAZRIA. Duro Olowu (1966), de Lagos, Nigéria, atualmente em Londres, tem um lugar de destaque como pioneiro de estampas conflitantes (ver p. 550), prática que, nas culturas tradicionais, comunica prestígio, poder e riqueza. Desde a histórica coleção africana de Yves Saint Laurent, em 1967, história e cultura artesanais africanas já inspiraram vários estilistas de primeira linha. Recentemente, Paul Smith (1946) baseou sua coleção primavera/verão 2010 nos elegantes e coloridos uniformes usados pelos *sapeurs* congoleses (ver p. 552), e para a primavera/verão 2012 a Burberry Prorsum usou estampas wax da África ocidental em vestidos transpassados, saias-lápis e jaquetas com saiote incrustadas de miçangas e ráfia.

As grandes marcas também começaram a colaborar com artesãos africanos, e estão transferindo para o continente uma produção socialmente responsável. A supermodelo etíope Liya Kebede usa tecelões de algodão em Adis Abeba para sua linha casual LemLem, e a grife de moda ética Edun, criada por Bono do U2 e sua esposa Ali, controlada em parte pelo conglomerado LVMH, é em parte feita na África e tem seus lucros destinados a comunidades agrícolas (ver p. 487). Outra grife ciosa por gerar mudanças positivas é a Vivienne Westwood, que fabrica bolsas no Quênia. A editora-chefe da *Vogue* Itália, Franca Sozzani, tem incentivado ofícios, construções e investimentos na África graças a seu papel como embaixadora da boa vontade Fashion 4 Development (Moda para o Desenvolvimento) da ONU, e conseguido atrair grandes grifes para sua causa. No entanto, a moda africana ainda tem muitos desafios pela frente, como a falta de apoio do governo e de instituições de moda, assim como falhas de infraestrutura. A África ainda está se desenvolvendo, mas o progresso é rápido e seus estilistas agora estão se tornando globais. **HJ**

2010

A Copa do Mundo põe a África sob os holofotes e na passarela graças às coleções de Paul Smith, Marc Jacobs e Issey Miyake.

2010

Ozwald Boateng comemora 25 anos de moda. Na London Fashion Week, um número recorde de 100 modelos veste seus ternos da Savile Row.

2011

Azzedine Alaïa retorna às passarelas de Paris após uma ausência de oito anos para fechar a semana de alta-costura outono/inverno 2011.

2011

Christopher Bailey (1971) usa o tecido mais característico da África, o algodão estampado *wax*, para completar a coleção da Burberry Prorsum.

2011

New African Fashion (Nova moda africana), de Helen Jennings, é o primeiro livro de arte a registrar a nascente cena de moda afropolitana.

2012

Celebridades contraem o vírus de moda africana. Alicia Keys, Kelis, Gwen Stefani, Rihanna e Michelle Obama vestem estilistas e estampas da África.

Vestido Duro 2004

DURO OLOWU 1966

NAVEGADOR

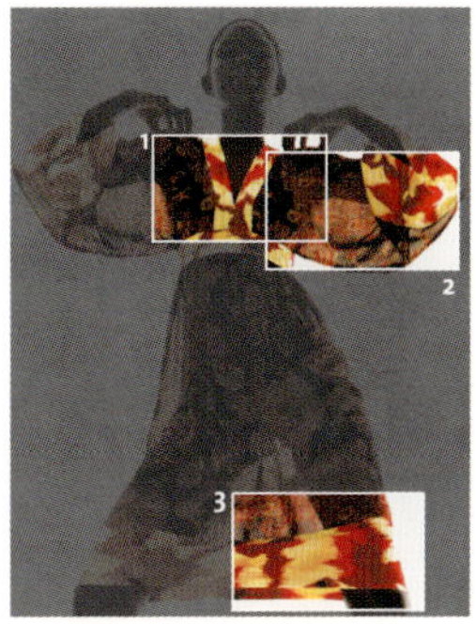

O estilista nigeriano Duro Olowu anunciou a chegada de sua marca de moda feminina ao abrir uma butique exclusiva em Portobello Road, zona oeste de Londres, e encher as araras com sua coleção de estreia para a primavera/verão 2004. A linha enxuta era quase exclusivamente composta por vestidos-império em cinco variações. O estilo era baseado no bubu iorubá, traje típico usado pelas mulheres da África Ocidental: largo, comprido e muitas vezes enfeitado por adornos e bordados complexos. Também chamado de cafetã ou túnica, o bubu é usado como traje formal de cerimônia, confeccionado em tecidos de luxo gloriosamente coloridos para sinalizar o status elevado de quem o veste.

A versão de Duro era minimalista, bem mais leve e sexy do que a roupa que lhe servira de inspiração. "Era um vestido bem prático e confortável, que ficava esvoaçante e bonito ao andar. Era possível usá-lo em Paris, Londres ou Lagos, de dia ou de noite", afirma o estilista. A revista *Vogue* batizou-o de vestido do ano, gerando uma grande demanda de consumo e conferindo à roupa um status cult entre os aficionados. Consequentemente, o prestígio de Olowu explodiu, garantindo-lhe revendedores mundo afora entre os quais a Barney's de Nova York e a Maria Luisa de Paris. Desde então, a grife de Olowu vem crescendo, e seu lendário vestido Duro foi fartamente copiado, mas jamais superado. **HJ**

PONTOS FOCAIS

1 DECOTE
O decote do vestido Duro é um V sedutor e cavado debruado em seda. A estampa lembra ao mesmo tempo o tie dye e as padronagens tigradas, e reluz em vermelho-queimado e tons de âmbar que continuam no cós alto em estilo império. Esse modelo realça o decote.

3 BAINHA DE SEDA
A bainha de seda do vestido vai até o joelho e valoriza quase todos os tipos de mulher. Embora inspirado na túnica bubu, o modelo também remete a um quimono ou a um vestido dos anos 1970 para usar durante o dia, exalando uma *joie de vivre* boêmia e exuberante.

2 MANGAS EM GEORGETTE
O corpo e as amplas mangas esvoaçantes são feitos com uma viscose georgette que valoriza as curvas. A estampa é um paisley em tons de marrom ao mesmo tempo clássica e contemporânea. Outras variações de tecido possuem estampas florais e blocadas.

PERFIL DO ESTILISTA

1966-2003
Duro Olowu é renomado por suas misturas magistrais de alta-costura colorida, tecidos *vintage* sob medida, alfaiataria para valorizar o corpo e modelos inspirados em sua herança cultural. Nascido em Lagos, estudou direito em Londres e morou um ano em Paris antes de voltar a Londres, onde conheceu sua esposa, a designer de sapatos Elaine Golding. Em meados de 1990, os dois lançaram a bem-sucedida grife Olowu Golding.

Desde 2004
Após o fim do casamento, Olowu criou em 2004 a marca que leva seu nome, e tornou-se presença festejada na London Fashion Week por várias temporadas antes de começar a desfilar na New York Fashion Week no outono/inverno 2011. O estilista tem hoje uma loja no bairro londrino de St. James', e sua clientela famosa tem nomes como Michelle Obama, Iman e Iris Apfel.

Sapeur contemporâneo 2009
ESTILO MASCULINO CONGOLÊS

Fotografia tirada de *The Gentlemen of Bacongo: The Importance of Being Elegant* (Os cavalheiros de Bacongo: A importância de ser elegante), de Daniele Tamagni (2009).

NAVEGADOR

Esta foto retrata o conhecido *sapeur* Willy Covary, morador de Bacongo, um bairro de Brazzaville, na República do Congo. Foi lá que, segundo alguns, nasceu em 1922 o movimento dos *sapeurs*, quando o intelectual político congolês André Grenard Matsoua voltou de Paris vestido como um cavalheiro aristocrático. O look pegou, e os *sapeurs* se tornaram membros celebrados da comunidade.

Covary é eletricista durante o dia e *sapeur* à noite e nos fins de semana, quando percorre as ruas trajando suas melhores roupas acompanhado de seus contemporâneos. O terno rosa-choque que o faz se sobressair na multidão das ruas lotadas de Bacongo é completado pelo andar e gestos de dândi, que exibem a camisa branca e a gravata vermelho-rubi presa pelo obrigatório alfinete. Os integrantes da La Sape (Société des Ambianceurs et des Personnes Elégantes, ou "Sociedade dos Animadores de Ambientes e das Pessoas Elegantes") adotam um estilo de vida cujos bons modos, gestos idiossincráticos e estilo impecável fazem deles verdadeiros heróis da alfaiataria, modelos de comportamento que, embora pobres, são considerados uma elite, e cuja estilosa presença em eventos importantes é vista como um acréscimo de glamour convivial. Gravatas de seda, lenços de bolso e sapatos Oxford completam o visual clássico de um *sapeur*; usadas por ele, essas peças perdem a conotação colonial. **HJ**

PONTOS FOCAIS

1 CHAPÉU-COCO
Um chapéu-coco vermelho imaculado adorna a cabeça de Willy Covary, e outros borrões vermelhos se repetem no traje: gravata, lenço, sapatos lustrosos Para muitos *sapeurs*, charutos acesos ou apagados fazem parte dos muitos acessórios.

2 SAPATOS VERMELHOS
Os sapatos de cadarço de Covary combinam com a gravata e são engraxados até ficarem com um brilho rosado. Embora as grifes da roupa não sejam especificadas, não há dúvida de que são peças caras de estilista. Nenhum *sapeur* que se preze usaria qualquer outra coisa.

▲ Paul Smith reinterpretou o traje de Covary como parte de sua coleção outono/inverno 2010. Essa versão feminina foi o primeiro look a entrar na passarela no desfile da London Fashion Week.

GLOSSÁRIO

Agulheta
Arremate de metal que protege a ponta de cordões, fitas e cadarços e evita que desfiem. Muito prática hoje em dia, a agulheta foi uma oportunidade para extravagâncias decorativas nos séculos XV e XVI.

Alamar
Tipo de enfeite feito de cordões trançados que são costurados no vestuário para decoração.

Aplicação
Método de costura que prega retalhos de tecidos sobre um tecido-base para criar um efeito decorativo.

Banyan
Roupão masculino folgado com formato "T" usado no século XVIII como traje informal. Também se refere ao colete ou à camisa de baixo masculina.

Boutonnière
Flor ou ramalhete para enfeite usado por homens na lapela do terno.

Bricolagem
Método de montagem ou combinação de objetos ou roupas a partir de uma variada gama de materiais disponíveis.

Cabeça da manga
Abertura da cava superior na qual a manga é costurada.

Cafetã
Túnica com manga de modelagem ampla e comprida até os tornozelos, geralmente enfeitada com debruns no decote e nos punhos. Sua origem é persa.

Calça-anágua
Estilo de calça dos século XVII com pernas largas que se parecem com saias.

Calças três quartos
Espécie de calça feminina justa e que vai até a altura da panturrilha; muito popular nos anos 1950.

Calça capri
Tipo de calça feminina justa que termina no meio da panturrilha.

Calça "odalisca"
Calça comprida solta que se prende no tornozelo. É de origem turca.

Câmara Sindical da Alta-Costura Parisiense
Órgão regulador francês que distribui a lista anual de empresas que podem se definir como maisons de alta-costura.

Cata-migalhas
Faixa de tecido que se projeta para fora do corpete do vestido.

Cetim duchese
Tecido encorpado de urdidura fechada com a superfície lustrosa.

Chapéu *cloche*
Chapéu feminino moldado no formato de um sino, popular nos anos 1920 e 1930.

Chemise
Camiseta básica ou túnica de algodão ou linho usada sobre a pele para proteger a roupa de cima do suor. Chamado também de vestido chemisier.

Chinoiserie
Estilo de decoração influenciado por motivos e técnicas vistas na arte e no design chineses.

Cornelli
Técnica decorativa na qual galões de algodão são costurados sobre o tecido formando um desenho abstrato sinuoso.

Corpete-armadura
Corpete de couro justo e estruturado que vai até o quadril, popular no fim do século XIX.

Corpete *gourmandine*
Corpete entreaberto de modo a revelar a roupa de baixo.

Corte enviesado
Método de cortar o tecido na diagonal, a 45 graus contra o fio do tecido, proporcionando maior flexibilidade e amplitude.

Côte-hardie
Vestido feminino longo usado nos séculos XIV e XV; um dos primeiros tipos de vestido a ter a modelagem feita sob medida. Também era uma túnica na altura do quadril usada pelos homens.

Cravate
Tira comprida de tecido, às vezes plissada, presa em volta do pescoço; precursora da gravata moderna.

Crinolina
Armação rodada em formato de sino com volume criado por uma estrutura rígida ou por camadas de anáguas.

Décolleté
Parte do corpo feminino que fica entre o pescoço e os seios e que fica exposta pelo decote.

Déshabillé
O estado de desnudamento parcial esteve na moda em meados do século XVII na corte de Stuart.

Dhoti
Pedaço de tecido enrolado e amarrado para criar uma peça de roupa parecida com a saia; usado por homens na Índia subcontinental.

Djallaba
Túnica folgada de manga longa feita de algodão leve, às vezes com capuz. Usada nos países do norte da África.

Diretório
Estilo que se caracterizou pelos visuais neoclássico e popular na França pós-revolucionária até o início do século XIX.

Duplo Windsor / Nó Windsor
Acredita-se que o método de dar o nó na gravata foi batizado em homenagem ao Duque de Windsor ou a seu pai, George V. O nó Windsor é largo e volumoso.

Engageantes
Mangas falsas decorativas caracterizadas por rufos e rendas costuradas, usadas por mulheres nos séculos XVIII e XIX.

Faille
Tipo de tecido fino e macio com textura nervurada e brilho suave.

Faixa
Faixa de tecido inicialmente usada em volta da cabeça como enfeite e mais tarde adotada para as atividades esportivas; também se refere à tira de pano que cobre o busto das mulheres.

Falbalá
Franzido, pregueado ou franjado decorativo, geralmente feito do mesmo tecido da roupa.

Farthingale
Saia armada exageradamente rodada que era usada por baixo para manter o formato da sobressaia; popular nas cortes europeias no fim do século XV e começo do XVI.

Fichu
Lenço largo usado sobre os ombros por mulheres no século XVIII para providenciar a cobertura do decote em nome da modéstia.

Gabardina
Fazenda resistente conhecida pela urdidura diagonal e pela trama apertada.

Gazar de seda
Espécie de seda ou de algodão encorpado, tecido com fio duplo e torcido.

Gola Berta
Gola larga estilo xale com decote baixo e amplo a ponto de cobrir os ombros.

Gola "caída"
Uma evolução do rufo estruturado, a gola "caída" desce reta sobre o pescoço e o peito, tendo sido usada tanto por homens quanto por mulheres no início do século XVII.

Gola de padre
Espécie de colete sem a parte de trás usado pelos membros do clero.

Gola Peter Pan
Gola chata, redonda, geralmente usada por mulheres.

Gola rígida
Gola ornamental do século XVII feita de tecido engomado que formava um meio-círculo afastado do pescoço e em um ângulo pontudo.

Gola-xale
Espécie de lapela com uma curva contínua, normalmente encontrada no paletó do smoking ou em coletes.

Gibão
Casaco justo, abotoado e reforçado, usado quase que universalmente por homens no período entre os séculos XV e XVII.

Godê
Recorte de tecido em formato triangular aplicado em saias e mangas para dar uma forma ondulada e aumentar o volume.

Grand habit
Traje aristocrático francês extravagante com corpete estruturado e saia rodada volumosa, usado no século XVIII.

Gravata de *foulard*
Gravata de seda macia e fina ou de um tecido que mistura seda e algodão.

Gorgorão
Tecido encorpado geralmente produzido como uma fita com relevo.

Houppelande
Túnica comprida com mangas largas, era usada como traje externo nos séculos XIV e XV na Europa.

Intársia
Técnica de tricô usada para criar padrões multicoloridos que parecem "incrustados".

Jabô
Peitilho de tecido decorativo que forma laço ou rufo muito usado pelos homens nos séculos XVII e XVIII.

Justacorps
Casaco masculino comprido com botões de cima a baixo usado no fim do século XVII e começo do século XVIII. O corte é ajustado ao corpo, mas depois alarga.

Kirtle
Vestido longo inteiriço usado pelas mulheres no período entre os séculos XIV e XVI.

Lapela
Qualquer parte de uma roupa que é voltada para fora de modo a mostrar o avesso, tal como a lapela.

Linha império
Um modismo do século XIX em que o corpete do vestido é preso sob o busto em vez de na cintura. O estilo foi batizado em homenagem ao período do império napoleônico.

Linha princesa
Silhueta linha A criada por duas longas costuras verticais que cruzam toda a extensão da roupa. Inventada pelo costureiro Charles Worth.

Linha trapézio
Vestido com saia ampla e um formato exagerado de linha A.

Manga dólmã
Cortada como a extensão da cava da manga e afunilando na direção do punho, este estilo de manga foi popular no fim do século XIX, criando uma silhueta inclinada.

Manga maria
Popular no começo do século XIX, esta versão da manga presunto também é volumosa, mas ganha volumes menores ao ser presa por braçadeiras dispostas gradualmente ao longo do braço.

Manga presunto
Manga muito bufante que afunila no punho. Popular nos anos 1830, ela foi batizada assim porque seu formato lembra o de um pernil de porco inteiro.

Manga de painéis
Tipo de manga que esteve na moda no início do século XVII, ela é feita de fitas estreitas costuradas e aplicadas em toda a sua extensão, criando assim várias partes bufantes.

Manga raglã
Manga que se alonga inteiriça até o decote da roupa.

Manto
Espécie de capa sem capuz usada pelas mulheres.

Mantua
Originalmente um traje largo para mulheres, tornou-se mais tarde um sobretudo mais estruturado usado sobre espartilho, corpete e anágua.

Mary Janes (sapato-boneca)
Tipo de sapato usado na corte, que tem o bico arredondado e uma tira no peito do pé arrematada por uma fivela.

Melindrosa
Maneira como era chamada a garota dos anos 1920, conhecida por usar o

vestido chemisier, curto e reto, e o corte de cabelo Chanel.

Musselina de seda
Tecido leve de seda ou raiom, com uma textura áspera.

Nesgas
Técnica de costura que usa pedaços triangulares de tecidos para que a roupa acompanhe o formato do corpo sem perder a fluidez.

Obi
Cinturão ou faixa larga amarrada de modo elaborado em volta da cintura, cuja origem é o tradicional quimono japonês.

Ourela
Extremidade do tecido que foi costurada ou bordada de modo a evitar desfiamentos.

Palatina
Pequena estola de pele ou espécie de xale usado sobre os ombros com pontas longas descendo na frente.

Pannier
Estrutura arredondada usada sobre os quadris para aumentar lateralmente a largura da saia, mas não a parte dianteira ou traseira.

Papo de pombo / Peito inteiriço
Batizado em homenagem a uma raça de pombo com um peito muito proeminente, o termo se refere à popular silhueta nos anos 1900 em que a parte superior frontal do corpo se projeta com a ajuda do espartilho para equilibrar a volumosa anquinha na parte de trás.

Passamanaria
A aplicação de diversos passamanes, entre eles galões, fitas e franjas, para enfeitar a roupa.

Peitilho
Entretela rígida usada como enfeite para preencher a abertura frontal do vestido e para cobrir o corpete.

Peplo
Detalhe decorativo de saias, vestidos e casacos que se parece com um saiote curto ou babado exagerado para acentuar a cintura.

Picot
Ponto ornamental usado para enfeitar a borda da renda, da fita, do crochê ou do tecido de malha.

Piquê
Método de tecer o algodão que produz um tecido texturizado e encorpado parecido como a sarja de algodão.

***Placket* (abertura)**
Faixa de tecido dobrada na abertura da roupa, seja uma camisa ou mesmo uma calça, que permite que os botões sejam pregados com segurança.

Plastron
Peitilho rígido decorativo da frente do corpete, popular no traje da corte francesa do século XIV.

Plumassier
Artesão altamente qualificado que trabalha com penas e plumas para criar acessórios decorativos.

Polaina
Acessório que serve como proteção ou enfeite, usado sobre o sapato para cobrir o peito do pé e o tornozelo.

Ponteiras
Acabamentos decorativos de metal em formato de cone colocados na ponta de fitas e rendas para evitar que desfiassem.

Prêt-à-porter
Termo francês que significa "pronto para vestir" ou "roupa pronta", denotando roupas compradas prontas em vez de feitas sob medida para os clientes.

Punhos de cirurgião
O modelo de terno cujo punho tem vários botões funcionais surgiu a partir da necessidade do cirurgião de dobrar as mangas.

Quíton
Vestimenta drapejada feito de uma única peça de tecido, usada tanto por homens quanto por mulheres no período clássico.

Recorte
Técnica decorativa feita na manga ou na bainha segundo a qual a ponta do tecido é recortada de acordo com um padrão, que pode ser uma onda, concha ou folha.

Redingote
Casaco utilitário usado originalmente para montar a cavalo; evoluiu para uma peça de alfaiataria no século XIX.

Resort wear
Refere-se ao vestuário criado para ser usado por clientes ricos em viagens para locais mais quentes durante o inverno. Também conhecido como *cruise wear*.

Retícula
Pequena bolsa fechada por cordões, precursora da bolsa de mão.

Robe à l'anglaise
Vestido formal usado na Inglaterra no século XVIII na época em que a França privilegiava o mais informal *robe volante*. Ele tinha um corpete ajustado e uma saia ampla, sem as pregas decorativas atrás.

Robe à la française
Evolução do *robe volante*, mas com pregas menores descendo do decote e um corpete ainda mais apertado.

Robe à la polonaise
Usado no século XVIII, também conhecido como *robe retroussée*, era caracterizado pelos franzidos criados pelo levantamento de partes da saia em três ou quatro pontos.

Robe de style
Alternativa ao básico vestido chemisier dos anos 1920, esse traje tinha como característica a saia ampla a partir de um corpete reto e simples.

Robe volante
Estilo de vestido folgado do início do século XVIII caracterizado pelo uso extensivo de tecido que é amarrado em pregas quadradas nas costas, que depois descem em cascata até o chão.

Rufo
Gola destacável exagerada feita de renda engomada franzida, usada pela elite europeia durante o século XVI.

Salto cubano
Salto largo médio normalmente encontrado em sapatos masculinos; a extremidade traseira do salto é afunilada.

Saia à tirolesa
Originalmente um estilo tradicional das mulheres na Áustria, no qual a saia tem uma pala ajustada. Também popular nos anos 1940, a saia tinha uma costura característica na altura do quadril.

Saia *hobble*
Saia longa e esguia que esteve na moda no início do século XX, cuja abertura muito estreita na altura dos tornozelos dificultava os movimentos.

Salto luís
Tipo de salto alto que se acredita ter sido usado pela primeira vez pelo rei francês Luís XIV. O salto é caracterizado por uma curva côncava e pelo estreitamento na parte externa.

Sapato Oxford
Sapato informal de salto baixo caracterizado pela frente lisa em contraste à parte central, que tem costuras com recortes na gáspea.

Sapeur
Estilo masculino elegante e extravagante que surgiu no Congo e que é composto por ternos de cores berrantes e acessórios.

Semi-windsor
Método de dar nó na gravata com apenas uma volta, produzindo um nó pequeno e elegante.

Shirtwaist
Blusa ou vestido acinturado criado para imitar a modelagem da camisa masculina.

Smoking
Traje semiformal para a noite, geralmente preto e reconhecível pelo uso da faixa de gorgorão, cetim ou seda tanto nas lapelas quanto na costura lateral da calça.

Sobrecasaco
Traje externo medieval de corte amplo usado por homens e mulheres. Também usado por cavalheiros para proteger sua armadura e em geral enfeitado com o brasão de armas do usuário.

Spandex
Fibra sintética também conhecida como elastano e valorizada por sua elasticidade. Geralmente usada em roupas para a prática de esportes.

Spencer
Casaquinho que vai até a cintura surgido no fim do século XVIII e batizado em homenagem a George John Spencer, segundo Duque de Spencer. No período da Regência ele se tornou um popular casaco ajustado usado pelas mulheres.

Tailormade
Conjunto feminino de casaco e saia do período eduardiano.

Tanga
Espécie de faixa de tecido que passa entre as pernas e é presa com um cinto.

Tear de tração
Pequeno tear usado geralmente no cenário doméstico para produzir tecidos.

Terno "saco"
Também conhecido como *lounge suit*, o terno de modelagem confortável foi a roupa-padrão para homens em meados do século XIX e continua a ser usado no século XXI.

Tie-dye
Processo de tingimento no qual o tecido é amarrado com uma corda antes de ser tingido. A corda é desamarrada após a roupa secar, revelando um padrão abstrato.

Tingimento com máscara de cera
Diversas técnicas são usadas para "repelir" ou evitar que o corante alcance todas as áreas do tecido, criando assim um padrão.

Toile
Linho rústico usado para criar moldes de roupas antes que o tecido final, mais caro, fosse usado. O termo se refere ao protótipo da roupa ou ao próprio tecido.

Toque
Chapéu pequeno com aba muito estreita ou sem aba. Esse termo também é empregado para designar o chapéu do cozinheiro.

Trama
Conjunto de fios que se cruzam com os da urdidura, no sentido transversal de um tecido.

Tricô raschel
Técnica de tricotagem de trama de malha que cria um tecido solto com aparência rendada de ponto aberto.

Trompe l'oeil
Termo francês que, em sentido literal, significa "engana olho" e que designa o efeito no qual um objeto é tomado por outro por meio do uso de ilusão de ótica.

Tule
Tecido bem leve que forma uma rede delicada, em geral usado para figurinos de balé ou vestidos de noiva.

Urdidura
O conjunto dos fios dispostos longitudinalmente no tear e pelos quais passa o fio da trama.

Vestido-bandagem
Vestido ajustado ao corpo feito de faixas de tecido elástico costuradas umas às outras.

Vestido-saco
Veja *robe à la française*.

Vestido-império
Ver linha império.

Vestido *sheath*
Vestido simples desenhado para se ajustar ao contorno do corpo, com a ajuda de pences na cintura e no busto.

Vestido-trapézio
Ver linha trapézio.

Vest
Nos Estados Unidos este termo geralmente se refere ao colete, mas na Inglaterra ele significa uma roupa de baixo usada sob a camisa para protegê-la do suor.

Wrapper
Versão ancestral de um roupão ou *housecoat*. Também se refere ao traje da África Ocidental que inclui uma saia de pano enrolada.

Yuzen
Técnica de tingimento com pasta na qual o veludo fica parecido com o brocado; criada no Japão, no século XV.

COLABORADORES

Rio Ali (RA) é escritora e historiadora de moda. Após concluir o curso de história e teoria de moda no Central Saint Martins College of Art and Design, fez mestrado em crítica de arte e design no Royal College of Art. Também é arquivista das tradicionais marcas britânicas Burberry e Margaret Howell.

Emily Angus (EA) é mestre em design e história da cultura material, além de palestrante sobre teoria de design gráfico e moda. Trabalha ainda como editora e designer na Yale University Press.

John Angus (JA) é professor assistente na Universidade de Derby na área de design e tecnologias criativas para aplicações têxteis, arquitetônicas e de moda. Dirigiu programas universitários e colaborou em pesquisas da Universidade John Moores, de Liverpool, bem como no Royal College of Art e no Central Saint Martins College of Art and Design, além de também atuar como consultor de inovações e design.

Dr. Malcolm Barnard (MB) é palestrante de cultura visual na Universidade Loughborough, onde leciona história e teoria da arte e design. Formado em filosofia e sociologia, é autor de *Fashion as Communication*, *Art, Design and Visual Culture*, *Approaches to Understanding Visual Culture* e *Graphic Design as Communication*. Editou também *Fashion Theory*.

Isla Campbell (IC) cursou história medieval e moderna na Universidade de Birmingham, fez mestrado em arqueologia medieval na Universidade de York e em pesquisa histórica no King's College, de Londres. Iniciou sua carreira na Society for the Protection of Ancient Buildings (Sociedade Protetora de Edificações Antigas) e desde então tem trabalhado na área de pesquisa social, inclusive como gerente de pesquisa na Heritage Lottery Fund.

Dra. Rosemary Crill (RC) é curadora sênior do departamento asiático do Victoria & Albert Museum, especializada em tecidos e pinturas indianas. Entre os trabalhos publicados, *Indian Ikat Textiles*, *Marwar Painting: A History of the Jodhpur Style*, *Chintz: Indian Textiles for the West* e *The Indian Portrait 1560-1860*. Ela também contribui para muitos outros catálogos e periódicos.

Jane Eastoe (JE) é jornalista e escritora. Trabalhou na imprensa de moda e escreveu dois livros sobre o tema: *Fabulous Frocks*, em coautoria com Sarah Gristwood, e *Elizabeth: Reigning in Style*. Também produziu livros ligados a séries televisivas da BBC e trabalhou em várias obras da lista da National Trust Books.

Dra. Blenda Femenias (BF) obteve um ph.D. em antropologia cultural e é palestrante na Universidade Católica da América. Especialista em gêneros, raças e grupos étnicos da América Latina, realizou pesquisas nos Andes. Entre seus livros, *Gender and the Boundaries of Dress in Contemporary Peru*. Coeditou com Margot Schevil a *Berg Encyclopedia of World Dress and Fashion: Volume 2 – Latin America and the Caribbean*.

Marnie Fogg (MF) é especialista em moda e consultora de mídia sobre todos os aspectos da indústria têxtil e de moda. Escreveu 11 livros sobre moda, entre eles *Boutique: A 60's Cultural Phenomenon*, *Print in Fashion*, *Couture Interiors* e *Fashion Design Directory*.

Dra. Alexandra Green (AGr) obteve um ph.D. na Escola de Estudos Orientais e Africanos da Universidade de Londres. O foco de sua pesquisa é a arte do Sudeste Asiático, particularmente a de Mianmar. Sua produção inclui três livros: *Burma: Art and Archaeology*, *Eclectic Collecting: Art from Burma in the Denison Museum* e *Rethinking Visual Narratives from Asia: Intercultural and Comparative Perspectives*.

Amelia Groom (AmG) é crítica e professora de arte. Atualmente está concluindo seu ph.D. em história da arte na Universidade de Sydney e editando uma antologia de textos sobre o tempo para a série *Documents of Contemporary Art*, publicada pela galeria Whitechapel e The MIT Press.

Dra. Alison Gwilt (AG) é acadêmica e pesquisadora de design de moda explorando estratégias sustentáveis para a prática do design têxtil e de moda. É a editora dos livros *Shaping Sustainable Fashion* (Desenvolvendo a moda sustentável, pela Earthscan, 2011), *Basics Fashion Design: Sustainable Fashion* e *Fashion Design for Living*. Possui o cargo de docente de moda e sustentabilidade no Centro de Pesquisa de Arte e Design da Universidade de Sheffield Hallam.

Pam Hemmings (PH) é formada e pós-graduada em tecidos construídos e é palestrante nas Universidades de Brighton, de Derby e de Gales. Trabalha também como consultora de design no Nepal, no Tibete e na Índia.

Will Hoon (WH) é professor sênior em história do design na Universidade de Northampton. Leciona e escreve sobre design e tem colaborado com a revista trimestral *Eye: The International Review of Graphic Design*.

Helen Jennings (HJ) estudou no King's College, de Londres, e é estilista e escritora premiada. É editora da revista *Arise*, que celebra a moda, a música, a cultura e a sociedade da África, e é autora de *New African Fashion* sobre estilo e fotografia africana contemporâneos. Contribuiu para numerosas publicações como *i-D*, *The Face*, *Time Out*, *Trace*, *Guardian* e *Grazia*.

Dra. Yuniya Kawamura (YK) possui um ph.D. da Universidade de Columbia e é professora associada de sociologia no Fashion Institute of Technology da Universidade Estatal de Nova York. Leciona e escreve sobre moda, particularmente as subculturas e a moda de rua japonesas.

Dr. Alistair Knox (AK) leciona na Universidade Nottingham Trent desde 1995 e acumula uma experiência de mais de 20 anos na indústria têxtil e de moda. Sua pesquisa abrange uma vasta área de temas gerenciais e de tecnologia avançada relacionados à indústria da moda, entre os quais projetos como a pesquisa de escaneamento do corpo SizeUK 3-D e as principais iniciativas dos Estados Unidos, como o E-Tailor e o Servive.

Dra. Malika Kraamer (MK) é pesquisadora sobre moda global e tecidos africanos. Obteve um ph.D. na Escola de Estudos Orientais e Africanos da Universidade de Londres. Como curadora de culturas do mundo no Arts and Museum Services, em Leicester, realizou a exposição "Suits and Saris" da Olimpíada Cultural sobre a interação entre a moda britânica e a moda da África Oriental e do sul da Ásia. Publicou vários artigos sobre roupas e tecidos da África Ocidental em uma série de títulos, entre eles *African Art, Material Religion* e *Afrique: Archéologie et Arts*.

Eric Musgrave (EM) tem escrito extensamente sobre a indústria da moda desde 1980. Em 1985, era o editor da revista *For Him* (hoje *FHM*), primeiro lançamento especializado no estilo do homem moderno. Também foi editor da *Drapers*, a maior revista da indústria da moda do Reino Unido, e é autor de *Sharp Suits*, uma história ilustrada da alfaiataria masculina.

Dra. Ilya Parkins (IP) é professora assistente de estudos de gênero e da mulher na Universidade de British Columbia (Okanagan). Seu trabalho interdisciplinar é focado na teoria da moda, nas formações culturais do início do século XX e no pensamento feminista. É autora de *Poiret, Dior and Schiaparelli: Fashion, Femininity and Modernity* (Poiret, Dior e Schiaparelli: Moda, feminilidade e modernidade, pela Berg, 2012) e coeditora de *Cultures of Femininity in Modern Fashion*. Escreveu para várias publicações da área de feminismo e teoria cultural.

Dra. Regina Root (RR) é reconhecida professora associada de línguas e literaturas modernas do College of William and Mary (Virginia, Estados Unidos). Escreveu e editou diversos trabalhos sobre moda e produção cultural, como *The Latin American Fashion Reader* e *Couture and Consensus: Fashion and Politics in Postcolonial Argentina*. Colabora regularmente com designers e intelectuais latino-americanos afiliados à iniciativa transnacional de design Raíz Diseño.

Dra. Jennifer Scarce (JS) é professora honorária de culturas do Oriente Médio no Duncan of Jordanstone College of Art and Design da Universidade de Dundee e ex-curadora sênior de coleções do Oriente Médio no Museu Nacional da Escócia. Viajou por todo o Oriente Médio, fez a curadoria de várias exposições e escreveu sobre a arquitetura, a indumentária e os tecidos dessa região. Publicou livros sobre o vestuário do Irã e da Turquia, e a história do vestuário urbano no Marrocos. Catalogou também as coleções dos azulejos Iranianos do século XIX no Victoria & Albert Museum.

Dr. Toby Slade (TS) é professor associado da Universidade de Tóquio e pesquisa a modernidade asiática e a história e a teoria de moda. Seu foco são as reações à modernidade observadas nos objetos do dia a dia e as dinâmicas determinantes dos sistemas de moda. Ele é autor de *Japanese Fashion* (Moda japonesa, pela Berg, 2009), que abrange a moda e o vestuário do Japão desde os tempos ancestrais até a atualidade.

Dawne Stubbs (DS) trabalhou na indústria de moda por mais de 20 anos em cargos na área de design e como diretor de criação de marcas. Atuou em marcas tradicionais exclusivas como John Smedley, Pretty Polly e Barbour.

Dra. Laurie Webster (LW) é antropóloga e especialista em tecidos do sudoeste dos Estados Unidos. É pesquisadora visitante do Departamento de Antropologia da Universidade do Arizona e pesquisadora assistente do Museu Americano de História Natural. *Beyond Cloth and Cordage: Archaeological Textile Research in the Americas* e *Collecting the Weaver's Art: The William Clafl in Collection of Southwestern Textiles* são alguns de seus livros.

Ming Wilson (MW) tem mestrado pela Escola de Estudos Orientais e Africanos da Universidade de Londres e é curadora sênior do departamento asiático do Victoria & Albert Museum. Organizou a exposição *Imperial Chinese Robes from the Forbidden City* (2010) e editou o respectivo catálogo.

Dra. Philippa Woodcock (PW) é especialista no início da história moderna, principalmente a Milão francesa do século XVI. Trabalhou em projetos interdisciplinares, como The Material Renaissance (University of Sussex), The Renaissance Pharmacy (Queen Mary, University of London) e The Parish Church and the Landscape (Oxford Brookes University).

CITAÇÕES

INTRODUÇÃO

p. 9, "'a lenda francesa' de que todas as roupas bonitas... e todas as mulheres as desejam". *Fashion is Spinach*, de Elizabeth Hawes, Nabu Press, 2010.

p. 13, "A moda é um território perigoso... do ser humano." Miuccia Prada é citada na *The Sunday Times Magazine*, 21 de abril de 2012.

p. 14, "Por que estilistas brilhantes, uma estirpe notoriamente não analítica... a vanguarda." *Era dos extremos*, de Eric Hobsbawm, Companhia das Letras, 2008.

CAPÍTULO 1

p. 19, "a autoridade máxima... vida de luxo". *Anais*, de Tácito, Ediouro, 1998.

p. 31, "não faziam qualquer tentativa... rostos lindamente maquiados". *Tang History*, também conhecido como *Book of Tang*, Seção de Vestuário, Liu Xu.

p. 34, "envolta em névoa e nuvens". *Notes by an Old Scholar* (Lao Xue An Bi Ji), capítulo 6, Lu You.

p. 35, "nenhuma mulher podia de fato jurar que não estava nua". *The China Dream: The Quest for the Last Great Untapped Market on Earth*, de Joe Studwell, Grove Press, 2003.

pp. 36-37, "Nesse dia... bem pouco inspiradoras." *The Diary of Lady Murasaki*, de Shikibu Murasaki (trad. Richard Bowring), Penguin, 1996.

p. 38, "a lua... esconder". *The Diary of Lady Murasaki*, de Shikibu Murasaki (trad. Richard Bowring), Penguin, 1996.

pp. 38-39, "Quando chegava a noite... que a ocultava." *O livro de travesseiro*, de Sei Shonagon, Tomo Editorial, 2008.

p. 47, "muitos golpes... quanto de mulheres". "O conto de Parson", de *Os contos de Cantuária*, de Geoffrey Chaucer, T. A. Queiroz, 1991.

p. 49, "qualquer fazenda... condessas". *Statutes of Apparel* (nº 16), Rainha Elizabeth I, 1574.

p. 50, "recheados, forrados... abaixar". *Anatomia dos abusos*, de Philip Stubbes, 1583.

p. 59, "Agora me acompanhem... da seda e do cetim." *The Turkish Letters of Ogier Ghiselin de Busbecq*, de O. Ghiselin de Busbecq, Oxford University Press, 1927.

p. 60, "Como é possível... atlas branca?" *Ipek, Imperial Ottoman Silks and Textiles*, de Nurhan Atasoy, Walter B. Denny, Louise W. Mackie e Hulya Tezcan, Azimuth Editions, 2001.

CAPÍTULO 2

p. 80, "O frio... mais deleite." *Winter*, de Wenceslaus Hollar, 1643.

p. 81, "virou moda... o rosto inteiro". *The Diary of Samuel Pepys*, de H.B.W. Brampton (org.), Hayes Barton Press, 2007.

p. 89, "É preciso sofrer para ser rainha" (*il faut souffrir quand on est reine.*). "À Versailles l'habit fait le roi et la cour", de Berenice Geoffroy Schneiter em *L'Oeil* (612), 2009.

p. 90, "Hoje... a perna de um pombo." *The Diary of Samuel Pepys*, de H.B.W. Brampton (org.), Hayes Barton Press, 2007.

p. 91, "inspirado na moda persa". *The Diary of John Evelyn*, de Guy de la Bédoyère (org.), The Boydell Press, 1995.

p. 107, "que até hoje... proporções de verdade". *The Gentleman's Magazine, and Historical Chronicle*, Vol. 19, E. Cave, 1749.

CAPÍTULO 3

p. 139, "expressar... condição moral". *La Moda, Couture and Consensus: Fashion and Politics in Postcolonial Argentina* é citado por Regina Root, University of Minnesota Press, 2010.

p. 139, "Nossas modas... estilo europeu". *La Moda, Couture and Consensus: Fashion and Politics in Postcolonial Argentina* é citado por Regina Root, University of Minnesota Press, 2010.

p. 139, "Nosso século... progresso." *El Iniciador*, de Miguel Cané, é citado em *Fashioning the Body Politic: Dress, Gender, Citizenship*, de Wendy Parkins, Berg, 2002.

p. 140, "chapéus ingleses... luvas... amarelas". *The British Packet*, 6 de abril de 1830, nº 346, vol. 7.

p. 154, "No país... cavalheiro mais bem-vestido". *Sharp Suits*, de Eric Musgrave, Anova Books, 2010.

pp. 156-157, "Na vestimenta... mais criticada." *The Duke of Windsor: A Family Album*, citado por Eduardo VIII, Cassell & Co., 1960.

p. 159, "garçons de um restaurante de segunda categoria". *Sharp Suits*, de Eric Musgrave, Anova Books, 2010.

p. 173, "o garoto de Lincolnshire... área de excelência". *The Times*, 12 de março de 1895.

p. 199, "se usassem... sexo oposto", Beatrice Behlen é citada em "Lady Duff Gordon: Fashion's Forgotten Grande Dame", *The Telegraph*, 21 de fevereiro de 2011.

p. 199, "seduzir as mulheres... podiam pagar", *Discretions and Indiscretions*, de Lady Duff Gordon, Stokes, 1932.

CAPÍTULO 4

p. 225, "O 'Ford' de Chanel... o mundo inteiro vai usar". *Vogue US*, outubro de 1926.

p. 234, "composições livres, não objetivas... em seus tecidos", "Iskusstvo v tkani", Iskusstvo odevatsia, D. Aranovich, Leningrado, nº 1, 1928, é citado em "Constructivist Fabrics and Dress Design", de N. Adaskina, *The Journal of Decorative and Propaganda Arts*, Vol. 5, edição temática russa/soviética (verão de 1987).

p. 234, "não existia um tipo único de roupa... específica", Varvara Stepanova é citada em *Iz istorii sovetskogo kostiuma*, de T. Strizhenova, Sovetskii khudozhnik, 1972.

pp. 234-235, "no ramo do vestuário, os artistas devem tomar a iniciativa... nossa vida profissional". Nadezhda Lamanova é citada em *Bolshevik culture: Experiment and Order in the Russian Revolution*, de Richard Stites, Abbott Gleason.

p. 235, "democrático... estilo proletário", "Constructivist Fabrics and Dress Design", de Natalia Adaskina, *The Journal of Decorative and Propaganda Arts*, Vol. 5, edição temática russa/soviética (verão de 1987).

p. 264, "houve um rebuliço... na hora". *Shocking life*, de Elsa Schiaparelli, Dutton, 1954.

p. 267, "Seu guarda-roupa não está completo... lindo corte." *Vogue*, novembro de 1939.

p. 267, "tirou imediatamente... fotografada". *It Isn't All Mink*, de Ginette Spanier, Random House, 1960.

p. 277, "A influência de Paris... fabricá-las." Clare Potter citada em *Fashion Is Our Business*, de Beryl Williams, Lippincott, 1945.

p. 277, "tornando-os... mais americanos". Claire McCardell citada em *Fashion is Our Business*, de Beryl Williams, John Gifford Ltda., 1948.

p. 281, "gosta de tailleurs... música bem orquestrada". *Fashion Is Our Business*, de Beryl Williams, Lippincott, 1945.

p. 289, "A duquesa... de se ver." *Always in Vogue*, de Edna Woolman Chase e Ilka Chase, Doubleday, 1954.

CAPÍTULO 5

p. 298, "Desenhei... elaborado trabalho." *Dior by Dior: The Autobiography of Christian Dior*, de Christian Dior, V&A, 2007.

p. 303, "um uso estupidamente exagerado de materiais". Mabel Ridealgh é citada em *Austerity Britain 1945-51*, de David Kynaston, Bloomsbury, 2008.

p. 321, "Se uma garota... uma extra." *Edith Head: the Life and Times of Hollywood's Celebrated Costume Designer*, de David Chierichetti, HarperCollins, 2004.

p. 327, "três fundamentos do bem-vestir", *O pequeno dicionário de moda: um guia do bem-vestir para toda mulher*, de Christian Dior, Martins Fontes, 2009.

p. 356, "Nesta primavera... de entusiasmo diferentes." *Time*, 5 de abril de 1966.

p. 356, "... impetuosa nova estirpe de estilistas britânicos". *Time*, Clair Maxwell, 1963, é citada em *Boutique, a 60's Cultural Phenomenon*, Marnie Fogg, Mitchell Beazley, 2003.

p. 372, "uma fantasia de genialidade primitiva... expor a barriga". *Harper"s Bazaar*, março de 1967.

p. 385, "Para uma mulher... para sempre." *Fifty Fashion Looks that Changed the 1960s*, Yves Saint Laurent é citado por Paula Reed, Hachette, 2012.

p. 401, "Tudo que tive... feminilidade." *A Signature Life*, Diane Von Furstenberg, Simon & Schuster, 1998.

p. 419, "guerrilha urbana", *Vivienne Westwood*, de Claire Wilcox, V&A, 2004.

pp. 420-421 "Quando comecei... de roupas." Entrevista de Claude Montana, *Encens*, nº 25, 2010.

p. 421, "As minhas roupas são as ideias dos homens do que as mulheres deveriam vestir... o que querem." Antony Price é citado em *Vogue*, julho de 1994.

p. 442, "A década... dinheiro gasto em moda." *The Fashion Conspiracy*, de Nicholas Coleridge, Harper & Row, 1988.

p. 443, "mulheres de 'certa idade'... Elas eram o raio X". *A fogueira das vaidades*, de Tom Wolfe, Rocco, 1988.

p. 443, "Os Reagan trarão de volta... deveria ter." *1980s Fashion Print: A Sourcebook*, Oscar de la Renta é citado por Marnie Fogg, Batsford, 2009.

p. 456, "Suspire e... cetim duchese vermelho." *The Fashion Conspiracy*, de Nicholas Coleridge, Harper & Row, 1988.

CAPÍTULO 6

p. 483, "...não é preciso... roupas", Bill Clinton citado por Joseph Rosa em *Glamour: Fashion, Industrial Design, Architecture*, San Francisco Museum of Modern Art, 2004.

p. 551, "Era um vestido bem prático e confortável... ou de noite." Duro Olowu citado em *New African Fashion*, de Helen Jennings, Prestel, 2011.

ÍNDICE

As páginas em **negrito** se referem às fotos e ilustrações.

CRÉDITOS DE FOTOS E ILUSTRAÇÕES

Os editores gostariam de agradecer aos museus, galerias, colecionadores, arquivos e fotógrafos por sua gentil permissão de reproduzir as obras apresentadas neste livro. Nos casos em que as dimensões foram omitidas, elas não estavam disponíveis. Não medimos esforços para localizar todos os proprietários dos direitos autorais, mas, caso algum tenha sido inadvertidamente omitido, os editores gostariam de tomar as medidas necessárias na primeira oportunidade. (Legenda: **em cima = a; centro = c; embaixo = b; painel = p**)

8 Popperfoto/Getty Images **9** Roger-Viollet/TopFoto **10** © 2012. Direitos autorais da imagem The Metropolitan Museum of Art/Art Resource/Scala, Florença **11** © 2012. Direitos autorais da imagem The Metropolitan Museum of Art/Art Resource/Scala, Florença **12** © 2012. Imagem digital, The Museum of Modern Art, Nova York/Scala, Florença **13** Condé Nast Archive/Corbis. **15** Andreas Gursky/Cortesia da Sprüth Magers Berlin London/© DACS, Londres 2012. **16-17** fotoLibra **18** Getty Images **19** Getty Images/SSPL **20** Getty Images **21 a** © The British Library Board **21 b** La Société française de photographie **22** FotoLibra **24** Getty Images/SSPL **26** © National Media Museum/Science & Society Picture Library **27** Cortesia de Jenny Jacobson **28** Bibliothèque nationale de France **29 a** Getty Images/SSPL **29 b** Cortesia de George Eastman House, International Museum of Photography and Film **30** The J. Paul Getty Museum, Los Angeles **32** Cortesia de George Eastman House, International Museum of Photography and Film **34** Getty Images/SSPL **35** Cortesia de George Eastman House, International Museum of Photography and Film **36** Louis Dodier en prisonnier/Humbert de Molard Louis Adolphe/© RMN-GP/Hervé Lewandowski/Musée d'Orsay **37** © The British Library Board **38** Museum für Kunst und Gewerbe Hamburg **40** P1999.13, Amon Carter Museum of American Art, Fort Worth, Texas **42** Getty Images/SSPL **43** Scottish National Portrait Gallery **44** © Victoria and Albert Museum, Londres/V&A Images — Todos os direitos reservados. **45** © 2012 Direitos autorais da imagem The Metropolitan Museum of Art/Art Resource/Scala, Florença **46** © 2012 Direitos autorais da imagem The Metropolitan Museum of Art/Art Resource/Scala, Florença **48** © 2012 Direitos autorais da imagem The Metropolitan Museum of Art/Art Resource/Scala, Florença **50** The J. Paul Getty Museum, Los Angeles **51** The Royal Collection © 2011 Sua Majestade Rainha Elizabeth II/The Bridgeman Art Library International **52** The J. Paul Getty Museum, Los Angeles **54 a** Roger-Viollet/TopFoto **54 b** © 2012 Direitos autorais da imagem The Metropolitan Museum of Art/Art Resource/Scala, Florença **55** Musée du quai Branly/Scala, Florença **56** Scottish National Portrait Gallery **58** © 2012 Direitos autorais da imagem The Metropolitan Museum of Art/Art Resource/Scala, Florença **59** © 2012 Direitos autorais da imagem The Metropolitan Museum of Art/Art Resource/Scala, Florença **60** Getty Images/SSPL **62** © Victoria and Albert Museum, Londres/V&A Images — Todos os direitos reservados. **63** Getty Images **64** Getty Images/SSPL **66 a** © Victoria and Albert Museum, Londres/V&A Images — Todos os direitos reservados. **66 b** © Victoria and Albert Museum, Londres/V&A Images — Todos os direitos reservados. **67** © Victoria and Albert Museum, Londres/V&A Images — Todos os direitos reservados. **68** © Rheinisches Bildarchiv Köln, rba_c012098, rba_c020927 **70** Cortesia de The Art Institute of Chicago. **71** Getty Images/SSPL **72** © 2012 Direitos autorais da imagem The Metropolitan Museum of Art/Art Resource/Scala, Florença **74** Bibliothèque des arts decoratifs, Paris **75** Le Stryge/Nègre Charles/© RMN-GP/Hervé Lewandowski/Musée d'Orsay **76** Paysage à Rome/Le Dien Firmin Eugène/© RMN-GP/Patrice Schmidt/Musée d'Orsay **77** © 2012 Direitos autorais da imagem The Metropolitan Museum of Art/Art Resource/Scala, Florença **78** The Royal Society, Londres **80** Yale University Art Gallery/Art Resource/Scala, Florença **82** Nu féminin allongé/Moulin Félix Jacques Antoine/© RMN-GP/Hervé Lewandowski/Musée d'Orsay **83** Cortesia da Coleção Dietmar Siegert **84** Bibliothèque nationale de France **86-87** © Victoria and Albert Museum, Londres/V&A Images — Todos os direitos reservados. **88** © 2012 Imagem digital, The Museum of Modern Art, Nova York/Scala, Florença. **89 a** © Victoria and Albert Museum, Londres/V&A Images — Todos os direitos reservados. **89 b** Scottish National Portrait Gallery **90** © Victoria and Albert Museum, Londres/V&A Images — Todos os direitos reservados. **92** Getty Images/SSPL **93** Bibliothèque nationale de France **94** Cortesia do Peabody Essex Museum, Salem, Massachusetts **96** © Victoria and Albert Museum, Londres/V&A Images — Todos os direitos reservados. **97 a** © 2012 Direitos autorais da imagem The Metropolitan Museum of Art/Art Resource/Scala, Florença **97 b** The Metropolitan Museum of Art/Art Resource/Scala, Florença **98** Getty Images **100** © Victoria and Albert Museum, Londres/V&A Images — Todos os direitos reservados. **101** © 2012 Direitos autorais da imagem The Metropolitan Museum of Art/Art Resource/Scala, Florença **102** © 2012 Direitos autorais da imagem The Metropolitan Museum of Art/Art Resource/Scala, Florença **103 a** © 2012 Imagem digital, The Museum of Modern Art, Nova York/Scala, Florença. **103 b** Paris, Musée d'Orsay. © 2012. Photo Scala, Florença **104** © National Portrait Gallery, Londres **106** Bibliothèque nationale de France **108 a** Gernsheim Collection, Harry Ransom Humanities Research Center, The University of Texas at Austin **108 b** © Victoria and Albert Museum, Londres/V&A Images — Todos os direitos reservados. **109** © Victoria and Albert Museum, Londres/V&A Images — Todos os direitos reservados. **110** © 2012 Direitos autorais da imagem The Metropolitan Museum of Art/Art Resource/Scala, Florença **112** © Royal Photographic Society/National Media Museum/Science & Society Picture Library — Todos os direitos reservados. **113** The J. Paul Getty Museum, Los Angeles **114** Bibliothèque nationale de France **115 a** © Royal Academy of Arts, Londres; fotógrafo J. Hammond **115 b** The J. Paul Getty Museum, Los Angeles **116** © NMPFT/Royal Photographic Society/Science & Society Picture Library — Todos os direitos reservados. **118** © Victoria and Albert Museum, Londres/V&A Images — Todos os direitos reservados. **120** Cortesia de George Eastman House, International Museum of Photography and Film **121** The J. Paul Getty Museum, Los Angeles **122** Getty Images/SSPL **124** Imagem por cortesia do Art Institute of Chicago. Permissão concedida por Mr Paul F Walter. **125 a** © 2012 Direitos autorais da imagem The Metropolitan Museum of Art/Art Resource/Scala, Florença **125 b** Library of Congress, Prints & Photographs Division, (LC-USZ62-64301) **126** The J. Paul Getty Museum, Los Angeles **128** The J. Paul Getty Museum, Los Angeles **129 a** National Army Museum, Londres/The Bridgeman Art Library **129 b** Gernsheim Collection, Harry Ransom Humanities Research Center, The University of Texas at Austin **130** Cortesia de George Eastman House, International Museum of Photography and Film **132** © 2012 Direitos autorais da imagem The Metropolitan Museum of Art/Art Resource/Scala, Florença **133 a** Musée du Quai Branly/Scala, Florença **133 b** The J. Paul Getty Museum, Los Angeles **134** The J. Paul Getty Museum, Los Angeles **135 p** © 2012 Direitos autorais da imagem The Metropolitan Museum of Art/Art Resource/Scala, Florença **136** © 2012 Direitos autorais da imagem The Metropolitan Museum of Art/Art Resource/Scala, Florença **137** Scottish National Portrait Gallery **138** ullstein bild/akg-images **140** Petrie Museum/University College London **141** © 2012 Imagem digital, The Museum of Modern Art, Nova York/Scala, Florença. **142** Cortesia de George Eastman House, International Museum of Photography and Film **143 b** Getty Images **143 a** © The British Library Board **144** Kingston Museum & Heritage Service **146** Wellcome Collection **148** IMAGNO/Austrian Archives/akg-images **149** Getty Images **150** © 2012 Imagem digital, The Museum of Modern Art, Nova York/Scala, Florença. **151** Library of Congress, Prints and Photographs Division, LC-USZ62-76959 **152** © John Thomson/the Museum of London **154** © 2012 Imagem digital, The Museum of Modern Art, Nova York/Scala, Florença. **156** © Victoria and Albert Museum, Londres/V&A Images — Todos os direitos reservados. **157** Cortesia de George Eastman House, International Museum of Photography and Film **158** Cortesia de George Eastman House, International Museum of Photography and Film **159 p** Getty Images/SSPL **160** Getty Images/SSPL **161** Scottish National Portrait Gallery **162 a** Getty Images. © Georgia O'Keeffe Museum/DACS, 2012 **162 b** Getty Images/SSPL **163** © 2012 Imagem digital, The Museum of Modern Art, Nova York/Scala, Florença. Permissão do Estate of Edward Steichen **164** Getty Images/SSPL **166** La Société française de photographie **168-169** © 2012. Imagem digital, The Museum of Modern Art, Nova York/Scala, Florença. © DACS 2012. **170** La Grande Roue des Tuileries/Dubreuil Pierre/© RMN-GP/Jean-Jacques Sauciat/Musée d'Orsay **171** © 2012. Imagem digital, The Museum of Modern Art, Nova York/Scala, Florença. © Georgia O'Keeffe Museum/DACS, 2012 **172** Getty Images/SSPL **174** Getty Images/SSPL **176** Getty Images/SSPL **177** © 2012. Imagem digital, The Museum of Modern Art, Nova York/Scala, Florença **178** The White Trees' CW no.29, 1910. Lee Gallery, Winchester, EUA **179 b** The Philadelphia Museum of Art/Art Resource/Scala, Florença **179 a** © 2012. Imagem digital, The Museum of Modern Art, Nova York/Scala, Florença **180** © 2012 Direitos autorais da imagem The Metropolitan Museum of Art/Art Resource/Scala, Florença/Permissão do Estate of Edward Steichen **182** Getty Images/SSPL. © Georgia O'Keeffe Museum/DACS, 2012 **184** Fotografia de Jacques Henri Lartigue © Ministère de la Culture - França/AAJHL **185** Getty Images/NY Daily News **186** Scott Polar Research Institute, University of Cambridge **188** Getty Images **189** The Art Archive **190** Robert Capa © International Center of Photography/Magnum Photos **192** © 2012. Imagem digital, The Museum of Modern Art, Nova York/Scala, Florença. © Christian Schad Stiftung Aschaffenburg/VG Bild-Kunst, Bonn e DACS, Londres 2012. **193** © 2012. Photo Scala, Florença/BPK, Bildagentur fuer Kunst, Kultur und Geschichte, Berlim. © The Heartfield Community of Heirs/VG Bild-Kunst, Bonn e DACS, Londres 2012. **194** © 2012.

Photo Scala, Florença/BPK, Bildagentur für Kunst, Kultur und Geschichte, Berlim. © DACS 2012. **196** © 2012. Direitos autorais da imagem The Metropolitan Museum of Art/Art Resource/Scala, Florença. Permissão do Estate of Edward Steichen **197** Getty Images/SSPL **198** © 2012. Direitos autorais da imagem The Metropolitan Museum of Art/Art Resource/Scala, Florença. © DACS 2012. **199** b Museum of Fine Arts, Houston, Texas, EUA/ Recursos fornecidos pela Prospero Foundation/The Bridgeman Art Library **199 a** © 2012. Imagem digital, The Museum of Modern Art, Nova York/Scala, Florença. © Man Ray Trust/ADAGP, Paris e DACS, Londres 2012. **200** Getty Images **202** © 2012. Direitos autorais da imagem The Metropolitan Museum of Art/Art Resource/Scala, Florença. © Georgia O'Keeffe Museum/DACS, 2012 **203 p** Coleção Particular/Archives Charmet/The Bridgeman Art Library. © Georgia O'Keeffe Museum/DACS, 2012 204 © 2012. Imagem digital, The Museum of Modern Art, Nova York/Scala, Florença. Espólio Germaine Krull, Museum Folkwang, Essen **205** © 2012 Direitos autorais da imagem The Metropolitan Museum of Art/Art Resource/Scala, Florença **206** © 2012. Direitos autorais da imagem The Museum of Modern Art, Nova York/Scala, Florença **208** © 2012. Direitos autorais da imagem The Metropolitan Museum of Art/ Art Resource/Scala, Florença **209** © 2012 Digital Image, The Museum of Modern Art, Nova York/Scala, Florença **210 b** © 2012. Imagem digital, The Museum of Modern Art, Nova York/Scala, Florença. © Rodchenko & Stepanova Archive, DACS, RAO, 2012 **211** © 2012. Imagem digital, The Museum of Modern Art, Nova York/Scala **212** © Rodchenko & Stepanova Archive, DACS, RAO, 2012 **214** © 2012. Imagem digital, The Museum of Modern Art, Nova York/Scala, Florença **216** © 2012. Imagem digital, The Museum of Modern Art, Nova York/Scala, Florença. © DACS 2012. **217** Bauhaus-Archiv, Berlim **218** © Phyllis Umbehr/Galerie Kicken Berlin/DACS 2012. **219** ullsteinbild/TopFoto. © Albert Renger-Patzsch Archiv/Ann und Jürgen Wilde, Zülpich/VG Bild-Kunst, Bonn/DACS, Londres 2012 **220** © 2012. Imagem digital, The Museum of Modern Art, Nova York/Scala, Florença. © Hattula Moholy-Nagy/DACS 2012 **222** © 2012. Imagem digital, The Museum of Modern Art, Nova York/Scala, Florença **224** © 2012. Imagem digital, The Museum of Modern Art, Nova York/Scala, Florença. © Man Ray Trust/ADAGP, Paris e DACS, Londres 2012. **225** © 2012. Imagem digital, The Museum of Modern Art, Nova York/Scala, Florença.Espólio Germaine Krull, Museum Folkwang, Essen 226 © 2012. Direitos autorais da imagem The Metropolitan Museum of Art/Art Resource/ Scala, Florença **227 b** © 2012. Imagem digital, The Museum of Modern Art, Nova York/Scala, Florença. © Galleria Martini & Ronchetti, Gênova **227 a** © 2012. Direitos autorais da imagem The Metropolitan Museum of Art/Art Resource/Scala, Florença **228** The J. Paul Getty Museum, Los Angeles © Estate of André Kertész/Higher Pictures **230** © 2012. Direitos autorais da imagem The Metropolitan Museum of Art/Art Resource/Scala, Florença © ESTATE BRASSAÏ - RMN **231 p** Indianapolis Museum of Art, USA/Mr and Mrs Richard Crane Fund/The Bridgeman Art Library. © ESTATE BRASSAÏ - RMN **232** The Baltimore Museum of Art: Compra com fundos de intercâmbio da Edward Joseph Gallagher III Memorial Collection; e doação parcial de George H. Dalsheimer, Baltimore, BMA 1988.**432**. © Man Ray Trust/ADAGP, Paris e DACS, Londres 2012. **233** Le Conciliabule/Ubac Raoul/© RMN-GP/Georges Meguerditchian/Centre Pompidou. © ADAGP, Paris e DACS, Londres 2012. **234** Lee Miller Archive **235 a** © 2012. Direitos autorais da imagem The Metropolitan Museum of Art/Art Resource/Scala, Florença. © ADAGP, Paris e DACS, Londres 2012 **235 b** BI, ADAGP, Paris/Scala, Florence. © ADAGP, Paris e DACS, Londres 2012. **236** BI, ADAGP, Paris/Scala, Florença. © Man Ray Trust/ADAGP, Paris e DACS, Londres 2012. **238** Gros orteil/Jacques-André Boiffard/© RMN-GP/Bertrand Prévost/Centre Pompidou **240** © 2012. Imagem digital, The Museum of Modern Art, Nova York/Scala, Florença. © ADAGP, Paris e DACS, Londres 2012 **241** Henri Cartier-Bresson/Magnum Photos **242** © 2012. Imagem digital, The Museum of Modern Art, Nova York/Scala **244** © Christie's Images/Corbis **245** © 2012. Direitos autorais da imagem The Metropolitan Museum of Art/Art Resource/Scala, Florença. © DACS 2012 **246** © 2012. Imagem digital, The Museum of Modern Art, Nova York/Scala, Florença. © Estate of Ilse Bing **247 b** Alinari Archives, Florença **247 a** Cortesia de Sotheby's Picture Library **248** © Jersey Heritage Trust, Reino Unido/The Bridgeman Art Library **250** © 2012. Imagem digital, The Museum of Modern Art, Nova York/Scala, Florença. © DACS 2012. **252** Cortesia de George Eastman House, International Museum of Photography and Film **253** © NMPFT/Royal Photographic Society/Science & Society Picture Library — Todos os direitos reservados **254** © Seattle Art Museum/Corbis. Collection Center for Creative Photography © 1981 Arizona Board of Regents **255** © Estate of André Kertész/Higher Pictures **256** © 2012. Direitos autorais da imagem The Metropolitan Museum of Art/Art Resource/Scala, Florença. © Georgia O'Keeffe Museum/DACS, 2012 **257 p** Yale University **258** Archiv LRP **260** © Victoria and Albert Museum, Londres/V&A Images — Todos os direitos reservados. **261** Telimage, Paris, 2012. © Man Ray Trust/ADAGP, Paris e DACS, Londres 2012. **262** © R. J. Horst **263** The Estate of Erwin Blumenfeld **264** Cortesia de the Cecil Beaton Archive at Sotheby's **266** © Condé Nast Archive/Corbis **268** National Gallery of Australia, Camberra. Comprado em 1983. © Albert Renger-Patzsch Archiv/Ann und Jürgen Wilde, Zülpich/VG Bild-Kunst, Bonn/DACS, Londres 2012 **269 b** Cortesia de Sotheby's Picture Library/Permissão do Estate of Edward Steichen **269 a** © Christie's Images/Corbis **270** Museum of Fine Arts, Houston, Texas, EUA/The Target Collection of American Photography/The Bridgeman Art Library. Paul Outerbridge, Jr. © 2012 G. Ray Hawkins Gallery, Beverly Hills, CA. **272** © Condé Nast Archive/Corbis. Cortesia de Gloria Swanson Inc. **273** Getty Images **274** Getty Images/Weegee (Arthur Fellig)/ International Center of Photography **275 p** © International Center of Photography **276** © 2012. Direitos autorais da imagem The Metropolitan Museum of Art/Art Resource/Scala, Florença. © Estate of the Artist/Cortesia Gallery Kicken Berlin **277** Paul Outerbridge, Jr. © 2012 G. Ray Hawkins Gallery, Beverly Hills, Califórnia **278** © Yevonde Portrait Archive **280** © 1925, 2012 Imogen Cunningham Trust **281** © Ansel Adams Publishing Rights Trust/Corbis **282** Collection Center for Creative Photography © 1981 Arizona Board of Regents **284** Wisconsin Historical Society, WHS-44802 **285** Imagem de E.J. Bellocq © Lee Friedlander, cortesia da Fraenkel Gallery, San Francisco **286** © 2012. Imagem digital, The Museum of Modern Art, Nova York/Scala, Florença **288** Fotografia de Jacques Henri Lartigue © Ministère de la Culture - França/AAJHL **289** Henri Cartier-Bresson/Magnum Photos 290 © 2012. Direitos autorais da imagem The Metropolitan Museum of Art/Art Resource/Scala, Florença © ESTATE BRASSAÏ - RMN 291 © 2012 Imagem digital, The Museum of Modern Art, Nova York/Scala, Florença. © Estate of Helen Levitt **292** © Victoria and Albert Museum, Londres/V&A Images — Todos os direitos reservados. **294** © Berenice Abbott/Commerce Graphics, NYC **296** © 2012 Imagem digital, The Museum of Modern Art, Nova York/Scala, Florença. **297** Getty Images **298** © The Humphrey Spender Archive. U.K. **299 b** © Walker Evans Archive, The Metropolitan Museum of Art. © 2012. Direitos autorais da imagem digital The Metropolitan Museum of Art/Art Resource/Scala, Florença **299 a** The E.O. Hoppé Estate Collection/Curatorial Assistance, Inc. **300** © Die Photographische Sammlung/SK Stiftung Kultur - August Sander Archiv, Köln/VG Bild-Kunst, Bonn e DACS, Londres 2012 **302** Henri Cartier-Bresson/Magnum Photos **304** Prints & Photographs Division, Library of Congress, LC-DIG-ppmsc-00241 305 Getty Images **306** Getty Images **307 b** Prints & Photographs Division, Library of Congress, LC-USZ62-137125 **307 a** Prints & Photographs Division, Library of Congress, LC-USZ62-137125 © Estate of Margaret Bourke-White/Licensed by VAGA, Nova York, NY. 308 © Walker Evans Archive, The Metropolitan Museum of Art. © 2012. Direitos autorais da magem digital The Museum of Modern Art, Nova York/Scala, Florença **309** Coleção Particular **310** Prints & Photographs Division, Library of Congress, LC-USZ62-107705 **312** Coleção Particular/Christie's Images/The Bridgeman Art Library. Cortesia Serge Plantureux **313** © Corbis **314** Time Life Pictures/ Getty Images **315 b** Lee Miller Archive **315 a** Time & Life Pictures/Getty Images **316** Robert Capa © International Center of Photography/Magnum Photos **317** Robert Capa © International Center of Photography/Magnum Photos **318** © Yevgeny Khaldei/Corbis **320-321** © Ernest C. Withers, cortesia do Withers Family Trust **322** Elliott Erwitt/Magnum Photos **323 b** © 2012 Imagem digital The Museum of Modern Art, Nova York/Scala, Florença. © 1946, 2012 The Heirs of W. Eugene Smith **323 a** Getty Images/Gamma-Rapho **324** Getty Images/Gamma-Rapho **326** Werner Bischof/Magnum Photos **327 b** Robert Capa © International Center of Photography/Magnum Photos **327 a** George Rodger/Magnum Photos **328** Henri Cartier-Bresson/Magnum Photos **329 p** Martine Franck/Magnum Photos **330** Museum Folkwang, Essen. Cortesia F.C. Gundlach Foundation **331** Museum Folkwang, Essen **332** National Gallery of Australia, Camberra. Comprado em 1984 **334** Imagem digital 2012 © The Museum of Modern Art, Nova York/Scala, Florença. © Aaron Siskind Foundation, cortesia da Bruce Silverstein Gallery, Nova York. **335** Cortesia Sotheby's Picture Library. Reproduzido com permissão do Minor White Archive, Princeton University Art Museum. © Trustees of Princeton University **336** © The Estate of Ralph Eugene Meatyard, cortesia da Fraenkel Gallery, San Francisco **337** © Emmet and Edith Gowin, cortesia Pace/MacGill Gallery, Nova York **338** © Frederick & Frances Sommer Foundation **339 p** © Frederick & Frances Sommer Foundation **340** © Duane Michals, cortesia Pace/MacGill Gallery, Nova York **341 p** © Duane Michals, cortesia Pace/MacGill Gallery, Nova York **342** © Condé Nast Archive/Corbis **343** © The Museum at FIT **344** Cortesia Staley-Wise Gallery, Nova York **345 b** Cortesia Howard Greenberg Gallery, Nova York **345 a** © Norman Parkinson Limited. Cortesia do Norman Parkinson Archive **346** © Richard Avedon Foundation, Nova York **348** © Norman Parkinson Limited. Cortesia do Norman Parkinson Archive **350** Arnold Newman/Getty Images **351 b** Time & Life Pictures/Getty Images **351 a** ©

National Portrait Gallery, Londres **352** Eve Arnold/Magnum Photos **353** Lichfield/Getty Images **354** © Richard Avedon Foundation, Nova York **356** © Colin Jones. Michael Hoppen Gallery, Londres **358** Susan Meiselas/Magnum Photos **360** © The Estate of Harry Callahan, cortesia Pace/MacGill Gallery, Nova York **361 b** Cortesia Sotheby's Picture Library Reproduzido com permissão do Ruth Bernhard Archive, Princeton University Art Museum.© Trustees of Princeton University **361 a** Getty Images/Gamma-Rapho **362** © Bill Brandt **364** Cortesia Howard Greenberg Gallery, Nova York **365** © Eikoh Hosoe. Cortesia do Studio Equis. **366** Henri Cartier-Bresson/Magnum Photos **367 b** Henri Cartier-Bresson/Magnum Photos **367 p** Coleção Particular/Archives Charmet/The Bridgeman Art Library. © Succession H. Matisse/DACS 2012. **367 c** Henri Cartier-Bresson/Magnum Photos **367 a** Henri Cartier-Bresson/ Magnum Photos **368** © Tod Papageorge, cortesia Pace/MacGill Gallery, Nova York **369** © Lee Friedlander, cortesia da Fraenkel Gallery, San Francisco **370** © Shigeichi Nagano. Cortesia do Studio Equis. **371** © NMPFT/Tony Ray-Jones/Science & Society Picture Library — Todos os direitos reservados. **372** © The Estate of Garry Winogrand, cortesia da Fraenkel Gallery, San Francisco **373 p** © The Estate of Garry Winogrand, cortesia da Fraenkel Gallery, San Francisco **374** © Bettmann/Corbis **375** Topfoto **376** Nick Ut/AP/Press Association Images **377** © Dr Peter Magubane **378** BI, ADAGP, Paris/Scala, Florença. © ADAGP, Paris e DACS, Londres 2012. **380** © Charles Moore/Black Star/eyevine **381** © Ernest C. Withers, cortesia do Withers Family Trust **382** © Robert Frank, cortesia Pace/MacGill Gallery, Nova York **383** © Robert Frank, cortesia Pace/MacGill Gallery, Nova York **384** Bruce Davidson/Magnum Photos **385** © Malick Sidibé. Cortesia André Magnin, Paris **386** Cortesia do artista e Luhring Augustine, Nova York. **388** Cortesia Vladislav Ginzburg **389** Lewis Morley **390** AP/Press Association Images **391** Bruno Barbey/Magnum Photos **392** Josef Koudelka/Magnum Photos **394** Getty Images **396** Cortesia da 303 Gallery, Nova York **397** Cortesia da Howard Greenberg Gallery, Nova York **398** © Eggleston Artistic Trust. Cortesia Cheim & Read, Nova York **400** © Lee Friedlander, cortesia da Fraenkel Gallery, San Francisco e Matthew Marks Gallery, Nova York **401** © Tate, Londres **2012**. © Richard Long. Todos os Direitos Reservados, DACS 2012. **402** Sonnabend Gallery, Nova York **403 p** Sonnabend Gallery, Nova York **404** © 2012. Imagem digital, The Museum of Modern Art, Nova York/Scala, Florença/© Estate of Richard Hamilton. Todos os Direitos Reservados, DACS 2012 **405** © 2012. Imagem digital, The Museum of Modern Art, Nova York/Scala, Florença/© The Andy Warhol Foundation for the Visual Arts/Artists Rights Society (ARS), Nova York/DACS, Londres 2012. **406** Cortesia do artista e Marian Goodman Gallery, Nova York/Paris **407 b** Cortesia do artista e Mitchell-Innes & Nash, Nova York **407 a** © The Estate of Ana Mendieta Collection. Cortesia da Galerie Lelong, Nova York **408** © Ed Ruscha. Cortesia da Gagosian Gallery. **409 p** © Ed Ruscha. Cortesia da Gagosian Gallery. Fotografia de Robert McKeever **410** Imagens cortesia da James Cohan Gallery, Nova York/Xangai. © Estate of Robert Smithson/DACS, Londres/VAGA, Nova York 2012. **411** Images cortesia da James Cohan Gallery, Nova York/Xangai. © Estate of Robert Smithson/DACS, Londres/VAGA, Nova York 2012. **412** Cortesia do artista. Foto de Betsy Jackson. © ARS, NY e DACS, Londres 2012. **413 b** Cortesia da Paula Cooper Gallery, Nova York. © ARS, NY e DACS, Londres 2012. **413 t** Cortesia do artista e Marian Goodman Gallery, Nova York/Paris **414** Cortesia do artista **416-417** © 2004 Olafur Eliasson **418** Cortesia do artista e Trepanier Baer Gallery, Calgary, Alberta, Canadá **419** © Barbara Kruger. Cortesia da Mary Boone Gallery, Nova York **420** Cortesia do artista e Salon 94, Nova York **421** © Jeff Koons **422** Cortesia do artista e Metro Pictures **423 e** Cortesia do artista e Metro Pictures **423 d** Cortesia do artista e Metro Pictures **424** © Richard Prince. Cortesia de Richard Prince and Gagosian Gallery **426** Cortesia de Sotheby's Picture Library © Estate of Robert Rauschenberg. DACS, Londres/VAGA, Nova York 2012 **427** © Peter Fischli/David Weiss, Cortesia da Matthew Marks Gallery **428 a** Cortesia do artista e Marian Goodman Gallery, Nova York. © DACS 2012 **428 b** Cortesia do artista e Hauser & Wirth © Roni Horn **429** Imagem por cortesia da Saatchi Gallery, Londres © Tracey Emin. Todos os direitos reservados, DACS 2012 **430** © Gerhard Richter 2012 **433 b** Cortesia da Paula Cooper Gallery, Nova York. © Sophie Calle. ADAGP, Paris e DACS, Londres 2012. **433 a** Cortesia da Gallery Xavier Hufkens, Brussel, Bélgica. Photo Studio Wurm **434** Cortesia de Zhang Huan **434** Cortesia de Maureen Paley, Londres **436 a** © Nan Goldin **436 b** © The Robert Mapplethorpe Foundation. Cortesia Art + Commerce. **437** Cortesia da Primo Marella Gallery Milão - Pequim **438** Cortesia do artista. **440** © Thomas Struth **441** © Candida Höfer/© DACS 2012. **442** Andreas Gursky/© DACS, Londres 2012. Cortesia de Sprüth Magers Berlin London/© DACS, Londres 2012. **444** Susan Meiselas/Magnum Photos **445 a** Sebastião Salgado/Amazonas Images/nbpictures **445 b** Gilles Peress/Magnum Photos **446** Kevin Carter/Sygma/Corbis **448** © Christopher Killip/Eric Franck Fine Art, Londres **449** Foto, Graham Smith, cortesia de Eric Franck Fine Art, Londres **450** Direitos autorais Anna Fox, cortesia de James Hyman Photography, Londres **451 b** Cortesia de Luc Delahaye & Galerie Nathalie Obadia, Paris/Bruxelas **451 a** Cortesia da Artist and Sprovieri Gallery, Londres/© DACS 2012 **452** © Paul Graham **454** Martin Parr/Magnum Photos **456** Lotty Rosenfeld **457** Museu do Genocídio Tuol Sleng, Phnom Penh, Camboja/Photo Archive Group **458** © Alfredo Jaar. Cortesia da Galerie Lelong, Nova York **459 a** Cortesia de Jonathan Torgovnik **459 b** Cortesia do artista e Sfeir-Semler Gallery Beirute/Hamburg **460** Victor Burgin. Cortesia da Galerie Thomas Zander, Colônia. **462** © Marcelo Brodsky **464** © Chuck Close, cortesia da Pace/MacGill Gallery, Nova York **465** Cortesia de David Zwirner, Nova York. © DACS 2012 **466** Cortesia do artista e Metro Pictures **467 a** Martin Parr/Magnum Photos **467 b** © Albrecht Tübke, de "Citizens" São Francisco 2001 **468** Cortesia de George e Betty Woodman **470** © Annie Leibovtiz/Contact Press Images **472** © Samuel Fosso, Cortesia jean marc patras/galerie, Paris **473** © Faisal Abdu'Allah/Autograph ABP **474** RC print & ink (foto tirada por Cynthia Preston) © Shirin Neshat. Cortesia da Gladstone Gallery, Nova York e Bruxelas **475 a** © o artista. Cortesia do artista e Stephen Friedman Gallery, Londres **475 b** Cortesia do artista e Marian Goodman Gallery, Nova York **476** © Lorna Simpson, Cortesia do artista e Salon94 Nova York. **478** © Nikki S. Lee. Cortesia de Sikkema Jenkins & Co., Nova York **480** The Estate of Larry Sultan **481** Cortesia do artista **482** © Nicholas Nixon, cortesia da Fraenkel Gallery, San Francisco e Pace/MacGill Gallery, Nova York **483** © Nicholas Nixon, cortesia da Fraenkel Gallery, San Francisco e Pace/MacGill Gallery, Nova York **484** Cortesia de Maureen Paley, Londres **485 a** Cortesia do artista e Marian Goodman Gallery, Nova York/Paris **485 b** Mary Ellen Mark **486** © Tierney Gearon **488** Herb Ritts/trunkarchive.com **489** Cortesia de Maureen Paley, Londres **490 a** Terry Richardson/Art Partner **491 a** © Sarah Moon. Michael Hoppen Gallery, Londres **491 b** © Miles Aldridge **492** Corinne Day/Vogue © The Condé Nast Publications Ltd. **494** © The Estate of Bob Carlos Clarke/The Little Black Gallery, Londres **495** © Estate of Jeanloup Sieff **496** © Nobuyoshi Araki **498** Cortesia de Juergen Teller **499** © Estate of Guy Bourdin. Reproduzido com permissão de Art + Commerce. **500** Advertising Archives. Cortesia de Therese Frare **501 p** Cortesia de Therese Frare **502** Philip-Lorca diCorcia/ trunkarchive.com. Cortesia do artista e David Zwirner, Nova York **503** Cortesia do artista **504** © Naoya Hatakeyama. Cortesia da L.A. Galerie — Lothar Albrecht, Frankfurt **506** © Thomas Joshua Cooper, 2011 Cortesia Haunch of Venison, Londres **507** © Jem Southam, cortesia de James Hyman Photography, Londres. **508** Visão da instalação em Lunds Konsthall, Sweden Photo Terje Östling. © 2004 Olafur Eliasson **509** © Abbas Kiarostami. Cortesia da Pari Nadimi Gallery, Toronto **510** © Hiroshi Sugimoto, cortesia da Fraenkel Gallery, San Francisco e Pace/MacGill Gallery, Nova York **511 p** © Hiroshi Sugimoto, cortesia da Fraenkel Gallery, San Francisco e Pace/Macgill Gallery, Nova York **512** © o artista. Cortesia da Matthew Marks Gallery, Nova York e White Cube, Londres **514** © Edward Burtynsky, cortesia de Nicholas Metivier, Toronto/Flowers, Londres **515** Cortesia do artista, Luhring Augustine, Nova York e The Friends of the High Line, Nova York. **516** John Davies © Cortesia Michael Hoppen Gallery **518** © 2012. Imagem digital, The Museum of Modern Art, Nova York/Scala, Florença. Reproduzido por cortesia de Janet Borden, Inc © Jan Groover **519** © Robert Polidori **520** © The Robert Mapplethorpe Foundation. Cortesia de Art + Commerce. **521 p** © The Robert Mapplethorpe Foundation. Cortesia de Art + Commerce. **522** Cortesia do artista **523** © 1981 Sandy Skoglund **524** © James Casebere. Cortesia da Sean Kelly Gallery, Nova York **525** © Joel-Peter Witkin. Cortesia da Catherine Edelman Gallery, Chicago. **526** Cortesia Sikkema Jenkins & Co./© Vik Muniz e Estate of Hans Namuth/VAGA, Nova York/DACS, Londres 2012 **528** © Gregory Crewdson. Cortesia da Gagosian Gallery **530 a** Inez and Vinoodh/trunkarchive.com **530 b** © Anthony Aziz e Sammy Cucher **531** © Kim Joon **532** Cortesia do artista **534** © Abelardo Morell. Cortesia da Bonni Benrubi Gallery, Nova York **535** Cortesia do artista e Cheim and Read, Nova York **536** Cortesia de David Zwirner, Nova York **537** © Garry Fabian Miller. Cortesia de HackelBury Fine Art, Londres **538** © Tate, Londres 2012. © ADAGP, Paris e DACS, Londres 2012. **540** Cortesia do artista e Purdy Hicks Gallery, Londres **542** AP/Press Association Images **543** Com a colaboração de Sally Stein. Cortesia do artista e Galerie Michel Rein, Paris **544** © Joel Meyerowitz, cortesia da Edwynn Houk Gallery, Zurique **545** © Geert van Kesteren **546** Getty Images **548** © Simon Norfolk **550** Andreas Gursky/Cortesia de Sprüth Magers Berlin London/© DACS, Londres 2012. **551** Cortesia do artista e Galerie Michel Rein, Paris **552** Cortesia do artista

A Quintessence gostaria também de agradecer a: Alison Hau, por seu trabalho de design; Philip Contos e Kelly Thompson, pelo trabalho editorial; e Dr. Michael Pritchard, da Royal Photographic Society, que compilou o Glossário.